丹珠文存

藏族文化发展史

卷一下

丹珠昂奔 著

中央民族大学出版社
China Minzu University Press

图书在版编目（CIP）数据

丹珠文存　卷一（上下册）/丹珠昂奔著．—北京：中央民族大学出版社，2019.3重印

ISBN 978-7-5660-0371-3

Ⅰ．①丹…　Ⅱ．①丹…　Ⅲ．①藏族—民族文化—文化史—中国
Ⅳ．①C53②K281.4

中国版本图书馆CIP数据核字（2013）第036117号

丹珠文存　卷一(上下册)

著　　者　丹珠昂奔
责任编辑　雨　山
封面设计　布拉格
出 版 者　中央民族大学出版社
　　　　　北京市海淀区中关村南大街27号　邮编:100081
　　　　　电话:68472815(发行部)　传真:68932751(发行部)
　　　　　　　68932218(总编室)　　　68932447(办公室)
发 行 者　全国各地新华书店
印 刷 者　北京建宏印刷有限公司
开　　本　787×1092(毫米)　1/16　　印张:69.25
字　　数　1200千字
版　　次　2019年3月第2次印刷
书　　号　ISBN 978-7-5660-0371-3
定　　价　208.00元(上下册)

藏族文化发展史

卷一（下）

第三编

藏传佛教文化时期

（8 世纪下半叶 ~20 世纪中叶）

引　　言

以桑耶寺的建立为标志，佛教正式立足吐蕃，在赞普和王室的支持下，使之在短短一段时间内得到了突飞猛进的发展。藏族文化的流向也自此更向，从而造就了藏人千余年来的信佛、崇佛状态。

吐蕃王朝崩溃不久，藏族社会便进入了漫长的分裂时期。分裂时期是以统一王权瓦解后的悉勃野家族的王子王孙们的分裂割据为滥觞的。或者说王系割据对于后期的分裂状态，仍有过渡性质。因为王子王孙们的相互攻伐是想获得新的统一的王权，但是这一状态从此再未出现，代之而起的是以教派为特点的地方政治割据势力。这些势力虽然图求政治的统一，但更注重发展本教派力量，企图通过本教派的力量来统辖全藏。因而壮大本教派成为各派地方势力的神圣使命，藏族社会也由政治割据进入教派割据的时期。这一时期可以分以下三个阶段：

第一阶段，藏传佛教复兴期（公元10世纪）

历史有许多自身发展的共同因素。藏区有两次割据状态的出现与中国境内的大气候相一致。一次是公元10世纪李唐王朝为农民起义所摧毁，形成中国历史上的大分裂时代（公元907～960年），产生统治中原的梁（907～923年）、唐（923～936年）、晋（936～947年）、汉（947～950年）、周（951～960年）五朝，有了环绕中原地区的吴（892～937年）、南唐（937～975年）、吴越（893～978年）、前蜀（891～925年）、后蜀（925～964年）、南汉（905～971年）、楚（896～951年）、闽（893～945年）、南平（907～963年）、北汉（951～979年）等十国。统称五代十国，相互兼并，战火连绵。而吐蕃的人民起义，起于公元9世纪70年代，延续20余年（869～895年以后），达玛吾都赞子云丹、欧松及其子孙相继在卫藏地区建立阿里王系、拉萨王系、亚泽王系、雅砻觉阿王系，朵康地区则形成稍后（11世纪）的唃厮啰政权（王系）和同为藏人系统的西夏王朝。除此之外，吐蕃人民起义后，还形成了以没庐、属庐氏为首的藏堆，以娘氏、朗氏为首的许列莫，以卓氏、玛氏为首的彭波萨丹木，以涅氏、琛氏为首的上雅砻，以尼瓦氏、苏布氏为首的洛扎丹秀，以库氏、涅氏为首的穷结以及多布、工布、列、拉萨等11个地方势力。朵康地区还有一些小的地方割据势力。一则是清末民初的军阀割据时期。从时间上看，这种现象的出现都与旧王朝的解体，新的统一政权尚未建立或新政权尚立足未稳有关。

藏传佛教的复兴，其主要代表事件便是上路弘法（སྟོད་བརྒྱུད་ཀྱི་འདུལ་བ།）和下路弘法（སྨད་བརྒྱུད་ཀྱི་འདུལ་བ།）。据藏文典籍记载，朗达玛灭佛后，100 多年中看不到穿袈裟的僧人。下路弘法是指朗达玛灭佛时，卫藏僧人藏饶赛、约格琼、玛释迦牟尼三人辗转逃到了安多之宗喀德康（ཙོང་ཁ་བདེ་ཁམས།，在今青海省循化县境内）地方，该地有一叫穆苏赛拔的青年要求出家，此人便是后来赫赫有名的喇钦·贡巴饶赛（892～975 年）。后喇钦学成，以丹底（དན་ཏིག）寺为据点，授徒传教。后出自王室的西藏山南桑耶寺主意希坚赞派卢梅·楚臣喜饶等十人到喇钦处学经，学成后返回西藏，广收门徒，修建寺院，使佛教再度兴起。

上路弘法是指朗达玛后裔建立古格王朝的柯日（意西沃）由于虔信佛法，曾派 21 名有培养前途的青少年到克什米尔学习佛法，其中 19 人不适气候而死，唯以后成为大译师的仁钦桑布（958～1055 年）和玛·雷比喜饶得以生还，翻译许多佛教经典。意西沃还请当时著名的印度超岩寺的住持、孟加拉高僧阿底峡（982～1054 年）来藏，在古格托当（མཐོ་ཐིང།）寺传教授法，写成了《菩提道灯论》。阿底峡入阿里传教成为上路弘法的重要标志。

经过上路弘法和下路弘法后，藏境佛教得以复兴（一些文章以 978 年建立托当寺为标志），为后期藏传佛教诸教派的形成奠定了基础。

第二阶段，教派形成期（11 世纪中叶至 1121 年）

一般讲教派形成期应为 11 世纪中叶至 15 世纪，即以 11 世纪中叶赛保且（1003～1064 年）建俄巴隆寺，立宁玛派始至 1409 年宗喀巴建甘丹寺，立格鲁派为终。另外可将其下限定为 1121 年，即宁玛派建立之后，1056 年，仲敦巴嘉吾穷乃（1005～1064 年）修热振寺，立噶当派；1093 年，昆·贡却杰布（1034～1102 年）修萨迦寺，立萨迦派；1121 年，琼保南交巴（976～?）和塔布拉杰分别建香雄寺和岗保寺，立香巴噶举和塔布噶举派。至此，藏传佛教的四大主要教派宁玛、噶当、萨迦、噶举建立，实际上一般意义上的藏传佛教主要教派业已形成。那么，为什么不将 15 世纪后在藏族社会起到主导作用的格鲁派包括其中呢？众所周知，噶当派源于阿底峡，仲敦巴是阿底峡的弟子，奉行阿底峡所倡佛语、佛典是僧人修法成佛的最高准则，行为持守，无一例外。此后噶当派分为教典和教授两派，宗喀巴建立格鲁派后：（1）仍推崇阿底峡，倡导严守戒律，僧俗有别；（2）宗喀巴七岁时在夏琼寺（今青海省化隆回族自治县查甫乡）正式出家，拜该寺寺主噶当派僧人顿珠仁钦为师，故其师承为噶当派；（3）由于以上二原因，宗喀巴创建格鲁派后，噶当派自然地归入此教派，不复单独存在；宗喀巴自己称其教为“新噶当派”；（4）噶当派主要是学习显宗的，但也学习密宗，从修习次第上，主张先学显宗后学密宗，依照阿底峡《菩提道灯论》规定，密宗经典需学作、行、瑜伽、无上瑜伽四部，格鲁派基本沿袭了此类做法，使之更加系统化，强调先显后密，显密双修的修习原则；所学基本经典也大体相似。因此将格鲁派作为噶当派的进一步延伸是在乎情理，无之为过的。

第三阶段，教派执政期（13世纪初至1354年左右）

古今中外，宗教参与政治，追逐世俗权力者屡见不鲜，马丁·路德改革宗教前的欧洲处于中世纪政教合一制度，而藏族社会因其特殊的历史背景，呈现出更为复杂的社会状态。9世纪中叶，统一的吐蕃中央王权丧失后，争逐权力的王子王孙们谁也没再能恢复往日的美梦。代之而起的教派力量，却以勃勃的生机赢得了地区性的民众。从信仰和心理的角度看，往日倾心于王朝号令的民众，都成了“爪玛洛”（吐蕃王朝解体后，东部地区有一些没有接到国王命令的战士，长期滞留在那里）战士，他们希望而等待着王室的命令，而这个命令却永远不会再来了。但是信仰不能存在真空，心理不可能让其停止运转，于是民众将往日对王朝的情感，转而投向宗教。从具体的历史环境考察，藏区自教派产生后的“主教们”并不是“政府使用的工具”，相反，他们却往往是拥有宗教影响后才获得政治权力的地方政府首脑。因而他们的现实做法也往往是让政治更好地为发展宗教服务。

1. 萨迦政权时期

萨迦派的创始人贡却杰布是有名的吐蕃最初剃度的“七试人”之一昆·鲁益旺波的后裔，此派立宗后，可谓人才辈出，“萨迦五祖”贡噶宁布（一祖）、索南孜摩（二祖）、扎巴坚赞（三祖）、萨班（四祖）、八思巴（五祖）均有成就，闻名遐迩。

从传承上看，贡却杰布早年学习宁玛派教法，后向卓弥·释迦意希学习“道果”法，以家庭形式传承，至四祖萨迦班智达贡噶坚赞（1182～1251），声名日盛，已成集政治、宗教、经济权力于一体的地方势力。恰于此时蒙古军事帝国突然崛起北方，1211年消灭金帝国，1215年陷北京，后用兵欧洲，声威显赫。1238～1239年时，蒙古军队由大将多达那波率领攻入西藏，兵至藏北热振寺。藏人已虔信佛法，诸教派中尤以萨迦声望卓著，多达那波遂建议驻守凉州的成吉思汗孙阔端邀请萨迦教主到凉州会晤。萨班到凉州后写了著名的《告蕃人书》，劝告西藏地方政教首领，放弃抵抗，归顺蒙古。自此西藏归入中国版图，萨迦教派受到蒙古贵族优遇，成为西藏地区的实际领袖，统管政教事务。后萨班辞世凉州，八思巴被忽必烈封为国师、帝师、大宝法王、总制院事等职衔名号，其弟恰那多杰（娶阔端女为妻）封为“白兰王”。后八思巴制蒙古新字，为忽必烈及王室传教授戒多有贡献，元王朝将乌斯藏13万户赏赐八思巴。从13世纪中叶至14世纪中叶，萨迦系统中出任元王朝帝师的就有十三四人之多。随着元王朝的衰败，萨迦政权内部矛盾也日趋激烈。后帕木竹巴兴起山南，萨迦维护了近百年的统治也为之取代。

2. 帕竹政权时期（1354年至1618年）

这一政权大体经历了如下三个阶段：

（1）发展期

帕木竹巴是达布噶举的一支，源于多吉杰波（1110～1170年）。作为政权形态的出现，是在出自山南著名的贵族朗氏家族的扎巴迥乃（1175～1255）受止贡巴邀请担任丹萨替寺主以后，扎巴迥乃集政教大权于一身。后其侄扎巴仁钦主持丹萨替寺时兼任万户长，并将赤本（ཁྲི་དཔོན།，万户长）改为喇本（བླ་དཔོན།，政教长官），从名称和形式完全施行政教合一。当然，此时的帕木竹巴政权还是处于帕竹万户长的地位，是西藏十三万户长之一，并不拥有对整个西藏的控制权。

（2）兴盛期（1354～1432年）

1322年，扎巴仁钦的侄子绛曲坚赞（1302～1364年）废坚赞吉而自任帕竹万户长，使帕竹政权逐步走向鼎盛时期。绛曲坚赞具有政治、军事才能，他以寡敌众，击败了萨迦本钦为首的各万户联军，占领萨迦属地，将乌斯藏大部分土地掌握在自己手中；又派使者朝贡元王朝。此时元廷已趋衰微，承认此现实，封绛曲坚赞为大司徒，赐印信，令其子孙世袭。绛曲坚赞在发展农牧业，制定法律，加强政府行政管理方面颇有建树。如设立宗及宗本（རྫོང་དཔོན།）等基层行政单位及官员等，对西藏后期政治产生了一定影响。

自这位9岁出家、20岁任万户长的政治家、军事家辞世后，帕竹政权尚经过了一段旺盛的发展时期，政治、经济、文化、艺术等都得到良好的运行，至第五代领袖阐化王扎巴坚赞去世后，帕竹政权迅速进入颓势。

（3）衰落期（1432～1618年）

绛曲坚赞考虑到帕竹政权的长久永固，在朗氏家族内部设立政教合一的三大支柱：一为宗教首脑的丹萨替寺座主；一为握有政治大权的内邬栋第悉（སྡེ་སྲིད།），袭朝廷所封阐化王；一为保证子孙繁衍的传嗣系统。前二为僧人担任，后一自然为俗人。从当时的政教形式看，这一做法是颇有远见的。然而在第六代时将第悉和座主集于一身，动摇其格局，继而引出一系列事件。六代阐化王死，其父以俗人身份代行其职11年；七世与子、妻不和，属下仁蚌贵族始侵其属地；八世虑及王位，娶妻生子，于是政、教、传嗣并而为一；由于与帕竹重臣仁蚌巴家族联姻，八、九两世帕竹政权实被仁蚌家族挟持，成为名义的帕竹政权，实际上的仁蚌巴天下。

仁蚌巴虽然也建立了拥有一定势力的政权，经过了一百多年的统治历史，但是，此时的西藏地区仍然处在诸教派分割局面，因而我们也将这段历史归入帕竹系统。此时格鲁派业已兴起，仁蚌巴对此发展十分不利。比如1485年，在噶玛巴红帽系活佛曲扎益希的唆使下，仁蚌巴诺布桑布的两个儿子率后藏军队万余人进攻卫地，驱逐支持格鲁派并为其施主的内邬宗宗本阿旺索南伦波父子。诺布桑布的儿子措杰多吉任摄政时，于1498年起禁止格鲁派色拉、甘丹、哲蚌寺的僧人参加正月在拉萨举行的祈愿大法会。

3. 藏巴汗政权时期（1612～1639年）

1565年，重蹈前辙，如同仁蚌巴窃取帕竹权力一样，作为臣下的辛夏巴才旦多吉推翻仁蚌巴，夺取后藏大量土地。1610年左右，辛夏巴彭措南杰以后藏为据点，又控制了前藏一部分土地，称“藏巴汗”（གཙང་སྡོད་རྒྱལ་པོ།）。1612年，攻取澎波，基本上占领西藏。

藏巴汗政权是在矛盾和战火中度过的。1618年，藏巴汗彭措南杰以一万余众攻下色拉、哲蚌等寺，杀僧俗5000余人。1633年彭措南杰死，其子噶玛丹迥旺布执政。1633年，五世达赖的强佐索南饶丹引请2000名蒙古骑兵入藏，与第巴吉雪巴的军队一起进攻藏巴汗，杀死数千人。1639年，因格鲁派邀请消灭了白利土司的固始汗突袭藏巴汗，生擒噶玛丹迥旺布。藏巴汗政权崩溃。

4. 格鲁派政权时期（1642～1951年）

以教派为基础的权力斗争是绵长而严酷的。即便是萨迦政权时期，并没有完全统辖于萨迦本钦治下。萨迦之后的一些万户长等世家与某一教派相结合同样独霸一方，不相统属。格鲁派也是在这种层次繁多的恶劣环境中成长而掌握政权的。大致分以下四个阶段：

（1）立派建寺时期（1409～16世纪）

格鲁派的正式立宗的时间被定为宗喀巴（1357～1419年）在拉萨进行祈愿大法会的1409年，这以前他已经做过许多以噶当派教理修习为基础兼收众派之长的工作，并建其主寺甘丹寺，其势力得到迅速发展，其弟子建成哲蚌（1416年）、色拉（1418年）、日喀则（1447年）等著名寺院，由于以噶当派做基础，僧人队伍也得到迅速扩大。

（2）达赖、班禅活佛系统建立期（1578～1645年）

达赖、班禅两大活佛系统的建立有其特殊性和必然性。特殊性在于采取转世制度解决宗教继承人问题，并且用几乎是偶发的蒙古汗王赐予的尊号；

必然性在于当时错综复杂的内部、外部斗争中，不如此解决领袖继承人问题，当时的格鲁派也可能会迅速崩溃，这既是当时社会的政治要求，也是宗教要求。时代必须解决这一问题。因而，除了内部的长期复杂的斗争，中央王朝的管理外，又引进了蒙古汗王的统治，使西藏的问题更加复杂化。1578年，索南嘉措病死进京途中，采取寻找灵童形式，导出达赖喇嘛系统，即追认根敦主为一世、根敦嘉措为二世，索南嘉措为三世达赖喇嘛。1645年，固始汗赠札什伦布座主罗桑确吉坚赞以“班禅博克多”尊号，罗桑确吉坚赞死后，追认克主杰为一世，索南确朗为二世，恩萨罗桑顿珠为三世班禅，罗桑确吉坚赞为四世班禅，导出班禅喇嘛系统。从实质上看，应以灵童的寻找和确认作为转世的开始。为了方便掌握，我们将两个称号的出现作为系统的建立之始。

（3）甘丹颇章政权时期（1642～1721年）

为了格鲁派的利益和前途，五世达赖借助蒙古固始汗的军事力量消灭了藏巴汗，然而固始汗进入西藏后，很快掌握了西藏地方的权力，1642年，五世达赖也在哲蚌寺建立了甘丹颇章政权。与藏巴汗联合反对格鲁派的噶玛噶举派黑帽系第十世活佛却英多吉等逃往洛扎地区，纠集部分势力，反对甘丹颇章政权，占据后藏和山南部分地方，固始汗派子丹增达赖汗前往镇压，强令噶举派寺院改宗格鲁派，进行严厉打击；噶玛噶举派也不断发动叛乱。与此同时，藏族宗教上层与蒙古汗王的斗争也日趋激烈，发生了拉藏汗和第巴桑结嘉措的斗争，第巴被杀，废止六世达赖仓央嘉措，准噶尔部侵扰西藏等一系列事件。

1720年，康熙命允禵为抚远大将军，率三路大军入藏，重创准噶尔，该部逃向伊犁。

（4）噶厦政权时期（1721～1951年）

允禵入藏，废第巴职位，设四噶伦管理西藏政务。派满汉官兵驻守拉萨，自1727年设驻藏大臣二员。1751年废除世俗藏王、郡王、贝子制度，正式建立噶厦，设一僧三俗四噶伦及译仓（秘书处）等，由达赖喇嘛掌握西藏地方政权。此种格局延续到西藏和平解放。

第一章　藏传佛教文化之初萌

（8 世纪 ~11 世纪）

第一节　佛教进入藏土

关于佛教何时传入藏区这一问题，通常主要有两种观点：一是根据《布敦佛教史》记载："拉脱脱日宁谢在位时年达六十，居于雍布拉主康宫顶，自天空降下一宝箧，启观之，有《宝箧经》、《忏悔百拜经》及金塔一座在焉。乃名之为'宁保桑瓦'——'秘要'，供奉之。此王获世寿一百二十岁。此为正法之始也。"拉脱脱日宁谢为吐蕃第二十八代王，若每代王按三十年计算，自松赞干布上推五世，即公元 6 世纪左右，吐蕃境内已有佛典了。自布敦·仁钦珠之后，《吐蕃王统世系明鉴》、《吐蕃王臣记》等著作均采此说。二是由于松赞干布的两位妃子——尼泊尔赤尊公主和汉文成公主都来自信佛国度，传说和史料都有两位公主入吐蕃时带有佛典和佛像等语，故而将此说成是西藏佛教的开始。

这两种说法均有一定道理，但问题的关键是将"进入"一词理解到何种程度。假如说藏土传进了藏人尚不知为何物的佛像、经书等，作为佛教传入之始，想未免勉强，因为拉脱脱日宁谢时，藏族社会尚十分闭塞，居住在雅砻河谷的悉勃野家族尚无叱咤风云的领袖出现，尚未创制新藏文。尽管吐蕃的周邻都是信仰佛教的国度，但吐蕃人尚不知天空降下的是何物。将文成、赤尊二公主进藏当作佛教传入吐蕃之开始，亦有同样问题。汉藏史籍均载文成、赤尊二公主入藏时均带有佛教典籍、佛像等物，但是，佛教的传入并不是佛教经籍和佛像的传入，尽管它也是一个重要因素。文成公主和赤尊公主带一批佛教经典和佛像到吐蕃，把它供奉起来，并不对吐蕃臣民的思想、文化和风习发生影响。

我在一些文章中说过，后世的佛教徒多将松赞干布、赤松德赞、赤热巴巾三赞普称为"三大法王"。松赞干布之所以被称之为"法王"，仿佛与迎娶文成、赤尊二公主有关，与他惊天动地的历史功勋有关。但是松赞干布时代是不具备出现法王的条件的。因为：其一，当时还没有较为完备的佛教经典系统，也不可能有众多的翻译家通过翻译来建立这一系统。其二，尚未建立吐蕃的僧团组织，还没有一个吐蕃人成为僧人，显然松赞干布不可能受戒出家，也不可能有一定数量的轨范师为他剃度，使他具备藏土第一个法王的基本条件和机会。其三，松赞干布时期，吐蕃的宗教仍然是苯教。从敦煌文献等史料来看，松赞并没有进行过什么佛事活动，他虽然接受了或者说采用了一些佛教思想，但基本上是以传统的形式统理国政。其四，作为一代英主，松赞干布的一生仿佛没有多少时间静下心研习佛法。“松赞干布之时，父王所属民庶心怀怨望，母后所属民庶公开叛离，外戚如象雄、牦牛苏毗、聂尼达保、工布、娘布等均公开叛变。父王南日松赞被进毒者所谋弑。”南日松赞遇弑，十三岁的松赞干布即位，在叔叔伦果及其他大臣的辅佐下，率众平除乱党，开始了他伟大光辉而又繁忙的君主生活。如营造布达拉宫、建大昭寺、填卧塘湖、经略党项、讨伐吐谷浑、破白兰、逼松州、破天竺等一系列的军事政治斗争。他一面得搞建设，开疆拓土；一面得稳定内部，与诸小王会盟，平乱除害；一面得处理一系列外交事务…… 其五，根据松赞干布以后佛苯斗争的历史分析，亦无可能。松赞干布谢世后一百多年，赤德祖丹离世，赤松德赞即位不久，代表苯教势力的大臣玛降春巴开始禁佛。可见当时的苯教势力仍占主导地位。假如松赞干布果真称得上“法王”，一百年后他的王朝是很难掀起这种大规模的禁佛运动的。

有人认为，松赞干布统一了青藏高原，作为原始宗教的苯教已不适应新的政治经济形势，所以要用一种新的宗教来为自己的统治服务。其实这个观点也是值得商榷的：其一，原始宗教作为多神教转入一神教的过程，是与奴隶制社会的出现有关，这是因为神的一神和王的一王是相一致的，天上有一个至高无上的神，地下则有一个至高无上的王。那么，吐蕃是不是没有这样的天上的神来象征地上的王呢？不是。敦煌文献《赞普世系》中所讲是吐蕃第一世聂赤赞普是自天神而为人主，入主人间的。看来，王被抬到神的地位，并不在松赞干布时期，比这要早。吐蕃的臣民或许就在这“天神”的号召下，进行西藏高原的部落兼并战争。王的地位同样是至尊的。仿佛还没有必要立即找一个新的宗教、新的至高无上的“神”（佛）来替换，以拔高他在人间的地位。换言之，倘若松赞干布果真对弘扬佛法的事业有那么大贡献，敦煌文献和唐蕃会盟碑中不可能只字不提。唐蕃会盟碑在说到松赞干布时，依然沿袭旧号称“圣神赞普赤松赞”，并没有加上“法王”之类尊号。可见，称松赞干布为法王是后世佛教徒之所为，它与当时的历史事实是大相径庭的。

我认为，藏地佛教的传入与新藏文的创制基本上是一致的——藏族最早接受佛教理论的，或许就是那些为了创制新文字去印度国求学的“留学生们”。具体地说，是以新藏文的创制者吐弥桑布札的事业为基础。许多经典都记载吐弥去印度向婆罗门李瑾及班智达日巴僧格学习文字、声明等学问，返回吐蕃时，将印度50个字母制成藏文30个字母，并说他将《宝云经》等21种经籍翻译成了藏文。这或许有点夸张，他翻译了一定数量的佛经，这却是事实。译经的开始，标志着佛教的真正传入。早期译经的据说还有印度译师格萨拉、汉僧大天寿和尚、尼泊尔人项德尔等。显然，佛教的传入有两大有利时机和条件：其一是新藏文的创造，倘若没有新藏文的创造，它在日后的发展中就不可能获得畅行的舟楫，从而获得永久的地位；其二是它的传入恰恰是在吐蕃王朝的上升时期，经济的大繁荣，军事的大发展，文化的大吸收，为它提供了良好的物质条件和良好的人文氛围。

第二节　藏族典籍文化的开端

一、“七试人”与桑耶寺的建立

随着吐蕃王朝在四境军事上的胜利和文化事业的蓬勃发展，吐蕃本地的佛教僧人的活动也日益增多。一直到这些僧人的代表在政治上获得胜利，吐蕃地区的佛教徒大体经历了以下一些过程。

（一）由表及里——由流浪到驻足。从松赞干布到赤德祖赞（704～755年在位），四代人，就佛教而言得到了迅速的发展，在此期间也修了许多寺庙和神堂佛殿，比如像大昭寺、小昭寺等，都为信仰佛法的王妃们提供了方便，因为当时的赤尊公主、文成公主，以及后来进藏的金城公主等都或深或浅地崇佛、信佛。据史书记载，当时包括松赞干布在内的藏王们都对佛法表现出了浓厚的兴趣。与此同时，以苯教为代表的藏族本土文化也与佛教进行了顽强的斗争，此消彼长，旷日持久，有了第一禁佛运动，有了寂护和莲花生大师的进藏。当时还没有藏族的僧人。莲花生进藏以后深得王室的宠信，赤松德赞便决定在桑耶建一座佛教寺院，由莲花生选择寺址。此一工程得到了王朝的高度重视，赤松德赞、莲花生、寂护，以及众大臣都参加了这一奠基仪式。桑耶寺的建造和开光时间典籍所载和当代学者的研究不尽相同，有767年建造，771年竣工；763年始建，774年竣工；787年始建，797年竣工；763年始建，766年竣工；780年始建，787

年竣工等多种说法。一般认为779年竣工比较入理。显然这一时间仍然是十分重要的。一般将桑耶寺当作藏区第一个佛教寺院，因而其重要性不言而喻。而我以为其重要者，主要在于这一寺院的建立标志着佛教正式立足吐蕃。桑耶寺的建立据说是莲花生依照古印度摩揭陀的欧达菩提寺为蓝本建造（此在后文将叙述，在此不表），不但是当初，其象征意义在今天也是别具一格。开光之日，同样是赤松德赞、莲花生、寂护，以及众大臣都前来参加。《贤者喜宴》如此描写道："在吉祥桑耶寺，当在举行开光喜宴时，在措莫古的中央，那个生着莲花主茎之处，赞普坐于金座之上，可意的五位妃子盛装而坐。所供养的所有译师和班智达都在讲经说法。所有主要的执法大臣环列于座位之后。如是，赞普属下的幸福百姓，在卫藏、阿里等一切地方，都在集会庆祝，以各种饮食和享用之物，使一切欲望得到满足。"据《巴协》（桑耶寺志）、《贤者喜宴》等史书记载，当时的场面的确热闹非凡。

桑耶寺建成开光不久，就有七名吐蕃贵族子弟随寂护大师出家，藏文典籍中称为"预试七人"（སད་མི་བདུན།），汉籍多译为"七试士"或"七试人"、"七觉士"等，按藏文原意仍译为"七试人"为好。当然此事也有别的一些说法，有些书籍认为"七试人"出家的时间在桑耶寺开光之前不在开光之后，有的书则记有"七试人"的出家与开光同时。

桑耶寺的建立标志着藏区有了第一个寺院，"七试人"的出家标志着藏区有了第一批僧人，同样，"七试人"的受戒便是藏区僧人的第一次剃度。《吐蕃王臣记》载："庆祝开光法会完成后，感觉到佛教的兴盛，是与僧伽有关的，因此为了实验藏人是否能守护出家的学处起见，他们在丁未年到印度迎请那与西藏适合的根本四部中的说一切有部的比丘十二人。由精通五明学处希哇措（寂护）作亲教师，而给那生起愿取涅槃的最胜意乐的应试七人传授那佛教的根本——别解脱戒。"这第一批出家人是：巴赛囊、桑希、玛仁青乔、昆鲁益旺波、巴赤桑、恩兰嘉哇却央、白惹杂那。"七试人"的姓名有些书籍所载也不完全一样。但是，自"七试人"之后，由于出家人的生活费用在国库中领取，生活有保障，同时也是时代的思想文化的强烈要求，陆续有不少人出家。《贤者喜宴》载：此时有"长妃赤洁姆赞及苏赞姆杰等一百人出家，巴热丹任她们的亲教师。总之，其时有三百人出家。""此后比丘、沙弥广为发展，并自印度萨霍（ཟ་ཧོར།）、迦湿弥罗、中印度及汉地等处迎请来许多标准的大班智达。一些精通翻译的人，将印度、汉地和于阗等地区的佛经，凡是能得到的大部分译到吐蕃。"

显然，完整的寺院、僧侣、典籍、宗教仪轨等的出现，大大地推动佛教在吐蕃地区的发展。但是此时的佛教徒并没有多少政治地位。他们中的领袖应是堪布，像菩提萨埵、莲花生等，政治上并没有权力。可是佛教以它巨大的思想、理论力量给吐蕃社会吹来了一股清新的空气，吐蕃社会的一切也在这一股风中起着变化。不久，赞普颁布诏令制定佛教的教戒法规，对其属民也进行了法律调整：犯法者男不挖眼，女不割鼻；没有死刑。一切众生听从王命，赞普与属民都要对出家人顶礼供奉。为了更好地奉行佛法，并让大臣以下所有首领都为此持剑发誓。并兴建兴佛盟誓碑。碑文曰：

> 逻些及札玛之诸神殿，建立三宝所依处，奉行缘觉之教法。此事无论何时均不离弃；所供养之资具，均不得减少，不得匮乏。自今而后每代子孙均需按照赞普父子所做这盟誓发愿。其咒誓书词，不得弃置，不得变更。祈请一切诸天、神祇、非人，同来作证。赞普父子与小邦王子，诸论臣工，与盟申誓。此诏敕盟书之详细节目文字正本，存之于别室。

从此盟誓碑文我们可看到赤松德赞对兴佛的决心和重视程度。

（二）由外僧到宫廷——由一般僧徒到权势人物。虽然一些贵族子弟成为僧人，但是在早期他们的身份仍然是一般僧人。可是这种状态并没有维持多久，僧人的地位很快得到提升。菩提萨埵死后，巴益希旺波（巴赛囊出家后的名字）升任堪布，可以参加赞普的小御前会议，小御前会议前还设立一个专门的宗教会议，赐给堪布以大金字告身。如此僧人的地位变了，他具有国家管理人员的资格。赞普还赐给寺院民户 150 户，给每名僧人 3 户属民；每月给堪布青稞 75 克（西藏计量单位，20 升为一克），还供给酥油、衣服、马匹、纸张、食盐等；大修行者、学经僧等都有国家相应的供养。僧人阶层逐步成为实质的农奴主阶级。在赤热巴巾时将其推向极限。当时规定：凡对僧人恶目相视者抉其目，恶指相指者断其指，恶言诋毁者拔其舌，偷盗寺院僧人财产者，罚款 80 倍。

（三）由僧权到政权——由文化斗争到政治斗争。僧人早期的追求可以说仍然是为了“僧权”，为了其宗教利益，斗争的层面仍然在于思想文化范畴之内。随着僧人在宫廷中政治地位的提高，佛苯的斗争也由原来的思想文化斗争异化为残酷的政治斗争。最为典型的是赤热巴巾的老师贝吉云丹。他被热巴巾被任命为大相，主持政教事务。公元 822 年唐蕃会盟时，在吐蕃方面除赞普以外，他是首席官员，作为僧相他立于赞普之后，而其他官员立于台下。会盟时，唐和吐蕃大臣十余人对坐，百余名酋长坐在坛下，而作为大相的钵阐布贝吉云丹则首先升坛告盟。当歃血时，因为他是僧人而不歃，盟后以浮图重为誓，饮郁金水，与使者互相庆贺。可是曾几何时，反佛的大臣们设计除掉王兄藏玛，迫使其出逃，后被斩杀剥皮楦草，进行陈列，让众人观览。曾权倾一时的崇佛大臣贝吉云丹也转瞬之间成了权力的牺牲品。

二、翻译事业的蓬勃发展

吐蕃的翻译事业大致起于吐弥桑布札，而大规模的译经是在桑耶寺建立之后。吐蕃的译经方法是十分科学的，他们先派子弟去印度留学，学成后回到吐蕃，再请印度精通五明的班智达到吐蕃来共同翻译。这样的好处是许多不懂的文词，可以及时请教，及时商量，因此其翻译是准确而可靠的，是有质量的。故而今人在研究藏译佛经时无不为藏人翻译的“信、达、雅”而倍感心服。由于历史的原因，藏人翻译事业一开始便分两头进行，一是翻译印度的佛经，比如《十万般若颂》等；一是翻译汉地的佛经著作。《贤者喜宴》如此记述当时的翻译情况：

《大巴协》有一种说法是，吐蕃地区首先翻译了汉地佛经（此针对巴热丹在吐蕃首译《十万般若颂》而言）。印度佛典中之密宗三续部，耽于酒肉，不适于吐蕃，故不译。但说一切有部、分别说一切有部，其内容是阐明因果的，适合于吐蕃的情况，遂译之。请益希旺波翻译了四阿含经中的《长阿含经》和全部的《譬喻部》，又翻译了《阿毗达摩之声闻俱舍》等。此时还翻译了律藏、经藏等方面的著作。据有些书籍记载，此时的译师有千人之众，著名的有九大译师；“千人之众”或极言其多，据《布敦佛教史》辑录，当时来自外地的大班智达有9人，班智达有92人。我以为这是可信的。因为布敦辑录是依据他所编辑的《大藏经》目录统计的，没有译品则无此人，一般是不会错的。这92位来藏土弘法的班智达在阿底峡前的30位是：

1. 阿阇黎辛达若肯达，藏译“细哇措”，汉译“寂护”；2. 白玛迥乃，即莲花生；3. 持密师达摩根底；4. 毗玛那弥遮，即“无垢友”；5. 桑杰桑哇，“佛密”；6. 桑耶寺的开光师辛底嘎坝，即“细哇领波”，汉译“寂藏”；7. 毗休达舍哈，即“朗达僧格”，汉译“清净狮子”；8. 嘎玛拉细拉，即“白玛慈诚”，汉译“莲花戒”；9. 印度阿阇黎古萨惹；10. 婆罗门“西嘎惹”；11. 尼泊尔的西那曼珠；12. 婆罗门阿伦达；13. 嘎勒雅弥遮，即格卫协年，汉译“善友”；14. 枳纳弥遮，即嘉哇协业，汉译“胜友”；

15. 苏热扎峨底，即拉旺波坚赞，汉译“天王菩提”；16. 西伦扎峨底，即慈诚旺波坚赞，汉译“戒王菩提”；17. 达那西那；18. 菩提弥遮；19. 牟尼哇玛，即吐比廓恰；20. 萨哇遮德哇，即贡清拉；21. 毗达雅嘎惹扎巴，即惹杰敖色，汉译“智光”；22. 夏惹达嘎哇玛；23. 白玛古巴达，即白玛白巴，汉译“莲隐”；24. 牟根达弥遮，卓威协年，汉译“解脱友”；25. 布达西辛达；26. 布达巴耶，即桑杰迥，汉译“佛护”；27. 达摩巴那；28. 巴惹乍巴那；29. 苏巴肯达，即勒巴松巴；30. 巴惹乍哇玛。

底邦嘎惹西遮那，藏语“玛麦哲益希”，汉译“燃灯智”，即阿底峡。

显然，许多都是著名的历史人物，对藏民族的文化事业做出过重要的贡献。据《青史》记录的此一时期赤松德赞的著作目录中可以感受到这一点。赤松德赞在繁忙的公务之余还写有：《宗教解说》，计四十颂；《正教语量论》，计七卷；《中观钉论》，计三十颂；《如来语言》，计五卷；《毗卢遮那、释迦牟尼、八大菩萨等赞》，若干颂（缺）；《圣妙吉祥赞》，同上；《弥勒菩萨广赞》，计一卷又一百颂；《弥勒略赞》，计五十颂；《不动怙主赞》，若干颂（缺）；《断除禅定八疑虑论》，同上；《藏王制定规章集》，同上；《正教语量略论》，计一卷；《毗若扎那若根达寄藏王显义明灯书》，若干卷颂（缺）等。赞普的信佛、崇佛在当时起着重要的导向作用，否则，当时的吐蕃也绝对不会有如此辉煌。

三、藏文的三次厘定及其对后世的影响

随着佛经的翻译，藏文的广泛应用，文字的厘定也自然地摆到了当时的文字工作者（主要是翻译家）们的面前。尽管这三次厘定文字的时间学术界意见仍不统一，但它在藏语言文字发展史上的重要作用是毋庸置疑的。

（一）第一次厘定。

《丁香帐——藏文古今词语辨析》一书说是在吐弥桑布札至赤松德赞时期。

一般认为吐弥是藏文的创造者。我采取一种新的说法为吐弥是新藏文的创制者，前文已述，这一提法的一个根本含义就是在吐弥创制新藏文以前，吐蕃已有文字存在，即所谓古象雄文。因此，吐弥的任务之一也是“将旧词语按新词语改定”，否则，发展了的吐蕃社会就不可能有一套实用的崭新的语文及其运用形式。“厘定”实际上指一种文字的统一、整理、编定。无论以前有没有古象雄文，其状态程度如何，吐弥桑布札对新藏文创制、厘定（其中仍有语言——方言的统一问题）的盖世功勋是难以磨

灭的。

从吐弥开始至赤松德赞的一百多年时间，是藏语文运用空前活跃的时期。期间发生的一系列的文化事件，都与藏语文的使用等有着深刻的关系。比如：1. 文成公主带进藏的有关图书（阴阳、五行、八卦等）的翻译事宜；2. 制定“三十六制”；3. 赤德祖丹派桑希去汉地取经事（有佛书，也可能有四书五经之类）；4. 迎请菩提萨埵、莲花生入藏传法事；5. 佛苯辩论；6. 顿渐之争；7. 大规模翻译佛经；8. 唐蕃会盟等。这些都离不开文字。同时，这一时期也是吐蕃向外扩张的战争最为频繁的时期。战争需要十分迅速地处理各种军事信息，因而文字也成为重要的工具。当然文字使用的重要领域仍在于佛经翻译。

第一次厘定文字的主要成就是统一宗教术语的翻译，以赤松德赞下诏颂行由御前堪布和一些大译师翻译的《宝云经》和《楞伽经》两部经典的译语作标准为标志。

（二）第二次厘定。

觉顿·仁钦扎西在《丁香帐》中说“在赤热巴巾以前，由噶、觉、尚三位译师等进行。”丹巴嘉措则认为就是在热巴巾时期，当代学者端知嘉、陈庆英在《吐蕃赞普赤德松赞生平简述》一文中则认为，第二次厘定文字始于赤德松赞时期。对此收入《丹珠尔》部《声明两卷》中的文字具有说服力：

> 及至马年，赞普赤德松赞驻于“几”地之漫江岛宫。上部与下部之军攻下宁杰与衮钦。葛禄逻使者前来致礼。大论尚赤苏仁谢、芒杰拉类等由汉地获大量物品，将骆驼、马、黄牛呈献王廷，尚论以下俱颁给赏赐。迎请天下堪布兹那米札、苏仁札波底、徐楞札波底、答那息拉、汉底米扎以及蕃土堪布仁达桑支达、达玛达锡拉和大译师札那塞拉、札雅支达、曼札室吐、仁札锡拉等将佛教各种经典由印度文译成藏文，确定译名，写成目录。并下令要使翻译之经义永无改移，众人俱能学习。先前父王天子之时，菩提萨埵、益西旺波、尚甲年涅桑、论赤谢桑布与译师扎那德哇邝夏、杰其周、阿南达等人曾对藏语没有的佛经词语确定译语，其中有若干与佛经经义及声明学之规律不合不可不加修改之处，现已经改定。心所译词语，必考查其在佛经典籍中如何得来，往昔堪布楞札祖那（龙树）、巴苏班都（世亲）等如何讲说，声明论中如何规定，使其与彼等符合。难以俱合之词语则分别考定，写入译文，不能单独析解其义应用单译则译其单，定其译

语，部分应用意译者则译其意，定其译语。译语确定之后，于赞普驾前由钵简布贝吉云丹、定埃增等召集，向王臣御前会议呈报，规定经典翻译方法及印度迻译成藏语时的译语，由赞普下诏厘定。翻译佛经之规则，一是不违背经义，二是蕃地之人易于理解。翻译佛经之时，若不改动印度文的前后顺序译成藏语后词名文义俱相符合肯易于理解，则不改动顺序而译之；若须改动顺序而译之，若须改动顺序方易于理解而有几种改动形式时，则按最易于理解的那种形式改动后译之。若一语有几个词可用者，则依其上下文义择其适合者用之。如乔达摩（གཽ་ཏམ།）一词可以理解为方向、地方、光明、金刚、黄牛、善趣等义，乔西噶（ཀཽ་ཤི་ཀ།）一词可以理解古为落草、贤者、嘉莲花、猫头鹰、石榴树等义，对此等一词多义而翻译时又找不到一个词能包括其各种意义者，硬订一词又无重大根据者则不译其词，借用印度文原词。对可以有各种解释之词不可拘执一义而译之，应使其适合各种意义。对地名、人名、花名、草名等，若翻译后使人疑难或词语不雅，或虽可粗略了解但其义是否如此难以判定者，则在其前加上地方、花等说明其种类之词，然后保留印度文原词。至于数量，如按印度语顺序译出为“比丘百半十三”（即差半个到十三个一百比丘），实为比丘一千二百五十人，按藏语习惯译出。印度语中的“巴里”、“散”、“乌巴”等标点或装饰之词，则结合其意译出，如无法表达其意，则加杂词尾译之。若一物而有数种异名，而藏语未有一词可以与其对应，则用常用而易于理解之词译之，若有名词与之对应，则分别对应译之。对佛、菩提、声闻部等名称及赞颂等词，将佛译为“桑结”，其余依资递减，依照先前父王天子御前堪布及大译师等翻译《宝云经》、《楞伽经》时所定之规译之。依照此次所定规则，厘定译语，各人俱照此修改，今后不准自造新译语。若各译场及讲经院需新制译语，不准自行制定，须将新制译语在佛经上如因明中的根据以及佛教教法中应如何称呼仔细考查，将理由呈报王廷堪布会议及经典总校订处，经赞普审定批准之后加入译语之目录中。密宗经咒既称密典，不可向无根器之人讲说宣示，若将其译出以供修习，其间曲折深奥之义难以词语表达，若只照词义修习反生错乱，具使经咒中猛恶之语词入于藏语之中，故今后除赞普诏命批准翻译的密宗典籍以外，不得翻译密宗经典及猛恶咒语。

以诏命颁布这些有印度堪布参与译定的藏文的时间是在 814 年。热巴巾时期对藏语的部分词语再次厘定。

（三）第三次厘定文字是在大译师仁钦桑布时进行的。在上两次厘定的基础上，进一步使文字规范化。此将在后文中叙述。

三次厘定文字对后世的影响主要是：

1. 提出了翻译的三大原则。即：(1) 要符合声明学规则。声明学为传统“十明之学”之一明，其内容主要是语言学或音韵学。(2) 要符合佛典之经义。(3) 要使藏人容易理解。

这三条原则是从松赞干布至赤德松赞这一时期翻译实践经验和教训的理论总结，有很强的针对性。前两条是讲，翻译文字要遵循语言学和音韵的基本规律，不能随意为之；要比较准确地表达译文的内容。翻译的目的是借他人有用的文化财富为自己服务，因而第三条同样十分重要。假如所译词文不为藏人所理解，那就起不到应有的作用。换言之，译文要通俗易懂。这些原则至今仍然是翻译工作者们所依照的基本原则。

2. 提出了翻译的四种方法。这四种方法是：(1) 音译。采用这种方法，主要分三种情况，一是词意难以解释的单词，按声明理论不宜意译的单词；二是一词多义的单词（不能只以一义译出）；三是佛经中译成藏语后会使人发生误解的单词。(2) 意译。将原文的意思，采取意译法准确易懂地表达出来。(3) 直译。原文排列逐一顺序翻译。(4) 改译。顺序翻译后，仍不易理解，可在此基础上改译，以便采用简易平俗的语言完整地表达意思。

这四条翻译方法在一千多年以来，一直是翻译工作者所采取的基本方法。

3. 规定了几条注意事项。这几条注意事项是：(1) 对佛、菩提、声闻部的名词进行解释时，对佛的名称、功德等不同词要详细，其余作简略叙述。译语要符合《宝云经》和《楞伽经》。(2) 对厘定的译语不能随便更改，或使用不符合厘定后译语意义的新词语。(3) 各译场新的译语的制定，要考查佛经、声明学所述原则，须呈报堪布和译师，由赞普降诏后可使用，不能自由做主。(4) 密宗经咒，只译赞普降诏同意部分，不准自行翻译。

四、藏族典籍文化系统的初步形成

藏族的典籍文化系统主要由三大成分构成：

第一，早期的佛经翻译。此在上部分已有交代。

第二，金石、铭文、简牍。

在一般的习惯上，研究界将吐蕃时期的金石、铭文、简牍和写卷，统称为敦煌古藏文文献。而这一称谓也有不妥帖处。即古藏文文献不完全出于敦煌，勿论写卷，就是那些金石、铭文、简牍也不是这样。目前的许多金石铭文多出于西藏地方之拉萨和山南地区，而简牍在新疆、甘肃武威、青海都兰等处均有出土。我意一般称古藏文文献较为合适，既可囊括写卷、简牍，又可尽收铭文于中。

据《吐蕃金石录》等记载，目前收集到的金石铭文约13件：

名　称	内容	时代（公元年）	地　点
唐蕃会盟碑	会盟	832	拉萨大昭寺
恩兰·达扎			
路恭纪功碑	纪功	764	拉萨西郊
第穆萨摩崖刻石	封授	798～815	林芝县米瑞区广久公社
谐拉康盟书刻石（一）	述德	798～815	墨竹工卡县止贡区
谐拉康盟书刻石（二）	述德	812	墨竹工卡县止贡区
谐拉康无款残石	祭祀	815～838	琼结县
葛迥寺建寺碑	述德	798～815	若玛岗
桑耶寺兴佛证盟碑	封授证盟	779	扎囊县桑耶区
尚·蔡邦江浦建寺碑	封授证盟	815～838	堆龙德庆县粗朴寺
桑耶寺钟	祈愿	779	扎囊县桑耶区
昌珠寺钟	祈愿	798～815	乃东县昌珠
叶尔巴寺钟	祈愿	779年以后	拉萨扎叶巴

其中钟3，崖刻3，其余均为碑。

金石铭文的存在形式是多样的。从以上铭文的内容看，有会盟、颁赏、述德、祈愿等，这些碑文无论从文字学、历史、政治角度，还是从宗教学、文化学角度均有重要的文献价值。比如《唐蕃会盟碑》的重要价值有下列方面：

1. 反映了吐蕃时期的盟誓制度。吐蕃时期的盟誓是多方面的，且有其漫长的发展过程。早期盟誓可能是部落内部的一种活动，至今我们还可以看到在保存部落形式较为完整的一些当代部落中仍然有固定的部落会议，这种会议的内容之一就是进行盟誓。此后随着地方邦国的出现，有了小邦（或称部落联盟集团）之间的信誓联盟。敦煌文献中南日伦赞在进攻苏毗前与娘代、韦氏、蔡邦氏、农氏之间联盟便具有这种特点。

在此以后的年代里，吐蕃盟誓制度运用于朝廷内部的授勋、纪功、官员任免、征收贡赋、清理户口等多个方面，留下了丰富资料。与唐廷的会盟也成为当时的一项重要内容，因而此时会盟已由内部延伸到外部，成为一种外交手段。当然，汉族和其他民族也同样有这种盟誓制度，否则吐蕃的会盟就失去了外部条件。从有关资料看，唐蕃会盟在 100 多年时间内就有八九次之多：

706 年，有唐蕃长安会盟。

732 年，有赤岭会盟。

762 年、765 年、767 年有长安会盟。

783 年，有清水、长安、逻些会盟。

787 年，有平凉会盟，即著名的尚劫赞劫盟事件。

821 年至 822 年，有长安、逻些会盟。

《唐蕃会盟碑》就是 821 年到 822 年分别在长安、逻些会盟后所立，因处在唐穆宗长庆元年，也称为长庆会盟碑。刘元鼎《使吐蕃经见纪略》记录了这次会盟的一些情况：

> 盟坛广十步，高二尺，使者与虏大臣十余对位。酋长百余坐坛下。上设臣榻，钵掣逋升，告盟，一人自旁译择于下。已，歃血，钵掣逋不歃。盟毕，以浮屠重为誓，引郁金水以饮。与使者交庆，乃降。

由此可知，吐蕃虽然重盟誓，但形式上与唐有所不同，钵掣逋（དཔལ་ཆེན་པོ།，又译钵阐布），为僧人，此次出场的是赤热巴巾的老师勃阑伽贝吉云丹，因而不歃血（受佛教之影响），而以浮屠为誓。

2. 反映了蕃唐之间的友好交往关系。像文成、金城二公主嫁于吐蕃赞普，而结成千古深厚友谊等事均有记述。

3. 对唐代蕃唐社会及职官制度等提供了宝贵的资料。在唐蕃会盟碑的右面蕃官的题名有：

> 平章政事沙门钵阐布云丹。
>
> 天下兵马都元帅同平章事尚绮心儿。
>
> 宰相同平章事论结赞巨热等四人。
>
> 天下兵马副元帅同平章事××××。
>
> 曩论琛尚频热窟宁赞。
>
> 纰论伽罗笃波属卢论赞热土公。

悉南纰波琛尚旦热悉诺帀。

岸奔榼苏户属劫罗末论矩立藏名摩。

给事中勃阑伽论悉诺热合乾。

资悉波折逋额论悉诺昔乾窟。

纰论没卢尚劫楼勃藏他谱赞。

刑部尚书明论结研历赞。

与此相对应，碑之右面有唐廷官员的题名，有正议大夫门下侍郎同平章事李逢吉等18位。这些姓名官制对我们研究当时的职官具有非常重要的史料价值。

4. 对藏语文的发展来说，碑文保存了早期藏文的书写形式、语法结构、语意变化等宝贵资料。

王尧先生所辑注《吐蕃金石录》翻译、考释了唐蕃会盟碑、恩兰达扎路恭纪功碑、第穆萨摩崖刻石、谐拉康碑甲、谐拉康碑乙、谐拉康刻石、赤松德赞墓碑、噶迥寺建寺碑、桑耶寺兴佛证盟碑、楚布江浦建寺碑、桑耶寺钟、昌珠寺钟、叶尔巴寺钟等十三种金石铭文，成为研究吐蕃王朝时期社会、政治、经济、宗教、文化的重要文献。

王尧、陈践先生编著的《吐蕃简牍综录》共收吐蕃简牍464枚，多出土于新疆南部罗布泊（ཚལ་ཆེན།）南岸的米兰（ཨི་རང།）故城遗址。当然竹木简牍远不是这些，在今甘肃、青海境内也有发现。同于金石铭刻，这部分简牍有重要史料价值，涉及吐蕃时期的经济（赋税、信贷等）、军事、宗教等诸多方面。

细观之，竹木简牍的功用与金石铭文仍有不同。金石铭文有两个特点：一是多为以朝廷名义或在王朝中央政权所领导下进行的有关盟誓、纪功、祭祀祈愿等事而立，其事多为大事件，其人则多为大人物。其中宗教类型可另当别论。二是从意向和功用看，勒于金石，都是为了千古流传，并不是临时凑合，因而文字考究，书写工整。具体的碑和钟落成的仪式也多隆重而庄严，比如《唐蕃会盟碑》。竹木简牍不同。竹木简牍要受到具体形式的影响，即短小、易损，短小就不能长篇大论，文字容量有限；容易损坏，就不能长久保存，不能作为永存物的选料。见过竹木简牍的先生知道，这种东西有些右边刻有槽口，可以捆扎，“上面加盖封泥。说明简牍是用于公文驿传，或用于官廨、军镇记事的"[1]；有些有穿绳用的孔，从文字的书写看，也较简易朴实，无甚讲究；从文字反映的内容看，虽也有要事、大事，但基本是琐碎的杂事，因而所涉范围也较广泛。如有一木简写："苯教徒七人及苯教主二人，共九人，分坐两排，伙食相同，吃完晚饭前，每人一天供应十满瓢头遍酒，共计酒三土（ཐུལ）。"能留下吐蕃王时期的这种有关宗教和饭食的材料，实在不易。

作为吐蕃文献重要组成部分的藏文写卷的比重也是很大的。王尧先生在《敦煌本古藏文历史文书》一书导言中介绍，这部分藏文写卷于1907～1908年间被英国人斯坦因和法国人伯希和先后盗运国外，分别庋藏于英法两国。属英部分，二战前比利时人威和布散编成书目，曰《印度事务部图书馆所藏敦煌古藏文写本目录。附：榎一雄：汉文目录》，1962年版；属法部分，由拉鲁女士辑成目录，曰《巴黎国家图书馆入藏伯希和搜集的敦煌文写本清册》，共三册，分别于1939年、1950年、1961年出版。英法两处相加共5000件左右。然而，这部分文献尚未得到充分而广泛的研究和利用。

自20世纪40年代法国巴黎大学藏文教授巴考（J. Bacot）、杜散（Ch. Toussant）、英国牛津大学教授托马斯（F. W. Thomas）出版《敦煌历史文书》以来，敦煌文献已成为藏学研究领域不可回避的文献资料，历史、政治、经济、哲学、宗教、法律、伦理、文学、艺术、医药、语言、文字，作为一个时代的反映，它展现的是一幅当时藏人生活的各个方面的画卷，恢宏奇伟，光辉灿烂。我们仅以《敦煌本吐蕃历史文书》为例，粗观其貌，识其神韵：

大事记年部分（P. F. 1288），以编年形式记录了从尚囊叛离，尤其从650年（松赞干布谢世）至764年的历史。其间一些重大事件的记载对藏史研究可说是难能寻觅的珍贵资料。

赞普传记部分（P. T. 1287）共分十部分。其一是对止贡赞普生前死后事情的描述，虽为史颇具文学色彩，尤其对止贡赞普性格禀赋的表现，可谓入木三分。文字也较细腻。其二是对吐蕃历任大相的记述，有详有略。其三是吐蕃悉勃野家族与苏毗臣下的沟通，设计谋，行串联，结盟友，欲兼并苏毗。其四是苏毗旧臣与南日松赞兄弟结盟，一举攻破苏毗宇那堡寨，苏毗王逃往突厥，上起帕之勇瓦那以下，直至工布咨那以上，成为赞

① 王尧、陈践：《吐蕃简牍综录》，文物出版社，1986年，第5页。

普辖区。赞普厚赐参与此次军事行动的苏毗旧臣。琼保邦色杀小王马尔门，献藏蕃两万户。达布地方谋叛，参哥米钦前往征讨。其五为赞普与勋臣韦义策盟誓。其六为琼保邦色谋反，自戕。其七为赤都松赞普攻伐南诏诸事。其八为赤松德赞时尚琛野息攻陷长安，立广武皇帝事。插入松赞干布收复象雄事。其九为赤都松剿灭噶氏家族事。其十为吐蕃大相噶尔钦陵赞婆与唐臣王孝杰尚书论战事。

第三部分为小邦邦伯家臣及赞普世系（P. T. 1286）。

这些文献在藏学研究，和藏族传统文化中的地位是显而易见的。

第三，象雄苯教的典籍。

从历史发展的基本状态和今人的一些研究成果看。以金石铭文、竹木简牍和古藏文写卷为代表的吐蕃时期的典籍文化，还需包括两部分材料。一是古象雄文资料，但这一方面虽可见到一些议论和传说或何地见到何种象雄文典籍，尚不知真伪虚实，难能引说。二是苯教的著作。从诸多的关于苯教的记录看，这一时期同样应有关于苯教的典籍或者苯教徒作品，但仍闻见甚少。今有雍仲苯教甘珠尔大藏经发现，遂引起学界关注，从形式即可知其多与佛教名称相似，同样是研究苯教，尤其是佛苯相互借鉴吸收融合的好材料。计有教言圆满经部、大品波若部、深道密咒续部、无上心品库藏部四大部分。其中每在大类均有众多的经卷组成，而且多冠之于“伏藏”、“耳传”，虽难免为赝品，但仍有相当高的文化价值。

第三节　顿渐之争

一、汉传佛教之西渐

在藏族历史上，顿渐之争，是一非常重要的文化事件。渐门巴（ཙེན་མིན་པ།）和顿门巴（སྟོན་མིན་པ།）是汉藏语复合词。“渐门”、“顿门”是汉语，“巴”是藏语，可理解为“派”。渐门，同渐教之意，“渐名次第，藉浅入深”，是指佛教修行，须按照次第，修至大乘，至佛果。顿门，是顿教之意。指顿悟顿成佛果之法。止观三曰“顿名顿跳顿极”，是指有一类大心之众生，直闻大乘，行大法，证佛果。《顿悟入道要门论》中说：“云何为顿悟？答：顿者，顿除妄念，悟者，悟无所得。”顿悟是汉传佛教禅宗慧能派的中心思想。

汉传佛教的禅宗是在汉地较有影响的佛教教派，禅宗的“禅”是止观的意思。止观的方法称为禅法。吕澂先生在《中国佛学源流略讲》中说，早期禅宗所依据的经典是《坐禅三昧经》、《达摩多罗禅经》、《楞伽经》，有慧可（487～593年）、僧璨（？～606年）等楞伽师，至慧能（638～713年）才改变主张用《金刚般若经》为正宗。

慧能姓卢，范阳人，生于新州，被奉为禅宗第六祖。慧能三岁丧父，自幼聪慧，后见弘忍大师（禅宗第五祖）见廊壁上神秀的题偈："身是菩提树，心如明镜台。时时勤拂拭，莫使惹尘埃。"乃题偈："菩提本无树，明镜亦非台。本来无一物，何处惹尘埃。"弘忍看后即题偈："有情来下种，因地果还生。无情既无种，无性亦无生。"将法衣传给慧能。

禅宗分南北，慧能所传为南宗。传方便法门。此思想在慧能师弘忍时已有传播，即所谓"五方便道"：一为总彰佛体，二为开智慧门，三为显示不思议解脱门，四为明诸法性，五为了无异自然无碍解脱门。分别依《起信论》、《法华经》、《维摩经》、《思益梵天经》和《华严经》。慧能的思想较集中地反映在《坛经》中①。王维著《六祖能禅师碑铭》，又较集中地概括了慧能思想的精神实质："至于定无所入，慧无所依，大身过于十方，本觉超于三世。根尘不灭，非色灭空；行愿无成，即心成圣。举足举手，长在道场；是心是情，同归性海。商人告倦，自息化城；穷子无疑，直开宝藏。其有不植德本，难入顿门，妄系空花之狂，曾非慧日之咎。"

这几句话反映了慧能的顿悟主张，"大身过于下方，本觉超越三世"，以心为法身，既宽大无边，若以本觉可超越三世，勿须渐积，一念即可实现。强调顿悟。王维从其思想主张的"顿悟"及顿悟的修禅方法上都给予了最为贴切的总结。

慧能生活于7世纪上半叶和8世纪初，其弟子神会（668～760年）进一步弘扬慧能顿悟思想，曾煊赫一时，并且对禅宗北宗（神秀）提出批评，以为其"传承是傍，法门是渐"。

进入吐蕃，曾拥有众多信徒的摩诃衍那（汉大乘和尚）的主张来自此派。他入藏的时间只稍稍晚于神会弘扬顿教的时间。据《册府元龟·外臣部》九八〇卷载：781年（唐德宗建中二年）吐蕃使臣曾请唐朝僧人到吐蕃传法。"初，吐蕃遣使求沙门之善讲者，至是遣僧良琇、文素一行，二岁一更之。"当时吐蕃正大量翻译佛教，佛教信仰高涨，或许摩诃衍那就

① 郭朋著：《〈坛经〉对勘》对南宗顿教最上大乘摩诃般若波罗蜜经六祖惠能大师于韶州大梵寺施《坛经》、《六祖坛经》、《六祖大师法宝坛经曹溪原来》、《六祖大师法宝坛经》等四部著作进行了对勘。

是在这时从沙、瓜请往吐蕃本部的。《伯希和劫经录》4646 号《顿悟大乘正理决叙》载："臣沙门摩诃衍言，当沙州降下之日，奉赞普思命远追，令开示禅门及至逻娑。"一般认为吐蕃袭取沙州是在 781 年，但法国戴密微著《吐蕃僧诤记》① 中考证，沙州先后被围 11 年，于 787 年陷落。《甘肃通志》载"贞元（785～804 年）后尽没于吐蕃"。若以此论观之，摩诃衍那即于 787 年抵达拉萨。后在拉萨、山南札玛一带传教。792 年举行顿渐辩论（辩论进行了多次，持续的时间也长），于 794 年辩论失败，仍回汉地（沙州），凡 11 年。

由于在佛苯斗争中，佛教徒赢得胜利，因而在与外部宗教赢得胜利的佛教是不会想到内部派系的斗争会日趋尖锐。摩诃衍那传教的时机（或者说社会条件）是十分之好的。据《巴协》、《布敦佛教史》等典籍记载，在顿渐之争前，赞普曾派巴赛囊（སྦ་གསལ་སྣང་།）去汉地寻求佛法；派桑希（སྦ་སང་ཤི།）等人去请莲花戒。其实汉地的一些佛教徒在顿门巴入藏前就有活动。摩诃衍那到拉萨后讲经说法，剃度收徒，很快赢得了各阶层的喜欢，其中有一般的平民百姓，也有赞普母那囊氏、王妃没庐绛曲、森绵巴觉玛和身居将相高位的功臣恩兰达札路恭等大臣及夫人。顿门巴队伍迅速壮大，众信徒对摩诃衍那也是崇信备至。显然，简便易行的顿教，是一条迅速成佛的捷径，不需要像渐教那样逐步积累，由浅入深，由低级到高级，以企从量变到质变的飞跃。《巴协》说摩诃衍那还写了《禅眠论》、《禅答》、《观之面》、《百十部经源》等著作，阐述他所奉行的顿悟教理。既有信众就有势力，据载那时在桑耶寺也设禅院，讲授禅法（即顿悟教理）。印度佛教每况愈下。

二、顿渐之争的基本过程及内容

由于见地不同，顿门巴和渐门巴之间的辩论也随之而起。虽然事件发生在西藏，从参与辩论的人员和思想看，实质上是以莲花戒为首的印度佛教与以摩诃衍那为首的汉传佛教之间的一场理论斗争。而斗争的结局将会影响到吐蕃社会佛教发展的走向，对于汉印两国来说，这场辩论也意味着这块土地上的思想意识形态领域由何者主宰的问题。

赤松德赞主持了这次辩论，他坐在中央，莲花戒坐在左边，摩诃衍那坐在右边。赞普给每人送上一束花说："你们二人开始辩论吧，谁赢了，

① ［法］戴密微著，耿升译：《吐蕃僧诤记》，甘肃人民出版社，1984 年，第 225 页。

败者就把花献给他，同时败者要马上离开此地，不准再住下去。”这几句话说得非常清楚，失败将失去在吐蕃的一切地位和宗教传播权。

辩论伊始，摩诃衍那立论：“作善业与不善业，无非是生到人，无与恶趣的区别而已，并不能从轮回得到解脱，这对于获登佛位反而是障碍。譬如，无论是白云或黑云，都同样是遮蔽天空的。同这个道理一样，无论何人，对何物也不想，是何物也不想，就能从轮回得到彻底解脱。所谓对何物也不想，就是不分别，不辨别，不缘虑，顿时悟入（ཅིག་ཅར་དུ་འཇུག་པ།）就等于位登十地（ས་བཅུ་པ།）。”

莲花戒对此批评道：如果对任何事物什么也不想，就等于不承认和抛弃了对事物各个了别（认识）的智慧，正确智慧的根本，如果抛弃了这些，就等于抛弃了超脱世间的智慧。同时，意识不活动是不可能的。没有忆念和意识的活动，就没有正确的各个了别，就无法深入了知一切法皆无自性的道理。同有意识和忆念活动，就不能回忆以往的事物，获证一切知晓者的地位，因而也无法克服烦恼，只有用正确的智慧，像认定事物的瑜伽行者，现证过去、未来、现在三时的内外一切空无之后，分别才能息灭，否则一切不正确的见解就不能消除，因此也就障碍了成佛的途径。

继而伯央说：依照汉和尚的主张，是顿时悟入，就不会有渐次悟入。所谓六度，是就其相矛盾的部分而安的名，譬如所谓布施，是对贪吝而说，假如把贪吝之财物施舍给别人，就是最殊胜的布施。他认为将顿悟绝对化，而排斥渐门，这是不对的。

益西旺波的反驳十分有力，也是总结性的。他说：“所谓顿然悟入渐次悟入两派的主张，应当分析，如果渐次悟入，则无因，与我不同而顿然悟入的话，你现在还在作甚么，如果起初就成了佛又有什么过错？特别是如像登山，必须一步一步地拾级攀登，不可能一步就登上山巅。如这个譬喻，要想登上初地已经困难，哪里还谈得上登上一切智者的圣位?！在此，如果按照渐门派的主张，乃在于修学佛的一切经典，产生三种智慧，正确理解经义，再学习十法行，遵照修持，先登于忍位，然后正确入于初地，于是逐次修炼十地，直到两种资粮都圆满了，自然就臻上佛位。如果按照你的主第，资粮既未圆满，心识也没有修炼，连世俗的事也不懂，怎么会通达一切知识呢?！”

印度佛教一方做了十分充分的准备，要害问题也抓得准。《布敦佛教史》说：“最后顿门巴无理答辩，哑口无言，遂把手中的花献给了轨范师（莲花戒），认输了！”这最后的一幕有多种说法：有的说摩诃衍那临行留一只鞋，告诉人们他的宗教还会吐蕃兴起；有的书说，汉和尚不认输，击伤了莲花戒的腰部，致使其去世；也有的说，顿渐之争，不是顿门巴失败，而是渐门巴失败。但从各种情况综合分析：

（1）在宗教上，吐蕃一向崇尚印度，尤其有诸多印度佛学大师参与的情况下，尽管许多史书都说顿门巴的势力了得，但最终仍然是趋向于印度佛教的。因为吐蕃人在100多年中，一直保持着与印度佛教界的良好的联系，有许多师承关系。

（2）有赞普的支持。从《巴协》、《布敦佛教史》看，赤松德赞实质上是支持印度佛教的。

（3）顿门派虽然有许多追随者，但是当时唐蕃两国战事频仍，虽然宗教无国界，但作为摩诃衍那在吐蕃辩论，其背景条件对他也是不利的。他既是一名佛教徒，又是“敌国”的一名臣民。

（4）从宗教教义的角度看，顿悟派也是难以取胜的。“法无顿渐，人有利钝”，假如我们以此道理，也不能否认渐修的必要性和合理性。两种不同的修法途径是很难断然否定的。

故而，摩诃衍那的失败是必然的。对其追随者们的打击也是沉重的，《顿悟大乘正理决叙》中说：“摩诃衍那的徒弟中，娘夏米以刀解身，聂齐玛拉与俄仁波且自捶其阴，汉僧（甲桑梅郭）燃其头而死。余众人身配利刀，扬言欲杀尽渐门巴而后效法已捐躯者，自尽身尽。”

三、顿渐之争的文化影响

摩诃衍那作为顿门巴的领袖人物虽然离开了西藏，但是，顿门巴的思想并没有随之而去，它一直影响到后来的宁玛、噶举等教派。

汉僧入蕃的历史显然早于摩诃衍那之前。文成、金城时均有。后来为了译经需要亦有许多汉僧入藏，《大藏经》中记录的有关此时经典中就有某某经译自汉文的说明。这除了那些在长安学习的藏人的劳作外，大部分可能要仰仗汉僧的努力。从部分资料看，当时的汉人中懂藏文，藏人中懂汉文的已不少。

第二章 藏传佛教文化的形成

（11世纪～15世纪）

第一节 藏传佛教诸教派的形成

一、藏传佛教形成的历史文化背景

“前弘期”的佛教虽然取得了不少大的胜利，但基本上是在“战乱”中度过的。佛与苯，印度文化与藏族文化，经过了长期的艰苦而复杂的斗争。但这些斗争还没有渗透到广大的农村、牧区。此时的佛教还是知识阶层和宫廷的事，民间还是在信仰着自身的宗教。大概百花齐放、百家争鸣在文化建设中是可以的也是必须的，可是作为一个国家的指导思想，绝不可以有两个，两个指导思想的存在必然导致内部的两种思想路线的斗争，斗争便会产生分歧、分裂，便会导致政权的瓦解。吐蕃王朝基本上走过了这样一条道路。而事物的残酷性和绝对性也在于此，佛苯斗争并没有因吐蕃王朝的瓦解而偃旗息鼓，而仍然在局部领域如火如荼地进行。直到彼此的力量消涨达到了绝对地控制对方的时候，这种斗争才逐步地冷却下来。

朗达玛被弑后，他的两个儿子云丹和欧松，一据腰茹，一据伍茹，混战近30年。此时，农民起义风起云涌，遍及吐蕃。韦·考谢拉东在康区聚众起义（又称“邦金洛”起义，在今昌都、甘孜一带）；韦·劳颇劳强在伍茹地区领导起义；安多地区爆发了“温末”起义，等等。整个卫藏、康区、安多以及诸如安西四镇等吐蕃辖区处在一片战火之中。农民战争“不仅结束了聂赤赞普和松赞干布的后裔对西藏的统治，而且使得137年中，西藏见不到佛教教法和穿袈裟的僧人。”①

战后的藏区处于分裂割据状态，出现了大大小小的地方政权，计有：“藏堆地区以仲巴拉则为首邑的由没庐和交绕氏后裔为首的地方势力；在

① 东嘎·洛桑赤列著，郭冠忠、王玉平译：《论西藏政教合一制度》，西藏人民出版社，1985年，第31页。

许列莫地区的以章喀细赞为首邑的由娘氏、朗氏后裔为首的地方势力；以彭波萨丹木为首邑的卓氏与玛氏后裔为首的地方势力；上雅砻地区的以那莫雅则和那莫麦则两处为首邑的由琛氏和涅氏后裔为首的地方势力；洛札丹秀地方的以甲仓贡襄为首邑的由尼瓦氏和苏布氏的后裔为首的地方势力；穷结地方的以库古觉喀力为首邑的由库氏和涅氏裔为首的地方势力。此外，在多布、工布、列麦、拉萨等地各形成一个地方势力。"① 欧松的儿子额达贝考赞统治山南地区 11 年，于公元 895 年被农民起义军领袖论波苏布・达则涅杀死在娘若香波城堡。贝考赞的大儿子吉德尼玛衮和小儿子赤扎西则巴贝逃走，赤扎西则巴贝逃到拉堆地方，吉德尼玛衮逃到阿里。吉德尼玛衮的大儿子贝德巴衮占据芒域，传出拉达克小王王统；小儿子德祖衮占据象雄，传出古格王朝王统。赤扎西则巴贝之孙沃德的大儿子巴哇德色和四儿子列巴二人的后裔成了后藏的绒、娘堆以及叶茹北部的一些领主；二儿子赤德列到了多康地区，他在青海地区的后裔成了嘉色（唃厮罗）部落的成员和贵族；三儿子赤穷在雅隆地区传出所谓雅砻觉阿家族。这种分裂割据，各霸一方的社会，给佛教教派的形成提供了良好的社会土壤。

喇钦在青海丹底地方收徒传教，弘扬佛法。时踞山南桑耶的云丹六世孙益希坚参派鲁梅・楚臣喜饶等十人去喇钦处求学佛法。后而鲁梅又跻为佛学大德，门徒众多，影响甚广，使寂寞了好些年的佛教重新兴盛起来。其实，喇钦、鲁梅式的佛徒在藏土也不少，只是没有那么大成就罢了。诚如王森先生所言，"下路弘法"只是致力于建庙、度僧、传戒活动，还不能从教义出发，兴佛弘法。

仁钦桑布（958～1055 年）是一位善巧之人，精通一切显密教法，同时他还迎请了班智达夏达嘎惹哇玛、白玛嘎惹古巴达、菩提西辛达、布达巴那、嘎玛那古巴达等知名译师，共同翻译了显教经典和密乘四续部经典，特别翻译了《瑜伽部》及《密集》等许多经典，从而确立了清净的密教。因而被称为"大译师"，他的同学雷必喜饶被称为"小译师"，也翻译了不少经典。这一时期的尼泊尔译师弥底的授教译经、卓弥・释迦意希的译经弘法等都对佛教的复兴作出了重要贡献。

孟加拉僧人阿底峡（982～1054 年）的进藏传教对后世产生了巨大的影响。他一生写了许多著作，有些被收在《大藏经》中，其中最有名的是

① 东嘎・洛桑赤列著，郭冠忠、王玉平译：《论西藏政教合一制度》，西藏人民出版社，1985 年，第 31 页。

《菩提道灯论》，藏传佛教中之噶当派、格鲁派均尊其法，格鲁派取得执政地位后，它也自然地成为藏传佛教主流派之核心经典。由于篇幅不长，现将法尊法师译文特录于后：

敬礼曼殊宝利童子菩萨

敬礼三世一切佛　及彼正法与众僧
应贤弟子菩提光　劝请善显觉道灯

由下中及上　应知有三士　当书彼等相　各各之差别
若以何方便　唯于生死乐　但求自利益　知为下士夫
背弃三有乐　遮止诸恶业　但求自寂灭　彼名为中士
若以自身苦　比他一切苦　欲求永尽者　彼是上士夫
为诸胜有情　求大菩萨者　当说诸师长　所示正方便
对佛画像等　及诸灵塔前　经花香等物　尽所有供养
亦以普贤行　所说七支供　以至菩提藏　不退转之行
信仰三宝尊　双膝着于地　恭敬合掌已　先三遍皈依
次一切有情　以慈心为先　观恶趣生等　及死殁等苦
无余诸众生　为苦所苦恼　从苦及苦因　欲度脱众生
立誓永不退　当必菩提心　如是必愿心　所生诸功德
如华严经中　弥勒广宣说

或读彼经或师闻　了知正等菩提心
功德无边为因缘　如是数数发其心

勇施请问经　亦广就此福　彼略摄三颂　今此当摘录
菩提心福德　假使有色者　充满虚空界　其福犹有余
若人以宝珍　遍满恒沙数　一切佛世界　供献于诸佛
若有人合掌　心敬大菩提　此供最殊胜　其福无边际

即发菩提愿心已　应多励力遍增长
此为余生常忆念　如说学处当遍护
除行心体诸律仪　非能增长正愿心
由欲增长菩提愿　故当励力受此律

若常具余七　别解脱律仪　乃有菩萨律　善根余非有
七众别解脱　如来所宣说　梵行为最胜　是苾刍律仪
当以菩萨地　戒品所说轨　从具德相师　受持彼律仪
善巧律仪轨　自安住律仪　堪传律具悲　当知是良师
若努力寻求　不得如是师　当宣说其余　受律仪轨则

如昔妙吉祥　为虚空王时　所发菩提心　如妙祥庄严
佛土经所说　如是此当书　于诸依怙前　发大菩提心
请一切众生　度彼出生死　损害心忿心　悭吝与嫉妒
从今至证道　此等终不起　当修行梵行　当断罪及欲
受乐戒律仪　当随诸佛学　不乐为自己　速得大菩提
为一有情因　住到最后际　当严净无量　不思议佛土
受持于名号　及住十方界　我之身语业　一切使清净
意业亦清净　不作不善业

自身语心清净因　谓住行心体律仪
由善学习三戒学　于三戒学起敬重

如是勤清净　菩萨诸律仪　便当能圆满　大菩提资粮
福智为自性　资粮圆满因　一切佛共许　为引发神通
如鸟未生翼　不能腾虚空　若离神通力　不能利有情
具通者日夜　所修诸福德　诸离神通者　百生不能集
若欲速圆满　大菩提资粮　要勤修神通　方成非懈怠
若未成就止　不能起神通　为修成止故　应数数策励
止支若失坏　即使勤修习　纵然经千载　亦不能得定
故当善安住　定资粮品中　所说诸支分　于随一所缘
意安住于善　瑜伽若成止　神通亦当成　离慧度瑜伽
不能尽诸障　为无余断除　烦恼所知障　故应具方便
修慧度瑜伽　般若离方便　方便离般若　俱说为系缚
故二不应离　何慧何方便　为除诸疑故　当明诸方便
与般若差别　除般若度外　施波罗密等　一切善资粮
佛说为方便　若修方便力　自善修般若　彼速证菩提
非单修无我　遍达蕴处界　皆悉无有生　了知自性空
说名为般若　有则生非理　无亦如空花　俱则犯俱过
故俱亦不生　诸法不自生　亦非他及共　亦非无因生
故无体自性　又一切诸法　用一异观察　自性不可得
定知无自性　七十空性理　及本中论等　亦成立诸法
自性之空性　由恐文太繁　故皮不广说　仅就已成宗
为修故而说　故无余诸法　自性不可得　所有修无我
即是修般若　以慧观诸法　都不风自性　亦了彼慧性
无分别修彼　三有分别生　分别为体性　故断诸分别
是最胜涅槃　如世尊说云　分别大无明　能堕生死海

住无分别定　无分别如空

入分别陀罗尼亦云

佛子于此法　若思无分别　越分别险阻　渐得无分别

由圣教正理　定解一切法　无生无自性　当修无分别

如是修真性　渐得暖等已　当得报喜等　佛菩提非遥

由咒力成就　静增等事业　及修宝瓶等　八大悉地力

欲安乐圆满　大菩提资粮　若有欲修习　事行等续部

所说诸密咒

为求师长灌顶故　当以承事宝等施

依教行等一切事　使良师长心欢喜

由于师长心欢故　圆满传授师灌顶

清净诸罪为体性　是修悉地善根者

初佛大续中　极力遮止故　密与慧灌顶　梵行者勿受

倘持彼灌顶　安住梵行者　则犯所遮故　失坏彼律仪

其持禁行者　则犯他胜罪　定当堕恶趣　亦无所成就

若听讲诸续　护摩祠祀等　得师灌顶者　知真实无过

燃灯智上座　见经法等说　由菩提光请　略说菩提道

上、中、下三士之道，确定了修行的层次性原则，具有十分重要的理论和实践意义，因而深得佛徒之尊奉。

在具备一定社会条件，理论准备也趋向成熟后，喇嘛意希沃“邀请卫藏康三区大部三藏法师，自为施主，供养会众。于1076年在古格托丁寺举行了西藏佛教史上第一次盛大的法会。藏文史料中称之‘丙辰法会’或称‘火龙年法会’。当时前来参加法会的乌斯藏、纳里速、朵甘思等地各大寺院的高僧们聚集一堂，其中著名高僧有热译、年译师、琼波却尊、赞喀卧且、翱罗丹喜饶、玛尔通代巴喜饶、塔波旺杰及其法团”。此次对佛教来说是一次检阅性的活动，显示了复兴后的佛教力量，对译经传教、吸引民众也起到了极大的鼓舞作用。

二、藏传佛教诸教派

藏传佛教诸教派是在各据一方的封建势力范围内得到发展的，因此这种发展必须取得那些地方豪酋们的支持、扶植。任何宗教力量若得不到权力部门的支持，其自身的力量是很难达及影响一方甚至上升为执政教派的地位的。同样，那些霸持一方的首领们仍然需要有一种思想来武装本土的民众，以利管理的方便和自己的发达。此二者相互依赖，相互需要，相互补充，相互推动，于是藏传佛教各教派也就得到了迅速的发展。

（一）宁玛派（རྙིང་མ་པ།）

宁玛派是藏传佛教教派中最早的一个教派，尊莲花生为祖师。宁玛派之“宁玛”，除了有旧教的含义之外，是指最早翻译过来的密宗经典。由于宁玛派诞生于佛苯斗争之盛期，诞生于莲花生大师吸取苯教形式、以弘佛法的那个特殊年代，其教义、行为、仪轨中所带的苯教的成分也多，比如经典的父子或师徒传承，念咒以及核心教义的“大圆满法”等。因而，在学术研究中具有重要价值。

尽管宁玛派尊莲花生为始祖，但其建立寺院的历史（或者说真正形成）在公元 11 世纪。此时出现了“三素尔”——素尔波且（1002 ~ 1062）、素尔穷·喜饶扎巴（1014 ~ 1074）、卓浦巴·释迦僧格（1074 ~ 1134）祖孙三代，同属素尔家族。

素尔波且从旧密咒的法师学得许多宁玛派之法要，系统整理了有宁玛的典籍，招徒授法，并建立基本道场乌巴寺，对宁玛派的正规化作出了贡献。素尔穷是素尔波且的养子和高足，才学出众，素尔波且之后继承乌巴垅寺法位，获得“大圆满”等多种成就。卓浦巴是素尔穷之幼子，成长于舅父家，后勤勉好学，获得“大圆满”法，建卓浦寺，门徒有千人之众。何谓“大圆满”？《土观宗教源流》说：“此法说先前离垢之智，明空赤露，为大圆满。若释其字义，说现有世界，生死涅槃所包含的一切诸法，悉在此灵明空寂之内；圆满无缺，故名圆满，再无更胜的解脱生死方便，故名为大。”

“三素尔”之后，又出现了一些宁玛派大德；弘扬其教义，建有多吉扎、敏珠林、噶陀、佐钦、白玉等寺。其信徒遍及藏境，尽管许多由各种原因而改宗，但直到今天宁玛派仍然有一定的势力。

宁玛派的教义虽杂，但一般以“九乘”之说和“大圆满”为要义。九乘是：一、声闻乘。二、缘觉乘。三、菩萨乘。四、作密。五、行密。六、瑜伽密。七、大瑜伽密。八、无比瑜伽密。九、无上瑜伽密。王森先生说，与佛教相比，其中的“幻化部”，在宁玛派来说相当于第七大瑜伽密；“集经部”，相当于第八无比瑜伽密，“大圆满法”，相当于第九无上瑜伽密。此三乘为宁玛派所独有。又称为内密三乘或无上内三乘。第四、第五、第六乘为宁玛派和藏传佛教其他各派所共有的，故又称为外密三乘或无上外三乘，第九无上瑜伽密分为“心部”、“自在部”和“教授部”，此三部在历史上各有传承，“在圆满法”中按“九乘”的说法，他们的密法是以第七、第八两乘为主的；而绒却吉桑波所传的一系，是以“大圆满法”，实际上相当于无上瑜伽乘，而又以其中的“教授部”的东西作为它的中心思想。“这个中心思想和内地禅宗的所谓‘明心见性’、‘直认本真’等很相似。在此仍可看到内地佛教对藏传佛教的影响，这种影响可能是自8世纪的汉僧摩诃衍那和尚遗留下来的，也可能是以后进藏汉僧所传播的。”

另外，宁玛僧人多有“伏藏”（有多种形式，只要是挖掘埋藏在地下的经典）发现，影响也较大，限于篇幅，在此不赘述。

（二）噶举派（བཀའ་བརྒྱུད་པ།）

“噶举”的意思是“教授传承”，也就是继承师长传给的重要教授之意。主要是因为这一派着重密法的修习，而密法的修习全靠师徒关系口授心传，不落文字。所以，这种口耳相传成为本派的一大特点。

这一教派支系较多，品类庞杂。在藏区乃至不丹、锡金、尼泊尔一带藏语系居民中均有很大影响。而其中若干支派又曾在藏区掌握政权，在内地锡封受宠，官高爵显，拥有雄厚的权力。诸如“活佛转世制度”、“寺庙财产集团制度”等藏传佛教中特有的东西大都是噶举派的发明。研究西藏历史，尤其是佛教史不能不注意这一点。

噶举派常把印度的一些古贤那若巴、迪洛巴等人奉为本派的先哲。实际上，在藏土建立这一宗派的是藏人玛尔巴（མར་པ།，1012～1097年）上师。此人堪称怪杰，生于洛札（今山南洛札县），天资聪颖，爱读经书，但生性好斗，暴戾凶顽，十五岁被送往卓弥大师处学法。此后，三访印度，四入泥婆罗，谒见108位大德，遍求各种教授，但他却始终是在家居士，娶妻生子，一如常人。他每传一法，必收重金，生活奢侈，挥霍无度，俨然土豪。但因其梵文水平特高，诸多密法均译自梵本，又得名师传授，故有至高权威，遂称大译师玛尔巴。一时从者如云，其高足上首有四人：即俄顿、粗顿、梅顿及米拉日巴，号为四大柱。前三人辗转传承《集密》、《性集》、《喜金刚》、《四座》、《大幻》等密法及续部其他教授。后者米拉日巴独得心传，继其衣钵。

米拉日巴（མི་ལ་རས་པ།，1040～1123）是噶举派第二代祖师，生于后藏上部恭塘。幼年丧父，由寡母抚养，受尽辛酸，家产被人霸占，母妹受人欺辱，立志学法，以报私仇。曾从宁玛咒师诛杀仇人，深自追悔，乃投玛尔巴，学习正法。时已三十八岁，历尽种种艰苦磨难，成为藏土第一位即身获得正果的伟人。他的传记广为流传，并有各种艺术形式传播，成为藏土佛教各派共同崇敬的圣僧。

噶举派在米拉日巴的弟子达保拉杰（དྭགས་པོ་ལྷ་རྗེ།，1079～1153 年）之后，又分裂为许多支派。

噶玛噶举（内中又分为红帽和黑帽两支），这一派僧人与元代、明代的中央统治者关系密切，明永乐年间封噶玛黑帽派得银协巴（1383～1415 年）为大宝法王。并且，这一派与后藏统治者密切合作，一度统治过全藏，成立所谓的“噶玛王朝”。

帕主噶举一派曾受明封为阐化王，统治全藏。

蔡巴噶举一派曾受元封为万户府及万户长，并曾修《甘珠尔》经（正藏），在佛学中颇有地位。其他还有止贡噶举、主巴噶举、达垅噶举、雅桑噶举、拔戎噶举、绰浦噶举等，支系繁多。

噶举派所奉之主要学说是月称派的中观见，主要师尊是玛尔巴和米拉日巴。其“大手印”传承重在口授，不重文字。大体上从修“拙火定”入手，然后修“那饶六法”，最后证得“万有一味”、“怨亲平等”、“染净无别”的境界。这种境界被称为“大手印”。《土观宗教源流》说：“密教的大手印，是指风息入住、融于中脉后所生的大乐光明，这是最有名的《七部修法》、《三种心要》中所诠解的中心意义，是一切无上瑜伽续部中的精要之法。修大印法时，最初应现见此本元心，在此上应引风息入、住、融于中脉。因此首先应参证三心的体相，即于此上，专一而住，于是风息入、住、融于中脉。再次仗此力，脐秘密轮处，拙火炽燃，由此引起溶乐，生起四喜，将本元心转成大乐体性。此大乐性缘空性境，成无分别，即此空乐无别妙智上，再专住此智，历四瑜伽次第，成最胜喜地。如是修习空乐双运，即方便胜慧双运而修大手印，此名为唯一白法。”对噶举派的大手印作了完整的解释。

噶举派在喜马拉雅山的外侧，特别是不丹、锡金、尼泊尔和克什米尔一带具有很大的影响。锡金的仁迴寺成为他们的活动中心。近几十年，在欧洲、美国都建立了一些寺院。

（三）萨迦派（ས་སྐྱ་པ།）

《元史・释老传》中有一段关于萨迦派先世的叙述，其文曰：“帝师八思巴者，土番萨斯迦人，族款氏也。相传自其祖朵栗赤，以其法佐国主霸西海者十余世。”这里所说的朵栗赤可能就是赤松德赞时担任过议事大论的款氏拜波且（大吉祥）的孙辈名朵栗赤仁钦（རྡོ་རྗེ་རིན་ཆེན།）者。款氏（འཁོན། 后来均译作昆氏）是吐蕃老贵族之一，昆・路易旺布曾经是有名的赤松德赞时期第一批出家的“七试人”之一，也曾在朝中担任要职。所以《元史》说“以其法佐国主霸西海”是有根据的。

萨迦派形成于贡曲杰伯（དཀོན་མཆོག་རྒྱལ་པོ，1034～1102 年，一祖）。他本来从父兄学习宁玛派教法，后从卓弥大译师学习新译的密法。以一种新的《道果法》来标榜自己的新异之处。他于 1073 年在萨迦地方建立萨迦寺。从此广收徒众，形成自己的派别，名为萨迦派。（萨迦本是地名，意为“灰白之土地”）他死后即由儿子贡噶宁波（ཀུན་དགའ་སྙིང་པོ，1092～1158 年）继位，主持萨迦大寺，并把“道果教法”系统化，形成本派的特点。所谓“道果”法，“就是修明空无执，或生死涅槃无别之见”。此立论，有显密两种，显宗分龙猛派教授和弥勒派教授。龙猛派教授分三种次第，即“‘首应破非福，中则破我执，后破一切见，知此为智人’……初修生死过患，暇满难得，业果、慈悲等法而破除之。中破我执，最后破一切见。”①随弥勒派教授而修者，“此法先应了知因位时的智慧勇识，本性光明，这是生死涅槃二者的根本，由对他不认识，故为能所二取迷乱遂起二现的现行及习气，这是生死根本的俱生无明。则应断致无明根本而融归法界。”②密教方面的见解即“亲证内心实相之见。于此欲求生起觉验，先须认识差别所依之心。初觅得此心，指点此心为明空双运。次于明空双运中直指体认本元俱生智慧之心，乃观其义而为修习。”

萨迦四祖为萨迦班钦·贡噶坚赞（ས་སྐྱ་པཎ་ཆེན་ཀུན་དགའ་རྒྱལ་མཚན，1182～1251 年），是藏传佛教史以及政治史上一重要人物。他是第一位被称为精通五明的学者，所以被称为萨迦班智达钦保，简称萨班，意思就是萨迦派大师。他的著作很多，其中最出名的《萨迦格言》，有英文、蒙文和汉文等语译本，是以伦理和处世为题材的训世格言集。由于运用了通俗的民间语言，生动活泼的比喻，流传很广。1244 年他接受蒙古阔端汗的邀请，东至凉州，与之会晤，商谈西藏地方归入大元版图问题，取得了一致意见。并由萨迦本人发出一封致吐蕃各地高僧大德和领袖人物的公开信，成为促进中国统一的实际步骤。其侄八思巴（འགྲོ་མགོན་འཕགས་པ，1235～1289 年）号称五祖。继承其伯父萨班的未竟事业，1253 年与蒙古大汗忽必烈会见于六盘山。1260 年，忽必烈即帝位后，封之为国师，赐王印，设总制院，归其掌管。又奉命以藏文字母设计蒙古新字，受封大元帝师。从此，萨迦派僧人一直在元朝受宠，直接管理西藏各地事务。1277 年，八思巴举行了藏

① 土观·罗桑却季尼玛著，刘立千译：《土观宗教源流》，西藏人民出版社，1985 年，第 103－104 页。

② 土观·罗桑却季尼玛著，刘立千译：《土观宗教源流》，西藏人民出版社，1985 年，第 104－105 页。

传佛教史上第二大重要法会——曲弥法会。据《萨迦世系史》记载：当时，“乌思藏各地、印度、克什米尔、尼泊尔等地前来参加法会的僧人有7万余人，可以讲论几部经典的格西数千，加上一般民众，总数达10万之多。法会举行了14天。八思巴向7万多僧人发一套袈裟。”可见其规模之大，八思巴本人耗资之巨。与托丁法会比较，僧人数的增长也已达到了“突飞猛进”的地步（据一些材料分析，托丁法会时，藏区僧人大约有两千余人）。这同样是对藏区僧人力量的一次检阅。由于萨迦派在政治上的特殊地位，萨迦派在元代的发展达到了盛期。因而有人认为西藏地方政教合一制度是由萨迦派发始，而且是元代中央政府一手扶植造成的。元亡，萨迦派的政治势力随之衰微。在西藏地方的权力逐渐转移到噶举派手中。但是作为宗教界的权威力量仍然存在。陆陆续续出现过一些学者。例如，《吐蕃王统世系明鉴》、《萨迦世系史》等主要史籍都是出自萨迦派学者手笔。

元朝设立帝师制度，帝师均由萨迦派人士充任。帝师的事迹也是研究萨迦派的重要史料。明朝洪武五年，萨迦派的最后一位帝师喃加巴藏卜以元朝在西藏的最高长官身份前去归顺明政权，受封炽盛佛宝国师，并受赐玉印。从这件小事也可以看出政权交替过程中，萨迦派力量所起的作用。

（四）噶当派（བཀའ་གདམས་པ།）和格鲁派

噶当派是从名称上标榜以释迦牟尼一切言教作为自己教诫指南的派别，也就是说这一派的僧侣是以合于佛的教导为修持指针的。最初渊源于阿底峡（ཨ་ཏི་ཤ།，982～1054年），他是孟加拉的一位王子，本名dipam-krashrjnana，生于达卡（dacca）附近。幼年聪明敏慧，对佛学颇有造诣。曾担任过印度著名的佛教寺院超岩寺的上座。由于当时伊斯兰教与佛教斗争激烈，阿底峡难以自安，北来尼泊尔和克什米尔一带云游。应阿里地方小王的礼邀，1042年到达阿里普兰宗托林寺，一住三年。著《菩提道灯论》（བྱང་ཆུབ་ལམ་སྒྲོན།），并翻译若干显宗密经论为藏文，广弘佛法，阐明业果，强调皈依，一时弟子很多，很受阿里小王的崇信。应及门弟子仲敦巴（འབྲོམ་སྟོན་པ།，1005～1064年）延请东游卫藏，在桑耶寺（བསམ་ཡས་དགོན་པ།）、拉萨、叶尔巴、彭域（འཕན་ཡུལ།）、聂塘（སྙེ་ཐང་།）等地讲经说法，前后达九年之久，1054年卒于聂塘。至今，在拉萨西南郊25公里处的聂塘地方仍有一座精致的伽蓝叫做“卓玛拉康”，就是经他主持修建的。他去世后，弟子们把他的遗物供养在内。仲敦巴作为衣钵弟子把师尊学说发扬光大，修建热振寺于彭域作为本派根本道场，讲法行道。经常讲授《般若八千颂》、《八千颂大疏》、《略疏》以及《二万光明论》等，把阿底峡提倡的将经律论三藏教义统摄于三士次第修学之中。以后又有博多瓦（པོ་ཏོ་བ།，1031～1105 年）、朴穹瓦（ཕུ་ཆུང་བ།，1031～1106 年）、京俄瓦（སྤྱན་སྔ་བ།，1038～1103 年）等人传灯不绝，这一派中又分为教典派、教授派与教诫派三支。

噶当派的教法中以“恒住五念”（即念师长为归依，念自身为本尊，念语言为诵咒，念众生为父母，念心性为本空）和“四本尊”（即释迦佛、观音菩萨、绿度母、不动明王）为其特点，四本尊与经律论三藏合称为“迦当七宝”。

此派对后世的教派影响很大。其特点是不注意世俗权势之争，自立门户，因而在政治上没有显赫人物。后来逐渐消沉，其主要学说为格鲁派继承，所以格鲁派又称为新噶当派。

格鲁派的创始人宗喀巴（ཙོང་ཁ་པ།，1357～1419 年）生于青海省宗喀地方（今湟中县鲁沙尔），故称为宗喀巴，名罗桑扎巴。七岁出家，学习显密教法十年，十六岁（1372 年）去卫藏地区寺庙深造。二十九岁（1385）受比丘戒，并在卫藏广泛寻师问道，深入钻研，对噶当派教法传习最勤，慢慢形成自己的一整套教法思想，写出了《菩提道次第广论》和《密宗道次第广论》、《辨了不了义论》和《五次第明灯》等专著。成为一代最有威望的学者。

当时，西藏的佛教正处于一种严重的衰颓阶段，宗教界的领导人热衷于追逐权力，漠视人间疾苦。政教合一政体给宗教界带来的特权却使宗教界人士日趋腐化和堕落，权势熏天，人欲横流，戒律废弛，道德沦丧。大乘佛教宣扬的“律己”、“利他”等学说早已抛弃干净；人民的疾苦，社会的疮痍都不在他们的眼里。淫靡的风气，利禄的追求，把西藏社会搞得乌烟瘴气。当时各个教派几乎无一例外，追逐声色，竞尚犬马，陷人民于水深火热之中，置教法于欺罔诈伪之地。对于宗教界上层的若干个人来说固然是道德的沦丧，品质的腐败，但对整个佛教来说确实是遇到了严重的“信仰危机”。就在这一特殊的背景条件下，宗喀巴乃立志于整顿宗教，树立新风。宗喀巴提倡严格的戒条，谨守不渝，并以黄色僧帽表示奉持古代持戒古德的风范，以为标榜。所以格鲁派又称“黄帽派”。宗喀巴的行动受到阐化王的支持。他创立了正月十五日的默朗钦茂大法会（སྨོན་ལམ་ཆེན་མོ།），实际上借此机会宣传自己的主张，提高宗教在人民心目中的威信，也提供了佛教徒进行交流的机会。他亲自主持修建了甘丹寺（དགའ་ལྡན་དགོན་པོ།）成为这一派的祖庭。在他去世以后，其弟子们又陆续建成哲蚌寺（འབྲས་སྤུངས་དགོན་པ།）和色拉寺（སེ་ར་དགོན་པ།），成为拉萨格鲁派教三大寺，日喀则的札什伦布寺（བཀྲ་ཤིས་ལྷུན་པོ།）是第四大寺，实际上都是贯彻宗喀巴的教法思想的根据地，也是几所大的学校。格鲁派提倡的教义认为，释迦牟尼的一代正法，不外教、证两种，而一切“教”的正法，又摄在经、律、论三藏之中；一切“证”的正法摄在戒、定、慧三学之中。所以三藏未可偏废，三学亦须全修。对于经藏多闻深思，对于律藏努力持奉，对于论藏力求通达了悟，把菩提心、六度行作为以闻、思、修入境、行、果的纲要。尤其是主张显宗密宗并修，但必须在显学的基础之上，由显入密，不可逾越等。与其他专修密法的教派有明显的不同。

宗喀巴晚年潜心于学术，系统地阐述自己的观点，对于整顿佛教确实起了不小的作用。在他身后，弟子中的佼佼者，硕彦群起，把格鲁派的事业推向新的高峰。达赖、班禅两大活佛系统就是以根敦主巴（དགེ་འདུན་གྲུབ་པ།，1391～1474年）和格雷贝桑（དགེ་ལེགས་དཔལ་བཟང་།，1385～1438年）这两个宗喀巴的弟子形成的法裔。后世弟子们把“活佛转世制度”推向制度化，并且实现了格鲁派为主的政教合一政权。以后，又有青海的塔尔寺、甘南的拉卜楞寺先后崛起，加上前述四寺，统称格鲁派六大寺院，蜚声中外。

格鲁派在蒙古民族中影响极大，由于清朝朝廷的安排，在蒙古树立了哲布尊丹巴（རྗེ་བཙུན་དམ་པ།）活佛系统，形成了格鲁派第三个大活佛系统（有的著作也把章嘉活佛称为内蒙古大活佛，为格鲁派第四大活佛系统）。格鲁派的影响遍及布利亚特、卫拉特等蒙古部落。

满族原信奉萨满教，进关以后逐渐成为藏传佛教的崇拜者，并且翻译、刊刻了满文《大藏经》。蒙文《大藏经》跟满文《大藏经》一样，都从藏文翻译，为藏文系统之佛经。

除了上述几大教派外，也形成一些小的教派，如印度僧人帕・当巴桑杰（？～1117年）所传的希解派和觉宇派、夜莫・木吉多吉所传的觉囊派、郭札巴・索南坚参（1182～1261年）所传的郭札派、布敦・仁钦珠所传的夏勒派等。

第二节　典章制度

一、职官制度

吐蕃王朝崩溃后，在吐蕃本部先后形成了若干王系，如阿里地区有欧松后裔经营，建立古格王朝和拉达克王朝；其他地方有拉萨王系、雅砻觉阿王系、亚泽王系等，偏安一隅，各自为政。在东部藏区同样先后出现了大大小小的地方政权。如六谷部潘罗支政权。《续资治通鉴长编》卷第三十九载，在公元998年，被宋封为河西军左厢副使、归德将军，后封为安远大将军的吐蕃首领折逋游龙钵向宋廷陈述凉州的情况为：

> 河西军即古凉州。东至故原州千五百里，南至雪山、吐谷浑、兰州界三百五十里，西至甘州同城界六百里，北至部落三百里。周回平川二千里。旧领姑臧、神乌、蕃禾、昌松、嘉麟五县，户二万五千六百九十三，口十二万八千一百九十二。今但有汉民三百户。城周回五十里，如凤形，相传李轨旧治也。

据此视之，汉民三百户，不过千余人，其余均是吐蕃人，故而形成蕃人地方政权。

据上书介绍，五代至宋时，藏人“自仪（今甘肃省华亭县）、渭（今甘肃省平凉县）、泾（今甘肃省泾川县北）、原（今甘肃省镇原县）、环（今甘肃省环县）、庆（今甘肃省庆阳县）及镇戎县（今宁夏回族自治区固原县）、秦州（今甘肃省天水市）暨灵（今宁夏回族自治区灵武县西南）、夏（今内蒙古自治区乌审旗白城子）皆有之”，而在历史上称王称帝具有一定分量的是唃厮罗政权和西夏王朝。

唃厮罗为赞普之后，后以宗喀为中心建立政权。曾公亮等之《武经总要》前集卷十八《边防》之洮州条说：“今邈川大首领唃厮罗立文法，临制诸羌，款塞蕃臣，其部族在洮河之地。康定中命为节度以羁縻之。东至岷州百七十里，西无州县，南至叠州百七十里，北至河州三百里。”《梦溪笔谈》卷二十五《杂志二》说：“唃厮罗立，立遵与邈川首领温逋（奇）相之，有汉陇西、南安、金城三郡之地，东西二千余里。宗哥、邈川，即所谓三河间也。”唃厮罗政权存在一百余年，基本上仍然以原有的部落组织进行管理，其所辖部落大大小小有数百个，如宗哥族、青唐族、龛谷族、叶公族、齐暖族等，这些大多是地缘性质，血缘部落较少。从史书和一些藏族传说看，唃厮罗政权非常重视法律制度的建立。藏族有句谚语说：

> 下部汉地是重视法治之地，
> 能秉公执法的那个人，
> 就是那宗喀嘉保。

སྨད་རྒྱ་ནག་ཁྲིམས་ཀྱི་ས་ཆ་ལ། །
ཁྲིམས་ཀྱི་སྲུང་མདའ་འཕེན་མི་དེ། །
སྨད་རྒྱ་ནག་ཙོང་ཁ་རྒྱལ་པོ་ཟེར། །

“宗喀嘉保”即为藏语称呼之唃厮罗。在管理上，因为当时宋朝对这些藏族部落采取视其部落大小，给予相应“蕃官”办法，即“管百帐以上大首领补本族军主，次补指挥使，次补副指挥使，百帐以下并补本族指挥使”（《续资治通鉴长编》卷八十二），对当地有名望的大户则任以蕃落使、防御使、团练使、都指挥使、指挥使、刺史等职。各部落间的从属关系大多用吐蕃传统的盟誓形式来维持，李远的《青唐录》载，在首府青唐“国主”大殿之侧，“有坛三级，纵广亩余，每三岁羌祭天于其上。”《宋史·吐蕃传》载：蕃人“信诅咒，或以决事，讼有疑，使诅之。讼者上辞牍，籍之以帛，事重则以锦，亦有鞭笞扭械狱具。”唃厮罗对所属蕃族的统治是严厉的，否则，就很难改变在吐蕃王朝崩溃以后河湟地区所形成的“焚其室庐，五千里间，赤地殆尽”的状况，而形成一种农牧兴旺，商贾云集的兴旺景象。可惜由于多种原因，唃厮罗政权的许多资料均未见诸于文字，唃厮罗本人及其事迹，在藏文史料中不见出现。作为藏人一代骄子的唃厮罗也不为藏人所知。

吐蕃王朝崩溃后，属于吐蕃系统的党项（藏人之一支）崛起，从河套至贺兰山占有相当辽阔的土地。自元昊（1032～1048 年在位）立国，因其通晓佛学和藏汉文，自己创造西夏文字，占有夏、银、绥、宥、静、灵、盐、会、胜、甘、凉、瓜、沙、肃等州，从陕西北部到甘肃东南部及西北部河西走廊地带。西夏的职官制度是仿照唐宋时汉族的职官制度而设立的，其最高机构为中书省、枢密院和三司，分掌文武两班。唐制为中书省、门下省、尚书省，尚书省固定为吏、兵、户、礼、刑、工六部，由尚书左右仆射掌管，各部各有尚书和侍郎，每部下辖四司，设郎中、员外郎，其下设主事若干人。中书省与门下省大体与隋代职官同。西夏设中书令和枢密使为最高长官，再设御使台，御使大夫司监察。在中书令、枢密使下辖有翊卫司、官计司、受纳司、农田司、群牧司、飞龙院、磨勘司、文思院、蕃学、汉学等机构。其职能为：

1. 御史台：职掌监察、弹劾。

2. 开封府：原为宋之首都所处之政府。借用。为管理首都事务的兴庆府衙门。

3. 翊卫司：掌官宿卫，日直殿廷，扈从车驾。

4. 官计司：职掌官吏人事任调。

5. 受纳司：职掌仓储、收支。

6. 农田司：职掌农田水利及粮食平粜事务。

7. 群牧司：职掌马匹的饲养、繁殖、调教、交换诸事务。

8. 飞龙院：职掌御马供养。

9. 磨勘司：职掌官吏考铨升降。

10. 文思院：职掌御仪服饰等的制造。

11. 蕃学和汉学：培养官吏的教育机构。元昊本人特别重视蕃学，其地位高于汉学。《西夏书事》卷一三载："于蕃、汉官僚子弟内，选俊秀者入学教之，俟习学成效出题试问，观其所对精通，所书端正，量授官职。并令诸州各置蕃学，设教授训之。"

西夏职官制度随着时代的发展也有所更易。

西夏的军事制度与吐蕃无二，即全民皆兵，平时不脱离生产，战时则组织六十岁以下十五岁以上男子参战。指战员为各部落大大小小的首领。将全境划为两厢，设十二监军司：

1. 左厢神勇军司——驻夏州弥陀洞。

2. 祥祐军司——驻石州，在米脂西北。

3. 嘉宁军司——驻宥州。

4. 静塞军司——驻韦州。

5. 西寿保泰军司——驻柔狼山北。

6. 卓罗和南军司——驻兰州之黄河北岸喀罗川侧。

7. 右厢朝顺军司——驻兴庆府西贺兰山区的克夷门。

8. 甘州甘肃军司——驻甘州，在唐删丹县故地。

9. 瓜州西平军司——驻瓜州。

10. 黑水镇燕军司——驻肃州境，此黑水即今额济纳河，在肃州北域。

11. 白马强镇军司——驻盐州。

12. 黑山威福军司——驻汉居延故城，"城东北有大泽，西北俱接沙碛"。

监军司下设都统军、副统军和监军使三员，其下设指挥使、教练使，左右侍禁官等数十员，共有军队约五十万众。

西夏立国凡二百年。1227 年都城中兴府被成吉思汗统领之蒙古兵围困半年后攻破，西夏政权遂告败终。（邓少琴撰《西康木雅乡西吴王考》认为西夏国覆灭后，仍保存一小政权，其后裔为明正土司。此说亦有可能。）此后，原属西夏的藏人及甘青地区的藏人已归顺蒙古，由窝阔台（成吉思汗第三子）之子阔端（1206～1251 年）统治，即有萨迦班智达贡噶坚赞赴凉州会见阔端一事，西藏地区归入元朝统治之下。

随着佛教再度复兴西藏，藏人对原来的上部阿里三围，中部卫藏四茹，下部朵唐六岗的三区概念赋予新的意义，所谓卫藏法区、多堆人区、多麦马区，意为卫藏地区盛行佛法，多堆地区多人，多麦地区产良马。其范围为阿里贡塘以下到索拉嘉沃以上为佛区；索拉嘉沃至玛曲古巴为人区；自玛曲古巴至却丹噶波以上为马区。这种划分又有一些不同的划分法。藏人本身的这种地域划分与后来元朝在藏区设置机构有直接联系。

元设宣政院，下辖三个宣慰使司都元帅府，第一乌思藏纳里速古鲁孙等三路宣慰使司都元帅府。“乌思”即为藏文“卫”（དབུས།）的元时译音，主要指前藏地区；“藏”为藏文“藏”（གཙང།），主要指后藏地区；“纳里速古鲁孙”即“阿里三围”，“纳里速”为藏文“阿里”的译音；“古鲁孙”为“三围”的意译。起先元在阿里设都元帅，后在忽必烈献给八思巴的乌思藏（三个却喀之一）设乌斯藏宣慰司，其地域为今那曲地区索县到阿里专区以东的前后藏地区。止贡之乱（1280 年）以后，将纳里速都元帅和乌思藏宣慰司辖区合并，成立乌思藏纳里速古鲁孙等三路宣慰使司都元帅府。

宣慰使司的主要职责，《元史·百官志》七曰：“掌军民之务，分道总郡县，行省有政令则布于下，郡县有请则为达于省。有边陲军旅之事，则兼都元帅府，其次则止为元帅府。”作为宣政院的派出机构，它既管军又管民，又由于元在乌思藏有萨迦本钦总管十三万户事务，诚如陈庆英在《元朝在藏族地区设置的军政机构》一文中所说：“所以乌思藏宣慰直接管理各万户的事务并不多，它主要的职责是传宣政令、管理驿站和元朝在西藏的驻军。”尤其是在驿站的建设方面做了许多工作。

萨迦本钦在管理皇帝赐予八思巴的卫藏十三万户。这十三万户为：

（1）南拉堆万户 2250 户。

（2）北拉堆万户 2250 户。

（3）曲迷万户 3003 户。

（4）古莫万户 750 户。

（5）夏鲁万户 3892 户。

（6）襄万户 1400 户。

（7）嘉玛万户 5950 户。

（8）帕竹万户 2438 户。

（9）止贡万户 3630 户。

（10）蔡巴万户 3700 户。

（11）甲域万户 5950 户。

（12）羊卓万户 7500 户。

（13）雅桑万户 3000 户。

从上可知，说是万户，但没有一个万户是真正够一万户的。十三万户总括起来方 38963 户，还不足四万户。据《萨迦世系史》讲，元代以小烟户、马头、百户、千户、万户来计算、统计人口。其方法是：

一小烟户有夫妇二人、子女两个、男女仆人，马、驴、山羊、绵羊、奶牛、犏牛各一头（只），六根柱子房屋一处，12 霍克耕地。一大烟户为 25 小烟户，一马头为两个大烟户，一百户为两个马头，一千户为十个百户，一万户为十个千户。

如此若一户按六口人计算，卫藏地区除寺庙外应有 78 万人口。实际只有 233778 人。虽然萨迦本钦需要有朝廷直接任命，但其管辖人口并没有那么多。从八思巴在世时开始，萨迦本钦掌政达 90 余年，共有 22 名本钦先后执政：

任次	人名	任次	人名
1	释迦桑波	12	斡色僧格
2	囊涅哇衮噶桑波	13	衮噶仁钦
3	向尊	14	敦悦贝
4	秋波岗噶哇	15	云尊
5	绛仁	16	斡色僧格（重任）
6	衮熏	17	杰哇桑波
7	熏旺	18	旺秋贝
8	绛多	19	索南贝
9	阿伽仑（昂仑）	20	杰哇桑波（重任）
10	雷巴贝	21	旺尊
11	僧格贝	22	南喀丹巴

本钦的数字不甚统一，有些书籍载只 20 人，也有 22 人、27 人之说。本钦之下设万户长、千户长、百户、宗本（相当于县一级官员）。一些宗教上层（像八思巴）引借蒙古风俗，在藏设立了十三随侍。十三随侍的名称为：

1. 索本（གསོལ་དཔོན།），管饮食。
2. 森本（གཟིམ་དཔོན།），管起居。

3. 却本（མཆོད་དཔོན།），管宗教仪式。

4. 司宾（མགྲོན་གཉེར།）。

5. 仲译（དྲུང་ཡིག），管文书。

6. 司库（མཛོད་དཔོན།）。

7. 司厨（ཐབ་དཔོན།）。

8. 司引见（འདྲེན་དཔོན།）。

9. 司营帐（གདན་དཔོན།）。

10. 管鞍具（སྒ་དཔོན།）。

11. 管马匹（རྟ་དཔོན།）。

12. 管牛（མཛོ་དཔོན།）。

13. 管犬（ཁྱི་དཔོན།）。

观其名称，其职责一目了然。同时也可以看到，由于社会生活形式大体接近，蒙古形式的官吏设置，对于藏族统治者们也有适用性，因此此一制度文化也自然为藏人接受、引进。

即使有萨迦本钦的管理，乌思藏纳里速古鲁孙等三路宣慰使司都元帅府除在地方僧俗头领中任命千户、万户外，还设有：

宣慰五员，同知二员，副使一员，经历一员，镇抚一员，捕盗司官一员；元帅二员，乌思藏蒙古元帅二员，转运一员，担里管军招讨使一员，担里脱脱禾孙（蒙古语，意为“查验者”，在驿站负责盘查使臣，供应乘马饮食，以防诈伪的官员）一员。

第二，吐蕃等路宣慰使司都元帅府。设于朵康地区的宣慰使司，元时简称朵甘思宣慰司。“朵甘思”（མདོ་ཁམས།）是藏语译音，别译“朵康、多康、朵甘”，是安多（ཨ་མདོ།）和康（ཁམས།）的合称。“朵”（མདོ།）可能是早期的地名，后有朵麦（མདོ་སྨད།，下朵，或译朵之下部）、朵多（མདོ་སྟོད།，意为上朵，或译朵之上部）；后以上朵为安多，该地有阿米玛沁雪山和多拉仁沃雪山，故称安多。一些学者认为，“安多”一词可能是取阿米玛沁之“阿”，多拉仁沃之“多”，合称而来。元时朵甘思的辖区主要包括今青海玉树、四川、甘州、西藏昌都地区北部、那曲地区东部地区。元在这一宣慰使司都元帅府设：

朵甘思地里管军民都元帅府，都元帅一员，经历一员，镇抚一员。

朵甘思招讨使一员。

朵甘思哈答李唐鱼通等处钱粮总管府，达鲁花赤一员，总管一员，副总管一员。

答剌答脱脱禾孙一员，哈里脱脱禾孙一员。

朵甘思瓮吉剌灭吉思千户一员。

元帅府下设机构尚有：

剌马儿刚等处招讨使司，达鲁花赤一员，招讨使一员，经历一员。

亦思马儿甘万户府，达鲁花赤一员，万户二员。

奔不田地里招讨使司，招讨使一员，经历一员，镇抚一员。

奔不儿亦思刚百姓，达鲁花赤二员。

还有一些1298年元对该地机构调整后的机构，如六蕃招讨使司、天全招讨使、鱼通路万户府等。

第三，吐蕃等处宣慰使司都元帅府。主要管辖地区为脱思麻路和西夏中兴河州等处军民总管府。后又将青、甘、川一些藏区归其统理，原西夏旧地也多在其中。

据《元史·百官志》三记载，吐蕃等处宣慰使司都元帅府，秩从二品。设宣慰使五员，经历二员，都事二员，照磨二员，捕盗官二员，儒学教授一员，镇抚二员。其下设二机构：

一为脱思麻路军民万户府，秩正三品。达鲁花赤一员，万户一员，副达鲁花赤一员，副万户一员，经历一员，知事一员，镇抚一员。

一为西夏中兴河州等处军民万户府，秩正三品，达鲁花赤一员，总管一员，同知一员，治中一员，府判一员，经历一员，知事一员。

与该宣慰使司都元帅的治军机构有吐蕃等处招讨使司，秩正三品，招讨使一员，镇抚二员。下属有：

脱思麻探马赤军四万户府，秩正三品。万户五员，千户八员，经历一员，镇抚一员。

脱思麻路新击军千户所，秩从五品。达鲁花赤一员，千户一员，副千户一员。

文扶州西路南路底牙等处万户府，秩从三品。达鲁花赤一员，万户二员。

凤翔等处千户所，秩从五品。达鲁花赤一员，千户一员，百户二员。

庆阳宁环等处管军总管一员。

文州课程仓粮管一员。

岷州十八族周回捕盗官二员。

常阳帖城阿不笼等处万户府，秩从三品。达鲁花赤一员，千户二员。

贵德州，达鲁花赤、知州各一员，同知、州判各一员，脱脱禾孙一员，捕盗官一员。

必呈万户府，达鲁花赤二员，万户四员。

据《元史·百官志》载，元在藏人居住区设置的军政机构除上述三宣慰使司外，在朵思麻路、河州路及其边缘地区尚有：

洮州元帅府，秩从三品，达鲁花赤一员，元帅一员，知事一员。

十八族元帅府，秩从三品。达鲁花赤一员，元帅一员，同知一员，知事一员。

积石州元帅府，达鲁花赤一员，元帅一员，同知一员，知事一员，脱脱禾孙一员。

礼店文州蒙古汉军西番军民元帅府，秩正三品。达鲁花赤一员，元帅一员，同知一员，经历、知事各一员，镇抚二员，蒙古奥鲁相副官一员。

礼店文州蒙古汉军西番军民上千户所，秩正四品。达鲁花赤一员，千户一员，百户一员，新附千户二员。

礼店阶州西水蒙古汉军西番军民总把二员。

除此之外，尚有三机构较重要，一为陕西行省管辖的丽昌等处总帅府，该帅府管辖今甘肃省东部的天水、平凉、庆阳、定西、兰州等地。这些地区唐时由吐蕃统治，五代及宋时，有诸多藏族、党项、吐谷浑部落。宋史有载，仅秦凤、泾原两路有部落800余，多为藏族。

一为西宁州。《元史·地理志》曰：“西宁州，唐置鄯州，理湟水县，上元间没于吐蕃，号青唐城。宋改西宁州，元初为章吉驸马分地。至元二十三年，立西宁州等地拘榷课程所。二十四年，封章吉为宁濮郡王，以镇其地。”元时其地多为藏人。

在元朝藏区政治生活中起有重要作用的还有萨迦座主。萨迦五祖之后有：

达玛巴拉若支达（旧译答麻八剌饶乞塔，1268～1287年），八思巴之侄，1280至1286年任寺主。

夏巴降央仁钦坚赞（又名夏巴降央细脱巴），1287至1304年代理寺主18年。

达尼钦波桑波贝，1262至1322年任寺主。

阔尊钦波南喀勒贝坚赞，达尼钦波桑波贝之子，1325至1343年任寺主。

喇嘛丹巴索南坚赞（1312～1375年），阔尊钦波南喀勒贝坚赞之弟，1344至1346年任寺主。

大元洛追坚赞（1332～1364年），喇嘛丹巴索南坚赞之侄，1347至1349年任寺主。

虽然世俗事务由萨迦本钦管理，但是萨迦座主的作用同样不能低估，它对本钦的推荐及其他一些官员的任用等都能产生影响。

在萨迦达钦桑波贝时，元成宗铁木尔将自己的妹妹门达根嫁给达钦桑波贝，生子索南桑波，受封白兰王。达钦桑波贝娶七妻，生子十数人。后二妻所生之子帝师贡噶洛追将自己的兄弟分为四个“拉让”（བླ་བྲང་，喇嘛私邸，八思巴曾设一拉让）。即：

1. 细脱拉让（བཞི་ཐོག་བླ་བྲང་）。
2. 拉康拉让（ལྷ་ཁང་བླ་བྲང་）。
3. 仁钦冈拉让（རིན་ཆེན་སྒང་བླ་བྲང་）。
4. 都却拉让（དུས་མཆོད་བླ་བྲང་）。

兄弟各任拉让之主，再从拉让之中选出萨迦座主。元亡，萨迦势颓，有三拉让绝嗣，只剩都却拉让支撑局面。

二、法律制度

吐蕃王朝崩溃后，小邦割据，法律自然废弛。但随着佛教的复兴，佛教的戒律逐步成为僧侣阶层的“法律”，走向整个社会。随着一些教派政治地位的提高，在社会管理上政教合一的领袖们不断将佛教戒律推及平民百姓。萨迦时期虽也立过法，但仍无多少收获，代萨迦派而起的是帕竹政权。

绛曲坚赞（1302～1372 年）是位具有雄才大略的政治家，七岁受居士戒，九岁受沙弥戒，14 岁前往萨迦寺任职事，20 岁进任帕竹寺住持，1338 年 37 岁时任帕竹万户长，集政教大权于一身，开始了他作为宗教政治家的生涯。他对内进行严格管理，对外进行扩张，先后战胜了采巴、雅桑巴、止贡巴，将前藏三个万户的辖地归为己有，继而向当时的最高统治者萨迦本钦挑战，曾被萨迦本钦关进监狱，遭到毒打。此后，在萨迦本身内部矛盾加剧的情况下，绛曲坚赞发兵包围萨迦寺，从而摧毁了萨迦政权，建立了帕木竹巴政权，元顺帝朝封其为“大司徒”，因而绛曲坚赞在以后的文献中多被称为“司徒绛曲坚赞”。作为一名宗教政治家，绛曲坚赞在自己的首府乃东，实际上也过着宗教的生活，“王城三围，内围俱守净戒，禁醇酒妇人，外围以十善律，悉守王法，司徒自奉甚谨严，过午不食，不饮酒，为僧俗之表率，莫不尊为法王。”绛曲坚赞借鉴吐蕃法律，参考蒙古法律，以更好治理卫藏地区为目的，制订了《十五法典》：

1. 对强悍的人加以压抑。
2. 对懦弱的人加以扶导。
3. 对办事的人规定应负的任务。

4. 处理诉论的人要明辨真伪。
5. 对欺压人者加以拘捕。
6. 对犯重罪的人处刑。
7. 立约要凭契据。
8. 对勒索贪污的人予以处罚。
9. 杀人的人要赔偿命价。
10. 伤人的人以血还血。
11. 诬枉人的人要明誓于神。
12. 盗窃的人要偿还物主损失。
13. 亲眷要和睦。
14. 奸人的人要赔偿奸价。
15. 对满足的人加以抑制。

可以看出，《十五法典》中的许多条款，与吐蕃时期的法律条文如出一辙，既有封建社会法律的某些特点，也有在部落中流行的部落俗法的特点，诸如“诬枉人的人要明誓于神”等。《十五法典》的颁布对当时的西藏社会起到了良好的稳定作用，也结束了萨迦派执政时期那种法令松弛，有章不循，或无章可依的各行其是的状态，立法的条款与当时藏区的实际也较为吻合。

作为杰出的政治家，绛曲坚赞还在庄园制度的基础上设置了十三“宗”（རྫོང་，相当于县的行政单位），修建办事机关（往往建于稍高处，为城堡式建筑），设“宗本”（རྫོང་དཔོན།），由政府统一任命，从而也加强了法律的贯彻实施。

五世达赖喇嘛在所著《吐蕃王臣记》中说：当初萨迦派当政，统驭吐蕃，“由于后嗣者权贵各怀异态，各走一方，诸本钦等执法又多变异，鲜有定制。法王之律亦染霍尔之习，流于欺诈，或犯高下宽严不均等弊端，尤以运用霍尔法典，杀人者以偿命，例此律条，皆是造大罪孽者。因此司徒欲以吐蕃先代法所制十善法规作为准绳。若能如此遵行，则既不舍弃贫弱，又不纵容强悍，洞察真伪，分清皂白，则能使全藏安宁，虽老妪负金于途，亦可坦然无虑。其所制之律有英雄勇虎……过时愈约律等十五法规。此外尚有：对难于调伏而心怀邪恶之敌党，为实施予计、策略，挫败敌方势力，而行武力作战之法；外敌进攻时而行坚守寨堡之法；委任治理民事之官吏奉行善业，无亲疏爱憎，而行公正不阿之法；有杀人者不抵命，不作二命同尽等造罪之事，而行赔偿命价之法。诸如是等运用巧智作出详规，犹如展开整匹白练，以微笑之姿而从远方招迎圆满新时之佳宾。”

五世达赖喇嘛对大司徒绛曲坚赞订立法律的功绩是倍加赞许的。

三、活佛转世制度的诞生

用活佛转世的方法解决教派领袖的接班、继承问题，是藏人对佛教文化的一大创造，也是当今世界藏学研究的热点问题之一，不少人称其为世界十大神秘文化之一。这一制度的产生并不是一帆风顺的。

转世活佛的由来。藏汉佛教名称不同，意义相近，所谓活佛，是汉族称呼，藏语称“知格”（སྤྲུལ་སྐུ），均指转世者、化身。中国佛教协会会长赵朴初先生对此有一比较通俗而全面的解释。他说：佛教界的人都知道，佛菩萨转世，包括西藏活佛的转世，目的都是行菩萨愿，救人救世的。活佛和菩萨都是以发愿为本，行愿为宗，一世不成，转世再来，所以叫乘愿再来，即再来继续行愿也。这个愿就是密教尊称的“三昧耶”，就是活佛和菩萨的“平等本誓”。违背了这个愿，就是违背了“平等本誓”，违背了“三昧耶”。乘愿再来，就要寻找灵童。

藏传佛教中创立活佛转世制度的是噶玛噶举派。噶玛噶举派的创始人都松钦巴师从塔布拉杰，先后从宁玛巴学习“大圆满”法，从萨迦巴学习“道果”法，1187 年修楚布寺，声名显赫，为一代宗师。都松钦巴去世后 11 年噶玛拔希（1204～1283）出生，师从都松钦巴再传弟子崩扎巴（སྤོམ་བྲག་པ），成为一代名僧，讲经说法，广收门徒。适逢蒙古帝国兴起，整个藏族地区处在剧烈变化之中。

1206 年，成吉思汗建立汗国，甘、青地区藏人归顺蒙古；成吉思汗曾致信萨迦派大喇嘛愿意皈依佛法。1229 年，成吉思汗第三子窝阔台继汗位，将甘、青及西夏旧地划归其二子阔端（1206～1251）。阔端驻守凉州，后世称其为凉州王。1239 年阔端命大将多达那波入藏驻扎在拉萨北部热振寺一带，对西藏形成强大的军事威胁。藏区各地方势力和各教派领袖也都积极奔走，准备抗击蒙古军队。本来一触即发的战争，由于另外一些因素的介入而有了新的变化。

大约是由于先期归顺蒙古的那些藏传佛教僧人们的斡旋和多达那波了解到的藏区的情况，阔端对西藏的战争采取了新的策略。多达那波在西藏了解到，在西藏，噶当派的寺庙最多，达垅噶举派法王的德行最高，止贡噶举派的京俄大师很有法力，萨迦班智达的学问最好，并且建议阔端迎请萨班到凉州会晤。阔端接受此建议，致函邀请萨班到凉州会晤。1244 年，62 岁的萨迦班智达·贡噶坚赞带着八思巴、恰那多吉两个幼小的侄子前往凉州，于 1246 年到达，1247 年见到阔端，深得阔端的信任，遂写著名的

《告蕃人书》，以金、西夏等灭亡的实例，劝说西藏各界归顺蒙古，不要抵抗。1251 年，萨班和阔端均在凉州辞世，蒙哥汗继位，阔端的辖地由忽必烈统领。1253 年，忽必烈南征云南，路经康区时召见噶玛拔希，要其随侍左右，为噶玛拔希拒绝。

噶玛拔希因何拒绝忽必烈，史家多有争论。而我以为其原因不外有三：一为蒙古军队烧杀掳掠，为其佛教信仰所不容；二为当时的忽必烈还不是大汗，噶玛拔希尚不值得为其奔走；三是此时有可能八思巴已得宠。尤其是后二款可能是主要原因。此后，噶玛拔希到内蒙、宁夏一带传教。1256 年，受蒙哥汗召见，噶玛拔希与其会晤于和林，蒙哥汗送给他一顶金边黑帽和一颗金印。1259 年，蒙哥汗死。1260 年，忽必烈自称大汗，封八思巴为国师。此后，忽必烈之弟阿里不哥自称大汗，与忽必烈争夺汗位。1261 年，阿里不哥兵败，噶玛拔希有帮助作乱之嫌，被忽必烈投入监狱，后于 1264 年释放，辗转八年回到楚布寺，1283 圆寂。由于当时各教派及地方势力竞争激烈，也为了使噶玛拔希的显赫声望永不泯灭，噶玛拔希第一次使用活佛转世制度，将 1284 年生于后藏贡塘地方的让琼多吉（1284～1339）立为噶玛拔希的转世活佛，并追认都松钦巴为第一世活佛，噶玛拔希为第二世活佛，称噶玛噶举黑帽系。至今已传十七世。噶玛噶举派最初采用活佛转世制度并不像后世这样复杂，只是一教派选择一继承人而已，其形式、内容都比较简单，而采用此一制度的意义却甚为深远。这一独创，不仅对后世的宗教制度产生影响，也对政治制度产生重大影响。

四、教育制度

从文字记录的历史看，最早的正规学生应数赤松德赞时的“七试人”，最早的学校大概要算桑耶寺。因为从吐弥桑布札创造新藏文始，藏文的学习已蔚然成风。但以何种形式学习，尚不可知。

作为学校性质的桑耶寺明显具有两重性质：一是宗教学校，它的学生培养目标，完全是为了宗教事业——培养合格的宗教职业者；一是贵族学校，这个学校的学生是为统治阶级的利益服务的。这两重性质既决定了桑耶寺的政治命运，也决定了桑耶寺的宗教命运，同时也确定了它在藏族历史上的地位。

桑耶寺竣工后，由菩提萨埵担任堪布，并从印度请来的 12 名一切有部的比丘，为巴塞囊“七试人”剃度；授比丘戒。赤松德赞对他们实行优待政策，免除差税兵役，生活由王室府库供给（类似于现在的公费生）。于是僧人急增，一年多时间，即增至 350 多人。此后赤松德赞进一步优遇僧人：

> 赤松德赞考虑到现在我在世时如不规定桑耶等寺院和堪布僧人的生活供应数量，我死以后就可能无人照应，于是打算给寺院三百户寺属民户，作为供养，给每一僧人七户百姓。当他把这个想法告诉巴·意希旺波时，意希旺波回答说与以前赞普赐给一名功臣以平民九百户相比较，按以上数量封赐寺院和僧人并无不适当之处，但恐以后赞普亲眷中意见不合，或遇到人畜瘟疫、外敌入侵，或大饥荒时，不能保证这样的供应数量，为求长远之计，请给寺院属民二百户，每一名僧人给平民三户，把管辖这些属民之权交付僧人比较适合。于是赞普赐给寺院民户150户，赐给每名僧人三户属民，总计赐给桑耶寺和305名僧人的寺属奴户为1065户，按平均每户四口计算，总计4260人，这些寺属奴户都不向赞普缴纳税赋，不担负兵役。

如此，僧人的队伍迅速扩大，地位不断提高，僧人也成为特权阶层，成为拥有土地、牧畜的封建农奴主，从而加重了社会负担。但是由于这种扶植政策，也使赤松德赞当政时期拥有千人之众的藏族译师队伍，这些“能说两种语言的大自在神”为佛教典籍的翻译立下了不朽功勋，也为以后寺院教育的发展打下了基础。

赤热巴巾时，这种以佛教为中心内容的学习建构有了进一步的发展，开办了律仪学院（慧、净、贤律仪部门）、讲学学院（讲、辩、著的学术部门）和修行学院（闻、思、修的修行部门）和三十法部喇嘛的学习组织。宗教教育在当时的进一步发展，也与当时的社会环境有直接关系。其一，佛教在藏土已经过了将近两百年的生存、传播，宫廷内部已拥有较雄厚的支持、信仰势力，传播宗教的形式是多样的，但以学校形式进行宗教学习，培养中坚力量，推进宗教发展的方式显然是最有效的。其二，通过两次厘定文字，修正佛学经典，和长时期的佛典翻译，从教材、教员、教学管理和课程设置上，已具备进行专门学校教育的基础。

许多经典均载，立宗最早的宁玛巴为莲花生大师所传，其派主修密法，并没有严格的学制系统（密宗的学习方法与显宗的学习方法是有区别的）。尊阿底峡为祖师的噶当派却在寺院教育体系的建立上做了切实的实践和探索。

阿底峡有仲敦巴（1005～1064年）、南交钦波（1015～1078年）等高足。仲敦巴建热振寺，噶当派即以此寺为根基发展。仲敦巴的弟子博多瓦当堪布时，该寺的教育事业也有所发展。博多瓦游历卫藏各寺，有常随弟子千人。他常讲的经典有七部：

1.《大乘经庄严论》（མདོ་སྡེའི་རྒྱན་བཤད་པ།）。

2.《菩萨地》（བྱང་ཆུབ་སེམས་དཔའི་ས།）。

3.《集菩萨学论》（བསླབ་པ་ཀུན་ལས་བཏུས་པ།）。

4.《入菩提行论》（བྱང་ཆུབ་སེམས་དཔའི་སྤྱོད་པ་ལ་འཇུག་པ།）。

5.《本生鬘论》（སྐྱེས་པའི་རབས་ཀྱི་རྒྱུད།）。

6.《集法句经》（ཆེད་དུ་བརྗོད་པའི་ཚོམས་གཉིས་དད་པའི་གཞུང་།）。（以上称《噶当六论》）

他尤其重视阿底峡所著《菩提道灯论》，与上六论合称“噶当七论”，这便是当时此派僧人的主要学习课程。从博多瓦的弟子朗日塘巴（1054～1123）也重视讲经收徒，所讲经典仍以“噶当七论”为主，也可看出这一点。除此而外，朗日塘巴还讲授“慈氏五论”（《现观庄严论》、《大乘庄严经论》、《宝性论》、《辨法法性论》、《辨中边论》）。

《中观论》的翻译讲授起于巴曹译师，他得到博多哇弟子夏尔哇巴（1070～1141年）的支持。

1073年，阿底峡的弟子大译师俄雷贝喜饶（རྔོག་ལེགས་པའི་ཤེས་རབ།）建桑浦寺，他死后由其侄俄洛丹喜饶（རྔོག་བློ་ལྡན་ཤེས་རབ།，1059～1109年）任桑浦寺堪布。洛丹喜饶曾到克什米尔学经17年，又到尼泊尔学习密宗，后讲经收徒，其弟子有二万三千多人。受旺秋德的资助和委托，又得到班智达噶丹杰波的协助，洛丹喜饶完成了法称所著《定量论》、《正理滴论》，慧生密著《释量论后三品疏》、《释量论庄严疏钞》，法胜著《定量论疏》等的翻译，并对玛善慧译的《释量论》，以及在吐蕃王朝时期所译的一些因明著作进行了收录，选录于《大藏经》的他译的著作就有40余部之多。与此同时，狮子幢还译有《集量论》及《自释》。因明学的主要论典此时已基本译完。洛丹喜饶在拉萨、桑耶等地讲经，名噪一时，曾多次讲授《定量论》等法称的著作和注释。据说给他做副讲的人中能讲《正理滴论》、《定量论疏》的有55人，能阐释《定量论》的就有280人。小俄译师洛丹喜饶在其叔俄译师雷贝喜饶建立的事业基础上，对“量论”（即因明学）的宣传和人才的培养作出了重要贡献。而在以后两三百年的发展中，桑浦寺仍以传授讲释《量决定论》、《现观庄严论》为主。特别是“量论”的讲述，在当时诸派中独树一帜。

桑浦寺第六世堪布恰巴却吉僧格（ཕྱ་པ་ཆོས་ཀྱི་སེང་གེ，1109～1169年）著《量决定论广注》、《量论摄义颂》和自释，讲授因明更是盛极一时。王森先生说，《量论摄义》一书，是后来藏人所著大量因明入门书之祖，藏人学习因明的特有方式，也是从他开始的。相传西藏各寺学经所取的辩论方式，也是从他开始的。该寺兴盛时期，藏传各教派学僧多到此寺来学经。20 世纪 50 年代前还有桑浦寺夏学，届时西藏甘丹、哲蚌、色拉、札什伦布四大格鲁派寺院的学僧到桑浦寺，进行因明辩论活动，成为一学制。

桑浦寺不但是学习研究因明的重要寺院，而且在般若（以学习《现观庄严论》及其注疏为主）、中观（以《入中论》及其注疏为主）等方面也有先导作用。后期格鲁派寺院显宗系统中以学习因明、般若、中观、俱舍、律学等五部大论，显然前三类课是与其有传承关系的。换言之，这也是格鲁派寺院显宗系统课程设置类型的雏形。

我们知道格鲁派寺院基本课程及先显后密、显密双修原则的确定是在宗喀巴大师。宗喀巴借鉴的另一系统是萨迦派。萨迦第二祖索南孜摩（བསོད་ནམས་རྩེ་མོ།，1142～1182 年），除学其父教法外还从桑浦寺恰巴却吉僧格（1109～1169 年）学习慈氏五论、因明等范畴的课程；四祖萨迦班智达（1182～1251 年）25 岁学《俱舍论》，1204 年卓浦（ཁྲོ་ཕུ་ལོ་ཙཱ་བ་བྱམས་པ་ཆེན།）译师请来印度那烂陀寺末任座主释迦师利跋陀罗，萨班从其及子弟学习《量释论》等因明七论、《现观庄严论》、《声明》、《工巧明》、《诗词》、《韵律》、《修辞》、《歌舞》、《星算》等，即五明之中的学问。从宗喀巴大师的修习过程和立宗辩论中我们可以知道：

（一）1371 至 1374 年，在聂塘（སྙེ་ཐང་།）第瓦寺（བདེ་བ་ཅན།），专学以《现观庄严论》为首的慈氏五论；1375 至 1376 年，在前后藏各讲经寺院，依《现观庄严论》立宗答辩。1376 年从贡噶贝（ཀུན་དགའ་དཔལ།）修习。1380 年，从仁达瓦（རེད་མདའ་བ།）重学《现观庄严论》，足见其对此论之重视程度。

（二）1375 年，大师从顿桑瓦（དོན་བཟང་བ།）学习《俱舍论》；1375 至 1380 年，又从萨迦派喇嘛仁达瓦学习两遍。

（三）1376 年、1378 年、1379 年、1380 年，大师从仁达瓦先后学习了四遍《入中论》。

（四）1378 年、1379 年、1380 年，大师从仁达瓦学习《量释论》三遍，1380 年再从顿桑瓦学习一遍。1379 年自修《量释论》和萨班弟子邬由巴（འུ་យུག་པ།）的《量释论译注》。

（五）1377 年，在觉摩垄（སྐྱོར་མོ་ལུང་།）从罗赛瓦（བློ་གསལ་བ།）学习《戒经》（即《律经》）及其注释。

以上这五部著作即构成格鲁派显宗院学习的五部大论，宗喀巴大师对其下过一番苦工夫，并且在1380至1381年以《俱舍论》、《集论》、《量释论》、《戒经》四论立宗答辩。

1375年，在夏鲁寺从仁钦南杰学《胜乐》并受灌顶。1390至1392年，宗喀巴向布敦大师的弟子学习密宗的经典注疏。1379年，从仁达瓦学习密宗要典《集密》、《集密五次第》。

1375年，大师在觉摩寺（ཇོ་མོ་ནང།）从薄东乔列南杰（ཕྱོགས་ལས་རྣམ་རྒྱལ།）学习《时轮》六加行法；1389年，从益希坚赞学习《时轮经无垢光大疏》；1390年再从布敦子弟却贝瓦学习《时轮经疏释》等。属于密宗的瑜伽部、行部、事部、无上密部均已修习。同时还学习了萨迦派的“道果法”，噶举派的密法“大印”和“那绕六法”等。

显然，后期形成的格鲁派的教育系统和管理方法等，从渊源上看经过了千余年的发展，桑浦寺的洛丹喜饶、萨迦班智达及佛学泰斗宗喀巴大师都对此做出过卓越贡献。同时也渗透了宗喀巴以后历代佛学教育家们的心血，从而得到丰富、发展，日臻完善。

五、赋役

吐蕃王朝解体后，小邦割据，使吐蕃的社会经济遭到很大破坏。元人入藏，于1260年了解藏族人口情况，设立了27驿站；1269年进行人口调查；1287年、1334年在人口调查的基础上在藏设定户口赋役。此后，元王朝在清查户籍的基础上设立了卫藏十三万户，由萨迦本钦管理，并确定了缴纳的贡赋种类和质量，推行乌拉差役制度。《汉藏史籍》记述了各驿站乌拉差役的支应和管理情况：

1. 藏地与纳里速地方的人户支应四大驿站，每站100人。萨迦大站，由拉堆洛拉堆绛和纳里速人户支应；玛尔塘地方的小站，由拉堆万户支应；夏喀地方的小站、江仁地方小站、蚌兰地方兵站，由纳里速民户支应；玛法木地方小站，由普兰支应；古格南北两路小站，由梅朵色如人支应管理；达尔垅大站，由曲弥万户支应；春堆大站，由夏鲁万户、甲若仓的人户中除去832户所剩之3060户支应；达克大站，由羊卓万户之16个达果和甲若仓的28个，以及襄万户在江边的11个达果负责支应；雅鲁藏布江之阴小站，由羊卓万户支应。

2. 乌斯（དབུས།）地区，果白驿站，由止贡3000户支应；噶热驿站，由嘉玉万户2650户和蔡巴万户的350户支应；索地方的驿站，由甲玛万户之2650户人家和蔡巴万户之350户支应；孜巴驿站，由帕竹万户之2438户，达垅万户之500户、拉巴的600户人家支应；厦颇驿站，由朱固岗、喀热、主巴、扎玛塘地方的200户等人家和拉达的人户支应；贡地方的驿站，由雅桑万户人之3000户支应。

这些驿站加上甘、青等地区的驿站，共27个，基本涉及了整个藏族地区。驿站的主要作用是迎送来往官吏和传送公文。支应的具体任务是提供食宿，供应马匹。“乌拉”差役便自此开始，一直沿袭后世。

六、葬仪

吐蕃王朝解体后，随着藏区封建制的确立，尤其是随着佛教的进一步深入民间，成为全社会的指导思想，藏族文化也由苯教文化转向藏传佛教文化，既以佛教哲学思想为指导，又大量地吸收了苯教的诸多祭祀、禳祓仪轨，在丧葬制度方面也增加了新的内容。

此外，由于民族形成期众多的部落成分和分裂时期藏族社会的相对隔绝，在丧葬方面（其他文化形式多有相似）不同的地区有不同的形式。粗观之，有火葬、土葬、水葬、塔葬、天葬五类。尚有瓮葬、壁葬等。

天葬是迄今为止讨论最多，影响最广，也是为国内外所关注的藏族葬俗，其丧仪基本如下。

其一，停灵。西藏地区，一个人死后，先将死者放在屋内一角，尸体用白布围上，并用土坯做垫，不用床及其他物品垫。这就是一个简单的灵堂了。停灵期间要念经超度。佛教认为，人死以后，灵魂和尸体不是一起走脱，因而要进行超度，在停尸三至五天中，天天请僧人从早到晚诵经，超度亡灵。停尸的时间在其他一些地区一般都是三天，像安多有些藏区，认为死者在家放的时间越短越好，也有仅放一天的。当然有些富贵人家，也以此炫耀，丧礼时间长一些，最多也不能超过七天。有些资料说也有停放百日的，出自何种原因尚待进一步探讨。

其二，禁娱乐，事慰问。在停灵的几天中亲戚朋友便来吊唁慰问，来时一般带一壶酒，一条哈达，一点酥油，一把炷香，有的还用纸包钱，上书“慰问”字样。一些小的村寨无论谁家有丧事，则全村出力、出钱、出粮，一家之哀，大家之哀，在此期间，全村禁止娱乐活动，不高声说话，不唱歌跳舞；死者家属一律不洗脸，不梳头，更不能艳装浓抹。

其三，献祭食。停灵期间，死者家的门口要吊一个红色陶罐，罐口系以洁白的羊毛或哈达，里面放柏叶等煨烧，上放糌粑粉和血、肉、脂三荤，乳、酪、酥三素。这些都是敬献给亡灵吃的，一般一日三餐都要加进一些，意为让死者按时进餐。

其四，出殡。出殡之前，须请人问卦，择定吉日吉辰。一般都很早，西藏地区和安多区相似，天刚蒙蒙亮，便准备起灵——先将死者衣服如数脱尽，捆紧四肢，蒙以白氆氇，再用白色糌粑粉画一条从尸体到家门口的白线，作为导引。死者若是老人，其子女沿白线背到门口，再由天葬职业者背往天葬场。与此同时，由一死者同龄人，将用糌粑粉画成的白线扫掉，连同垫尸的土坯、扫把等放在一起，跟着送葬的人到一十字路口倒掉。意思是说死者亡魂顺着白线出来，扫掉白线，就没法再回到家里。垫尸的土坯、扫把等（这些东西是不干净的），将它们扔在十字路口，亡魂不知东南西北，再留恋他的家和亲人，也无可奈何，只好去天葬场了。因此，给死者送行的亲人们也每人手拿一炷香，只送到十字路口。去天葬场的道路上十字路口很多，一般是在遇到的第一个十字路口，死者的亲人得全部返回，不去天葬场。同时，在尸体离家至十字路口这一过程中，无论是天葬职业者、死者亲属或其他送葬的人，都不能回头看，怕将死者的灵魂招回家作祟。

其五，献尸。尸体背到天葬台后，即燃松柏香堆，上放“三荤三素”祭品。秃鹫旋而即至。

死尸放在天葬台的一个固定地方，有些地方还将一条白羊毛绳从固定尸体的地方一直引向高处。此绳即为上文提到过的穆塔绳（དམུ་ཐག），长十三庹，每庹放一个用羊毛缠束着的棍子，十三根即代表十三天。肢解是天葬师从死者的背部开刀的。这第一刀特有讲究，或请僧人开，或请天葬师在背上划上某种花纹再进行解剖，继而将肉切碎扔给成群结伙的秃鹫。秃鹫多时，尸肉会顷刻间一扫而光。剩下的骨头在专门的舂臼中舂碎，和糌粑拌在一起，捏成团也让秃鹫吃掉。倘若尸肉没法吃尽，天葬师只得将剩余的尸骨火化，撒向四方。在人们的观念中，迅速被秃鹫吃净，则认为死者生前是好人，具有大德性，他投胎转世的时间也很快；反之，则认为死者生前没做好事，是晦气、不吉利。整个天葬过程结束后，代表死者家属的管事人，拿出酒肉慰劳大家。

至此，这一葬仪基本结束，事主家给天葬师以财物（有些是死者生前用物），然后再到寺院去点灯、诵经、布施。

天葬是被证明藏人野蛮、残忍的一种葬俗。今人甘肃天水之周希武著《玉树调查记》（1914 年调查，1919 年由上海商务印书馆印行）记录了流布于玉树地区的这一风俗：

死则请僧临尸诵经讫，僧取死者脑盖，盛一小箱中，度之寺；乃裸尸，以绳缚手足，覆以布单，雇人负之山麓，子孙不往送。麓有竖木，系尸颈焉，僧徒乃散。鸟或不食，食或不尽，则以为不祥，仍诵经，以刀裂肉喂鸟，必食尽乃止，以为此天葬也。

写完这段文字后，周氏感慨道："噫！野蛮之惨无人理，一至此哉！"驻藏大臣松筠对此也愤愤然："为严禁碎割死尸，以重人伦，以厚风俗事。照得父母养育之恩，与天地无二，是以生则尽养，死则埋葬，即诸佛菩萨，亦无不用此道理，况人生四体皮肉，稍有伤残，即疼痛难忍，可被人打伤破伤，亦必怒恨切齿。至人死之后，虽已无知，但死生一理，其遗骸岂可毁业。乃唐古忒番民相沿旧习，几人死之后，残割肢体，喂鹰喂狗，或委弃水中，谓之天葬、地葬、水葬，甚至将尸骨敲碎，和入糌粑，使鹰狗争食，此等行事，下同畜类。"倡行严禁天葬："本钦差大人到藏以来，因军务倥偬，未及示禁，今当整饬风俗之际，此为第一要务，姑念番民无知，不忍不教而诛，自此番出示之后，除僧人身故，听其火化外，凡属番民，遇有人死，或用棺木装殓，或有衣席卷裹，一概报官埋葬，不许仍前毁弃，如有不遵，律法具在，决不轻恕，毋违特示！"认为藏人这种做法"行同畜类，尤为天理所不容，王法所必加。"发这种议论无论素常，见诸文字的据我所见已数不少，有些甚至杀气腾腾，怒不可遏。这些看法都是出于各自的文化立场，即站在本民族的文化立场上观察、对待其他民族的文化形式的。

天葬源之于印度这一点是可以肯定的。如《大唐西域记》曰："送终殡葬，其仪有三：一曰火葬，积薪焚燎；二曰水葬，沉流漂放；三曰野葬，弃林饮兽。"《行事钞·瞻病送终篇》亦谓："中国有四葬，水葬投之江流，火葬焚之以火，土葬埋之岸傍，林葬弃之中野，为雕虎所食。律中多明火林二葬。"均记述了印度的火、水、土、野（林）四种葬俗，这四种葬俗也是藏地通行的。野葬或曰林葬同之于天葬。由于传播所限而不为众知，实际上，奉行天葬的除印度外，尚有缅甸、柬埔寨等信佛国家和民族。据元代周达观所著《真腊风土论》记载，当时的真腊（柬埔寨）"人死无棺，止柠以席之类，盖之以布。其出丧也，前亦用旗帜鼓乐之属。又以两柈，盛以炒米，绕路抛散，抬至城外僻远无人之地，弃掷而去。俟有鹰鸦犬畜来食，顷刻而尽，则谓父母有福，故获此报；若不食，或食而不尽，反谓父母获罪而至此。"其葬仪规程均与藏区无二。

藏区之所以流行天葬，有其自身的社会原因和自然条件。起初佛教在传入藏土的数百年中，并没能从根本上深入民间。随着进入分裂时期，小邦割据，教派林立，寺院迭起，僧徒骤增，佛教也逐步浸入藏族民间，从而进一步生活化，成为人民日常生活不可或缺的一部分。一般认为，带进天葬的是印度僧人帕·当巴桑结（？～1117年），他创立了觉宇、希解二派。而我以为天葬制度作为一种形态，其影响或可能在佛教传播的同时传播，只是看它有没有落地生根的文化土壤。众所周知，吐蕃王朝从兴起到衰亡的整个过程中基本上是采用土葬形式的，这一点我们从朗县、乃东、扎囊、穷结、洛扎、林周、贡觉、加查、林芝、曲松、贡嘎，青海省都兰县等处发现的吐蕃墓葬中会看得非常清楚。仅穷结、扎囊、乃东三县之墓葬群就有4000多座墓葬。自此以后，即进入分裂期，尤其是进入教派形成期以后，土葬的数量锐减——在卫藏地区示现尤为突出，自此时始，另一些葬式（天葬、水葬、塔葬等）悄然兴起。因为，作为社会问题，只要人类存在，死亡以及对尸体的处理便是永远的问题，不可能由于分裂期的到来人类就不存在对死者尸体的处理。一些先生以为当时考虑到土葬占地过多、杀牲过多，给社会造成负担而被淘汰。这种近乎现代的理论同样是不符合实际的。西藏地大物博，土地问题当时还不会强调到今天的地步。

从自然条件分析，我以为李安宅先生的见解是有道理的："天葬是最经济的处理办法，在缺乏燃料的地方，火化是不易办到的，就是高等喇嘛，也不一定火葬。"这种缺乏燃料的历史已很遥远。据《册府元龟》卷九六一《外臣部·土风》载："自赤岭至逻些川，无树木，唯钵川三十里，缘山有栝树。逻些川三百里，有柳、栝树、酸栖等，皆蟠屈不条茂。"这里讲的是从青海省日月山至拉萨间的情况。根据目前的森林布局情况看，也大致如此。少树木是多数藏区的实际。因而火葬在林区是可以的，但是在以牛粪、羊粪为燃料的广大的牧区，要焚烧一具尸体谈何容易！因此，人们对葬法的选择，必然要从实际出发，不可能超越现实。

但我们不能忽视观念的重要作用。藏人对天葬这一葬俗的选择和接受自然与整体地接受佛教文化有直接关系。天葬的基本原理是施舍和利他，具有代表意义的是《尸毗国王救鸽》的故事，一只被鹰追逐的鸽子飞到尸毗国王腋下请示保护，而鹰以饥饿质问尸毗王，尸毗王将自己大腿上的肉割下来给鹰吃。《罗摩衍那·阿逾陀篇》用诗歌记录了这一故事：

大地之主尸毗王答应了，
把自己的身躯送给老鹰，
后来他真的送给了那只鸟，
国王啊，他升到了最高天宫。

可见这一故事影响之广，影响之深。另一故事则是《摩诃萨陀舍身饲虎》，同样写得十分动人。都表达了以自己的生命去挽救别的生命的神圣理想和意义。究其根本这一思想仍然源于善，是善的进一步延伸和拓展——彻底利他精神。对死者尸体的实施天葬，也是一种施舍和献祭，一种功德。有三层含义，一是将自己的灵魂脱离的尸体给那些小的生命（如鹰鹫之类）吃，等于保护了生物链中的另一类动物；一是将自己的尸体作为供品献祭，是古时就有的以血祭形式敬献众神的做法；一是根据佛教的中阴（བར་དོ།）观念（人死后始至投胎的一种中介状态，即中有身），人一死便念《度亡经》，超度亡灵早日转世，而且越快越好。与水葬、土葬等比较，天葬显得更快、更干净。

第三节　文　　学

一、诗歌

敦煌古藏文文献中记载了许多优美的诗歌，但是这些诗作都没有署名，不知作者为谁？真正有署名的诗歌作品基本上在11世纪以后出现。

1. 米拉日巴及其道歌

米拉日巴（1040～1123年），后藏贡塘人（今西藏吉隆县），是藏传佛教史上著名的诗僧。米拉日巴年幼丧父，与寡母和妹妹相依为命。后其伯父强占家中财产，生活窘迫。米拉日巴38岁时拜玛尔巴为师，玛尔巴却让他去筑碉楼练其苦行。《米拉日巴传》有一段令人叹服的描写：

> 我于是迁移到此外，唯食麻草，继续修行。外无衣服，内乏营养，故身体削弱，骨瘦如柴，颜色绿如麻草，毛发也变成了一丝丝绿色。于是取出上师所给的那封书信置于头上。因为没有食物，肚子不舒服，频频嗳气，想开封一视，又有一个尚未到时的感觉，于是置之。这样约莫又过了一年，有吉村市场娃的猎人，来打野兽，走到我这里，初次看见我，大叫有鬼，转身就跑。我告诉他，我是人，我是修行者，和我的来历。有一个人说："是！是！有点像人，可以看看。"就跑到这边来，把岩洞的一切都搜寻骚扰遍了，说："你的修行食粮在哪里，暂时借给我们，以后我们会给你红肉的。若是不拿出来，就杀死你。"这样威吓着我。
>
> 我于是回答道："我呀！除了麻草而外，什么都没有。就是有，

只有世间供养修行者，所以不怕有人来夺取的。”

苦行若此，确实是令人惊异。据说有一夜，米拉日巴正在修行，有个小偷以为他所修行的洞中藏有粮食，来到洞中大事搜索，米拉日巴不觉失笑道：“我白天都找不到东西的地方，你晚上能找得到吗？只管找吧！”连小偷也无奈地笑着走了。

而米拉日巴却有一副好嗓子，用民歌的基本形式唱出了他悟道的歌，这就是著名的米拉日巴道歌（或译为道情歌），后世传有《米拉日巴道歌》集，约400首，表现了高超的艺术技巧。比如有一段描绘风雪的歌：

大雪大似羊毛团，
如同飞鸟降且旋。
中雪有如纺线绽，
宛似蜜蜂落而盘。
小雪细细如芥子，
洋洋洒洒像细面。
大雪纷飞在何如？
雪山增高顶天柱，
轭压密林低低伏，
墨墨山岭银装束，
奔腾湖泊结成冰，
滔滔河水冰下注，
……

诗人对雪的观察十分仔细，因而拟人状物都显得惟妙惟肖。“大雪大似羊毛团，如同飞鸟降且旋；中雪有如纺线绽，宛似蜜蜂落而盘；小雪细细如芥子，洋洋洒洒像细面。”这几句诗，写得何等生动，何等逼真，掩卷思之，顿有身临其境之感。

显然，米拉日巴的相当一部分诗是宣扬佛教观点，让人知苦（人生就是苦海）行善，遁世修行。

由于米拉日巴的《道歌》在艺术形式上采用了藏族传统的韵文和散文并举（如同敦煌古藏文文献、史诗《格萨尔王传》）的方法，在大段的唱词中加进了精到有致的叙述，因而显得生动活泼，不像后期那些完全用诗歌来释介佛教教义的作品，既有很高的艺术欣赏价值，也丰富了藏族的诗歌语言，尤其是那些吸收了民歌歌律，通俗简洁、意境隽永的描写生活风情、自然景观的诗，可谓脍炙人口，深受读者的喜爱。

2. 萨迦班智达及其《萨迦格言》

萨迦班智达·贡噶坚赞（1182～1251年），自幼聪颖好学，又受父辈熏陶，学识大进。25岁时拜印度大学者释迦师利等为师，修习《量释论》等因明著述及内明、声明、医方明等“五明”之学，终成博学多才的佛学大师。

萨班在学术上的贡献是多方面的，收入《萨班全集》的有《乐论》、《学者入门》、《入声明论》、《语门摄要》、《诗律花束》、《藻饰词论藏》、《因明库藏》、《三仪律差别论》、《医论八支摄要》、《法理通用学者入门》、《诗论学者口饰》、《嘉言宝藏论》等，涉及宗教学、语言学、医学、音乐等多个学科领域。在文学方面的传世之作《萨迦格言》，更是家喻户晓，人人皆知。

格言，藏语称“勒谢”（ལེགས་བཤད།），大多是有关社会生活、处世哲学等诸多方面的诫言锦语。深受藏族群众喜爱。《萨迦格言》共有辨识学者、高士、愚人、多士、恶行、本质、悖谬、事业、佛法等九章，共457首，充满了为政、为民、为自身生活、事业、成就的智慧和经验。

一个人不管有无学问，
能知道取舍就是能人；
与灰尘混在一起的铁屑，
磁石知道怎样把它吸出。

聪明人能勇敢地改正错误，
傻瓜连缺点都不敢承认；
大鹏能啄死有毒的大蛇，
乌鸦连小蛇也不敢得罪。

即使明早要死，
也要学习知识；
即使今生不成名，
来世如同取储存。

《萨迦格言》中这种勉励学习、积极上进的精神，使一代又一代的人得到教益。同时他也批评那些不求上进的人：

学者学习的时候受苦，
若处处安乐哪能博古通今；
贪图微小安乐的人，
不可能获得大的幸福。

《萨迦格言》中有许多教人如何处世的格言，可以说是格言中的精品：

仔细调查再去做，
事情哪里会受挫？
智者看好路再去，
哪里会往悬崖下迈步。

害人的事哪怕再小，
也要迅速加以杜绝；
没见小小的决口，
酿成巨大水波浪涛。

自然，由于时代与思想观念的局限，萨班的格言中，也写了一些有关宣扬佛理的诗句：

好好领悟佛法，
禅定印入心中；
抛弃一切过失，
就会立地成佛。

因果循环不相欺，
这是佛法真精神；
不去学习成全知，
因果正理哪能真？

由于《萨迦格言》通俗易懂，简洁易记，因而有良好的群众基础；其格律为七言，即二、二、三式：×× ×× ×××，每首四句，读来朗朗上口。如：

བྱ་བ་/མི་འདྲ་/བརྒྱ་ཕྲག་རྩོམ། །
མཐར་ཕྱིན་/བྱ་བ་/གཅིག་ཀྱང་མེད། །
ཀློ་རྒོད་/ཕལ་ཆེར་/གྲོང་བར་གྱི། །
ཁྱི་རྒན་/འདྲ་བར་/རྒྱུན་དུ་འཁྱམས། །
百样/事情/齐开头，
没有/一样/有结果；
狂躁/之人/像老狗，
常在/村间/乱串游。

形象生动的艺术比喻，丰富、深刻的思想内涵，不但使它步入社会的每个层次，也成为藏族格言诗之滥觞。自萨班之后，历辈学者多有写格言诗者，也不乏名篇。如索南扎巴（1478～1554年）的《甘丹格言》、贡塘丹贝卓美（1762～1823年）的《水树格言》、米庞嘉措（1846～1912年）的《国王修身论》等。此外还有《火喻格言》、《铁喻格言》、《风喻格言》、《茶酒格言》等等。同时，《萨迦格言》已译为蒙文、汉文、英文等多种文字，在国内外均拥有一定的读者。即或是在日常生活中，藏区的老人或是孩童都会诵出几首《萨迦格言》来。

二、传记文学

1. “伏藏”中的传记作品

“伏藏”（གཏེར་མ།）在藏族的传统史书中占有一定位置，同时也是藏族传记文学发展的一个重要阶段。“伏藏”是那些埋藏在岩洞、地下的被后人挖掘出来的著作。在公元9世纪后，陆续出现过一些著名的“掘藏师”（多是宁玛派僧人）。但是，史学界一直对此意见分歧，有人认为这些书是可信的，可作为重要的史料看待，也有人认为这些被称为“伏藏”的著作，多为伪书，不可足取。因为，这些“掘藏师”发掘的著作，虽然多说是7至9世纪（吐蕃王朝兴盛时期）的人物与事件，但多涉及12世纪前后的人物及事件，可见有伪托和假造是十分明显的。但是，这些书在今天看来，还是有值得肯定的价值，即便是12世纪前后的人冒名所作，也毕竟贴近吐蕃时期，当时，毕竟还有许多赖以借鉴成书的口碑和文字材料。除了苯教的一些掘藏史籍外，重要的有《嘛呢全集》、《五部遗教》和《桑耶寺大事记》等。这些著作为13至14世纪以后的藏族史家竞相引用，对后世影响甚大。诸如布敦大师（1290~1364年）所著，成书于1322年的《布敦佛教史》；蔡巴贡噶多吉（1309~1364年）所著，成书于1364年的《红史》；南南坚参（生活于13世纪）所著，成书于1388年的《吐蕃王统世系明鉴》，都曾较多地引用这些书的内容。

《嘛呢全集》发掘于拉萨大昭寺的夜叉殿和马鸣菩萨脚下，分上下两卷。上卷有八部书：《大悲观音千佛大史》、《佛说大乘庄业宝箧经》、《千手千眼观自在菩萨广大圆满无碍大悲心陀罗尼》、《法王松赞干布传》、《吉登旺曲太子本生》、《松赞干布王二十一行》、《大慈悲修习法》、《注释分支大注释总纲要》。下卷是《国王夫妇隐逝》、《誓愿闻微》、《对臣民的遗训》等，主要反映松赞干布对大臣等的教训。

涉及传记性质的主要有从《嘛呢全集》中抽出的《柱下遗教》、《法王松赞干布传》、《松赞干布二十一行》，较充分地反映了藏民族伟大的政治家、军事家松赞干布的一生。主要涉及了松赞降生、派吐弥桑布札创制藏文、翻译经书，十三岁父亲遇弑后即位、迎娶尼泊尔赤尊公主和汉文成公主，修建大昭寺、制定法律等重要历史事件。其中，《柱下遗教》最为详细。

《五部遗教》由《鬼神篇》、《大臣篇》、《后妃篇》、《佛教大师·译师篇》、《大臣篇》组成，文学性强，虽为诗体，描写情节较为细腻。比如赤松德赞王妃玛坚蔡邦氏对毗卢遮那大师的勾引，写得传神而动人：

大师饱餐满桌珍馐后，
要回雅玛谷去起身走，
王妃玛坚急忙忙请求：
“我今请师上此冈恩楼，
实因爱你请为我暂留，
越看大师越觉大师美，
爱你恋你说啥都情投，
除你以外再无可爱人，
若不爱你，除非你没有！”
说完抓住大师不放手，
大师焦急害怕直发抖。
心中好像小孩扔鸡蛋，
七上八下浑身都抖颤，
心中急急思考暗盘算，

急中生智便对王妃言：
“若被仆人发现和看见，
会使佛教毁灭遭灾难，
我去侦察一下把门关。”
说完抽身走到大门前，
王妃信以为真放大师，
大师出门奔逃一溜烟。

2. 佛教诸教派形成时期的传记文学

自吐蕃王朝崩溃后，雪域大地进入小邦割据时期，形成大大小小的政治、经济实体。被朗达玛摧毁的佛教，在封建领主们的支持下再度兴起，这一事件的起始应该从公元10世纪算起，一直到格鲁派的建成。

（1）割据的小邦形成后，在政治、经济上进入一相对稳定发展的阶段。要维持和发展这种独霸一方的局面，小邦的领袖不仅需要发展经济，而且需要在此经济形态上求得一与之相适应的上层建筑。在藏族社会这一重任非宗教莫属，无论是佛教还是苯教。由于佛教思想的广泛传播，佛经典籍的不断翻译，尤其是群众对佛教的信仰，很自然使小邦的领袖们举起佛教这面旗子，借以稳固自己的统治。

（2）数个世纪的教派的发展，出现了一批卓越的宗教人物，尤其是那些教派的创始者们，成为传记作者描写的主要对象。当然，在割据分裂的状态下，各个教派的领袖们为了创立新教派、发展新教派，同样付出了卓越的劳动，他们的生命历程确乎波澜壮阔，丰富生动。像宗喀巴等已成为世界性的文化名人而受到普遍的崇敬，仅仅为他书写的传记据有关人士统计，就有30多部。

每一种文体的发展都有其具体的历史条件。教派时期，僧徒的思想是相对自由而活跃的，在佛教这一广阔的领域中进行了广泛的学术研讨和交流活动。为今世藏传佛教文化的形成打下了坚实的基础。与此同时，教派斗争也十分激烈，一教派要获得生存和发展，首先要求得一政治势力的保护和支持。有些政治势力与宗教势力合而为一，宗教斗争实际上就是政治斗争，政治斗争同样表现为宗教斗争。因而，宗教的胜利，便是政治上的胜利；反之，宗教上的失败同样标志着政治上失败；政治发展和宗教发展融为一体。这种胶合关系即形成所谓政教合一制度。但在它的初期，对藏族传记文学，甚至整个藏族文学的发展，都曾起过积极作用。因为，给本教派的高僧大德（大学者）树碑立传，作为样板广为宣传，实际上也是一种人才竞争形式。哪个教派的大德多，哪个教派就会有社会影响，受到群众的拥戴。再则，这些高僧大德确乎具有非凡的学问和文化贡献，是值得树碑立传的。从传记文学的写作规律看，必须先有人后有传，没有人就不可能有传记和传记文学。一般来说传记有两种形式，一是自传，由传主自己写作；一是由他人写作的传记。后一类是较为多见的。写作传记时间有先有后，有的是与传主同时代的人所写，如《颇罗鼐传》；有的是传主辞世后数十年甚至数百年后的人所写，如《米拉日巴传》，其作者桑吉坚赞生活于公元1452年至1507年，而米拉日巴在世的时间是1040年至1123年，相差400年。藏族文化显现繁荣状态的教派时期，灿若群星的教派的大师们，给以后的传记作者们提供了丰富的传记文学对象。

第四节 艺 术

藏族的绘画艺术自史前岩画为滥觞，经过了久远的历史。佛教传入藏土后，这一艺术有了新的趋向。以佛教为主要内容的绘画艺术经过“前弘期”佛教的初步定型和艺术积累，到了“后弘期”，得到较大幅度的发展。

藏族的绘画艺术中最有特色的是壁画和“唐卡”。而在绘画的指导思想方面，《绘画量度经》具有非常重要的作用。

《绘画量度经》也称《梵天定书》、《梵天尺度》等，为古印度学者阿斋布著。传入藏土的时期大约在公元7世纪至8世纪。因为那时藏区已经有了第一批寺院，据《巴协》等古籍记载，当时的桑耶等寺中已开始绘制佛像，并在形象的处理方面，画师和藏王有所磋商，认为“如果能依照藏族的规矩造像，藏族人容易接受信仰，无论如何也希望按照藏族的规矩造像。”因为佛教注重偶像崇拜，画在墙上的佛像即是佛的化身，因此，寺院的出现和佛教绘画、雕塑等艺术的出现基本上是同步的。

《绘画量度经》共三章，首章讲赤降王从梵天处得到画理真传，从而传播人世；次章讲画像的规范和它的作用（供养与教化众生）；末章讲人物身体各部分的时量度、比例。作为一部理论著作，它涉及的范围比较广泛，对藏族历代绘画大师们的创作实践，具有仪轨似的指导作用。

当然，我们不能就此认为藏民族的绘画艺术就源于印度，藏人没有自己的绘画实践和传统。阿里、藏南、藏东等地区发现的以狩猎为主要内容的崖画、石刻就有30多处，林芝、昌都卡若遗址等出土的陶器已有纹饰的彩绘。在藏族古代苯教文明时期，绘画艺术已从各个渠道，生活于藏乡。后来佛教传入藏土，藏族的绘画师们以本民族的绘画实践为基础，以新的思想为指导，进行了大规模的创作活动。这些创作，既不是纯粹的印度绘画，也不是纯粹的藏族绘画，而是一种经过相互吸收、融合之后的新的绘画艺术。

一、壁画

藏族的壁画主要保存于寺院的墙壁上，流传非常广泛，可以说有寺就有画（唐卡亦然）。清魏源在所著《圣武记》中记载了这样一个数字，当时达赖喇嘛管辖的寺庙有3150座，班禅管辖的寺庙有327座，计3477座。这主要是在西藏境内，像甘肃、青海、四川藏区的一些寺院尚未计算在内，倘若将一座寺院当作一个小壁画窟，全藏寺院壁画数量之大是难以计算的。

吐蕃王朝时期的寺院壁画现在保存的已经不多，大昭寺大殿二楼北廊道壁上绘有佛与天女画像，也是几经修饰，色彩斑驳。藏族历史上的第一座寺院桑耶寺本来是个规模较大的壁画宝窟，它的“一切工程合律藏，一切壁画合经藏，一切雕塑合密咒”。可惜，9世纪中叶朗达玛灭佛，寺院败落不堪，萨迦王朝时期修葺整建，不久主殿又毁于大火。六世达赖时重新整修，保持了原貌，1945年热振活佛任摄政王时再度整修重建，许多壁画尽管是新绘，基本上都是按照原来绘画的规格大小，具有很高的研究价值。“文革”中这座寺院未免厄运，主殿第三殿被揭走拆毁，大量壁画也受到损伤。值得庆幸的是，佛教“后弘期”及教派时期的一些寺院，像萨迦寺、夏鲁寺等，保持了早期壁画的一些风格。

（一）壁画的题材

（1）壁画的题材主要是围绕宗教内容的。大量的是佛教众神像，如释迦牟尼、六庄严、二胜、文殊菩萨、四大天王、罗汉、度母、仙女、护法神等，像千佛图、二十一尊度母像、密宗喜金刚像等。

（2）因为壁画既有对神佛进行供养、敬信的一面，又有宣传的一面，因而，许多寺院都绘有释迦牟尼的画传，以连环画的形式比较详细地叙述佛祖投胎人间，佛母梦见白象怀孕、诞生，学书习定、婚配、出家、行苦行、降服恶魔外道、证得菩提、初转法轮，以及示寂涅槃等事业。由于藏传佛教在其发展过程中形成宁玛、萨迦、噶举、噶当、格鲁等教派，各教派祖师的生平事迹也成为壁画画传的重要题材，像莲花生、萨迦五祖、玛尔巴、阿底峡、仲敦巴、都松钦巴、宗喀巴都有画传。

（3）重要的历史人物和事件也是壁画的重要内容之一，其中一些涉及宗教，有些不一定涉及宗教人物和事件。如聂赤赞普为王图；五难婚使及迎娶文成公主；填卧措湖，兴建大昭寺；吐弥桑布札创造文字；金城公主进藏，赤松德赞宴前认舅；桑耶寺落成典礼；朗达玛灭佛，拉隆贝吉多杰行刺朗达玛；八思巴与忽必烈会见于六盘山下；米拉日巴拜师求学，苦苦修行；布顿仁钦珠博学多才，编辑《大藏经》；唐东杰保为群众募捐修桥；五世达赖朝见清顺治皇帝，以及历辈达赖、班禅及历代高僧的传记画像等。

（4）佛教故事内容在寺院壁画也较普遍，诸如“割肉贸鸽”、“舍身饲虎”等，多数讲述因果报应、六道轮回的佛教教义。

（5）有些壁画是直接用图案的形式宣传宗教教义的。如几乎每座寺院都有六道轮回图、大千世界图、坛城图、生老病死图等。

（6）一些反映僧人生活、宗教仪式和藏族风俗节日的壁画，给后世提供了许多形象的历史资料。如辩经、灌顶、讲经图，射猎、比武、百戏图，以及“瞻佛节”、逛林卡、寻找转世活佛、打马球图、庙会图、演藏戏等。像以桑耶寺主殿为中心所绘的气功、倒立、攀索、攀杆等表演，有些现在已经失传了。

（7）有些壁画、形同明细地图，如五台山图，画着五台山的各寺院的分布情况、山形地貌，札什伦布寺图画着主要殿堂等的位置，唐长安城郭图画着长安城的布局结构。

2. 画派

早期的一些壁画究竟出自何人之手，我们已经无从考证。零零星星和成册的资料告诉我们，8 世纪时的被后人称为伪作的巴赛囊的作品《巴协》（又称《桑耶寺志》）中有对佛像绘画技术的论述；萨迦班智达（1182～1251）在自己的母寺留下了自己的绘画（花鸟）；布敦大师（1290～1364）和莫决夏布著《大日鉴》对绘画进行理论阐述，他们同时又是画家，夏鲁寺里至今保存着布敦绘制的天文图像；佛学泰斗、格鲁派的创始人宗喀巴大师（1357～1419），在不少寺院里留下了他的绘画作品；像一世班禅克珠杰（1385～1438）、《贤者喜宴》的作者巴俄祖拉陈瓦（1504～1566）、第悉桑吉嘉措（1653～1705）、龙多阿旺洛桑（1719～1795）以及工珠·云丹嘉措等在绘画理论和绘画技能方面都有很高造诣。没有一大批的画家（或者说画匠、画工），要承担那么多寺庙的壁画是难以想象的。仅以重建后的布达拉宫的壁画而言，就集中了 66 位绘画高手，历经十余年，才全部完工。无墙不画，富丽堂皇，蔚为大观。

就整个绘画艺术史看，藏族绘画艺术的高峰出现在明清两代，自然壁画也不例外。这与当时比较安定的社会环境不无直接关系。同时也出现了一些画派。

门当画派 其祖师为门当人顿珠嘉措。门当画派为藏民族的绘画艺术做出了杰出贡献，现在的布达拉宫、哲蚌寺、色拉寺、甘丹寺、大昭寺、罗布林卡新宫，都留下了他们数以万计的绘画作品（不光是壁画，尚有唐卡画等）。顿珠嘉措本人早年就学于朵巴扎西杰波画师门下，学成后自成一体，创造了“门当钦茂”画法，著有《造像量度和意珠》等绘画专著。主要代表人物有约赛布、丹增诺杰、丹增诺布、珠古次仁、却英多杰和著名的龙多阿旺洛桑大师等。

门当画派主要以画风的色彩富丽华贵、造型严谨、堆金沥粉，笔法浑厚见长。

噶尔画派 噶尔画派的祖师囊卡扎西活佛早年也在门当派画师贡觉潘德处学习门当派画法。他与顿珠嘉措不同，顿珠嘉措早年研习过尼泊尔和汉地的绘画技法，囊卡扎西曾潜心临摹印度的合金塑像，受到印度绘画艺术的影响。

噶尔画派主要活跃于藏东地区，代表人物有“噶尔三扎西”——囊卡扎西本人及却吉扎西、嘎玛扎西，噶玛仁斯柴、噶玛仁锁等，昌都强巴林寺、类乌齐寺的壁画是他们的代表作品。

噶尔画派以线条的流畅、刚劲有力（勾线多用铁线）、神像形象的情态逼真见长。

江孜画派 其祖师为“鸟活佛”，因祖师的诨号，此派也称“鸟派”，不但吸收了尼泊尔、印度的一些绘画技法，也吸收了克什米尔绘画艺术的一些特点。代表人物有布达拉宫红宫绘画的主要执笔者降央嘉措、洛桑顿珠与“鸟活佛”——“鸟派三师”。主要绘画区域在江孜、日喀则地区，独树一帜的江孜白居寺壁画，班禅大师驻锡的札什伦布寺、城堡式的萨迦寺的壁画是其代表作。

江孜画派注重画面的层次感，人物形体的饱满丰润，色彩华丽，线条的流畅、变化、精细概括。具有很高的艺术欣赏效果。

西康画派 兼收藏、汉绘画特色，讲究笔墨情趣，淡雅有致，有浓墨重彩，也有空白之笔。

青海省黄南藏族自治州的五屯艺术中的绘画作品，我们很难确切地说它属于哪个画派，它细腻、精妙的技艺，为中外行家们所称道。

倘若细分，藏族壁画的派别和种类还有不少，在漫长的历史进程中，由于所处的地域不同，接受的绘画传承不同，受邻近艺术品种的影响不同，在各自发展过程中就形成了各具特色的艺术流派。

3. 壁画的基本技法

《绘画量度经》对绘画——主要是佛像的量度、技法和用色进行了系统论述。藏族壁画家们多依据此经的一些原则进行绘画。倘若画眼睛，则讲究“眼睛好似竹弓状，横宽则为青稞三。眼睛如是鱼肚样，八粒青稞计长短。眼睛如是莲花瓣，九粒青稞作计算。眼睛形如贝壳状，十粒青稞来计算。”其中既有量度比例，又有参照技法。至于用色，同样依据神佛的不同角色而定：“焕发美色的神眼”，“眼睛当明如牛奶色一般”；“眼睛画成黑又大，令人感到福寿和圆满。”“瑜伽师的无常眼，如像竹弓一样弯；妇女淫者有异相，由是一对鱼肚眼。世上一般寻常人，眼如邬波罗花瓣。惊恐者或泣哭者，双眼像个莲花瓣。愤怒者和痛苦者，眼睛则如贝壳般。”当我们真正观赏了佛教的壁画艺术，从那成千上万的作品中，不难感受到神像的艺术个性，并不像有的先生所描写的那些画在墙上的佛像，千篇一律，面部呆板，毫无生气了。吉祥天女的凶恶，诸金刚的怒相，以及头戴干湿骷髅头饰、拿着头盖骨饮器的护法神像，不能不说是狰狞可怖了。这种感受，靠什么实现？自然是形象的力量。佛教是十分注意宣传自己的教义的，不惜动用一切艺术手段，倘若壁画不能给人以教育、感染，那么，在佛教徒的绘画理论中也没有必要将绘画当作“艺术之王”来颂扬了。

壁画的绘制方法，也有其起承转合，基本过程是：

（1）壁画是画在墙壁上的，墙壁的处理十分重要。先用粗泥打底，粗泥一般是用长草和合而成，牢固地粘在原来是石砌或土坯、木板打成的墙上；再在粗泥上上细泥。上细泥的方法各个地区也不大相同，有些地区的细泥是用牛粪和白土和拌成的，有些地区则用碾场（主要是碾麦子）时剩的一种柔和细小的草屑和泥而成，有些地区则用石灰和白土和成，上在墙上用细圆石和泥板，反复磨蹭，使之平展如镜，再在白灰中加胶（有些是细泥中放胶），涂一层，等完全晾干后，再作画。

（2）由于许多佛像有固定的绘画手法、量度，起稿构图显得不那么复杂，有的依据现有的墙壁的大小进行放大或缩小，粗成轮廓后，再进一步琢磨细部；有的则有早先刻成的样画——有的用纸，有的用皮，钉在墙上，用木炭准确描出各个部分纹样，作为草图。草图落成后，取掉样画，用以墨线勾勒，便为定稿。有些在使用墨线时，做部分调整和局部修改。

（3）由于壁画是大面积绘画，它的底色不像中国国画，上色时或蓝或绿基色较单一。主要笔墨用于中心人物和中心画面上，其层次性一般也是以颜色的深浅程度来决定。着色完毕便开始勾线，按照树木花草、山石流水、飞禽走兽、楼阁殿宇、器具衣饰，粗粗细细，不一而足。其中勾金线是一个重要工序，以赤金、黄金等金粉，勾出佛祖、菩萨、度母等的衣饰画纹，金冠绶带；有些壁画还采用沥粉，沿着需要勾勒的线条均匀地挤在墙上，墙面上便有了凸起的沥粉线，再在上面贴上金箔，使整个画面金光闪烁，富丽堂皇。

（4）整个壁画作完后，还有一次整修过程，对一些重要的细部，进行处理。藏语称“扎西”。有些地方还要留下一二“点睛”之笔，让有名望的活佛和画师画上，并诵经，举行开光仪式。

藏族壁画的颜料，一般多用藏土就有的石黄、石绿、石青、朱砂等矿物质原料。

二、雕塑

公元前4世纪末，马其顿亚历山大入侵古印度王国犍陀罗地区，随之带进了希腊文化艺术。此后经过数个世纪的发展，至迦腻色迦国王时期，犍陀罗地区的艺术家们汲取古希腊、罗马艺术，形成了新的艺术品种——犍陀罗艺术。这一艺术随着佛教的兴盛而逐渐东传，受到波斯萨珊王朝（226~651）和印度笈多王朝秣菟罗派的影响。就雕塑艺术看，笈多王朝时，犍陀罗艺术已成为中亚细亚佛像雕塑的规范。藏族雕塑同样如此。

在印度雕塑艺术传入藏土之前，藏族雕塑艺术的资料，我们能够见到的很少，只能凭借于一些历史文献的记述。不难推断，自公元7世纪上溯至公元3世纪聂赤赞普为王，就修建了藏族历史上第一座宫殿——雍布拉康，此后又修建了青瓦达孜宫，门楣、窗棂、桌凳、柱石、盖房建屋伴随着人们美化生活的过程，同样包含着艺术实践的过程。这些宫宇的出现，不能说与雕塑艺术毫无关系。无论石雕、木雕，此时虽不甚精美，却已以艺术形式活于藏人之中。据《敦煌古藏文文献》记载，吐蕃第七世王止贡赞普死后，就用一铜篋装敛遗骸。倘若我们回过头来再看看距今近五千年的卡若遗址出土的文物——陶碗、陶壶、双体罐，对藏族雕塑艺术渊源与年代的考察定有裨益。

（一）雕塑的种类

就原料分藏族雕塑的种类，可分为：（1）泥塑；（2）石雕、木雕、玉雕、象牙雕等；（3）铸造——铜像、铁像、金像、银像等。（4）油塑——主要有独特的酥油花雕塑艺术。此产生较晚。

佛教是崇拜偶像的宗教，因此每座寺院中都有成百上千的雕塑作品，布达拉宫、大昭寺、萨迦寺、甘丹寺、札什伦布寺、塔尔寺、拉卜楞寺，其雕塑作品——主要是佛像，蕴藏量之大是惊人的。其中主要是泥塑，次为铜像，再次为木雕等。

显然，早期的佛像，泥塑或是金银铜造佛像，都来于泥婆罗、印度和中国汉地。据记载，尼泊尔赤尊公主入藏时带来觉卧、弥勒两尊佛像。文成公主进藏时带来一尊觉卧佛像至今保存在小昭寺内。在此以前，据《吐蕃王统世系明鉴》等史籍记载，吐蕃第27代王拉脱脱日年赞时就有佛经、佛物和佛像在藏土流传。

由于佛像需要有规范的雕塑手段，早期藏人自己的佛像雕塑，得到了尼泊尔、天竺、汉地雕塑家的帮助和指导，赤尊公主、文成公主、金城公主都曾带"百工杂技"入藏，其中就有雕塑匠（家），因此，藏族的雕塑家们的作品中就有"仿汉法塑佛像"、"仿泥婆罗法"、"仿天竺法"塑造佛像的记载。早期的作品已经保存不多，如布达拉宫中的松赞干布、文成公主、赤尊公主、噶尔·东赞宇松、吐弥桑布札像等（当然，有人认为这也是后期的怀古、仿古作品），又如大昭寺的释迦牟尼佛像、经堂门楣的浮雕，药王山查拉鲁石壁的浮雕等。

当然，这一时期的非宗教雕塑技艺也十分高超。据《册府元龟》载，贞观二十年（646）吐蕃献一金鹅，"其鹅黄金铸成，高七尺许，中可实酒三斛"。足可为证。另外，像桑耶寺的石雕狮子、汉白玉大象石雕、释迦佛铜铸像，赤松德赞墓碑及石狮子，桑耶寺钟（铸于779年）、昌珠寺钟（铸于789~815年）、叶尔巴寺钟（铸于779年以后），都可以从多个侧面说明藏族雕塑在早期发展中，其品种的多样性已经鲜明地表现出来。

（二）雕塑的题材

佛像是雕塑的主要对象，但是，佛像只是个笼统的概念，用不同的分类方法可以分为多个小系统。

1. 佛像。主要指佛祖释迦牟尼像，佛祖自身的像也不只是一个模式，有八岁像、十二岁像、等身像、化身像等多种，这些像各不相同，如同佛祖有如来、应供、正遍知、明行足、善逝、世间解、无上士、调御丈夫、天人师、世尊等十号一样，不加以区别，容易混淆。

另一类寺院中多见的佛是过去佛（燃灯佛）和未来佛（弥勒佛），加佛祖称三世佛。

2. 菩萨罗汉像。菩萨主要有观音、文殊等；罗汉有十六罗汉等。菩萨像和罗汉像在藏传佛教寺院雕塑中常和佛像在一起，但其分类不尽相同，如菩萨，有龙树、圣天、无著、世亲、陈那、法称（六庄严）、功德光、释迦光（二胜）为八大菩萨之说；罗汉有十八罗汉之说。

3. 祖师像。藏传佛教是分教派的，因此寺院只是教派的寺院，非教派的寺院不会存在。由于各派传承不同，尊奉的佛也有所侧重，至于祖师更是这样，莲花生被认为是宁玛派的祖师，宗喀巴是格鲁派的祖师。因此，对祖师像有时在雕塑上超过了对佛像的重视程度。

4. 度母像。在女性形象的雕塑中，度母、佛母像，在寺院雕塑中占主要位置，度母中尤以白度母和绿度母为多，金刚度母像在其中占不小比重。

5. 天王、护法神、本尊神像。佛教认为须弥山腰有一山名犍陀罗，山有四峰，分居一王，各护一天下，这便是寺院中不可缺少的。东方护国天王，白身像，手持琵琶；南方增长天王，青身像，持宝剑；西方广目天王，红身像，持蛇索、宝塔；北方多闻天王，持宝幢、银鼠，合称四大天王。护法神多为战争与恐怖之神，可分为神态安详、慈善的静相神和狰狞恐怖的怒相神两类，多见的有贡布、曲结、吉祥天母等怒相神，有些是猪、马、牛、虎头，令人毛骨悚然。密宗本尊神也很多，佛教和后期的苯教都一样。

佛殿里的世俗人物，实际上许多与佛教有染，有一些是经过神化的民族的杰出人物，像松赞干布，文成公主、赤尊公主，噶尔·东赞宇松、吐弥桑布札、汤东杰保等。

藏族寺院的泥塑，石、木、玉雕，金、银、铜、铁铸像，基本取材都在此范畴之内。世俗的器具，总的看来，尚无寺院丰富，尽管我们可以看到精美的佛盒、首饰用品。

西藏札什伦布寺有尊巨大的铜佛，是世界第一大铜佛。肩宽 11.5 米，身高 26.5 米，一只手长 1.2 米，脚长 4.2 米。据说这尊佛像耗黄铜 231750 斤，黄金 6700 两，100 多个工匠花了 11 年工夫才修成。如此巨大的佛像，没有精湛的工艺技术是难以胜任的。

第五节　科　　技

进入教派形成期后，藏族的科技在纪年及其天文历算方面有所发展，而在其他方面并无多少进展，此或许与当时的经济状态有直接关系。由于藏族东部地区处于各派政治力量混战状态，先后有六谷部的潘落支政权；常居青唐的唃厮罗政权；北面称帝，与宋抗衡的西夏政权等。这些政权都是吐蕃王朝解体之后，当时散居的蕃人所拥兵自立，或共推首领而形成的规模较大的地方势力或国家。东部战火纷飞，铁马金戈，而此时的西藏本部，却在一种相对宽松的环境中，探讨佛学，创立教派，笼罩在一片香烟风铃声中。时轮历的使用，使藏族的纪年方法也逐步地固定下来。

统一王权的消失，使吐蕃王朝崩溃后，在科技发展上出现滞缓状态，尤其是医学，在吐蕃时期大踏步前进之后，又进入了一种低迷状态。

一、天文历算

1. 火、空、海纪年

“火”（མེ།）在藏文中示“3”，代表佛教南赡部洲马面山之火、太阳所生之火、能毁灭的火；空（མཁའ།）示“0”有空无之意。海（རྒྱ་མཚོ།）示“4”，代表青、白、黄、红四色。火、空、海即代表403年。取《时轮经》从香拔拉第十代法王海胜即位、拉洛法创立，到第十一代法王难胜传法最后一年，中间403年，其纪元算法是始用胜生周之1027年减去403所，即公元624年。它是使用胜生周以前的一种藏历纪年。

2. 佛历（或称教理）

佛历是根据佛灭和佛诞来进行纪年的。一般认为佛祖在圆寂时留下遗言，其教法将存在五千年（当然也有一些别的说法），五千年后其佛法就不存在了。于是佛历便记载了这些在佛灭后产生的一系列事件，以及重要的佛学著作、寺院等。专门的佛历是以佛诞或佛灭往下推，进行纪年。如佛诞为2946年、佛灭为2866年。佛历计算在藏汉文的史书，尤其是佛教典籍的阅读中是个常见的问题，但由于佛灭的年代说法很多，据有关书籍介绍有60多种之多，在藏区使用的亦有14种，若不仔细判定，就容易出现混乱。佛历的基本算法是：

佛诞（或佛灭）之佛历年 - 公元 × × × × + 1 = 佛诞（或佛灭）之公元年

如五世达赖在写《西藏王统记》时所用佛历（佛诞）与《布敦佛教史》所用之佛历（佛诞）就完全不同。换算结果为一在公元前961年，一为公元前1027年。

3. “饶迥”纪年

饶迥（རབ་བྱུང་།），汉译胜生周，因胜生周相当于火兔年（丁卯年），又称为“丁卯周”。是藏族使用时间较长，现在仍然运用的普及性藏历。按其性质，汉译中多称为“时轮历”或“藏传时轮历”。

“饶迥”纪年与《时轮经》有着紧密关系。传说《时轮经》为佛祖释迦牟尼所传，共12000颂，分五章。一章讲外时轮（天体运动的规律）。

二章讲内时轮，三章至五章讲内时轮和外时轮结合。1027 年，《时轮经》译为藏文。并从该年起使用此纪年，以六十年为一周期，即第一年为胜生，依次为妙生、太白、迷醉、生主、数苑……荧惑、愤怒明王、终尽，配以金、木、水、火、土五行，阴、阳和子、丑、寅、卯、辰、巳、午、未、申、酉、戌、亥十二地支。十二年为一小循环。

翻译这部对藏族文化产生过卓越影响的名著的是罽宾班智达达瓦贡布和译著《时轮七续注疏》（དུས་འཁོར་རྒྱུད་འགྲེལ།）的译师卓希绕札。著名译师卓希绕札、惹曲绕、雄·多吉坚参等对此书的传播贡献良多。由于 1027 年是火兔年，“饶迥”纪年传播后，便代替了苯教星算的“琼旦”（འབྱུང་ཉན།）的年首推算法，和松赞干布时期的以阳木鼠年为年首的推算法，遂引起一些争论，持“山洞算法”者反对火兔年为年首。14 世纪以后，一些权威学者的著作对“饶迥”纪年的实行起到了推动作用。如 1318 年嘎玛巴·让琼多吉著以“及孜”实践为主的《星算综合论述》（རྩིས་ཀུན་བསྡུས་པ།），1322 年布敦大师著《旦孜》，1327 年再撰《算学智者欢喜》一书，并在其创立的夏鲁派的寺院夏鲁寺内画了一幅“地为圆球”的壁画，提出与“地是方形”的说法截然相反的观点。此后代代相传，出现过不少天文历算方面的著名学者，撰写了大量的著作。1683 年，第巴桑吉嘉措以普巴派的观点和穷那夏嘎达的星算为依据，撰写的算学经典《白琉璃》，全书分 35 章，合 636 页。书稿写成后，雄才大略的桑杰嘉措让藏境所有天文学者质疑和提出修改意见。精通黑白星算的山南的大学者达罗译师和鲁郭拉钦对此书提出了 208 疑问。第巴针对这些疑问，写成 473 页的《除锈》一书。学才们自此噤声不语。《白琉璃》和《除锈》两书成为西藏天文历法的经典著作风行于雪域大地。拉萨、德格、夏河各有木刻印刷。

一般将藏地星算分为“噶孜”（时轮历，11 世纪传自印度）、“那孜”（五行算，7 世纪传自汉地）、“央恰”（韵占，传自克什米尔）、“贾孜”（时宪历，18 世纪传自汉地）四类。

作为文化影响，《时轮历》在藏区的传播，不但形成了星算文化的一套系统，而且其宇宙观念也自然地进入藏文化的深层。其宇宙观认为：须弥山（རི་རབ་ལྷུན་པོ།）是大地的中心，其中心为圆心，以五万由旬（一由旬约等于四千丈）为半径作圆，再取二万五千由旬做一圆。两个圆之间的整个环形地区叫做大赡部洲，分为南、东、北、西四个象限，每一象限为一洲，称为南洲、东洲、北洲、西洲。每洲再均分为西、中、东三区。南洲中区的中线为经度的起点零度。东洲中区的中线就是这种经度的东经 90 度，南洲东区的中线就是东经 30 度。

天穹像一把大伞，被风力驱动不停右旋，即向顺时针方向旋转。其中央最高处与须弥山顶相接，四周渐低，最低处与马首火山的顶端相接，高七万五千由旬。伞面是凸凹不平的。12 宫犹如伞的 12 条肋骨，28 宿则如镶嵌在伞面上的宝石。每昼夜旋转一周。

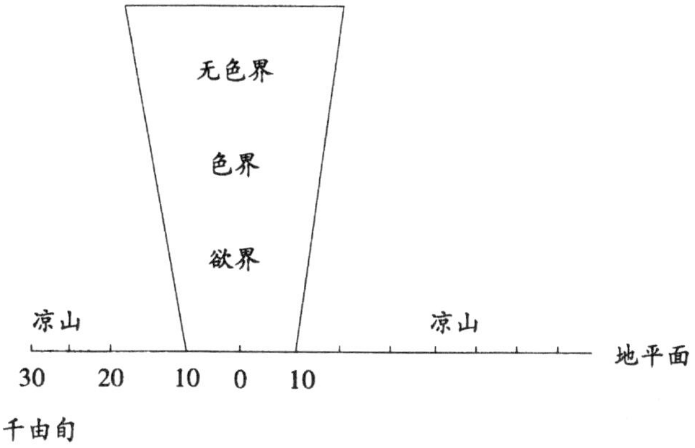

非天
龙
烧地狱
沙地狱
泥地狱
烟地狱
火地狱
暗地狱
大呼号地狱

（转引自黄明信：《藏历漫谈》）

日、月、五星、罗头、尾和长尾彗星共称十曜。日、月是天神，五星为仙人，罗睺是“阿修罗”，彗星是罗睺的化身。诸曜除被动的显见行之外，又各自有其主动地按着一定的轨道和速度的旅行，12 宫和 28 宿则如它们旅途中住宿的房舍，其行走方向，罗睺头尾与宫宿运动的相同，是右旋的，其他八曜都是朝着相反的方向左旋，即逆时而行。这种主动的运动叫做“本身行”，由于其运动的速度不同，所以回到相对宫宿的原位置的周期也不同。这就是它们的恒星周期。由于伞面凸凹不平，要上坡下坡，所以它们的速度是不均匀的。这种不均匀的运动起点叫做“诞生宫宿”，诸曜的不均匀运动都可分为快行、慢行、曲行、跃行四个阶段。当代历算学者黄明信、陈久金二先生在《藏历的原理与实践》一书中，对此作了较详细的介绍。

时轮学院是佛教寺院的一个重要组成部分，根据《时轮金刚》的理论进行学习和修观。学生虽不多，学习却十分严格，是藏族天文历算人才培养的重要基地。主要研究密宗大乘、天文历算、声明、语法、诗词、书法、绘坛、音韵手诀、步法等。

《时轮历》在藏区的运用中，根据藏土的实际情况也吸收了藏土的一些星象经验。拉萨市医算局 1978 年的《西藏星象天象基本知识》介绍，这种算法也“因地制宜”：

冬至后 24 天为“回归日”，其后的 40 天为“鸟日”，其后 12 天为“室壁日”，其后的半个月为“白胶日”，其后的九天为“鹨日”（ཁྲ，红嘴鸦），其后的七天为“鹨来日”。

夏至后的 21 天为“回归雨期”。其后的 15 天为“犏半月”，间隔三天以后的 15 天为“狐日”，其后的 21 天为“中心日”，其后的 15 天为“鹨去日”。

其中一大段又分含若干小段，如鸟日包括：母怀六天，翅边六天，肩头三天，颈窝三天，口面三天，翅尖五天，成雏十天，共 40 天。

观察这些日期的天气，有中期或远期天气预报的作用。例如，冬至后 24 天内如果风雪多，寒气重，则次年多雨水。夏至后 21 天内“数七”，即夏至当天，和三个第七天（即夏至起 1、8、15、22 四个曜次相同的日期）如有雨，叫做“天低”，夏季不旱，如果无雨，叫做“天高”，有 21 天的旱等。

对年、月、日，在《时轮历》中也有具体规定：

一宫年等于太阳在 12 宫运行一周，也等于四季循环一周。

一太阳月是一月亮盈虚变化的周期。

一太阳日为一昼夜，即从天明看清掌纹到次日看清掌纹的时间。

1 太阳年 = 12 太阳 = 360 太阳日

1 太阳 = 12 太阳月 = 360 太阳日

一宫年 = 12 宫月 = 360 宫日

一周夜 = 12 时辰（破晓、日出、日煦隅中、日中、日仄、日哺、日落、日昧、黄错、八定、夜半、夜阑、黎明）

藏历也以星曜进行了星期的排列：

太阳——星期日

月亮——星期一

火曜——星期二
水曜——星期三
木曜——星期四
金曜——星期五
土曜——星期六
以日曜为一周之始。

二、医学

藏史记载，在吐蕃赤松德赞王时出现了乌巴·却桑、比吉·列贡、切奇·席布、宇妥·云丹贡布、米聂·荣吉、昌弟·切桑、聂巴·曲桑、塔西·塔布、东巴·查杰等九大医师。在九大医师中宇妥·云丹贡布成就最大。宇妥的重要成就之一是编著《四部医典》。可是，这样一部医学巨著，并没有得到很好的弘扬。据说莲花生入藏后，鉴于苯教当时的势力，建议赤松德赞将《四部医典》藏埋。从吐蕃时期整体的政治、文化和宗教形势分析，这是极有可能的。因而就有了德敦·查巴翁西于公元1012年从桑耶寺发掘出《四部医典》的说法，后来才辗转到了宇妥的十数代孙宇妥萨玛·云丹贡布之手。“萨玛”，即“新”意，是故吐蕃时期的宇妥称为宇妥娘玛，“娘玛”，即“旧”意，一般将此二人区别为“小宇妥·云丹贡布”和“老宇妥·云丹贡布”。小宇妥不但自己有很多的医学著作，也对《四部医典》进行了修订。

与吐蕃后期相比，11世纪至15世纪的西藏社会较为稳定。因而教派有可能得到发展，医学等科技事业也得以进步。此时在藏族医学史占有重要地位的是11世纪时由阿里王智光从孟加拉请来的著名高僧阿底峡。

阿底峡是位精通“五明”的学者，《阿底峡尊者传》中说，阿底峡不但精通三类怙主写的《医药论著》、《措结请问医药论》、《利人药方经》、《饮食生活经》，还精通龙树菩萨的《四肢论》，马鸣的《第八支论》。到了西藏以后，他担心自己的医术会由于西藏没有药而失去用处，便在本地寻找代替药物，他说：“印度的一味药，在西藏都有一味药代替，什么都有，并且藏药的力量较大，特别是有利于穷苦的人们。”他还配了一个药方，叫“一剂复元”，并在桑耶寺讲述医学。

由于寺院在学科设置和培养目标上的原因，藏族的佛教大德们均在“全面发展”，在学习佛学的同时，注重医学、绘画、舞蹈、语言文字等的学习。像萨迦班智达·贡噶坚赞既是萨迦派的教主又是著名的诗人和医生，据说他因到达凉州后为阔端治好了病，而深得阔端信任。从此之后，应蒙古贵族的请求，也将藏医传播到了蒙古地方。至15世纪，以昂仁的强巴·南杰查桑（1394～1475年）为代表的北派和以舒卡·年姆尼多吉为代表的南派医学学派创立。强巴著有《精简八支药方》、《甘露源流》、《所需所得》等书，舒卡著有《草药鉴别》、《草药性味》、《草药生态》以及被医学界所称道的《千万舍利》等。南北二派都对《四部医典》进行了深入的研究、注疏。

第六节 史　学

11世纪到15世纪是藏传佛教学术系统的形成期，也是一个学术的繁荣时期。其表现有三：一是对于佛教经典的翻译和教义的研究，可以说成果丰富，每一个教派的创始人往往都是一个杰出的佛学家，一个优秀的政治活动家，同时有丰富的著作。二是这一时期的学术比较重视历史，尤其是宗教的历史和宗教大德的个人历史，同样有丰富的作品；三是随着教派的形成，每一个教派都在千方百计地发展壮大自己，除了关注于政治、经济上的得失之外，也非常注意用艺术手段宣传自己的教派，宣传佛教，宣传自己的祖师，以宗教大德为对象的传记文学也逐步风行起来。这五个多世纪是藏传佛教全面形成的一个重要历史时期，在学术上也是一个人才辈出的历史时期。虽然其学术目标仍在宗教自身，但在文化上的巨大贡献是永远不可磨灭的。

一、佛教复兴期

喇钦·贡巴饶赛（952～1035年）和鲁梅·楚臣喜饶是藏传佛教后弘期的重要人物。喇钦的主要贡献在于：一是延续了僧人的出家戒律仪轨；二是以丹斗为中心建立了寺院；三是学习佛教典籍，传经授徒；四是著书立说，鲁梅是卫藏地区人，当时由于卫藏没有亲教师，也来多麦地方受戒。鲁梅回到卫藏后开地建寺，传授戒律，弘扬佛法。喇钦晚年驻锡玛尔藏（在今青海省平安县境内，汉语称白马寺，因玛释迦牟尼和藏饶赛在此居住而得名）著书立说，写有《经藏供养》等。《土观宗教源流镜史》说："鲁梅等回到藏后，建立道场，普传戒律，使佛教的余烬，从下路又重新复兴起来，开佛教再弘之端。由此渐次弘传，使卫藏诸地，僧伽遍满，讲解实修，蒸蒸日上。故喇钦和鲁梅等，对我们雪域藏民的恩德最大。"

仁钦桑布（958～1055年），西藏阿里古格人。13岁出家，17岁被古格王意希沃派去留学，在印度、克什米尔等地学习梵文及佛教经典达十数年，其传记记载他曾向75位佛学大师学习佛法。回到西藏后，在意希沃的支持下开始在托林寺大量翻译佛经。据说他一生翻译了17种经，33种论，108种怛特罗（རྒྱུད། 密宗经咒），达及显、密两宗，史家将其翻译的密宗称为“新密咒”，以别于在他以前翻译的“旧密咒”。鉴于仁钦桑布巨大的贡献（其翻译佛经数量之多在中国历史上也是绝无仅有的），古格王拉德将普兰的协尔地区封给他做“却奚”。同时，仁钦桑布的人格特色也给藏人留下珍贵的精神财富，他成就巨大而为人谦虚，对自己不懂的东西，敢于不耻下问。阿底峡大师于1042年到达古格时仅61岁，而作为当地佛学泰斗的仁钦桑布已年届85岁，但仍拜阿底峡为师，学习密宗，一时被传为佳话，千年流传。

卓弥释迦益希（993～1075年），后藏芒喀人。翻译有《具足清净论》、《般若八千颂广释》、《般若二万千颂光明论》、《欢喜金刚第二品》等。他的译品载于《大藏经》之《甘珠尔》部的就有数十部之多。是藏族翻译史上著名的翻译大师。

这一时期在佛经翻译、佛教理论上探索方面卓有贡献的还有昆普瓦却吉杰波（1069～1144年）、释迦穷乃（1002～1062年）、喜饶札巴（1014～1074年）、卓普巴释迦僧格（1074～1134年）、隆钦饶降次臣洛追（1308～1363年）、仲敦巴嘉瓦穷乃（1005～1064年）、阿底峡（982～1054年）、博多瓦仁钦赛（1031～1105年）、朗日唐巴多杰僧格（1054～1123年）、俄洛丹喜饶（1059～1109年）等。其重心在于对佛教典籍的翻译介绍。

二、宁玛派

宁玛派中代表性人物“三素尔”的学术成就，我们在叙述宁玛派的形成时已有涉及，在此不述。绒松巴却吉桑波（生卒年代不详，大约与“三素尔”同时代）先后从印度许多大班智达学习佛法，译著有《能怖金刚》、《胜乐根本续》等，著作有《三昧耶经教广论》、《大圆满见修教授》、《入大乘法理》、《四种释论及十五支》等，对宁玛派教法的传承（却吉桑波将其分为心部、自在部、教授部三个系统）尤其对“大圆满”成宁玛派的根本教义做出了努力。除此而外，还有修波度孜（1149～1199年）、隆钦饶降次成罗追（1308～1363年）等，也是这一时期宁玛派重要的学者。像隆钦饶降增订过宁玛派的密法，著述亦十分丰富。

三、噶当派

阿底峡的大弟子仲敦巴有许多高足，其中像博多瓦仁钦赛（1231～1105年）、金俄瓦慈成巴（1038～1103年）、普琼瓦（1031～1106年）等，均学有所成。尤其是博多瓦，其弟子据说有2800人，噶当六论亦出自他的手笔。噶当派的恰巴却吉僧格（1099～1169年）是噶当派中一位有特色的学者，他精通因明和中观论，在主持后藏乃托寺时，首创围绕“五部大论”进行问答辩论之学习形式，后世受惠，沿用至今。其主要著作有《慈氏五论注释》、《因明释》、《中观二谛》、《中观饰》、《入行论》等。钦南喀札巴（1210～1285年）同样是一位卓有影响的学者，著有《俱舍论注释》、《菩提道根本论之释本注解》、《法轮源泉》等，被誉为“钦一切知者”。

四、萨迦派

萨迦派同样是个人才辈出的教派，萨迦五祖、仁达瓦旋努洛追（1349～1412年）等都是杰出的学者，且多在政治上卓有建树。其中一些著作至今仍是藏学研究的重要资料：

萨迦班智达·贡噶坚赞著作等身，其文学作品脍炙人口的格言诗《萨迦格言》饮誉中外。八思巴的《彰所知论》、《道果传承》、《续部目录》、《菩提道藏》等同样具有重要的思想理论价值。

萨迦派高僧索南坚赞的《吐蕃王统世系明鉴》（别译《西藏王统记》、《西藏王统世系明鉴》等）是一部重要的史书。他主要系统地叙述了天竺佛教及其在藏土发展的情况，吐蕃王朝时期从松赞干布到朗达玛灭佛的历史，以及分裂时期欧松、古格、亚泽、亚砻王系的情况。全书参考了后期发现的“伏藏”的资料，如《松赞干布遗训》、《五部遗教》、《雅砻教法史》、《嘛呢全集》等图书中的资料。现国内有多种译本流传。

五、噶举派

此时的噶举派由逐步形成，进入兴旺发达的时期，俊才辈出，星汉灿烂，涌现了克珠穷波南交（978～1127年）、玛尔巴（1012～1097年）、米拉日巴（1040～1123年）、热琼巴（1084～1161年）、帕木竹巴多吉嘉波（1110～1170年）、司徒绛曲坚赞（1302～1364年）、蔡巴贡噶多杰（1309～1364年）、噶玛得银协巴（1110～1193年）、噶玛拔希（1204～1283年）、唐东杰保（1361～1455年）、让琼多吉（1284～1339年）、得银协巴

(1384～1455年)、札巴僧格（1283～1349年)、司徒确吉迥乃（1700～1774年)、白玛多杰（1128～1188年）等一大批人才。

《红史》是蔡巴贡噶多杰的代表性史著。贡噶多杰既是一个博学多才的学者，也是元代在藏所设十三万户中的万户长之一，与布敦大师是同时代人，史载他曾邀请布敦大师校勘《大藏经》之《甘珠尔》部。《红史》的内容主要包括古代印度王统和释迦王族世系、汉地的王统、蒙古和西夏的王统、吐蕃王统和萨迦、噶当、噶举等教派的传承历史。较之《布敦佛教史》，其书虽然规模较小，但在范围上已有所突破。其特点有二：一是贡噶多杰本身是一位官员，因此，他对蒙古、西夏、噶举派当时历史的记载是可信的，具有当事人（或者说是当代人）写自身事的意味。其二，书中引用了一些汉文资料，使全书增加了新的内容和考辨性质。

《朗氏家族史》（别译《朗氏灵犀宝卷》等）是帕竹政权的第一代执政王大司徒绛曲坚赞（1302～1371年）所著。主要分三大部分，撮其要主要论述所谓“天神”种族朗氏的世系，绛曲坚赞自身的经历，补入司徒之道歌《简短的祈祷》、《长篇祈祷》、司徒的遗嘱、京俄大师的教诫等。保存有大量珍贵的史料，如绛曲坚赞与雅桑、萨迦和止贡派的斗争等。

六、夏鲁派

在藏传佛教中夏鲁派是一个小教派，为布敦仁钦珠（1290～1364年）所创立，这一教派创立之初在人才方面却占有优势。出现了布敦大师这样的学界泰斗，也出现了曲迥桑波（1444～1529年）这样著名的藏译师。

布敦大师的《布敦佛教史》（别译《佛教史大宝藏论》、《善逝教法史》）是布敦大师的代表性著作，成书于1322年。国内有郭和卿译本，国外也有多种译文传世。郭译以原书形式分为四大部分，即“明闻、说正法功德”、“明所闻、说之法”、“如何闻、说及修学法”、“所修之法如何而来的情况”，涉及传法的功德、佛学理论、印度佛教历史、佛教在西藏发展的情况，那塘版《大藏经》之《甘珠尔》部和《丹珠尔》部的分类目录。其中有关藏地佛教的传播情况是非常珍贵的历史文献，也是对早期佛教在藏区传播情况的一个总结。如其中辑录的有关译师、印度等地高僧的名字都是十分难得的资料。《大藏经》目录同样是十分珍贵的，其中还收录了赤松德赞、堪布伯哲、益希德、拉喇嘛、益希沃等人的著作目录，对我们研究当时佛教的传播具有非常重要的作用。

七、觉囊派

觉囊派虽然是一个小教派，但颇有特点，在文化和学术上的贡献也是巨大的。其主要史家和佛学大师有宇摩弥觉多杰（12 世纪人）、朵朴巴喜饶坚赞（1292～1361 年）、多罗那他（1575～1634 年）、郭札巴索南坚赞（1182～1261 年）等。其中以多罗那他最为有名，据载他一生有著述 270 多种，《印度佛教史》是其代表作，全书记述了古代印度的佛教历史及其重要的部派、佛学大师的功绩。国内外有多种译本传世。多罗那他的另一些著作，像《时轮源流》、《娘地教法源流》、《多罗那他教言道情歌集》等亦颇有影响。

八、格鲁派

格鲁派作为后期的一个执政教派，这一时期的人才储备是十分可观的。其人才的分布大体上有两类，一类是宗喀巴（1357～1419 年）的亲传弟子，一类是达赖、班禅系统的活佛。如宗喀巴的弟子就有贾曹杰（1364～1432 年）、克珠杰（1385～1438 年）、绛央却杰（1379～1449 年）、大慈法王释迦益希（1352～1435 年）、根敦珠（1391～1474 年）、堆喜饶桑布等。因为宗喀巴的弟子“皆为安住三种律仪，勤修三士道及二次第瑜伽，大击三藏四续法鼓的贤者，如天空的星群，如大地的万木，如春树的繁花，其数之多不可估量”。（土观语）其中在学术领域卓有成就者也层出不穷。

宗喀巴大师最有影响的著作，是最能体现其理论思想的《菩提道次第广论》、《密宗道次第广论》。作为格鲁派的根本经典，《菩提道次第广论》主要是以阿底峡的《菩提道灯论》为理论依据，阐述下士、中士、上士的三乘修行次第和止观的修持方法。王森先生说“这部书远祖慈氏《现观庄严论》，近祖阿底峡《菩提道灯论》，以三士（下士、中士、上士）道从修行成佛的角度概括佛家显教全部教义，组成体系，发挥创见。而又与其《密宗道次第广论》形成姐妹篇。两书实概括西藏所传全部佛典，绍述西藏信誉最佳之传统益之以宗喀巴自己深见广行之心得，自成系统。就其佛教内部发展史上之地位而言，譬之内地佛教，汉魏两晋南北朝，仅有某某论师（擅长一二部论典之法师），至隋唐始有某某宗。所谓宗者，即对整个佛教有其独特的系统的解释与看法。在西藏，在宗喀巴以前，喇嘛教各派，多专尚某一密法，某一经论，即令有试图对佛教整体作系统解说者，又多缺略不完。宗喀巴此书，就其所达到的佛学水平而言，比之内地隋唐时期据以建宗的著述，并无逊色。这一点对于黄教教派之形成以及黄教教内一向保持一致，没有分裂为若干支派，是起重要作用的。”王森先生所论可谓全面而精辟。《密宗道次第广论》则对密宗四部修行次第、仪轨、方法等进行了深入的论述，提出了自己对密宗的见解和持行法则。提出了学显之后，必须修密的见解，成为后世格鲁派教徒的定则。“这个体系不仅在西藏是前所未有的，在印度也是从来没有过的。”

格鲁派在宗喀巴及其子弟后尚有珀东班禅晋美札巴（1375～1451 年）等著名的佛学大师出现，对格鲁派的学术发展起到了很好的推动作用。

九、其他

《娘氏宗教源流》为娘尼玛威色（约 12 世纪人）所著，主要记述了前弘期至后弘期时期之初的藏传佛教的发展一些历史状况。作者无甚派见，具有很重要的历史资料价值。

《德乌宗教源流》为德乌参巴（约 12 世纪人）所著，主要介绍了佛教在印度的发展情况以及在藏区前弘期的发展，也记述了大量吐蕃王朝及其崩溃后的政治、经济、军事斗争情况。

《汉藏史集》为达仓宗巴班觉桑布著，成书于 1434 年。全书分上下两篇，上篇主要记述印度、汉地、木雅、吐蕃、蒙古的王统，其中记录了诸如茶和碗在吐蕃的出现、吐蕃的医学、吐蕃地方驿站的设置、桑哥丞相的故事等，很有价值。下篇主要记述了萨迦派的世系和历本钦，记载了夏鲁万户、江孜法王、达那宗巴、南杰林巴等地方割据势力的情况和噶当、噶举、希解等教派的发展历史，所涉范围十分广泛，达及吐蕃和元时的政治、经济、军事、法律、赋税等诸多方面，所引资料颇有价值。

在这一时期，《青史》在史学界独领风骚。其作者廓诺迅鲁伯为元末的著名译师，生于后藏达那普地方。1358 年写成此书，是其代表作。全书共分 15 部分，1. 教法来源、西藏历代王朝、西藏前弘期佛教；2. 西藏后弘期佛教；3. 旧译密乘；4. 新密乘及为随来的《道果》等法类；5. 阿底峡尊者传承录；6. 峨诺、巴操传承录及中观、因明、慈氏法类如何而来的情况；7. 密续部说规如何而来的情况；8. 大译师玛尔巴传承录及著名的噶举派；9. 郭札巴和里故玛的史略；10.《时轮》传承及其教授如何而来的情况；11. 大物印法门谭；12. 希解派初、中、后三期传承情况；13. 能断魔障行者及喀惹巴的概况；14. 大悲观音法门及金刚（蔓）等法类；15. 往昔僧众来源及问答等类。《青史》的影响同样是深远的，诚如汉译者郭和卿先生所说：“后来的多罗那他所著《印度佛教史》，及土观确吉尼玛所著《土观宗教源流镜史》，贡布杰所著《教法史》等，无不依据《青史》而撰出。总的说来，《青史》不仅是第一手资料，而且大都确实可靠。特别是纪年，西藏一般史家大都马虎，而《青史》中纪年，确实经过考据而写出，大都可靠。”

第七节　文化交流

一、与蒙古民族的文化交流

藏族与蒙古民族的最早接触在 13 世纪。成吉思汗于 1205 年至 1226 年进攻西夏，始知藏传佛教。《蒙古源流》说：“岁次丙寅（1206 年），年四十五岁，征伐土伯特之库鲁格多尔济合罕也，土伯特之合罕乃遣尼鲁呼诺延为首之三百人，贡献其众骆驼……上因致书仪于萨嘉·察克·罗咱瓦、阿难达·噶尔贝喇嘛，曰：‘兹遣还尼鲁呼诺延也，当即请汝，但为我世事尚未完竣。故未请耳。我且于此奉汝（教），汝其在彼佑我乎！’由是，收服格哩三部以下之三地八十万黑土伯特之众矣。”《蒙古青史》也有类似记载。成吉思汗自西夏而知吐蕃，这是自然的，西夏党项实与吐蕃一体。而真正具有历史意义的接触是萨迦班智达·贡噶坚赞与阔端的凉州会谈。

1227 年，蒙古灭西夏；1234 年灭金；1236 年，蒙古兵分三路大军围攻南宋；1239 年，阔端部将多达那波进攻西藏，毁热振寺、杰拉康，兵至藏北。1241 年，多达那波返回阔端驻守的凉州，建议：“现今藏土惟噶当巴丛林最多，达隆巴法王最有德行，直贡巴京俄大师具大法力，萨迦班智达学富五明，请我主设法迎致之。”作为窝阔台第三子的阔端时握一方军政大权，听从此建议，邀请萨班前来凉州。这便开始了藏族与蒙古民族长期的交流历史，也使萨迦派在元朝盛极一时。自然，当时的这种邀请完全是政治性的，是以和谈代替军事的一种策略，目的仍在于占领西藏。

1244 年，60 岁的萨班携侄八思巴（10 岁）、恰那多吉（6 岁）千里迢迢前往凉州。萨班既为大德佛僧，又通晓文学艺术，懂得医学，他为阔端治好病，又向其宣讲佛理，深得阔端信赖。后萨班写《致蕃人书》，让西藏各教派座主和地方首领放弃反抗，归顺蒙古。阔端授予萨迦派僧人为达鲁花赤，赐予金符、银符，让西藏各地头人听萨迦派号令，还封为祭天长老（གནམ་མཆོད་པའི་རྒན་མགོ）。出于各派政治利益考虑，西藏许多教派领袖，都曾向蒙古王室联系。东嘎·洛桑赤列在《论西藏政教合一制度》中说：“在藏历第四饶迥土猪年（元朝阔端王六年，公元 1239 年），萨迦、帕竹、止贡、蔡巴、达垅、雅桑等教派者派人到蒙古地方去，萨迦派向窝阔台汗归顺，帕竹和雅桑派向王子旭兀投诚，止贡和藏古莫两派向王子忽必烈投诚，达垅派向王子阿里不哥投诚。蒙古汗王及王子也分别封给予他们在西藏的势力范围大致相等的地方和属民。旭烈兀封给帕竹派属民 2438 户，蒙哥汗封给止贡派属民 3630 户，忽必烈封给蔡巴派属民 3700 户，旭烈兀封给雅桑派属民 3000 户，阿里不哥封给达垅派属民 500 户，阔端汗封给萨迦派除了阿里三围以外的拉堆南北、古莫曲迷、襄、夏鲁、羊卓等七个万户的地区，属民 10885 户。”

1251 年，阔端与萨班死于凉州，蒙哥汗即位。八思巴到上都会见忽必烈，与之关系亲密，成为元王室佛教的宣讲者，或因阔端信佛之原因，忽必烈“皈依佛教”——对佛教倍加信赖。忽必烈崇信佛教或许由三方面的因素构成：一是信仰之需要（往昔的评论者们多关注于统治者的政治统治需要，而不注重信仰需要，我以为这也是不符合历史事实的）；二是利用宗教信仰获得政治利益，此有前鉴，譬如阔端扶植萨迦派，不动军兵而获得西藏大片土地；三是依据西藏的现实和汉地信佛的程度，出于未来更好地统治这些地区的需要。1260 年，忽必烈称帝，任八思巴为帝师，“授以玉印，任中原法主，统天下教门”。《吐蕃王臣记》载：“世祖（忽必烈）在八思巴座前后，领受了三次金刚乘密法甘露。初次，元世祖以西藏十三万户作为供献；第二次世祖又以全藏三区作为供礼；第三次世祖又以阿阇王所分得释迦如来舍利的‘舍利份’作供养。”后八思巴实际上成为朝廷的权臣。皇帝的高扬藏传佛教，使以藏传佛教为主体的藏族文化较为广泛地在蒙古地区的传播打下了坚实的基础，具有非凡的影响力。主要表现在以下几方面：

1. 创制蒙古新字。据《元史纪事本末》第八卷、《元史》第一二四卷《塔塔统阿传》等书记载，蒙古民族兴起之初并无文字；1204 年，成吉思汗征服乃蛮后，始以畏吾儿（维吾尔）字写蒙古语。1247 年，阔端曾请萨班创制蒙古字。元僧搠思吉斡吉儿著《心脂》说：“萨斯迦班第达（今译‘萨迦班智达’）曾于夜间冥想，应以何种文字裨益于蒙古，翌晨兆现，一女子肩揉皮搔木前来跪拜。因依此兆，仿搔木之形象作蒙古文字，分男性、女性、中性三类编成强、虚、弱三种。”从后世的情况分析，萨班并未完成这一事业，这一事业自然地落在了八思巴肩上。八思巴完成了萨班的这一未尽之业，1269 年，忽必烈降诏颁行八思巴创制的蒙古新字（后世称为八思巴字），使用近百年。

八思巴字的创制，对蒙古民族的文化交流无疑起到了巨大的推动作用。

2. 帝师制度。八思巴圆寂后，“诏赠皇天之下，一人之上，宣文辅治，大圣至德，普觉真智，佑国如意，大宝法王，西天佛子，大元帝师”。自此始，元时帝师遂成制度。有关资料介绍，至元亡共有14位帝师。其任帝师年为：

姓名	生卒年	任帝师年限
（1）八思巴·洛追坚赞	1235～1280	1269～1276
（2）仁钦坚赞	1238～1279 （1282？）	1272～1279 （1282？）
（3）达玛巴拉	1268～1287	1282～1283
（4）意希仁钦	1248～1294	1286～1294？
（5）扎巴俄色	1255～1303	1291～1303
（6）仁钦坚赞	1256～1305	1304～1305
（7）桑结贝	1267～1314	1305～1314
（8）贡噶洛追坚赞贝桑布	1299～1327	1315～1327
（9）旺出儿坚赞	？ ～1327	1322～1325
（10）贡噶勒贝迥乃坚赞贝桑布	1306～1330	1327～1330
（11）仁钦扎西	不详	1329～1332
（12）贡噶坚赞贝桑布	1320～1358	1333～1358
（13）喇钦索南洛追	1332～1362	约1353～1362
（14）喃迦巴藏卜	不详	不详

帝师制度的形成和近百年的实行，既加强了藏族与蒙古民族和中央王朝的联系，也强化了中央王朝对藏区的统治；一方面，蒙古王室利用藏传佛教控制藏区诸教派，安抚吐蕃民众，另一方面，帝师之类藏传佛教高僧又以宗教身份得到诸多政治利益。《萨迦世系史》中有一段颇耐人玩味的文字，叙述忽必烈接受八思巴灌顶的经过：

> 皇后对皇帝说：“未让八思巴返回西藏甚佳。萨迦派有一甚为深奥之密法灌顶术，乃他派所无，可请其授之。”帝曰：“你可先请之，果有效益，我再受之。”皇后乃受喜金刚灌顶，十分信仰……其后，皇后请于皇帝曰：“此果胜于其他教法，请帝受之。”皇帝向上师请求灌顶，上师道：“恐您不能遵守法誓，且此处又无精通翻译者，且待将来。”帝问：“须守护何种法誓？”答曰：“灌顶之后，上师坐上座，以身体礼拜，悉听上师言语。不违上师意愿。”帝曰：“此不可行。”

皇后劝曰："听法人少时，上师可坐上座。吐蕃之事悉听上师之教，不与上师商量不下诏书，其余大小事项因上师心慈，难却别人所请，不能镇国，故大师不必过问。"上师道："如此，汝蒙古以武力雄强不战不可折服，我也不能授依止修灌顶，可授近事灌顶。"于是遣使召译师来，授近事灌顶，皇帝在二十五名翁则陪同下，受萨迦特有的吉祥喜金刚灌顶三次。这是金刚乘教法在蒙古传播的开始。作为灌顶的供养，第一次，奉献了十三万户……第二次奉献了以大白法螺为主的吐蕃三区……第三次依上师的法旨，废除了在汉地以人填河的做法。这样，在法主八思巴十九岁的水阴牛年新年，薛禅皇帝受了灌顶，封为帝（国）师。并赐羊脂玉做成的刻有图案印文的印，此外还有黄金、珍珠、袈裟、经典、斗篷、僧帽、靴子、坐垫、黄金宝座，伞盖、盘、碗等以及骑乘的骆驼、骡子、全副金鞍。

从此文看，忽必烈接受灌顶似乎是八思巴先通过察必皇后这样一曲线过程。八思巴要求："灌顶之后，上师坐上座，以身体礼拜，悉听上师言语。不违上师意愿。"显然这是藏传佛教戒律的基本要求，敦煌文献《礼仪问答卷》中就有将上师和父母同等看待的记载。而此处因弟子是皇帝，问题的性质马上就有所转移。要求虽是纯宗教的，帝为一国之君，可否有政治或其他要求？忽必烈的回答也是肯定的："此不可行。"因何不行？一国之君是不可能"不违背上师意愿"的。最后，仍由察必皇后斡旋，协调的终结语言实质上是针对政治的："听法人少时，上师可坐上座"，这是给上师一点面子，也为尊重佛教轨程；"吐蕃之事悉听上师之教，不与上师商量不下诏书"，这给予八思巴以无上特权；"其余大小事项因上师心慈，难却别人所请，不能镇国，故大师不必过问"。可见忽必烈也是严格限制其参与非吐蕃问题的朝政事宜。八思巴当然也以宗教戒律为由后退一步，不授以皇帝止修灌顶而授近事灌顶。

帝师的职责不光是为皇帝的传法受戒，还要为皇室的宗教事宜服务，还要领宣政院事（宣政院由总制院更名而来，元中央政权中书省、御史台、枢密院、宣政院等四大机构之一，其职责为管理全国宗教事务和吐蕃事务，秩从一品，曾为元尚书右丞相的藏人桑哥任第一任院使），因而实际上也是吐蕃事务的直接管理者，在政治上与中央王权是一致的。

3. 初传藏传佛教。从帝师对王室和皇帝的影响程度我们可以看出藏传佛教对王室和蒙古民族的影响程度。由于蒙古文字的创造，此时已开始翻译有关佛教经典。从藏传佛教寺院的建设我们也可以看出这一点。

为元人建寺，或者在元王朝辖区受元人资助建寺，大约起于萨班，据云萨班曾在凉州建寺。实际随着帝师制度的确立，藏传佛教及其寺院在蒙古地区的传播是十分迅速的。仅大都一地，著名藏传佛教寺庙就有大护国仁王寺、大圣万安寺、大永安寺、大承天护圣寺、大崇恩福元寺、大天源延寿寺、寿安山寺、大承华普庆寺、大崇国寺、兴教寺等。非但如此，在宫廷之内也设有佛寺。修这些寺院都需要有很高的花费，耗费金银动辄以千万两计。而且经常性的祭祀禳祓等佛事活动，同样费用高昂。《元史·释老传》载："延祐四年（1317），宣徽使会每岁内廷佛事所供，其费以斤数计，用面四十三万九千五百、油七万九千、酥二万一千八百七十、蜜二万七千三百。"其数额可观。在元仁宗时，廷内佛事活动更为频繁。帝师地位的显赫和朝廷对帝师的优渥程度也可看出藏传佛教在当时的传播和地位。《元史·释老传》又载："帝师之命，与诏敕并行于西土。百年之间，朝廷所以敬礼而尊信之者，无所不用其至。虽帝后妃主，皆因受戒而为之膜拜。正衙朝会，百官班列，而帝师抑或专席于坐隅。且每帝即位之始，降诏褒护，必敕章佩监络珠为字以赐，盖其重之如此。"上书又载："其未至而迎之，则中书大臣驰驿累百骑以往，所过供亿送迎。比至京师，则敕大府假法驾半仗，以为前导；诏省、台院官以及百司、庶府，并服银鼠质孙。用每岁二月狼日迎佛，威仪往迎，且命礼部尚书、郎中专督迎接。及其卒而归葬舍利，又命百官出郭祭饯。元大德九年（1305年），专遣平章政事铁木儿乘传护送，赙金五百两、银千两、币帛万匹、钞三千锭。元皇庆二年（1313年），加至赙金五千两、银一万五千两、锦绮杂彩共一万七千匹。"这种礼遇的确达到了无以复加的地步。

当然，元王朝对僧人的这种高抬，也带来了一系列的副作用。比如《元史·哈麻传》有这样一段记载：

> 初，哈麻尝阴进西天僧以运气术媚帝，帝习为之，号演揲儿法。演揲儿，华言大喜乐也。哈麻之妹婿集贤学士秃鲁贴本儿，故有宠于帝，与老的沙、八郎、答刺马吉的、波迪哇儿祃等十人，俱号倚纳。秃鲁贴本儿性奸狡，帝爱之，言听计从，亦荐西蕃僧伽璘真于帝。其僧善秘密法，谓帝曰："陛下虽尊居万乘，富有四海，不过保有见世而已。人生能几何，当受此秘密大喜乐禅定。"帝又习之，其法亦名双修法。曰演揲儿，曰秘密，皆房中术也。帝乃诏以西天僧为司徒，西蕃僧为大元国师。其徒皆取良家女，或四人，或三人奉之，谓之供养。于是帝日从事于其法，广取女妇，惟淫戏是乐。又选采女为十六

天魔舞。八郎哥，帝诸弟，与其所谓倚纳者，皆在帝前，相与亵狎，甚至男女裸处，号所处室曰皆即无，华言事事无碍也。君臣宣淫，而群僧出入禁中，无所禁心，丑声秽行，著闻于外，虽市井之人，亦恶闻之。

虽然这是藏传佛教密宗的一种修炼方法（究其源仍在于印度），在世俗尤其以汉族的伦理观看来的确是大逆不道，为儒教为中心的汉族文化所排斥。显然，这种淫乐的公开和公布，自然地要受到社会的痛恨（藏族社会也是如此），使之威信扫地；在内宫的这些做法必然地要影响到吐蕃本部，这或许是格鲁派兴起后，宗喀巴大师严格戒律，规定先显后密、显密双修等一系列措施的重要原因之一。而藏传佛教在宫廷中的影响，也随着元亡，蒙古王室退居大漠而消沉。

由于对藏传佛教的信仰，元时的一些蒙古人开始学习藏文，接受藏族文化。比如新疆吐鲁番出土了四张用八思巴蒙古新字刻印的《萨迦格言》，说明当时此著已有相当影响。在作品形式上也已受到影响，如蒙古《白史》。藏族的美术、建筑、工艺等也传到蒙古及汉族地区，至今在北京、四川、山东、广东、福建等地还遗有帝师法旨碑以及具有藏族特色的古建筑。

文化建设上值得称道的一件美举是对勘《甘珠尔》。忽必烈至元二十二年（1285），八思巴之侄达钦达玛巴拉合吉塔遵照忽必烈的命令，组织由藏、汉、蒙古的28名译师和知名学者对藏、汉文《甘珠尔》进行对勘，增加新译，补齐不全部分，并以经、律、藏三部编制了704卷经典之目录。其中每部又分大乘、小乘，大乘经典再分显宗、密宗，前有梵、汉两种文字对音，后有书跋与译跋。

二、与汉族的经济文化交流

1. 茶马互市

明于1368年（洪武元年）攻占元大都，翌年挥师陕西、陇右之地，该地元军投降。即入陇，便与藏族有了接触。时西藏上层在元王朝中有一定分量，且疆域辽阔，明便遣使持诏谕吐蕃书，《明太宗实录》卷四二曰："昔我帝王之治中国，以至德要道，民用和睦，推及四夷，莫不安靖。向者胡人窃据华夏，百有余年，冠履倒置，凡百有心，孰不兴愤。比岁以来，胡君失政，群雄纷争，生灵涂炭。朕乃命将率师，悉平海内。臣民推戴为天下主，国号大明，建元洪武。式我前王之道，用康黎庶。惟尔吐蕃，邦居国土，今中国一统，恐尚未闻，故兹诏示。”后何锁南普等归顺明朝，明旋即在藏设置官吏和机构。据《明史》卷九〇《志》第六六《兵》二载：“洪武初遣人诏谕，又令各族举旧有军职者至京，授以国师及指挥、宣慰使、元帅、招讨等官，俾因俗而治。自是秋僧有封灌顶国师及赞善、阐化等王，大乘、大宝法王者，俱给印诰，传以为信。所设都指挥使司、指挥司。”实际设了乌斯藏、朵甘卫两个都指挥司，设陇答卫指挥司一，朵甘、董卜韩胡、长河西鱼通宁远等宣慰使司三个，朵甘思、朵甘陇答、朵甘丹、朵甘仓溏、朵甘川、磨儿勘等六个招讨司，沙儿可、乃竹、罗思端、别思麻四个万户府，朵甘思等17个千户所，明对西藏进行全面施政。

以汉茶易蕃马，起于唐，宋时已成风气，明时兴盛，清代尾绪不绝。《明会典》曰：“凡易马，洪武初令陕西洮州、河州、西宁各该茶马司收贮官茶，每三年一次差在京官选调边军，赍捧金牌信符往附近番族将运去茶易马。”以茶易马的既定方针，在“用茶易马，固人心，且以强中国”，“行以茶易马法，用制羌戎，而明制尤密。”《明史·食货志》的这些记载准确地反映了当时统治者的战略目的。在具体操作方面，明王朝也采取了一系列的措施。如：

在产茶州县设立茶课司，订立茶法，确定税额，“陕西二万六千斤有奇，四川一百万斤”，先后设立了秦州、洮州、永宁、河州、碉门茶马司，这些茶马司根据需要时设时增时移时撤。如洪武二十二年（1389）移雅州茶马司于岩州（泸定岚安），洪武三十年（1397）改秦州茶马司为西宁茶马司。

征收茶叶是在汉区，而作为贸易，销售的对象是藏区藏人。朱元璋曾派专人深入藏区及其州县督促以茶易马，收到一定成效：

1376年，秦州、河州市马171匹。

1378年，秦州、河州，茶马司等，易马686匹。

1379年，秦州、河州易马1691匹。

1380年，河州茶马司用茶58892斤，牛98头，市马2050匹。

1381年，四川威、松、茂州用茶易马。秦州茶马司等易马181匹。

1382年，秦州、河州等茶马司市马560匹。四川碉硐门茶马司，易马596匹。

1385年，川、贵市马11600匹送至京师。秦州、河州等，市马6727匹。

1387年，四川碉门茶马司，以茶163600斤，易驼、马、骡、驹170

余匹。

从这十年来的茶马互市情况看，其数量是不小的，但贸易效果以秦、河二州较突出。

一方面是战争急需战马，一方面是藏人“嗜茶如命”，明朝统治者紧紧抓住这一点，由早期茶马贸易中个人自由买卖的形式，逐步转向具有赋税形式的征纳差发马制度。如1392年阴历三月，朱元璋“遣尚膳太监而聂、司礼太监庆童赍赐往谕陕西河州等卫所属番族，令其输马，以茶给之”《明太宗实录》卷二一七，这次收获不小，以匹马30斤茶叶得10300余匹。这便是“以马为赋”的开始。《明太祖实录》卷二五一中说：洪武二十六年（1393）二月，朱元璋“命曹国公李景隆赍金牌勘合，直抵西番传朕命，令各番酋领受，俾为符契以绝奸欺”。卷二二五又载，李景隆“往西凉、永昌、甘肃山丹、西宁、临洮、河州、洮州、岷州、巩昌缘边诸番，颁给金铜信符。敕谕各族部落曰：‘往者朝廷或有所需于尔，必以茶货酬之，未尝暴有征也。近闻边将无状，多假朝命扰害尔等，使不获尔居。今特制金牌信符，族颁一符。遇有使者征发，比对相合，始许承命。否则，械至京师，罪之。”从金牌信符的发放看；其一，“以马为赋”的政策在给明统治者获得经济利益的同时，也给官吏的敲榨勒索提供了方便，一开始这种政策就畸形发展，给藏民增加负担。其二，从政治角度看，“以马为赋”，是明中央王朝对青、甘、川藏区行使主权的标志（纳赋是公民的义务）；从经济角度看，此显然是一种不公平的交易。这些我们可以从明时茶马的比价上一目了然：

洪武初，茶和马分三级交换，即上等马用茶40斤，中等30斤，下等20斤，此后马价有升则成上等马用茶80斤，中等60斤，下等马40斤，此后马价再升，上等马用茶120斤，中等马70斤，下等马50斤。对比可知，后来的下等马的茶额超过了最初上等马的茶额。假如我们求平均额则是（120+70+50）斤÷3=80斤，即平均每匹马值茶80斤，而上例中所说以30斤换一匹，实不值平常交易之一半，可见是不公平的交易。金牌信符又将此固定下来，此牌一式两面，上号藏内府以为契，下号金牌降诸番，令其以金牌交马。《明经世文编》卷一一五中说，此种牌“额上篆文曰‘皇帝圣旨’，其下左曰‘合当差发’，右曰‘不信者死’”，且制牌41面，“洮州火把藏思囊日等族牌四面，纳马3050匹，河州必里卫西番29族，牌21面，纳马7705匹，西宁曲先、阿端、罕东、安定四卫、马哇、申中、申藏族牌16面，纳马3050匹”。共需交马13805匹，数目可观。

显然，这种政策必然地要与私茶交易发生冲撞，匹马平均可换茶80

斤，而金牌纳马，两匹半方能得茶80斤。同时有些纳不起马和不堪这种盘剥的部落则率部远行。加上战争诸因素，永乐年间这种茶马金牌则停了下来。

明王朝对西藏采取众封多建政策，先后封了八大法王。此时马已向贡马方式演变。地方豪酋在一定的时间内上贡马，皇帝则回赐茶叶。但是，民间的茶马交易并没有中断。茶与马这种深刻的经济联系，也将藏汉人民紧紧地连接在一起。以茶马交易为主导，汉地的农产品、工艺品（瓷器、铁器、布匹、衣服、纸墨等）和藏地的畜产品药材、工艺品、牛、羊、皮张、毛、麝香、红花，还有佛画，铜佛等得到了很好的交流，推动了汉藏经济的发展，如此也促进了藏汉民族的友好关系。

2. 文化交往

上文说过，明代藏汉文化交流的盛举应是永乐年间进行的藏文《甘珠尔》的雕版印刷，在此不述。而明时藏汉文化交流的一大特点是藏人的学习汉文。《明实录》洪武十七年四月甲午条记，14、15世纪时已在岷州、松州开设儒学。嘉庆《四川通志》载，永乐二年（1404）天全六招讨司高敬让来朝，遣子入国学读书。在此，我们不能简单地将此归结为藏人学习汉文、学习一种语文的过程，实际上是学习一种文化的过程。《明史》卷三三一载，景泰三年（1452），董卜朝胡宣慰司请《周易》、《尚书》、《毛诗》等汉文经典，这显然是一种文化接触。

大概与上述时间相同，据《典故纪闻》记载，明英宗天顺年间（1457～1464），邹干等奏："永乐间，翰林院译写蕃字，俱于国子监选生习用。近年来，官员军民匠作厨役子弟，投托教师，私自学习，滥求进用。"为何人们争相学习藏文？觅今人文字偶尔点及，多有不述。上引奏文是"滥求进用"，实际上"进用"是目的。我想有以下几点形成这种状况：

第一，明承元时旧习，仍然厚礼西藏僧人。此可以从两件事看出。一是陕西行省员外郎许允德用五年时间去乌斯藏联络元亡后的藏族各界人物，其中主要是僧人，比如乌斯藏元摄帝师喃迦巴藏卜（རྣམ་རྒྱལ་དཔལ་བཟང་པོ།），被封为"炽盛佛宝国师"。由此国师推举元朝旧官吏60人，土官56人，并以元的行政机构大体划分了藏区的行政区划，设乌斯藏、朵甘两个卫指挥使司（与河州卫同由宁正都指挥使管辖），下设宣慰司二，元帅府一，招讨司四、万户府十三、千户所四。六十名旧官吏分别任命为指挥同知、佥事及宣慰使、同知、副使、元帅、招讨、万户等。56名土官分别就职于朵甘思六所宣慰司及招讨司，17个千户所。二是对藏族僧人的礼遇。典型的是得银协巴进京。据《历代噶玛巴传记》记载："火猪年（永乐四年，1407）得银协巴抵达皇宫时，受到皇帝、皇后、皇太子、大臣及僧俗众人的盛大欢迎，欢迎队伍中还有一头白象、三头挂着金银饰品的大象以及三百头披红挂绿的大象。”《贤者喜宴》记载，当时前来迎接的有持华盖、宝幢、飞幡、绸缎以及黄金、水晶工艺品的仪仗队；有三只佩戴黄金饰品的大象和300只驮着各种装饰品的大象，五万名手持鲜花与乐器的僧人；九位皇子、3000大臣带着十万名官员和120万手持盾牌、长矛、金锤、金斧、金马锭、金三尖刀、金银绸缎制成的日、月造型等的军卒。如此多的大象，在现在看来是令人难以置信，但当时受佛教文化的影响，在宫廷中是必不可少的，因为它有仪仗队的作用。北京至今留有养象坊之类遗迹。

金轮、神珠、玉女、藏臣、骏马、将军、大象为藏传佛教所谓国政七宝，它与八吉祥图案一样，同样是吉祥物。这里的大象尤为尊贵，非一般礼仪所比。这一礼仪或是由印度传入汉地，但以大象为吉祥象征这一点是共同的，且非一般庆典所能用。

或许这一切与朱元璋当初当过和尚有关系，不知然否，明对藏僧确实不薄。当时永乐皇帝亲自到宫门迎接，作为见面礼赐给得银协巴千辐金轮和左旋白海螺，觐见时得银协巴坐于群臣之上，皇帝亲自给他执盏让茶。得银协巴于二月一日抵京，二月二日，皇帝即设宴款待，赐金百两，银千两和一些法器用物；二月三日，皇帝亲自到得银协巴下榻之灵谷寺看望，赐白马18匹，金7锭，银37锭，绸缎百匹及金刚杵、金瓶、银瓶等用物。自此之后，对其赏赐之多，朝廷对历代僧徒的赏赐中亦不多见。1407年四月十日，永乐封得银协巴为“万行具足十方最胜圆觉妙智慧善应佐国演教如来大宝法王西天大善自在佛，领天下释教”，颁赐印、诰。

第二，藏传佛教在内地的迅速传播。明先后在藏区册封“八大法王”，这些法王基本上是藏区各教派掌握一方政教大权的僧人（酋豪）。于是，一时间讨求册封和进贡成了藏区各派政教首领维护自身利益，提高身价，扩大影响的重要手段。于是，入京朝贡的人数也不断增加：

宣德、正统年间（1426～1449），三四十人。

天顺年间（1457～1464），两三千人。

弘治十二年（1499），《明会要》卷七八载，“长河西及乌思藏一时并贡，使者至两千八百人。”

嘉靖二年（1523），四川董卜韩胡宣慰司就有1700余人入贡。

嘉靖三年（1524），四川杂谷安抚司等，有1400多人朝贡。

嘉靖十五年（1537），西藏辅教、阐教、大乘等王及长河西、鱼通、宁远等安慰使司入贡的人数达 4170 人。

这些入京朝贡的人，除了带一些地方土特产及方物外，主要的贡物是马。有时一人一马，有时则数倍于此。比如阿剌谷等族一次贡马就有 1700 多匹，董卜韩胡宣慰司一次则出贡马 2000 匹。这是支长年累月奔波于藏土和京师的浩浩荡荡的队伍，回去时朝廷回赐的茶叶、钱钞、绢帛等又成了新的交换商品。从当时的一些资料和形势（进贡和贸易）分析，在这种大批朝贡出现的同时，出现了一些宣传藏传佛教的僧人，他们开始在内地进行佛事活动和修造寺院，同时对汉传佛教产生影响。像迄今尚存的北京五塔寺、嵩祝寺、兴教寺、法海寺和居庸关等这些明代建筑上雕刻有藏文颂词，藏式的法轮、海螺、伞盖等八宝图案，庙顶部装饰的铜质镏金经幡、法轮、龙、鹿等，都是最好的说明。像《金瓶梅》这一著名的汉文古典小说就有喇嘛做追荐法事的描写，可见藏文化对当时汉人生活的影响。

第三，便是上文提到的茶马互市。

第三章　藏传佛教文化的发展与鼎盛

（16 世纪~17 世纪）

第一节　典章制度

一、职官制度

（一）噶厦及其职官

1. 噶厦的由来

五世达赖喇嘛（1617~1682 年）得到信奉格鲁派的蒙古汗的支持，稳固了格鲁派在西藏的地位，在政治、经济方面得到清朝政府的大力扶植，促进了格鲁派的迅速发展。1655 年固始汗死，诸王子争位，再生事端。1668 年，新汗王延达汗和第巴陈列嘉措去世，汗位空三年。1669 年，五世达赖直接任命罗桑图多为第巴，自此开始蒙古汗王大权旁落。1674 年，五世达赖又直接任命桑吉嘉措为第巴，统理西藏政务。才华横溢的第巴桑吉嘉措迅速将第巴政权系统化，委任卫、藏封建领主为第巴政府官员，领主管辖下的庄园由第巴政府封授，承认其世袭权，各地宗本由第巴政府委派调遣。1682 年，五世达赖圆寂，桑吉嘉措考虑到当时政治形势和格鲁派政权及个人的地位，匿丧不报达 15 年之久，后为康熙皇帝征噶尔丹时得知，严责桑吉嘉措，桑吉嘉措遂立早已认定的仓央嘉措为六世达赖。后桑吉嘉措与蒙古汗王拉藏汗冲突，兵败被杀，仓央嘉措也被废黜。藏境兵燹，连年不断。1720 年，康熙命允禵为抚远大将军，统帅三路大军入藏，藏乱始平，从而也结束了蒙古汗王对西藏的统治。清廷为了避免第巴一人大权独揽，设四大噶伦——康济鼐（贝子）、阿尔布巴（贝子）、隆布鼐（辅国公）、颇罗鼐（台吉），康济鼐为首席噶伦。由藏人自己管理西藏事务。这便是噶伦制度的产生。

1723 年，青海地区暴发罗卜藏丹津之乱，延染西藏。1727 年，阿尔布巴、隆布鼐、扎尔鼐等三噶伦被处死，封颇罗鼐为贝子，总理全藏事务。颇罗鼐管理西藏政务 20 年，人民得到休养生息，他死后，子珠尔默特那木扎勒于乾隆十五年袭封郡王，与七世达赖矛盾激化，又起事端。1751 年，清军再度入藏平定了珠尔默特那木扎勒的叛乱，废除世俗藏王、郡王、贝子掌管西藏的制度，改由七世达赖掌握西藏政教大权，正式设立噶厦政府，仍设噶伦四人，三俗一僧，地位平等。第一任噶厦政府俗官噶伦辅国公班第达、扎萨克台吉车陵旺扎勒、色玉特色布腾三位，僧官噶伦为喇嘛尼玛嘉措。1757 年，七世达赖圆寂，乾隆皇帝恐诸噶伦“擅权滋事”，遂令第穆呼图克图出任摄政，主持西藏事务，此后成为定例。在新达赖未找到和达赖喇嘛不满十八岁亲政前，由一大活佛出任摄政。噶厦政府自正式成立至 1959 年废除，凡 208 年。

噶厦的含义是，“噶”为命令之意，“厦”为房屋之意，即政府发布命令的地方。

2. 噶厦的组织系统

噶厦政权系统随着藏族社会的需要而产生，也随着藏族社会的需要而发展、丰富、完善。因由格鲁派执掌政权，是故格鲁派最大活佛达赖喇嘛和班禅额尔德尼实际已成为全藏最高的宗教领袖。政教合一的西藏地方政府的领袖为达赖喇嘛，集政权教权于一身。达赖在成年（满十八岁），考取格西（དགེ་བཤེས།）学位后才能亲政，在此以前的政教事务由摄政处理。有出任摄政资格的是被清廷册封为呼图克图的丹吉林、功德林、策默林、策觉林（一说锡德林，即热振呼图克图在拉萨的驻锡寺院）的四大活佛。如八世达赖未亲政前曾由策默林呼图克图阿旺曲成为摄政，十四世达赖未亲政前曾由热振活佛为摄政。

噶厦首脑仍设四大噶伦（བཀའ་བློན་བཞི་ཚོགས།），遵照先例设一僧三俗，僧官噶伦排首位，处理政务。清政府规定噶伦为三品官。四大噶伦难以决断的事，须呈请达赖喇嘛解决，达赖可以自作主张，或者召集僧俗官员代表会议来解决。

四大噶伦之下设译仓（秘书处）、仔康（审计处）两个重要机构。译仓掌握达赖印信，管理所有僧官和他们的升降调遣，除噶厦领导外，直接受达赖领导，设四品仲译钦波（大秘书）四人，皆为僧官。仔康是管理行政的机关，同时管理俗官的调遣任免，设仔本四人，皆为俗官。政府的财政开支、赋税征收等则由仔康负责。

四大噶伦之下还设一些具体的职能机构：（1）玛基勒空（总司令部）；（2）启杰勒空（外事局）；（3）扎西勒空（管理印铸纸币、辅币和电厂等）；（4）喇恰勒空（司金钱收入及一切开销）；（5）德昔勒空（管理地方绥靖）；（7）拔昔勒空（征收新增地粮）；（8）杜戈勒空（管理军需）；

(9) 协尔邦勒空（管理刑事案件）；(10) 拉涅勒空（管理政府总务及神像等）；(11) 昔康勒空（检查会计）；(12) 囊孜辖勒空（拉萨市政府）；(13) 雪勒空（政府总务及雪县司法）；(14) 阿比勒空（管理拉萨政府及培修房屋）；(15) 颇康勒空（管理军粮）；(16) 雪杰颇康勒空（管理新征兵的军粮）；(17) 索南勒空（征收新增地粮，管理移民）；(18) 杂涅勒空（管理草料）；(19) 糌谢勒空（拉萨传昭时供给糌粑）；(20) 廓昔勒空（管理拉萨政府与尼泊尔一切事宜）；(21) 甲擦勒空（管理茶盐税）；(22) 竹珠勒空（专为采购粮食）；(23) 朗昔勒空（管理调查各地马牌）；(24) 喇嘛恰台甲帕麦勒空（喇恰勒空分出的放利机关）。

达赖喇嘛驻锡于布达拉宫，夏季住夏宫诺布林卡。布达拉宫的行政官员全由僧官组成，由基恰堪布一人承领达赖旨意办事，其下再设：(1) 森本堪布，管理达赖服装及卧室；(2) 索本堪布，管理达赖喇嘛饮食漱洗等事；(3) 却本堪布，管理达赖诵经方面的事务。还有卓涅钦波一名，职掌内外传达。其下再设具体的办事机构：

(1) 仔恰勒空（车德勒空），管理达赖喇嘛总务。

(2) 仔涅仓勒空，管理政府总务仓库。

(3) 鲁古拳勒空，管理燃料。

(4) 骑若勒空，管理达赖骡马。

(5) 却则康，管理佛器。

(6) 雪巴尔，管理佛经印刷厂。

(7) 朵贝勒空，管理银铁匠。

(8) 朗艮勒空，收缴利息的机关。

噶厦政府的组织系统充分反映了西藏政教合一的特点。

3. 噶厦管辖的区域行政机构

西藏区域性的行政组织，主要有基恰（སྤྱི་ཁྱབ།）和宗（རྫོང་།）两级，再下就到谿卡和部落了。基恰相当于专署、州，意为总管，设四品以上僧俗官各一人担任基本（སྤྱི་དཔོན།）；宗相当于县，原意为碉堡，以其所辖地区大小分大、中、小、边四种宗，大宗、中宗设五品至六品僧俗官各一人担任宗本（རྫོང་དཔོན།），小宗设六品至七品官（僧俗按旧例）一人担任宗本。

西藏地方政府共辖六个基恰：(1) 山南基恰，管理雅鲁藏布以南的 20 个大宗、15 个小宗，公署设于乃东；(2) 多麦基恰，即昌都总管公署；(3) 黑河基恰，辖区很大，藏政府常派一噶伦管理公署，辖三十九族地区及藏北羌塘一带；(4) 日喀则基宗（基恰兼任其公署所驻宗宗本的，称基宗），辖后藏 13 宗，公署设日喀则；(5) 阿里基宗，管理阿里所属四个宗，兼任边境防务和商务总管；（6）卓木基恰，辖地为帕里以南的卓木宗，主要任务是征收出入藏印的货物税，兼办藏、印、哲雄（锡金）、不丹等边境事宜。公署设春汪塘，设四品俗官基恰一名，兼商务总管和卓木宗宗本。

1949 年前，西藏地方政府约辖 120 个宗。

基恰和宗本都由噶厦政府直接委任，任期为三年。基恰公署除基恰外，还设秘书、粮食官和其他办事人员，基恰的主要责任是监督和指挥各宗的工作。宗主要负责宗内的财政、司法、治安、差役诸事，遇有战争，由受地方政府驻该宗代本的节制。

我们来看看西藏山南地区的组织系统表：

A.

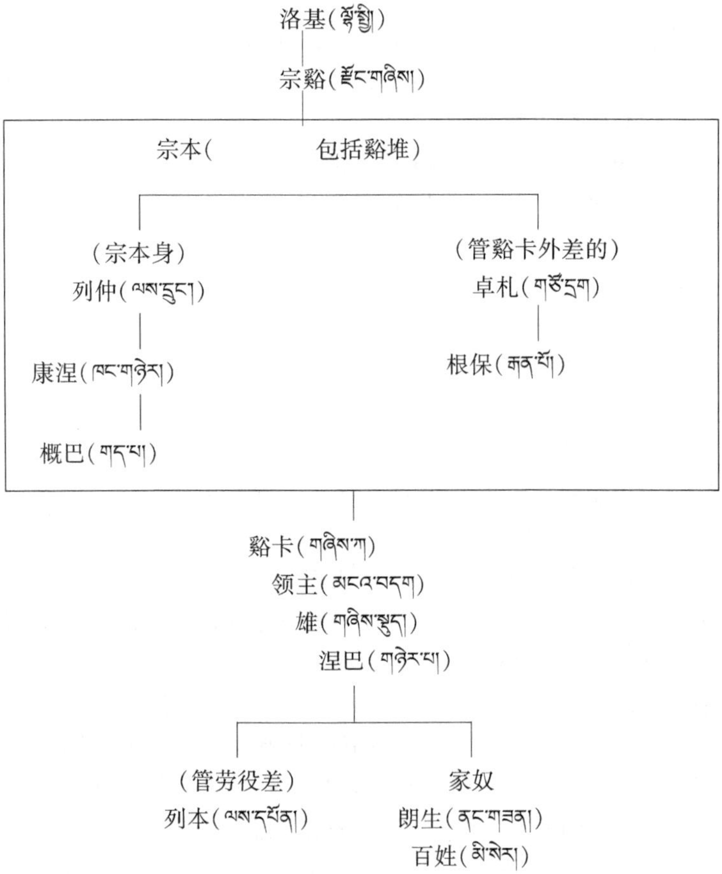

在同一个地区，这种组织系统也不完全相同，比如：

甲、错那宗。

宗本

（宗本身）	（管政府谿卡）	（管贵族寺庙谿卡）
（略）	定本（ལྡིང་དཔོན།）	卓札
	根保	根保
	基米（སྤྱི་མི།）	

乙、隆子宗。宗本下设：（1）管理全宗文书的，卓札；（2）管贵族谿卡的，卓札——协敖（ཞལ་ངོ།）——根保；（3）管政府谿卡的，卓札——协敖——根保；（4）管寺寺庙谿卡的，卓札——协敖——根保。

噶厦政府的最高武装机构是玛基勒空（总司令部），设僧俗玛基（总司令）各一人。平常以从三品的扎萨担任。由于第一任俗官玛基由俗官噶伦兼任，因而以后的俗官玛基则多由俗官噶伦担任。

玛基下设四品官一员，协助玛基处理军事事务。其下再设管理武器弹药、军粮、军法等组织机构。武官职玛基之下为代本，代本是一当的负责人，一当约五百人，相当于一团；代本下设茹本统领，相当于营长；茹本下设甲本，相当于连长；甲本下设定本，相当于排长，领兵二十名；定本下设具本，相当于班长，领兵十名。

噶厦政府武装部队的番号用藏文三十个字母次排列，如第一当称噶当，第二当称卡当，因为藏文的首两个字母是噶、卡（见本书《兵制》部分）。

噶厦政府的设立与驻藏大臣制度建立是相一致的。

（二）东部藏区的土司、部落制度

经过长期的历史演变，藏族的部落形式也十分复杂，虽然以氏族为单位的部落制已成为历史，但我们还可以感受到它的存在，因为独立的单姓部落的存在，人们在怀疑它的纯洁性的同时，不得不考虑它的作为部落的社会学意义；众多的小部落仍然选举着自已的首领，赞颂着自已部落的光辉历史，在维护着它的不可侵犯的尊严；历史给了更多的部落以联盟、兼并，于是许多大部落成为多姓的民族共同体，果洛三部、环海八族都不出此例；而在一些以藏族为主体的杂居区，部落的组成中甚至有了其他民族的成分。

1. 部落组织

藏区的部落组织基本分为三种类型：

其一，宗、谿卡统辖下的部落。这种形式主要在西藏境内，因为在甘、青、川、滇藏区基本没有宗的设置和谿卡，即不受噶厦政府的行政领导。如西藏当雄宗，有八个部落，设甲本（百户长）、藏革（佐领官）、坤都（骁骑校）、久本（十户长）、玛本（军官）、休令等头人，管理部落事务。实际上各个部落委任官职的多寡也不一样：

部落	甲本	藏革	坤都	久本	玛本	休令
曲考	1	1	1	5	3	3
恩果	1	1	1	5	8	
窝托	1	1	1	2		
巴家	1	1	1	2		1
潘家	1	1	1	2		
锅查	1	1	1	2	1	1
娃休	1	1	1	1		1
索布	1	1	1	2		

注：（1）曲考部落下属曲考及北部的“央基”小部落。
（2）恩果部落辖西托马、玉托马、江克三小部落。

像这种部落大多属于小的部落联盟性质，在“联盟”之下，尚有组织：

措巴：90 户至 110 户。

居学：9 户至 100 户。

折恰：7 户至 30 户。

负责一个措巴、居学、折恰的头人没有什么官衔，多是一方富户。部落里有直接辖于宗教的武装组织玛学的负责人为该区域内的最高头人，当雄共有曲美、将多、达麦、倍图、加尔根、萨卡、哈木果、达木图、康马、果查、倍墨等 12 个玛学。玛学的主要责任是防御土匪袭击，无事时在家参加生产劳动，遇有紧急情况，每兵发一支火枪，立即出动。费用由部落里供给。

谿卡统辖下的部落大致与此相似。

其二，土司管辖下的部落。土司的设置多在甘、青、川、滇藏区，如

1949年前中甸地方有土司23名，康区有四大土司（德格宣慰司、明正宣慰司、理塘宣慰司、巴塘宣慰司），四大土司之下有安抚司、长官司、土千户30多员，土百户80多员，像阿坝、甘南及青海省的一些藏区，也设有一定数量的土守备、土千总、土把总、千户、百户等。这些土司、千总等大多受封于明、清两代，也有传说为元朝时受封的，有品位，独霸一方。比如德格土司：

传说德格土司是吐蕃大相噶尔·东赞宇松的后裔，已传五十代，此中或有假托之词，然而土司世家仍然是悠久的，至少有四五百年的历史，世称“德格嘉赦”（སྡེ་དགེ་རྒྱལ་པོ།），其辖地1949年前有玉隆、龚垭、汪布顶、卡松渡、热达、壤西、郭泽、波拉、白垭、白玉、章多、巴荣、河伯、热加、呷伊、麦宿、顶龙、缅巴、池他、八坞、石渠、砍西等大小25个宗。其组织系统主要有土司直属的涅巴会议处理日常事务。涅巴会议由四大涅巴组成，涅巴由大、小头人和更庆寺上层喇嘛提名，经八帮、竹菁、协庆、噶拖、白玉等土司五大家庙的活佛卜卦算定，再由土司委任。尚设与涅巴平等的管理边疆事务的官员——四大席涅；代表土司出巡各地，解决各类事务的官员古朝；征粮总管等。

德格土司属下有大头人30名人（1950年时增为44名），各大头人之间，政治上无从属关系，各自拥有自己的政治、经济特权和武装力量，世代相袭，因为他们大多是某一块土地的主宰者，后臣服土司或为土司的功臣，受到赐封，获土地、部落、牛羊。历史相沿，兴兴衰衰，大头人的势力相差也有悬殊，有的差巴数十户至百户以上，数百户，有的则只有几户。

大头人如果违犯土司法规，可取消他的大头人头衔，受到惩罚，严重的会被收回土地和差巴，如此大头人便一落千丈沦为差巴；情节较轻的可暂时取消名号，等儿子长大后求情疏通，再由土司行令恢复名号。

德格土司属下有80个小头人（1949年前夕有106名），这些头人是小部落的头目，有世袭的，也有选举和任命的。名义上大头人可以管理小头人，实际能够行使管理权的不多；小头人之间更是各自为政，互不从属，可以比较自由地处理自己部落的内部外部事务，部落会议仍然是小部落的最高权力机构。

跟所有部落组织一样，部落里的军事组织仍然由大小头人统领。自备枪、马，没有战事时，各操各业；一有战事，迅速以民为兵。小部落间的冲突、大部落间的冲突中，一般情况由四大涅巴中势力强大有军事经验的涅巴任部队统帅，紧要关头由土司亲自统帅军队，下面的带头官由土司指定有势力、勇敢、有谋略的大头人担任。军事建制大多以部落为单位，部落的小头人即为小带兵官，服从大头人及涅巴、土司的统一指挥。

其三，县管辖下的部落。这种部落大多处于汉藏临近区、杂居区，行政上受中央政府属下县建制的领导，部落组织仍然有互不统属的大部落、小部落，有头人及部落会议，但是在外会由乡、保、甲长管理，有乡、保、村的建制。或者由头人兼任这些职务。这些地区部落的组织系统仍然健全，一系列古法、规章制度照样有效。

从整个藏区观之，无论是谿卡、宗、土司管辖下的部落，还是县管辖的部落，作为基层单位的部落的内部组织基本是一样的。头人、部落会议、部落临时性的军事组织，每个部落都具备。

2. 部落会议

各地的部落会议由于所处的环境不一样，所讨论的重点问题不一样，办事的方式不一样，事务多的可能一月召开一次，或不定期召开；事务少的一年半载召开一两次。综合起来看，所涉及的内容主要有以下几方面：

（1）祭祀礼佛禳灾等宗教性事宜。藏区社会的全民信教性也集中体现在部落会议上。如祭祀，大多数地区都有其部落神，小部落有小部落神，大部落有大的部落神，通常这种神是以山神的形式出现的，归宿为一拉则（峨博），每年至少要进行一次隆重的祭祀山神的仪式，由部落会议拿出具体的方案，即什么时间，规模多大，如何摊派财物及劳力。祭祀山神的主要目的是让山神保护自己的部落的牛羊、人群及一切，消除灾祸，求得吉祥。

在一定的时间，部落里要举行一次较大的礼佛活动，请活佛、僧人念经，求神佛降福降祥，草原平安，牧业繁荣，人丁兴旺。这一活动要在部落会议上进行研究、讨论、决定。

除此之外，遇到干旱、牲畜疾病、大雪灾等，在抢灾救灾的同时，也要研究进行一系列的宗教活动。

（2）结算部落公账。结算公账，主要是差赋徭役。许多都要经过头人和具体的负责人之手，因此需要有所交代。比如甘孜州崇喜长官司属下的牧民以牲畜的多寡被分为七级：

级别	占有牲畜头数
一	101 头以上
二	96 ~ 100
三	66 ~ 95
四	56 ~ 65

五	46～55
六	16～45
七	15 头以下

牲畜的头数是以牦牛为单位计算的，同时有约定俗成的一系列折算方法：犏牛两头折牦牛三头，马两匹折牦牛五头，绵羊五只折牦牛一头，山羊不算在内。这些虽然由土司三年一审核，但是主要的赋税差役常为部落头人代为管理，甚至以部落为单位向上收集和摊派差遣。如以上各级的赋役是，每年每四头牛交纳牧税藏洋一元给政府，超过 130 头的部分不交牧税；每户牧民每年要给土司交木柴、酥油一次、两年交牛毛一次。最低的第七级酥油、牛毛各一点五藏斤（一藏斤约七市斤），木柴免交。以此逐级递增，至最高一级为酥油、牛毛各四点五藏斤，木柴 18 驮。无偿的乌拉差，通常是有牛 20 头左右，出人差一个；有牛 30 头左右，出牛差一个；有牛 40 头左右，出马差一个。

其实，由于藏族社会特殊的社会组织，除大部落的头人常是有钱有势，“连选任”外，小部落的头人常是选举产生，他们的主要责任是跑腿，为部落这个团体办事。因此大头人多为一等差户（牧主），小头人多为二三等差户（富牧、中牧），甚至四五等差户（贫农）。有些部落旧法浓重的，大头人也有贫穷差户充任的。因此在任内（多为三年一任），账目清楚极为重要。其次，部落里的祭祀山神、请活佛僧人念经等费用，也要一一向部落全体成员交代。

这种公布账目的会议往往较隆重，负责账目的（头人或者助手）当部落成员到齐后，要主动地对神佛发誓，让众人相信自己所做的一切都是真实无虚的。接着一项一项往下报。报一项，由部落认为精通数算的几个坐在前排的人，一起核审，每报一项，认为符合，则说符合，则继续下一项；认为不符合，当事人要交代清楚，否则会受到全部落人的唾弃，严重的会逐出部落，甚至处以极刑。计算时大多借助佛珠，实算或心算。部落里的其他任何人都可以参与计算，对自己或别人参与的有关事宜的账目，提出疑问、质问、责问，此时不论提问题的人富贵贫贱，当事人都得一一答复。

（3）执行官府命令，解决突发事件。除了差赋徭役外，官府的命令是多方面的，各个地方所执行的情况也不一样。西藏地区多以噶厦政府为重，通过宗政府、谿卡，再至部落会议层层下达落实，且要组织实施；青、甘、川、滇一些有土守备、土官、土司的地区，主要由当地军阀（如青海马步芳）下达，转由土守备、土官、土司，再由部落会议研究、组织、监督实施；甘、青、川一些杂居地区，没有土司等地方世袭权贵，则由政府所设县府下达，及乡、镇至部落，这些地方的部落多已归入保甲编制，部落的头人也大多出任保、甲长。

突发性事件范围较广。部落会议为应急可能举行全体会议，也可能举行具有代表人物的会议，一面研究是否向上级汇报，一面组织力量应急。如1951年的当雄那曲地震中，桑堆地方的头人等急向噶厦政府禀告：

> 小民等桑雄六部头人、根保同声禀报：
>
> 【闰】九月十九日太阳偏西，正当解放军大批部队到达桑堆驿站野牛场之时，发生空前强烈地震。地动山摇，湖水激荡，山上野兽纷纷奔跑下山，地上冒水。此次震动遍及草原，桑堆地方山神——桑丹岗桑山脉至附近村子震动更大，从桑丹岗桑山脉至村子之间出现长达几公里之裂缝，新建甘珠尔经堂和茨玖神殿及牧民住房等共倒塌二十余间。此后，在二十余日内时时发出隆隆响声和地动。

有些地震的部落，在向噶厦禀告时，已提出非常具体的救灾措施，涉及经费来源，修缮房屋的先后、请批运送石料的路条，请求卜卦、诵经保佑地方平安等。

雪灾是威胁人民生命财产安全的藏区大灾害之一，严重时也威胁着部落的存在。如安多八部头人百姓为遭严重雪灾，呈噶厦政府的禀帖中说："火兔年又遇严重雪灾，所有牲畜，包括政府租畜，几乎死绝，百姓失去了居留所依……皆清贫如洗。亦势必沦为乞丐。即使并未禀呈上官，官长慈悲之主，那曲诸宗本亦严令头人负责在下庶民不使流亡他乡。为严防黎民擅自逃散，各自辖下已逐级连环防范。"头人失去自己的属民就不称其为头人，部落的成员们由于生活所迫会投向另外的可以维持生计的部落。因此当遇到如此惨重的自然灾难，部落的成员们（尤其是头人）为了维护部落和自己的利益，必然商讨一系列的稳固措施，赖以渡过难关。

（4）械斗、复仇、惩罚。部落械斗在藏较为普遍，有些部落与部落，因牛羊、草场等结为世仇。此时，部落的整体利益上升，也产生了相应的准备工作。如甘孜州石渠县的色须部落规定：凡牲畜30头以上的差巴等级的牧民，必须购枪一支，子弹50发，好马一匹；凡牲畜100头以上至300头者，子弹增加数倍，良马两匹以上。凡是军事上使用的马匹，须经过大头人验收，在马身上打上记号，平时不能随意骑乘使用，更不准出售。凡属尼麦（意为烧火支差的人，有牛15至30头的牧民）等级的牧民，每户购置明火枪一支，子弹25发，如果是有马户须备马一匹；凡属尼麦斗突（意支差跑路的人，有牛15头以下的牧民）等级的牧民，每户备长矛、马叉子各一把。对上述军事装备的准备情况如何，大、小头人要定时检查，倘不符合规定数目，要受处罚，或罚钱物，或支差，或挨鞭子。

因为部落的大头人是自然的总带兵官，小头人是小的带兵官，在武装械斗中他们是指挥官，有关草场、牲畜等的大的军事行动在他们主持下进行，部落会议就是其中的一个重要部分，要在部落成员的会上征求意见，这样的行动有无必要，假如多数人觉得有必要，此会议便是战前动员，并要制订较详细的作战计划，参战的动辄就是数百、上千，甚至数千人的“骑兵”。战争涉及的内容也多：属于部落的大寺院、活佛要给出征的勇士们诵经，赐护生符；伤亡人员的家属安排及命价——一般由部落里统一安排，有不成文的规定，但遇到一些重大的与整个部落的生死存亡息息相关战事，部落会议也商量据情提高抚恤金额和命价，借以让参战人员和家属放心。

（5）选举新头人。头人的选举并不仅仅是部落会议选举一种形式。有些是受土司等任命的，有些是无文“世袭”的，在一些偏远的牧区的小部落里还在实行赛马射箭，优胜者任头人的做法。

靠选举产生的头人，大多是有办事能力的，先由众人推举候选人，等有了候选人后，让他背坐着，身后放一器皿和不放器皿，“选民”们商议规定或者以得石子儿的多寡决定可否当任，或者用羊粪蛋和小土块决定，羊粪蛋表示赞成某某当选；小土块表示反对。最后唱票人和监督者当众公开候选人所得赞成票数和反对票数，得赞成票多者当选。

选举头人是部落里的大事，必要时男女老幼都参加，有的规定18岁以上的男性有发言权，有些地方则规定13岁以上的男性有发言权。妇女的权力有些地方较小，有些地方妇女拥有跟男人同等的权力，甚至可以当选头人。至于世袭做土司的女人——女土司在藏区也不是一个两个。

二、法律制度

由于藏族地区特殊的自然和人文环境，尤其是社会发展的滞后和超稳定状态，在法律制度上，虽然屡有改革，但其本质上的跃进幅度不大。此一时期的法律法规建设主要有第悉藏巴噶玛丹迥旺波依据以前之法律制定了《十六法典》。这十六条法律是：

1. 英雄猛虎律；
2. 懦夫狐狸律；

3. 地方官吏律；
4. 听诉是非律；
5. 逮解法庭律；
6. 重罪肉刑律；
7. 警告罚锾律；
8. 使者薪给律；
9. 杀人命价律；
10. 伤人抵罪律；
11. 狡诳洗心律；
12. 盗窃追赔律；
13. 亲属离异律；
14. 奸污罚锾律；
15. 半夜前后律；
16. 异族边区律。

这一法律的制定同样是藏族法律史上的一项重要成果，尤其是对每条律例的阐述部分，颇有研究价值。比如“英雄猛虎律”，主要涉及军事问题和既涉及战略问题和战术问题，也涉及军队的思想建设问题，颇具智慧。它以《根本说一切有部毗奈耶》中所说“智者须具备摧毁、极多施、引诱、辨别和完成部队诸项任务等五种能力”，释介对敌人的不战而胜原则，分化瓦解敌军的原则、将士同心战斗的原则等一些难得的军事经验，以及行军、布阵、军律、出击、战阵、防御、待敌之法等具体细节。实际上，《十六法典》只是在《十五法典》之上加上了“异族边区律”，强调对边远地区管理的法律。《十六法典》的制定，被认为是第悉藏巴的五大功业之一。“为了所有属民的安乐，像父母一样爱护弱小贫苦之人，恢复西藏一度废弛的法律，制定了巨大册法律，使所有属民像酸奶凝结奶皮一样安宁，白天黑夜都可以没有惊恐地入睡。”（1）第悉藏巴的法律法规较重视实际问题，“对从远方来拉萨朝拜两尊觉卧佛像为主的寺庙佛像的善士香客等，保护人员驮畜安全，由各个宗豁供给生活物品，不准伤害他们，要对他们慈爱扶助。明确规定这方面的制度。”（2）第悉藏巴政权存在的时间不长，因为在噶玛噶举派和格鲁派的尖锐矛盾中，第悉藏巴站到了前者一边，而当格鲁派利用外力（蒙古固始汗部）来消灭自己的对立教派时，第悉藏巴噶玛丹迥旺波也被固始汗扔到拉萨河里淹死了。

五世达赖时期制定了《十三法典》。《十三法典》是在《十六法典》的基础上进行整理而成的，因而内容上也大同小异。

1. 官吏应遵守的法律；
2. 两造质对辨别是非曲直的法律；
3. 逮捕罪犯的法律；
4. 犯杀人放火抢劫等重罪的法律；
5. 使罪犯警惕而知悔改的法律；
6. 仿佛蒙古地方的法律，包括税官及官吏出差时应遵守的法律，强盗被捕后与失主对质的法律，夫妻离异的法律等；
7. 杀人者赔偿命价的法律；
8. 伤人者赔偿的法律；
9. 谎言起誓的法律；
10. 偷盗赔偿的法律；
11. 调解亲友纠纷的法律；
12. 处理男女通奸的法律；
13. 处理牲畜借贷纠纷的法律。

据有关资料介绍，这一法律制定于甘丹颇章第一位第悉索南群培时，根据以往的《十五法典》、《十六法典》等进行增删修订而成，最后由第巴桑吉嘉措改定。但是法律不是万能的，由于当时时代激烈的社会和政治矛盾，修订法律的第巴桑吉嘉措并没能得到法律的保护，一代天骄竟陨落于拉藏汗之手。

三、驻藏大臣制度

驻藏大臣制度是藏族历史上出现的一种特殊文化现象。近200年的藏文著作中有大量关于此一现象的记录，但以往的研究中并没有将此归入藏文化系统或作为一种文化去考察、研究。这一制度可藉参考的资料有《清实录藏族史料》（1～10）、《清代藏史辑要》、《卫藏通志》、《清史稿》、《满汉名臣传》、《西藏六十年大事记》以及各驻藏大臣的奏牍等。当代亦有吴丰培、曾国庆著《清代驻藏大臣传略》、贺文宣编著《清朝驻藏大臣大事记》、台湾肖金松著《清代驻藏大臣》等。

由于对时间的推算和对驻藏大臣本身缘起、确定等问题的认识不同，因而对驻藏大臣起于何时的看法有十多种之多：有康熙四十四年（1705）、四十八年（1709）、四十九年（1710）之说，也有雍正二年（1724）、三年（1725）、四年（1726）、五年（1727）、六年（1728）、七年（1729）之说。故而驻藏大臣和帮办大臣的数量也各不相同：

贺文宣辑录，从康熙四十八年正月到宣统三年（1911）的202年间共派往西藏148位正、副大臣，计182任，在这182任中，正大臣103任，107人次（有两人同时驻藏者四次）；副大臣79任，81人次（有两人同时驻藏者三次）。

肖金松则将以上所说驻藏大臣分为四类情况，即未分出帮办大臣前和分出帮办大臣后，前者有41人次，后者有55人次；帮办大臣74人次；宣统时驻藏左右参赞2人。他在附注中说，自雍正五年至宣统三年，凡185年间，清廷派驻藏大臣172人次，其中办事大臣共98人次，未到任者4人次，实际到任94人次，其中马拉1人重任3次，纪山等11人重任2次，由帮办大臣转任者20人，帮办大臣74人次，未到任者11人次，实际到任者63人次，其中重任者2人。总计驻藏大臣136人，其中未到任者15人，实际到任121人，不包括在宣统年间增设的两名驻藏参赞。

显然，两种算法有较大出入。但是，不论计算上如何进行，驻藏大臣制度作为在西藏长期实行的一项制度，它的发生、发展的历史是没有多大出入的。

（一）驻藏大臣设置的时代背景

17世纪时的西藏政局是动荡不安的。主要有两个表现：一是藏传佛教内部派系的互相倾轧。随着格鲁派的发展，噶玛噶举派藏巴汗政权对其采取排斥和抑制政策，禁止其在拉萨举行默朗钦茂大法会。信仰噶玛噶举派的喀尔喀蒙古首领却图汗，康区的白利土司等也有打击格鲁派，以图发展自己所信仰教派的强烈愿望，而且积极准备，以便诉诸武力。在这种情况下，作为格鲁派的教主的达赖五世和班禅四世经过反复考虑，遂向厄鲁特蒙古和硕特部首领固始汗求援。固始汗等从天山发兵，消灭了却图汗部，占领了青海藏区的大片农村、牧区，旋入康区消灭了白利土司，转而挥兵入藏消灭了第悉藏巴政权。战争此起彼伏。一是随着蒙古贵族的进入藏区，蒙藏统治者之间的矛盾加剧，形成骑虎之势。达赖、班禅原本的目的是想借助外力，壮大自己，消灭教敌。但是，事物的发展并没有按他们想象的那样去进行，却应了那句“请神容易送神难”的俗话，蒙古贵族凭借雄厚的军事势力占据大片藏族地区后，要永久“护卫教法，兴盛黄教”，不愿再回到自己的驻牧之所，反而成了西藏地方统治者的一个重要力量。西藏的政权出现了蒙藏统治者共同执掌政权的状态。第悉和蒙古汗王之间又开始了新一轮的权力之争。

清王朝兴起后，由于广大的蒙古地区均信仰藏传佛教，信息十分快捷，西藏方面很快与皇太极建立了联系，达赖喇嘛的代表到了盛京，得到了清太宗的盛情款待。1644年清世祖建都北京后，特遣使者来迎请达赖喇嘛。五世达赖便于顺治九年（1652）赴京朝觐。达赖受到朝廷的册封，声望大增，格鲁派也得到了迅速发展，加上当时固始汗已死，诸子争位，达赖便委任年轻的桑吉嘉措为第巴，管理藏区政教事务。

1682年，五世达赖喇嘛圆寂，第巴桑吉嘉措为了借助达赖的盖天声望来影响朝廷，牵制蒙古诸部，秘不发丧15年，后被朝廷得知，受到严厉斥责。第巴只得将早已选定的六世达赖喇嘛仓央嘉措迎入布达拉宫。蒙古汗王拉藏汗与第巴桑吉嘉措进行了旷日持久的尖锐的斗争，后发生了第巴被杀，仓央嘉措被废黜的严重事件。蒙古准噶尔部策妄阿拉布坦与青海蒙古首领察罕丹津联合，其军队于1717年攻陷拉萨，杀拉藏汗，废黜拉藏汗所立的达赖益西嘉措。准噶尔军在拉萨烧杀掳掠，引起西藏僧俗强烈不满。在这种情况下，清王朝出兵西藏，第一次全军覆灭于喀拉乌苏河。1720年，清军以皇太子允禵为大将军，第二次运兵西藏，与颇罗鼐夹击准噶尔军，大获全胜，同时结束了蒙古汗王在西藏的统治。

（二）驻藏大臣的设立

清王朝鉴于以往西藏政治的经验和教训，废除了第巴职位，由康济鼐担任首席噶伦。康济鼐与其他三位噶伦发生了尖锐的对立。《清世宗实录》记录了这一事件："雍正五年正月丁巳，议政王、大臣等议覆：'副都统宗室鄂齐奏称：臣至西藏，审视情形，首领办事之人，互相不睦，每每见于辞色。达赖喇嘛虽甚聪敏，但年纪尚幼，未免有偏向伊父索诺木达尔扎之处。康济鼐为人甚好，但恃伊勋绩，轻视众噶伦，为众所恨。阿尔布巴赋性阴险，行事异于康济鼐，而索诺木达尔扎，因娶隆布奈之女，三人合为一党，若调唆达赖喇嘛，与康济鼐、阿尔布巴不睦，必至争竞生事……请降训旨，晓谕达赖喇嘛、康济鼐、阿尔布巴等，和衷办事。均应如所请。遣大臣一员，赍旨前往晓谕，令伊等和好办事……'得旨：'著内阁学士僧格、副都统马喇（今多写'玛拉'，有'马拉'、'马腊'等多种写法——笔者注），差往达赖喇嘛处。各赏银一千两。'"清遣僧格、玛拉入藏，可以说是清对西藏事务重要性的一种再认识，应该是清王朝设置驻藏大臣之滥觞。僧格、玛拉均为满族，僧格姓巴林，为正白旗人；玛拉姓富察，为正黄旗人。

清廷尚未来得及采取措施，至雍正五年七月，《清世宗实录》卷五十九载颇罗鼐等奏报："康济鼐与准噶尔构兵，所办诸事洵有裨益。乃阿尔布巴、隆布奈、札尔鼐等，会同前藏头目，于六月十八日，将康济鼐杀害，臣即收聚后藏军兵防守驻扎阿尔布巴等，复发兵来侵，被臣杀伤无算，今臣带领兵众剿捕阿尔布巴等，伏乞皇上速遣官兵进藏，剿灭逆魁，以安西藏。”

阿尔布巴事件的发生，已明示西藏问题的复杂性，清命礼部尚书查郎阿为帅率兵 8400 名自西宁赶赴西藏，命周瑛率川兵千余，另派云南兵 3000 名前往西藏弹压。清兵尚未到达西藏，颇罗鼐集结阿里和后藏的军队，与阿尔布巴等三噶伦的部队展开了激烈的战斗，后颇罗鼐分兵两路，突然袭击拉萨，拘禁阿尔布巴等三噶伦，等候清廷官员前来处置。阿尔布巴等人被处决，颇罗鼐在这次事变中的作用和表现得到清廷的认可和表彰，赐为“贝子”，总理西藏事务。与此同时，清朝在藏正式设立驻藏大臣。从一些史料看，在此前朝廷虽然也派官员进藏，但并没有“驻藏大臣”这一特殊称谓，《清实录》、《清代藏事辑要》等记录雍正五年史实时只如此述录：“十月十七日己亥谕议政王大臣等：现有钦差玛拉、僧格在藏，恐伊等或为阿尔布巴所惑，从中讲和，或被阿等诓诱，以致颇罗鼐受害。著岳钟琪于川陕标下派官员速令赴藏，将一应情节密述玛拉、僧格、俾伊等心中明白，则诸事无阻。此谕著学士班第送去，其详细之处，班第口传。”而在雍正六年的记述中，对此二人的称谓有了根本变化，而且逐步有所固定：

七月十二日辛酉，颇罗鼐恳祈驻藏大臣玛拉、僧格代为奏乞赏赐兵丁。

二十六日，颇罗鼐率兵直抵前藏，驻藏大臣玛拉、僧格回至西藏。

五月二十六日，颇罗鼐率兵直抵西藏，驻藏大臣马腊、僧格即往布达拉地方守护达赖喇嘛。二十八日，各寺庙喇嘛将阿尔布巴、隆布奈、扎尔鼐等擒献。颇罗鼐将伊等拘禁，遂来见马腊、僧格。

九月三十日丁丑，驻藏大臣玛拉、僧格会同查郎阿、迈禄等磔阿尔布巴、隆布奈、扎尔鼐等。

名实相副的驻藏大臣当始于雍正六年。

（三）驻藏大臣的组织结构及任期

驻藏大臣的组织机构在其发展的过程前后均有差异，但大致情况相同。《清会典事例》第九七七卷载：“驻藏大臣所属随同办事本院司官一人，随印笔帖式一人。”又说：“驻扎西藏办事司官、笔帖式、照驻扎哈密、瓜州司官、笔帖式例，二年一换，俟新去之司官、笔帖式到后，令旧驻扎之人留住三月，将旧事交代明白，再令回京。”此为乾隆四年事，到乾隆十年据情又更为任期三年。乍一看，其随属员十分简单，实际不是这样。

所谓司员，又称章京，或夷情官，由理藩院员外郎或主事担任，其主要工作《卫藏通志》卷一二言其“管理达木蒙古八旗官兵，三十九族番民事务，承办驻藏大臣衙门清文稿案，三年更换。”

所谓笔帖式，上书载“专司衙门文移，缮清译汉，三年更换。”初为二人，后裁为一人。后傅清额奏：“西藏额设笔帖式二员，今裁一员，不敷缮写，若由部挑往，未免纷烦，请令成都将军于满兵内拣选能写清字者四人，遣其来藏，在印房学习行走。”于是更为四名。

在拉萨的驻藏大臣衙门早期不知其定制，其员额除一些官吏之外，一般人员多多少少或控制不严，至乾隆五十七年（1792）富康安进藏时再行裁减，《清高宗实录》第一四卷第20页载：“大臣衙门各三十名，游击八名，都司六名，守备二员每员四名，驻藏司员四员，笔帖式二名，千总、把总每员一名，前藏粮务看库兵八名。”平素在衙门服务，在部队操练时参加操练。除此而外，驻藏大臣还要管理在藏的驻军，这些驻军的数目和官员配备情况从《卫藏通志》、《驻藏须知》等材料统计，大致如下：

察木多，游击1名，把总1名，外委1名，兵130名；

江卡，守备1名，把总1名，兵65名；

梨树，外委1名，兵34名；

石板，把总1名，兵34名；

乍丫，守备1名，把总1名，兵80名；

阿足，外委1名，兵33名；

昂地，把总1名，兵63名；

硕般多，千总1名，外委1名，兵63名；

前藏，游击1名，守备1名，千总2名，把总2名，外委5名，兵435名；

拉里，把总1名，外委1名，兵69名；

江达，外委1名，兵46名；

后藏，都司1名，把总1名，外委1名，兵140名；

江孜，守备1名，外委1名，兵40名；

定日，守备1名，把总1名，外委1名，兵40名；

以上计有游击1名，都司1名，守备5名，千总4名，把总10名，外委14名，兵1273名。

除绿营外，尚有驻藏粮务，计有打箭炉、里塘、巴塘、察木多、拉里、西藏六年粮台，设同知一员。主要责任是管理兵粮和收取藏人贡赋。此在后期积弊甚重。《清季筹藏奏牍·张荫棠奏牍》中说："今藏中吏治之污，弊孔百出，无怪为藏众轻视而敌国生心。查驻藏大臣莅任所带员弁，率多被议降职之员，钻营开复，幸得差委，身名既不足惜，益无忌惮，鱼肉藏民，侵蚀为款。驻藏大臣利其节寿，一切暧昧，反为讳饰，转求商上垫借亏挪，又暗许其藉差浮冒报销，以为抵偿。"可略知一斑。

（四）驻藏大臣制度的发展演变过程

作为一种制度文化，我们探讨的驻藏大臣制度的演变，是与驻藏大臣本身职权的演变过程相一致的。这一过程，吴丰培、曾国庆在《清朝驻藏大臣制度的建立与演革》一书中分为雏形（1727～1751年）、明定（1751年）、扩大（1789～1794年）、完善（1794～1845年）、松弛（1845～1911年）五个阶段，而肖金松在《清代驻藏大臣》一书中则分为初期（1727～1792年）、中期（1793～1853年）、后期（1844～1911年）三个阶段。各有其理。假如从行使主权这一核心和清王朝施政策略的转变、扩大看，是否如此叙述更为清晰：

第一阶段，清王朝立国至乾隆十六年。这一阶段是清在藏结束蒙古汗王的统治，由原来的蒙古汗王和达赖喇嘛共同执政，过渡到由清王朝派员参与西藏地方政府的管理的阶段。从职权的使用和官吏的任用看，仍然立足于西藏地方政府，如先是封康济鼐为首席噶伦，后又授权颇罗鼐总理西藏事务，并晋封为郡王。颇罗鼐是位颇受朝廷恩宠、支持、扶植，自身又有丰富经验、建有功勋，具有真知灼见的政治家，虽然与达赖喇嘛不和，但整体看，颇罗鼐总理西藏事务20年（1728～1747），社会稳定，经济、文化等均有所发展，同时也与驻藏大臣保持着良好关系。而随着这样一位强势人物的去世，问题便接踵而来。颇罗鼐有两个儿子，长子珠尔默特策布登，封阿里公，驻守阿里；次子珠尔默特那木扎勒承袭郡王爵位。

珠尔默特那木扎勒虽承父职总理西藏事务，但其性情乖异，野心勃勃。其一，不信奉达赖，与达赖喇嘛矛盾深而激烈，拒绝七世达赖为颇罗鼐诵经，乾隆曾嘱驻藏大臣劝导；其二，为了吞并阿里，毒死兄长；其三，暗中勾结准噶尔；其四，排斥驻藏大臣，监视其行踪，并阴谋杀死驻藏大臣，幸好被驻藏大臣傅清、拉卜敦识破，计诱珠尔默特那木扎勒到驻藏大臣衙门杀死，傅清、拉卜敦也死在珠尔默那木扎勒党羽之手。福康安所写的《双忠祠碑文》记载了此事：

傅公讳清，为康安世父，乾隆十五年公以都统奉命驻藏，左都御史拉卜敦副之。时珠尔默特那木扎勒袭其父颇罗鼐郡王封，专藏事，多不法，公裁之，横如故。公廉其叛逆有迹，密疏请便宜从事，以绝后患。奏入，上以公孤悬绝域，未可轻举，命都统班第代拉公，将名其罪以申国法。旨未至而反谋益急，广布私人，凡驻藏大臣一举动，辄侦逻之，禁邮递不得通，潜结准噶尔为外援，藏中有异己者，将尽逐之，势且延及达赖喇嘛，为雄长一方之计，公如坐待其变，事发而公必死，诱而诛之，其羽翼已成，寡不敌众，而公亦死，均之死也，毋宁变速而祸小。遂与拉公定密计，以十月十三日告其党罗布藏达什曰：召藏王来，有旨令议事，珠尔默特那木扎勒以公势孤，闻召不之疑，亦不设备，公与拉公登楼待之，止其众于楼下，随上者四五人，公见之颜色不动如平时，引入卧室，阖户急掣佩刀砍之，中项而仆，从者竞前，以棓击其首，立毙。罗布藏达什在室门外闻格斗声，知祸发，抉窗跳越，告其婿第巴喇布坦等，号召贼众，须臾麕至，枪炮竞发，环攻之，墙高而固，不能入，贼乃积薪楼下，烈焰四起，楼焚，贼遂攀援而登，公手刃数贼，身被三伤，力竭自刎以殉，拉公亦中创死。

这件事的发生可谓震惊了清王朝。事件发生后，七世达赖命公班智达抓获了杀害驻藏大臣的凶手，乾隆即命四川总督策楞率兵入藏，乾隆据奏，有如此谕示："此措置唐古忒一大机会也，若经理得宜，自可永远宁谧，否则久复别生事端，珠尔默特那木扎勒敢怀逆志，由于地广兵强，事权专一，嗣后唐古忒应多立头目，以分其势，尔等其详议善后事宜，为一劳永逸计。"于是策楞等据此提出了《酌定西藏善后章程》（十三条）。驻藏大臣在西藏的地位、作用等又有了新的规定。废除了郡王制度，正式建立了噶厦政府。

第二阶段，时间为1751年至1793年，是清王朝确定西藏政权运行基本格局时期。或者说这一时期是自制定《酌定西藏善后章程》后，对章程的实施过程。总括起来看，这一被乾隆首肯的章程，有以下要害内容：

其一，成立噶厦，设三俗一僧四噶伦，其地位平等，秉承达赖喇嘛的旨意处理政务。

其二，特别强调达赖喇嘛的地位，授其掌握西藏地方政权，并将驻藏大臣放在了与达赖平等的地位。章程中多处规定了达赖喇嘛与驻藏大臣连同负责的内容。如：

章程之第二款："凡地方之些小事务，众噶隆（今多作'噶伦'）秉公会商，妥协办理外，其具折奏事重务，并驿站紧要事件，务须请示达赖喇嘛并驻藏大臣酌定办理，钤用达赖喇嘛印信，钦差大臣关防遵行。"

章程之三款："嗣后凡遇补放碟巴头目等官，噶隆等务须秉公查办，公同禀报达赖喇嘛并驻藏大臣酌定，俟奉有达赖喇嘛并钦差大臣印信文书遵行。"

章程之四款："嗣后凡碟巴头目等官，遇有犯法，或应抄没，或应革除，噶隆、代奔等务须秉公查明，分别定拟，请示达赖喇嘛并驻藏大臣指示遵行。"

章程之五款："嗣后各寺之堪布喇嘛，或遇缺出，拣选派往；或人不妥，应行调回，均应由达赖喇嘛酌行，噶隆等不得仍照陋规，专擅办理。其喇嘛中有犯法者，噶隆等亦应秉公禀明达赖喇嘛，请示遵行。"

章程之七款："嗣后凡遇调遣兵马，防御卡隘，均应遵旨，听候达赖喇嘛并驻藏大臣印信文书遵行。"

章程之八款："将来或有不遵奉达赖喇嘛，并犯法不能办理地方，应行革职者，亦由达赖喇嘛会同驻藏大臣参奏，革除后，原颁之敕书，一律撤回缴部。"等等。

提高和巩固达赖喇嘛的地位，是清王朝的一项国策，因此所系并非仅在西藏，而在于安定蒙古诸部，以及那些信仰藏传佛教的民族。但是从诸多的资料看，七世达赖时由于郡王制度的实行，颇罗鼐父子两代似乎都没有把达赖喇嘛放在眼里，章程之十一款所提到的一件事便可说明问题："达赖喇嘛仓库存储物件，应禁止私动……自颇罗鼐、珠尔默特那木扎勒父子任事以来，任意私自取用，不但不禀明达赖喇嘛，竟至达赖喇嘛取用一哈达等物，亦不能主持，甚属不合。"在自己的私库中用一条哈达的权力都没有，更不用说有什么政治权力了。故而，至1751年七世达赖44岁时，方执掌西藏地方政权。可惜他只活到50岁便圆寂了。

自此之后，便设置了驻藏大臣衙门，驻藏大臣行使权力的范围、职能也逐步固定，工作也进入程序化状态。然而新的问题又在酝酿之中。1747发生了金川战争，清王朝耗费7000多万两白银耗时五年方得以收场。1780年六世班禅进京，旋圆寂于北京。1788年廓尔喀第一次入侵西藏，1791年第二次入侵西藏，札什伦布寺遭到抢劫。1792年朝廷派福康安为大将军、海兰察为参赞大臣率兵进藏，收复了被廓尔喀人占领的土地，赶走了廓尔喀人，针对西藏在此次事件中反映出来的吏治腐败等问题，福康安等草拟、乾隆审订的《钦定藏内善后章程》二十九条，进一步对西藏的官吏制度、驻藏大臣的权责、边界、外交、贸易、转世活佛的确定做了一系列的规定。

第三个阶段，时间为1793年至1845年，是驻藏大臣制度的发展时期。对于第二个阶段以前驻藏大臣的作用，有些论者颇有高评，实际并不是这样。尽管在第二阶段有了《酌定西藏善后章程》十三条，而在这一时期驻藏大臣发挥的作用并不显著。乾隆五十七年（1792）八月给福康安的谕旨中较为充分地反映了这一点："向来大臣内才堪办事之人，多留京供职，其从臆派往驻藏办事，多系中材谨饬之员，该大臣等前往居住，不过迁延岁月，冀图班满回京，是以藏中诸事，任听达赖喇嘛及噶伦等率意经行，大臣不但不能照管，亦并不预闻，是驻藏大臣竟成虚设。嗣后藏中诸事，皆当隶驻藏大臣管束料理……不得仍前任听达赖喇嘛、噶伦等专擅。"故而福康安也向朝廷上奏："嗣后驻藏大臣督办藏内事务，应与达赖喇嘛、班禅额尔德尼平等，自噶伦以下，番目及管事喇嘛，分系属员，事大小，均应禀驻藏大臣办理，以肃纪纲。"《钦定藏内善后章程》二十九条，涉及西藏事务的方方面面，就驻藏大臣来说，巩固、提高其地位是核心环节，使其和达赖、班禅完全平等，有综理西藏事务，掌握官吏升降、奖惩，监督遴选达赖、班禅等高层活佛，进行外事务等权力。可以说，这一时期，驻藏大臣在西藏事务中发挥着重要的作用。

第四个阶段，时间为1845年至1911年。随着清王朝的腐朽，虽然驻藏大臣依然派往西藏，但已今非昔比，官多庸员、昏官，此制度也逐步松弛无力，最后随着清王朝的灭亡而遁匿。比较典型的是两次抗英斗争中的升泰、有泰兄弟，奴颜婢膝，腐败昏庸，祸国殃民。

驻藏大臣在藏期间也形成了一套礼仪，钟方在《驻藏须知》写道：

> 大人高升进藏，前任驻藏大臣及诺门罕均在前藏东南二里许工布塘地方，支搭帐房迎接。大人至帐房前下轿，前任驻藏大臣及诺门罕等跪请圣安毕，各行见面礼，诺门罕先以哈达双手呈递大人，大人亦用哈达一方回递，止于彼此更换哈达，不应揖拜。坐次：大人正坐，先前驻藏大臣左旁坐，诺门罕右旁稍偏坐。大人在帐房稍坐，随上布达拉山，恭谒圣容毕，拜见达赖喇嘛时，达赖喇嘛先跪圣安，次亦互递哈达，稍坐。大人高升进署，遣统领拜仪门，开门，即于吉时拜印，行三跪九叩首，礼毕。请大人升公座，汉印房呈请用印，上任大吉，禄位高升，用印毕。请大人签押画接通事行红稿毕，拜灶君，行两跪六叩，礼毕。随拜前任大人。后回府，升公座，大小文武官投履

历叩见大人，及各项汉番文武官兵等叩喜。诺门罕来见时，在大门外下轿，见面后系互递哈达，坐次：大人正坐，诺门罕旁坐。至荣增诺门罕第穆呼图克图、济咙呼图克图、呼征阿齐图诺门罕等来见，互递哈达，坐次：大人正坐，呼图克图等旁坐，见毕辞出，略送数步。其余皆系属下，噶布伦、仔琫、颇琫、协尔帮、朗仔辖、及世袭公、台吉，大小僧俗营官，并戴琫、如琫、甲琫、定琫等文武番官，以及各小呼图克图、总堪布、各寺札萨克、仔仲、大小堪布、喇嘛等，平时禀见，先以哈达，由巡捕通事回明传见，该噶布伦等入室，大人正坐不起立，该噶布伦等双手呈递哈达，通事接收，将原哈达还挂该番官喇嘛等项上，该番官等伏地三叩首，旁立侍听，不命坐，大人不起立，不接亦不送。是日汉番官兵等叫喜毕，大人升入内阁。次日谒庙拈香，拜客。自到任视事后，选择吉日拜发到任清字奏折。

这些礼仪在藏区具有一定影响。

四、活佛转世制度的发展

（一）达赖、班禅两大活佛转世系统的产生

14 世纪下半叶，藏传佛教已出现颓靡状态，宗教人士追逐世俗权力，致使戒律废弛，道德沦丧，西藏社会一片乌烟瘴气。为了改变这种状态，宗喀巴（ཙོང་ཁ་པ།1357～1419）大师立志整顿宗教，提倡僧人严守戒条，并以黄色僧帽表示奉持古代持戒风范。他的行动得到阐化王的支持。

宗喀巴大师整饬佛教，让僧人恪守清规，在当时的西藏社会起到了积极作用。大师谢世后，其事业落在弟子们身上。先是由贾曹杰（1364～1432 年）继承法位，后由克珠杰（1385～1438 年）继承法位，史称“师徒三尊”。

除贾曹杰和克珠杰外，宗喀巴弟子中知名的有：嘉样却杰（1379～1449 年），于 1416 年建哲蚌寺；释迦意希（1352～1435 年），1414 年明永乐皇帝封其为“西天佛子大国师”，1435 年建成色拉寺（སེ་ར་དགོན།），1434 年又被明宣宗封为大慈法王；根敦珠巴（1391～1474 年）是宗喀巴最小的一个弟子，1447 年在日喀则修了札什伦布寺；朵喜饶桑布在芒域修达摩寺，其侄喜饶巴在阿里建敕赛寺，将格鲁派势力扩展到阿里地区；麦喜饶桑布，约在 1437 年建昌都强巴林寺，此后导出帕巴拉活佛系统。

1474 年，根敦珠巴辞世，格鲁派迅猛发展的势头逐渐降低。1486 年，11 岁的根敦嘉措（1475～1542 年）被当作根敦珠巴的转世灵童迎进札什

伦布寺，当时并无达赖等称号，反而受到一些人的冷落和反对。

1481年，噶玛噶举派红帽系四世活佛曲札益希（1453~1524）指使仁蚌巴兴军万余人攻入卫地，赶走支持格鲁派的内邬宗宗本阿旺索南伦波。

1493年，明孝宗朱佑堂封京俄阿格旺波为王。京俄阿格旺波未即位死。趁其子年幼，曲札益希实掌政权，禁止格鲁派三大寺僧参加一年一度的“默朗钦茂”法会。东嘎·洛桑赤列教授在《论西藏政教合一制度》一书中说：“在此后二十年，由拉萨附近的噶举派和萨迦派等教派的僧人参加拉萨祈愿法会。”1503年，噶玛噶举派还在拉萨之萨纳修了土丹却科寺。

阿格旺波之子阿旺扎西扎巴年长继王位后，对格鲁派的态度稍转，恢复了色拉、哲蚌、甘丹三寺僧人参加“默朗钦茂”法会的权利。1526年，止贡巴与格鲁派冲突，先后夺去止贡地区和墨竹地区的许多寺院，强令格鲁派僧人改宗。

面对这种处境，根敦嘉措云游四方，传经授法，扩大格鲁派的势力，他去过前藏、后藏、山南、塔布等许多地方，还留下了修建在拉毛南措湖畔的却科寺。此后，诸世达赖的灵童在此湖中观鉴；留下了扎西扎巴别墅，即以后的甘丹颇章。

1542年，根敦嘉措圆寂，格鲁派为了进一步巩固自己的势力，正式寻找根敦嘉措的灵童。1544年认定索南嘉措（1543~1588年）为根敦嘉措的转世灵童，称活佛，于1546年迎入哲蚌寺。聪明颖悟的三世达赖很快在佛学上得到发展。成年之后为了一改格鲁派以往的被动局面，积极扩大影响，四处讲经说法，其声名与日俱增。1559年，土默特部俺答汗自内蒙古率部进入青海，对明王朝形成严重威胁，使明对此无之奈何，只得以羁縻之法，封其为“归义王”。如同阔端之对于萨班，俺答汗得知格鲁派索南嘉措的学识声名和他在民众中的良好影响，即派员前往拉萨邀请。1577年索南嘉措应蒙古土默特部俺答汗的邀请至青海。很显然，俺答汗的刻意邀请和索南嘉措的爽快成行，都出于对各自利益的考虑。青海多为藏人居住区，俺答汗在青海立足，没有藏人的合作不行；同样，索南嘉措要弘扬格鲁派，没有一支力量的支持也难能取得成功。各有所思，各有所需，各有所取，彼此携手合作。俺答汗给索南嘉措献上500两白银的曼札、盛满珠宝的黄金碗、千两白银、百匹骏马及布帛、绸缎等物，并举行了十万人参加的大型集会。隆重而热烈。索南嘉措赠俺答汗以“咱克喇瓦尔第彻辰汗”尊号，俺答汗赠索南嘉措以“圣识一切瓦齐尔达喇达赖喇嘛”尊号，自此便有了“达赖”之称谓。事件的主人公们何曾知道，他们当时的举动，将会长远地影响到以后的蒙藏社会。以此事件为滥觞，藏蒙两民族又进入了一个新的文化交流、发展时期。此后追认根敦珠巴为第一世达赖喇嘛，根敦嘉措为第二世达赖喇嘛，索南嘉措本人便是第三世达赖喇嘛。三世达赖死后，俺答汗的曾孙被定为灵童，为四世达赖云丹嘉措（1589～1616）。1603年，四世达赖到达拉萨，遭到第悉藏巴政权的反对。四世达赖只活了28岁，于1616年圆寂于哲蚌寺。格鲁派处于极为不利的境地。此是掌握西藏政权的噶玛政权首领对格鲁派采取的是一条限制、扼制、打击的政策。藏巴汗怀疑自己多病是由于达赖诅咒所致。因而明令不须四世达赖的灵童转世。1617至1618年，藏巴汗彭措南杰攻下三大寺，杀僧俗五千余人。被禁止转世的四世达赖得以转世，据藏史记载完全是一种机缘。藏巴汗久病不愈，请了许多名医均不见效，后请札什伦布寺主罗桑确吉坚赞（1567～1662年）治疗，则很快恢复健康。藏巴汗以一庄园为酬谢，罗桑确吉坚赞坚辞不受，只请求使四世达赖的灵童转世，藏巴汗只好答应。罗桑确吉坚赞既是四世达赖的老师，也是五世达赖的老师。

五世达赖阿旺罗桑嘉措（1617～1682年）成年以前格鲁派所处的环境仍然十分严峻。从三件事可以看出这一点：

一是五世达赖的寻访。五世达赖的出生背景耐人寻味。他出生于穷结一个世代信奉宁玛巴却又同情格鲁派的家庭，其父曾任帕木竹巴政权的一个宗本。这可能是精明的政治家和宗教大家罗桑确吉坚赞的精心策划，其目的在于为格鲁派在西藏错综复杂的环境中的生存和发展拓展空间，既保持与执政的噶举派系统的友好关系，又结好宁玛派，以求有更多的支持者。

二是固始汗（1582～1654年）入青。蒙古各部虽信仰藏传佛教，但各部因信仰教派不同，其教争也显得尖锐而激烈。三世达赖与蒙古土默特部建立了牢固的友好关系，实际上此举的社会作用无疑于向社会宣布：格鲁派已与土默特部建立了政治联盟，自然地要受到信仰其他教派的蒙古信众的不满和仇恨。17世纪30年代，信仰噶玛噶举派的漠北却图汗在征服游牧青海的土默特部后，遣人入藏，拟联合藏巴汗，一举摧毁格鲁派。格鲁派危在旦夕。或许还是罗桑确吉坚赞的运筹，1637年信奉格鲁派的蒙古卫拉特和硕特部，在固始汗的率领下自新疆进入青海，打败了却图汗；1639年，又率部消灭了四川信奉苯教的白利土司。

三是固始汗部入藏。固始部的入青虽然粉碎了却图汗与噶玛政权连手以彻底消灭格鲁派的企图，但并没有解决噶玛政权对格鲁派的强烈威胁和压制。于是，五世达赖与罗桑确吉坚赞商议，密招固始汗部入藏，推翻噶玛政权，巩固格鲁派的地位。1642年，固始汗率兵入藏，推翻了噶玛政权，支持格鲁派建立了甘丹颇章政权。虽然，失去统治权的噶玛派僧人，不断地进行暴动，但西藏的政教大权已由噶玛派移往格鲁派之手。这是西藏历史上的一次重要变化，这一变化形成了此后300年格鲁派主导政教大局的格局。

五世达赖未成年时，格鲁派一切政教事务均由罗桑确吉坚赞主持。即使五世达赖执政以后，许多谋划和决策多出自罗桑确吉坚赞之手。他的博学多才和中庸、谦逊赢得了蒙藏僧俗的广泛尊崇。1645年，固始汗赠罗桑确吉坚赞以“班禅博克多”的尊号，导出班禅活佛系统。追认克珠杰（1385～1438年）为一世班禅，索南秀朗（1439～1504年）为二世班禅，恩萨巴罗桑顿珠（1505～1566年）为三世班禅，罗桑确吉坚赞为第四世班禅。推动格鲁派发展的两大杠杆——达赖、班禅两大活佛转世系统正式确立，格鲁派进入了一个迅速发展的时代。

四世班禅为格鲁派势力在特殊环境中的生存、巩固和发展做出了杰出贡献。

1644年，受清顺治皇帝的邀请，五世达赖到达北京，被册封为“西天大善自在佛所领天下释教普通瓦赤喇怛达赖喇嘛”，格鲁派势力发展更为迅猛。据《圣武记》记载，当时“达赖喇嘛所辖寺院三千百有五十余所，刺嘛（喇嘛）三十万二千五百有奇，百姓十有二万千四百三十八户。班禅所辖寺院三百二十七所，刺嘛（喇嘛）万有三千七百有奇，百姓六千七百五十二户。”可见势力之雄厚，盛极一时。

五世达赖任命桑吉嘉措为第巴，虽与蒙古汗王争夺权力，但格鲁派在政治上已居主要地位。至七世达赖，废除世俗藏王、郡王、贝子与宗教领袖共同掌政之制度，改由七世达赖总理政教事务。其他教派中多有改宗信奉格鲁派的。格鲁派再度稳定发展。至今，达赖已传十四世，班禅已传十一世。

达赖、班禅两大活佛转世系统的建立，使格鲁派登上西藏政治舞台，格鲁派在寺院和僧人数量上占绝对优势，活佛转世制度进一步普及，成为一种地道的宗教制度和宗教文化，在藏人生活中发挥着重要的作用。

（二）早期灵童的寻访认定

任何事物都有一个发展演化的过程。活佛转世制度的诞生是藏传佛教的一大创举。但是从诞生到活佛转世制度的广泛应用又经过了几个世纪。应用的过程是藏传佛教活佛转世制度逐步规范化的过程，至金瓶掣签制度的建立这一套仪轨才完全定型。

早期的活佛的寻访认定可以说比较简单，这些我们可以从现有的一些资料看得非常清楚。自然，这也符合事物发展的一般规律。我们可以从达赖喇嘛和班禅额尔德尼两位格鲁派的最大的活佛认定看这一制度的形成。

我们知道第一世达赖喇嘛、第一世至三世班禅都是后来追认的。或许是由于宗喀巴大师在藏区盖天的声望，达赖、班禅的转世都追溯到了宗喀巴的两个大子弟根敦珠巴和克珠杰身上。实质上，转世形式的采用，达赖喇嘛系统起自第三世，班禅系统起自第四世。这里有两个概念需要区分，一是一般的所谓“转世”，一是特别专指达赖和班禅的转世。就达赖、班禅两大活佛转世系统来说就是，一类情况是没有“达赖”、“班禅”这个名号的转世，一类是具有“达赖”、“班禅”这个名号的转世。

一世达赖根敦珠巴是宗喀巴的得意弟子，1438 年时任甘丹赤巴的克珠杰圆寂，甘丹寺请根敦珠巴继任第四任甘丹赤巴，根敦珠巴此时正在忙于札什伦布寺的修建，便举荐克珠杰之弟曲结坚赞担任第四任甘丹珠巴。札什伦布寺修成后任该寺赤巴，并于 1474 年 84 岁高龄时圆寂于该寺。据《噶伦传》等书记载，根敦珠巴圆寂后第二年（1475）根敦嘉措出世，他生于后藏的达那地方，三岁时即可回忆起前世的一些话语，十岁时被札什伦布寺的班钦隆日嘉措等商议后认定为根敦珠巴的转世，并由札什伦布寺吉哇迎接请到札什伦布寺。

根敦嘉措也是一位渊博的学者，1542 年圆寂后，1543 年索南嘉措出生，经仲钦桑热巴、哲蚌寺的执事喇嘛等商议，认定为根敦嘉措的转世，迎请到哲蚌寺。法尊法师在《西藏民族政教史》中说：“藏历第九饶迥之水兔年（1543 年，明世宗嘉庆二十二年）正月十五日，索南嘉措生于拉萨附近之堆垅地方，父名南结札巴（是穷结宗的宗本），母名北宗布赤。……四岁时（1546 年），哲蚌寺僧众将灵童迎至哲蚌寺供养。七岁时（1549 年），拜当时哲蚌寺赤巴索南札巴为师，受了沙弥戒。”等等，其认定形式仍然十分简单。

索南嘉措始有了“达赖”这一称号。但第四世达赖喇嘛云丹嘉措的认定仍然不太复杂。索南嘉措为了当时的本教派的政治、经济和宗教利益考虑，到蒙古地方去讲经传法，于 1588 年圆寂于内蒙古卡欧吐密地方。翌年，俺答汗的曾孙出世即为第四世达赖喇嘛云丹嘉措，据说他出世时有许多奇异的征兆——实质上是一种蒙古王爷们的认定方式，后来西藏方面派前世达赖的索本楚臣嘉措去内蒙仔细寻访、认定，后由三大寺代表和西藏的一些贵族去迎请灵童，等灵童一直长到 14 岁时才来到西藏。

1682 年，五世达赖圆寂于布达拉宫。时桑吉嘉措任第悉，秘不发丧达 15 年之久后被朝廷得知，方公开早已寻得的转世灵童，即六世达赖仓央嘉措。仓央嘉措生于1683年，由第悉桑吉嘉措选定，同五世达赖一样，仍拜四世班禅为老师。由于当时激烈的政治斗争，一代英才桑吉嘉措死于非命，仓央嘉措因此而被废黜，“押解”北京，据说于1706年死于青海湖滨，年24岁。七世达赖于1708年出生于现在四川藏区的理塘地方，出生之后就有许多神奇的传说，被蒙藏僧俗百姓认为是六世达赖喇嘛的转世而进行供养，后三大寺和时掌握政权的拉藏汗秘密派高僧和代表前往理塘查访、认定，接到布达拉宫坐床。

七世达赖于1757年圆寂，翌年八世达赖强白嘉措出生，五岁时由章嘉呼图克图认定为达赖灵童，于1762年迎接到布达拉宫坐床，认六世班禅为师。

班禅系统的灵童转世的认定情况大体相仿佛。班禅一世为克珠杰，是宗喀巴的得意高足第三任甘丹赤巴，与宗喀巴、贾曹杰同称“师徒三尊”，1438年圆寂，后世追认为第一世班禅。二世班禅名索南确朗，1439年生人，曾就学于甘丹寺，精通显密教典，善于辩论，在寺时便认为是克珠杰的转世。后到故乡恩萨寺，任赤巴，著书授徒，颇有影响。后于1540年圆寂于恩萨寺。三世班禅罗桑丹珠，出生于后藏（其具体生地多有争论，一般认为是在恩萨地方），11岁时在拉孜寺出家，功成名就后仍住恩萨寺，晚年被该寺僧众认为是二世班禅索南确朗的转世。圆寂于1566年。二、三世同为后世追认。四世班禅洛桑确吉生于1570年，俗名确吉巴丹桑布，13岁出家于恩萨寺，学业大进，精通佛典，颇具辩才，14岁时被恩萨寺僧众认定为三世班禅的转世，坐床，并就任该寺赤巴。四世时方有班禅之称号，于1662年92岁高龄时圆寂于札什伦布寺。1663年出生的五世班禅首先由札什伦布寺的堪布等遴选，并请示五世达赖认定坐床，1737年圆寂。六世班禅同样是后藏人，1738年生，由札什伦布寺高僧遴选，后由札寺札萨喇嘛向七世达赖汇报，被七世达赖认定为六世班禅。六世赴京朝觐时，于1780年圆寂于北京黄寺，终年42岁。

从上边的叙述中，我们可以看到，格鲁派成为藏区的执政教派以前，其领袖人物的选定是比较简单的。主要有两个特点：一是这些被认定的灵童都是天资聪颖者，有些在认定前就已经成为业有专攻的硕学之士，得到藏区的广泛拥戴。二是这些被选择和被追认的活佛一般都没有特殊的政治背景。由于不参与政治事务或者较少参与政治事务，此时的转世活佛的选择是正常的，基本上是在宗教的范畴之内，还没有发展到政治认定的地步。

五、藏军的建立及发展

17 世纪后，西方资本主义势力向亚洲扩张。藏族周缘地区像尼泊尔、布丹、锡金及汉地都程度不同地存在着资本主义势力的渗透，随之深入藏族腹心地区。1774 年，英东印度公司乔治·波格尔（G. Bogle）入藏，停留半年有余，拉拢班禅活佛，极力挑拨离间，西藏地方成为其蚕食鲸吞的主要目标。

于此前后，西藏藏蒙统治阶级内部的矛盾亦十分尖锐。发生了一系列的事件：

1656 年，与达赖喇嘛友善、积极扶植格鲁派的重要人物固始汗死，藏蒙贵族出现联合危机。同时，固始汗子达延汗和扎什巴都尔争夺汗位。汗位空缺三年。

1674 年，达赖五世任命桑吉嘉措为第巴。

1681 年，发生拉达克战争。达赖五世和达赖汗派出蒙藏联军打击在1630 年后侵入今阿里普兰、日土、古格地区的拉达克，攻下列城。1684 年达成协议，恢复了西藏对上属地区的管辖。

1682 年，杰出的西藏政教领袖达赖五世圆寂，第巴桑吉嘉措考虑到当时严峻多变的政治形势和五世无可取代的地位，匿丧不报。藏蒙统治者之间的矛盾日趋尖锐。桑吉嘉措利用准噶尔噶尔丹部与达赖汗、拉藏汗抗衡。

1705 年，桑吉嘉措在拉萨传昭大会期间逮捕了拉藏汗，后以桑吉嘉措辞去第巴职务退至山南，拉藏汗返回青海达成协议。而拉藏汗到那曲达木地方便调集蒙古骑兵与其妻拉姆才让扎西进攻拉萨，与桑吉嘉措的前后藏十三万户军队交战，桑吉嘉措被俘而杀。其所立六世达赖喇嘛仓央嘉措被废黜。

1717 年，准噶尔部策妄阿拉布坦派兵 6000 人，穿越腾格里沙漠突袭拉萨，杀拉藏汗，烧杀抢掠，无所不为。

1718 年，清廷数千满汉军兵自西宁启程进剿，全军覆灭于哈拉乌苏河。鉴于西藏出现的危机，康济鼐等相继起义，打击准噶尔军。

1720 年，康熙命皇十四子为抚远大将军，统帅三路大军入藏，与颇罗鼐部夹击准噶尔军，重创之，使其逃回伊犁。

1723 年，青海发生罗卜藏丹津之乱。

1727 年，西藏发生阿尔布巴之乱。噶伦阿尔布巴杀死首席噶伦康济鼐。

1728 年，康济鼐亲信颇罗鼐自日喀则起兵，攻陷拉萨，逮捕阿尔布巴等三噶伦。清军分两路入藏，以上三噶伦被处死。

藏事平定后，清廷设驻藏大臣，并留川、陕军兵 2000 人分驻前后藏，在昌都留滇军 1000 人。这基本上是清在藏派驻军队之始，以往一有战事，则命军前往剿灭，事竣则班师回朝。同时，为了防止准噶尔再度骚扰西藏，颇罗鼐练兵 15000 名，多路设防。由于颇罗鼐与七世达赖失和，遂又生其子珠尔默特那木扎勒秘密勾结准噶尔事，驻藏大臣傅清、拉布敦诱杀珠尔默特那木扎勒，由于无相应军兵保护，此二人亦被珠尔默特党羽杀死。此事后，清廷增兵西藏。此时清廷对待西藏的地方武装的办法是多封头目，相互牵制，分其合力。

18 世纪中，发生了著名的大小金川战役；清廷耗银 7000 多万两，历时 20 多年。

1788 年，廓尔喀侵入西藏，驻藏大臣巴忠等贿和。

1791 年，因藏人不缴纳贿币，廓尔喀再度侵入西藏。驻藏大臣屈敌求和，敌军进入日喀则抢掠后，转攻拉萨，福康安统军六路进藏讨敌，大获全胜。

1792 年，为了加强边防，稳定西藏，福康安、孙土毅、惠龄、和琳等上奏："窃查卫藏地方久涵圣泽，人不知兵，番民习俗惟知诵经奉佛，于军旅之事平日并不讲求。及廓尔喀两次滋事，藏内番兵乘间即逃，遇敌即退，不能守御出力，固由番兵等怯懦性成，亦因平日练兵之道，毫无法制，势难使之振作。兹奉谕旨酌给钱物口粮，加以训练，实为防御边隅至计。"继而提出在藏区建立藏兵制度的六条意见，大约这就是最初正规藏军的建军方略了。《钦定廓尔喀纪略》卷四七其六条为：

1. 设定兵额。前后藏原有兵 5165 名，"其实兵民不分，系按各寨番民，定以派兵数目，并非额设番兵可比。戴琫（མདའ་དཔོན། ，今多译'代本'）番目等，平时无兵可管，遇事调遣，只有各寨抽派，与乌拉人夫无异，充数应名，多不能使用军器。以猝然调集之番民，责令打仗御贼，无怪其全无纪律，怯懦不堪。"因而，请求在藏设立兵额：前后藏各设藏兵 1000 名，要隘定日、江孜各设 500 名，共 3000 名，如此可免"以省调戍之烦"。

2. 核定军官等级、数目。代本在原五名基础上加一名共 6 名；其下设如本 12 名，各管兵 250 名；其下设甲本 24 名，各管兵 125 名；其下设定本 120 名，名管兵 25 名。以上军职由驻藏大臣会同达赖喇嘛委任。"倘敢虚应故事，废弛军律，即行革退，并将本管番目从严惩治。"并初定依才取人逐级晋升的原则。

3. 给兵士以口粮，给军官以薪水。以往“藏内调派番兵，从不给予口粮，即出兵之时，亦不免其徭役。番民奉调后，自行备带口粮前往，粮尽而逃，势所必至。”因而要给每名兵士每年给青稞二石五斗。遇有征调，“再照征兵之例，每日每名商上支给糌粑一斤，每年口粮共需青稞7500石。”并免去服兵役者一家的乌拉徭役。原设代本五名，例各给庄田一分；新设一名，由达赖喇嘛照例拨给庄田一处。如本每人每年给银36两；甲本每人每年给银20两；定本给银14两8钱。每年需银2688两。

4. 武器装备、军事训练。武器装备，每1000名五分鸟枪，三分弓箭，二分刀矛。器械从查抄沙玛尔巴等家产器械内分给。差人去贡布制办火药，将存储于布达拉的铅丸发给藏兵，以重操练，提高技能，奖励上进，整肃军纪，提高战斗力。

5. 给在济咙、聂拉木等处防守的藏军以口粮、军粮、军械、火药等，加强操演，重视战斗技能，以利要道防守。

6. “严禁将备弁兵，欺凌番兵，并役番兵之弊，以实营伍”。

3000名额的藏军即以此例建立。此外还有1450名汉军，均连为一体，统一管理。1846年后才改由噶厦管理藏军，驻藏大臣等管理汉军；藏军的操练以清兵操典，并由汉军军官担任教导。因而此时的藏军被称为“甲强玛”（汉式部队）。这一支常备部队逐步走向正规。在此后的抗击锡克、克什米尔的战争战争（1841～1842）、抗击廓尔喀的战争（1855～1856）、第一次抗英战争（1887～1888）、第二次抗英战争（1903～1904）中都发挥了重要作用。

第二次抗英斗争失败后，国际国内的形势发生了巨大变化。1911年清朝被推翻，国内军阀割据，战火连绵。曾被两次革除名号又两次恢复名号的第十三世达赖喇嘛加紧军队建设。1912年以其侍卫长达桑占堆为藏军总司令，以藏文字母嘎卡顺序确定部队序列，将原来的六个代本扩展为十个代本，军队人数也由3000增至6000余人。并以“雪山狮子旗”为军旗，设立藏军最高指挥机关“玛基列空”（དམག་སྤྱི་ལས་ཁུངས།）由噶厦政府和达赖喇嘛领导。同时由英军军官训练藏军，1919年在江孜设立了军事训练基地。但训练不配套，如设有土工作业、野外训练等科目；军队中也没有通讯、侦察、工兵、卫生、参谋等兵种的训练，平时大多也不出操。英方还向藏军提供一定数量的枪支弹药。至1950年，藏军扩大至20来个团。

六、赋役、货币制度

（一）赋役制度

1.“谿卡”的类型

从全藏的情况看，东部藏区与西藏本部在赋役方面的做法是不尽相同的。东部藏区在入清以后，由于行政区划诸因，大多趋同于内地，而在西藏本部，主要是靠宗谿制度来落实。自15世纪中叶绛曲坚赞推行宗谿制度后，这一制度一直延续至民主改革以前。

17世纪上叶，佛教格鲁派受到很大威胁，蒙古王爷林丹汗、藏巴汗与白利土司顿月结盟，立誓要摧毁色拉、哲蚌、甘丹三大寺，消灭格鲁派，攻占了一些地方，杀害、软禁了一些格鲁派僧人。五世达赖喇嘛联合固始汗稳固了自己的统治，粉碎了敌对势力的围攻，并且没收了摧残过格鲁派的教派及贵族所拥有的土地和农奴，将它们赐给改宗奉行格鲁派的寺院、支持格鲁派的贵族，并留一部分由政府直接支配，如此便形成了我们现在所知“谿卡”的三种类型——曲谿、格谿、雄谿。据有关史料记载，当时卫藏全境可耕面积约300万克，寺院占39.5%，贵族占29.6%，原藏政府占30.9%。西藏所谓三大领主自此臻于完善。此后的发展中，尽管贵族与寺院的经济势力不断增强，其类型没有变化。

曲谿　藏文为“ཆོས་གཞིས།”，意为寺院庄园。曲谿大多数是贵族和政府布施来的，有的寺院少，有的寺院多，是寺院经济的一个重要方面，像格鲁派六大寺院之一的哲蚌寺，有曲谿近200处，耕地面积约51000克，牧场300余处，牲畜30000余头（只），农奴和牧奴两万余人。如属于哲蚌寺的桑通谿卡，谿卡自有土地600克左右，乌拉差户的份地246克（不包括大差巴康撒江的土地），总人口不足80人的差民负担着所有的土地。每届秋收，哲蚌寺的吉索派专人来桑通曲谿核对账目。收入所得的使用大约是：若按每克地平均产粮8克计算，600克土地产粮4800克，曲谿每年上交粮食2000克，由差户自备口袋牲畜轮流送往寺内，此为一宗；第二宗为谿卡开支，包括给藏政府雪勒空纳税一百两藏银，头人生活供给、临时雇工工资、农具添置修理费用、牲畜饲料、酿青稞酒等；第三宗，也是最重要的一宗是留在原地用来放债，债务由哲蚌寺吉索直接经管，每年放债两次，近千克粮食。差民的生活是贫苦的，还要给寺院支没完没了的差役。

曲谿的百姓是寺院的属民，寺院掌握着他们的命运。

格谿　藏文为“སྒེར་གཞིས།”，意为贵族庄园。由于一些贵族世代相袭，年代久远，格谿的规模也很大。比如甲马赤康谿卡（རྒྱ་མ་ཁྲི་ཁང་གཞིས་ཀ），是墨竹工卡宗最大的贵族庄园，也是西藏境内最大的贵族庄园之一，始建于元代初年，与萨迦王朝同时，是元朝所封的卫藏十三万户之一，虽然庄园荣荣衰衰，历经坎坷，仍然气势不凡。垣墙高三丈，宽三尺，"城墙上悬着可以致妄图穿过城门进入城堡的敌人于死命的'投石箱'，城墙上千百个射箭洞，城外一片片广阔的陷马坑，表明在历史上这里是武力兼并、三军厮杀的古战场。城堡内一座四层平顶的高大楼房，耸入云霄，雄伟壮观。它的建筑年代，已有五百多年。楼顶高出城堡的两三倍，它是一个监视农奴的瞭望台，从楼上可以俯瞰城内城外，甚至每户人家的动静。这是贵族的住宅，也是管理整个庄园的中心。"① 为了戒备防护，院内有 40 多条狗看护，庄园大门逢年过节有身佩刀剑的八名亲信日夜看守。

庄园贵族霍尔康的祖先是曾在 18 世纪上叶叱咤风云，官至郡王的颇罗鼐，此后历世达赖对其地位都有赐封或确认，颁发文书。

甲马赤康谿卡有居民 190 余户，人口 1100 余人。其中差巴（ཁྲལ་པ།）82 户，马岗（དམག་རྐང་།）14 户，谿卡堆穷（དུད་ཆུང་།）76 户，外地逃来的烟火户（དུ་གནས།）20 户。另外有朗生（ནང་གཟན།）50 多人。谿卡内的所有人等基本都是庄园贵族的农奴，受贵族控制。

实际上，甲马赤康谿卡是由甲马赤康谿卡、新仓谿卡（ཞིང་ཚང་གཞིས་ཀ།）、邦奈谿卡（སྤང་ན་གཞིས་ཀ།）、作雄谿卡（རྫོང་ཞུང་གཞིས་ཀ།）、江秦谿卡（བྱ་མས་ཆེན་གཞིས་ཀ།）等五个谿卡组成。往往一些大贵族的谿卡不仅仅是一处，同样霍尔康贵族在塔布、藏北等地还有一些谿卡。

许多大的谿卡都拥有林卡，如囊色林（ནམ་སྲས་གླིང་།）谿卡："住宅西角，约半里的地方，有一块宽阔的垣墙包围着的牧场，是领主牧马放羊的场地。高楼的右前方，有一边葱郁的林卡，林卡内有一组别致的小院儿，是领主夏天居住的别墅，墅内有苍松古柏，垂柳翠竹，还有梨树、苹果树、石榴、桃花、海棠花、核桃树、牡丹花、芍药、月季花、黄花等高原上少见的树木花草，一进入夏季，草木葱茏，幽雅至极。"② 囊色林是一个较老的贵族，其最早的封文见于五世达赖时期，至少有三百多年的历史。

雄谿 藏文为"གཞུང་གཞིས།"，意为官府庄园。雄谿是噶厦政府委派官吏直接管理的庄园，可是这种庄园形式随着寺院庄园和贵族庄园的发展，

---

① 《墨竹工卡甲玛封建庄园调查报告》，中国科学院民族研究所西藏少数民族历史调查组编，1964 年。

② 《墨竹工卡甲玛封建庄园调查报告》，中国科学院民族研究所西藏少数民族历史调查组编，1964 年。

受到了抑制、削弱，因为噶厦政府给官员的薪俸是拨给一定数量的庄园，让他们自己经营收租，如一个四品以上的官员可以领几个乃至十几个庄园的地租收入，又由于官员多为贵族，贵族世代居官，久而久之，这种作为薪俸的租田变成了官员的私田，庄园也在贵族官员的控制之下，实质上一些官府庄园已更易为贵族庄园。

官府庄园有些规模大的与宗（རྫོང་།）并列，委派的官员职别同于宗本，受基恰（སྤྱི་ཁྱབ།）节制。

2. 谿卡组织与税赋

谿卡的最高统治者，以其类型可能是寺院、贵族和官府。在谿卡内部仍然有组织系统。如甲马谿卡，在老霍尔康时，按其官品，出门可带八个全副武装的随从，任命有强佐（ཕྱག་མཛོད།）、涅巴（གཉེར་པ།）。领主不在时，由强佐总管庄园大小事务，可以上堂问刑，处理民事纠纷。涅巴的主要责任是组织生产、管理钱粮账目。后霍尔康赛（ཧོར་ཁང་སྲས།）掌管庄园，没有委派强佐，而任命两个涅巴，大事共同商量，小事各有分工：大涅巴主管账目、债务，小涅巴管收发钱粮。涅巴在庄园内直接行使着贵族的权力。

涅巴下设有四个来本（ལས་དཔོན།），直接管理生产。这些人大多是生产经验丰富、有管理能力的人，大多从差巴和堆穷中选派。任命四个来本是因为庄园的自营地分四个地区，一个来本负责一个区。

甲马谿卡还有两名差巴集会选举，由涅巴认定二根布（ཀན་པོ།），其职责是掌握由噶厦派下来的差役，并须监督完成。条件是，两个根布中的一个要识字，为人正直，一般由差巴充任。像囊色林谿卡还设基根（སྤྱི་ཀན།，意为总根布），统理定嘎根布（ཞིང་ཁག་ཀན་པོ།）和萨斯根布（ས་ཚིགས་ཀན་པོ།）。定（ཞིང་།）是一个支差的小集体，是谿卡中的行政小单位，每一个定设一个定嘎根布，据说囊色林庄园原先有四个，后来改为两个。萨斯（ས་ཚིགས།）是指短途差，从囊色林庄园东到充堆寺来回一天，西到乃东来回两天，萨斯的派牛派马差事一年到头应接不暇，非常辛苦。与此对应，长途差称宗吉（རྫོང་སྐྱེལ།），由于囊色林庄园离贡噶宗很远，不便出人力畜力，以藏银代替；中途差称谿吉（གཞིས་སྐྱེལ།），从充堆寺继续往西到羊嘎，来回也要两天。这些差役均由萨斯根布派遣、管理。

除贵族外，谿卡中的人口主要由差巴、堆穷和朗生组成。

差巴　藏文为“ཁྲལ་པ།”，意为支差的人。实际上差巴的情况也不一样，可分上、中、下三类。

差巴中的上等户属于剥削阶级，他们占有的差地多，自己不参加劳动，使用朗生、堆穷和雇工。如甲马谿卡中被称作“孝不再”（ཞབས་འབྲིང་།）的十三户大差巴，可以当领主的随从，由主人负责吃喝，免去家中一培（ཐུལ།）地外差，谿卡中的强佐、涅巴等职，一般都是在差巴中选派。他们使用佣人的数量也是可观的，如桑通曲谿大差巴康撒江就有成年佣人18名，临时佣人8名，未成年佣人7名。他们的住宅也较一般豪华，拥有的财产也比一般差巴多，如甲马谿卡大差巴益西赤雷家，有朗生20余人，耕牛12头，马22匹，骡子5匹，牦牛八九十头，黄牛12头，大小农具，样样齐全。

差巴中的下等户称雪巴差巴（གཞོལ་པ་ཁྲལ་པ།），雪巴（གཞོལ་པ།）意为处于下边。他们一般有一两匹马，几头奶牛和黄牛，以及一些耕田必需的农具，种地不过二三十克。但是雪巴差巴的差役很多，常常负债累累，以借债度日，生活贫苦。

差巴中的中等户介于大差巴和雪巴之间，拥有较好的牲畜和农具，欠债少，自食其力，自给自足。

就总体而言，大差巴是二地主，相当于内地的佃富农；中等差巴相当于佃中农；下等差巴相当于佃贫农。上等户大差巴占差巴的十分之一，中等户占十分之二，下等户占十分之七。

堆穷。藏文为“དུད་ཆུང་།”，意为“小户”，比差巴中的下等户更苦。比如甲马谿卡的堆穷简阿，两口子养活六个孩子，种堆穷内差地（ནང་ཁྲལ།）三克，每年给谿卡支乌拉差180人日。家中只有一口白铁锅，一口瓦锅，两个瓦壶，一个木勺和一个断了把子的铜勺。全家人的铺盖只有一条破垫子和几张破羊皮。简阿的生活来源主要有三，一是给人当雇工，一是上山砍柴卖，一是背死人上天葬场，将死人的好衣服拿去卖，旧衣服自己穿，一年背三四个，还可以得一些青稞、藏银的酬谢。平时一家人吃不到菜，喝不到茶，只是以开水拌糌粑过活。

谿卡中兼营手工业的堆穷外地人较多，生活情况也较一般堆穷要好一些，无论是木匠、铁匠、氆氇匠（ཐགས་མཁན།）、商贩、宗教职业者（主要是专替谿卡念防雹经的俄巴）（སྔགས་པ།）和助手锅尼（དཀོན་གཉེར།）、经营水磨者（ཆུ་བསྐོར་བ།），他们虽然要向政府和原主人交纳不少的税，由于劳动力可以自己支配，职业也相对灵活一些，欠债要比其他堆穷少。但是，他们的社会地位十分低下，其中有三种人被称为是“不干净”（བཙོག་པ།）的人，一是铁匠，二是屠夫（主要是宰羊的），三是来往的诺若（ནོར་རོ། 意为骡马商），认为他们的血液不干净，有直接间接的罪孽，就连一般差巴的姑娘也不愿嫁给这些人为妻，甚至跟他们一起共餐也是一种耻辱。

朗生。藏文为“ནང་ཟན།”，意为家奴。朗生的主要来源是下等差巴降为朗生，堆穷转为朗生和朗生所生子女自然成为朗生。朗生不但在谿卡中有，大差巴家也有。如甲马豁卡有朗生 19 人，有详细的分工：炊事，二人；喂马，二人；放羊，一人；捻毛线，二人；制酒，一个；赶骡帮，二人；伺候涅巴，一人；来本，四人；教员，二人；管经堂，二人。朗生是豁卡中的最低阶层，生活十分艰苦。如甲马豁卡捻毛线的朗生粗利拉木，是位 60 多岁的老太婆，原来是差巴，后家人死光，将房屋、牲畜和债务交给接替人，成为豁卡的堆穷，种五克内差地，谁知雪上加霜，在支修房子差时，脚被砸伤，留下残疾，成为跛子后沦为朗生，在豁卡捻毛线，还干些挤奶之类的活儿。个人除了一个碗，一个白天当垫、夜晚当被的破垫子外，一无所有。

豁卡的百姓都属于具体的主人，或寺院或贵族或官府，原则上土地支配权仍然是噶厦政府，寺院、贵族只有对豁卡的管理权。有些豁卡也有类似租赁的形式。据《东噶宗调查材料》（内部铅印）记载，充炯豁卡头人扎西的父亲原来充任乃琼豁卡的头人，死后乃琼豁卡被乃琼寺收回。后来扎西的岳父康撒江·占堆代扎西向觉木隆寺说项，请求接管觉木隆寺所有的充炯豁卡，并层层送礼，花去藏银二百秤（折合银元 666 元），寺方允准，立了字据：

> 立字人扎西，今接管觉木寺隆所属充炯豁卡，计土地大小 83 块，可播种 350 克，百姓 7 户连同豁卡所有财产，规定每年纳租金 825 克，不得拖欠，如有拖欠，准寺方将豁卡收回。此为规定期限六年，期内豁卡之百姓、财产均由扎西经管、支配，寺方不得过问。
>
> 立约人　扎西
>
> 中保人　　占堆

并将充炯豁卡所有土地、百姓、房屋、家具、树木等一切财产，开具清单，加盖印记，交由扎西掌管。

此时西藏地区对土地有自己的计算形式，较早期略有不同：

土地的计量单位主要有顿（འདོག།）、岗（ཀང་།）、培（རྐྱལ།）、克（ཁལ།）。一顿为两岗，一岗为三培，一培为 20 克，一克相当于一斗（一斗为 20 升，藏升较小），六合为一升，三捧半为一合。撒一克种子的面积，相当于一亩。

据《墨竹工卡宗甲马封建庄园调查报告》（内部铅印）介绍，豁卡土地有如下几种类型：

自营地（རྡོ་ཞིང་།）是庄园中最好的土地，由豁卡的主人雇用乌拉和临时工耕作。

差岗地（ཁལ་རྐང་།）。也叫外差地，是甲马豁卡贵族受封后，对噶厦政府的一项义务，即要政府支应近40顿（甲马豁卡共有土地90顿）的差岗地的劳役和实物。

马岗地（དམག་རྐང་།），马岗意为“军岗”，种马岗地的差巴除出兵差外，不担负其他差役。甲马豁卡规定凡种马岗地一岗的要向噶厦政府出兵一个，如果去达赖警卫团当兵，则两岗出兵一个。

内差地（ནང་ཁྲལ།），是取得豁卡乌拉劳动力的堆穷，为自营地耕作“份地”，是庄园内最糟糕的地。

薪桂地（ཞིང་བསྐྱལ།），是庄园租给农奴的一种土地，土质不好，多是零星小块土地。

勒薪地（གླ་ཞིང་།），即工资地，是豁卡给涅巴等的工资土地，数量不多。

豁卡的乌拉差役制度，对西藏社会经济的破坏是深重的。《卫藏通志》载：“凡有生业之人，无论男女皆派，即他处来者，或仅妇女，或能置之烟灶租房居住者，亦派。”加之农奴主的残酷剥削和政府的苛捐杂税，致使民不聊生。乾隆六十年《办理抚恤款项目》中说：“查百姓逃散之故，系因乌拉、牛马、人夫、柴草、饮食费用繁多，以致逃散。”逃亡人户，可以千计。

另外，由于长期的宗教统治，民众给寺院的布施虽不是定额赋税，然而这部分钱、物的贡施同样是巨大的。一个农民或一个牧民尽管劳累经年，略有所获，便将其中相当部分拿去寺院上供。

（二）货币制度

元朝在藏设十三万户，是否流通过元朝的货币？尽管在萨迦寺发现元代纸币“至元通行宝钞”，亦很难确定就是当时流通于西藏的货币。从后期的一些资料看，元、明两朝的藏区仍沿袭唐、宋时交易的旧法，金、银并举，论钱论两；诸如茶马交易虽然重在以物易物，也不乏用金、银的茶马交易。

16世纪中期以后，藏区的货币流通增加了新的内容。

1. 藏币

藏币的出现是藏民族商业经济发展中的一件大事，它代替了藏人用捧、斗、升，以及以后用秤计量金银的历史。可分两个阶段：硬币和纸币。

（1）尼泊尔为藏人铸造货币。16世纪中叶西藏先后与尼泊尔加德满都河谷三个土王缔结条约，藏人用白银换回尼泊尔货币，于是尼铸造的银币开始流通西藏。这种货币称章噶。其实让尼泊尔为西藏铸造货币，得利的仍是尼泊尔人，可以从这种银钱交换中获得百分之十二的利润。

这种货币虽然挂着西藏的名字，也在西藏流通，但满带着别国的特点，三土王所造币几乎都铸有他们自己的名字——普拉特普·马拉（加德满都土王，1641～1674年在位）、尼瓦斯·马拉（帕坦土王，1661～1684年在位）和巴德岗土王布帕亭德拉·马拉。18世纪中叶三土王被推翻，首领廓尔喀人普拉特维·纳拉阳·沙阿仍与藏进行这种交易，获取利润，致使或含银不纯，或伪币充斥市场，祸害藏汉商民。

（2）自己制造的货币。1772年，藏人铸造出了自己的章噶。1788年廓尔喀军队侵犯藏境，1791年发动侵藏战争，1792年清政府用兵西藏打败了廓尔喀人的侵略，顺之也结束了尼泊尔为西藏铸造货币的历史。

1791年，受乾隆谕示在藏林芝县（原觉木宗）雪卡沟铸造“九松西阿”章噶银币，中部分上下铸有藏文“13”（上），“45”（下），上下读藏语音为“九松西阿”，表示在藏历13饶迴第45年制造。背面是扎西达吉图案（俗所为八宝图案），宝伞盖、双鱼、宝瓶、莲花、海螺、吉祥结、法幢、法轮分布其上。此后百余年，藏人铸造硬币的事业，不断发展。

1909年，扎什造币厂（拉萨城北）以水为动力铸造银币、铜币。银币有“桑岗郭母”（སྲང་གང་སྒོར་མོ།）、格桑章噶；铜币有“噶启介”（སྐར་ཕྱེད་བརྒྱལ།）、“噶阿”（སྐར་ལྔ།）、“噶启松”（སྐར་ད་གསུམ།）三种。“噶启松”即民间所谓“卡岗”（ཁ་གང།），面值为藏银二分五厘，藏币中面值最小。

1912年，西藏成立了银行。

1913年，用木刻印模手工印刷五、十、十五、二十五、五十章噶五种面额的纸币。纸币的发行标志着西藏货币价值符号的完成。

除扎什造币厂外，1917年成立的梅吉（མེ་སྐྱིད།）造币厂，1918年成立的罗堆（ནོར་སྟོད།）造币厂，1922年成立的多带（ག་བདེ།）造币厂都先后制造银、铜、金币（如罗堆是专门的金币厂）和纸币。1931年，以上三厂合并为扎什造币厂，始用电力机器造币。

肖怀远同志在其编著的《西藏货币史》中介绍，硬币的铸造工艺有三阶段。首为锻打制作，将银化开铸成薄板，放于钱范，锤打而成，如“九松西阿”、“乾隆宝藏”、“嘉庆宝藏”、“道光宝藏”、“觉阿尼西”、“格桑章噶”、“甘丹颇章”均用此法；次为螺旋式压力机压制，或用水力、人力，将退火后的银板、铜板放于钱范内压制而成；再次为电动冲床冲压。1928年建成多带电站，即用此法。纸币则经过了木刻印模手工印刷的单色阶段和机器套色印刷两个阶段。

2. 外币

由于历史的诸多原因，西藏境内曾流行、使用过部分外币。

尼泊尔币 尼泊尔币流通于西藏，早于尼为藏铸币；实际上尼为藏铸币，其半有尼泊尔币性质，后期因利润关系，强制使用，同时尼泊尔银币等流通于西藏。由于疆境毗连，自唐以来，藏人与尼交往频繁，延至今日，拉萨街头仍有不少尼泊尔商人，尼币在藏流行时间最久。

英印卢比 自印度、尼泊尔、锡金等先后成为英帝国主义的殖民地，英即伸手西藏。鸦片战争以后，中国主权多失，签订了一系列不平等条约，1893 年之《中英会议藏印条款九款续款三款》规定英在亚东建立商行，进行各种贸易。从此，随着英国印度商品的输入，英印卢比随之流通藏境，大宗贱购西藏的羊毛、药材、皮张等货物。1840 年后日渐见多的英印卢比的流行和藏人对卢比的相对信任引起了噶厦政府的不安，重新开铸部分藏币以抵制英印卢比。1905 年，受光绪皇帝御旨仿照卢比在四川铸造藏元，投放西藏市场，英印卢比才逐渐变少。

1959 年国务院下令解散噶厦政府，同年 8 月 10 日，经国务院批准，西藏自治区筹委会签署关于全区废除和收兑藏币的布告，宣布“藏币为非法货币，自即日起宣布作废，禁止使用……违者依法论处”。随后使用全国统一的人民币。

从藏币的图案形式看主要有两方面。一是雄狮、雪山、太阳图案居多，如 1631 年帕坦土邦为西藏铸造的银币，正面中央为一雄狮图案，又如纸币，五章噶“正面图案为日光普照的群山中，卧一雄狮，立一花宝瓶”；十章噶，“正面图案为日照群山，上有云彩，下有流水，雄狮头顶一放满供物的宝盘”；二十五章噶，“正面图案为日光普照的群山下，一大一小二狮相戏”；五十章噶，“正面日照群山，二狮相戏”。二是圣像和法物居多，如纸币二十五章噶背面，“群山小径，一匹大象姗姗而行，六位圣者各自为普度众生而忙碌”；五十章噶背面，“一圣者坐菩提树下，手持宝壶，用琼浆玉液滋润大地”。

下为《西藏货币简表》，[①] 据表可知金、银、铜、纸四种货币在藏的铸造情况：

① 引自《西藏地方货币史》，中国藏学中心编《档案翻译工作参考资料》。

银　币

币名	面值	始发年		
		公元	年号	藏历
九松西阿	一钱五分	1791	乾隆 56	13～45
九松西著	一钱五分	1792	乾隆 57	13～46
乾隆通宝（未发行）	一钱五分	1792	乾隆 57	13～46
乾隆通宝（未发行）	一钱	1792	乾隆 57	13～46
九松西堆	一钱五分	1793	乾隆 58	13～47
乾隆宝藏	一钱	1793	乾隆 58	13～47
乾隆宝藏	五分	1793	乾隆 58	13～47
嘉庆宝藏	一钱	1796	嘉庆 1	13～50
嘉庆宝藏	五分	1798	嘉庆 3	13～52
道光宝藏	一钱	1821	道光 1	14～15
甘丹颇章	一钱五分（后改为四两）	1840	道光 20	14～34
觉阿尼西	一钱五分	1890	光绪 16	15～24
川铸藏元	三钱二分	1905	光绪 31	15～39
川铸藏元	一钱六分	1905	光绪 31	15～39
川铸藏元	八分	1905	光绪 31	15～39
宣统宝藏	二钱	1910	宣统 2	15～44
宣统宝藏	一钱	1910	宣统 2	15～44
桑岗郭母	一两	1909	宣统 1	15～43
雪阿	五钱	1909	宣统 1	15～43
格桑章噶	一钱五分	1909	宣统 1	15～43
桑松郭母	三两	1933	民国 22	16～7
桑岗雪阿（九郭）	一两五钱	1935	民国 24	16～9
新桑噶噶布	五两	1946	民国 35	16～26
五十两银元（未发行）	五十两	1952		16～26
五两银币	五两	1953		16～27

铜 币

币 名	面 值	始发年		
		公元	年号	藏历
启介	七分五厘	1909	宣统 1	15~43
噶钦	五分	1909	宣统 1	15~43
卡冈	二分五厘	1909	宣统 1	15~43
八分之一铜币（未发行）	一分二厘五	1909	宣统 1	15~43
宣统宝藏	一分	1910	宣统 2	15~44
宣统宝藏	五厘	1910	宣统 2	15~44
雪冈	一钱	1918	民国 7	15~52
噶穷	五分	1918	民国 7	15~52
雪松	三钱	1947	民国 36	16~21
雪阿	五钱	1947	民国 36	16~21
十两镀银铜币（新七部）	十两	1947	民国 36	16~21
乾隆宝藏（未发行）		1793	乾隆 58	13~47
色章郭母	藏银二十两	1918	民国 7	15~52

纸 币

币 名	面 值	始发年		
		公元	年号	藏历
五十章噶	单色	1913	民国 2	15~47
二十五噶	单色	1913	民国 2	15~47
十五章噶	单色	1913	民国 2	15~47
十章噶	单色	1913	民国 2	15~47
五章噶	单色	1913	民国 2	15~47
五十章噶	套色	1926	民国 15	15~60
一百两	套色	1937	民国 26	16~11
十两	套色	1941	民国 30	16~15
五两	套色	1942	民国 31	16~16
二十五两	套色	1950		16~24

七、教育制度

藏区寺院教育系统的完善和发展是在藏传佛教格鲁派取得政教大权以后，从此藏族教育走上了一条为寺院所彻底垄断的道路。不学佛，无以受教育，受教育则必须学佛。这种惯性一直影响到今日的藏族教育。

（一）学制和课程

藏传佛教寺院中的学制，由于所设的学院不同，其课程设置也有所不同。试以《拉卜楞寺概况》所述拉卜楞寺六大札仓为例：

1. 闻思学院（ཐོས་བསམ་གླིང་།），主要修习三藏（སྡེ་སྣོད་གསུམ།）、三学（བསླབ་པ་གསུམ།），以因明（ཚད་མ།）、般若（ཕར་ཕྱིན།）、中观（དབུ་མ།）、俱舍（མངོན་པ་མཛོད།）、律学（འདུལ་བ།）五部大论为主要课程。分十三个学级：

级别	修业年限	修业内容	备　注
一	1	背诵辩论《集类部》	
二	1	同上	
三	1	同上	
四	1	同上	《集类部》为启蒙教材
五	1	背诵辩论《释正量论》、《因明部》	以上五个年级为初级班
六	1	背诵辩论《般若论》	共四年研究般若八品
七	1	同上	
八	1	同上	
九	1	同上	本学年完即为般若毕业
十	1	背诵辩论《中观论》	为中观新级
十一	1	同上	为中观旧级
十二	4	背诵辩论《俱舍论》	全部课程分四年学完称俱舍级
十三	无定	背诵辩论《戒律论》	为戒律级

当然这种学级的划分也不完全一样。比如哲蚌寺郭莽扎仓的学级设制为：

A. 因明部，共五级，学习五年。

a. 卡朵嘎玛增扎（ཁ་དོག་དཀར་དམར་འཛིན་གྲྭ།），学习一年

b. 卡朵共个增扎（ཁ་དོག་གོང་གི་འཛིན་གྲྭ），学习一年。

c. 兑仗增扎（བསྡུས་འབྲིང་འཛིན་གྲྭ），学习一年。

d. 兑钦增扎（བསྡུས་ཆེན་འཛིན་གྲྭ），学习一年。

e. 达肉增扎（རྟགས་རིགས་འཛིན་གྲྭ），学习一年。

B. 般若部，共六级，学习七年。

a. 洛肉增扎（བློ་རིག་འཛིན་གྲྭ），学习一年。

b. 顿丹杰增扎（དོན་བདུན་བཅུ་འཛིན་གྲྭ），学习一年。

c. 香敖增扎（གཞུང་འོག་འཛིན་གྲྭ），学习一年。

d. 香共增扎（གཞུང་གོང་འཛིན་གྲྭ），学习一年。

e. 嘎卜当布增扎（སྐབས་དང་པོ་འཛིན་གྲྭ），学习一年。

f. 帕青增扎（ཕར་ཕྱིན་འཛིན་གྲྭ），学习两年。

C. 中观部，共两级，学习四年。

a. 温玛萨白增扎（དབུ་མ་གསར་པའི་འཛིན་གྲྭ），学习两年。

b. 温玛娘白增扎（དབུ་མ་རྙིང་པའི་འཛིན་གྲྭ），学习两年。

D. 俱舍部，一级，名造吉增扎（མཛོད་ཀྱི་འཛིན་གྲྭ），学习四年。

E. 戒律部，名爪仁敖吉增扎（བཀའ་རམ་འོག་གི་འཛིན་གྲྭ），学习无年限。

从上可知其学制大同小异。各部学习的主要课程有：

(1) 因明部

第一年：辨红白下（ཁ་དོག་དཀར་དམར་ཞོལ་མ།）。

第二年：辨红白上（ཁ་དོག་དཀར་དམར་གོང་མ།）。

第三年：集类中品（བསྡུས་འབྲིང་།）。

第四年：集类上品（བསྡུས་ཆེན།）。

第五年：因明论。背诵《入中观论》（དབུ་མ་འཇུག་པ།）、《现观庄严论》。

学习主要的著作有：

法称大师著《释量论》（ཚད་མ་རྣམ་འགྲེལ།）；宗喀巴、贾曹杰、克珠杰等撰《因明论》、《因明大疏》；赛俄旺扎西著《集类论》（བསེ་བསྡུས་གྲྭ）等。

(2) 般若部

第一年：论新下（གཞུང་གསར་ཞོལ།）。

第二年：论新上（གཞུང་གསར་གོང་།）。

第三年：第一品至第三品。

第四年：第二品至第八品。

学习的主要著作有：

弥勒著《现观庄严本颂》；宗喀巴著《现观庄严广论》、《金珠善说论》；贾曹杰著《现观庄严名义广解》；一世嘉木样著《现观庄严论大疏》等。

（3）中观部

第一年：中观新论（དབུ་མ་གསར་མ།）。

第二年：中观旧论（དབུ་མ་རྙིང་མ།）。

学习的主要著作有：龙树著《中观本颂》；月称著《中观明句论》；佛护著《中观佛护释》；宗喀巴著《入中论广释》、《入中论摄义》；贾曹杰著《中观广论摄义》；一世嘉木样著《中论大疏》等。

（4）俱舍部

第一年：俱舍论初四品。

第二年：俱舍论后四品。

第三、第四年：总复习。

学习的主要著作有：

世亲著《俱舍颂》、《俱舍自解》；宗喀巴著《俱舍论》；一世嘉木样著《俱舍大疏》、《教灯俱舍摄义》等。

（5）律学部

此部无修业期，以修行持戒为主。遵照大乘之《饶益有情戒》和小乘《别说解脱戒》，以及《摄善法戒》进行修习等。

学习的主要著作有：

功德光（ཡོན་ཏན་འོད།）著《戒律本有》；宗喀巴、贾曹杰、克珠杰著《菩萨戒释》、《比丘戒释》；一世嘉木样著《戒律大疏》等。

2. 续部下院（密宗学院）

续部下院的学生来自闻思学院，分初、中、高三级，因该院学生各人用功及觉悟程度不同，因而无规定的修习年限。主要课程有：

初级：背诵《怖畏九首金刚经》、《六臂护法经》、《法王护法经》、《集密经》、《大自在经》、《续部经》等。修习生起次第。

中级：背诵《集密自入经》（གསང་འདུས་བདག་འཇུག）、《大自在自入经》（བདེ་མཆོག་བདག་འཇུག）、《怖畏九首金刚自入经》（འཇིགས་བྱེད་བདག་འཇུག）、《烧坛经》（སྦྱིན་སྲེག）、《续部经》（རྒྱུད་གཞུང་）等。学会用彩色细砂制造坛城（རྡུལ་ཚོན།）。

高级：依据《生起与圆满次第经》所规定的程序修行。

3. 时轮学院

分三个学级，年限不定。主要课程有：

初级：主要学习《妙吉祥名号经》（འཇམ་དཔལ་མཚན་བརྗོད།），《无上供养经》（བླ་མཆོད།），诸佛赞（ཆོས་སྤྱོད།）、怖畏金刚（འཇིགས་བྱེད།）、六臂（མགོན་པོ་

ཕྱག་དྲུག་པ།)、法王（ཆོས་རྒྱལ།)、骡子天王（ལྷ་མོ།)、财宝（སྲས།）五大护法的《满足心愿经》(བསྐང་གསོ།)、《普济经简释》(ཀུན་རིག)。

中级：学习、背诵《时轮金刚经》（དུས་འཁོར།)、《证菩提经》（མངོན་བྱང་།)。学会用彩色细砂制造时轮金刚坛城（དུས་འཁོར་དཀྱིལ་འཁོར།)、普济佛坛城（ཀུན་རིག་དཀྱིལ་འཁོར།)、证菩提佛坛城（མངོན་བྱང་གི་དཀྱིལ་འཁོར།)。

高级：学习声明、诗词、天文历算、梵文、藏文书法、研修时轮金刚和怖畏九首金刚的生起圆满之道，并进行灌顶、禅坐等实修。

4. 医药学院

医药学院分初、中、高三级，主要课程有：

初级：背诵《皈依经》(སྐྱབས་འགྲོ།)、《绿度母经》、《观音心经》、《阿佛经》(མི་འཁྲུགས་པ།)、《总则续经》(རྩ་རྒྱུད།)、《后续经》(ཕྱི་མ་རྒྱུད།）等。

中级：背诵《论续》(བཤད་རྒྱུད།)、《药王经》(སྨན་བླ།)、《马王白莲经》(རྟ་མགྲིན་པད་མ་དཀར་པོ།）等。

高级：研修《四部医典》、《菩提道次第广论》(བྱང་ཆུབ་ལམ་རིམ་ཆེ་མོ།）等。

5. 喜金刚学院

喜金刚学院亦分初、中、高三级，年限不定。主要课程有：

初级：背诵《无上供养经》(བླ་མཆོད།)、《妙吉祥名号经》、《大威德经》和五大护法的《满足心愿经》(此与时轮学院初级课程基本相同)、《喜金刚迎请、加持、自入、烧坛、祝愿、回向经》、《金刚手大轮经》、《虚空瑜伽经》等。

中级：主修汉历天文历算、藏文文法、书法和练习跳法舞。

高级：守持三律（སྡོམ་པ་གསུམ།），授受灌顶，禅坐静修。

6. 续部上学院

续部上学院初、中、高三学级，年限不定。主要课程有：

初级：背诵《妙吉祥名号经》、《怖畏九首金刚经》、《六臂护法经》、《骡子天王护法经》、《北方财宝护法经》、《集密金刚经》、《大自在金刚经》等。

中级：背诵《开光经》及佛赞 50 卷。掌握有关坛城的绘制技术。

高级：修习生起圆满次第之道。

从以上六大学院的学制和课程设置我们可以看出：

第一，除了显宗闻思学院以外的五个学院，具有专科学院性质。除医药学院外，基本属于密宗学院系统。大多学期划分与闻思学院同，不定修业年限，学习只分初级、中级、高级三级。

第二，闻思学院是学习佛学理论的根本学院，因而课程设置及时间均比较严格。这些课程涉及佛学的基本原理，课程固定，一以贯之。从排列上也具有一定系统性。先学因明，利于逻辑思维和辩证分析，对破除佛教以外的错误见地打下基础；次学般若、中观，以掌握佛学理论的要义（从格鲁派角度）；次学《俱舍论》，此为小乘系统要典，重在树立佛教的宇宙观和认识论；次学戒律，重在遵守，立僧人本分。如此，对一名僧人的训练可说周密而齐全，从智慧的开发到一般的修行、方法，核心的理论系统均有了，掌握这些等于较为完整的接受了佛学思想，再加以戒律的约束，一个完整的“显宗”系统的人物便造就了。

值得顺便一提的是，过去许多人都说藏传佛教是大乘佛教，甚至说藏传佛教是鄙视小乘佛教的。此说不甚准确，因为“五部大论”之一《俱舍论》就是属于小乘系统的典籍，另外，一些戒律也是属于小乘系统的。

（二）学习方法

藏传佛教寺院教育的学习方法，有两个突出特点：

其一为“背”，从拉卜楞寺的十三学级的修习情况可知，一名僧人在近20年的学习中，几乎是在背诵这些经文中度过的。像“五部大论”，全要背会，烂熟于心。

这种方法也表现在升级考试上，比如据《拉卜楞寺概况》介绍，因明部学生在升到第五学级时，必须背会《入中观论》、《现观庄严论》。

续部下院由初级升入中级时，必须背会《大自在生起圆满次第》、《怖畏九首金刚生起与圆满次第经》、《集密生起圆满次第》三经之一。升入高级时必须背会《四注合解经》。

时轮学院在升中级时，要背会《妙吉祥名号经》等规定课程；升高级时须背会《时轮金刚生起与圆满次第经》。

像医药学院、喜金刚学院、续部上学院在升级时要背会相应的课程，实际上这是将背诵引用到考试中的一种做法。

众所周知，在教育学中虽然反对死记硬背，但背诵的好处却是无人所能否认的，它对记忆力的锻炼，对词义的理解、丰富和牢固地掌握知识都有不可估量的作用。因而，僧人中确有些强记的人，他们中有的可以背诵几十卷经。

其二是“辩”。一个僧人的学习过程既是一段背书的历史，也是一段辩论的历史。俗所谓辩经，形式也多样，本级的僧人可以互相提问，上级班的人可到下级班中去辩，下级班的也可以到上级班中去辩论。当然，一般是在讲经院中进行辩论。有些还规定了专门的时间，比如拉卜楞寺闻思学院在每年农历4月19日至24日举行辩论大会，由寺主嘉木样大师亲临主持，全体僧人参加，答辩的是五级至十二级的僧人。程序为级长、活佛、成绩优秀的僧人等依次提问，答辩可以各年级轮流，形式也比较活泼，作为答辩者一级的僧人，谁会谁就可以回答。归结起来，辩论的方式大体有两种：

一是立宗辩（དམ་བཅའ་བཞག），先由辩论的一方立一宗，就此进行辩论。立宗的一方只回答问题，不对对方的观点进行反问和借题发挥。

一是对辩（ཚོགས་ལང་），辩论二人先由一方提问，一方回答；进行一段时间后，再由另一方提问，一方回答。

这种以辩论作为学习（考试）的主要方式的缘起，大概与藏人学习因明原理相一致，对人的语言表达能力、演说能力、思维敏捷能力和逻辑性、心理承受能力，以及对所学课程（五部大论）的熟练程度和融会贯通能力，既是一种全面的检查，又是一种自然的锻炼。

为何谈心理承受能力？立宗的一方盘膝而坐，仰视提问者；提问者则站立，可来回走动，尽提所问，当提出问题后，便挥动念珠击掌呼喊，傲视立宗者。而立宗答辩者却要高度冷静，既不能紧张，乱其思路，又不能顾及提问者的揶揄奚落。关键在于他的答辩，倘出现错误，周围僧众则手背相击，呼之以“嚓嚓嚓！”倘若语塞，不能作答，众僧则鸣掌而呼“噢哈哈！”尽其嗓量，确能慑人心魄，使立宗者难堪汗颜，无地自容；倘若获胜，众僧则以喝彩，由衷赞赏和钦佩。面对无数人的提问和一些高僧大德的诘难，要获得这样一场答辩的胜利，的确不易。

寺院的这两种学习方法都有可借鉴处。背，是“装袋子”（将所学牢记于心），再背，实际进入理解过程，所谓“书读百遍，其义自现”；辩，是融会贯通，且有语言表达、逻辑思维等多方面的训练效果。

（三）学位

在寺院教育中，各个层次的学生基本上有区别，并冠以相应名称，有些先生在著文时也将此作为学位，当然作为称号是存在的，假如与现在学位的概念相提并论，或许“低”了一些。比如：

因明部中第一至四年学习者称都扎哇（བསྡུས་གྲྭ་པ།），意集类论士。

般若部修习者称帕新巴（ཕར་ཕྱིན་པ།），意般若论士。

中观部修习者称翁玛巴（དབུ་མ་པ།），意中观论士。

俱舍部修习者称造巴哇（མཛོད་པ་བ།），意俱舍论士。

律学部修习者称噶仁巴（བཀའ་རམས་པ།），意经硕士。

——这些称呼大概与现今小学生、中学生、中专生、大专生、本科生等相类似。

拉卜楞寺闻思学院基本有三种学位：

然卷巴（རབ་འབྱམས་པ།），以考试《因明论》和《般若论》为主，般若部毕业，或六至十二年级的学僧，自愿报名，法台允准，考试成绩合格者，授予此学位。年考二次：农历5月17日至6月17日；农历11月17日至12月17日。

尕仁巴（བཀའ་རམས་པ།），修完俱舍部课程者，则授予此学位。

多仁巴（རྡོ་རམས་པ།），俱舍部的毕业生方能参加考试，为闻思学院的最高学位，每年两名，在闻思学院三千僧人中能取得此学位确乎不易。同时也有一些别的规定，即大法台要对学僧的德、才、资进行了解、考察，方能允许报考，候选人在120人左右；考试前一月由嘉木样大师预考，背诵《根本论》合格，方能参加考试；考试临近，要宴请本学院六年级以上学僧，约五天。

此外，续部上学院、续部下学院、喜金刚学院每年各考取一名密宗系统的俄仁巴（སྔགས་རམས་པ།），授予学位。

拉萨三大寺的学位授予略有不同。尤其是格西（དགེ་བཤེས།）学位的授予有其一套程序。格西是格维西宁（དགེ་བའི་བཤེས་གཉེན།）的简称，善知识之意。拉萨三大寺学位层次中将其分为四个等次：

第一是拉然巴格西（དགེ་བཤེས་ལྷ་རམས་པ།），每年取16名，第一至七名排名次，八名以后不列顺序。要经过春季寺院的法会考试，秋季全寺的法会考试；第二年在罗布林卡和布达拉宫举行的考试，第三年正月拉萨祈愿大法会的考试。过关斩将，十分艰难。

第二是措然巴格西（ཚོགས་རམས་པའི་དགེ་བཤེས།），低于拉然巴格西，每年十名。经过扎仓考试，全寺院的考试和二月在拉萨举行的传小召法会上的考试，方能通过。

第三是朗赛格西（གླིང་བསྲེ་དགེ་བཤེས།），每年每寺八名，经过扎仓考试，即可通过。

第四是多然巴格西（རྡོ་རམས་པའི་དགེ་བཤེས།），每个显宗扎仓一名，经过扎仓考试，即可通过。

三大寺每年大约考取63名格西。

四等格西的划分，从字面含义也可看出高低，"拉热巴"之"拉"是指在整个拉萨（实际上是全藏，其他地区的著名僧人，要想取得较高学位，就需要进入三大寺学习），"措"（ཚོགས།）、朗（གླིང་།）、多（རྡོ།），都以层次说明这些格西的高低。

格西学位尤其是拉然巴格西学位的取得是一种非凡的荣耀，受到人们的尊重和敬仰。拉然巴格西当复试通过后要由甘丹赤巴率领绕大昭寺一周，在众人面前夸耀一番。当然，格西学位的考取，也需要有一定的经济实力，专心致志学习二三十年，没有经济势力不行，就是考了格西，要向全扎仓的人布施一次，动辄就是上千银两，一般家庭难能维持。

取得拉然巴格西的最终目标是升任甘丹赤巴，要在上、下密院修习密宗，称佐仁巴（རྫོགས་རམས་པ།），再升之格贵（དགེ་བསྐོས།）、翁则（དབུ་མཛད།）、堪布、堪苏，再按资历升为上密院的夏孜曲杰（ཤར་རྩེ་ཆོས་རྗེ།）和下密院的降孜曲杰（བྱང་རྩེ་ཆོས་རྗེ།），再升任至甘丹赤巴，可谓耗尽毕生心力。自然，甘丹赤巴的地位也是很高的，称赤仁波且（ཁྲི་རིན་པོ་ཆེ།），其地位仅次于达赖、班禅、萨迦法王。

在漫长的历史过程中，占有统治地位的教育在藏族社会的发展、沿进中发挥着重要作用。从寺院和僧人队伍的规模上我们完全可以看到这一点，清人魏源在《圣武记》中说，当时西藏的达赖系统的寺院有3150座，有僧人302500名；班禅系统有寺院327座，有僧人13700名。加上其他教派、其他地区没有统计进去的寺院和僧人，可谓洋洋大观，令人震撼。

据有关资料介绍，民主改革前西藏自治区境内有寺院2676座，甘、青两省有1091座（甘肃369座，青海722座），四川阿坝地区319座、甘孜州263座（包括迪庆藏区，《边事研究》1937年1月第5卷第2期载：西康16县喇嘛庙300座，僧人34242人），总计4030座寺院。这些数据显然不甚准确，因为，其一民主改革前曾经有过一些调查，但没有在整个藏区进行，不免有失落之处；其二，藏区寺院有大有小，有些只是数个甚至一个僧人修行之处，因而有的统计者将此作为寺院，有的则不作为寺院。众多的寺院需要有众多的僧人去主持，而众多的僧人则需要有众多的寺院教育机构去培养。寺院培养了僧人，僧人同时又发展了寺院，像现代的许多教育机构一样，寺院不但是培养人才的地方（自然，这种人才的规格主要要求适合于宗教需要），同时也是学术研究机构，通过那些既是高僧又是教师的人们不断进行研究，推动藏族学术的向前发展，当然这一学术研究始终是以宗教研究为重心，以推动和发展宗教为目的的。

除寺院教育而外，尚有官办学堂。1751年，七世达赖喇嘛创办俗官学校，称“仔康劳扎”。从名称我们可知，“仔康”是噶厦政府的一级组织，是管理计政和俗官委派、调遣、训练等的机关。“仔康劳扎”实际是“孜康”下属学校，该校的毕业生一般充任西藏地方的俗官，常年在校生20人左右，课程有书法、算学、文法、正字、文牍等，一般在五年左右结业。

“孜劳扎”是僧官学校，在拉萨布达拉宫创办于1754年，由噶厦政府“译仓”领导，常年在校生40人左右。“译仓”是秘书处，不但接受噶厦领导，管理一切僧官的任命、调遣，也办理达赖或摄政的文书业务，如达赖喇嘛的印就由“译仓”保管，直接接受达赖喇嘛的领导。作为“译仓”的下属学校的“孜劳扎”，学生经过一般十至十五年的学习结业后，大多可充任地方的僧职官员。在日喀则也有一所创建于1781年的僧官学校，由班禅堪布会议厅直接领导，九世班禅与十三世达赖不和，留居内地时停办。

拉萨的“曼孜康”、“药王山热齐卓盆林”、日喀则的“吉吉纳嘎”是旧时西藏所办的三所医科专门学校。学制在五至十五年，课程有藏文文法、藏医藏药学、天文历算等。数年招生一次，每次几十人，学生来自寺院、藏军官兵和一般百姓子弟。学生毕业后，有的回到军队当医生，有的则在民间行医。

这些学校，由于受经费、校舍、师资、生源等具体办学条件限制，培养学生的数量十分有限。

八、葬仪

进入16至17世纪以后，藏族的丧葬仪礼逐步固定。主要有天葬、土葬、塔葬、火葬、水葬等多种形式。多种葬俗的产生，既有丧葬本身的层次性原因，也有地域原因和各个地区的历史文化原因。因而，一些粗知藏族的朋友往往认为藏族的葬俗只有天葬一种，这是极大的误会。尽管天葬的覆盖面较广，但有一些地区却不见天葬，比如安多区之华锐藏区。由于形式多样，各大藏区对于丧葬的看法，也各不相同。人们总体的看法是：

塔葬为上。但这是大活佛尸体的处理方法，非一般人所能获得。将尸体用盐水擦抹、风干后，涂以各种贵重香料放入灵塔内（有些是火化后骨灰装在里面），供人供养、瞻仰。塔的种类也很多，如金（包以金箔）、银、铜、木、泥灵塔，像达赖、班禅的灵塔，金碧辉煌，蔚为大观。如五世达赖喇嘛的灵塔，被称为“赡部洲唯一庄严”、“世界一饰”，灵塔高14.85米，分塔座、塔体、塔顶三部分，塔身用金皮包裹，耗黄金11万两，上嵌各种宝贝，璀璨夺目，富丽堂皇。

火葬次之。卫藏地区以火葬为贵，活佛和一些贵族采取这种葬法，其骨灰或撒于山顶，或抛于江流。云南迪庆藏族自治州藏区、安多、康区也基本上相似。而在一些有林藏区多是火葬，比较而言失去了卫藏地区那种高贵的含义。如四土地方的规矩是，“人死断气后，脱光衣服（也有再缠以麻布或白布的），折断腰骨，手脚头腹屈成一团，装入背篼或木匣，蒙以‘和衫’或白布，置于经堂一角，男的放上角，女的放下角，看经济情况，念经二三天至一星期。每寨都有一火葬场，烧时背或抬至火葬场（或个人柴山），一路喇嘛吹号筒，送丧的一人带头吼送到山上。然后将尸体趺坐，浇油，架柴烧尸。火场周围摆着许多灯，喇嘛围坐念经。骨灰和泥打‘擦擦’制成小塔，送喇嘛寺或拉萨三大寺寄放，或置洞内。许多人将骨灰装在坛子里掩埋，上盖石板（也有任骨灰被风吹散的），经济好的，并在埋处点三五斤的酥油灯。火场处在灰上用石砌成嘛呢堆，插许多嘛呢旗。火葬回来，男人在前面吼，女人在后面吼，直吼到家。然后请送葬的人吃点心，或各喝一碗胡豆面汤。来苏沟人认为火葬后有一种郁气，第二天会落雨。但是有些地方的火葬，也针对那些不正常死亡者的尸体，以为火烧后他们的灵魂有可能不危害他人和地方。”①

据韦刚在《记木雅藏族的一次火葬》中介绍，火葬的程序大致为：

第一，停尸。人一断气，主家马上派人通知亲属及近邻，同时要请一位有声望的喇嘛来求卦卜测葬法。人到之后，几位长者在一起商量安排，待喇嘛打卦确定是火葬，几位长者就用温水替死者擦洗一遍，然后，在死者的眼、耳、鼻等隙中塞满鲜酥油，把死者的两手、两脚交叠在一起，用一幅大白绸缠裹，从头到脚，不许有裸露肌肤之处。缠好后，要在死者的头额部绸罩上画一个雍仲“卍”，在左胸部画六个星星，九把带箭的弓、一条鱼、一个牛头、一个羊头，表示死者的生时生活。画完之后，再在白绸上套一件黑布长衫，脚上穿一双浅底布鞋，如没有布鞋，就穿上一双长筒袜，死者的穿戴即算完毕。然后把尸体停于堂屋的地板上，一般是放三天，尸体的头部要摆几盏酥油灯，几盘日常食物，一炉柏枝熏烟，尸上盖一薄毯。

第二，备火葬用物。或许此可不包括在葬仪之中，但是一个非常重要的步骤。主要用物大致有：

（1）准备筷子样大小的“娘热”、“翁不西”木做成的柴棍各 161 根，分类成捆，每捆的一头要用酥油、蜂蜜合熬成的汁浸泡，这两捆棍子要在火葬时分批烧掉。意为这两种木质最圣洁，可驱邪，用它分别敬献给上界的 161 位菩萨，表明死者的来去都净洁无秽。

（2）准备一瓶酒，一些青稞、麦子、豌豆、大米、水果等日常食物，

① 《四川阿坝藏族自治州社会历史调查》，四川省社会科学院出版社，1985 年。

多少不论，品种越多越好。这些东西也是火化品，酒表示消病祛邪，食品则表示死者的口粮。

（3）准备39个麦面小饼子，39个糌粑包酥油的“汤圆”，也为随葬物。表示一白一黑的供物，以免凶神和饿鬼来纠缠死者。

（4）由喇嘛亲自用酥油调糌粑做供施法物。

（5）火葬地准备两堆燃料。一为青㭎、杉木等硬木，作为火葬燃料；一为杂木，供众人热茶取暖。另备六斤酥油或青油，为随祭物和加燃物。

（6）准备一些白石灰，一点黄泥，作为火葬底部的轮回图翻印颜料。

第三，入殓。在家停放遗体的三天，除非亲属妇女要回避外，死者所在村子里的各户都要来人轮流守灵，来者多要带点相送的东西。天微明时入殓。棺材薄而简，棺木上禁用铁钉之类的金属物。将一床单毯垫在棺底，然后抬放死者于中，上无遮盖，只用柏枝压放在头与脚两边，再盖上棺盖，用麻绳捆成N型，入殓即完备。天一亮，四人将死者头后脚前抬往火葬场，亲属中的妇女最多把死者送出大门。禁止妇女去火葬场。

第四，火化。火葬场选择在半山的平台上，在平台的中央有一∩形灶，高约二尺，据说是按格萨尔的弓形造的。在弓形灶的中央，还有一方形小平台。尸体一抬到葬地，众人先在旁边烧起一堆火，喇嘛则忙于点火前的准备程序：首先，在灶中的小平台上轻撒一层石灰，然后取出一个“仅扣”——刻有轮回图的木板，给上面涂抹一层黄泥，再把它反印于石灰上，使之形成一个小方形轮回花纹图在灶底；其次，取出事先做好的酥油糌粑小灯盏，放于轮回图的三角上，并在灶底竖放柴，放到与灶石平为止，同时还要放进一些引火物，如细柴、青油等。再次，众人在放平的柴上横搭几根粗青㭎柴，然后开棺，把死人抬出来坐放于横粗柴上，面向灶口。把死者扶起来坐正后，四周用柴棍相撑，再围着坐尸摆成#形堆柴。将柴架到稍过于头即止。死者的棺材也当场劈烂，一点渣子也不留地要烧掉。

柴架好后，喇嘛面对坐尸，开始了火葬仪式。首先，喇嘛开始述说死者的生前事迹，直回忆得众人两眼泪淌。追忆仪式完后，紧接着是念一番超度经，边念边摇动响铃，总是此人品性正直，生前积德行善，希望天堂的门为他打开。在念经的同时，喇嘛不断向柴堆中抛撒食物，并用酒浇二十下死者的头顶，再在四周柴堆上齐倒三下，意为替死者加持。最后采一束草穗插于死者背后。然后喇嘛坐到葬灶右上方的外祭摆物旁，念一遍升天经。就把插在那圆团糌粑上的棉签取下来，点燃后递交一个与死者无任何关系的人，那人持火，从正面底下把火点燃，火葬正式开始。

烈火烧起，送葬的人开始传递饮酒，即使不会喝酒，酒传到面前，也要用手沾点来擦抹在脸上和鼻子下，意为防秽气。喇嘛则念经不停，不时向火中倒放事先准备的“娘热”、“翁不西”柴棍及糌粑汤圆等食物和供物，并把祭山神的糌粑等抛向荒草之中。一个半小时后，尸体的手、脚等脱落化掉，众人开始往里添柴，把喇嘛念了经的青油倒在尸体上，加速火化。两小时后，尸体基本化完，众人便把背上山的柴全部投入火中，喇嘛也把准备好的火化物全部投入火中，其规矩为带上山的柴一根也不能剩下。同时在另一堆火中，还要把死者生前常用的东西，如针、线、皮包等物及常服的药等投入烧掉。这时，老者便要催促年轻人分批悄悄离去，不能一块回去，因怕死者突然感到孤寂，又同众人一起回家。最后的两三个人，待火大致灭时，把火全部赶成一堆，然后也悄悄撤走，留下喇嘛一人。喇嘛再念一遍经，做一遍法，边念边离开火葬地。火化就此结束。

第五，捡骨。参加火葬的人回到家时仍有一些仪式。主妇烧一桶热水，熏一盘柏枝在楼下迎候，凡到者，主妇均以一瓢水为其浇面洗手，洗后，方能上楼，准备进午餐。在进午餐前，喇嘛待大家坐定，便由主家一人持松明火把陪同，端一盘豌豆，到死者家的各个角落及房间里做一遍法，边念边抛豌豆，意即死者从此和这幢房子脱离任何关系，不能再来此纠缠。在这时，各房中一般禁止人走动，特别是进出。此后，众人进餐，丧事也告一段落。三天后再去捡骨灰，捡回的碎骨要砸成粉，与黄泥调和，做成“擦擦”，放进某个寺庙或者放在“神山”的洞穴中，也有埋葬的，墓为方形。

从木雅火葬的形式看，基本思想已佛教化了，而从具体的一些操作看其来源仍然很早。

天葬，再次之。天葬所葬几乎各类人都有，无多争议。但此葬式不葬超级的活佛，也不葬那些非正常死亡者。

水葬和土葬多有异议。水葬时，将死者背到河边，肢解（有些地方不肢解）后，投到河流中。这种葬俗在藏南及一些多江河地区为多。据《西藏风土志》等书介绍，卫藏地区的水葬“大部分是乞丐及鳏、寡、孤独等经济地位十分低下者”；土葬更糟，是“一般用于得了麻风、炭疽、天花等传染病人尸体，以及强盗、杀人放火犯、被刀砍死的人的尸体，法律上不许他们天葬或水葬，只允许挖坑埋进土里，意思是惩其灭根绝种，死者的亲属感到很不光彩和遗憾。”而在甘、青、川、滇藏区尚有相当一部分藏人奉行土葬制度，其文化内涵与上所说截然不同。青海省兴海县河卡乡的藏人进行水葬的是得传染病和其他非正常死亡的人和小孩。葬时将尸体扔进河里。

第二节 藏族典籍文化系统的进一步丰富、完善

一、藏文《大藏经》

（一）藏文《大藏经》的形成

从形式看，藏文《大藏经》主要有手抄本、“石刻本”与木刻本三种。石刻《大藏经》除了一些散见的经石外，要数甘、青、川交界地区的寺院所刻为多。如四川省石渠县的寺院和青海省甘德县的寺院。其中尤以甘德县东吉多卡寺（སྟོང་སྐྱབས་རྗེ་ཁ་དགོན་པ།）的石刻《大藏经》闻名于世。该寺院有400多年历史，是一座帐篷寺院，1958年时有僧人500多人。寺内的经典和佛像刻在当地多见的薄青石板上。经过数百年的计累，据有关专家估计这里大大小小刻有经典的石板有十万片左右。或为世界“石书”之最，其中所费人力、物力、心力即在不言中。

从图书量说，木刻《大藏经》是最多的，在形成后的发展中也形成了若干版本系统。当然，无论石刻也好，木刻也好，都源之于早期的手抄本。没有早期的翻译、手抄，就不会有后期的石刻、木刻。但是自形成木刻本、“石刻本”之后，手抄本仍然畅行于世。因为手抄《大藏经》本身是一种功德，而这种功德同样要耗费巨大的财力。因为这种手抄本，高档次的要使用金粉、银粉、朱砂粉等来抄写。

自吐弥桑布札创制新藏文，佛经翻译随之而起，至吐蕃中晚期时，辑成秦浦（མཆིམས་ཕུ།）、登伽（ལྡན་དཀར།）、旁塘（འཕང་ཐང།）等三大目录。这三大目录可谓应时而生，其主要目的在于解决《大藏经》翻译中的重译等问题。自然，目录的产生也是典籍文化趋向成熟的一种标志。只可惜三大目录形成之际，仍是佛苯斗争尚酣之时，又由于印刷等原因，《大藏经》还不能为更多的人来学习。现在保存下来的只有登迦目录，被收入《丹珠尔》中，所收经论六七百种，分27个门类：

1. 大乘经类（般若部）；2. 大乘经类（方广部）；3. 大乘经类（宝积部）；4. 大乘经类（杂部），又分为四种；5. 大经类；6. 大乘经译自汉土者；7. 小乘经类；8. 论；9. 密咒续；10. 五大陀罗尼经；11. 广略陀罗尼杂经；12. 名号一百单八种；13. 各种礼赞；14. 各种誓愿；15. 吉祥法门；16. 毗奈耶类；17. 大乘经疏释；18. 大乘经疏译自汉土者；19. 中论；20. 禅定语录；21. 唯识论；22. 大乘论部杂录；23. 小乘经论；24. 思索之宗；

25. 赤松德赞赞普所造论著；26. 校对未完之文本；27. 翻译未完之文本。

三大目录因分放于秦浦、登迦、旁塘三宫而得名，假如我们推断这三宫所放的书卷相当，其数量是十分可观的；从当时尚编有《翻译名义集》、《两卷本词汇录》、《瑜伽师地论·声闻地品》汉藏对译，以及厘定文字的状况看，当时《大藏经》的翻译已形成规模。

随着朗达玛赞普灭佛和吐蕃王朝的崩溃，佛经的翻译工作也便隐匿，佛经典籍也受到空前摧残。佛教“后弘期”出现，给典籍文化的发展带来了希望，以仁钦桑布为代表的翻译家们，再次掀起了翻译的热潮。藏传佛教诸教派陆续形成后，经典翻译已具规模。元武宗海山时代（1308～1311），尊巴降央曾委托欧巴罗赛益西等收集各地抄本，将藏文《大藏经》之《甘珠尔》和《丹珠尔》汇编成集。此便为最早之手抄本《大藏经》。后布敦大师（1290～1364）收集《甘珠尔》、《丹珠尔》原本，整理、甄别、校审、编排，得到藏境的普遍关注。据载，此后尚有蔡巴·贡噶多吉主持缮抄了一部《大藏经》之《甘珠尔》部，广为流传。至15世纪初，宗喀巴弟子释迦乜失奉旨进京，永乐皇帝下令在南京制作铜印版模印刷藏文《大藏经》，均依蔡巴版镌刻。

随着藏传佛教进入云南，云南纳西族亦生崇信。1068年（明万历三十六年），丽江府土司木增邀请六世噶玛巴活佛曲吉旺秋（1584～1630年）主持雕刻《大藏经》之《甘珠尔》部，于1623年完成。

六世达赖仓央嘉措当政时，曾令建造《甘珠尔》印经院，后因经费拮据而停工。《颇罗鼐传》中记录了这件事：

> 颇罗鼐王想：“历来贤明的君王和慈悲法王，还没有完成一部或金粉、或银粉、或朱砂抄写的藏文《甘珠尔》经。这般功德无量的经版，卫藏地区还从来没有过。仓央嘉措佛爷曾大发慈悲完成了般若部二十八函。虽然众生有福，但是整整七年，工匠和百姓们吃尽了苦头，国库也耗光了，却终于无法完成。因此，还留下一部分，没有刻全。后来，藏王拉藏汗、达孜瓦王和英勇的康济鼐等人，他们也想尽力补刻，虽然心中发了大愿，但是，由于可恶的盗贼，偷去了财物，所以，连一函也没有刻过。”

于是，颇罗鼐发誓“就是丢了性命在所不惜；就是倾家荡产，也毫不在乎”，他给各宗下命令：“从各自的广大属民中，适当选出一些有刊刻天分的工匠，让需要学习的新手们学习刻字，待技熟练后，就来协日噶布宗的工场。”由于是王爷的命令，不久从四面八方集中了近1000名刻匠，并对他们进行考核，“字体工整美观，刻得又快又好的，依次赏赐华服和铜钱等，报酬丰厚。凡是雕刻不积极，字体难看的，则赏以耳光，要斥责侮骂。采取这等办法，促进工作。因此工匠们为了本身的利益，全都特别卖劲，其他什么也不管，简直是不吃不喝，整天苦干。”当时的情景可见一斑。看来颇罗鼐也采取了“物质刺激”和严惩后进的办法。过去刊刻佛经，每人每月完成五六块木刻版是最好的，完成三四块是中等的，大多数只能完成一二块，个别人连刻一二块的事都做不到。而这次，最熟练的刻匠，每月可刻16至23块木版；中等的可刻10至15块，有的刻8至12块；大多数是5至7块，连最笨的人也可以刻3块。因此，从铁狗年（1730）至铁猪年（1731）一年的时间102部《甘珠尔》经则全刻完了。

1741年至1742年，在颇罗鼐执政时期，又刻完了225部的《丹珠尔》经。这些经版便送往那塘寺，大量印行，广泛流传。因而称之为“那塘版本”，在诸种《大藏经》版本中负有盛名。蔡巴版、德格版、北京版等都与那塘版有承袭关系。其他《大藏经》版本的形成情况如下：

1. 蔡巴版《大藏经》。由多叶罗士等依那塘古版校勘后雕刻。该版已毁。

2. 理塘版《大藏经》。依蔡巴版校勘雕刻于云南中甸，1908年该版毁于战乱。

3. 卓尼版《大藏经》。1730年依里塘、德格等版本校勘后刻于今甘肃省甘南藏族自治州卓尼县卓尼寺，1928年毁于战乱。

4. 德格版《大藏经》。1729年始雕，是运用较为广泛的一部《大藏经》，共用经版21万块，雕刻精细。在国外亦多有流传。

5. 北京版《大藏经》。1410年所刻为永乐版，1605年所刻为万历版，尚有康熙、乾隆时所刻的康熙版（1683）和乾隆版等（1737）等。

此外尚有青海省海南藏族自治州同德县拉加寺印经院的拉加版、不丹的普那卡版、甘肃省甘南藏族自治州拉卜楞寺的拉卜楞版等。

由于藏族文化的传播，藏文《大藏经》在其他少数民族中也有传播。

1294年至1307年，依据藏文《大藏经》，蒙古察哈尔部林丹汗将《丹珠尔》译成蒙文，进行雕版印刷。1790年，藏族著名学者土观确吉尼玛等将藏文《大藏经》译成满文。

（二）藏文《大藏经》的内容

《大藏经》这部超级丛书，基本上又由两套丛书构成，即《甘珠尔》和《丹珠尔》。

《甘珠尔》（བཀའ་འགྱུར།）的主要内容是佛祖之教典，即所谓三藏四续经典。汉文《大藏经》分为经（མདོ།）、律（འདུལ་བ།）、论（བསྟན་བཅོས།）、三藏对照来看，藏文《甘珠尔》所辑，主要包括经藏和一部分律藏的内容。如德格版《甘珠尔》共1114部，经律部、般若、华严、宝积、经部、续部、总目录七部分。

《丹珠尔》（བསྟན་འགྱུར།）的主要内容包括论和一部分律。如德格版《丹珠尔》共3559部，分赞颂、续部、般若、中观、注疏、唯识、俱舍、律部、本生、书翰、因明、声明、医方明、工巧明、修身部、杂部、阿底峡小部集、总目录18个部分。

（三）藏文《大藏经》的卓越影响

从现在掌握的一些资料看，外国人研究《大藏经》的历史也不晚。像匈牙利人乔玛（Csoma，1784～1842年），曾于19世纪就向国外读者介绍过藏文《大藏经》，自20世纪50年代开始，这种研究逐渐见多，除论文外，也有不少专著。现依据杨茂森同志的材料，简述如下：

哈尔（丹麦）著《德格版和拉萨版甘珠尔比较表》，1962年。

高马士（捷克）著《布拉格的甘珠尔和丹珠尔说明》，1962年。

海涅斯（捷克）著《关于1742年刊藏文丹珠尔刻本的皇帝序言》，1962年。

梅色扎呵（西德）著《关于原普鲁斯国家图书馆藏德格版丹珠尔》，1960年。

杜齐（意大利）著《西藏札记·藏文大藏经》，1949年。

比部夫（美国）著《甘珠尔及其版本记录》，1968年。

巴达拉耶夫（美国）著《论不同版本的甘珠尔》，1968年。

壬生台舜（日本）著《卓尼版、北京版、德格版和奈塘版 甘珠尔部分比较表》，1959年。

高崎直道（日本）著《东京大学所藏拉萨版藏文大藏经》，1965年。

多田等观（日本）著《论东京大学所藏的拉萨版藏文大藏经》，1960年。

高崎直道（日本）著《影印北京版西藏大藏经：总目录索引》，1961年。

芳村修基（日本）著《丹噶目录：西藏佛教典籍中一部最古的目录书》，1950年。

大谷大学（日本）《大谷大学图书馆藏西藏大藏经丹珠尔勘同目录》，1937年。

考狄尔（法国）著《巴黎国家图书馆藏藏文大藏经目录》，1909 年至 1915 年。

盗往国外的《大藏经》也不少。如 1924 年，英国驻尼泊尔代表何德逊，通过拉萨盗走全套《大藏经》；19 世纪 30 年代初，俄国从外蒙古盗走了部分《甘珠尔》，后又从北京盗走全部《甘珠尔》和《丹珠尔》（又一版本）。时隔不久，北京版西藏《大藏经》（包括《甘珠尔》和《丹珠尔》）运往巴黎、东京。

藏文《大藏经》作为藏人经籍文化的代表，它的价值是不可估量的。它不光是研究藏族文化的珍贵资料，也是研究印度古代文化的珍贵资料。诚如日本学者桥本溪鼎在所著《简介西藏大藏经》一文中说："……依大正一切大藏经说，汉译的经典总共有 3911 部，12068 卷之多，其中包含中央亚细亚诸国、中国、日本等古德撰述的章疏在内，若与西藏大藏经比较，能视为同一文化书的仅有千部之数。由此可见在藏译大藏经未被研究以前，约有三千五百部的经书，未被了解了。就是说有许多未被发觉的贵重文献，由于西藏大藏经，重新被提供了。同时从学术的观点说，藏语是模仿梵语而成的语文，可说是一种标准梵文，保存了印度原典的旧观点。在梵文典籍发现不多的今日，藏译大藏经有如此伟大的贡献，实在太可贵了！加之，纵是有梵文可稽的经典，如求一完善的校订与翻译，若不参考藏译，亦是很难达成的，所以我认为藏译大藏经在诸译藏经中，有很大价值。藏文大藏经实印藏民族科研成果蕴集成之大宝藏。"

（四）藏文《大藏经》编辑的文化特点

《大藏经》的修造是一项千秋功业，投入的财力、物力、人力都是十分巨大的。但是藏文的经书编写有一良好的传统就是要在书中登记相关的部分。比如《甘珠尔》和《丹珠尔》用金汁、银汁书写的书籍的目录，就有如下 17 种内容：

1. 造书之缘起。
2. 该书的施主。
3. 以何种底本为依据（抄本、印本）。
4. 有几类工作部门。
5. 各工作部门的人数。
6. 每天的工作进度。
7. 各工种的工序。
8. 工资和奖金等级。
9. 原料来源。

10. 写造经典的技术，刻版的技术和使用工具等。

11. 校对的次序。藏文经书的校对可以说是十分认真的，初校称经校（དམར་ཞུས།），将原本和誊抄，对照校对；次为复校，对词及意进行多次校订；再次为三校，复看抄录文字有无重复、缺漏，从而采取改进措施。

12. 开始和结束时间。

13. 开始、中间、结束时的庆典。

14. 全部开支。

15. 各信徒、施主捐助的清册。

16. 放置的地点。

17. 目录的正文。

毋庸讳言，这样一种资料是十分全面的，也是十分珍贵的。

藏文经籍同时也有“三藏识别礼”，即第二次厘定文字时为了便于识别经、律、论三藏，即规定在每部礼敬上予以区别：

凡属经藏，则写“向一切诸佛菩萨敬礼”。

凡属律藏，则写“向一切智者敬礼”。

凡属论藏，则写“向曼殊室利童子敬礼”。

二、其他藏文典籍系统的出现

以藏文《大藏经》为代表，藏文典籍文化的其他系统也陆续形成。它们主要是：

（一）以佛教教义为主，藏人对大小“五明”文化的学习、研究、发展。有工巧、医方、声明、因明、内明、修辞、辞藻、韵律、戏剧、历算等；重要的如《般若》、《因明》、《俱舍》、《中观》、《戒律》五部大论等。

（二）藏人自己著述的教派史、寺院志等，如《德乌教史》、《雅砻教法史》、《布敦佛教史》、《土观宗教源流》、《桑耶寺志》、《塔尔寺志》、《拉卜楞寺志》等。

（三）藏人对自己政治、经济、文化历史的记述。如《吐蕃王统世系明鉴》、《吐蕃王臣记》、《青史》、《红史》《新红史》、《贤者喜宴》、《国王遗教》、《汉藏史集》、《拉达克王统记》、《安多政教史》、《青海史》、《朗氏家族史》、《萨迦世系史》等。

（四）藏人自己创作的文学艺术，如《颇罗鼐传》、《噶伦传》、《莲花生大师传》、《宗喀巴大师传》、《米拉日巴传》、《柏东传》；历辈达赖喇嘛传、历辈班禅大师传、《云裳——五世达赖喇嘛自传》、《五世班禅自传》、《仓央嘉措秘传》、《萨迦格言》、《水树格言》、《米拉日巴道歌》、《旋努达美》、《郑宛达娃》、《诗镜论注疏》、八大藏戏（《文成公主》、《朗萨姑娘》、《白玛文巴》、《卓娃桑姆》、《顿月顿珠》、《诺桑王子》等）、《绘画度量经》等。

（五）藏人自己的科学实践著述，如《四部医典》、《月王药诊》、《蓝琉璃》、《晶珠本草》、《时轮历》、《时轮历精要》等。

这一点我们从一些寺院的藏书中，也看得十分清楚。比如拉卜楞寺所藏图书共 7824 部，其种类计有：

1. 医方学 262 种不同刻版本，43 大部。
2. 声明学 130 种不同刻版本，16 大部。
3. 韵律学 32 种不同刻版本，29 大部。
4. 工艺学 20 种，不同刻版本，28 大部。
5. 星象、历算学 542 种不同刻版本，29 大部。
6. 诗镜学 178 种不同刻版本，64 大部
7. 辞藻学 32 种不同刻版本，78 大部。
8. 戏剧类 7 种不同刻版本，8 大部。
9. 藏文文法类 108 种不同刻版本，81 大部。
10. 历史专著 35 种不同刻版本，89 大部。
11. 传记类 380 种不同刻版本，92 大部。
12. 名人全集类 177 位作者，1200 种不同刻本，979 大部。
13. 宗教内明学 1289 种不同刻本，886 部。
15. 密宗类 735 种不同刻本，900 大部。
16. 经咒类 164 种不同刻本，948 部。
17. 红教经典 1840 种不同刻本，958 部。
18. 金银刻本（大藏经）四种不同刻本，675 大部。

三、藏文雕版印刷及编目

（一）印刷术的由来及印经院

从敦煌发现的写卷和萨迦寺发现的 20 余部贝叶经看，一直到我们目前可以见到的藏文雕版经卷，大约经历了上面所述之金石刻写、钟鼎铸造，以及纸、桦皮、木简等形式。可想而知，在吐蕃王朝兴盛时期，能翻译六七百种佛教显、密典籍，确乎不易。此只依照收入《甘珠尔》中的《登迦目录》而言，同是赤松德赞时期编定的《旁塘目录》和《秦浦目录》已佚，无从查考。但是，文字作为人们表达思想的重要工具，就在如此艰难的条件下，逐步丰富发展起来，其出版事业也得了不断改进。

据王森先生《西藏佛教史略》记载，藏文之印刷起于13世纪。蔡巴噶德贡布曾七次到内地，是他将汉族的工匠和印刷术带进西藏，并建立刻印书坊。这一点是可信的。因为，自元始，藏族僧人在京城往来频繁，且人数也多，他们不会没有机会接触到汉地印刷术。

1312年，迥丹日比热赤和罗赛降秋益西等人将前后藏的《甘珠尔》、《丹珠尔》译本收集汇编，形成《大藏经》，这一时期由于人们宗教信仰的原因，许多人以缮写佛经以及继之而起的刻写佛经为功德，也由于有数百年的藏人对佛经的翻译基础，刊刻之举顿时蔚然成风。《红史》的作者、噶德贡布之孙蔡巴贡噶多吉以自己编纂的《甘珠尔》为蓝本，并聘请佛学大师布敦仁钦珠（1290～1346年）主持审校了那塘之《甘珠尔》，雕刻成著名的蔡巴版《甘珠尔》。自此后便有明永乐年间，帕木竹巴扎巴坚赞主持刊刻《萨迦教主文集》等。雕刻印刷术的引进对藏文佛教典籍的保存，对丰富和发展藏族的典籍文化起到了巨大的推动作用。

明以后，随着格鲁派登上历史舞台，藏传佛教的一些大型寺院也陆续建成，雕版印刷业也如雨后春笋，欣欣向荣。究其原因大约有以下几点：

1. 自吐蕃王朝兴盛时期以来的许许多多的图书未得到刊行，从继承佛典文化的角度讲，这在当时是十分急需的。雕版印刷的出现，恰好使这些以前只能辗转手抄的珍贵书籍，得以印刷，使更多的人得以阅读、研究。

2. 藏传佛教诸教派形成后，各教各派除了政治上的角逐外，在文化上也力图与对手抗衡，因而极力树立本派人物，修造传记，阐述观点，以利于学术讨论（甚至是论战），学术竞争之胜败，往往影响到该派的社会地位，导致政治上的沉浮。

3. 由于藏传佛教的民间化、生活化，刊行佛经和大德们的著作已成为功德，故而俗人也多愿为此施舍；又有了除供佛像外还要供佛经的礼俗，因而经书已不仅仅是僧徒的专物，俗人也在购置；不仅仅是识字人的专物，不识字的人也照样可以供奉。有些是个人为之，有些则是集体为之，譬如一部落或一小村子供奉一部《甘珠尔》或《丹珠尔》等。

在此过程中，一些大的印经院也逐步形成，较著名的有德格印经院、那塘寺印经院、布达拉宫印经院、塔尔寺印经院、拉卜楞寺印经院等。实际上稍有规模的寺院都在印经书。因为办一印书机构并不需要很多投资，除木料、墨、纸张外，主要是要有很好的书法家写出来，同时要有很好的画工、刻工，画好、刻出来。

今四川甘孜藏族自治州德格印经院是诸印经院中颇有声名的，由德格第四十二代土司却吉旦巴泽仁兴建于1729年，全称为《藏族文化宝藏德格印经院大法库吉祥多门》，兴建此印经院花了16年时间。据载最盛时期的德格印经院有刻工1300多人，其刀功精细雄健，文字准确清晰，内藏以桦木为主并有少量松木的书版200多部，印版计21万余片。内容以《甘珠尔》、《丹珠尔》为主，尚有藏族学者的有关文集、传记、宗教史、天文历算、音乐、美术、雕刻、文法、正字、辞藻类图书等。德格版藏文经籍不但畅行于整个藏区，还流传到汉、蒙等地区和国外。

拉卜楞寺印经院和藏经楼虽然不是藏区最大的，但作为安多地区的重要寺观，闻名遐迩。据说原来的藏经楼藏经书228820余部，藏文经版62000余块，可惜在"文革"浩劫中印经院和藏经楼均被毁坏，经籍、经版散失无数。现有图书65000余部，经版18216块。从这些劫余图书的数量中，我们仍可领略到藏区当年的刻经、印经的规模和程度。1959年，拉卜楞寺工作组曾对该寺藏书进行清理，油印《拉卜楞总书目》共两卷，仅列入该书目的就有7824部。从这些不同版本的图书中，我们可以看到当时藏区的印刷业也是十分发达的。

（二）藏文典籍的形式及编目

1. 藏文图书的形式

藏文图书是长条形，通常所谓"梵夹本"。这种图书形式的出现与接受早期印度文化有关。据史料记载，早期的佛经许多是刻写在贝多罗树叶上的，贝叶叶面宽大，为了便于携带、使用，书写者们就将贝叶剪裁成条形，中穿一绳索，阅读时随意翻看，十分方便；若要携带，两头夹以木板，背在身上，走东奔西，均无妨碍。看来，藏文图书的这种梵夹本形式在后期的文字印行中是直接采用了的。自然，藏人早期接触的印度文化或者早期印度学者们进藏时带的图书，大概都是这种形式。

显然，刊刻的木板大概也是受制于这种形式的一个重要原因，图书印刷的版料，不是随便一种木料就可以用的，比如一些易裂的木料，下工夫写了，刻了，稍遇干燥就裂，则前功尽弃。一般藏区使用的版料，多为桦树，桦树一般也有大的，但在具体使用（选料）时，一般采用直径10厘米左右的桦木。刻版要有文字蕴量，便自然走向长条形了。

洛珠加措先生针对这种版本的实用性，举了个颇有趣味的例子：达玛吾都赞任赞普时，认为佛教是积贫积弱的根源，下令毁坏寺庙，驱逐喇嘛，焚烧经籍，还强令部分喇嘛还俗，甚至让他们去杀生打猎，当兵打仗。僧侣们为了保护经籍就把那些梵夹本藏在宽大的袍袖夹层里，避开耳目，走上山去，便打开展读。起初此完全是为了避躲搜查的一种办法，后来相沿俗，直到如今，喇嘛和一些读书人喜欢将自己爱读的书放在袖筒里，随时取读，不碍手脚。同时，藏人喜欢盘腿坐，坐后需读书，则将长条放在腿上阅读。

印刷需要有一定的规范，否则一本书上千页，各采用不同大小的木板，则无法合拢成书。从印版的角度看，为了搬运和印刷时的方便，在板头留有手柄，木质坚硬的桦木板料两面均刻有文字。由于藏文为横书右行，刻版需遵循这一规矩，其长短规定大体如下：

长印版：长 110 厘米，宽 70 厘米，厚 3 厘米。

中印版：长 60 厘米，宽 10 厘米，厚约 3 厘米。

短印版：长 40 厘米，宽 10 厘米，厚约 3 厘米。

这些印版都是两面刻，但印出的书，就不一定是如此大小。比如：

藏文《甘珠尔》的抄本和印版纸页大小是：

头尾篇页的总长度	60 ~ 65（厘米，下同）
宽度	52 ~ 54
框标的从头到尾之间长度	47 ~ 53
框标的宽度	36 ~ 34
《丹珠尔》的纸页长度	50 ~ 60
宽度	15 ~ 10
框标长度	47 ~ 53
宽度	7 ~ 6
一般经典篇页长度	55 ~ 60
宽度	10 ~ 9
框标长度	53 ~ 47
框标宽度	7 ~ 6

中等篇页的长条书是指那些没有一箭长，却比短书长的书，其长度为 32 ~ 30 厘米，宽度为 8 ~ 9 厘米，框标长度为 27 ~ 25 厘米，框标宽度为 6 ~ 5 厘米。依据这种相对稳定的规格，再以刻写时的大、小字加以区别，就可以大体算出每页的藏文字数来：

长页大字类：45 ~ 50 字；小字类 63 ~ 73 字。

中页大字类，30 ~ 37 字；小字类 50 ~ 60 字。

短页大字类，20 ~ 25 字；小字类 25 ~ 30 字。

同时，藏经中对经函（པོ་ཏི།，是梵文 po—sta—ka 之藏译，俗所谓包）有一大体分类：500 ~ 700 页为一大函，300 ~ 400 页为一中函，150 ~ 200 页为一小函。

由于长条书中需要插图，尤其卷首和两块夹板多有佛像，这便限制了某种随意性，因为佛像的量度都要按一定的比例去修造，不可随意为之。

藏文典籍的手写本中，一般都是用墨，也有金粉、银粉等书写的，尤其是《大藏经》这一类书，代价之昂贵，可想而知。随着刻版印刷的进步，在刻版的形式上也有所改进，有了插图（甚至彩色插图），在装帧方面也逐步讲究起来，出现了朱砂印刷品，尤其是上下夹板（相当于今日书籍的封面吧），其制作越来越精细，越来越考究，上镌刻吉祥八宝图案、各类佛像等，饰以彩绘，甚至描金涂银，或用珠宝嵌饰，显得豪华严整、富丽堂皇。

在《颇罗鼐传》（汤池安译文）中，记录到在颇罗鼐主持下完成用金粉抄写的《甘珠尔》经时，如此描绘它的装帧和绘饰：

> 完成金写本《甘珠尔》后，剩余的金粉，颇罗鼐王爷又命管家们用来给两尊释迦主像、圣观世音菩萨像及各寺的佛菩萨像贴金。这部金字《甘珠尔》，各函卷首第一页，都字迹饱满。两侧的佛菩萨像、文武本尊像、历代上师像等，全都凸出。不仅涂上了金粉，并且用珍珠、绿松石、珊瑚、红宝石等装饰起来。封面遮幔用的是丝绸、蒙古彩缎、璎珞等。并且每函都用黄缎包裹。整个书夹板刷了一层金粉。书夹板的一端包了一层铁箍，上面也镀了金。在雕镂的花纹中间，排列着十一字真言。书扣出自内地工匠之手，表面还镀了金。拴书的彩带，宛如天虹。书名签是用特别贵重的上霍尔锦缎制成，重叠得非常漂亮。经部与续部的标题字头，也是精美无比。跟那部人世良友、久已闻名全藏、供养在哲蚌寺、被人称为举世无双的《甘珠尔》相比，它更为珍贵。

藏经印刷，一些短篇的随时可以印刷，尤其是一些小的印书院，多如此。但一些大的印经院或印一些诸如《甘珠尔》、《丹珠尔》这类部数很多的经书需要较长的时间，也牵扯到经版的保护和气候原因，多在藏历四五月（此时天气开始暖和）开印，到八月天气寒冷时结束。

2. 藏文图书的编目

藏文图书的编排方法，主要在于部类的区分法和次序的排列法。部类以图书的内容为基础划分，大体上以大小五明为干支。比如布敦大师等编纂的《大藏经》的分类，先分出《甘珠尔》、《丹珠尔》两大类（汉文《大藏经》分为经、律、论“三藏”），再以论述内容分为显宗、密宗两类，显宗分经、律、论三部分，密宗分事部、行部、瑜伽部、无上瑜伽部四部分，加密宗总续共八类。八类之外以声明、因明、工巧明、医方明、小五明（修辞、辞藻、韵律、戏剧、星象学）列藏族学者的著作，合 17 类，再加藏族学者的全集和零散著作共 19 个大类。在此大类之下，再分小类，由于各人的角度不同其分类也不尽相同。比如：德格版《甘珠尔》分为七类：

（1）律部（འདུལ་བ།）
（2）般若（ཤེར་ཕྱིན།）
（3）华严（དཔལ་ཆེན།）
（4）宝积（དཀོན་བརྩེགས།）
（5）经部（མདོ་སྡེ།，密宗经典怛特罗）
（6）续部（རྒྱུད་སྡེ།）
（7）总目录（དཀར་ཆག）

德格版《丹珠尔》分为 18 类：
（1）赞颂（བསྟོད་ཚོགས།）
（2）续部（རྒྱུད་སྡེ།）
（3）般若（ཤེར་ཕྱིན།）
（4）中观（དབུ་མ།）
（5）经疏（མདོ་འགྲེལ།）
（6）唯识（སེམས་ཙམ།）
（7）俱舍（མངོན་པ་མཛོད།）
（8）律部（འདུལ་བ།）
（9）本生（སྐྱེས་རབས།）
（10）书翰（སྤྲིང་ཡིག）
（11）因明（ཚད་མ།）
（12）声明（སྒྲ་མདོ།）
（13）医方明（གསོ་རིག）
（14）工巧明（བཟོ་བ་རིག་པ།）
（15）修身部（ཐུན་མོང་བའི་ལུགས་ཀྱི་བསྟན་བཅོས།）
（16）杂部（སྣ་ཚོགས།）
（17）阿底峡小部（ཇོ་བོ་རྗེ་ཆོས་ཆུང་།）
（18）总目录（དཀར་ཆག）

3. 喜饶嘉措大师的分法是：
（1）历史和传记类（ལོ་རྒྱུས་དང་རྣམ་ཐར་སྐོར།）
（2）菩提道次第修心（ལམ་རིམ་བློ་སྦྱོང་སྐོར།）

（3）中观（དབུ་མ།）

（4）现观庄严论（ཕར་ཕྱིན།）

（5）俱舍论（མཛོད།）

（6）律经（འདུལ་བ།）

（7）释量论（རྣམ་འགྲེལ།）

（8）宗派（གྲུབ་མཐའ།）

（9）密集（གསང་འདུས།）

（10）阎摩敌（གཤིན་རྗེ་གཤེད།）

（11）胜乐（བདེ་མཆོག）

（12）时轮（དུས་འཁོར།）

（13）大轮（འཁོར་ཆེན།）

（14）喜金刚（ཀྱཻ་རྡོ་རྗེ།）

（15）各种（སྣ་ཚོགས།）

（16）修行轮（སྒྲུབ་དཀྱིལ།）

（17）声明（སྒྲ་རིག་པ།）

（18）藏文（བོད་ཡིག）

（19）诗歌（སྙན་ངག）、辞藻学（མངོན་བརྗོད།）、工艺学（བཟོ།）、韵律学（སྡེབ་སྦྱོར།）、戏剧学（ཟློས་གར།）、星象学（སྐར་རྩིས།）

（20）医方明（གསོ་བ་རིག་པ།）

（21）全集类（གསུང་འབུམ་སྐོར།）

共21类。东嘎·洛桑赤烈先生说，喜饶嘉措的这种编目的指导思想较明显，先将历史传记排在前面，先了解佛、菩萨、贤哲、君臣们的历史，树立榜样，“然后是道次和修心，这是因为在闻思广大经典方面显得智力低下的人们阅读这些后，能懂得必须调伏自己的心性。然后是五部大论和密宗经典，这是因为他认为智慧广大而具备条件的人们主要应学习大乘和小乘的共同的中观和大乘独有的般若、指引小乘之道的俱舍论，大小乘二者的根本道戒律、作为佛教经典入门的《释量论》、摄集这些教义的教派理论、讲解大乘道深意的密宗等。而印度和藏语的声明学、小五明等，能附带学习更好，如不能学，对决心修法者也不能算是缺陷。”可见从目录分类上也包含着丰富的学术及教育思想。

1959年编辑的《拉卜楞寺图书总目录》（བླ་བྲང་དགོན་པའི་དཔེ་ཚའི་སྒྲིའི་དཀར་ཆག）。其分类为：

（1）甘珠尔；（2）丹珠尔；（3）医方明；（4）声明；两文对照；（5）韵律学（སྡེབ་སྦྱོར།）；（6）工艺学；（7）星象学；汉历（རྒྱ་རྩིས།）；（8）诗歌、

书信（ཆབ་ཤོག་འཕྲིན་ཡིག）；（9）辞藻学；（10）戏剧学；（11）文法（སུམ་རྟགས་དག་གསུམ）；（12）佛教源流史（ཆོས་འབྱུང་དེབ་ཐེར།）；（13）传记（རྣམ་ཐར།）；（14）全集；（15）性相，律经、俱舍论、中观、现观庄严论、释量论；（16）菩提道次第修心；（17）密咒（གསང་སྔགས།），密集，阎摩敌、胜乐、时轮、大轮、黑愤怒金刚（ཁྲོས་ནག）、瑜伽部、行部事部（སྤྱོད་རྒྱུད་བྱ་རྒྱུད།）、灌顶及随许（དབང་དང་རྗེས་གནང་།）、手册（བེའུ་བུམ།）、旧译（སྔ་འགྱུར་རྙིང་མ།）。

这一目录虽然仍从《大藏经》的分类内容为主，但已大大超出了这一范围，藏族典籍文化所涉及的内容范围，基本上都涉及了。

东嘎先生在《藏文文献目录学》中，列举了有关藏文编目十七大事项，即以上所说（1）分类；（2）字母标号和数码；（3）作者姓名和书名；（4）内容提要；（5）卷数与函数；（6）底本；（7）抄本及印本；（8）抄本、印本中的注意事项（如有无缩写等）；（9）书籍篇页之长短；（10）行数和字数；（11）章节和目录；（12）包数；（13）页数；（14）书籍是否完整；（15）加盖印章；（16）属何教派；（17）全集中的历史、文化著作是否单行列出。在具体操作时，又将此划分为详、中、略三种目录进行登记。如《五世达赖自传》的详细目录填写为：

（1）总编号　175

（2）部类　历史

（3）字母标号

（4）书名　《五世达赖传记自述》

（5）简称　《五世达赖传》

（6）别称　第五世达赖喇嘛自传

（7）作者　萨霍尔班第阿旺洛桑嘉措

（8）别名（作者）仓色协贝多杰　冈夏让卓

（9）成书时间　第11饶迥铁鸡年（1681年）

（10）主要内容　从其祖父到他自己逝世前一年之间的历史及许多重要情况

（11）印版　哲蚌颇章版

（12）篇页长短　页长与箭杆相等

（13）页面行数　每页六行

（14）包数　（ཅ）

（15）章节　1

（16）页数　364

（17）是否完整　完整

（18）馆藏部数　3

如此查找出的书目，读者对该书情况可谓一目了然。

中等目录的填写主要是：总号数、部数名称、字母标号、书名、简称、作者姓名、抄本和印版、篇页长短、章节、页数、是否完整，计11款。

简略目录的填写只登记总编号、书名、简称、作者、章节数、页数、是否完整7款。

第三节　文　学

一、诗歌

（一）仓央嘉措的诗

仓央嘉措（1683～1706?）是西藏门隅地区人，生于西藏政局极不稳定，又多战乱的17世纪。五世达赖圆寂后，第巴桑吉嘉措考虑到西藏当时的政治形势而匿丧不报，却在暗中认定仓央嘉措为第六世达赖喇嘛。一直到1697年15岁时，才被迎至布达拉宫坐床。当时，蒙古汗王与藏族统治者之间矛盾尖锐。1701年达赖汗去世后，拉藏汗继汗位，与第巴桑吉嘉措关系恶化，桑吉嘉措曾买通汗府的人向拉藏汗进毒被发觉，旋集卫藏兵民与之对抗；拉藏汗调藏北及青海的蒙古骑兵反击，桑吉嘉措兵败被杀。

桑吉嘉措死后，拉藏汗状告清朝皇帝，认为桑吉嘉措秘密寻立的六世达赖是假达赖，追逐酒色，不守僧规，请求废止。康熙皇帝降诏将仓央嘉措“执献京师”。1706年在解送北京途中经青海湖时逝世，时年24岁。这只是见于正史的说法。据蒙古喇嘛阿旺伦珠达吉所著《仓央嘉措秘传》记载，仓央嘉措并没有死在青海湖，而是于此逃亡，曾先后在甘、青藏区、内蒙古阿拉善等地传教，去过内地的五台山等地，还曾化装成乞丐回过拉萨，1746年5月8日圆寂于阿拉善的一个寺院里，终年64岁。关于仓央嘉措的卒年还有别的一些说法，其中奥秘，尚未破解。但我以为《仓央嘉措秘传》所说接近事实。

仓央嘉措虽然15岁才坐床，但是他受到过良好的教育，《秘传》中如此说：“那时我年幼无知，第悉强横，专门派比丘江央扎巴对我严加管束，在三年中，要我像长流不断的恒河水一样，一年四季无休止地听讲四卷帙经函。我如果稍站起来走动走动，我的根本师江央扎巴就手捧经书，追逐于后，苦苦地哀求我说：‘求求您坐下来听我讲经吧！不然，第悉知道了，怪罪下来，我可担当不起啊！’听了他的话，我只得坐下来继续听他讲经，于是他就高兴地给我叩头。”由于第巴的严格约制，有了较好的知识素养，这对他的诗歌创作来说无疑是有很大帮助的。

仓央嘉措的情歌写得清丽、朴素、细腻，意境构织和形象创造均属上品，代表了17世纪末、18世纪初藏族诗歌的最高水平。

常想的喇嘛面孔，
怎么也来不到心上；
没想的心上人的容颜，
却出现在眼前明明朗朗。

和心上人儿相会，
在乡村柳林深处，
哪个也不晓得，
除了巧嘴的鹦鹉。
巧嘴的鹦鹉呵，
这秘密不要泄露。

夜里去会情人，
早晨落了雪了；
守秘密又有啥用，
脚印已踏在雪上了。

仓央嘉措的情歌多是六字三顿，每首四句：

ཤར་ཕྱོགས་རི་བོའི་རྩེ་ནས། །
དཀར་གསལ་ཟླ་བ་ཤར་བྱུང་། །
མ་སྐྱེས་ཨ་མའི་ཞལ་རས། །
ཡིད་ལ་འཁོར་འཁོར་བྱས་བྱུང་། །
（从那东方山顶，
升起皎洁月亮；
未嫁少女的面容，
显现在我的心上。）

由于读者对仓央嘉措情歌的喜爱，国内汉文有曾缄、刘希武、于道泉、王沂暖等多种译本，拥有广泛的读者。20 世纪 30 年代时，著名藏学家于道泉将它翻译成了英文，从而使情歌走向了世界。比如《从那东方山顶》一首，于先生如此翻译：

From the mountain peaks in the east,
The silvery moon has peeped out.
And the face of that young maiden,
Has gradually appeared in my mind.

仓央嘉措的情歌走向了世界。然而对情歌还有别的一些说法。其一，认为作为达赖喇嘛的仓央嘉措不可能写世俗男女欢爱的情歌，仓央所写为“道歌”或称“道情歌”，即从字面上看是写男女爱情，实际是在宣讲佛教义理。藏人虽然有写道歌的传统，但这种说法或是一种掩饰，因为有两点是十分清楚的，一是仓央坐床较晚，有较多的时间接触民间生活，包括异性，以及优美的民间情歌；一是从历史资料和现在还留在布达拉宫下的那些涂了黄颜色的房子（据说那是仓央去会情人的地方）看，也有这种可能性，没有风吹草动，第巴桑吉嘉措的政敌拉藏汗也是难以告他“沉湎酒色，行为不轨”的。从一些藏文资料看，仓央也曾想向班禅交还戒律，企图还俗，只是没有得到允准就是了。有一首流传拉萨的囊玛《敬礼》（གསུང་ཚ་ཕྱག་འབུལ།）如此写道：

རིག་འཛིན་ཚངས་དབྱངས་རྒྱ་མཚོ། །
འཆལ་པོ་རྒྱུག་གི་མ་གསུངས། །
རང་ལ་དགོས་པ་ནང་བཞིན། །
མི་ལ་དགོས་ཀྱི་ཡོད་འགྲོ། །
（喇嘛仓央嘉措，
别说他风流浪荡；
他所需要的东西，
和别人需要的一样。）

从历史记载到民间传说，相互引证，即可看到仓央嘉措只不过做了一些常人所做的事，并将自己丰富的感情付诸笔端，留下了千古绝唱。

其二，仓央嘉措的情歌到底有多少，目前尚不清楚。因为情歌是收集而来，其数有50多首，60多首，100多首等不同说法。实际上在民间流传的过程中，有些情歌是仓央所作，有些情歌不一定是仓央所作，而收集者们都将它归入仓央名下罢了。当然，我们也不排除在写作过程中仓央曾引用、点化了一些民间情歌。

（二）《甘丹格言》

《甘丹格言》的作者是曾任甘丹寺赤巴的索南札巴（1478～1554），西藏山南泽当人，16岁出家为僧，后入哲蚌寺学经，获得格西学位。索南札巴有名不仅在于他曾是千万佛僧一生争取的甘丹赤巴，和他等身的著作，还在于他是三世达赖喇嘛索南嘉措的老师和这一部《甘丹格言》。

《甘丹格言》录诗共125首，内容是传统诗歌所常涉的主题“智人和愚人”。虽然涉及的方面不少，但主要还是为人处世之法。其中如倡导人虚心向上、反对骄傲自满的：

智者量大不声响，
恰恰表示深而广；
请看海水缓缓流，
它的深度难测量。

愚者自满到处讲，
正好表明识不广；
请看小溪喧声大，
溪底深浅极易量。

再如颂扬人的勇敢，耻笑怯懦的：

智者遇到重要关头，
任何敌人都不惧愁；
请看帝释天一人，
打败非天全部队伍。

愚者碰到重要关头，
一点小事也要惧愁；
请看把人错当“水漏”，
老虎吓得心裂命休。

《甘丹格言》在艺术上的贡献主要在于充分而巧妙地使用了对比和比兴手法，同时在短小的格言诗中蕴涵了一些民间皆知的小故事，作为同一文化氛围中的读者读来，一方面可以感受到诗中深刻的思想内容，另一方面可以勾想起诗外诸多风趣盎然的小故事。

不言而喻，《甘丹格言》中模仿借用了《萨迦格言》的一些思想内涵和表现形式及一些诗段。

二、传记文学

藏族传记文学进入兴盛时期基本上是在藏传佛教诸教派的完全形成之后。以桑吉坚赞（1452～1507）的《米拉日巴》为代表，出现了《布敦大师传》、《萨迦班智达传》、《玛尔巴传》、《日琼巴传》、《汤东杰保传》、《朱巴公勒传》等一批名作。16 世纪中叶达赖、班禅两大活佛系统建立，传记文学也由兴盛时期转为稳定发展时期，出现了历辈达赖喇嘛传、历辈班禅传等成系列的传记作品，19 世纪时出现了《颇罗鼐传》、《噶伦传》、《多仁班智达传》等一批名著。

这一时期的作品，主要有如下一些特点：

第一，具有重要的社会历史价值。

我们可以通过桑吉坚赞撰写的《米拉日巴传》和《玛尔巴传》来说明这一问题。

米拉日巴是玛尔巴的弟子，玛尔巴是藏传佛教噶举派的创始人。《玛尔巴传》全书分五部分，以玛尔巴降生藏土，学习佛法，三赴印度求法，精修教诫，获得证悟，授徒弘法等为线索，历述玛尔巴上师的一生。从中可以看到，作为噶举派开山祖师的玛尔巴创立噶举派的艰辛历程，看到印藏文化交流的片段过程，尤其是对当时藏族社会的描写，是十分深刻、难得的。比如玛尔巴首次赴印，缺少盘缠，即求助于当地权贵，反映了佛教与政治合一时的窘困局面；学成回藏后，行佛事则敛聚金银。更有令人触目惊心者，玛尔巴仙逝后，其子以父之肉骨收取酬物的描写，可谓入木三分：

> 玛尔巴译师的色身隐入法界之后，众人才深信他是真佛。于是有人愿出很大酬金，以求得到一点师父的头发、指甲以及小片衣物等。于是便用上等绸缎将大师如意般的遗体包裹起来，未经焚化，请求为利益众生而住于世间。上师之子贝欧等人，把遗体之肉连同骨头给

人，收取酬物。头骨被请到彭域地方一个寺院中，上师俄巴知道后，心中不忍，于是给师父的儿子们献了大礼，请求将师父的遗体赐与之。他们说：

“那么你供养的东西最主要的应是那若巴赐给父亲的红莲宝石本尊像。”俄巴遂依其言将红莲宝玉石本尊像等无量财帛奉献与他们。之后，便将遗体迎到雄地。因此，在灵骨之中以俄巴大师寺院所供奉之灵骨为主。

玛尔巴有四大心传弟子（称四大柱），有七个儿子，儿子塔玛多德去世后，玛尔巴夫妇无比悲哀，而当一代英杰玛尔巴圆寂后，儿子们却用父亲骨肉谋取钱财，确乎令人发指！也给我们提供了教派形成期中，教徒教祖及其家庭生活的珍贵历史画面。

在《米拉日巴传》中，反映了一些当时社会的现实问题。米拉日巴的父亲去世后，伯父、伯母欺负其孤儿寡母，侵吞其家产。米拉母子三人虽为亲眷，实已沦为奴隶，衣服褴褛，吃猪狗食，终日劳作，还受到伯父母的责骂。这样的叙述给我们勾画出贫瘠高原上的阶级对抗关系。

第二，形象、细节描写的小说化。

玛尔巴、米拉日巴这两个形象是不朽的。因为作者在这两个形象的刻画上，热情地讴歌了藏民族坚韧不拔、聪慧、向上的民族精神。米拉日巴在玛尔巴的多重考验下，不屈不挠，终于使师喜爱，授以正法。为了修炼正果，他住在岩洞里，以草为食，“双目深陷，骨架高耸，浑身发绿，瘦削如柴。”但他乐观作歌，修习不已。玛尔巴上师更显得固执、倔强、义无反顾。他第三次去印度时年事已高，众人劝他不要去，可他说：

顶礼大德那若、麦哲足，
那若师前我曾发誓愿，
为了求得殊胜之法要，
空行讲解师教并劝促。
想起上师我于心不忍，
命运莫测我要去印度，
纵然一死我也去印度。
贝莫贝塘虽是大荒漠，
我有神识乘风之法门，
此非一般骏马可比拟，

命运莫测我要去印度，
纵然一死我也去印度。
喀拉卡瓦大山纵严寒，
我有脐火炽燃的功力，
此非一般衣物所能比，
命运莫测我要去印度，
纵然冒死我也去印度。
尼婆罗地虽然天酷热，
我有调息四大的功力，
即便六味良药也难比，
命运莫测我要去印度，
纵然一死我也去印度。

玛尔巴上师不愧是个伟大的翻译家，他三次去印度，第一次学法 12 年，第二次 6 年，第三次 3 年，前后 21 年，其中 13 次险些丧命，三次已临垂危。没有一股求学的热切精神是无法做到这些的。

在细节描写上，也较以往的传记作品细腻多变，且有强烈的情感力量。遭受了无数苦难和伯父母欺凌的米拉日巴的母亲白庄严，得知儿子用咒术给自己报了仇雪了恨，一次就压死 35 人时，她如癫如狂，喜不可支，倾吐着自己的苦难和心声：

贝达看见了，赶快跑到阿妈跟前对她说："阿妈，阿妈！伯父家的房屋塌了，压死很多人。快去看啊！"阿妈心想：是真的吗？欣喜极了，起来出去看时，只见伯父家尘土弥漫，到处是一片哭声。这时，阿妈高兴地把破衣服系在一根长杆子上，高高举着，大声喊道："祈祷啊！供养啊！佛哓！上师哓！三宝哓！啊，乡人邻里们，你们看啊！米拉喜饶坚赞（慧幢）有没有儿子！我娘擦噶坚（白庄严），穿破衣、吃劣食，给儿子筹办学费，不是有结果了吗！当初，伯父和姑母二人说：'你们母子人多可以来打仗，人少可以放咒术。'如今，人少放的咒术，不是更胜过人多打仗吗?！请看看那楼上的人、楼下的牲口以及楼中的财宝吧！我不死而得长寿，终于看到我儿子表演的这样一场戏剧。请看，我娘擦噶坚哪有比今天更高兴的啊！"

第三，采取散文、韵文相间的文体，多用七字句，采用了不少民歌形式。

桑吉坚赞生于后藏娘堆地方的扎西喀噶，七岁时随噶举派僧人学习，受贡噶桑吉沙弥戒，后随萨迦派高僧云丹嘉措学习萨迦派教法。因自幼崇仰圣者米拉日巴，亦仿其隐居深山岩穴，苦心修法。从《米拉日巴传》和《玛巴尔传》所反映的社会生活的深广度看，桑吉坚赞不但精通佛法，而且十分了解当时时代的社会风习和百姓疾苦，文辞畅达而感情丰富。

三、转化期的《格萨尔王传》

进入16、17世纪以后，《格萨尔王传》基本进入了转化期。这一时间大约在甘丹颇章政权时期，即藏传佛教出现鼎盛状态之时。僧人队伍的骤增等因，藏区出现佛教全面生活化的局面。《格萨尔王传》这一藏民族的瑰宝，也自然地经历了这一洗礼，并且出现了以“ཆོས་སྒྲུང་།”为代表的佛化的作品。“ཆོས་སྒྲུང་།”的出现是历史的必然，它符合藏族社会文化发展的基本规律，同时这一形式的出现，也宣告了作为英雄史诗的《格萨尔王传》已进入分化、衰落时期。因为，此时的格萨尔不再是（尽管还有不少的传统的说本唱段和创作在民间流传和讲述）“军王”形象，而成了学富五明，通晓经咒，具诸功德的“法王”。

作为民间口头文学，《格萨尔王传》发展的特点基本有四：1. 扩展性，即所谓“滚雪球”，越滚越大（增补）。2. 变异性。在流传过程中不断得到具体的民间艺人的加工、改造、丰富，自然地出现了同一内容的不同表述和不同容量。“传”往往包含着“变”，本民族中的“传”是这样，外民族中的“传”也是这样。3. 多民族性。这是“格萨尔王传”较之其他史诗更为突出的特点。除了藏族的《格萨尔王传》这个根本以外，蒙古等民族的《格萨尔王传》传唱有着相当的区域和规模，作为一独立的艺术形式而存在。4. 包容性。《格萨尔王传》不但是某一特定历史阶段文化的反映，由于漫长的历史发展，而且蕴涵了藏民族不同历史发展时期的社会、文化等内容，形成“百科全书”特点。这样一些特点，使《格萨尔王传》显得浩瀚雄伟，色彩斑斓，成为藏民族最有代表性的作品，也成为最能体现藏文化精神的作品。

转化期的《格萨尔王传》的主要特点是：

第一，作品的佛化。《格萨尔王传》在一时期，由于民众受佛教思想影响的范围扩大，力度增强，佛教的诸多思想渐次成为民众的思想。再则，自这一时代，僧人队伍空前增长，“作者群”和“读者群”扩大，僧人在其中占有相当比重。故而这种佛化的作品也就拥有市场。自然，《格萨尔王传》的佛化是藏区文学艺术整体佛化的一个组成部分，并不是特例。但在佛化的过程中，幅度也不一样，有些佛化是在原有作品基础上的“嵌入”，是与整体的主体背离的；有些是掺入，与整体有了更多的配合和联系；有些是重新创作，这些作品中的佛教思想便更为深厚。我们以《天界篇》为例。

《格萨尔王传》中的《天界篇》从民间文学的创作规律、其反映的思想、风习等考察，完全属于《格萨尔王传》在主体形成后的雕刻中补入的。是从《格萨尔王传》中的作为格萨尔自天神而人主的这一简单思想的大规模展开。因其受时代的局限，佛教的思想便浓重地掺入其中。从形式上作者加进了“卷首诗”：

嗡·苏地
法性之中无碍动悲情，
利益所有众生不舍菩提心，
坚如金刚的誓戒本有色，
现出四檀事业的百杵形，
把那长时生起邪恶愿心者，
他们的福报山和傲慢岩顶，
彻底推翻而显示因果分明，
英勇无比的圣王罗布占堆，愿你获得胜利！

这几句都是赞颂格萨尔的。但是所用的词语已经完全佛化。比如“嗡·苏地”为梵语，一般用于颂赞之始，表吉祥之意；像“法性”、“菩提”、“金刚”、“四檀事业”、“愿心”、“福报山”、“因果”等都是佛教用语。在第一章之首仍有四句诗，同样是讲论佛法：

圣观世音悲月轮，
融入威镇三界心，
世尊五部如来佛，
共为闻喜行灌顶。

继而在情节的叙述中，也加进了佛教的教义：

时处五浊恶世，众生横野，罪孽深重，难用因乘显教使其解脱，难用果乘密教令其成熟。其心顽梗有如磐石，其质坚硬用錾子也凿不开，用水泡也泡不软，涂了油脂还穿不进线，用今生来世之佛法挽救，亦不能令其回心转意，官府、法庭的压制，亦不能压其畏缩。

比如从前，法王祖孙三代的时候，就有曾从苯教变为佛教法本的康藏凶恶鬼神，若欲令其自然改变狂躁易怒的习性，本应有真言行者莲花头鬘勇大师将彼等攻伏三次，使其立誓听命，然后藏王可以克享遐龄，人民得蒙安康。可是那时因为奸相窃权，邦君大多随臣而为转移，降伏立誓，仅仅办到两次，福善之因缘错乱，于是四方大动干戈，边魔窜入中心，法王废成庶民。当时总有南赡部洲，别为吐蕃境域，遍地都是纷争混乱，灾祸惨烈！圣地大悲心菩萨见此情景，心中不忍，发大悲悯，遂向西方极乐世界怙主阿弥陀佛祷告说道：

唵、嘛、呢、叭、咪、吽。
顶礼无边世界的救主前，
西方极乐世界怙主光不变。
你的悲心无偏袒，
不净的轮回也照见。
在那轮回的大苦海，
专嗜杀业的恶鳌出现。
可畏的五毒起狂澜，
明镜之心被障成盲者。
生死无极真可叹！
请发慈悲示以善巧方便。

从中不难看到，在整体的故事叙述中，贯穿着对佛理的宣传，虽然程度有深浅。这样的作品，在后期的《格萨尔王传》中已形成突出的一支。

第二，艺人的多类型。通过膨胀期以后，《格萨尔王传》虽然在主要的框架上基本定型，但是新的内容在不断补充、丰富。流传到 1949 年以后的许多篇目，实际上已在这一时代基本形成，虽然《格萨尔王传》在其他民族中的传播有一历史的不同过程，但这一时期也可能是它在土、裕固、蒙古、纳西、傈僳、白、普米等民族中进一步流传，并出现一些其他民族的艺人。情节的丰富增强了《格萨尔王传》的影响力，艺人的丰富同样也推动演唱形式的丰富，使《格萨尔王传》进一步完善、定型。

从演唱艺人看，这一时期出现了新的艺人种类：

“德仲”（གཏེར་སྒྲུང་），现多译为掘藏艺人，即靠挖掘出来的伏藏（关于格萨尔内容的本子）进行说唱的格萨尔艺人。显然，这种掘藏艺人的出现与佛教复兴后的所谓“伏藏”是有直接关系的。“伏藏”作品多出现于11世纪以后，如著名的《嘛呢全集》等。多是假托古人之作。掘藏艺人显然是吸收了“伏藏”这一形式，将其活用于《格萨尔王传》，从而将自己创作的本子假托神言，传布于世。另外像被别人认为是一些幸运的、有缘分的“德仲”艺人，他们之所以能从石堆、废墟和山洞中发掘出史诗的抄本等，说是由于业力在起作用，实际上也是一种“作家文学”。

“丹仲”（གཏམ་སྒྲུང་），现多译为吟诵艺人，是靠阅读格萨尔抄本或木刻本讲唱格萨尔的艺人。虽然他们是在“读”格萨尔，但他们的存在有一个先决条件就是需要有一定的文化水平，在当时宗教把持教育的时代，懂得知识一般都是宗教徒。因而，这部分人也有可能是“作家”。

“知仲”（ བྲིས་སྒྲུང་），是书写格萨尔的艺人。他们作为艺人的特殊处是在书写前，脑中无所知，甚至无所思，而一旦提笔书写，顿时妙笔生花，将格萨尔的故事、唱词一一写将下来。据郭晋渊、歌行等人的材料介绍，尚有一种“知仲”艺人，只要开始说唱，便用手或器物进行描画，他们所说所唱完全依附于自己手下所画的暗示符号。而现有的和曾有的此类艺人尚未见报道。

“结仲”（ རྒྱུད་སྒྲུང་），是一种传继艺人。这种人多出生于格萨尔世家，世代相传，耳濡目染，从而成为艺人；有的则以投师学艺继承老师衣钵成为艺人。

不难看出，这些艺人的出现，都需要一定的知识做基础。而这一条件的具备显然不可能在佛教“后弘期”之早期。从现在我们可以看到的资料推论，格萨尔故事的绘画，大体也处于这一阶段。“仲唐”（ སྒྲུང་ཐང་）完全仿照传统的“唐卡”画，只是将唐卡画的佛教内容改变成了《格萨尔王传》的内容而已。“仲唐”大多数由三部分组成：主人公格萨尔与坐骑赤兔马，居于中；十三威尔玛，分布四周或前、后及上方；莲花座及各类宝物，多处于主像之下。这种构思方式完全同于佛像的画法。演唱中“仲唐”作用是十分明显的，一些指画说唱的艺人，在演唱前将“仲唐”悬挂起来，演唱时便指画说唱，对观众可以提供直观的形象，对艺人可帮助记忆。因为格萨尔是主人公，赤兔马是格萨尔的坐骑，十三威尔玛是格萨尔的保护神，每一次战争和每一个事件都是要涉及的。比如格萨尔的保护神十三威尔玛是以十三种动物的形象体现的，有大鹏、青龙、白狮、红虎、野驴、青野狼、灰鹰、花鹞、白胸罴、白肩熊、金蛇、野牛、长角鹿等，虽然在观念层面是“神”，是虚的，看不见摸不着，而在实战中却是“实”

的，有实际的功用。如在《北地降魔之部》中如此写道：

右面的红色斑花虎，
那是具有胆识的战神。
左面的白色雪狮，
那是南曼天母的化身，
是绿鬃狮王的战神。
善驰的伙伴苍狼，
是贡格贡保的化身，
是索卡拉哇的战神。
长耳朵的白兔，
是白梵天神的化身，
是善于隐蔽的战神。
善于飞翔的大鹏，
是格作山神的化身，
是嫉恨仇敌的战神。
昂首盘绕的金蛇，
是龙王邹纳仁庆的化身，
是性格傲慢的战神。
善于驰骋的白嘴野马，
是红马头明王的化身，
白色鹫雕，是白天值昼的战神。
黄色鸱鸺，是夜间值夜的战神。

——这些战神在格萨尔生命的一切活动中都在保护着他。根据不同环境和这些战神不同的神性特征，格萨尔每遇一厄难，便有神奇的威尔玛出来帮助、解救。说唱艺人也可指画说唱，加强故事的感染力。“仲唐”有堆绣、刺绣、剪绣、彩绘等多种形式。

第三，宗教的多成分。这里所谓的宗教，主要是原始信仰、苯教、佛教三者。这三种宗教，有时候体现在不同的说部中，有些则出现在同一说部中。

我们从艺人才让旺堆所用的“仲夏”（说唱时用的帽子）也可以看出这一点：上面镶着珍珠玛瑙，插有象征平安三界，降妖伏魔的彩旗。平时上插三根白色鹰羽，表示英武和善，主宰世界命运。帽上镶有玛瑙、珊瑚、松石等装饰品，比喻黑头黎民、江河湖海、山峦城池。还有敬奉天神、地神、战神、厉神、弘扬佛法和法律的五色经幡。据说这顶帽子是由活佛亲手给戴在头上的。“仲夏”制作也颇多讲究，帽子是按照艺人所托之梦的吟诵颂词的内容完整程度和掌握的史诗部目数量而划分等级制作的，一般“保仲”艺人不得低于一尺；高的不得超过两尺五寸。但无论高低，帽子的形状如山形，上尖下方，呈四方状象征天上佛祖、印度经王、内地法王、岭国安泰的吉祥方圆。实际上多种宗教都有涉及。

第四，音乐的空前丰富。作为讲唱文学，《格萨尔王传》的音乐和曲调在史诗中应具有重要的作用。近年来有不少学者涉及这一领域，研究《格萨尔王传》的音乐问题。从史诗的整体看，《格萨尔王传》的音乐如同一部庞大的诗剧或者歌剧，众多的人物都是靠演唱来表现自己的，只是各类人物的唱腔、唱词都是由艺人一人代替了而已。

第五，诸种类型的《格萨尔王传》并行不悖。这也是这一时期的《格萨尔王传》的一大特点。因为，当我们说到《格萨尔王传》的转化期后，许多朋友自然会认为现在的《格萨尔王传》是一部完全经过了佛化的作品，实际不是这样。因为，从空间上看，雪域大地无比广阔，有农区，有牧区，有半农半牧区；有连青稞也难以成熟的高寒地区，也有出产香蕉、菠萝的亚热带地区；有数万人居住的城镇，也有数千人相伴的农村，同时也有数户人家逐水草而牧，相对“与世隔绝”的偏远牧区。因而早期《格萨尔王传》的传播，在这样的地域中，是很难同时被某一种宗教和文化彻底改变了的。

第四节　艺　术

从藏族艺术演进的过程看，吐蕃时期佛教进入藏土后，佛教的许多艺术形式也自然地进入吐蕃地区，并且在佛教“后弘期”时得到发展。跟文学作品的情形大致相似，藏族的艺术，无论是音乐、舞蹈、美术，都或轻或重地受到佛教的影响，从而使艺术逐步佛教化。也由于这一原因，藏族艺术在其刚刚传入藏区时呈现出一种欣欣向荣的景象，在以后的发展中便日渐格式化，严格地以佛像度量来进行作画。

一、唐卡

唐卡是一种可以悬挂在墙上的卷轴画，同壁画一样，在传统艺术中它的分布是十分广泛的。据有些学者研究，其缘起或在唐，但唐时的唐卡已不曾见到。从现在的资料看，唐卡的多见主要是在宋、元以后，明、清为多。

五世达赖阿旺洛桑嘉措在所著《大昭寺目录》中说：“法王（松赞干布）用自己的鼻血绘了一幅白色女神像，后来蔡巴万户长时期果竹西活佛在塑白色女神像时，作为核心神像藏在腹内。”据说这就是松赞干布亲自绘制的唐卡，当然这只是传说而已，并未见到有传世的唐卡实物。可是，它为我们提供了藏族唐卡画产生年代的线索。唐卡不一定就产生于松赞干布执政时期，根据佛教传入的情况及佛教寺院壁画的出现看，它至少不晚于赤松德赞时期。因为早期的唐卡画不可能是巨大的，而是由于教义宣传和宗教信仰的需要，将佛像画在布帛、纸或其他东西上，便于携带，因此小的唐卡仅仅五六寸，像布达拉宫、札什伦布寺、塔尔寺等收藏的大型唐卡，出现在早期是不敢想象的。现在我们可以见到的较早的唐卡是宋元时期的，像莲花网目观音像等。明清两代是唐卡画的鼎盛时期。

（一）唐卡画的种类

根据藏族全境分布的唐卡状况看，唐卡的种类主要有：

1. 刺绣唐卡。刺绣唐卡是用各色丝线绣成。无论人物，还是山水、花草、鸟兽、亭台、楼阁，一经刺绣，无不逼真，而且这种唐卡坚韧耐用，不易毁坏。

2. 缂丝唐卡。缂丝唐卡是用“通经断纬”的方法，用各色纬线在图案需要编织处，用经线交织，织成唐卡，这种唐卡具有立体效果，如雕石镂木，凹凸深浅，自成格局，典雅富丽。

3. 织锦唐卡。织锦唐卡质地多为缎，纬线由各色丝线组成，顺而间错提花织造，形成所需图案、形象、景物。

4. 堆绣。也称贴花唐卡，先将各色彩缎剪成图形（人物、鸟兽、树木、楼阁、花草等），粘贴在唐卡底料上。塔尔寺的堆绣颇有名气。

5. 绘画唐卡。多是先绘画于纸、牛皮、羊皮等上，尔后做成唐卡。它的基本绘画形式与壁画无二。后期的绘画唐卡有所发展，有的刻成印版印刷，则可成为“印刷唐卡”了。

6. 珍珠唐卡。珍珠唐卡是唐卡画中的特殊品种，虽然数量极少，却享有殊誉。西藏山南昌珠寺的度母珍珠唐卡，由上万颗珍珠宝石串成，造型舒展雅致，十分昂贵。

像鲜为人知的藏族皮画艺术一样，藏族唐卡的这些种类尚未引起人们注意。

（二）唐卡画的题材

唐卡画的题材基本上和壁画的题材一样。有些唐卡画选材上具有一定分量，使之成为珍贵的历史文物，比如明成化年间绘制的《八思巴画传》，一套三十轴，已经散失五轴，介绍了八思巴辉煌的一生，涉及了许多重大事件，是研究藏族宗教、历史的宝贵材料，它的历史“文献”价值大大超过了它的艺术观赏价值。

许多寺庙里都保存悬挂着数以千计的唐卡画，尤以唐卡画传独领风骚。如佛祖唐卡画传，米拉日巴唐卡画传。再如藏人起源图，同样用连环画形式，讲述了猕猴与罗刹结合，后来生六只小猕猴，逾三年成六百，采撷野果为生，后来有了粮食、火，猕猴尾巴缩短，成为当今藏人的祖先。有形象，有情节，有较为完整的故事。

唐卡画也用在医学领域，我们看到的唐卡画中就有人体穴位图，动物药图，植物药图，生命形成、生长、老死图，人体结构、医学原理、医疗器械图等等。

反映天文现象的唐卡同样十分别致，绘有日月星辰运行图，每颗行星画有象征十二天宫的动物图形，依照各自的轨道运行。

（三）唐卡的制作方法

由于唐卡的品种和质地不同，其制作方法各异。在布面上绘制的唐卡，先要将干净的白布绷在木框上，涂上一层胶质石灰，用圆石等平滑器物磨平，再构图、上色、作画。基本手段同于壁画。

无论是刺绣、织锦、缂丝、堆绣，还是绘画印制唐卡，制成后，要用绢细布或纸等托裱背面，画四周用彩缎拼成框边，上下两端加木轴心，轴心两端安以铜银等轴头。画面之上还有一层保护装饰用的薄绢覆盖，配以彩带，可以随时揭起。

虔诚的宗教信仰使无数藏乡的人们将佛像视为神圣，唐卡画当在此例(唐卡画中有百分之八十是画佛像的)。因为各大寺院中的唐卡画一部分是由寺院主持绘制的。五世达赖曾专门征集唐卡画师，为布达拉宫绘制唐卡，七世达赖时有了专门从事绘制唐卡和壁画的画工组织“拉日白吉社”。唐卡画的另一部分是施主供奉的，供奉便是一种功德，贵族，甚至平民百姓为了某桩心愿，要请唐卡画工绘制唐卡送到寺院去。画工绘制佛像本身也是一件功德。唐卡裱成后，要请喇嘛念经加持，有些还要盖上活佛或念经喇嘛的朱砂手模，如此，这尊佛像就有灵气了，可以给人们带来吉祥和幸福了。

（四）“瞻佛节”和“喇嘛玛尼”

卫藏、安多、康区都有“瞻佛”活动，将大大的佛像抬到光天化日之下供人瞻仰。像札什伦布寺就有专门的瞻佛台。布达拉宫、青海塔尔寺的瞻佛活动，都十分隆重。就这一活动的实质说，是宗教活动，而从另一角度看，“瞻佛节”也可以说是唐卡节。那长宽十数米，甚至数十米的佛像，就是巨型唐卡画，这一活动是一次成千上万人来观摩的巨型唐卡画展。

与唐卡有联系的另一礼俗活动的主角为“喇嘛玛尼”，他们是些带着唐卡走街串巷，云游四方的说唱艺人，讲述的内容自然是唐卡上所画的，藏族历史，佛教故事，历史人物，范围很广。群众可以边听“喇嘛玛尼”讲故事，边观看唐卡上一个接一个的连环画面，深为喜爱。有些地方数日之间，座无虚席。当然，听众要适当地给他们一些报酬。

二、油塑

藏族的油塑作品，因用酥油制作，故而亲切地称为“酥油花”。关于酥油花的由来，传统的解释都与宗喀巴大师有关。文成公主由长安嫁往吐蕃时，从长安带去一尊释迦牟尼佛像，先供在小昭寺内，后由于佛苯斗争，移往大昭寺。据说这尊佛像原来没有冠冕，是宗喀巴为了表示对佛祖的虔诚信仰和崇敬，给佛像献上了莲花形护法冠和披肩，还供了一朵酥油花——或许当时是冬天，无花可采可献，或许是宗喀巴大师一种天才的想象，将一种创造献给佛祖。另一种说法是，大师做过一个奇异绚丽的梦，他梦见了叮咚作响、清悠婉转的仙乐，缭绕的祥云，看见无数的野草变成一盏盏明灯，一处处荆棘，变成一簇簇鲜花，香烟馥郁，霓虹闪烁，珍禽异兽，啼鸣作舞……弟子们为了重现大师奇异的梦境，用酥油花制作了一批作品，并在大师的诞生日——正月十五日展出。另一种说法是，大师入藏后，母亲香萨阿切念子心切，每至儿子生日便做酥油花，用以寄托思念。

酥油花在藏区，都有传播，但要数青海塔尔寺的酥油花最有名，被称为塔尔寺三绝（堆绣、壁画、酥油花）之一。每当正月十五日之夜，来自天南地北的教徒、游人们，云集塔尔寺，来观赏酥油花。《西宁府志》中记载了这一盛况：“月当空，耳边箫鼓叮咚。彩架间，安排花架，年年花样不同。入光明，庄严灿烂，肖人物，楼阁玲珑。怪怪奇奇，形形色色，神匠巧夺天工。”

由于酥油花容易融化，酥油花的制作一般在三九严冬季节，塔尔寺有上、下两个“花院”，制作时互相保密，以便竞赛。拉卜楞寺地区也是这样，无论寺院创作、贵族俗人创作，先保密，到展出的那一天再抬出来，看谁做得好，得到民众的好评。当然，这种制作本身就是供奉神佛的功德。

酥油花雕塑仍然以宗教为主要内容，如佛像、佛本生故事、佛经故事等等，也有一些非宗教内容的故事，如歌颂汉藏和亲的“文成公主进藏”等，因而所雕塑的形象花卉、人物、飞禽走兽、山川流水、雕梁画栋，无所不包。而让人们叹为观止的是，酥油花雕人，则惟妙惟肖，如文成公主的秀丽端庄，佛祖的慈爱大度，仿佛目能传神，开口能语；雕飞禽走兽，恍若顷刻间会从彩棚上翱翔盘旋，奔腾扑跌而下；雕花草树木，楼阁殿堂，无不栩栩如生，加之有金箔装饰，更显得光辉耀人，色彩斑斓。酥油花的主佛为文殊菩萨，在雕塑时要诵经开光。同样，在整个酥油花展出时，在一片仙女声中，乐队奏乐，僧人诵经，举行开光仪式。

酥油花的制作过程和所用原料并不复杂，其程序是：（1）按照酥油花所要表现的人物、花鸟等制成木板图案，木板后面安上铁环等物，便于固定在木架上。同时，根据需要扎上铁丝木混、草棒等，做好粗坯；（2）把和好的豆面和酥油加水揉匀，再放在冷水中，按照所需颜色的种类分成若干等份。而后将颜料放在酥油中搓揉，均匀为止；（3）以各人在制作方面的特长，分别制作出人物、花卉、飞禽走兽，整合为故事。

三、羌姆舞蹈

对于舞蹈，藏族有一种归类法，称甩动手臂的舞蹈为“嘎尔”（གར།），称舞动腿足的舞蹈为“卓”（བྲོ།），称四肢都动的为“羌姆”（འཆམ།），而这种舞动四肢、头戴面具的舞蹈，就是宗教的法舞。羌姆舞的传播，比藏区其他带有地区性特色的舞蹈更具广泛性，因为羌姆作为一种舞蹈，或者说作为一种宗教仪式而存在。因此，哪儿有寺院，哪儿就有法舞。它的传播不但在本民族中，在信奉藏传佛教的蒙古族、土族等民族中也同样存在。

法舞的类型很多，有奠基法舞，时轮金刚根本续法舞，禳灾法舞等等。羌姆，也称“羌姆钦”，主要是指“默朗钦茂”法会上比一般法会舞蹈更为隆重的宗教舞蹈。它的演出时间一般在“默朗钦茂”法会期间。在安多区多在正月十四日。卫藏地区多在正月二十二日至二十四日。

羌姆的形成，一般认为是在公元8世纪藏王赤松德赞（742～797年）时期，那时佛苯斗争甚嚣尘上，藏王请乌仗那高僧莲花生入藏，传播密法，与苯教巫师斗争，并与寂护和尚主持了藏族历史上第一座佛教寺院——桑耶寺的开光典礼，开光典礼上演出了镇魔酬神、驱鬼逐邪的跳神舞蹈，许多人认为就是羌姆。甚至藏戏以此为滥觞。我以为不然。

据《吐蕃王统世明鉴》等史书记载，在松赞干布时期，藏区就有许多面具舞，模拟野兽。《莲花生传》中对苯教徒的描绘从另一侧面给我们提供了佐据：

狐狸皮帽头上戴，
半截破鼓手中拿，
一套棉衣穿上身，
肮脏饮食恣意尝。
苯波罪习销亡尽，
除邪送祟命不丧，
木制鹿头带双角，
纸糊牦牛面捏羊。

这说明“木制鹿头”等面具的出现较早，显然与史前人类的动物、图腾、鬼神崇拜以及苯教的发展和苯教跳神仪式有直接关系，而吐蕃时期的这种酬鬼面具舞，在桑耶寺建立以前就有。因为，至今的羌姆舞蹈中，仍然有鹿、牛、羊等面具舞，莲花生大师只是以佛教的基本思想，吸收融合了苯教的这些跳神仪式，让戴着鹿头、牛头，代表着鹿神、牛神的苯教舞者，戴上了人骨花，赋予了新的内容，藉以宣传佛的思想。

过去的羌姆舞可能只有鼓来伴奏，渐次加进了钹，现在在鼓、钹为主要乐器的基础上又有了长号和唢呐。

在羌母舞蹈的发展史上，萨迦派是有贡献的，甚至一些先生认为，藏区的羌姆舞就是由萨迦派僧人依据佛教之《时轮经》、《天姆海》、《瑜伽续》等经典中的祭地舞、《祭祀舞》，在莲花生传播的舞蹈的基础上发展、定型的。当然其中有溢美之词。萨迦时期这种舞已在流行，比如《土观宗教源流》中就有萨迦五祖之一的贡却杰布观看羌姆法舞一事。自此之后，贡却杰布在讲授道果法的同时，充实了《金刚橛修供》法舞，形成了“冬季大法会”、“七月金刚节”，和“玛索尔玛”、“孜玛尔多加”等四种法舞。据彭措顿丹介绍，现在桑耶寺的羌姆舞蹈中仍有萨迦派的影响。其程序为：

1. 黑帽。下身穿咒师下装，头戴高顶黑色圆帽，腹前系骨质品（藏传佛教密宗修行者所配饰品）共 13 人。每人手里都端着神饮银碗走来。他们依次向护法神敬献神饮，发回向愿，祈祷事业无灾无难，任远（美满之意）完成。

2. 13 位愤怒闭户修行者，戴着和善的面具出场，前来迎请神灵降福。面具用金铜制成，具五种姓（声闻乘种姓、独觉乘种姓、如来种姓、不定种姓和无种姓），腹前佩戴清一色的骨质饰品。

3. 四名尸陀林主出场（每逢猴年的正月初一，必须八名尸陀林主出场）。他们的任务是：不管邪魔鬼怪招灾惹祸者藏于何方，都能勾召（以动作勾魂关入泥塑鬼身——陶俑均放在盖布之下）。在此，使鬼魔赤裸裸地暴露在光天化日之下，劈杀之。

4. 13 名凶猛阿修罗出场。他们的面貌与仇怒闭户修行者一样，任务是砍杀鬼俑，迁徙灵魂。

5. 离系和加行 20 名取会供者出场。一律戴凶狠面具，额部画有蝎子和是蛤蟆。这些象征吃鬼肉的寄生虫类。

6. 骷髅鬼。男鬼卒、女鬼卒出场。边跳边唱“恳庆巴俄”（骷髅鬼英雄歌舞）。职责是负责驱逐全部虫类。

7. 25 名代表无上密乘上师和密集不共依怙主尊佛两部分护法神出场。他们的职责是消除一切障碍灾殃，然后，照旧放回到自己的故土，发挥各自的作用。跳此护法神舞，从拉萨特意来发放布施者，名号叫八朗学王，即洛巧·云丹杰波（南部功德王）。这是神汉，正式跳神舞蹈。

8. 布袋和尚偕众出场。布袋和尚象征施主，面具表情欢欢喜喜，非常善良乐观。

9. 僧仗队领先开道，莲花生八号（释迦狮子、莲花生、日光、狮子吼、忿怒金刚、莲花金刚、莲花王和爱慧等八种名号）和师君三尊（指亲教师静命、轨范师白玛桑巴瓦、法王赤松德赞）、大译师班智达白若杂纳相继出场。

10. 男鬼卒和女鬼卒出场。这些是象征报答恩德、奉送酬谢鬼神礼物者。但这时的女鬼卒的穿戴改穿五部空行母的服饰，举腔向师君三尊的身语意唱赞歌，帝释天也来奉唱赞歌。男鬼卒们跳起五部英雄舞。这时的男鬼卒所戴的面具和尸陀林主相同，与人样子也很像。

此外，有十名戴铜面具者出场，作回向祝愿。

定型后的羌姆已经成为专门用来酬神镇鬼的寺院法舞。

第五节 科　　技

一、天文历算

作为藏族文化的重要内容，在进入 17 世纪以后，藏历已从发展变化，逐步定型。其主要标志是丁科札仓的出现和一些与此相关的节日的固定。

《时轮历》据传为佛祖所传，12000 颂，分五品，首品讲外天体运行的规律（外时轮），第二品讲体内脉息运行的规律（内时轮），第三品至第五品主要讲内时轮和外时轮的结合及其修证方法。自 11 世纪传入藏土以后，便产生了巨大的影响。布敦大师在《布敦佛教史》中辑录，当时译为藏文的“星算占卜”类论著有龙树著、廓译师翻译的《缘起所生学术真实性论》；舍利子著、尼玛坚赞翻译的《舍利子八种星算占卜术》；寂天著、尼玛坚赞翻译的《寂天星占术》；札交喜饶翻译的《星曜合占果相术》；洛窝译师翻译的《星曜算果大全》、《大自在八种缘起征相占卜术》、《战胜外道经论星占术》等。《时轮历》在藏区的使用还在 13 世纪以后，从而形成“理论派”和“作用派”两个历算派别。而进入 17 世纪后，不少学者对此产生了浓厚兴趣。比如，1652 年五世达赖到北京朝觐顺治皇帝，看到了钦天监的汉文历书，认为“汉历是可以用时轮历的语言来表达的”，后来他写了《黑白算问答》（1656）。此时也产生了布敦 · 顿珠旺杰的《印汉历法合璧》等著作。从印度学科的分类看，在五明之学中它属于小五明之一，藏区寺院中时轮学院的出现标志着这一学科在藏区的成熟。

拉卜楞寺的丁科札仓主要供奉时轮金刚、毗卢遮那佛、证菩提佛和怖畏九首、贡布、曲结、班丹拉姆、索岁等五大护法。主要研究密宗大乘、天文历算、声明、语法、诗词、书法、绘坛、音韵歌诀、步伐等。据《拉卜楞寺概况》介绍，这个学院有初、中、高三个年级。初级主要背诵《妙吉祥名号经》、《无上供养经》、诸佛赞、五大护法的《满足心愿经》、《普济经简释》等。中级主要背诵《时轮金刚经》、《普济经》、《证菩提经》等，学习绘制时轮金刚坛城等。高级主要学习声明、梵文正草书法，研究时轮金刚和怖畏九首金刚的生起圆满次第。

据色朵 · 洛桑慈诚嘉措所著《塔尔寺志》，丁科札仓在法会期的学习也非常丰富。该书说：

这一札仓的法会期是：从正月二十五日起至春季法会初期，为期一月。又从三月初七日起至春季法会后期，法会为期二十六天。其余夏季法会、修夏安居、秋季法会、中间法会、冬季法会五种都和“伯敦协珠岭”（具德说修院）相同。又从十二月二十日起至冬季法会后期，法会为期十天。不管在何法会期中，初八日是供度母四种曼札（即坛供）的良辰；十三日是礼供十六尊者的良辰；十五日和二十五日是诵修时轮金刚的良辰；二十九日是诵修“岗索”（酬神补过仪轨）的良辰；从三月初八日起依彩土曼荼罗修供时轮金刚及烧护摩、诵修供龙王仪轨等这是常规；在夏季法会中应练习举腔、速诵、缓诵三法和手印作法等；在修夏安居中，当练习跳神舞姿和弹线法等；在秋季法会中应学习乐器打击和吹奏法这是旧规。如果能有一传统的指教“时轮金刚文体曼荼罗”常规，想来应是最好的。又春季法会初期中诵修时轮金刚；以及在秋季法会则闭关念修能怖金刚十三尊的堪能作业念修法和补充护摩等，每年都作轮番而修。对于《时轮略续广释无垢光论》等；以及班禅罗桑确吉坚赞（四世班禅）所著《时轮广释》的“摄义真实性光明”、德赤·嘉央土登尼玛所著《时轮生起次第》、土色克珠所著《时轮圆满次第记录》等所有讲说法流和生圆二次第甚深道次等，用“过手传石”和“传接净瓶”的方式（辗转传接）每年都必须讲说和听授，做到完善。尤其是须以讲说和听受其余《时轮教授秘诀念修四支》、《瑜伽行六支》灌顶等；内依赖于择定时轮有情的方便之故，须抉择建立彼方便等；处时轮所依器世间不外是存、住、坏、空四种过程之故，依于彼等数目和土上画纹（加粉板字）的星算法等为主要课程。并且还须由能背诵《时轮根本释》后，在僧会中，作论文词句的考试和句义的问答，及考试引据画纹道中之义。妥善地完成如是作业后，则可请求自己札仓命名为积让巴（星算博士）。依旧时传统之规，也有例外（不须考试）给此学位之规。

对于法会及丁科札仓的学习介绍可谓详细。

《时轮历精要》，商卓特·桑热著。作者为青海省同仁县拉加寺兴萨呼图克图的司库总管。此书是拉卜楞寺时轮学院的主要教材，虽然问世较晚，但在藏族天文历算史上具有重要的地位。有黄明信、陈久金译文。主要内容为：第一章，基础知识；第二章，佛法年代算法；第三章，五要素（体系派）；第四章，五要素（作用派）；第五章，罗睺与交食；第六章，五曜，即按太阳日、宫日、太阴日推算法；第七章，长尾曜；第八章，求昼长夜长；第九章，论三种日；第十章，节气；第十一章，速算法和表格用法；第十二章，宇宙结构。

《康熙御制汉历大全》和《马杨寺汉历心要》同样是在藏人历算中占有重要地位的著作。前书于18世纪初译为藏文，于1715年刊行。后书是对前书的简化之作。其价值主要在，它是将汉地流传的时宪历与时轮历杂糅而成用藏文述录的历书。

在生活中，伴随着天文历算的使用，也产生了一些相关的节日。如药水节，传为此日之水为药，能除百病；望果节，流行于西藏地方；大神变节（传大昭）；萨嘎达瓦节，等等。此我们将在第四编述及。

二、藏医

随着经济文化事业的发展，藏医学在这一时期也得到较快发展，其主要的成就是第巴·桑吉嘉措的《蓝琉璃》和稍后产生的《晶珠本草》。

（一）第巴·桑吉嘉措的藏医著作

集政治家、佛学家、历史学家为一身的第巴·桑吉嘉措（1653~1705年），同样是一位杰出的医学家。桑吉嘉措的主要医学著作为《蓝琉璃》（别译《蓝琉璃念珠》、《四部医典蓝琉璃》等）。据载，他对《四部医典》进行大量研究，并与被誉为“伟大的五世”的第五世达赖喇嘛一起对扎塘版的《四部医典》进行校对和注疏。桑吉嘉措其他方面的著作有《格鲁派教法·黄琉璃》、《布达拉宫志》、《六世达赖喇嘛传》、《五世达赖喇嘛灵塔记》、《法典明鉴》、《浦派历算嘉言》、《藏医学史明鉴》等。

《蓝琉璃》的贡献主要在于“对《四部医典》中第三部《秘诀医典》的内容，特别是有关瘟疫热病的内容做了研究和发挥，著成《门阿兰塔布》秘诀补遗一书，不论在理论还是临床实践方面，都有创造性的发挥，被誉为《四部医典》的补充著作。”① 同时，桑吉嘉措根据《蓝琉璃》和《月王药诊》中的脉诊、尿诊等内容绘制了79幅“曼塘”，画面有数千个构图，对藏医学知识的理解和传播等起到了良好的作用。在他被拉藏汗杀害的头一年，还完成了《藏医学史明鉴》。

（二）重要著作

《晶珠本草》（别译《药物学广论》、《无垢晶串》或藏文音译《齐美协称》等），作者为帝尔玛·丹增嘉措。全书分上下两部分，上部为“药物晶珠歌诀”，下部为“药物晶钏广论”。书中分13类，列入2294种

---

① 蔡景峰：《西藏传统医学概述》，中国藏学出版社，1992年，第114页。

药物：

珍宝类（166 种），宝石类（594 种），土类（31 种），法液精华类（150 种），树类（182 种），湿生草类（142 种），旱生草类（266 种），盐碱类（59 种），动物类（448 种），作物类（42 种），水类（121 种），火类（11 种），炮制类（82 种）等。此书仍然突出了藏药中应用矿物的特点。

这部书的形成作者倾注了心力，先后用 20 多年的时间在青海、四川等藏区进行实地考察，实难能可贵。

藏医还有其他一些艺术形式。如“曼唐”，其意为“医学唐卡”。曼唐的作用与其他唐卡相类似，即将绘有医学内容的唐卡挂于墙上，便于学习和观察。因而，曼唐的内容所涉非常广泛，有人体的器官部位，脉络，胚胎的鱼期、龟期、猪期形成过程，医用器械，以及譬喻树等。

第六节　史　　学

16、17 世纪，在藏族政治史上是一个重要时期，在藏族文化史和史学史上同样是一个重要时期。这一个时期的史学有以下两个特点：

第一，出现了一些史学大家和一批具有重要影响的作品。比如巴俄祖拉成哇的《贤者喜宴》、多罗那它《印度佛教史》、五世达赖的《西藏王臣记》、第悉桑吉嘉措的《蓝琉璃》等，这些史著从资料的丰富性和制文的系统性方面都超过了前人。

第二，在继承藏族史学风格的同时，在历史事实的叙述过程中，有了考证、研究和讨论。

《贤者喜宴》（亦译《洛札教法史》），巴俄祖拉成哇（1504～1566 年）著。作者生于西藏之聂塘，5 岁时被认定为第一世巴俄活佛却旺伦珠的转世灵童，迎至山南洛札的卓活寺坐床，9 岁时随噶玛巴红帽系第四世活佛却吉札巴受居士戒和沙弥戒，取名为米旁却吉嘉措，12 岁时在达波班智达丹巴坚赞处学习新旧密咒教法，后从贡嘎桑波听受“大手印”法，旋随夏鲁著名译师却迥桑波受比丘戒。29 岁后，从噶玛巴黑帽系第八世活佛弥觉多吉修习经论，获得巨大成就。

据一些资料介绍，《贤者喜宴》是巴俄祖拉成哇自 42 岁至 62 岁，毕 21 年之功写作的一部巨著。新版大 32 开本计 1527 页，较此前的一般著作已具相当规模。全书共分世界总说；印度；西藏；于阗、汉地（上）、西夏、蒙古、汉地（下）；大小五明的来源、传播等五部分。每一部分的内容和所证引之材料等都十分丰富。尤其是对藏族历史、教派等叙述更为详尽，为以往史籍所不及。同时作者对许多历史问题作了考证、辨析，具有严谨的态度和求实的精神。

巴俄祖拉成哇尚著有《金刚亥母教法广说》、《历算论》、《入行论注释》等书。

《印度佛教史》，多罗那它（1575～1635 年）著。作者出生于西藏曲科顶地方，4 岁时被认定为觉囊派贡噶卓却的转世灵童，被迎至寺院修习佛法。20 岁时受比丘戒研修大小五明，成为一名渊博的学者。《印度佛教史》是多罗那它的一部名著，以简明扼要的语言叙述了印度佛教发展的历史。

多罗那它尚著有《乌金仁波且传》等。

《萨迦世系史》，阿旺贡噶索南（萨迦达钦阿美夏）著。作者出生于萨迦昆氏家族，自幼修得显密二宗，且任萨迦达钦达 30 余年，十分熟悉萨迦派的政教历史。全书分光明天界之世系、无垢昆氏之世系、萨迦昆氏家族之世系、萨迦派分为四个拉章之世系、其他五部分，叙述了萨迦派的来源，贡却杰布、贡噶宁布、索南孜摩、札巴坚赞、萨迦班智达、八思巴、恰那多吉等人的政教事迹，保存了许多可贵的资料，尤其是对于研究元王朝与西藏地方的关系，藏蒙两个民族的文化交流史，是不可能得的史著。

《吐蕃王臣记》（别译《西藏王臣记》等），五世达赖喇嘛阿旺罗桑嘉措（1617～1682 年）著。作者为西藏山南穷结人。1622 年被认定为第四达赖喇嘛的转世灵童。1642 年与四世班禅一起联合蒙古和硕特部固始汗部消灭藏巴汗，建立甘丹颇章政权，成为西藏地方实际的政教领袖。1652 年应顺治皇帝邀请入北京朝觐。由于其卓越的政教贡献，深受西藏僧俗拥戴，被称为“阿巴钦保”（ལྔ་པ་ཆེན་པོ།）——伟大的五世。一生有多种著作传世，除《吐蕃王臣记》外，其自传《五世达赖喇嘛自传——云裳》同样有很重要的史料价值。

《吐蕃王臣记》一书共分 26 章，主要叙述了佛教源流、吐蕃王统和萨迦、蔡巴、止贡、帕木竹巴等教派的政教活动和传承情况，颇具文采。

第七节　文化交流

16 世纪中叶，蒙古土默特部首领俺答汗（又译阿勒坦汗）的势力从河套地区扩展至甘、青。此时，宗喀巴创立的格鲁派刚刚兴起，因倡导戒律，勤修经典，受到藏族社会的普遍欢迎。俺答汗为了蒙古民族的整体利益和个人的愿望，决心从西藏迎佛，并选择了格鲁派。据《阿勒坦汗传》记载："阿勒坦汗及君根哈屯和各部首领议定，特派专使于1574年恭迎达赖喇嘛索南嘉措。历经十个月到达拉萨，在释迦牟尼像前叩拜，在各大寺院的主持僧前，宣读了索多·彻辰·阿勒坦汗的意旨和恭请达赖喇嘛索南嘉措的愿望，同时，献上了金银宝物和各种名贵礼品。这时，索南嘉措的化身召集僧官、护法僧官喇嘛毕哈尔汗在释迦牟尼佛像前会禅方毕，由护法僧官喇嘛毕哈尔汗向蒙古专使宣示佛旨道：'因释迦牟尼化身——达赖喇嘛索南嘉措与蒙古大汗阿勒坦汗曾共同发愿立誓，要在东土蒙古地方发展佛教，索南嘉措和其他高僧前往蒙古与大汗会晤，以便倡导佛教，拯救众生，功德无量。'云云。此时，圣识一切达赖喇嘛索南嘉措以慈眼视之曰：'因可汗我等二人前世行善，有兆预示互相会晤共将佛教发展。'"其中有些语言明显是后世作者的附会之词，而索南嘉措与俺答汗的确在青海湖畔（即措卡）的察卜齐雅勒庙（汉语称"仰化寺"），进行了具有历史意义的会晤，时间为1578年藏历5月15日，据传当时有10万之众会聚。这次会聚：

1. 揭开了藏传佛教格鲁派在蒙古地区广泛传播的新的一页。自此后，蒙古地区的藏传佛教寺院数量不断增加，仅呼图克图、呼毕勒罕等较高身份的僧人，有近150人之多，且藏传佛教从布里亚特蒙古传入前苏联之西伯利亚地区。

2. 导出了达赖喇嘛活佛转世系统。即上文所及之索南嘉措和俺答汗互赠尊号。

3. 强化了格鲁派与蒙古贵族的联系，也给以后数百年的西藏政治增加新的角逐势力。相当长一段时间内，中央王朝、蒙古汗王和西藏贵族统治者之间形成三角矛盾，斗争激烈。从政治角度看，在当时的条件下，中央要统行政令，却往往鞭长莫及；蒙古汗王要称霸西藏，却少宗教及民众依靠；西藏贵族统治者亦想自主西藏，却无经济、军事实力。三方成犄角之势，互不相让。从宗教上看，由于全民信教和藏传佛教自身思想价值，不但扩大强化了它在蒙古族地区的传播，也给朝廷以巨大影响。内地与西藏的来往也日益增多。比如：

（1）1588年索南嘉措接受了明朝神宗皇帝的邀请，自内蒙动身去北京，不幸圆寂于途中。1589年，俺答汗曾孙云丹嘉措出生，被蒙古贵族认定为索南嘉措的转世灵童。1592年，三大寺派使团到内蒙查访，甄别云丹嘉措是否真索南嘉措灵童。1602年方迎回灵童。

（2）1637年（明崇祯十年），原游牧于乌鲁木齐、天山一带的厄鲁特固始汗部占领青海地区，旋而于1637年灭康区之白利土司，占领今之德格、甘孜、邓柯、白玉、石渠诸地，东部藏区大部为之所有。此时正是噶玛巴与格鲁派斗法之时，五世达赖和四世班禅考虑到格鲁派自身的利益，派人秘密与固始汗联络，请其率兵入藏灭噶玛巴政权。1642年，固始汗灭藏巴汗政权。五世达赖建立甘丹颇章政权（在哲蚌寺），分裂时期的西藏首府由萨迦、乃东（帕竹政权）、日喀则（噶玛巴政权）移至拉萨。对一些过去反对、迫害格鲁派，支持噶玛巴政权的寺院、贵族等实行了报复性措施，许多寺院被改宗。固始汗和五世达赖成为至交，部分蒙古族将士留在了西藏，蒙藏联系日趋紧密。

（3）1586年，蒙古喀尔喀阿巴岱汗建立额尔德尼召（寺院），遂请西藏方面派喇嘛到蒙传教授法。1604年，当时只有十五六岁的四世达赖派多罗那它前往传教，赠号迈达理呼图克图，甚得喀尔喀人崇信。1634年，多罗那它在库伦圆寂。第二年，恰有阿巴岱汗子墨尔根汗的长子衮布多尔济（土谢诺门汗）得一儿子，名乍那巴乍尔，被认为是多罗那它的转世。1649年（清顺治六年），乍那巴乍尔入藏朝见达赖，五世达赖认定他为多罗那它转世灵童（呼毕勒罕），授以哲布尊丹巴呼图克图的名号，自此导出哲布尊丹巴活佛转世系统，现已传九世。乍那巴乍尔返回蒙古地区时带回600名喇嘛和技工、画匠，积极建寺兴教。后厄鲁特准噶尔部噶尔丹，责“第一世哲布尊丹巴呼图克图之坐席潜越，而喀尔喀对于达赖喇嘛殊无敬意，及杀其族人多尔济扎布为名，遂于康熙二十七年（1688）春率兵侵喀尔喀，自翁金河分兵两路，一路推进车臣汗游牧地，一路向哲布尊丹巴呼克图驻锡之额尔德尼昭出发。于是第一世哲布尊丹巴呼图克图携土谢图汗罕汗多尔济之妻子，共隐于乌木克尔，后闻四卫拉特人劫掠车臣汗游牧地，出喀尔喀境，驻于巴朗苏尼特。及噶尔丹侵车臣汗部败土谢图汗联军于鄂罗会尔鄂湖畔，饱载西归，喀尔喀诸王当挫败之余，仍会盟于乌里雅苏台。”① 这次会盟中，哲布尊丹巴发挥了重要作用。当时他问众人今后如何维持存在？“喀尔喀人同声答曰：‘整理我国政治，以图安固，活佛之所知也。’第一世哲布尊丹巴呼图克图曰：‘我之北有俄罗斯国，政治平允，然其地一不能传佛教，二则其民之衣裾曲于左，我等不可往；我之南有中国，政治亦平允，其国和平安宁，尊崇佛教，亦似仙人所服者，国富财多，锦绣绢绒，不可胜数。我等若赴其地，可邀万年之福。”② 哲布尊丹巴

① 妙舟法师：《蒙藏佛教史》，全国图书馆文献缩微中心，1993年，第16页。
② 妙舟法师：《蒙藏佛教史》，全国图书馆文献缩微中心，1993年，第17页。

给众汗王晓以利害，遂率土谢图汗诸部东行，投靠清王朝。1690 年，康熙亲征，败准噶尔于乌兰布通；康熙三十四年（1695），哲布尊丹巴率众汗王在多伦诺尔晋谒康熙帝，康熙降旨“升第一世哲布尊丹巴呼图克图为大喇嘛，任以喀尔喀宗务管理之权，待以喀尔喀百官有司首班之礼，诸部所请，于其地建寺，赐额汇宗，命百二十旗，旗各一僧居之，寺有正副达喇嘛各一员，部颁印信，俾正者掌之。其文曰：总官多伦诺尔班第札萨克大喇嘛之印，御制碑文记其事。”① 自此后，蒙古诸部中的藏传佛教之发展既得到皇帝的支持，又受到诸汗王的供奉，传播迅速，从而日益民间化，生活化。

1717 年，据《西藏通览》记载，允第巴桑结部下的请求，蒙古准噶尔部策旺那布但派台吉才仁同柱（第零敦多布）率精骑六千“饶戈壁，逾和阗大山，涉险冒瘴，昼伏夜行，次年（1717）由藏北腾格里海突入，败唐古忒兵，围攻布达拉，诱其众内应开门，杀拉藏汗，并掳其妻子，搜各庙重器送往伊犁，禁锢新达赖喇嘛于札克里庙。”拉藏汗被杀，也彻底失去了固始汗一系在西藏政治舞台的地位。

显然，1720 年以后，在西藏地方政权中蒙古王爷作为核心成员的历史已不复存在。西藏的政权又更换了新的形式，清廷废除第巴职位，设四噶伦（བཀའ་བློན།）执政，并留 3000 满汉官兵驻守拉萨，禁止蒙古首领任西藏汗王。

蒙古民族与藏民族的联系，除了元王朝开始的政治联系外，更多的是一种宗教联系。从历史发展的角度看，民族间以宗教为中心的交流实际上也是一种最为深刻的交流，它将处于信仰层面的深层文化，处于制度层面的里层文化和处于生活、风俗层面的表层文化，较为完整地传播给另一民族。以蒙古民族的政治、经济、宗教、文化接触为基础，自此之后藏族文化作为全面影响蒙古民族的历史基本结束，而进入了自身的更深层次的沉淀、发展阶段，而民族间的内在联系却更丰富更紧密。

1. 风俗之影响

熬茶。熬茶是藏传佛教进行布施的一种方式。进入明、清，一些贵族、头人，至一些寺院熬茶放布施，较为普遍，无论蒙藏。乃至于利用熬茶进行政治、经济斗争。比如 1741 年（清乾隆六年）蒙古厄鲁特四部之一的准噶尔部入藏熬茶一事：

① 妙舟法师：《蒙藏佛教史》，全国图书馆文献缩微中心，1993 年，第 17 – 18 页。

1737年（乾隆二年），五世班禅圆寂。1739年，准噶尔遣哈柳至京，上奏说："班禅额尔德尼已经圆寂，询来使云是实。我额鲁特经典中载，班禅额尔德尼乃掌教大喇嘛也，如果圆寂，当建塔讽经，意欲遣我人赴藏布施，在广黄教，以福群生。"（《清高宗实录》卷八十三）从噶尔丹策零的上奏中我们可以看到，藏传佛教格鲁派在蒙古地区的深刻影响，建塔讽经，熬茶布施等都是藏传佛教之礼俗，噶尔丹正是抓住些符合传统蒙藏习俗的合理条件，提出以上要求的。由于上文已叙之康熙时期与噶尔丹的战争，以及噶尔丹多次侵扰西藏，给西藏社会带来的沉重灾难，经过罗卜藏丹津之乱、阿尔布巴等事件后，清王朝对西藏的施政已进一步严密，即便是在大局稳定的情况下，乾隆皇帝仍百倍警惕。当噶尔丹上奏要进藏熬茶时，他在敕谕中说："从前尔部人潜往西藏残害土伯特，今若经行彼地，土伯特怀愤生事，亦未可定。尔诚心布施，须俟遵旨定议后，准用百人赴藏，朕当特遣官弁护送。"这一敕谕确有些分量，一允其过去，打招呼；一是限定人数（"百人赴藏"）；一是"官弁护送"，名为"护送"，实质是派"官弁押送"。川陕总督尹继善给乾隆的奏折中说得更为清楚："准噶尔夷人进藏熬茶，虽不至遽生事端，但夷性无常，或因此探听青海消息，窥伺藏里情形，俱未可定。臣已密嘱将军乌合图等密探夷人进藏系何心事，如何举动，务须朝夕留心，切勿忽略。"（《清高宗实录》卷八十三）

1740年1月，噶尔丹再次上奏。要求增人数至300，保证不惹是生非。乾隆允准，却规定了沿哈密、肃州、扁都口、东科尔，再进西藏的路线。该年8月，噶尔丹再遣使入京，以道经内地，恐部人出痘等为由，请改道库克、沙什、西喇、喀喇占一路经东科尔进藏。遭乾隆拒绝。

为一次布施活动为何如此费心呢？除了以上点及的一些因素外，熬茶活动本身又是一次贸易活动。1741年，噶尔丹派章墨特率300人出行，携骆驼1600多只，马1000余匹，还有皮张、羚羊角、葡萄干等货物。一切军事、政治的更深刻的原因是经济，噶尔丹之所以用两年的往来奔波要求入藏熬茶，除了信仰原因和乾隆等防范的政治图谋外，我想更重要的是为了经济利益。而恰恰这种经济贸易，更能使民族间有进一步的了解、交流。

噶尔丹之齐墨特在东科尔进行贸易的同时，也请求到安多地区的两大格鲁派寺院拉卜楞寺和塔尔寺去熬茶布施。当时的拉卜楞寺和塔尔寺都有不少蒙古喇嘛，而且拉卜楞寺的根本施主就是蒙古河南亲王（嘉木样一世建寺时由固始汗孙博硕克图济农为施主）。结果，清廷同意彼等去塔尔寺熬茶，并有100官兵同行，但先让寺内蒙古喇嘛回避（真有如临大敌之感）。拉卜楞寺自然是去不了的。

从今人看来，区区一进藏熬茶事，由朝廷亲自策划、指导、管理，确为小题大做。但事及统治者的政治利益，不可能不如此。而蒙藏人民却在这种共同的信仰指导下，加深了联系。譬如敬哈达的风俗、祭拉则（即蒙古语之峨博，峨博一词在藏区使用也较普遍）、放风马的风俗、取名的风俗（明以来，蒙古人取藏语名字者日渐增多，此风一直沿传至今）等等。

2. 文学之影响

由于信仰因素，蒙藏文学中均有不少佛经文学流传，而这些佛经文学大多是随着藏传佛教在蒙古地区的传播，而进入蒙古族地区的。与此同时藏族的作家作品和民间文学作品也随之进入蒙古地区。比如著名的萨迦班智达贡噶坚赞的格言诗名著《萨迦格言》，民间故事《尸语故事》（又译《说不完的故事》或《金玉凤凰》）等。最有代表性的是《格萨尔王传》（蒙语称《格斯尔可汗》）。

《格萨尔王传》是从藏区传入蒙古地区，在蒙古地区发展、演变过程中，形成了自己的《格斯尔可汗》系统。

《格萨尔王传》传入蒙古地区的时间可能不在清代。蒙文北京木刻版《格斯尔》的《诺木其哈敦本格斯尔》中所附的一篇短文说：

> 乌尼可汗铁虎年沙莱霍尔的正月初三月晚——达赖喇嘛与格斯尔可汗两人相会。为普度众生，大发慈悲，所作此书（《格斯尔》）虔诚至衷的诺木其哈敦得议，释迦的比丘宝格本·额尔德尼·额力贺绰尔济叩拜在宗喀巴脚下翻译，灌顶固什喇嘛笔录。

这段文字告诉我们：一、《格斯尔》是翻译的；二、《格斯尔》的翻译有具体的时间与译者。在蒙文《鄂尔多斯手抄本》中的记录更为明了："格萨尔的这段历史，于乌尼可汗铁虎年正月初三日晚，达赖喇嘛……命从藏文译成蒙文。"并有译者的姓名和"乾隆十二年乌巴什抄毕"等字样。其中的达赖当指曾去蒙古地区传教的索南嘉措（1543～1588），在蒙古地区有很大影响。《安多政教史》云：

> 汗王（指俺答汗）在青海湖畔谒见圣者（指三世达赖），在约有十余万人之大会上，洪（黄）台吉发表演说，表示信奉正法的誓愿，由固始（国师）拔希任翻译：而今福田与施主像太空之皓月，开辟了正法圣道，将涌血之湖转变为溢乳之海，深恩大泽，无与伦比。过

去，蒙古人死后，按其身份的高低，要妻子、奴隶、马匹、牛只等殉葬。从今以后，决心改正，供献于上师和比丘，请求回向和祝愿，绝不能杀生。杀人者偿命，杀牛马者罚款；动手欺侮僧人者抄家；过去称为“窝果尔”每年举行的血祭及一年一次杀生祭祀的那些阎罗的偶像等，一律要火焚之，若不火焚者抄家，兴修六臂怙主（大黑天）圣像，作为它的替代者，用三白供品奉祀。每月望晦及逢八日要持禁食斋。不得抢掠汉、藏人等，要像卫、藏那样对待。

索南嘉措改造这些蒙古旧俗，对蒙古社会的发展进步是有好处的。据说还在蒙古地区兴建寺院和调解蒙古各部之间的战争方面做了许多工作，深受蒙古人民的信赖。受这样一位人物之委托（或者说在翻译方面的指点）而译《格萨尔王传》我想是顺乎情理的。再则，从 11 世纪以后至 14 世纪的藏文文献中（如《米拉日巴传》、《柱下遗教》、《五部遗教》、《莲花生传》、《吐蕃王统世系明鉴》等）有关格萨尔的记载看，索南嘉措驻世的 16 世纪有格萨尔的写本存在完全是自然的。研究格萨尔的学者们对此问题一向十分重视，也有一些成果问世，如探讨藏文《格萨尔》和蒙文《格斯尔》，至今以藏语说唱的格萨尔和至今以蒙语说唱的格斯尔的联系性和渊源关系等（这种探讨是十分可贵的，它会揭示不同民族文化传播中的一些方法、形式、内涵等问题）。

王沂暖在《蒙文北京本〈格斯尔传〉读后记》中说：从北京本《格斯尔传》看，有三处可以说明格斯尔是藏族部落的首领或君王；其中记述的格斯尔吐伯特部所在的地点，靠近黄河，即黄河九曲之地；其中的许多人物名称等，不是蒙文，而是译自藏文的。

蒙古策达木丁苏伦在《格斯尔传的历史源流》一文中说，蒙文本《格斯尔》有七种版本，其中两个版本是从藏文翻译的；其中许多情节多源之于藏文《格萨尔王传》。

蒙古族学者乌力吉在《格萨尔研究》（二）中所收其文对此也有明确的阐述：

蒙文《格斯尔》中，对人们的生活、习惯、传说等方面的描述同其他蒙古书面和口头文学作品的描述极不相似。与其说反映蒙古生活方式，倒不如说反映了藏族生活风貌……蒙文《格斯尔》中确实有从藏文《格萨尔》翻译过来的内容，最有力的证据莫过于《查姆林》。《查姆林》本与藏文“贵德本”等对比，四个部分的内容，都与藏文

《格萨尔》紧密相关，断定它是个翻译作品，无不可。另外，《查姆林》本身也留下了不少说明自己是个翻译作品的谛证。该书中多处有留在单括号里的注释，这是译者留给读者的说明——原文是异族的。

《蒙古秘史》、《江格尔》、《格萨尔》习惯上被蒙古文学研究者们称为蒙古古典文学的三个高峰，深受蒙古人民的喜爱。像藏族《格萨尔王传》一样，蒙古族也有按照地道的蒙语演唱的蒙古《格斯尔传》的艺人。我想，格萨尔大体经历了被译为蒙文、吸收藏族的说唱体形式并参照本民族的史诗讲述手段，经过发展、生发的再创作，完成完全蒙古化的过程。

众所周知，气势磅礴、卷帙浩繁的《格萨尔王传》的内容是颂扬雄狮大王降妖伏魔，造福百姓的，各部作品无不渗透着打击强梁，扶助弱小，反对侵略，保卫和平的基本精神思想，作品充满着浪漫主义和英雄主义气概。为什么这一作品如此受到藏族和蒙古人民的喜爱（当然其他民族中也有格萨尔流传），视为经典，我想这与这两个伟大民族某种带有共同性的生活和经历有着内在的联系：

其一，藏族和蒙古族都曾是一个强大的民族。藏民族曾经有过像吐蕃王朝兴盛时期那样的黄金时代，在政治、经济、文化诸领域创造过丰富的成果，精神文明积累尤为多彩、辉煌；蒙古民族有过入主中原，统一中国的赫赫伟业。

其二，藏、蒙民族都曾从一高峰走入低谷，进入民族的长期分裂、割据时期，从而进入一种相对封闭的经济滞缓的发展时期。长期以来，牧业经济和半农半牧经济是藏、蒙社会的基本经济形式。牧业生活的特点突出地表现在《格萨尔王传》中，从这一角度看，《格萨尔王传》也是一部灿烂的牧业文明画卷。在这一画卷中，善骑、尚武、重义气、重自由等习性已成为两个民族所共有的特点。

其三，民族振兴的梦想一代又一代地传递在每个民族个体身上，成为一种强烈的文化理想。而对这种理想的强烈愿望，却更多地体现在文学作品中。《格萨尔王传》便是其中最有代表性的。

其四，经过元时的宗教传播，至清以来藏传佛教已成为蒙古民族的基本信仰，藏、蒙民族在宗教信仰上日趋统一。

其他影响如《尸语故事》，原故事来自梵语故事《尸语故事二十五则》，后译为藏文，藏民族借用其故事形式，有新的创造发展。后自藏文译为蒙文，同样有新的发展。这符合民间文学传播、流传的基本规律。有些研究者经过比较研究指出：藏文的《尸语故事》，国内有14种藏汉文版本，蒙古人民共和国有 10 个藏文手抄本。蒙文《尸语故事》版本更多，有 13 章、26 章、35 章、22 章、30 章等不同章节本，据不完全统计有 30 种之多。

3. 科技之影响

主要表现在医学上。蒙医是藏医的直接继承。有许多蒙医均在藏区一些大寺院中的“曼巴札仓”（医学院）进修、学习，结业后回到蒙古地区，而且许多的蒙医用藏文开药方。这种情况在一些报刊中多有报道，此不赘述。

第四章　藏传佛教文化的衰落

（18 世纪～20 世纪中叶）

第一节　面对新纪元的西藏

恩格斯曾指出："一个伟大的基本思想，即认为世界不是一成不变的事物的集合体，而是过程的集合体。"文化也是如此。进入 18 世纪以后，随着世界工业文明的发展，属于表层的易变的物质文化，不断地随着帝国主义的侵略进入那些封闭的地区。以东西文明为代表的地域文化开始在不同的境遇，不同的政治、经济竞争、斗争（掠夺与反掠夺）中撞击。藏传佛教文化也日益显现出它的保守性来。佛国西藏的领袖和百姓们由于自身的物质匮乏，经济、科技落后而形骸寒酸，却无之奈何。不前进就没有出路，出路在于前进，前进在于变革，要变革就需要斗争，就需要有新兴的科学思想的指引。而先行者们却往往承受着社会的沉重压力和打击。

一、西藏的反帝斗争

随着帝国主义列强瓜分世界的步伐，西藏的战略地位也逐步凸现出来，引起列强的特别关注。18 世纪中叶英国占领印度后，为了其战略利益，将目光投向西藏，开始了解藏族之社会、语言、文字、宗教、风俗。1774 年，英国之东印度公司派秘书波格尔由不丹进入西藏，企图"和平通商"，允许英国人在西藏自由地进行贸易，被噶厦政府和六世班禅拒绝。但波格尔在藏期间，收集了许多有关西藏的情报。1779 年，为了挽救东印度公司的财金危机，英国第一任驻印度总督赫斯定即假借为七世班禅坐床祝贺的名义，派忒涅和桑德尔潜入西藏活动。噶厦官员明确表示清朝政府和西藏噶厦政府均不愿意与英人通商。1823 年，东印度公司雇用乔玛（1784～1842 年）入藏。乔玛在拉达克一寺院学习九年，掠走大量图书，遗有若干藏学著作，被西方人认为是西方研究藏学之第一人，在意大利设有"乔玛学会"。

沙俄染指西藏，同样是出于世界格局中的政治经济企图。18 世纪时沙皇彼德一世曾令收集西藏材料。俄国的考察队千里迢迢，进入西藏。同时他们物色与藏人有着共同的藏传佛教信仰的布里亚特蒙古人进入西藏，最典型的是潜伏二三十年，升任十三世达赖喇嘛参宁堪布的沙俄间谍德尔智喇嘛。

1840 年鸦片战争以后，中国东南沿海反对外来侵略的斗争如火如荼，然而腐败无能的晚清政府在军事上节节败退，政治上处处被动，自然也就很难从整个国家主权和战略高度来把握国家和民族地区的命运。而此时英国人的刺刀已顶到了西藏的门口。

1886 年，驻藏大臣文硕到任。尽管清廷明令隆吐山藏军撤卡，但文硕考虑到藏族人民反英的高涨情绪，以及隆吐山的特殊地位，上书清廷不能屈服于英人的军事威胁，并支持摄政王、噶厦、全藏会议决定“誓保国土，维护主权，全藏一心，备战抗英”的主张，抓住敌人远道而来，缺少粮草，后勤供应困难这一弱点，断其粮道，将我方的粮食、草料、牲畜，隐蔽收藏，“坚壁清野”，让孤军而入的侵略者困死饿死。可是朝廷认为文硕“识见乖谬，不顾大局”，革其官职，由升泰接任。

升泰是个地道的昏官，没到西藏，不知藏情，便决定“先解除战争，再勘定界址”，到藏后竟说噶厦管辖的日纳宗不是西藏的土地，强令藏军后撤。时任摄政的第穆·赤门绕杰仍然委任前线指挥，令其准备战斗。1887 年年底，英国侵略军头目纳合姆（即纳尔）指挥的以廓尔喀人组成的两千多名雇佣军及众多名脚夫，背运粮秣、武器、弹药在隆吐山附近的绒岭建立了后勤供应中心，在扎绒多桥头侦察地形，准备进犯。

1888 年 3 月 20 日，英帝国主义点燃了第一次武装侵略西藏的战火。

英军头目纳合姆亲率两千名英军由隆吐山下扎鲁隘口突然向藏军防地进攻。藏军奋起抵御，击毙英兵数名，余众随即撤退。翌日晨再战，打死、打伤英军官兵 120 余人。甲本欧珠次仁等 18 名藏军官兵英勇牺牲。

8 月，工布、波密等地援军到达，在亚东前线集结军民武装 1 万余人，与英军对峙。此时锡金、不丹不断发生抗英斗争，英军不得不分兵前往镇压，形势对我有利。可是，升泰畏敌如虎，以奉旨“罢兵定界”为由，责令藏军撤回帕里一线，让西藏地方政府与英军谈判媾和。西藏地方上层中的投降妥协势力随之抬头，将各地民兵、三大寺僧兵等遣散，藏军的战斗力受到损害。等英军援军一到，炮轰藏军军营，藏军遂遭重创，损失惨重，咱利、亚东、朗热等地相继失守。

隆吐山战役失败后，升泰等前往加尔各答签订了丧权辱国的《中英会议西藏条约》。不但将锡金送入敌人之手，也丧失了卓木山谷以南包括隆吐山在内的热纳宗和后藏岗巴宗大片土地。1893 年 10 月，又在大吉岭签订了不平等的《藏印条约》。给西藏的政局带来了动荡不安，给西藏的经济带来了巨大的损失。

但是，英军侵略西藏的脚步并没有因这些不平等条约的签订而停止。1893 年，西藏亚东被英国辟为商埠，西藏的麝香、羊毛、牦牛尾、皮革、硼砂等原料，源源不断地输出，英国的产品也同时涌入西藏市场。1902 年夏，英国以西藏“侵犯”了印度边境为借口，由锡金行政长官怀特率兵200 人，侵入后藏岗巴宗甲冈地方，毁了峨博，抢了当地牧民的5000 多只羊和600 多头牛，并驱逐藏兵，肆意挑衅。1903 年 7 月，300 名英军再次入侵岗巴宗，要挟、威胁、侮辱噶厦派去的四品官罗桑成列和代本曲结杰布。面对侵略者的横蛮行径，噶厦政府即派 700 名藏军，驻守岗巴宗，以防万一。

早有战略预谋的英国侵略者派遣的所谓远征军3000 余人，由荣赫鹏上校和麦克唐纳准将率领，穿越则列拉山口，进入亚东、帕里一带。恶狼即将入室，战争一触即发，然而清政府给西藏的指示是“只能理阻，不准与英兵生事”。侵略者不费吹灰之力，获取帕里宗储存的 1 万余磅火药和大量武器。

英军不断推进，十三世达赖亲自领导抗英，发布了征兵命令，动员全藏百姓支应兵差，保卫西藏的安全，即便是“男尽女绝”也要抗敌到底。

1904 年 3 月攻占帕里的英军向江孜推进。藏军赖丁代本率领千余藏军守候于江孜以南的曲米新古地方。奉命传达拉萨方面要英军退军谈判的要求。同时，筑起一段矮墙作防护，以防不测。英军指挥官荣赫鹏玩弄诡计，用谈判来迷惑对方，对藏军阵地实行包围。英军以自己退出枪膛子弹，藏军熄灭火枪的点火绳为谈判诚意。藏军土枪点火绳全数熄灭后，英军用机枪疯狂地向藏军扫射，藏军谈判代表赖丁代本、朗色林代本、班禅代表功康努、涩本康萨及三大寺的一名谈判代表牺牲，1000 余藏军官兵惨遭屠杀。

4 月 11 日，敌军开进江孜宗山，未来得及转移和销毁的宗政府的库存，包括60 余万磅粮食，近百吨的青稞、小麦、豌豆和干牛羊肉，数千磅火药，长达数百里的火药绳，全部落入敌手。

江孜失守后，藏军采取了较为主动的策略，一部分藏军集结卡罗拉岭，修筑营垒，在江孜东面遏制敌军通往拉萨，起了重要牵制作用；一部分藏军挥军南下，夺取康马之地，切断了英军从帕里到江孜的联系，堵其后路；另有一部分藏军抄北路于 5 月 4 日夜突袭江孜宗山堡垒和英军大本营，当800余英勇的藏军战士挥舞大刀长矛冲进敌营时，英军才从酣梦中惊醒，仓皇逃命。藏军几乎活捉指挥官荣赫鹏。

6月5日，荣赫鹏率40名骑兵返回亚东与麦克唐纳策划新的侵略阴谋，调集重兵先攻江孜，而后直插拉萨。而拉萨方面，新任驻藏大臣有泰完全与噶厦政府对立，争执不休。西藏地方政府坚持反侵略战争，调动前藏藏军开赴前线，并请求清廷派援兵进藏和资助军饷。而有泰认为藏人抗英是“胆大妄为”，说：“倘若番众（即藏族军民）果真大败，则此事即有转机，譬如釜底抽薪，不能不从吾号令也。”

6月中旬敌援军到达江孜后，即在周围村落烧杀抢掠，进行报复。坚守江孜堡垒等处的800藏兵被切断水源，陷于困境。此时拉萨派噶伦、大仲泽、三大寺代表和不丹国汤塞县长前来与英军谈判。荣赫鹏要求藏军于7月5日正午前撤出江孜堡垒，否则以武力驱逐之。对此恫吓藏人未予理睬。

7月5日午后，英军对江孜堡垒发动进攻。江孜失守。

江孜失守后，荣赫鹏带2000余侵略军开向拉萨。十三世达赖匆匆带领部分随员逃往内地。8月3日，英军占领拉萨，抢劫寺院文物，杀人放火，侮辱妇女，引起了藏人空前的仇恨，抗英的斗争同时也在各地掀起。

二、十三世达赖喇嘛

十三世达赖喇嘛土登嘉措（1876～1933年）从20岁亲政，执掌西藏政教大权凡38年。他辞世60多年来，一直是个“有争议的人物”。他曾经领导西藏僧俗抗击英帝国主义入侵，又两次流亡，两次被革除达赖名号。在波澜壮阔的近现代史上，他曾经历了无数的重大事件。从本人的思想轨迹看，大致可以分为以下几个阶段：

第一阶段：抗英保国（教），维护统一。

1888年爆发隆吐山战役时，十三世达赖喇嘛只有12岁。据有关资料介绍，每次有军队开赴前线，他都要亲自给每一个战士摩顶，以鼓舞士气。1899年，印度总督寇松勋爵以个人名义写信给十三世达赖喇嘛，企图与西藏单方面订立某些条约，让西藏脱离中国，十三世达赖喇嘛将信原封不动退给了他。寇松气得骂娘。十三世达赖当时的意思是，没有清朝皇帝的允许，我西藏不能干这种事。虽然，在此前，升泰等人的所作所为非常使他失望，但他还是表现出了对中央政府的尊重和内聚力。

1902年后，英国侵略者肆意挑衅，抢劫牛羊，驱逐藏兵，侵入西藏境内。1903年，荣赫鹏和麦克唐那率领英军向西藏腹地推进时，十三世达赖成为当然的统帅，发布征兵命令，发誓“即便男尽女绝，也要抗英到底”。江孜失守，十三世达赖为首的藏军指挥部急忙调整部署，于1904年5月4日，由800名壮士组成突击队，夜袭敌军大本营。战局有了新的变化。可是，有泰的釜底抽薪法，深刻地影响了作为最高统帅的达赖喇嘛。西藏是贫弱的，既无军事实力，亦无经济实力，由于历史的原因尤其是清王朝对西藏的施政和管理，达赖就其本性是向着清廷，并渴望得到清廷的支持的，因为靠西藏本身很难支撑得住，一是人少力单，财力不足，二是对手过于强大，力量悬殊。英军有新式的十磅大炮、七磅大炮、山炮、来复枪，有野战医院、工程队，而藏军只有大刀、长矛，五分钟才能放一枪的火绳枪。因而，打下去（他的本意是要打下去），没有胜利的希望；寻求支持，清廷不派兵进藏或给予经济上的支持；谈判，其条件苛刻，无法接受。再加上有泰的卖国嘴脸和处处与自己的对立——这些是十三世达赖当时的思想痛苦，也是他以后思想发生变化的直接因素。江孜失陷后，他便匆匆带随员逃亡内地，希望直接面见圣上，陈述藏内实情。

第二阶段：哭诉无门，犹豫彷徨，对朝廷失望。

十三世达赖逃亡以后，1904年8月3日荣赫鹏进入拉萨。顺之驻藏大臣有泰去“拜访”这位双手沾染藏人鲜血的刽子手，并低三下四以“牛、羊、米面犒其士卒”。并与之共谋向清廷参劾达赖，说“查本年战争，该达赖实为罪魁”，要求革除名号，并用荣赫鹏的电台拍发。昏庸的清政府不查实情，事隔五日，便革去了十三达赖喇嘛的名号，确定由班禅来管理前后藏事务。这一布告一经贴出就遭到西藏僧俗官民的强烈反对，三大寺及噶厦全体僧俗官员联名向有泰上一公禀，要求收回成命。

1904年9月7日，中英在拉萨签订《拉萨条约》。达赖本人开始了他的流亡生涯。10月20日，抵达蒙古首府大库伦，在那里度过了一年多时光。当时沙俄、日本、美国等都曾先后拉拢十三世达赖喇嘛，达赖为何不去这些国家？而逃往内地？用他自己的话说就是要向皇帝一一禀告西藏的实情，其中有告有泰御状的成分，也有想得到朝廷鼎力支持的成分，总而言之，他对朝廷还是抱有希望的。自然，革除名号这件事对十三世达赖是一个不小的打击。直到清廷迫于西藏民众的请求开复达赖名号，达赖才于1906年4月由库伦启程，向蒙甘（甘肃）边境移动。9月12日达到西宁。1907年11月27日，礼部降旨，邀请达赖赴山西五台山朝佛。1908年正月到达太原。1908年8月3日到达北京，8月20日，进见慈禧太后和光绪皇帝，在以后的多次接见中对西藏事务交换了意见。清廷册封他为“诚顺赞化西天大善自在佛”，赠诸多礼品。

达赖在京的日子里，耳闻目睹了清廷的腐败，深感失望。同时，也看到了西方列强在京的耀武扬威，横行霸道，以及他们在国际事务中的分量。或许是权宜之计，抑或是无奈中的选择，达赖喇嘛坚决反英的态度有了改变。因为鉴于当时西藏的形势，他迫切希望及早返回西藏，而没有英国的同意，清廷是不会让他成行的。他只好向英人保证，回藏以后要“诚意修好”。与此同时，英帝国主义也在极力拉拢达赖。达赖在京三个月中，目睹了慈禧、光绪相继去世。虽然国事如云，但清政府对达赖活动的监视是十分严密的。从《厅内侦察达赖报告》（此件发现于东京大学东洋文化研究所，由胡启望教授带回国内发表）可以清楚地看到这一点：

十一月二十三

一、二十二日午前九时余，达赖遣堪布阿旺却札等三员，军机大臣、鹿中堂、世中堂、袁宫保各宅谒辞，并送长寿佛、氆氇、藏香等物毕，至五时余回寺。

一、午前九时余，达赖遣堪（布）见赞错臣赴奥、义、比、丹和瑞典、葡萄牙等国各使馆谒辞，并送氆氇、藏香等物毕，至五时余回寺。

一、午前十时余，达赖遣堪布罗桑讲臣赴板厂胡同英宅、十条胡同特宅、什方院吉宅、八大人胡同札宅、山老胡同荣宅、三眼井胡同宝宅、三座桥煤厂连宅谒辞，并送氆氇、藏香等物毕，至五时余回寺。

一、午前十时余，达赖遣桑堪布，同谢喇嘛赴那中堂、继大人宅均谒辞，各送氆氇、藏香等物毕，至五时余回寺。

一、午前十一时，达赖遣周堪布赴德、法、英、俄、美、日本等国各使馆，均谒辞，各送长寿佛、哈达、氆氇、藏香等物毕，至五时余回寺。

一、十二时，达赖遣堪布桑皆挪布赴八大人胡同恩侍郎宅，均谒辞，各送吉祥佛、氆氇、藏香等物毕，至五时余回寺。

一、午后二时，瑞典国公使贺德伦带翻译一员，来寺谒见达赖，递哈达一方，并呈该国王像一张。达赖已收，随哈达、藏枣等物，至三时余走。

一、二十二日夜间稽查，均无事故。

从上文可知，达赖在京的三个月中，清政府派人日夜守候在达赖住处周围，对其活动及其接触人等，逐日记录。从达赖在京的接触范围，也可以看出，此时的他对国际事务和列强也有了较多的了解。

第三阶段：投靠英国，企图西藏独立。

1909年返回西藏后，达赖与驻藏大臣联豫产生隔阂。1910年川军入藏，与藏军在江达作战，藏军失败。川军到拉萨后，开枪乱击，杀死大喇嘛人等，达赖恐遭危险，逃亡印度，请求英国保护。清廷再次革去达赖名号。此事再次在西藏、佛教界和国际社会产生强烈影响。达赖不但是西藏地方政府的首脑，也是西藏地方的宗教领袖，不但在藏享有影响，而且在蒙古、汉族地区的佛教信徒中享有影响。此时，英人极力笼络达赖，达赖也逐渐落入英人掌握之中，从反英转为不得不听信英人，不得不依靠英人。

1911年爆发辛亥革命，在印度木鹿拉的支持下，达赖派遣亲信，在西藏各地策动反汉暴动。1912年12月，达赖返回拉萨。此时，清王朝已被推翻，联豫早惶惶然离开拉萨，西藏与中央政府也暂时中断了直接联系。在这种特殊条件下，达赖在独立这条路上又向前迈进了一步。

1913年10月13日举行的西姆拉会议上，在英国唆使下，西藏代表提出六项要求，其第一条就是西藏独立。英帝国主义也积极支持达赖推行“新政”，如颁布“关于西藏全体僧俗民众取舍条例”，约制僧侣，管束官民；创立新军，用洋人的办法训练藏兵；建立机器厂、电厂，设立邮局、银行；选派人才，出国留学，设立俗官学校、藏医院等。

第四阶段：重新认识英帝国主义本性，再与中央修好。

英帝国主义对西藏的友好是有代价的，即他们要享受对西藏的宗主权。尤其是英国人的扩编藏军，加征赋税等计划传出后，引起西藏僧侣和百姓的极力反对，西藏再次掀起反英浪潮。英帝国主义早先企图以培养藏族警察的形式，对拉萨进行特务控制，又为民众厌恶而无果获，后企图扶植亲英派势力中的少壮军人发动政变，推翻噶厦政府。此举直接威胁到达赖本人，幸有人告密，达赖侦知后，罢免了擦绒的藏军司令职务，将部分参与此事的青年军官革职，停办了英国的军事训练学校。自此，达赖重新认识到英人靠不住。经过一番深入思考后，1928年冬，达赖派代表去南京与国民党政府联系。国民党政府派刘曼卿前往西藏，十三世达赖喇嘛再次承认西藏是中国领土。在复杂的环境条件下转了老大一个圈，走过了一段曲折的道路，他的思想基本上又回到了原先的基点上。

显然，十三世达赖的经历和思想远远要比我勾勒的复杂，这里只是个单线的叙述而已。从抗英到亲英，从依靠中央政府到摆脱中央政府，再到反英、承认中国主权，回到中央政府管辖之下，他的这一选择是符合元以来西藏人民在祖国大家庭中的内向规律的。进一步去看，20 世纪初中国的军阀混战，地方割据，是推翻封建帝制，进行民主革命这一特殊历史条件下的时代特点，当时中国的许多省也纷纷要求自治、独立。西藏也和中国其他省区一样，提出所谓的“独立”，只是一种暂时的割据形式，究其根本，除了为民族寻求出路的探索外，也是中央无力他顾的产物。因为，在一多民族的国家中，主体民族往往是国家凝聚力的核心，起着矛盾的主导作用，主体民族内部的纷争、内乱，首先导致的是凝聚核心的瓦解；其次，处于无核心号令状态的民族个体便会重新审视自己的前途命运。在中国，中央强大是中国各民族强大的基础；中央内部的团结、稳定，同样是中国各民族团结稳定的基础。十三世达赖喇嘛虽然走过一些政治上的弯路，但是在本世纪的反英抗英，乃至以后的归心中央，都是伟大之举，对祖国的统一和西藏的稳定都有着决定性的历史意义，都是巨大的历史贡献。因此，在历史人物的评价中，那种只看其一点，不看其全部；只看其劣，不看其优；只看其损失，不看其成就；只看其对眼前政治的影响，而不全面分析当时特定历史环境的做法是十分错误的，也是十分有害的。

1933 年十三世达赖圆寂，1939 年第十四达赖喇嘛丹增嘉措坐床。西藏内部的斗争也日显激烈。

三、藏区的革命

近代民主革命的先行者孙中山先生在兴中会创建时期提出了“驱逐鞑虏，恢复中华，创立合众政府”的口号，到 1904 年左右，又将其更为“驱逐鞑虏，恢复中华，建立民国，平均地权”，称为三民主义，即民族主义，民权主义，民生主义，企图通过三民主义建立资产阶级民主共和国。1912 年成立中华民国政府，孙中山在南京宣誓就职。但是孙中山领导的旧民主主义革命并没有使中国走向独立和富强，中国社会仍处于半殖民地半封建状态。尽管 1927 年蒋介石叛变革命，然而孙中山的三民主义思想却在中国大地得到了广泛的传播。由于地域、政治、经济等关系，在甘、青、川、滇藏区，这一思想同样影响了一些进步的藏人，较有代表性的是邦达昌·饶嘎、土登贡培、江乐金等建立的“西藏革命党”。

“西藏革命党”，英文原称为“Tibet Improvement Party”；藏文为“ནུབ་བོད་ལེགས་བཅོས་སྐྱིད་སྡུག”。有关资料在藏汉文的史料中很少见到，或有片言只语，不见全貌。进入 20 世纪 90 年代后，国内读者才从美国藏学家梅·戈尔斯坦（Melvyn C. Goldstein）的《喇嘛王国的覆灭》（A HISTORY

OF MODERN TIBET 1913～1951. THE DEMISE OF THE LAMAIST STATE.）一书中知晓作者从印度事务部的档案中了解到“西藏革命党”的情况。

“西藏革命党”主要有邦达昌·饶嘎组织领导，其主要成员有江乐金、土登贡培和知名学者根敦群佩等，其活动地点主要在印度边境城镇噶伦堡和大吉岭一带，政治上的主要意图是使西藏社会从专制制度下解放出来，从而进行革命性的改造。邦达昌·饶嘎出自邦达昌家族，该家族是藏东芒康地方的富豪，其兄是当时的西藏地方之政要邦达养壁。饶嘎在康区度过了青少年时代，程度不同地受到内地革命思想的影响。其弟邦达多杰在芒康驻防时，听说兄长邦达养壁在拉萨因土登贡培事件有被捕危险，出于报复，于 1934 年发动对噶厦在昌都守军攻击，击毙了一些士兵，夺取了所有的枪炮弹药和代本诺朗的私人财产。这一举动震惊了噶厦。饶嘎是参与者。进入中年的饶嘎之所以组织“西藏革命党”可能与他接受孙中山先生的三民主义有关。因为他曾翻译过孙中山的《三民主义》（དམངས་གསུམ་རིང་ལུགས།），1935 年曾到印度，后返回重庆，供职于国民政府之蒙藏委员会，十分了解内地的情况。

土登贡培是十三世达赖执政时最为得宠的官员之一，达赖辞世后，一度成为西藏政坛的重要人物，在与龙厦的政治斗争中失利被捕，囚于夏钦角监狱，后将其以没有及时通报达赖喇嘛病情的罪名终身流放到工布强那地方。与他同时流放的还有江乐金·索南杰波等。当时拉萨的两首民谣借以讽刺此事：

侍从贡培在夏钦角狱中
沉思冥想，
他的轿车却在罗布林卡
吃草。

那位权势显赫横行四方的人物
坐着英制轿车四处兜风，
那位神佛的宠儿达赖的亲信
请告诉我他去了什么地方？

许多事情有历史的巧合，若干年后，龙厦本人也被关进了夏钦角监狱，被剜去了双眼。

由于彼此接近的经历和追求，1939年，饶嘎、江乐金·索南杰波和土登贡培一起在噶伦堡建立了“西藏革命党”。此后，又吸收根敦群佩加入了这一组织。这一组织到底有多少人，目前尚不可知。而这一秘密组织的败露却与根敦群佩有关。

根敦群佩加入“西藏革命党”后受命去绘制藏人居住的北部边境的地图，于1946年到达拉萨。后根敦群佩将绘制好的地图及说明通过英国人办的江孜到印度的邮所邮出，而所用地址却是众人尽知的饶嘎的“热里乌”（Reli View），遂引起了当时在江孜的英人黎吉生的怀疑。启封后，便发现了地图及其说明，黎将其报告噶伦堡，饶嘎等人便处在印度警方的严密监视之下。不久，印度警方便发现了“西藏革命党”党员表格（图3-4-1-1）、党员登记卡（图3-4-1-2）和一枚如同俄共党徽的徽章（图3-4-1-3）。黎吉生于4月10日向噶厦通报有“西藏革命党”这样一个政治组织，在噶伦堡等地活动。当掌握更多的信息后，噶厦即请求印度政府引渡饶嘎。

1946年6月19日，英国人查抄了饶嘎等人的住处，由于饶嘎在此前得到德里官员的警告，故而销毁了许多资料，因此当警方搜查时，并没有查到什么，可惜的是，在饶嘎的钱夹中发现了几封信和《西藏革命党协定》。其文曰：

噶伦堡西藏革命党协定

为了西藏的改良和进步，我们于1939年签署了一份详细的行动协定。此后，当饶嘎于1943年5月11日赴重庆后，我们在噶伦堡又通过了四项决议。随后，当国民政府办事处处长沈宗濂到达噶伦堡后，我们便于1944年7月9日向他提交了一封申请。其后，又于1945年9月4日通过原“国民政府护送九世班禅回藏专使行署”代理专使马鹤天向他提交了一份申请。1945年8月9日，我们收到了由国民政府参赞转来的沈宗濂处长的口信，告知土登贡培和江乐金将从1945年7月直领取生活津贴。我们还有可能得到用于“西藏革命党”组织的财政资助。但是我们是否能够得到资助，关键在于我们必须严格遵守下列规定：

一、没有必要说我们必须按照1939年的每项协议办事。而且我们必须首先把“三民主义”和蒋介石总统的命令付诸行动。我们必须在一切言论和行动方面同“三民主义”和“中央政府”保持一致。我们决不违犯这些原则。

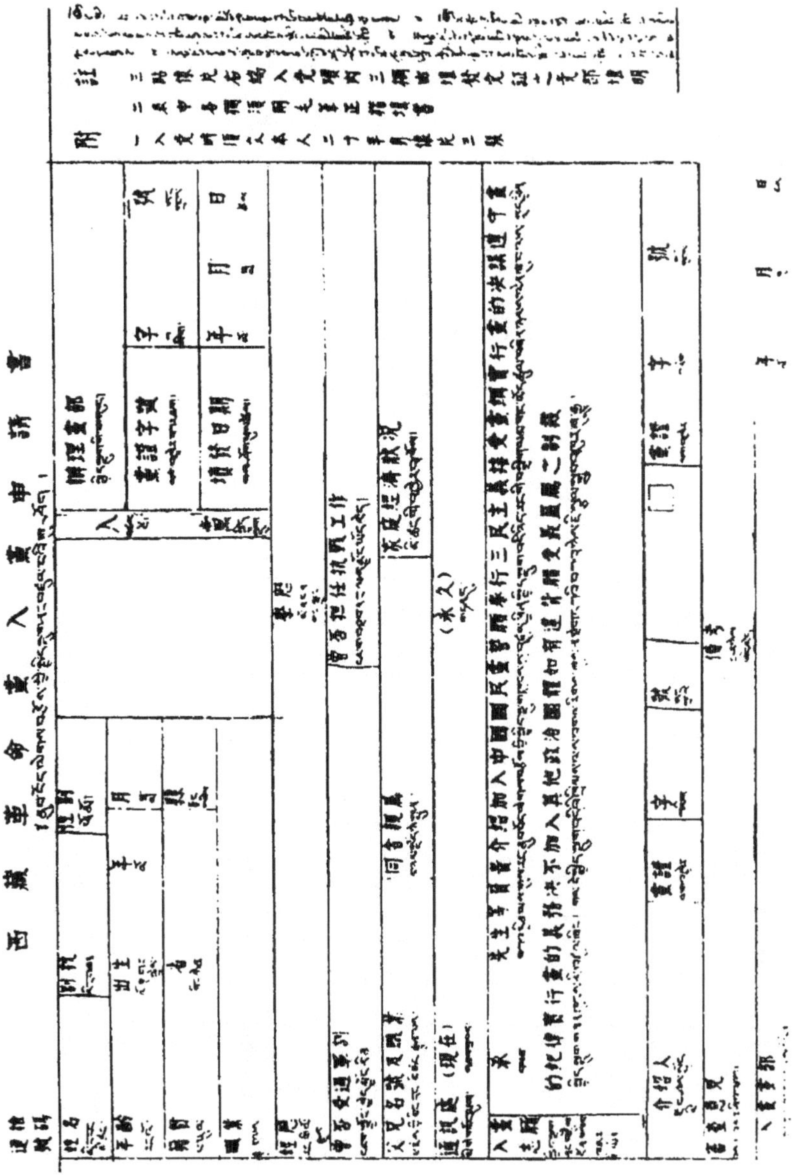

图3-4-1-1　“西藏革命党”的申请表格
（转引自《喇嘛王国的覆灭》）

ནུབ་བོད་ལེགས་བཅོས་སྐྱིད་སྡུག་གི་ལག་འཁྱེར།

ཐོ་ནང་ཁོངས་ནུབ་བོད་ལེགས་བཅོས་སྐྱིད་སྡུག།

ཐོན་པའི་ རབ་ལོ་ ཟླ་ ཚེས།

རུས་མིང་ མི་ཚང་།

ཀ་མིག ཡང་གྲངས།

图 3－4－1－2 “西藏革命党”的党员登记卡

（转引自《喇嘛王国的覆灭》）

二、最近蒋介石总统已宣布允许西藏自治。据此，我们必须尽自己的最大努力使西藏从现存的专制政府中解放出来。我们还必须遵循世界上其他进步和民主的民族和国家，特别是民主的中华民国中央政府的方法行事。为此，本党全体党员都必须同舟共济。

图3－4－1－3　“西藏革命党”的党徽
（转引自《喇嘛王国的覆灭》）

三、“西藏革命党”党员在没有征求和得到本党领导准许的情况下，不能擅自去别的地方。

四、我们必须同同情本党的人进行合作并予以帮助，必须结成统一战线反对本党的敌人。

五、住在西藏本土和境外的“西藏革命党”党员都必须在与共同利益相关的事情上牢牢地拧成一股绳。当本党的党员为了本党的共同利益而受到伤害或遇到麻烦时，本党的其他党员必须齐心协力地进行帮助。

六、如果没有通过决议，我们不能与其他任何政府或政党进行接触或建立联系。本党党员在这方面也不能随心所欲。

七、为了统一控制本党的经费和为本党募集资金，必须通过决议，应按月向本党会计和出纳报账。

“西藏革命党”全体党员必须严格遵守下列简要的规定或纪律：

（一）遵守本党的各项纪律和规章制度。

（二）允许自由讨论本党的任何问题，但是一旦作出决议就必须绝对遵守。

（三）保守本党机密。

（四）不允许在外人面前攻击本党同仁或本党机关。

（五）不得加入其他任何政党。

（六）不许结党营私或拉帮结派。

本党的任何人违反了上述规定都将受到如下不同程度的惩罚：

A. 警告。

B. 暂时保留其党员待遇和特权。

C. 暂时保留其党员资格。

D. 开除党籍。

从以上“协定”看，饶嘎等人的指导思想仍然是孙中山的“三民主义”，其政治纲领是“使西藏从现存的专制社会中解放出来”。对西藏自身来说，其思想和纲领都有历史的先进性。但从另一方面看，这个“政党”或许是受国民党及其政府控制的，从饶嘎本人的经历和根敦群佩等的证实看，国民党是为其提供一定活动经费的。至于这个政党的目的就是为了推翻噶厦政府，建立一个“隶属于中华民国的共和政府”，就难知其详了。

身份暴露后饶嘎去了上海，土登贡培被引渡出印度，根敦群佩则被噶厦政府逮捕，旋于1951年辞世。“西藏革命党”也不知所终。

1921年中国共产党成立后，也有许多的藏人向往革命。一些革命的思想也逐步传播到了临近汉区的藏区。比如共产党员宣侠父在甘肃甘南藏区的活动。1925年，拉卜楞地区的僧俗百姓不堪马步芳的残酷剥削和压迫，组织武装进行反抗，惨遭马步芳的残酷镇压，烧毁寺院30多座，百余处村庄被烧，千余人被杀，致使拉卜楞寺寺主嘉木样五世失寺流落。惨案发生后，拉卜楞地区的僧俗即向北京政府和兰州督军控告马麒的暴行。刘郁芬令宣侠父了解此事。宣侠父了解事实真相后，向藏族群众宣传革命道理，发起组织了西北第一个进步组织——“藏民文化促进会”，亲拟纲领、章程，并亲印刷、散发。1927年，在宣侠父的努力下，此案件才得到了妥善解决，拉卜楞脱离西宁道而划归甘肃管辖，马麒的宁海军撤出拉卜楞。

红军长征经过藏区，对共产主义的宣传也起到了很好的作用，在甘孜成立了博巴政府，支持红军的格达活佛当选为博巴政府副主席。当时有一部分藏族青年加入了革命队伍，如像扎西旺徐、天宝、杨东生等都在以后的革命和建设中成长为党和政府的高级领导干部。

从整体观之，这一时期思想文化的影响主要有三个方面：一是改良思想的影响，但不大，达赖喇嘛也曾派人到国外留学，汲取洋人经验，但并未形成气候；二是孙中山的民主主义革命思想，影响稍重，这是因为西藏革命先行者们的着眼点主要是民主革命，国民党曾在一些邻近汉区的地方发展党员，其理论思想之要求仍然是“三民主义”；三是共产主义思想的影响，此或是由于早期共产党人活动区域等的限制，影响不大。这三种思想均没有能够影响佛教思想文化在藏区的绝对统治地位。但是，一些新的思想毕竟在雪域大地徜徉，雪域的面纱在缓缓揭起，春风开始在坚冰上荡漾。

第二节　典章制度

进入18、19世纪以后，藏区的职官系统与前基本上没有多少变化，尤其是西藏，更为这样。晚清时候在东部藏区曾进行过“改土归流”，其收效不大，就其表，而未动其实。随着清王朝的崩溃，有一些地区也有了一些新的名称，但基本的社会政治、经济、文化结构仍然没有变动。

一、法律制度

从五世达赖喇嘛到20世纪50年代，就藏族法律的基本状况看，作为具有法典性质的由西藏地方政府统一制定的法律并没有多少变化；宗教戒律继续深入人心，在许多方面，群众的生活已进入完全的宗教化状态；民间俗法与以上二律并行不悖。如此便构成了藏族制度文化在法律领域的一种文化景观。而在这一“三合一”的景观中，对宗教戒律和法典的介绍虽弱，但仍可随处见到，而对土司和部落社会的民间俗法的介绍仍不多见。而藏人的事实是：在吐蕃王朝崩溃后的千余年中，藏人的生活除了宗教上强有力的统一性外，大多数时间处于分裂割据状态中，部落的习惯法一代代传了下来。部落习惯法之所以传下来的一个重要历史原因是那些掌管一方的土司、头人们就凭这些不成文的法律条文统治管理民众。这些在20世纪50年代以后的调查材料中仍然反映得十分充分。试举德格土司的成文法十三条为例：

1. 关于杀人偿命的办法（被杀的人要分该杀与不该杀两种）。

其一，如盗窃及造反有罪的人是应该的，不须偿命。

其二，喇嘛和官员及其重要人员如被杀，就必须以命抵命。但能以钱财赔命价时，就比普通命价增加十至二十倍。

其三，杀了无罪的人，共吊打九次，另赔命价十八秤银子。送官方若干钱。

其四，被杀方面得了命价后，须以一部分为死人念经。

2. 对伤害人的办法（被伤害人分出高低贵贱）。

其一，被伤者眼、耳、手、鼻、足成了残废时，赔半人命价（一个命价的二分之一），送官方命价三分之一的钱。

其二，偷了喇嘛、官员的财物或庙上的法器等物，就按所偷东西作价赔偿三至九倍，另罚吊一至九次，罚鞭一百至九百。罚刑轻重，按赃物的价值来决定。

其三，偷了商人或普通人的财物时，除赔还原物及50元外，另再赔钱25元，向官方送30元。至于对偷盗者是否还需要其他处罚，看当时的情形决定。

3.（原缺）

4. 人、地、权三方面，有何根本变化时，应先详细调查，有无误会，若是以仇视侵占了别人的话，这就比盗窃抢劫案还严重，若是由原有争端而引起的纠纷时，就必须依法和平解决，不能记仇。

5. 各种罪人间发生纠葛时，对恶人和骗子以法律严厉制裁，若审问无罪，则应谨慎悔改，至于有罪过的人，须向无罪过的人赔礼认错。

6. 普通老百姓应各守本分，不准离开自己的地方，如果谁要不守法，不支差，而滋生盗窃事件时，就走投无路。

7. 对罪大恶极的人（如反对上官及饮食进毒的人），除处死刑外，对其家属，另按情节处罚。

8. 对于淫乱的人，如夺去了别人的妻妾，须按被夺人之等级赔偿损失，若自己有女人，又同别的人通奸而养的小孩，再以一秤至四秤半至十秤的银子赔偿。

9. 债务方面：

其一，欠债者如果有钱，须按地方规定，还清四年以内的本息（钱财实物均可）；若时间过久了，就要减轻利息。

其二，欠债者如没有钱时，可按其能力还账；如果借债保证人是有钱人，应由保证人还账。

其三，欠债的人是穷苦的人，就要减轻分的负担。

10. 贸易方面：买卖双方不论盈亏怎样，以公平交易，即是以强权赚了钱，但在公正方面是失败了。

11. 借用的东西，不管时间长短，若有字据，须交还清楚，如果借的时间久，又没有字据，只还一半。

12. 对于土地或私人事情纠葛时，不照公事办理，而以私人情面强权处理，因不公平引起纠纷的命令，或字据之类，必须焚毁，另换新的。

13. 官员的责任。不论任何大小官员，对于居住在自己辖区内的人民，都要为其快乐、幸福着想；人民对自己的上官，要保证虔诚尊敬，严守法令，若有违者，从严处理。

以上所有规定，依据黑白真伪而定，若欺骗狡诈，则降魔的距离不远。

——看得出这十三条法文中，既有统治阶级意志的体现，也有对部落俗法的整理、概括。因为土司是在一新意义上的部落联盟的头人，他制定的法不可能不顾及到部落群众的承受能力和习惯法则。比如对渎神罪的处罚，“偷寺院的东西，侵犯神山、神树（如控材等），将犯者脱去衣服，用绳捆其一脚，倒吊高处，施以鞭打，用烧红铁器烙十字于额上，戴上纸帽，以驱鬼方法将死者驱逐出境”。这种办法不但德格土司规定，像安多、西藏地区的一些中小部落中也如此实行，有些甚至比此更为残酷苛刻。

部落俗法的内容十分广泛，各地区由于生活环境和历史沿革不同，其执行方法也各具特色。

一般情况下部落的民事案件由部落头人处理，方法是头人出面由纠纷两方面各出一人组成调解班子，再找一中间人从中撮合。当事人要给这一班子提供膳食，大案一头牛，小案用半只牛羊肉招待。一旦调解，双方就得在调解班子监督下，或赔或罚，具体实施。

命价。藏族普遍存在纳命价法，且源远流长，各地纳命价的多寡也不同。果洛地区将案件以人的身份分为上、中、下三等。上等案件：（1）先向死者本家缴纳白银一秤（折合雄、雌牦牛五头），和包括行凶时的马匹、枪支在内的马五匹，枪五支。（2）向母戚缴纳马五匹、枪五支，作为向对方部落投降的礼仪；缴纳“透达”马一匹（折合银二十五两），枪一支（折合银十二两五钱），作为铺设枕头、毛毡的礼仪。（3）向土官赎罪忏悔，缴纳白银一秤。（4）向死者部落官人纳“透达”马五匹、枪五支。以上四方面只是缴纳命价的礼仪破费。正式命价为：（5）缴纳牦牛一百头。（6）向死者兄弟（父系）缴纳白银一秤，马五匹，枪五支。（7）向死者亲友（母系）缴纳父系亲属之白银、枪、马一半。（8）给孤儿缴纳抚恤费白银十锭，给未亡人缴纳拭泪的衣服等。此外还要缴纳覆盖尸体的布一匹，驮送尸体的绳俱全的犍牛一头。命价纳完后，要作法事，在岔路口或道路转弯处，修嘛呢石堆三处。凶手见面时，死者所属部落即兴“尸兵”问罪，凶手一方要向死者一方，献马、牛、枪，并给“尸兵”送黄牛一头，向官人举行铺毡认罪仪式。一般的富户经此一折腾，家业也基本完了。倘若凶手是为了部落的利益杀死死者，那么这笔惊人的命价就由部落集体负担，甚至一些小部落也难承担得起。

中等的正式命价为70头牦牛，其他礼仪性的费用据情况而定。若一个乞丐杀了人，由其所属部落赔偿命价，一般情况下是将此人除名赶走。穷困人家发生命案，由其亲属和十长将其驱逐或罚以劳役。

审问九法。无论命案、伤害、偷盗，有些案子很难决断，搞不清实事真相，为了便于结案，使实事真相大白于天下，选出公正人主持、鉴定，用审问九法进行审问。这九法是：

1. 赌咒。赌咒的形式很多，有用《甘珠尔》、《丹珠尔》的，有用“觉惹仁波且”（佛祖）的，有用具体的神名的，有用天、地、日、月的，也有用自己、自己的妻子儿女的。总的讲是对神发誓。

2. 藐视。藐视是对首领拒不认罪。

3. 神瘧。是说对首领欺骗，犹如以自身的血洒向了神灵。

4. 掷骰。以点多点少区别，点多说明无罪、无错，点少说明有罪、有错。

5. 抟炒面团。

6. 拣取黑白小石子。让起誓双方在护法神像前用手从烧开的油锅里捞取石子，石子为一白一黑，捞到白石子儿的被认为有理无罪，捞到黑石子儿的被认为有罪无理。

7. 滚油锅。当事人将中间的三个指头，插入烧开的清油锅中，以没入两个指关节为度后即可抽出，以有无烧伤判定有无罪责。

8. 搅泥浆。在烧滚的泥浆中手腕伸进去，若无烫伤，说明无罪。

9. 烧斧头。用手握住烧红的斧头，若无烧伤，证明无罪，若被烧伤，则认为其为罪犯。

后三种使用较少，前六种在果洛及其他一些地区使用较多，尤其是赌咒、神瘧二项更为普及。在鉴定过程中，当事双方提出财物为赌誓的抵押。当一方被认为有罪，则在他提供的财物中抽出三分之一作为负担的头份，归土官和调解人；二分之一给清白者，证明他无罪；十分之一留在盘中，给证明有罪的人。

神明审判。神明审判在藏区律法中占有重要位置，村落中的失盗、奸情等疑难纠纷多用此法，有时甚至在一些重大的命案中也采用这种方法。这种方法畅行的原因有二，一是藏人崇拜神灵，坚信神灵的裁决是正确的；二是这些地方还没有健全系统的法、检机关，一切决断除了头人、土司等，则靠活佛等神明来审判核定。比如，被控为犯有盗窃行为的被告坚决否认有此种行为，原告又找不到确凿有力的人证、物证，谁是谁非，可由神明裁决。在德格地区采用此法是，一面鞭打被告，一面由喇嘛在旁边念经诵咒，念诵一遭审讯一次，鞭笞一次，如此审讯九次，挨九顿鞭子，被告仍然矢口否认，即可当场宣布被告无罪，责令原告倒赔被告价值相当于失物的财物。一些宗教观念深厚的人，往往以神为天，故而倘若果有舛误罪过，慑于神灵，便可招认；倘若宗教观念淡薄，又能经得起皮肉之苦的，这种方法就难以奏效了。

这种方法有时不需要法官，甚至监视人。比如有时两人口角，难以决断，便到佛像前磕拜，然后熄灭佛像前的油灯，果真有过错和罪行的面对神佛就很难有胆量去熄灭供灯。还有顶嘎吾（护身符）——不敢赌咒和顶嘎吾者为失败，钻神索——在佛像前系绳索，让当事者俯首钻过绳索，心虚者不敢过，则为败，反之则为胜。像上文提到的赌咒、神瘧等虽然表现形式有差异，实际都是神明审判方法。

神明审判的现实思想基础是藏人虔诚的宗教信仰，尤其是对佛教的信仰。这一点也反映在那些已由纳命价而到处死罪犯的社会中，他们处以极刑的方法是：（1）投河。将受刑者缝于牛皮口袋内投河。（2）投岩。将受刑者缝于生牛皮口袋中，从山岩上投下去。（3）窒死。将受刑者缝于生牛皮口袋中，在烈日下曝晒，晒干后再泼冷水反复多次，人便窒死。（4）拖死，受刑者倒捆着系在马尾，马尾上拴一串鞭炮，点燃鞭炮后马立即奔跑，不到几百米，人便拖死。还有勒死、冻死等。同样是死，群众认为完尸而终是有罪无罪的人的最理想的死法，受枪杀的人魂魄飞散，很难聚拢，也很难下一辈子投胎转世。我听一位老人描述过那种受枪杀的人的鬼魂，枪伤是一个黑色的窟窿永远留在他身上，往外流着黑色的血，即便他得到神佛的宽宥，转世为人，他的身子上会有一块圆形的青疤，那就是上一辈子挨枪子儿的地方。刀伤要比枪伤好，因为刀伤一般是可以愈合的。

从部落俗法和历代法典的对照中我们可以知道，其中的一些民间俗法也应用到成文法中，如在《十三法典》中就有起誓发咒时的：（1）裸裹牛皮，涂血于胸；（2）从沸油中捞取石子；（3）掷骰子；（4）在护法神殿裸露上身等做法。通过这些刑法手段，来辨别真伪虚实，从而判案、定案。

二、金瓶掣签制度

（一）金瓶掣签制度的由来

李瑞环在《在班禅转世灵童寻访领导小组第三次会议上的讲话》中指出："宗教仪轨在历史上有一个演变的过程，自 1792 年清朝政府颁布金瓶掣签制度以后臻于完整，形成定制，主要有以下几条：一是成立以札什伦布寺活佛、高僧为主的寻访班子，二是按照宗教仪轨和程序进行转世灵童的寻访，三是把参加掣签的候选儿童报请中央政府批准，四是由中央政府派员主持举行金瓶掣签，五是把掣签认定的灵童报请中央政府正式批准继位，六是由中央政府派员主持举行转世灵童坐床典礼。在这几条中金瓶掣签特别重要，它既坚持了中央政府的主权，在宗教上又体现了释迦牟尼的‘法断’，又有助于排除各种干扰，杜绝营私作假的流弊，为广大藏传佛教信徒所信服。”在第十一世班禅的寻访过程中，金瓶掣签制度一直为人们所关注。

金瓶掣签制度的产生源于18世纪下半叶出现的宗教弊病。有两件事使朝廷和乾隆皇帝下定了革除宗教（主要是格鲁派，即汉文典籍所说之“黄教”）弊病的决心。一件事是沙玛尔巴勾结廓尔喀入侵西藏，劫掠札什伦布寺。沙玛尔巴和仲巴呼图克图都是六世班禅的同胞兄弟。1779年6月，六世班禅从札什伦布启程，千里迢迢前往京城为乾隆皇帝祝贺七十大寿，深得乾隆欢喜；前来朝拜者，络绎不绝，盛极一时。后班禅染天花在京圆寂，乾隆赐黄金7000两造金龛安放六世班禅法体，并赐班禅的两个兄弟诺门汗和札萨克的封号和职衔。六世班禅在来京及途中皇帝、王公大臣、蒙古地区头人、百姓等送有大量金银珠宝。这些财物运回札什伦布寺后，遂由代管札寺的六世班禅之兄仲巴呼图克图收留，引起其弟噶玛噶举派红帽系第七世活佛沙玛尔巴的强烈嫉恨。1788年，廓尔喀入侵西藏，理藩院侍郎巴忠以银9600两贿和。1791年，廓尔喀派人索要赔偿银两，达赖拒绝支付，没有分到财物的沙玛尔巴唆使敌方趁后藏空虚侵掠之。廓尔喀人进入札什伦布寺大肆抢掠。札寺损失惨重。1792年，乾隆派福康安大将军率军入藏进剿，战争赢得胜利。但这一事件中暴露了一系列问题，其中多个活佛出于一族的弊端最为突出。乾隆对当事人的处理是严厉的：沙玛尔巴被终止转世，并将其财产全部充公；对携带财物临阵脱逃的仲巴呼图克图命军机大臣押解至京；对洛桑丹巴喇嘛等“剥黄正法”。

另一件是蒙古地区佛教的一些情况。蒙古地区的转世活佛也多出于王公贵族之中，有些做法甚至闹出笑话来。比如：锡呼图呼图克图为喀尔喀亲王固伦驸拉旺多尔济之叔，达克巴呼图克图为阿拉善亲王罗卜藏多尔济之子，诺颜绰尔济呼图克图为四子部落郡王拉什燕丕勒之子，堪布诺门汗札木勒多尔济活佛是图舍图汗车登多尔济之子等。尤其荒唐可笑的是哲布尊丹巴呼图克图圆寂后，图舍图汗的福晋（妻子）正身怀六甲，人们就认为孕中之人即为其转世，结果生出一女孩来，舆论哗然。

活佛转世出于一族，同如世袭爵禄，显然是世俗的私心在作怪。乾隆针对这种情况写了著名的《喇嘛说》，并在一处谕示中强调：

再向来藏内出呼毕勒罕，俱令拉穆吹忠降神附体，指明地方人家，寻觅其所指呼毕勒罕不止一人，找寻之人，各将所出呼毕勒罕生年及伊父母姓名，一一记明，复令拉穆吹忠降神祷问，指定真呼毕勒罕，积习相沿，由来已久。朕思其事，近于荒唐，不足凭信，拉穆吹忠，往往受人嘱托，假托神言，任意妄指，而藏中人等，因其迹涉神异，多为所愚，殊属可笑。此等拉穆吹忠，即系内地师巫，多以邪术惑人耳目，闻拉穆吹忠降神时，舞刀自扎，身体无害，是以人皆信之。此等幻术，原属常有，但即使其法果真，在佛教中已最为下乘，若使虚假，则更不值一噱，其妄诞不经，岂可仍前信奉！福康安等见在整饬藏务，正应趁其破其积弊，莫若在藏即令拉穆吹忠，各将其法试演，如用刀自扎等项，果能有验，则藏中相沿日久，亦姑听之。若福康安亲加面试，其法不灵，即当将吹忠降神荒唐不可信之处，对众晓谕，俾僧俗人等共知其妄，勿为所愚。嗣后出呼毕勒罕，竟可禁止吹忠降神，将所生年月相信数人之名，专用金奔巴瓶，令达赖喇嘛掣签指定，以昭公允。

据载皇帝特意颁发金瓶两个，一放于北京雍和宫，一放于拉萨大昭寺，凡在理藩院注册的大活佛都要抽签掣定。上文以及《钦定章程》二十九条之第一条对此有所规定。

对金瓶掣签制度如何评价？我想有三点较为重要。其一，政教合一制度是其基础。因何言之，因为，一位宗教人士的认定无论其影响如何，都是其宗教内部的事，无需朝廷多管。但是当它与政治与政权有染，便不是一件宗教内部的事了，实质上它已经走出了宗教，在承担着政治的角色。因而，此事便产生出诸多的误会。在百姓中，当政府部门在管理这些事时，便认为政府不该管宗教内部的事；在僧人中间这种反映或许更为强烈，甚至会认为这是在干涉宗教内部事务。实际上不是这样。我以为之所以有这种想法，其因关键少了一重分析、一个角度。这一重分析是，这些教派到底在承担着什么任务？扮演着什么角色？说透了就是它到底在做着纯粹的宗教事务，还是与政治有瓜葛？甚至负有政治使命？这一重分析的核心在于分清楚宗教在其运行的过程中，是与政治分离的还是与政治联系，或者是亦政亦教的？不解决这个问题就解决不了问题的根本，认识不了问题的实质。显然，倘若是纯粹的宗教行为，那么，政府部门就没有必要去进行过多的干预；假如与政治有联系，也只是在“做工作”的范畴之内；假如是亦政亦教，那么政府部门就非管不可了。这一角度即为政府的角度，许多国家都曾有过政教合一制度，有政教合一制度这是个历史现象，也并不是藏族社会所独有的。比如欧洲的中世纪都曾有过这种制度，并不稀奇。直到当代社会仍然有完全的宗教统治的国家，这些国家的政教是不分的，甚至宗教有时会高于一切。但是，任何经过了这一阶段的国家和民族，宗教都是“个人的私事”，是人们的信仰，是不允许干政的。这一点我在下文专门要涉及的《喇嘛说》中讲得十分之透彻。任何一个政府管辖下的行政区的事务，政府部门有权管理，因此，在这一点上是不允许以教代政的。“以教代政”就有可能割裂了政府的职能甚至主权，导致政令不通，形成一些地区游离于政府的状态，甚至分裂独立。这是任何政府都不许可的。问题的核心也在于此。

其二，继上，金瓶掣签的另一根本问题是对政教合一的领袖人物的政治认定。由于西藏（也包括蒙古地区）特殊的政教合一制度，五世达赖喇嘛之后已经成为一个实质的执政教派，此时的格鲁派与以前的格鲁派有根本的不同。不同的根本就在于以前的格鲁派并不掌握政权，而此时的它已经掌握全藏政教大权，它的行政职能本身已进入政府管理的范畴之内。换言之，这种状态的出现，是由于格鲁派由一个普通的教派跨入了政府权力核心，而不是政府渗透宗教事务。说白了就是：你既然是行政长官，就要有政府的任命，只是由于你有宗教头衔，这种任命更带有宗教色彩，广大百姓更重视其宗教身份，而淡化其政治身份而已。

其三，金瓶掣签用现在的语言讲，体现的是一个统一国家的国家主权，是国家至上，国家政权是管理国土内一切事务的绝对权威机构。

（二）《喇嘛说》

> 转世相沿多诡谲，除弊特命金瓶掣，
> 决疑定众顺其情，鸿文巍焕《喇嘛说》。

此四句诗出自嘉庆皇帝所撰之《普陀宗乘之庙瞻礼纪事》。文中对其父乾隆皇帝所撰之《喇嘛说》颂扬有加，推崇备至。子颂乃父，自古多见，而乾隆之《喇嘛说》（又称《御制喇嘛说》）确实是一份十分重要的历史文献。

《喇嘛说》撰写于 1792 年（乾隆五十七年），原文以满、汉、藏、蒙四种文字刻于碑，保存于北京雍和宫，迄今已历 204 年矣。

《喇嘛说》的产生与 18 世纪下半叶的西藏社会有着直接关系。上文已及，1750 年珠尔默特那木扎勒之乱后，七世达赖喇嘛格桑嘉措在率兵入藏的四川总督策楞和副都统班第的协助下很快平息叛乱，掌握了局势，并命公班智达代理藏王。乾隆藉此降旨：“此措置唐古忒一大机会也，若经理得宜，自可永远宁谧，否则久复别生事端，珠尔默特那木札勒敢怀逆志，由于地广兵强，事权专一，嗣后唐古忒应多充头目，以分共势，尔等其详议善后事宜，为一劳永逸计。”策楞、班第等提出《酌定西藏善后章程》十三条。乾隆遂作《喇嘛说》。

《喇嘛说》的内容大致可分四部分：

第一部分，释解“喇嘛”及简要历史。原文曰：

> 佛法始自天竺，东流而至西番。其番僧又相传称为喇嘛。喇嘛之字，汉书不载，元明史中，或讹书为剌马。予细思其义，盖西番语，谓上曰喇，谓无曰嘛。喇嘛者，谓无上。即汉语称僧为上人之意耳。喇嘛又称黄教，盖自西番高僧帕克巴（八思巴），始盛于元，沿及于明封帝师、国师者皆有之。我朝唯康熙年间，只封一章嘉国师，相袭至今。其达赖喇嘛、班禅额尔德尼之号，不过沿元明之旧，换其袭敕耳。

这一段文字不多，对藏传佛教的一些基本情况作了介绍，从藏文译文看，有些文字需进一步说明、探讨。

其一，关于“喇嘛”一词。“喇嘛”是藏文“བླ་མ།”的音译，“上师”之意，即文中所谓“盖西番语谓上曰喇，谓无曰嘛。喇嘛者，谓无上。”（བོད་ཀྱི་སྐད་ལ་མཆོག་ལ་བླ་དང་། མེད་ལ་མ་ཞེས་བྱ་བས། བླ་མ་ཟེར་བ་ནི་བླ་ན་མེད་པ་ཞེས་འབོད་པ་ཡིན།）其中，“其番僧又相传称为喇嘛”和“喇嘛又称黄教”两句从字面是很容易造成歧义的。因为藏语中之“བླ་མ།”并不称“教”，同样也无“喇嘛又称黄教”事。前句与上文联系起来看“喇嘛”是指流传到西番（原注：“唐古特部，其地曰三藏”）的“佛法”，藏文难以表述，因而译为“བོད་ཀྱི་རབ་བྱུང་པ་བླ་མར་འབོད་པ་ལས་རྒྱུད་པ་ཡིན།”，意为“藏族的出家人相传称为喇嘛”，取掉了两个关键的词“其”和“又”。究其所在，关键在于后句“喇嘛又称黄教”，很明显乾隆所撰“喇嘛”为后世文献惯称之“喇嘛教”。因为“黄教”在藏文中称“格鲁巴”（དགེ་ལུགས་པ།），或因此派戴黄帽而被汉人称为黄帽派（ཞྭ་སེར་བསྟན་པའི་ལུགས།），并无“喇嘛教”之称。因而此文中将“黄教”二字并未译为“喇嘛教”，而译为“ཞྭ་སེར་བསྟན་པ།”，“喇嘛教”是汉文文献对藏传佛教的独特称呼。

其二，自元八思巴以来，藏传佛教高僧遂受朝廷青睐，元时封有帝师凡 14 人，“明洪武初，封国师、大国师者，不过四五人。至永乐中，封法王、西天佛子者各二。此外，灌顶大国师者九，灌顶国师者十有八，及景泰、成化年间，益不可胜记。”（碑文原注）《喇嘛说》回顾元、明册封藏族高僧是与下文之观点紧密相关的，即元封帝师，萨迦派僧人位极一时，而帝师的职责不但为宫廷皇帝及族人等传授佛法和举行一系列宗教仪式，更重要的是要领宣政院（1288 年前称总制院），即主持领导全国佛教事务和吐蕃地区的事务。《元史 · 百官志》载：“宣政院，秩从一品，掌释教僧德及吐蕃之境隶治之。遇吐蕃有事，则分院往镇，亦别有印。如大征伐，则会枢府议。其用人则自为选。其为选则军民通摄，僧俗并用。至元初，立总制院，而领以国师。二十五年，因唐制吐蕃末朝见于宣政殿之故，更名宣政院。”《元史 · 释老传》卷二〇三载：“土番之地，设官分职而领之帝师”，“于是帝师之命与诏敕并行于西土。”重用、高抬僧人，对于元王朝来说完全是为了利用帝师之威望、宗教地位和影响，来有效地管理、统治吐蕃地区。

元朝对藏施政采用重点扶植一教一族（即萨迦派之昆氏家族），以靖吐蕃全境的办法，因而对萨迦之惠泽，推崇到了无以复加的地步。如据王磐之《拔思发（即大元帝师八思巴）行状》载：“甲戌，师年三十六岁，时至元十一年，皇上专使召之。岁杪抵京，王公宰辅士庶离城一舍，结大香坛，设大净供，香华幢盖，天乐仙音，罗拜迎之。所经衢陌，皆经五彩，翼其两旁。万众瞻礼，若一佛出世。”而明王朝对西藏高僧虽厚礼重用，但采用“多封众建”之法，即“多封”——多树山头，有僧有俗，以分其势，不重在一教一族。如封萨迦派之喃迦巴藏卜（རྣམ་རྒྱལ་དཔལ་བཟང་པོ།）为“炽盛佛宝国师”；昆泽思巴（ཀུན་དགའ་བཀྲ་ཤིས།1349 ~ 1425 年）为“大乘法王”，封帕竹噶举嘉央释迦监藏（འཇམ་དབྱངས་ཤཱཀྱ་རྒྱལ་མཚན།）为“灌顶国师”，扎巴坚赞（གྲགས་པ་རྒྱལ་མཚན།，1374 ~ 1432 年）为“灌顶国师阐化王”；封噶玛噶举黑帽系第五世活佛得银协巴（དེ་བཞིན་གཤེགས་པ།，1384 ~ 1415 年）为“大宝法王”；封格鲁派宗喀巴大师弟子释迦益希（1352 ~ 1435 年）为“西天佛子大国师”、“大慈法王”，等等。

其三，“我朝唯永熙年间，只封一章嘉国师，相袭至今”句中所说之“章嘉国师”，当为二世章嘉活佛。原注道：“我朝早兴黄教，而并无加崇帝师封号者。唯康熙四十五年敕封章嘉呼图克图为灌顶国师，示寂后，雍正十二年乃照前号为国师。”

二世章嘉呼图克图（1642 ~ 1714 年），为五达赖喇嘛弟子。曾多次奉诏入京，深得康熙皇帝信奉，封为呼图克图。康熙亲征打败准噶尔之噶尔丹后，在多伦召集蒙古王公会盟，建汇宗寺，由其主持。1705年封为“灌顶普善广慈大国师”，掌管内蒙古地区的佛教事务。三世章嘉·若贝多吉生于1717年，1723年罗卜藏丹津之乱后，由雍正皇帝接至北京，为皇子（即后之乾隆）之侍读，驻锡于嵩祝寺。1731年封为“灌顶普惠广慈大国师”。1736年乾隆继位后，封为掌管京城佛教事务的掌印喇嘛。由于与乾隆的这种特殊关系，章嘉呼图克图做了许多卓有影响的大事：

（1）受乾隆钦命，将雍王府改建为格鲁派寺院雍和宫，1744年动工，1745年竣工，殿内陈设之佛像、供物、法器、经卷等一应齐全，并为此寺开光。并以此建筑立藏传佛教之经学制度，设立学院（札仓）和法会（如大祈愿法会等），并亲自讲经说法。乾隆皇帝曾亲自来听其讲经。

（2）招收满僧，译藏文《大藏经》为满文《大藏经》。章嘉呼图克图曾奉乾隆之命在西山建寺，寺成后乾隆认为满族人虽在信仰藏传佛教，却没有出家的僧人，应该有满族僧人和他们的札仓。章嘉呼图克图亲自担任了新出家的满族僧人的堪布，并为他们传授居士戒和沙弥戒。此后精通藏、汉、满三种语言的章嘉开始翻译有关仪轨和经书。后组织人力将藏文《大藏经》之《甘珠尔》部译为满文。《章嘉国师若贝多吉传》记述了此一盛举：“文殊大皇帝（指乾隆）认为，自己出身的满族人口众多，对佛教获得信仰者也为数不少，但是语言文字与别族不同，以前也没有译为满文之佛教经典。若将佛说《甘珠尔》译成满文，实在是造福后代之善举，遂命章嘉国师将《甘珠尔》译成满文。从学府中成绩优异人员和在京喇嘛中选择通晓语言文字者，与几名学识精深的和尚一起开始翻译经卷。每译完一函，由章嘉国师详加校审，逐卷进呈皇上审阅。皇上在审阅中，又更正其中一些有疑惑及不妥当之处。皇上悉心审阅后，还要作译记，因此经过多年，始告全部译成。大皇帝是统治天下转大力法轮的君主，自然要勤于政事，他如处理国政一样地不但详阅《甘珠尔》经，而且推敲字意，加以订正，如此行止，实乃大智大圣者之功业也。他将佛法当作众生的利乐根本，极其重视翻译佛经，使公正之人莫不油然而生敬仰之意。”① 这一记述基本上是确切的，因为《章嘉国师若贝多吉传》的作者土观·洛桑确吉尼玛是章嘉国师的亲传弟子，乾隆二十八年（1763年）奉诏进京，曾任北京藏传佛教的掌印喇嘛、御前常侍禅师诸职。作为著名的驻京呼图克图，

① 土观·洛桑确吉尼玛著，陈庆英、马连龙译：《章嘉国师若贝多吉传》，民族出版社，1988年，第331页。

他也参与了章嘉国师主持的满文《大藏经》和《四体清文鉴》的翻译、编纂事宜。

（3）协助乾隆处理了若干西藏重大事务。上文已叙，章嘉所处的18世纪是个多事的年代。其中的不少事有章嘉国师参与，为皇上出谋划策。由于阿尔布巴之乱，七世达赖喇嘛一度移驻泰宁。1734年，遵照皇命，章嘉随同皇十七子果毅亲王从北京前往泰宁，护送七世达赖入藏。藏历1741年10月至1742年11月，章嘉遵奉诏命，组织赤钦活佛等译师，将《大藏经》之《丹珠尔》部译为蒙文。1746年，依照拉萨祈愿法会形式在雍和宫首立大祈愿法会，乾隆皇帝亲莅会场听经，章嘉以立宗辩论形式授予学习优异的学僧以学位，将西藏的经学制度引入北京。1757年，七世达赖圆寂后，乾隆恐西藏政局不稳，即派章嘉入藏，主持了达赖灵童的寻访、认定等事宜。1780年，六世班禅患病后由章嘉陪护，圆寂后的许多后事均由章嘉奉旨办理，最后将其灵骨亲自送至清化府。

作为一代名僧，章嘉曾为蒙古的第一号宗教首领三世哲布尊丹巴剃发出家，奔波于京师、西藏、蒙古，传经授法，甚至调解土司头人之间的纠纷；他也曾为乾隆皇帝灌顶，“灌顶时，皇帝请章嘉国师坐在高高的法座上，而皇帝自己坐在较低的坐垫上，直到灌顶结束，皇帝一直跪在地上，聚精会神地听授教法。”① 乾隆对其也是恩宠倍加，他从西藏返回北京后，“在朝见文殊大皇帝时，大皇帝亲自走出寝宫院迎接，一见章嘉国师，马上以满族的礼节亲切接待，行抱见礼，互致问好，献上洁白的哈达，并说：‘诸事圆满完成，一路平安归来，与朕相聚，朕不胜欢快。’他们进入殿，坐在同一坐垫上，详细谈论西藏的情形。”② 1786年，章嘉70寿辰时，乾隆不但送了“广觉慧宗”的匾额和诸多礼品，还亲自到寝室问候。

章嘉呼图克图的一生是辉煌的一生，他为藏、满两个民族的友好情谊和国家的稳定统一贡献了毕生的精力，也受到了蒙、藏、满、汉、土等民族人民的爱戴和颂扬。

第二部分，重说“兴黄教”之重要性。文中曰：

盖中外黄教，总司以此二人。各部蒙古，一心归之。兴黄教，即

---

① 土观·洛桑确吉尼玛著，陈庆英、马连龙译：《章嘉国师若贝多吉传》，民族出版社，1988年，第183页。

② 土观·洛桑确吉尼玛著，陈庆英、马连龙译：《章嘉国师若贝多吉传》，民族出版社，1988年，第277页。

> 所以安众蒙古，所系非小，故不可不保护之，而非若元朝之曲庇谄敬番僧也。其呼土克图之相袭，乃以僧家无子，授之徒，与子何异，故必觅一聪慧有福相者，俾为呼必勒罕（即转世活佛）。幼而皆习之，长成乃称呼图克图。此亦无可如何中之权巧方便耳。其来已久，不可殚述。

乾隆著此文时（1792 年），格鲁巴自 1409 年正式创立，已经过 383 年的发展；自 1578 年有“达赖”这一名号，已 214 年；自 1645 年有“班禅”这一名号，已 147 年。以达赖、班禅为领袖的格鲁巴不仅在藏族地区，而且在蒙古地区都享有广泛的影响。即所谓“盖中外黄教，总司此二人”即指此。

自三世达赖喇嘛索南嘉措到蒙古地区传教，蒙古地方藏传佛教在元以来传播的基础上，得到了加强；等到作为蒙古俺答汗曾孙的四世达赖云丹嘉措坐床，藏传佛教使本来连为一片的北部中国之蒙藏地区精神的统一信仰得到巩固，出现了“各部蒙古，一心归之”的局面。毋庸置疑，这是一种强大的社会存在和力量，要实现对藏、蒙地区的统治，除了武力攻伐以外，如何正确对待藏传佛教便成为朝廷的大事。乾隆正是针对这种特殊的社会存在和巩固全国政权的需要，提出了他安抚、统治藏蒙地区的基本政策和基本指导思想，即“兴黄教，即所以安众蒙古，所系非小，故不可不保护之。”（ཞྭ་སེར་བསྟན་པ་མཆོག་ཏུ་བཟུང་བ་ནི། སོག་པོ་ཚོའི་འདོད་པ་དང་བསྟུན་པ་ཡིན་སྟེ་ཤིན་ཏུ་མཁོ་བའི་གནད་ཆེ། དེ་བས་གཙོ་ཆེ་བར་དགོས། 此为原碑文译文。——引者注）乾隆一生，学佛、习佛，处理过不少涉及佛教的事务，对宗教的了解可谓透彻。比如土尔扈特蒙古返回中国一事。远徙伏尔加河流域的土尔扈特蒙古因何历时八月，行程万余里，经千辛万苦举部返回故土？史家有多种观点，从一些具体的史料看，很重要的一个原因就是格鲁巴的影响，乾隆在《土尔扈特全部归顺记》（1771 年）中说：“今之汗渥巴锡者，即阿玉奇之曾孙也。以俄罗斯征调师旅不息，近且征其子入质；而俄罗斯又属别教，非黄教，故与合族台吉密谋，挈全部投中国兴黄教之地，以息焉。”历史地看，在特定的年代里，宗教就是一种力量，一种认同，一种凝聚力。因为，宗教不仅体现着信仰的巨大力量，同时也体现着一种文化的巨大力量。从乾隆的这段文字可以看到，土尔扈特人回归，除了故土故国的吸引，其主要原因就在于“黄教”的吸引，因为笃信藏传佛教格鲁派的土尔扈特人面对俄国的政治压迫和经济剥削，已不堪忍受，当让他们改信东正教，则激起了他们强烈的反抗，于是他们一面派人与达赖喇嘛联络，进西藏熬茶，一面开始了万里回归的壮举。乾隆是深知这一点的。因为从1755年至1759年乾隆对新疆的运兵中，曾有一部分厄鲁特蒙古也逃到了早在明末远在伏尔加河流域的土尔扈特部。进而言之，新疆的蒙古准噶尔部在康熙年间屡屡骚扰西藏。但对藏传佛教的信仰是颇为虔诚的。据王芑孙《西陬牧唱词》载：厄鲁特蒙古，“凡决疑定计，必咨于喇嘛而后行自台吉、宰桑以下顶礼膜拜，得其一抚摩、一接手，以为大福。礼拜之仪，众喇嘛偏袒裸露肩及臂以为敬。人生六七岁即令识喇嘛字，诵喇嘛经。病，则先延大喇嘛讽经，然后服药。若大台吉有事讽经，则其下争输货物于喇嘛以为礼时”，准噶尔20余万户，60余万人，而喇嘛就有6000余人。由于喇嘛享有特殊地位，因而深刻影响着政权，如噶尔丹汗曾从小在西藏出家学经；许多高僧在政治问题上享有权威。倘若宗教领袖与朝廷对立，易引起一个地方、一个民族势力集团的动乱，确乎“所系非小”。因而，像新疆统一后，在绥定城北五里，建藏传佛教寺院一座，名曰“兴教寺”，时任工部尚书兼都统的阿桂在《兴教碑记》中如此写道：“窃见自准噶尔灭后，此地之琉璃宝刹久灭，瓦砾之场，昔年之苦耨真经难寻；灰烬之后，佛像少金身。僧众投异俗，一方众生，将何所恃？夫日月之明，非人力所能补助者，其食焉，靡不思有以救之护之。佛法在天壤，何啻日月之经天，可任其堕坠，而谓人力有不胜耶？遂于乌哈里克新城东北五里许，背山临流，建梵宇一区，于招来人户内，聚番僧三十二从。遍觅古佛，收辑残经，供奉主持于其中焉。名其寺曰‘兴教’，冀此地圣教之兴，由此流传于无穷也。”虽然击溃准噶尔后，阿睦尔撒纳等准噶尔贵族在一些喇嘛支持下再度起事伊犁，清也采取了“应将喇嘛中起意倡乱之人，即行正法，其情罪稍有可原者，量从宽典”（《清高宗实录》卷五 ）的较为严厉的处罚，但处于藏蒙地区信仰藏传佛教这一现实，事过之后，仍尊崇佛法，修建寺院，因为此是“不可不保护之”的大事；不保护，便会重新导致“众蒙古”不“安”。

从“而非若元朝之曲庇敬番僧也”句看，乾隆皇帝是研究总结了元朝对藏传佛教重用的优点和弊端的。

上文述及，元朝自萨迦班智达贡嘎坚赞在凉州会晤阔端，八思巴任帝师之后，对藏传佛教萨迦派的尊崇可谓到了极限，仅大都一地就建了大护国仁王寺、大圣万安寺、大永安寺、大承天护圣寺，大崇恩福元寺、大天源延寿寺，大崇国寺等著名寺院，帝师的地位远在群臣之上。宫廷内部，许多皇家子弟多尊其为上师，接受灌顶，《佛祖历代通载》第三十六《帝师殿碑》载：“世祖皇帝奋神武之威，致混一之绩，思所以去杀胜残，跻生民于仁寿者，莫大释氏。故崇其教以敦其化本，以帝师拔思发（即八思巴）有圣人之道，屈万乘之尊，尽师敬之节。”《元史·释老传》载：“正衙朝会，百官班列，而帝师抑或专席于坐隅。”“虽帝后妃主，皆因受戒而为之膜拜。”同时萨迦昆氏家族也与皇室结成姻亲关系，《汉藏史集》载：恰那多吉（八思巴胞弟）至凉州后，“阔端王令其着蒙古装，取公主墨卡顿。朝见薛禅皇帝后，受封白兰王。”恰那多吉的儿子达玛巴拉合吉塔任帝师后，忽必烈命他取阔端的孙女贝丹为妻。皇帝与昆氏家族有了姻亲关系，自然对该家族和以该家族传承的萨迦派有了特殊的关照和支持，令其主宰西藏政教，地位显赫自在情理之中。

由于这些特殊的情结，藏传佛教随着萨迦派进入宫闱之中，搞所谓“双修术”，“君臣宣淫”，实际损害了朝廷和藏传佛教自身在内地的形象。

因为这种“双修术”为儒教为中心的汉文化所强烈排斥，《喇嘛说》原注如此总结道：“元朝尊重喇嘛，有妨政事之弊，至不可问，如帝师之命与诏敕并行；正衙朝会，百官班列，而帝师亦专席于坐隅。其弟子之号司空、司徒、国公，佩金玉印章者，前后相望，怙势恣睢，气焰熏灼，为害四方，不可胜言。甚至强市民物，摔捶留守，与王妃争道，拉殴堕车，皆释不问。并有民殴西僧者，截手；詈之者断舌之律。若我朝之兴则大不然。盖以蒙古奉佛信喇嘛，不可不保护之，以为怀柔之道而已。”乾隆早期对藏传佛教的认识是清楚的，从思想上也是极力防范，如《清世祖实录》卷六八记载其“礼敬喇嘛，而不入喇嘛之教。”并嘱王室子弟不准信佛。但是，佛教作为一种体系庞大理论高超的思想、信仰体系，是有着强大的力量的。在后期乾隆自己也坠入佛法的香雾之中，可与元朝帝王“敬番僧”相媲美，从而由维护国家政权逐步转向对宗教本身的信仰。

第三部分，重说活佛转世弊端，提出以“金瓶掣签”之法革新之。原文曰：

> 敦意近世其风日下，所生之呼必勒罕，率出一族，斯则与世袭爵禄何异，予意以为大不然。盖佛本无生，岂能转世，但使今无转世之呼土克图，则数万番僧无所皈依，不得不如此耳。去岁廓尔喀之听沙玛尔巴之语，劫掠藏地，已其明验。虽兴兵进剿，彼即畏罪请降，藏地以安，然转生之呼必勒罕出于一族，是乃为私。佛岂有私，故不可不禁。兹予制一金瓶，送往西藏，于凡转世之呼必勒罕，众所举数人，各书其名置瓶中，掣签以定。虽不能尽去其弊，较之从前一人之授意者，或略公矣。

“兴黄教，即所以安众蒙古，所系非小”，乾隆一方面认识到作为宗教（文中所说之黄教）的重要地位和作用，即它与政治稳定和国家政权建设的深刻关系，不得不重视，“不得不如此”；另外一方面，他对宗教本身有着不同寻常的见地：

第一，他清醒地看到，活佛出于一族，这本身如同世袭爵禄，超出了“佛”转世的基本原理，是世俗的私心在作怪。乾隆在注文中引了两个活生生的例子：一是蒙古地方的呼图克图在亲族（王公）中转世；被认为哲布尊丹巴转世的图舍图汗妻子（福晋）之孕中之人为一女孩。一是藏区的六世班禅、仲巴呼图克图、沙玛尔巴同为兄弟，同为活佛，却教不同，所趋各异。在廓尔喀入侵事件中，只有驻守日喀则的官军都司徐南鹏坚守。驻藏大臣保泰和雅满泰等大为慌乱，急急奏请移七世达赖至泰宁，高宗批示：“至保泰、雅满泰二人，遇廓尔喀滋扰之事即心慌胆落，怯懦已极，殊负朕恩。目下正当有事之时，暂将保泰、雅满泰革职，留彼效力赎罪。”并命川督鄂辉等统军入藏。鄂辉等行动迟缓，坐失良机，复被高宗革去川督之职，赐副都统衔，再命嘉勇公福康安为大将军，超勇公海兰察为参赞大臣率军入藏，于1792年5月，收复失地，驱逐廓尔喀人出境，并深入廓尔喀境内700里，迫使廓尔喀王投降，放回抓去的噶伦丹泽班珠尔，退回“贿和”的合同，缴还了掠去的札寺的大量财物。沙玛尔巴服毒自杀。乾隆谕军机大臣：“……乃仲巴只为身谋，实为佛法所不容。本应即予正法，姑念伊系前辈班禅之兄，特加宽宥，但令解送来京，着在从前班禅额尔德尼所住德寿寺居住，实为法外之恩。”对降神惑众的济仲喇嘛及四学喇嘛，进行了严厉制裁；济仲喇嘛被“剥黄正法”；对沙玛尔巴则终止其转世。

虽同为六世班禅同胞兄弟，同为活佛喇嘛，一惩一保，形成鲜明对比。个中原因我想大致有三：一是沙玛尔巴罪重，理所应当；二是仲巴为格鲁派（乾隆支持保护的教派），沙玛尔巴为噶玛噶举派，故乾隆对此心有偏袒，尽管对同样是格鲁派的济仲活佛也解至前藏“对众剥黄正法”，乾隆在《喇嘛说》释文中对此亦颇为自豪，曰：“询问自帕克巴创教（此语不确，无论噶举、萨迦、格鲁诸派，不是帕克巴，即今译之八思巴所创）以来，历元明至今五百年，几见有将大喇嘛剥黄正法及治罪者？天下后世岂能以予过兴黄教为讥议乎？”而末一句“天下后世岂能以予过兴黄教为讥议乎？”也正好印证了他的真实思想。

第二，对于高僧及活佛们采取的这些极端措施，既体现了乾隆着眼于政治，严明奖惩的一贯思想，同时也基于他对宗教的基本认识。首先，他并不承认佛真有转世，“盖佛本无生，岂能转世”，可以说已将其思想表达得清清楚楚。其次，佛无转世，又缘何令其转世呢？后一句又讲得明明白白：“但使今无转世之呼土克图，则数万番僧无所皈依，不得不如此耳。”考虑到百姓的信仰和社会的稳定，不得不将就为之，而非真正考虑到百姓的宗教信仰。审时度势，乾隆对此问题，头脑始终是清醒的。

第三，鉴于对问题的透彻认识，为了从根本上去掉那些活佛转世出于一族等弊端，乾隆采取了以金瓶掣签确定转世活佛的措施，遂形成制度。1793年，乾隆曾谕军大臣：“……至藏内拉穆吹忠一事，前据福康安等续奏，亲加试验，俱不能用刀自扎，以舌舔刀。但若竟革去吹忠，势不能将前后藏略具聪明之幼孩遍试验等语。所奏尚属未当。吹忠等所习幻术尚不及内地之巫师，积习相沿，最为可笑。若仍由该吹忠等降神指认，伊等皆可听受嘱托，假托神言，任意妄指，虽由金奔巴瓶内签掣，而所掣之人仍不能无徇情等弊，不过系一二权势之人主谋，而吹忠四人内大约即系拉穆一人主持，其弊亦可概见。”类似的谕示，乾隆曾有多次。为除去活佛转世中的弊端，可见其用心良多，如此，“虽不能尽去其弊，较之从前一人之授意者，或略公矣。”

乾隆的这些主张影响可谓深远。金瓶设二，一置于北京雍和宫，主要供蒙古地区确定转世活佛时用；一置于西藏大昭寺，至今已200余年。据清理藩院统计，乾隆五十七年始至清末，仅西藏就有39个活佛系统的转世活佛通过金瓶掣签，计96位活佛，其中有十世、十一世、十二世达赖喇嘛和八世、九世班禅，用掣签认定的76位，免于金瓶掣签的15位（其中包括九世、十三世达赖喇嘛），计91位。金瓶掣签作为一制度，发挥了重要的作用，在政治上极大地限制了掌权人物操纵转世的弊病；在宗教上也体现了转世活佛遴选的法断原则。

第四部分，重说“去一族之私”，以金瓶掣签形式确定转世活佛的重要意义。原文曰：

> 夫定其事之是非者，必习其事，而又明其理，然后可。予若不习番经，不能为此言。始习之时，或有议为过兴黄教者，使予徒泥沙汰之虚誉，则今之新旧蒙古畏威怀德，太平数十年可得乎？且后藏煽乱之喇嘛，即正以法。元朝曾有此是乎？盖举大事者，必有其时与其会，而更在乎公与明。时会至而无公与明以断之，不能也；有公明之断，而非其时与会，亦望洋而不能成。兹之降廓尔喀，定呼必勒罕，适逢时会，不动声色以成之。去转生一族之私，合内外蒙古之愿，当耄近归政之年，复成此事，安藏辑藩，定国家清平之基于永久，予幸

在兹，予敬益在兹矣。

乾隆五十有七岁次壬子孟冬月之上瀚笔。

乾隆在这里发了一通议论，讲了两个议题，突出了一个重点。即，其一，他认为“定其事之是非者，必习其事，而又明其理，然后可”。用现行的语言表述，即为凡要对某件事做出正确的断判裁决，必须要深入了解、掌握其事，明了其中的道理才可以。藉此，乾隆自我引证：“予若不习番经，不能为此言。”这是一条很重要的经验，也是符合认识问题和解决问题的基本规律的。其二，举大事者，要有时、会和公、明的契合，并阐述了它们之间的辩证关系，“时会至而无公与明以断之，不能也；有公明之断，而非其时与会，亦望洋而不成。”解决问题需要有公心和智慧，也需要有条件和时机，时机成熟，就可以“不动声色以成之”，言下之意，他以为他定活佛转世之制，就得利于自己的公明之断和“适逢时会”，才能“去转生一族之私，合内外蒙古之愿”。以此观之，作为封建帝王乾隆不愧为雄才大略，统驭全局，运筹自如的解决国家重大问题的高手，明晰，有思想，有方法。但他突出的重点仍然是“定国家清平之基于永久”，为大清帝国这个封建家天下的“永久基业”服务。

作为一份重要的历史文献，《喇嘛说》尚未得到学术界广泛的重视，它与1793年颁布的《钦定藏内善后章程二十九条》有等量齐观的作用。

1. 这份文献对藏蒙地区普遍存在的在转世活佛选择（尤其是一些大活佛的认定）中的弊病是一次清算。这一清算，在政治上对藏、蒙地区的稳定具有重要作用，极大地改变了主政官员左右灵童选择的局面，使藏传佛教活佛转世这一制度，在灵童的选择中具有公平、公正、平等的原则，诸多的灵童可由“法断”，而非“人断”。在宗教上，无疑是一次重要的整顿，对转世活佛出于一族这种藏传佛教界违背佛法的腐败行为进行了有力的批评，使之正确、客观，通过佛的慈悲加持和智慧，用法断形式，来确定慧根殊胜的真正灵童的轨道上来。

2. 确定了“金瓶掣签”制度。这一制度的实施，体现了中央政府对西藏地方政府的主权和具体领导。同时，“金瓶掣签”也作为藏传佛教的一项宗教仪轨而流传了下来，得到了广大藏传佛教僧俗百姓的欢迎和拥护。

（三）灵童的寻访、认定

灵童的寻访是活佛文化中的核心内容之一。而这一寻访过程也在严格的宗教仪轨的制约下进行。

1. 基本仪轨

（1）寻访。有如下几项工作为灵童寻访之基础。其一，前世活佛圆寂时的面向；其二，前世活佛的遗言；其三，乃穷降神；其四，观湖。以寻找十三世达赖喇嘛的转世灵童为例。十三世达赖圆寂时面向东，以宗教说法此即暗示灵童将产生于东方；乃穷神降神也说十三达赖将转世于东北汉人地方；经过热振呼图克图观湖显示，在一马路的尽头有一农家，门前有一株巨大的柳树，旁边拴一匹白马，有一妇人抱一小孩站在树下。热振饬画师详细画出，依此向东方寻找，历时两年，才在青海省湟中县的祁家川（现划归青海省平安县）找到第十四世达赖喇嘛。有些活佛寻访前的占卜、遗言中还明确地指出灵童父母的姓名和灵童的属相。寻访工作是在秘密中进行的，即通常所谓“秘密寻访”，寻访人员装扮成商贾模样或以别的身份，带着前世活佛的用物，诸如佛珠、碗、法鼓、铃杵之类，有些还牵上前世乘用的马，让所选孩童辨认，据说有些灵童可以准确地认出前世用过的东西。寻访的范围虽有方向，但只是大概。有时寻访人员分几路进行，如同普查性质。比如十世班禅灵童的灵访，根据观湖显影所确定的方向、属相和灵童所在地的情况，对种种吉兆逐一分析，最后从28名男童中筛选出7名重点男童和5名需要核实的男童，其余无明显特征的男童一律淘汰。

（2）确定候选灵童。当进入灵童选择的最后阶段，须选择三名灵异儿童至拉萨，由三大寺和驻藏大臣等再次验看后报请朝廷，允予掣签。

（3）金瓶掣签。金瓶掣签在后期的发展中，已进入达赖班禅等大活佛认定过程的宗教仪轨而存在。皇帝允准掣签后，即有如下一些程序：第一，将金奔巴瓶从大昭寺迎到布达拉宫供有清朝皇帝唐卡画像的殊胜三界殿。第二，将灵童的名字（满、藏、汉三文）写在签牌上，放于金瓶之中，进行为期7天的诵经供养仪轨（有些资料介绍为11天）。第三，正式掣签。清时在正式掣签之日，众人诵念经文，请求圣者大悲菩萨和三宝慈悲，念三遍真言和祈愿偈颂，然后驻藏大臣向皇帝画像行三跪九叩大礼，继而摇动金奔巴瓶，使瓶中写有灵童姓名的签牌转动，从中取出一签，由呼图克图和驻藏大臣共同验看，并对众宣布。众人高呼“拉嘉洛!”（神胜利了!）《藏内善后章程二十九条》对此有明文规定，而且列为该章程的第一条：

> 关于寻找活佛和呼图克图的灵童问题，依照藏人例俗，确认灵童必问卜于四大护法，这样就难免发生弊端。大皇帝为求黄教得到兴隆，特赐一金瓶，今后遇到寻认灵童事，邀集四大护法，将灵童的名字及出生年月，用满、汉、藏三种文字写在签牌上，放进瓶内，选派

真正有学问的活佛，祈祷七日，然后由各呼图克图和驻藏大臣在大昭寺释迦佛像前正式认定。假如找到的灵童仅只一名，亦将一个有灵童名字的签牌，和一个没有名字的签牌，共同放进瓶内，假如抽出没有名字的签牌，就不能认定已寻得的儿童，而要另外寻找。达赖喇嘛和班禅额尔德尼和父子一样，认定他们的灵童时，亦须将他们的名字用满、汉、藏三种文字写在签牌上，同样进行，这些都是大皇帝为了黄教的兴隆，和不使护法弄虚作假作弊。这个金瓶常放在宗喀巴佛像前，需要保护净洁，并进行供养。

在向众人宣布的同时，驻藏大臣还要向灵童的父亲宣布这一喜讯。灵童的父亲要向皇帝画像叩头谢恩，并向驻藏大臣和相关人员敬献哈达。

（4）剃发、命名。剃发标志着灵童正式出家，因而担任剃度师的人多是高僧和被剃度者的经师。比如十一世、十三世达赖喇嘛由八世班禅剃度，十二世达赖是由热振呼图克图剃度。因为有师承关系，经师在为弟子取名时必取自己名字的一部分。比如：十三世达赖喇嘛名“吉尊阿旺洛桑土登嘉措久赤旺觉却勒南巴加哇贝桑布”，九世班禅取名“洛桑确吉尼玛格勒南杰贝桑布”，其中之“洛桑”即取师父名字中的一部分；八世班禅名为“确吉扎巴丹贝旺秀贝桑布”，十一世达赖喇嘛名为“阿旺格桑丹贝准美克珠嘉措贝桑布”，其中之“丹贝”即取师父名字中的一部分。再如，十一世班禅的经师为中国西藏佛教协会会长、代理甘丹赤巴、拉仁巴格西波米强巴洛珠活佛，十一世班禅的法名为“吉尊洛桑强巴伦珠确吉杰布贝桑布”，其中之“强巴”即取波米强巴洛珠活佛名字中的“强巴”二字。

（5）皇帝颁诏核准。金瓶掣签后，要将确定的转世灵童上报朝廷批准。皇帝批准后，方可确定吉日举行坐床仪式。

（6）坐床。坐床实际上是新活佛的即位仪式，往往隆重而热烈。1879年6月十三世达赖坐床时，光绪皇帝于五月降旨拉萨：

达赖喇嘛转世已经确定，今年六月十三日良辰吉时举行坐床，甚佳，朕深喜之！现赐达赖喇嘛黄哈达一条，佛像一尊，念珠一串，铃杵一套。达赖喇嘛坐床之后，可启用前世达赖之金印，并将用印时日上奏。前请乘用黄轿及黄色鞍辔均予准用。佛父贡噶仁钦封为公爵，赏戴宝石顶子，着孔雀瓴，依旨遵行，钦此。

6月12日，摄政陪同达赖从日加三丹林出发，至噶厦预先在拉萨东郊堆古塘扎好的帐篷里宿营。13 日，达赖乘坐黄色大轿，在仪仗队及各色人等陪同下，浩浩荡荡前往拉萨，十余里中，僧俗百姓，载歌载舞，夹道欢迎。十三世达赖先到大昭寺向柱上挂的“当今皇上万岁万万岁”的牌子献挂了哈达，尔后进入大殿，向释迦牟尼佛像献了哈达。后至布达拉宫日光殿与驻藏大臣会晤，互献哈达，举行坐床仪式。

坐床仪式之后，达赖要上表谢恩。

十一世班禅的坐床仪式也是盛况空前。仪式由国务院特派专员、西藏自治区人民政府主席江村诺布主持，国务院代表、国务院秘书长罗干宣读国务院关于西藏自治区人民政府关于认定坚赞诺布为十一世班禅额尔德尼的“批复”。该“批复”写道：

西藏自治区人民政府：

你区 1995 年 11 月 29 日关于《请国务院批准经金瓶掣签认定的坚赞诺布继位为十一世班禅额尔德尼的请求》悉。国务院特准经金瓶掣签认定的 1990 年 2 月 13 日（藏历第十七饶迥土蛇年十二月十九日）出生的西藏自治区嘉黎县坚赞诺布为第十世班禅额尔德尼转世灵童，继任为第十一世班禅额尔德尼。

中华人民共和国国务院
一九九五年十一月二十九日

2. 后期达赖、班禅的中央认定

自设立金瓶掣签制度以来，达赖、班禅两大活佛的转世多由中央政府认定。

（1）九世达赖。九世达赖名隆朵嘉措，生于 1805 年，据说幼时就有异相，在他两岁时，摄政济咙呼图克图主持乃穷护法神、四大噶伦、四位仲译和八世达赖喇嘛的三位近侍前去看视。为了慎重起见，此后再由七世班禅额尔德尼、济咙呼图克图、驻藏大臣玉宁和文弼、第穆呼图克图、热振活佛、策觉林活佛、四大噶伦等噶厦官员同去看视，十分聪明，一下子认出了八世达赖的用物。后由驻藏大臣将情况上奏嘉庆皇帝。嘉庆十三年，谕旨到达拉萨。曰：“此次呼必勒罕出世，诸多征验，实为吉事有祥，殊堪嘉慰。特清额驰抵西藏后，当晓谕班禅额尔德尼、济咙呼图克图等，以从前指称呼必勒罕出世，率多牵合附会，或仅小著灵验，不足凭信。仰蒙高祖纯皇帝特赏金本巴瓶，饬令书名封贮，诵经签掣，以防弊混。今达赖喇嘛甫逾二岁，异常聪慧，早悟前身。似此信而有征，洵为从来所未有。设当高宗纯皇帝时，亦必立沛恩施，无须复令贮瓶签掣。”免于金瓶掣签，但嘉庆接着说：“但此系仅见之事，且征验确凿，毫无疑义，嗣后自应仍照旧章，不得援以为例。傥因稍有端倪即附会妄指，一经查明，必当治以虚捏之罪。并着驻藏大臣等将此旨敬谨存记，一体钦遵办理，仍著特清额于颁赏达赖喇嘛呼必勒罕时，令通事询问试验如何灵敏出众之处，将实在情形详细复奏。”

（2）十世达赖。十世达赖名楚臣嘉措，1816年生于理塘，是第一位用金瓶掣签确定的达赖喇嘛。楚臣嘉措由于灵慧出众，西藏僧俗在拉萨集会，请求驻藏大臣玉麟上奏嘉庆皇帝循九世达赖之使命例，免于金瓶掣签。受到嘉庆皇帝的严厉训斥：“玉麟等奏藏中僧俗人等求定达赖喇嘛呼必勒罕一摺，甚属非是。以前各处呈报呼必勒罕出世，每多附会，争端渐起，弊窦丛生。皇考高宗纯皇帝洞烛其情，设金奔巴瓶缄名掣定之制，睿谋深远，自当万世遵行。今理塘所报幼孩，其所述灵异何足征信？若遽听其言，与从前指定一人者何异？玉麟等不严行驳饬，实为错误，着传旨申饬。此次理塘幼孩，即作为入瓶签掣之一。俟续有报者，再得其二，方可将三人之名一同缄封入瓶，照定制对众诵经掣签。着将此旨明白传谕第穆呼图克图，毋须再渎。若来京求情，即查拿治罪。将此传谕知之。”此后，新任摄政在全藏寻找灵童。结果是：贡布地区一名、仁蚌地区一名、甲德嘎乌地区一名、昌都地区两名。

道光皇帝继位（1821）后，仍关注此事，传谕道：“至于达赖喇嘛的转世，应照以前父皇谕旨所定，金瓶掣签认定，合于例规，而且可望灵童寿命长久。”据藏文《十世达赖喇嘛传》载，遵照道光谕旨，七世班禅来到拉萨，确定理塘和昌都的两位灵童为候选人，并当众辨认前世达赖喇嘛的日常用物，只有理塘的辨认准确。于是于藏历水马年元月十五日在布达拉宫举行金瓶掣签仪式。先由满族和藏族秘书用满文和藏文在签上写上了三位灵童的名字，由众人验证后，由驻藏帮办大臣灵海将签放入金瓶中，再由驻藏办事大臣文干将金瓶拿起摇晃数次，抽出一签，宣布由理塘的灵童中签，后送予班禅、众官员高僧验看。继将理塘灵童的父亲叫来，向他宣布这一喜讯，并向参加仪式的所有官员赠送了礼品。认七世班禅为师，取名“阿旺洛桑降边丹增楚臣嘉措贝桑布”。

（3）十一世达赖。十一世达赖于1838年生于今四川省甘孜藏族自治州道孚县八美区协德乡。藏历铁牛年5月24日与其他两位灵童在布达拉宫举行金瓶掣仪式，得中。翌年四月在布达拉宫举行坐床典礼，道光皇帝特派章嘉呼图克图、孟保、成都副都统什蒙额等前去看视坐床，拨银10000

两作为坐床大典的费用。

（4）十二世达赖。十二世达赖于1856年生于西藏沃卡（今西藏山南地区）之拉鲁家族，俗名洛桑丹增居迈。寻访的人在桑日、达布等地也找到灵童，一同向摄政热振呼图克图作了汇报，热振等官员在诺林噶桑宫在宗喀巴大师的像前，让三位幼童辨认了前世达赖的用物，洛桑丹增居迈见到前世达赖供奉的佛像后，便叩头礼拜，灵异非常。咸丰皇帝接到驻藏大臣满庆的上奏后御批："达赖喇嘛涅槃已及二年，兹据满庆奏称，其颖悟异常，显著灵异幼童三名，实属祥瑞之事，朕心悦慕。着照所请，即遵成例将此三幼童之名入瓶，敬谨掣定呼必勒罕，由驿奏闻。"藏历土马年元月十三日，驻藏大臣满庆、摄政热振呼图克图等在布达拉宫皇帝画像前主持金瓶掣签仪式，将写有满藏两种文字的三个候选灵童的名字写于签上，投入金瓶内，诵经祈祷。驻藏大臣满庆向皇帝画像行三跪九叩之礼，而后摇动金瓶，摇出一签，交由热振一起验看，为沃卡的洛桑丹增居迈。驻藏大臣向灵童的父亲说："你的儿子已确认为第十二达赖喇嘛，向大皇帝叩头谢恩。"灵童的父亲平措次旺向皇帝画像叩头谢恩，并向驻藏大臣、热振呼图克图等敬献哈达。藏历火猴年七月三日，在布达拉宫举行了隆重的坐床典礼。皇帝颁发敕书，赏银10000两。

（5）十三世达赖。十三世达赖名土登嘉措，于1876年生于西藏达布之朗顿村，由八世班禅、驻藏大臣奏请光绪皇帝同意，免于金瓶掣签。光绪有旨谕曰："达赖转世已确定，今年六月十三日良辰吉时举行坐床，甚佳，朕甚喜之！现赐达赖喇嘛黄哈达一条、佛像一尊、念珠一串、铃杵一套。达赖喇嘛坐床之后，可启用前世达赖之金印，并将用印之日上奏。准予乘用黄轿及黄色鞍辔。佛父贡噶仁钦封为公爵，赏戴宝石顶子，着孔雀翎。依旨遵行。"

（6）八世班禅。八世班禅于1855年出生于后藏之托布加。此时正是廓尔喀入侵西藏之时。噶厦与札什伦布寺寻得七世班禅的转世灵童，驻藏办事大臣赫特贺上奏咸丰皇帝定夺。咸丰皇帝敕谕曰："赫特贺等奏，'班禅尔德尼呼必勒罕现访得灵秀二童'等语。呼必勒罕涅槃将及四载，赫特贺等奏，访得知觉异常灵妙二童。实属祥瑞，朕心快悦，着照所奏，即照定例，将此二童之名入于金瓶内，唪经敬谨掣签，以定呼必勒罕，俟掣定后，由驿驰奏。"藏历火龙年（1856）由驻藏大臣满庆、赫特贺等在布达拉宫举行金瓶掣签仪式，确定八世班禅。咸丰皇帝谕旨："本年（1856）十一月二十三日，驻藏大臣亲往布达拉山会同征阿齐呼图克图、色本诺门汗率僧俗人等唪经，由金瓶内掣出番民丹择旺结之子拉木结旺堆嘉木参之名签，拟定为呼必勒罕。是日，天气晴和，诸事祥瑞，阖藏僧俗人等皆大欢喜。”藏历铁猴年举行了隆重的坐床典礼。

（7）九世班禅。九世班禅于1883年生于西藏达布，俗名伦珠嘉措。札什伦布寺访得灵童三名，报于当时的驻藏大臣文硕转奏朝廷，清廷即批文准予将三名幼童的名字写于签牌上“敬谨掣定”。1888年元月14日驻藏大臣、达赖喇嘛、噶厦官员等在布达拉宫的色松南杰殿举行金瓶掣签仪式，掣定伦珠嘉措为九世班禅。

由上可知，自金瓶掣签制度确立以来，从朝廷到驻藏大臣，从达赖、班禅到噶厦官员，都十分重视，既作为一项宗教制度来严格履行，又作为一项政治制度来严格执行。自清以后，国民党政府在这一点上也是一脉相承。即所谓作为“历史定制”而奉行。

3. 达赖、班禅两大活佛转世系统及其在藏族社会中的地位和作用

如同许多事物的发展变化一样，达赖、班禅两大活佛转世系统的建立和它在后世如此显赫的地位的确立也经历了一个由小到大，由普通到特殊的发展过程。

（1）在藏传佛教的发展历史中，以僧人参政、执政和政教合一为特点的制度曾经历过如下几个阶段。第一，吐蕃王朝后期。这一时期出现了赤热巴巾的老师担任大相职务等情况。僧人对政权的影响已十分明显。古格王朝等时期亦大体相类似。第二，萨迦政权时期。虽设萨迦本钦，但仍以僧人主政为特点。第三，帕竹政权时期（第悉政权）。自大司徒绛曲坚赞（1302～1364）始历十三世法王，凡264年。第四，噶玛政权时期。噶玛政权虽然时间不长，但它与格鲁派的斗争却十分尖锐。第五，甘丹颇章政权时期。从以上扼要的叙述可知，在僧人参政议政和主持政权的过程中，曾有萨迦、噶举、格鲁三个教派主持过西藏地区的政权。因而，可以说西藏僧人的关心政治、过问政事是有历史渊源的，即在长期的历史过程中，藏区的僧人始终与政权有联系或关系，在政教合一阶段处于政权的核心，而不像别的国家和地区的佛教教派不问政事，潜心佛事。这是由建立在封建农奴制经济基础之的政教合一制度所决定的，是由藏传佛教特殊的历史地位和作用所决定的，也是藏区特殊的社会文化赋予藏传佛教的特殊使命。我以为这是藏传佛教的一大特点。这一特点也是后世达赖、班禅两大活佛具有同如日月的崇高地位的根本社会历史原因。

（2）达赖、班禅在藏区的地位和作用是在自身的历史发展中建立的。上文已述，第一、第二世达赖，第一、第二、第三世班禅都是后世追认的。虽然由于宗喀巴大师的盖世威望和驻世时打下的雄厚基础，格鲁派在

14 世纪末叶至 15 世纪时就有相当规模。但是与当时的其他教派比较，在西藏政治事务中并没有多少分量。格鲁派和达赖系统发展的一个关键时刻是三世达赖到蒙古地区的传教，此举决定了蒙古地区的藏传佛教格鲁派信仰，也和蒙古的王公贵族建立了关系；其二是五世达赖和四世班禅联合蒙古王公，推翻噶玛政权，建立甘丹颇章政权，赢得教争的胜利。此举为以达赖、班禅为代表的格鲁派掌握整个西藏政教大权奠定了基础，也完成了达赖、班禅由宗教首领向政权首领的过渡。宗教首领和政权首领是达赖、班禅的两大地位，也是自 16 世纪以后其他教派未曾取代的两大作用。

（3）活佛文化是藏传佛教文化中最具特色的部分，在藏族文化史上也占有重要的地位。自 13 世纪以来的 700 年的发展中，活佛文化已形成自己完整而丰富的文化系统，发挥着独特的社会、经济、政治、文化功能。其特点主要在于：

第一，广泛性。以噶举派和格鲁派为主体，藏传佛教各派基本都采用了活佛转世制度。因此，藏区的活佛具有十分广泛的影响，具有深厚而牢固的社会基础。据一些资料显示，藏族地区和蒙古地区的活佛加在一起，约近千名，稍知名的大一点的活佛也有数百名。活佛有大小之分，但在藏区已无处不在。

第二，层次性。藏区的活佛虽然很多，但不是等列的，存在着实际的层次。比如，像哲蚌寺那样的大寺院，既有代表全寺的大活佛，代表札仓的活佛，也有代表康村的活佛。格鲁派中的达赖、班禅、各大呼图克图，噶举派中的噶玛巴活佛等都是大活佛；像蒙古的哲布尊丹巴活佛是藏传佛教在蒙古族中的最大活佛。小活佛与大活佛不可比拟。

第三，系统性。据有关资料反映，全国的转世活佛大约上千，而每一个活佛都有一转世系统，形成一网状结构。

第四，历史性。每一个活佛的转世系统都代表着一个漫长的历史过程。比如，噶玛噶举派黑帽系的活佛自让琼多杰至十七世噶玛巴乳金赤烈已传十七世，凡 700 多年历史。因而现在某世活佛的影响往往是历史以来的历世活佛影响的积累。

第五，权威性。活佛是神权的典型代表。由于藏民族历史上形成的长期的全民信教现象，使藏人的崇佛（活佛依然）意识到了无以复加的地步。佛，作为藏人的精神导师，备受尊崇，具有很强的影响力、号召力和渗透力。达赖、班禅系统中，像达赖五世、十三世，班禅九世、十世等都曾以其独特的身份，为国家的统一，民族的团结，藏族社会的发展、进步做出了巨大的贡献。

三、教育制度

随着国内外新兴教育的兴起和社会的发展进步，藏族地区的教育也在发生着变化，这种变化是随着时代的变化逐步在藏区荡溢开的。除了在藏族社会占主流地位的寺院教育外，这一时期的藏区教育还存在着一些其他形式。

（一）私塾

从整体看，寺院教育满足不了整个藏族社会多种范畴、多个类型和多个阶层的需要。在经济发展相对滞后的过去是这样，在社会生产力水平不断提高的今天更是这样。比如，在今天我们需要有农业大学、畜牧学院、林业学院、财贸学院、建筑学院，而寺院教育中则不可能提供这一方面的知识。在一般层次上看，也是如此。藏区私塾的出现，也是藏族社会对教育需求转变的直接表现。在西藏上私塾学校的大多是贵族和富商子弟，主要课程是藏语拼音、书法、文法等基础知识。学生七八岁入校，学习七八年毕业，如同小学。1951 年前在西藏日喀则、拉萨、江孜等地都有这种学校，仅拉萨一地就有七八所这样的私塾，一般十来人，稍大的也不过四五十人。私塾学校的教师多是藏文较好的知识分子。但是，由于条件简陋——学生席地而坐，拿块学习用的木盘（上面撒层香灰或者灶灰等，用竹笔在上面练习写字或者算术），课程范围狭窄，教学方法也过于简单，学习效果不甚理想。

甘、青、川藏区因与汉地接近，开办私塾教育的时间较早。主要是那些有钱有势的土司头人的子弟进入私塾或者就将私塾设在土司衙门，请教员讲授。清时，有些藏人就参加科举考试。同时，在清末民初，藏、汉杂居区设有许多书院，如青海地区，有西宁的五峰书院、湟中书院，大通县的秦兴书院，循化县的龙支书院，湟源县的海峰书院，乐都县的凤山书院，贵德县的河阴书院等，其中均有藏人学习。

四川甘孜地区的私塾教育要比其藏区见长。康熙年间，清政府派兵驻防，汉商日多，即在巴塘、打箭炉设立私塾，当时就有藏人子弟学习。1904 年，伍文元（打箭炉直隶厅同知）办大同学校，王锡珍办官话学堂（所谓“官话”就是汉语），强迫藏民子弟入学，粮府供给学生伙食。

1904 年至 1907 年，清驻藏大臣等在拉萨试办蒙养院，招收藏汉子弟读书。这一时期噶厦政府还请英国、印度在亚东、江孜、拉萨等地开办英语学校，入校学生百人左右。由于当时宗教上层人士的反对，有的开办三年，有的只办半年而被迫关闭。因此也未能形成稳定的教学系统。然而以此为契机，也由于当时形势所迫，噶厦政府也曾派少量人员出国留学。

（二）东部藏区的新兴教育实践

赵尔丰任边务大臣时，在康区兴办教育，1907 年至 1911 年间，在巴塘、理塘、稻城、雅江、盐井、乡城等处设立学堂，大致情况如下：

1907 年，巴塘有学校 2 座，学生 60 名，教员 4 名。

1908 年，巴塘、理塘、乡城、盐井等地有学校 34 座，学生 1038 名，教员 37 名。

1909 年，上述地区等有学校 39 所，学生 1500 余人。

1910 年，上述地区及邓柯、江卡、乍丫、察木多等处有学校 122 所，学生 3100 余名，教员 122 名。

1911 年，上述地区及定乡、江口、稻城等处有学校 200 余所，学生 9000 余名。

——五年之中，学校、学生数均有很大增长，并且十分注意培养师资队伍。“设学之难，莫于劝导，尤莫难于造师”，并且提出具体的培养师资的办法：“似宜仿京师国子监藏文学堂例，于炉城特设一优级藏文学堂，选内地各项优等毕业生，择其志趣坚卓，有远志，无习气者为合格……夫以明于科学之人，专令其练习藏语，不必一年，已可毕业。”① 1911 年，清川边关外学务局招收学生 30 名，在炉城开办藏语专修学校。在此前（1906 年）在打箭炉曾设速成师范学校；在成都设藏文学堂，学制二年，以修习藏文及英文为要。川边藏区的兴办学校也实行强迫手段。如《康定县图志》第 27 页说：“夷民子女无论贫富，六七岁即须送放学堂，有不入学者，罪其父兄，并罚银五两至五十两，按其家资科罪。既入学堂，除犯规革除不计外，其余必须卒业，得有凭照，方准离学，不得任意中辍，致隳学业。”赵尔丰在兴学上采取了多种措施，强迫的同时也加以奖劝，如即年考试成绩优秀者可免其家庭一年差徭；若在毕业考中得取前三名，不但可免家庭三年差徭，还可由军政机构录用，或可推荐到高一级学校深造。所以“一时风行草偃，番人子弟，争以求学为荣”。

从教材和课程设置看，当时所办的藏文学校，较为时兴，也较实际。如以上已谈及的成都藏文学堂的课程分两学年四学期，具体学时分配为：

---

① 朱解琳：《藏族近现代教育史略》，青海人民出版社，1990 年，第 58 页。

学期 学时 科目	第一学期	第二学期	第三学期	第四学期	各科钟点统计
修身伦理	1	1	1	1	80 小时
藏语藏文	12	12	9	7	800 小时
英语英文	8	8	10	12	760 小时
国文	1	1	1	1	80 小时
历史	无	1	1	1	60 小时
舆地	无	1	1	1	60 小时
图画	1	1	无	无	40 小时
测绘	无	无	2	2	80 小时

续表

学期 学时 科目	第一学期	第二学期	第三学期	第四学期	各科钟点统计
算术	8	6	6	6	520 小时
体操	5	5	5	5	400 小时
每星期钟点合计	36	36	36	36	2890 小时

其历史课教材大纲为：

一、唐诏土番之归服及其改流。二、土司四十八种支族及其党目风土。三、土籍之遗传，殷周之挞伐，武侯之定泸，唐李韦之平戡，国朝之平定两金川。四、藏卫自唐以来之沿革，达赖、班禅坐床次数。五、戎兵额及建置驻藏大臣原委。六、唐古忒兴废记。七、西人逾印度、喜马拉雅山而窥藏始末。八、廓尔喀之关系。九、古来由蜀通印度之故事。十、川滇藏之关系中原。①

赵尔丰以武力改土归流，推行新政，从而采取的是一套封建的民族同化政策，从藏族文化的继承和发展这一角度看，的确是将藏文明割裂而使藏族教育统统纳入汉文化的轨道。如此也得到藏人的强烈反对。但从推行

① 朱解琳：《藏族近代教育史略》，青海人民出版社，1990 年。

新型教育这一点看，是应给予适当的评价的。民国之后，赵尔丰身首异处，其兴办的教育也大多停办。

1907 年，满蒙文高等学堂附设藏文科，分藏文预科、正科、别科，招收藏族学生，具体科目如下：

1. 藏文预科，两学年，各课周学时分配为：

第一学年：人伦道德 1，藏语藏文 12，中文 4，法学通论 2，历史地理 3，算术 4，几何 2，物理化学 2，博物 2，图画 2，体操 2，计 36 学时。

第二学年：人伦道德 1，藏语藏文 12，中文 4，理财原理 2，历史地理 3，代数 3，三角 3，理化 2，博物 2，图画 2，体操 2，计 36 学时。

2. 藏文正科，学制三年，周学时为：

第一学年 10 门课：人伦道德 1，藏文 10，藏语 2，中文 3，藏卫地理 3，藏卫近史 3，用器画法 2，测量学 2，大清律例 2，体操 2，计 36 学时。

第二学年 12 门课：人伦道德 1，藏文 10，藏语 7，中文 3，财政学 2，理财政策 2，统计学 1，制图法 2，测量法 2，行政法 2，宪法 2，体操 2，计 36 学时。

第三学年 11 门课：人伦道德 1，藏文 10，藏语 7，中文 2，理财政策 2，殖民政策 3，制图法 2，实测 2，刑法 2，国际法 3，体操 2，计 36 课时。

3. 藏文别科，学制三年，周学时为：

第一学年 11 门课：人伦道德 1，藏文 10，藏语 6，中文 3，历史 2，地理 2，算术 4，法学通论 2，理财原理 2，大清律例 2，体操 2，计 36 学时。

第二学年 11 门课：人伦道德 1，藏文 10，藏语 6，中文 3，历史 3，地理 3，国际法 1，理财政策 3，宪法 2，刑法 2，体操 2，计 36 学时。

第三学年 11 门课：人伦道德 1，藏文 10，藏语 6，中文 3，藏卫地理 2，藏卫近史 2，财政学 3，殖民政策 3，统计学 1，行政法 3，体操 2，计 36 学时。

蒙藏学校兴起于清，民国时亦设其学校，将原来之蒙藏院改为蒙藏委员会，成立北平蒙藏学校，免费吸收西藏及青、甘藏族子弟入京学习，其课程设置大体与上同。

1931 年，西宁成立青海蒙藏文化促进会，以洛桑香趣（田恩雨）、阿福寿等 15 人为理事，马步芳为理事长，“以宣传三民主义，唤醒蒙藏同胞普及蒙藏教育，维系蒙藏生存为宗旨。其主要工作，则以蒙藏语文之学习，及蒙藏教育之推行”。从 1935 年至 1937 年间，在乐都、化隆、湟中、互助等地设立十多所蒙藏小学。至 1943 年，已成立蒙藏中心国民学校 11

所，蒙藏国民学校44所。同时在西宁成立蒙藏初级中学，马步芳任校长，洛桑香趣为副校长，培养了一部分蒙藏骨干人才。学生最多时达三四百人。但是，由于学校兴办之初，马步芳别有企图，一是为其经济利益将国民政府边疆教育专款挪作他用。一是通过办学将蒙藏王公千户、地方头人的子弟弄至西宁，以达羁縻作用，马说："我收养小虎，诱制大虎，不动干戈，坐而治之"，为其政治目的服务。而当洛桑香趣等人极力培养蒙藏人才时，马又恐青海之蒙藏势力抬头对自己形成威胁，继而排挤洛桑香趣，调其任同德县县长。1940年，马将蒙藏中学与青海省地方行政干部训练团合并，改称蒙藏语文班，至该团结束，蒙藏中学也便销声匿迹了。

以上所述多是在内地或杂居区或藏地由汉族官吏依照汉式教育形式所办的藏族教育，故而许多研究藏族教育的人士多有不述。综合看来，这些教育形式对藏族传统寺院教育的冲击也是不小的，至少对后期的藏族教育有借鉴意义。创办于1945年3月，初教育部聘为拉卜楞寺喇嘛职业学校校长的五世嘉木样下令"议仓"从各扎仓中选派百名青年喇嘛到学校学习。据《希望之光——关于甘南藏族教育的探索与思考》介绍，这一职业学校，"最初设置卫生、畜牧两科各一班，每班25人，修业限期3年。开设了普通课和专业课。普通课，实际就是公共课，包括公民、国文、化学、物理、英文、算术、史地、藏文等。专业课，卫生班设有：生理、解剖、卫生、药物、细菌、内科、外科、眼科、耳科、喉科、皮肤、卫生实习等；畜牧科设有：家畜生理解剖、药物、畜牧、诊疗、饲养、传染病、经营管理、畜产制造等。1941年隶属教育部后，增设了普通科，并设置了卫生实验所，消费合作社及畜牧场、家畜诊疗所等机构，使教学实习融为一体。"从这些课程的设置可以看出管理者的基本思路，这一思路是新型的、务实的，对本地区的发展是有好处的。

这一新事物也受到保守势力的强烈反对，视为异行邪说。但作为一方宗教首脑的五世嘉木样不为所动，坚持这一基本思想。当时任教导主任的绳学信在所著《甘南藏区纪行》一书说：在一次会议上，五世嘉木样说："喇嘛职业学校能使青年喇嘛学会生产技术，生活自给，有利于其安心习学佛经，有利于藏民发展生产，这是好事，谁再反对，我只有向他跪求。"可见他的决心之大，之坚决。《希望之光——关于甘南藏族教育的探索与思考》一书还引用了一段当时该学校的学生对嘉木样佛的回忆：

据我们和当时喇嘛职业学校学员、甘南藏族自治州政协副主席、已故著名藏族学者毛兰木交谈，他对这所学校评价甚高，记忆犹新。

他特别提到，五世嘉木样大师在担任校长期间，鼓励学员，不光要学好藏文，还要学好汉文，学好英文。必要时，就到外边留学。在关心学员课业的同时，每天都要让学员打开寝室窗户，更换新鲜空气。并不顾其他僧众反对，打破戒律，鼓励青年喇嘛下河洗澡游泳，锻炼身体。积极组织学员参加一些有益身心健康的课外劳动，经常去花园帮助浇灌、修枝及搬运花盆等，培养了青年喇嘛的劳动习惯。

这些思想不要说在40年代的藏区，就是在90年代的有些藏区提出，照样会受到保守势力的反对。对于当时身为高级活佛的五世嘉木样的确是难能可贵的了，他还亲自指导学生排练藏戏《松赞干布》，聘请教员学习汉语文，还在住宅安装收音机，收听各地新闻。可惜这位“天赋慧根，思想新颖，眼光远大，认识时代，把握现实，对该校期望甚殷，诚属大有为之人”的活佛，于1947年英年早逝。该学校也人亡政息，学生被各扎仓收回，保守势力抬头，终结了五世嘉木样的神圣事业。而五世嘉木样的这一实践是伟大的。同时也说明推行藏族新型教育的艰难。

任何教育都不是孤立地存在的，它要受制于社会生产力的发展，受制于具体的文化哲学观念，也受制于人们的传统思想及风习。自五世嘉木样圆寂上推十年，便有著名史学家、教育家顾颉刚先生在拉卜楞地区考察事。《希望之光——关于甘南藏族教育的探索与思考》一书记载，1938年6月29日顾在写给管理中英庚款董事会总干事的信中说：“来到藏地时总以为藏民尚保持蛮野之习惯，未受文化之陶冶。及亲涉其地，见其平民彬彬有礼貌，无赤贫之家，其寺院则精美弘伟，逾于皇宫，其喇嘛则埋头治学，献其全生命于经典，为之瞿然以惊，皇然以惭。藏民性情宽大，易于接收外来文化，唯以汉人与之往来太少，而西藏吸力又太强，遂致全部生活悉受宗教之支配，一时不易接受现代教育。”顾是注重实际的人，他对藏族教育的看法虽然保守一点，但是因地制宜，实事求是的。此为以后几十年藏区的实践所证明。因而，顾在藏人“一时不易接受现代教育”这一思想指导下，认为与其办学校教育，不如办社会教育，通过电影、留声相、戏剧、防疫等，逐步加深现代文化的影响，认识、懂得学校的重要，再办新型的教育。他说：“刚等经历各县，见有极好之天然富源，而本地人曾无开发之能力，则觉其有办职业教育之需要；见有强烈之种族宗教成见，一触动即将成祸乱，而本地人曾无消弭之方术，则觉其有办社会教育之需；见一县之中能任小学教师者绝少，又困于资力不能向外县聘请教员，则觉其有办师范教育之需要；见一县之中无一女子小学，本地人礼教观念又过深，不肯令女儿入普通小学，致使全县女子无一能有受教育之权利，则觉其有办女子教育之需要。此等需要皆非在省城所能觉察，外县旅行势不可已。”

顾的设想是极好的，但这些设想在当时还没有实现的基础，只有在1949年以后的发展中才逐步得以实现。

（三）留学生

自两次抗英斗争之后，西藏向外国的学习也逐步兴起。1913年，龙夏率领芒仲喜饶贵桑、强俄巴仁增多吉、吉甫旺堆罗布、果卡瓦索朗贡布等四人前往英国伦敦学习地质、电力、邮电和军事。此后还有一些青年被派往英国和印度留学，至1934年已有50余人。期间英人还曾在亚东、江孜等地开办英藏文化学校，训练藏军士兵。1949年，十四世达赖再次派噶雪巴率领10余名藏族青年前往印度大吉岭求学。可是，藏族的留学生们并未形成巨大的力量，从理论思想和科学技术方面对藏族社会产生大的影响，从而推动藏族文化迅速向前发展。

四、部落武装和藏军的消亡

（一）部落武装

部落制度的存在，给藏族社会增添了不少原始古朴的色彩。但是许多人对藏族地区部落的实质情况并不十分了解。其一，藏族地区的部落，大多数虽然有原本的部落名称，但是这种带有部落名称的部落与早期的部落有本质的区别，它已具有封建性。其二，由于时代的发展，在城镇，比如拉萨，则完全是另外一种形式；其中谿卡等的设置，有些是典型意义的封建农奴制性质，有些则保留着一些部落性质的东西。其三，虽然很少血缘意义的部落，但是地缘部落在一些偏远牧区还保存得比较完整。比如青海省果洛藏族自治州的部落，具有代表性，俄尔保先生在《果洛若干历史的片断回忆》中进行了较为全面的介绍。

军旗。军旗是指挥战斗、决定进退的标志，在古代战争乃至现代战争中起着非常重要的作用。在战场上，军旗就是命令，从军官至士兵都要绝对服从，违者要受处罚。部落里掌握军旗者须挑选勇敢剽悍的人，称之为军官。

军旗的形状为四方形，黄底，四边镶红色，抑或也镶白色、黑色。军旗的上、中、下飘带分别以蓝、白、黄三色制成，象征天、地、空间。也有无飘带的四方旗和三角形的旗。旗面多绘天神和守护神的像，这是古俗。《旧唐书》等史籍记载，吐蕃王朝时期的军旗上也有绣像或绘像。如狮子旗，上绘雄狮，同时马也用红、黄、蓝（染成蓝色）、白、黑编成序列。因为后期的部落武装毕竟不同于吐蕃时期的军队，不可能将平时务农牧，战时为兵行伍的群众编成规模较多的红马队、白马队、黑马队。而用旗帜分别部队中、小建制的风俗仍保存在了下来。

果洛地区的组织系统与吐蕃王朝时期的赞普与小邦王的隶属关系有点接近，大部落（部落联盟）的头人称土官，属下有许多小部落，小部落的头人称小土官，是大部落头人的臣子；小部落头人属下有什长，什长为小部落头人的臣子。乃至群众。遇有战事，集合作战队伍时，每一个大部落各有一种不同颜色的旗帜，粗以观之，从旗帜颜色便可知晓这是哪一大部落的部队。大部落所辖各小部落的旗帜，则用不同形状的肩旗和背旗，倘若战斗中有人被俘，从队旗就可判别是哪个具体部落的人。

军事装备。果洛的军事装备十分古老。准备参加战斗的人们，身穿铠甲（牛皮甲、铁甲）等；头戴盔和护盔；腰之右佩箭袋，插满利箭和锦件“卜尔久”，左佩豹皮弓袋，内装硬弓及其锦件“惹知后”。有些部落还有珍贵的铠甲和武器，如阿什羌旦增达尔吉有九眼六面锁子甲，四楞盔帽，犀角长弓，镂金大刀贝巴占杜；阿什羌华庆贡用各种绫绸结成装饰的战胜光明护身甲衣及威尔玛光明盔、火焰枪套、吃肉砍刀、守护神黑色毒矛等武器也颇有名气。

当然除了刀枪箭弓以外还有火枪，遇有紧急问题要处理，部落会议规定每支火枪配子弹 100 发，火药 100 盒，火绳 2 庹，带足三天粮秣，联成大组，宣布纪律，整装待命。这些与康区的情况大不相同，如 1949 年前历时 26 年的巴塘六玉十五村的冤家械斗，使用的武器基本上都是步枪、手枪等，还有手榴弹。果洛地区当时当然也有步枪，但主要是使用大刀、长矛和火枪，否则青海马家军阀自 1921 年开始，不断残酷屠杀藏族人民（仅 1937 年一次便惨杀藏胞 1000 多人，使许多地方成为无人畜区）就不那么容易了。

上文已谈及，部落中的军事装备，包括战马等都由兵丁自己准备购买，因而不会有统一军事装备（军服等）。这主要是由部落的征兵形式决定的，特殊情况下十五岁至七八十岁以下的男性都是应征对象，闲时在家既为地道百姓，没有什么正规的军事训练。这跟现代意义的正规部队是根本没法比的，也不可能做到军事装备整齐划一。一般情况下，上等人家每户至三至五人，大户人家二至三人，中等人家一至二人，一般人家按户应征，不能服役应征的家庭，以应征的等级以马、枪支、牛羊等代替。

军事斗争。部落的军事主要有三大作用。一是联合抗击外来侵略、压榨、掠夺。比如，1937年果洛人民不堪马步芳的爪牙喇平福的横征暴敛、残酷压迫，奋起反抗暴政。首先，在4月康干土官以征缴税款为名，召集各部落头人在鄂措湖举行部落会议，动员群众武装起来，与喇平福作殊死战斗，争取果洛人民的生存，散会前各头人一一握住土官的手发誓，决心战斗到底，誓死不渝。会后康干土官派聪明机警的措俄赛日前往军营向喇平福报告说：康干举行了大会，所有税款即行缴清，土官派人先来禀告。侦察得知没有走漏风声，康干土官急急进行部署，不分昼夜集结康干、木扬、卜培等部落的武装1000余骑，并通知康赛部落立即配合行动，在天没亮前向白玉寺喇平福驻地发起总攻。由交加等四名骁勇善战的人为执掌大旗的军官，分四路急行军包围喇平福驻地。天刚亮时到达集结地点。晚上四周围攻，部落军队十分英勇，旋即结束战斗，俘获了喇平福。这一正义的行动取得了暂时胜利，后又遭受到马匪军的残酷镇压。但总的说来此时的部落武装是十分重要的，它保卫草原、牛羊等人民基本财产、利益和安定生活。

部落武装的第二个重要作用是参与草场纠纷的械斗，有大部落之间的，也有小部落之间的，旷日持久，有的延续几十年，甚至上百年。至今，动刀放枪的草场纠纷也不时发生。由于年代过久，你打我，我打你，各有死伤，有些宿怨很深，却是一笔糊涂账。对于具体的部落来说，此种情况下的部落武装仍具有保卫自己土地、人民、羊牛的性质。但实质上已成为一种民族内部的恶性伤害，虽然常有活佛（甚至多方活佛）、社会上层进行调解，由于积怨太深，偶有摩擦便酿成祸端，是故屡次调解，屡次违犯，难以在根本上解决问题。

1949年以前，草原上的个别地区的部落还保留一种抢劫的古俗，有年劫（经过一年抢一次）、季劫（夏季三个月内抢劫）、月劫（经过一个月的抢劫）等之分，纠集大队人员，向别的部落进行大规模行动，劫得财物、牛羊、部落头人者得头一份，其余按等级分配。行劫遴选勇武剽悍的人做头目，指挥作战，全体参战人员都要立誓服从。行动时不遇到抵抗不开枪杀人，遇到反抗后，流血牺牲在所难免。同时，被抢的部落为了夺回自己的牛羊财物。也会派出相当数量的人马，进行报复，掳回牛羊财物。如此就会发生重大军事冲突，部落的人们将帐房搬到险要处，断绝交通，布置防线，夜里值更防守，白天派人放哨。部落武装对战士的要求是勇敢，对那些怯懦者、落伍者自有处罚的办法，如撕下上衣的下摆裹在脖子上，穿以女人的衣服，取以女性的名字，并割掉其坐骑尾巴等。这种做法与《新唐书·吐蕃传》中记载的藏人“重兵死，以累世战殁为甲门，败懦者垂狐尾于首，以示辱”的记载是一致的。

每次大的军事冲突，往往要挑选勇猛强悍的年轻人组成先锋队或敢死队。先锋队士兵称打生，意为可以吃老虎的兵。这种叫法源于藏棋：双方各有十个兵子和一个虎子，按步路兵子吃掉对方的虎子，则兵胜；虎子吃掉对方的兵，则虎胜。获得打生称号并立有战功者，可以被提拔为军官或头人。

值得说明的是属于部落的寺院也有武装，必要时僧人武装也参与军事行动。

（二）藏军的消亡

巴桑诺布先生在《藏军若干问题初探》中列举了1950年藏军的战斗序列：

噶当：一团，为达赖警卫部队，骑马，1000人，代本为帕拉色多吉旺堆，防区在拉萨的罗布林卡。配备有山炮8门，重机枪4挺，轻机枪46挺，斯登式冲锋枪200枝，英式步枪600枝，手枪多枝。为藏军主力之一。

卡当：二团，扎奇部队，步骑，1000人，代本为扎白扎西平措、温龙巴多吉朗杰，防区在拉萨。配备有山炮8门，迫击炮8门，转盘机枪12挺，马克沁重机枪4挺，轻机枪40挺，斯登式冲锋枪40枝，英式步枪900枝。建于1792年，为藏军精锐。

喀当：三团，日喀则部队，步骑，1000人，代本噶穷巴次仁顿珠、牟甲次旺罗布，防区在德格、生达，配备有各种火炮14门，重机枪4挺，转盘机枪4挺，加拿大式机枪16挺，冲锋枪32枝，各式步枪1000枝。为藏军精锐。

阿当：四团，江孜部队，步骑，500人，代本为崔科欧珠多吉，防地为三十九族和丁青，重机枪1挺，轻机枪9挺，转盘机枪1挺，冲锋枪15枝，英式步枪500枝。

加当：五团，定日部队，步骑，500人，代本为扎俊巴旦巴次仁，驻防那曲，有重机枪2挺，轻机枪40挺，各种步枪325枝。

恰当：六团，炮兵，500人，代本为俊巴阿旺白姆，驻防三十九族、类吾齐，火炮6门，轻机枪10挺，冲锋枪15枝，步枪400枝。

贾当：七团，步骑，500人，代本为甫龙巴扎巴次旦，驻防类吾齐等地，山炮4门，重机枪2挺，轻机枪40挺，英式步枪400枝。

聂当：八团，步骑，500人，代本为拉亚恰热巴索朗旺久，驻防察雅，有轻、重机枪共42挺，步枪500枝。轻、重机枪42挺，冲锋枪15枝，步枪500枝。

达当：九团，步骑，500 人，代本为德格格桑旺堆，驻防芒康（宁静），轻、重机枪 42 挺，冲锋枪 15 枝，步枪 500 枝。

它当：十团，步骑，500 人，代本为夏羌索巴阿旺坚赞，驻守江达，有轻重机枪 42 挺，步枪 500 枝。

塔当：十一团（布鲁斯），步骑，500 人，代本为擦狄（拉萨市长兼），为治安部队，担任拉萨市的警察任务。

因藏文字母“那”（至第十二位）有“病”之意等，故藏军无此番号，即无十二团。

巴当：十三团，殷实户部队，步骑，1500 人。代本为卡尔纳卡乔德庆、郭噶尔才旺仁增（代）、彭绕巴次仁甘旦（代），驻守比如、嘉黎。

帕当：第十四团，步骑，500 人，代本为夏强巴索朗多吉（代）。

爬当：十五团，步骑，500 人，代本为夏格巴洛色顿珠。

第十六团至二十团的番号授予硕板多、边坝和洛隆地区的民兵。

据巴文介绍，藏军的军衔和军徽也比较特别，各级军官均有代表等级的各种符号。如代本戴由绿松耳石和珍珠等点缀的金质帽徽；如本戴由绿松耳石点缀的金质帽；甲本和定本则戴刻有十字的金质帽徽。代本的帽子和肩章上还有四个“十”字架花，如本有三个，甲本有两个，定本只有一个。士兵的帽子和左肩上均有标志某团某号士兵的符号。

人民解放军进军西藏过程中，一部分藏军被击溃，如第七团、第八团等。一部分起义，如第九团，代本德格格桑旺堆率部在芒康起义。藏军大多在西藏和平解放后，于 1956 年改编为中国人民解放军。1959 年事件后，一部分被歼，一部分逃走。至此，西藏境内藏军便不复存在。

第三节 藏传佛教伦理及其影响

一、藏传佛教伦理形成发展的三个阶段

藏传佛教伦理思想形成发展大体经历了三个阶段：

第一阶段，佛教“后弘期”（10 世纪下半叶），“上路弘法”和“下路弘法”时期。佛教经过从松赞干布到达玛吾都赞 200 年正正反反、曲曲折折的斗争，在吐蕃地区广泛传播。寺院由官办逐渐转为僧办，僧人由吐蕃王朝供养变更为地方头人、百姓供养，教义、宗教风俗逐步走出宫廷和僧团。佛教徒在自己与苯教的斗争中，为了争取民众，适应吐蕃本土人民的思想、伦理习惯，也吸收了苯教的诸如祈祷、禳解等仪式，将苯教众多的

神“收为”自己的护法神，拉近了吐蕃民众与佛教的距离。

第二阶段，以藏传诸教派的形成为标志。教派的形成说明佛教在诸王割据的藏族社会（11 世纪至 14 世纪），佛教徒在他们生活的特殊环境下，结合自己的生活实际，对佛经佛典进行不同的解释和阐发，有了新的认识和发展，形成了自己的体系（传承）。这一阶段，佛教由贵族独占，发展为广收门徒，广建寺院，步入了吐蕃社会的中下层。

第三阶段，是宗喀巴“整顿佛教”和活佛转世制度的建立。教派的形成本身就意味着佛教在藏区的深入和发展，但随着时光的推移，藏传佛教也陷入了困境。因为获得了宗教权力的僧徒同时也获得了政治经济权力。这些握有宗教、政治和经济权柄的僧人贪赃枉法，沉湎酒色，横行霸道，鱼肉百姓，逐渐引起了人民大众的反感。法尊《西藏民族政教史》中说：“律云：‘若时有戒律在世，即有佛法住世，若时戒律没，即为正法隐没’，故欲建立圣教住持圣教者，唯以戒律为主，大师（宗喀巴）深见戒律之重要，为重兴戒律因缘故，修重精其慈尊寺。”我这里用“整顿佛教”四字者，是为此缘故。宗喀巴大师主要是从戒律入手，让僧人守其教规，勿扰百姓。在宗教思想上，他恪守中观正见，以中观论为主要武器，驳斥他人的“异见邪说”。

宗喀巴“整顿佛教”是合乎当时时代潮流的，人民需要，统治者也需要。人民需要是为了减轻一些生活的痛苦，统治者需要是为了更好地稳固自己的统治。而事实的结果，使佛教更加“深入人心”，使人们陷入更深的虚幻理想中。到达赖、班禅活佛转世制度的形成，佛教已经深深地渗透到这个民族的思想意识、文化艺术等精神生活和物质生活的各个方面，伦理观念上有了很大变化，突出的特点是出家修行者的宗教伦理，浸入了生动活泼的人民大众的道德伦理观念。

二、藏传佛教伦理的主要内容

佛教对藏人意识形态的浸入是全面而深刻的，就伦理而言，其主要内容有如下几个方面：

（一）人生唯苦，四大皆空

释迦牟尼孕育的佛教四谛学说的第一谛即是苦谛，有三苦、八苦、六苦、二苦之分（其实是不同角度的不同分类）。佛陀的最初愿望是想从本质上解决这些“苦”。其实“苦”的提出是对生活现象的客观总结。人的生活中是存在着生苦、老苦、病苦、死苦、怨憎苦、爱别离苦、求不得苦的。苦的存在是实际。关键问题是作为生活中的人本身怎样对待这些苦。

这涉及人们的人生观、苦乐观问题。佛陀解决这些“苦”的办法是，要人们知苦（一切都是苦的）、断集（痛苦有因）、证灭（苦能灭寂）、修道（灭寂有道），逃离社会，走出现实生活，得“常、乐、我、净”四德永生常乐之佛身。

佛教的“苦”与“空”是紧密相连的。一个是夸张了的“有”，一个是夸张了的“无”。这种“空”的观念来自于佛陀的缘起论：世界的诸现象都是有因果联系，相互依存、互为条件的。“彼有则此有，彼无则此无”，显然这是有哲学意义的。后来大乘佛教将此总结为无明、行、识、名色、六处、触、受、爱、取、的、生、老死十二因缘。《瑜伽师地论》云：“何故缘起说缘起？答：由烦恼系缚往诸趣中数数生起，故名缘起。此依字什名，复次，依托众缘速谢灭已，还和合生，故名缘起。此依刹那义什。复次众缘过去而不舍离，依自相续有得生起，故名缘起。此约长时生死相续。如说此有故彼有、此生故彼生非余。此依义故，什名应知。复次，数数谢灭，复相续起，故名缘起。此依数坏数义什。复次，于过去世觉缘性已，等相缘起故名缘起。故世尊言，我已觉悟，正起宣说，即由此各辗转传说，故名缘起。”缘起说是佛教世界观和宗教实践的理论基础，这里作了较为详尽的解释。到格鲁派创始人宗喀巴，将世尊佛“无明缘行，行缘识，识缘名色，名色缘六处，六处缘触，触缘受、受缘爱、爱缘取、取缘有、有缘生、生缘老死，起愁、叹、苦、忧、恼”诸缘起关系摄纳为“缘起有自性空”的佛教哲学思想。不难看出，承认物质的存在（“缘起有”），承认世界万物是在生、灭、常、断、一、异、来、去的普遍的因缘关系中进行，“不生、不灭、不常、不断、不一、不异、不来、不去”，一事物与它事物的联系，构成了这个事物的存在，反之就没有事物的发展变化，这是有唯物主义因素的。然而佛理在说“缘起有”的同时，说它的自性是空的，这种“有”只不过是虚幻的“有”，世界一切现象都是因缘所生，刹那生灭，没有质的规定性和独立性。如解释“我”便说，“我”是由四肢等的集合，离开了四肢等的集合，就没有“我”，因而所谓“我”的存在是空的（“人我空”）。“苦”“空”观念从道德精神上看，有两种趋向：一是麻醉这个民族，有非常严重的消极作用。它与吐蕃时期那种明朗的、昂然向上的民族的道德情操，和那种追求幸福、珍惜生命的思想感情，是根本不同的。二是对生命在更深意义上的“超脱”。

（二）生死轮回，因果报应

在“苦”“空”观念的基础上，佛教又以生死轮回、因果报应等思想，来描画生命的“蓝图”，解释生命的现实与未来的关系。在藏传佛教的寺院里都画有生死轮回图，让我们直观地感悟生命的去向和意义，可以说已深入人心。

佛教所讲的生死轮回是：三善趣（人、天、阿修罗），与三恶趣（地狱、饿鬼、畜生），合称六趣，是行善业和行恶业的转生趋向。善有上中下三道，恶有上中下三道。若行善就会入人、天、阿修罗三道；若行恶就会入地狱、饿鬼、畜生三道。六道轮回之说一方面是对人们善念善行的引导，另一方面是对人们恶念恶行的遏制和恫吓。

这种劝善的思想，主要涉及人们的良心——即对自身行为的评价、衡量、检查，也包含着对自己行为的选择。

吐蕃时候还存在着氏族社会中的血亲复仇风俗。血亲复仇在当时是合乎道德标准的。《吐蕃法制文献》中记载："……命价相同之人，若彼此因狩猎等被射中，或者这些尚论为瑟瑟告身以下，颇罗弥告身以上，以及和他们命价相同之人因狩猎等射中，无论丧命与否，放箭人发誓非因挟仇而有意射杀，可由十二名公正且与双方无利害关系的担保人连同事主本人十三人，共同起誓。如誓词属实，其处置可与《对仇敌之律》相同。"不必以命相抵。如果挟仇射杀则一命顶一命，历史的道德就那样规定了自我良心的评价。

又如，苯教每年秋天要将1000只公鹿一起杀死，取鹿血献祭，冬天要将牦牛、绵羊、山羊等公畜各3000头杀死，献祭苯教神灵，将牦牛、绵羊、山羊、母鹿等四肢折断，以血肉献祭。夏天要举行苯教祖师祭，以各种树木和粮食（煨桑）祭祀。在人有病痛时要施舍赎命，视各人经济情况从最多杀公畜母畜各3000头到最少杀公畜母畜各1头献祭神灵，人死后为了制服鬼魂也要杀牲祭祀。这种牺牲祭祀在苯教文化兴盛时期是为了自身的幸福、平安，是人对神的一种"义务"和献祭，是符合当时的道德原则的，谁也不会认为杀死那么多牲畜是一种过错，而在藏传佛教深入人心以后的社会道德评价中，这就是一种罪孽了。

"良心"反映正直、诚实、正派等最简单的道德规范。人们常常用这些内心信念的衡器来检查自己的行为，诫非做人之道："偏袒、暴厉、轻浮、无耻、忘恩、无同情心、易怒、骄傲、懒惰。"可见，"良心"具有十分重要的社会作用。

至于因果报应，我想应该具体分析。哲学的因果性是客观存在的。辩证唯物主义认为，世界上没有无原因的现象；自然界和社会的任何现象都是受某种原因制约的，都是某种原因的结果，原因和结果是相互作用着的；原因产生结果，但结果也不是消极的，它又影响着自己的原因。原因与结果之间存在着内部的有规律的联系。

而佛教的果报思想，在活生生的现实之外又造出了“来世”，此生之因，就会得来世之果。此生的恶就会得“来世”的恶果，此生的善就会得“来世”的善果。在生活（修善或作恶）的同时，佛教徒们已经设想了自己来世的形象。认为只有得到正果，脱离尘世才是幸福的；否则，就会堕入地狱。地狱和“天堂（天、修罗的入成）的设置，将人的生活诱入只可进而不可退的独木险桥。赤脚踩着利刃，饥腹饮着黄连，却在意念的虚幻美境里游弋。信佛的人们将自己的‘理想’寄托于来世，而现实的“幸福”却是含辛茹苦。他们在人间为了“来世”而过着自我苛刻的非人间的生活。而统治者、真正的作恶者，即过着舒适安逸的生活。

（三）慈悲行善，忍辱无争

吐蕃时期，将勇敢当作一大美德。这与频繁战争培养的尚武精神有直接关系。我们已在第二编第三章作了交代。崇尚勇敢的精神才使得吐蕃军队“每战前队尽死，后队乃进”，才有“若一家多人战殁，悬甲于门，以示光荣……男子有行不离刀剑弓矢”（根敦群佩《白史》）的习惯和举动。而在以后的发展中，这一切都受到佛教“行善”、“忍辱”等思想的影响，在藏人的行为中多了一些慈悲、涵养和空灵，却少了一些雄武、刚强和勇猛无畏。

所谓“善”，在佛教中是指顺益义、和顺理义，即顺益此世他世的有漏无漏行法，性离垢秽，清净无染。分四类：自性善、相应善、等起善、胜义善。自性善又分信、惭、愧、无食、无嗔、无痴、精进、轻安、不放逸、行舍、不害等十一类善法，是佛教的主要修习之法。它的根本是离杀生、离偷盗、离邪淫、离妄语、离离间语、离粗恶语、离绮语、无贪、无嗔、正见十善业道。修习十善业道，成就殊胜功德，还必须远离贪、嗔、痴、慢、疑、恶六种根本烦恼和忿、恨、覆、恼、嫉、悭、诳、陷、害、骄、无惭、无愧、掉举、昏沉、不信、懈怠、放逸、失念、散乱、不正知等二十种随烦恼……

佛教所说的“善”的最终目标，是为了成“佛”。菩萨的四无量心也是依据十善法修成的。

成书于1564年的《贤者喜宴》记载，吐蕃时期的赞普们已用十善法治国，要人们“依三宝且信敬奉；对父母当报恩敬重；对恩人追念（其恩）且报之以德；不犯上且听其言；心所行应效仿显贵；潜心攻读佛法及文字；笃信因果及警惕恶业；对人莫生歹心，而应有益于人；凡所行事应秉心正直；节制酒食，明知羞耻；借债应按时偿还；升斗斤两禁伪诈；他人未曾委托之事，当禁无益之干涉；做事有主见，遇变化应坚定；对所发之誓及保证，应视之如生命。”——吐蕃王朝时的赞普是否以此法治国，我们且存疑，然而可以肯定，作者巴俄祖拉陈瓦生活的16世纪，经过宗喀巴“整顿佛教”，达赖、班禅转世制度的确立，当时政教合一的藏族地区的最高统治者们已经相当熟练地用“十善法”治国了。藏民族的新的伦理观念正是在尊奉这些法典的过程中，在佛教的无形力量的高压下，一天天形成的。当然，除了浓重的宗教道德以外，“十善法”中也不无与当时人民的道德观念相吻合的地方。藏族民间通常以“知耻、公正、信仰、怜悯、诚实”作为做人的基本标准，就是一个鲜明的例子。至此，我们尚可以将这些“法”与吐蕃时期的文献《礼仪问答卷》所反映的伦理思想去比较。《贤者喜宴》中所记载的这些法，已经要求人们对神尽道德的义务了。佛教的伦理思想已用虚幻的力量，用这伦理的无条文的法律来约束它的教民——雪域的主人了。

上文已经提及，佛教要人们行善的根本目的是为了让人们脱离六道轮回之苦。如它的利他、解救芸芸众生、不妄语等，都出于同一需要。它的“善”是以神的意志为标准的，亵渎神灵就是最大的不善；它不将人们的行动、行为等符合社会的利益、社会的效果作为“善”的基本评价。当然，与《礼仪问答卷》一脉相承的成分也是显而易见的，如“行事应秉性正直；节制酒食，明知羞耻”等。

与“善”相并行，“忍辱无争”也是佛教道德的重要特征。万事忍让，百忍成金，这方面有不少佛教的大圣大贤们的箴言。忍让的结果是敌我不分，是消磨自己的斗志，是自身的戕害。

（四）佛法无量，乐于施舍

一定的社会要求人们去遵守、实行它的道德原则和规范，这种要求即是一种道德的义务。一定社会的人都有为同事、家属、亲朋、阶级、民族、国家等所负的道德责任。“施舍”即是凡人们对神佛所尽的“道德责任”和义务。

古代藏族社会的“忠君”思想在以后的发展过程中加上了忠佛忠神的内容，藏民族对神佛所负的道德责任也日益繁重。佛陀有无量法力，佛民要敬仰佛陀。然而，对佛陀不仅需要有精神的恭敬，而且需要有物质的奉献。

敬佛与奉献，对于富有者是一种心灵的安慰，而对那些贫困的人们却是沉重的经济和负担，而那些地道的教民却“幸福地”而艰难地挑着这一重担。藏族人民在这种“幸福的”贫困中生活了近10个世纪。寺院越多，僧人越多，负担越重。如像大昭寺，在 1959 年前几年九个神殿每年的平均收入是 81075 银元，还有青稞和其他收入。（恰白·次旦平措《大昭寺史事述》）这些收入主要是靠施主而来，这些施主虽说是某官员某贵族，实际仍然是榨取来的百姓的血汗。穷苦的佛民也节衣缩食，把仅得的一点财物直接奉献寺院。况且，佛要求虔诚，越虔诚奉献越多，你来世的“幸福”就越多。这种无偿的奉献，对于穷人只是“赎罪”而已，他们永远摆脱不了生活的苦难。

列宁在《社会主义与宗教》说：“宗教对一生工作和一生穷困的人，用现实生活中的顺从和忍受来教训他，同时用期待天国的报偿安慰他。而对依靠他人的劳动而生活的人，就用现实生活中的行善来教训他，同时非常便宜地宽宥他们的整个剥削生活，廉价地卖给他们以享受天国幸福的门券。”列宁的话深刻地揭露了宗教道德的真正本质。

佛教的道德观念自成体系，在藏区它已与藏民族的基本伦理思想融为一体。

佛教刚刚进入藏区时，是有其历史功绩的，是适应吐蕃时期生产力发展的。比如，连年战争，田亩荒芜，缺牛少马，佛教的禁杀生，某种程度上就起到了保护生产力的作用。那种以为早期佛教一无是处的观点也是不切合实际的，历史毕竟是历史，历史的意识的种子仍然需要一定的适于它生活的土壤，假如佛教在思想上在与生产力发展的关系上都与吐蕃时期的社会生活实际背道而驰，那古代的藏族先民们也不会轻易地吸取这种“鸦片”的。历史决定了人们的选择，历史的经济状况决定了人们的选择。如此而已。

但是，早期佛教对藏族人民做出的成绩，丝毫掩盖不了中晚期佛教对藏民族带来的窒息性的灾难：

其一，由于政教合一制度的建立，藏民族的伦理思想受到了“神”的莫大冲击，佛教的戒律成为全体人民的行为规范，人民则成为作为教徒的人民，非教徒的人民不复存在；为国家的效命次于对神的效命；神佛的金身越塑越高，人的地位越来越低。到处是寺院，到处是神佛，到处是圣山洁地，劳动人民只有以赎罪的心情，终日诚惶诚恐地过日子。当日的昂然豪气变成了对神的卑躬屈膝。

其二，据敦煌文献、《贤者喜宴》等史料记载，吐蕃王朝时期的藏族，四部六茹六十一东岱，“胜兵数十万”，总人口至少六七百万（有人估计有 1000 万左右，也有人统计有 3000 多万）。一千多年来，藏族人口锐减，到 18 世纪 30 年代仅 200 万。而寺院和僧侣却成倍增长，据魏源《圣武记》

载，至清雍正十一年（公元1733年）达赖、班禅共辖寺院3477座，有僧侣356230人。这些僧人都是不参加生产劳动的，都要靠穷苦百姓供养他们。而僧人本身不能娶妻生子，故而僧人队伍的扩大，也是藏族人口急剧下降的一个主要原因。它既使社会失去了一部分相当可观的生产力，又加重了社会本身的负担。这个负担就是上文提到的人民对神、寺院等的义务：一种为了今生"平安幸福"、"来世免除灾难"的自觉自愿的奉献；寺院正是靠着这种教民的劳动果实维持着自己的生命。

其三，由于佛教"人生唯苦"、"四大皆空"、"生死轮回"、因果报应（戒杀）等思想的侵蚀，生活中的人缺乏生活的进取心；不分敌我的善恶观念等，几乎磨灭了吐蕃时期那种强力复仇，明辨是非的道德标准，使人们日趋"善良"而无所作为，失减了吐蕃时期那种尚武、勇敢、雄强、自主、果断的精神风貌。藏民族千年来由于佛教的束缚，几乎如同一只锁着四肢的雪狮，日渐衰竭。

其四，由于教育被寺院所垄断，文学艺术等纳入神的轨道，社会对每个公民的义务是让他们所学到的一切，都为神佛的利益服务。建立在封建农奴制经济基础之上的藏传佛教道德观还不能从加快生产力发展、加快生产技术的革新，丰富和提高人民的物质文化水平方面对人民起到卓有成效的引导作用，反而用吃"苦"等思想使人们安于现状，用出世等思想麻痹、松懈人们对现实利益的追求。

第四节　文　　学

一、作家文学

（一）诗歌

1.《水树格言》

《水树格言》是自《萨迦格言》以后，又一部具有广泛影响的藏族格言诗。作者贡唐·丹贝卓美（1762～1823）是拉卜楞寺第三世贡唐活佛。作者的出生地，诸多著作所载不一，佟锦华等著《藏族文学史》以为"生于安多地区（今甘肃甘南藏族自治州）作格地方"；苗滋庶、李耕等编《拉卜楞寺概况》认为"出生于安多若尔盖地方（今四川省阿坝州）"；索代著《拉卜楞寺佛教文化》则认为"于公元1762年农历二十八日出生在夏河美武乡"。一般取第一种说法。贡唐·丹贝卓美幼年时被认定为第三世贡唐活佛，17岁前往拉萨哲蚌寺学习了《俱舍论》、《颇罗密多摄要》

等佛学经典，22 岁获得格西学位。25 岁时返回故里，31 岁时任拉卜楞寺第 21 任法台。贡唐·丹贝卓美一生著述颇丰，辑有《贡唐·丹贝卓美全集》，其中的《水树格言》和《世故老人箴言》几乎家喻户晓，享有广泛影响。

《水树格言》分两部分，共 245 首，前一部分为“格言树之论述二规具百枝叶”，第二部分为“格言水之论述二规具百波浪”，分别以水、树为喻。

《水树格言》的内容涉及十分广泛：

官长新来时虽然施点仁政，
但随后就有难招架的差税派征；
树虽然暂时能挡一会雨，
但随后就会落下大串水滴。

——揭露了统治者的伪善、残酷。

贤者虽然通晓全部学问，
但不骄傲仍然和蔼可亲；
由于累累果实的重压，
果树枝头总是低低垂下。

——赞扬谦虚。

如果经常勤奋努力，
学识定然渊博无比；
根子若是常吸水分，
枝头果实成熟无疑。

——鼓励人们不断勤奋努力。

用树和水来作喻体，成为一本格言诗集，这是《水树格言》的一大特点，也可以说是一种创新，其形式对后世有重要影响，以至今日，诸如《风喻格言》、《火喻格言》、《铁喻格言》等，从名称本身也可以看到它的影子。当然就其思想内容看，有价值的还是那些富有智慧的劝人如何为人处世，正直善良，勤奋上进的格言诗句。

2.《国王修身论》

《国王修身论》是著名学者米旁嘉措的格言诗名作，除“序歌”与“尾歌”，全诗分为21章（根据耿予方先生译文），即（1）小心谨慎从事；（2）考察英明人主；（3）注意一切行动；（4）注意一切言论；（5）关于用人之道；（6）《真言授记》所言；（7）《正法念处经》所言；（8）《金光明经》所言；（9）精进坚定不移；（10）性情柔和温顺；（11）平等对待众人；（12）具有慈悲心肠；（13）自己保护自己；（14）保护百姓安康；（15）凡事与人商议；（16）遵守十善佛法；（17）按照法规办事；（18）运用妙计取胜；（19）心中牢记佛法；（20）正确对待财富；（21）重视修身之道。据作者自己交代，写作这部书，他参考了《萨迦格言》、《智慧树》、《百智论》、《众生养育滴》、《百句颂》、《金光明经》、《正法念处经》等。书中所及主要围绕“为王之道”这个主题，涉及如何治理国家，如何提高自身修养等。如关于国王要贤明、有才华、爱护臣民的：

具有广博智慧才华，
还须坚定不移奉法，
爱护臣民平等看待，
福德才能集聚广大。

不懂就学取舍有方，
认真执行法律规章，
国王贤明百姓安乐，
国王暴虐百姓遭殃。

关于如何用人，讲到国王好恶对社会风气以及对政权的影响，坏人坏事不加以惩办、好人好事不加以表扬的危害性：

君子喜爱学者圣贤，
小人喜爱盗匪屠夫，
色鬼喜爱淫妇娼妓，
财迷喜爱美食宝物。

浑浊时代昏庸国王，
好人好事不予表彰，

坏人坏事不加惩办，
一切好人都会失望。

任何一个贤明国王，
若是疼爱社会贤良，
好人都会扬眉吐气，
坏人也会改弦更张。

可以说，《国王修身论》涉及社会生活的各个方面，许多思想对现实生活有很强的指导作用，深刻而具有智慧，深受藏人的喜爱，如同《萨迦格言》一样同样有一定的影响力。但是，《国王修身论》在对世俗诸多现象的分析中，贯穿着佛教的基本理想：

国王本人带头守法，
臣民自然就会守法，
倘若自己违法乱干，
众生怎能遵命听话。

因果善恶对人无欺，
所有世人法规一致，
违反因果随意行动，
掉入恶趣痛苦不已。

国王如不奉行佛法，
今生恶名远扬天下，
王位必定因之丢失，
因此应修十善佛法。

虽然《国王修身论》还不是十分典型的纯粹颂佛的作品，但是时代已发展到藏传佛教文化已进入保守状态的阶段，即便是米旁这样的学富五明、掩贯三藏的佛学大德，也免不了去诠释佛义，将格言这一文学形式当作宣传佛教义理的工具。如在第七章“《正法念处经》所言”中说：

庄严经论曾有记载，

至高无上高僧大师，
都在祈祷实现心愿，
消除恶习转生神地。

从前有一雁王杜桑，
前往宝髻佛前听讲，
领悟国王修身之道，
奉行佛法美名远扬。

各派所持不同佛法，
都对夜摩天王教化，
善言教诲主要目的，
上下一致治理天下。
这里清清楚楚讲解，
国王应该听闻佛法。

今生来世最好功德，
要想自己全部掌握，
三十五种神圣佛法，
国王都应遵照去做。

第一今生来世善根，
智慧乃是成功之本，
有了正确智慧之光，
自然就能不断前进。

……

三四“十善”佛法正途，
国王臣民大步前往，
无论今生还是来世，
所有众生都得安康。

三五要选一定时光，

认真去把佛法宣讲，
大家都能领悟佛法，
国王将会功德无量。

一共讲了35种佛法，虽然其中有许多给人以启迪的好的思想，但整体的导向是万事归于佛法，因而国王的功德也是去宣传佛法。

（二）小说

1. 长篇小说

（1）才仁旺阶与《勋努达美》

才仁旺阶是藏族历史上著名的小说家和传记作家。1697年，才仁旺阶生于前藏的强达隆，祖先曾是强达隆寺的法座，统治过旁多宗和林周宗，可说是名门之后。自幼受到良好的教育，曾在西藏著名的敏珠林寺深造，聪颖好学，成绩优异。1717年20岁时任日喀则宗宗本，经历了准噶尔侵扰拉萨之乱。那次战争主要是在蒙古汗王策旺阿拉布坦和拉藏汗之间进行的，而这两位汗王还是亲戚，拉藏汗的姐姐是策旺阿拉布坦的第三夫人，策旺利用这种郎舅关系写信给拉藏汗，愿将女儿博托洛克嫁给拉藏的长子丹衷，并以十万两白银作嫁妆。拉藏汗始有疑惑，而其子丹衷对其婚事十分迫切，并威胁拉藏汗若不应允，他便自杀，拉藏汗只得同意这门亲事，于1714年在伊犁举行了婚礼。实际上这门亲事本身是一政治权谋，事件之初，康熙皇帝便敏锐地看出这一点，“若不深谋防范，断乎不可”。果然，婚事即终，策旺阿拉布坦采取了一系列的手段：先是向三大寺宣扬他是一个地道的格鲁派信徒，并煽动推翻不得人心的拉藏汗政权。继而调集6000人的军队，谎称护送拉藏汗的儿子丹衷远征西藏。1717年6月，前去侦察情况的拉藏汗的部队与准噶尔部队在纳木措湖遭遇，失败而归，拉藏汗始知准噶尔是入侵而非护送其爱子返藏。便一面急忙调集卫藏军队，一面请班禅五世从日喀则到藏北谋图谈判。另外还上奏清廷给予支援，结果给长途跋涉，疲劳不堪的准噶尔军队以休整的机会。经过多次战斗，准噶尔军攻入拉萨，持续抢掠三天，使拉萨遭受了空前的洗劫，拉藏汗本人也在兵败突围中被准噶尔兵乱刀砍死，妻子幼子等统统做了俘虏，满以为人财两得的拉藏汗的长子丹衷被老丈人用两口锅扣起来放在火上活活蒸死，妻子也改嫁他人。

以婚姻为手段的这次战争在作家才仁旺阶心中掀起的波澜是巨大的。然而作为拉藏汗政权的基层官吏，他的仕途并未因此而受到影响，1718年改任哲古宗宗本，无意官场，却精心著书。他在《勋努达美》的后记中说："在百鸟宛转的羊卓雍湖畔与觉卧桑沛罗布寺相接的哲古宗，被委任为宗本之职，于是开始创作。"终于1720年完成这部巨著。顺便要提及的是准噶尔入侵，扶植的第巴达孜巴是才仁旺阶的亲戚，这位权势人物，曾在拉藏汗的政府里担任要职，准噶尔入侵，拉藏汗的次子苏尔扎投命于他，他竟将苏尔扎和几名官员抓起来报功，卖友求荣，《颇罗鼐传》等书对这一人物如此描写道："眼皮下垂，牙齿脱落，脸色苍白且臃肿，走路缓慢、摇摆，耳朵半聋，口齿不清。"显然作家对他是反感的，或许这也是才仁旺阶当时淡漠官场专心著述的一个原因——凭借裙带，他完全可以平步青云，但政局动荡，前途未卜，他便隐忍待出，藏锋不露。至1722年，西藏政局虽然仍不稳定，而作家却投入自己所敬仰的杰出的军事家、政治家颇罗鼐麾下任噶厦政府的官员。60岁时出任噶伦，67岁时走完了他辉煌的一生。

《勋努达美》不是历史小说，而是一部以18世纪初这一段特定的历史为背景来构思的创作小说。对统治阶级相互争权夺利，殃及百姓，引起社会动乱的罪恶行为，作者持批评态度；而对老百姓的苦难生活，却寄予同情。由于他生活于历史的非常时期，战乱频仍，民不聊生，体验熟悉了各方面的生活，无论写人状物记事都十分精到，尤其对战争的描写可谓入木三分。但是在如何解决这些苦难的问题上，却自然的遁入佛教的出世思想中去了。让人们以慈悲为怀，善良、忍让、知苦，虔修佛法，谋图解脱。这便是时代的局限性，桑烟中诞生的世界必然带有桑烟味。

《勋努达美》所记述的是这样一个爱情故事：公主益雯玛倾心于文武双全、品貌出众、并且爱慕着公主的勋努达美王子，然而公主的父亲赛登国王已将女儿许配给了邻国王子哈列皮琼。为了追求幸福的爱情，勋努达美和益雯玛与封建的包办婚姻进行了坚决的斗争，经过无数的波折，终于战胜了哈列王子，结为眷属。

作为一部现实主义的名作，《勋努达美》的艺术成就主要表现在以下三个方面：

第一，主题的先进性和永久性——追求真挚爱情，反对封建婚姻。益雯玛虽然是国王的女儿，但她对享有英名的勋努达美王子十分仰慕，一心想与他结为百年之好。可是她的父亲赛登国王因惧怕朗瓦甫登国王的财势和残酷，将女儿许配给了朗瓦甫登国王子哈列皮琼。勋努达美知道这一情况后，让自己的臣下斯巴勋旋装扮成王子去试探益雯玛，益雯玛顿时心动，答应与王子在林园幽会。益雯玛识破了假王子，斯巴勋努将勋努达美如何仰慕公主的实情告诉了益雯玛，益雯玛深受感动，毅然投奔斯白更国，投入勋努达美的怀抱，有情人终成眷属。

第二，鲜明的形象。一是以描写神佛的形象转为描写世俗形象。二是其中所涉及的王子、公主、大臣和士兵等一般都有较为鲜明的性格特点。作者重点塑造了益雯玛、勋努达美。益雯玛美丽善良，温柔厚道，但为自己的爱情和幸福却显得倔犟而义无反顾；勋努达美能文能武，理智聪慧，才貌出众，为了爱情和自己的追求，不畏艰险，顽强奋争。这两个形象在藏族青年中是活的楷模，自小说问世以来，一直为藏族青年所喜爱。

第三，细致入微的描写。藏族传统的散文和故事写作，都有文白相间的方法。但是，不少的此种手法往往成了以韵文为主，佐之以散文，即其中的散文成分多成了文中的衔接手段。而《勋努达美》中的细节描写，大大超越了过去的许多描写手段，细腻而入神。如对益雯玛和勋努达美第一次相见时的描写：

> 这时益雯玛也好比商人发财，农夫丰收，英雄凯旋，病人痊愈似的高兴。欢喜得无以复加，身心充满了幸福之感。婢女们拿出华丽的衣服和价值连城的珠宝，把益雯玛打扮起来。梳得油光光的头发，装饰着大绿宝珠、蓝宝石、红宝石、珍珠、珊瑚和猫眼石，一派珠光宝气。额前耷下少许散发，仿佛一轮明月悬着的流苏，五光十色，鲜艳夺目。画眉弯弯，动人心弦，犹如在勾引着蜂群。浓浓的睫毛，隐藏着莲花似的大眼珠，目光闪烁，水汪汪好不娇人。高高的鼻子，白净可爱，直得像别人膜拜的供柱。两颊涂得红润润，仿佛初升的太阳。赛似红花的嘴唇，常带微笑，露着两排洁白的牙齿，又密又齐。一对好耳朵，仿佛两束珍贵的白花，戴着特别贵重的金耳环，上面镶着松石、珍珠，下面垂着璎珞。不粗不细的脖子，犹似旋螺，那副珍珠项链，乃是无价之宝，白宝石、绿玉、蓝宝石和瑰玉等美玉成串。白嫩嫩的手臂，戴着金钏。细柔柔的手指，戴着戒指，看来特别动人。上身穿着洁白的薄绸衣，圆鼓鼓的乳房，高高耸起，叫那些好色之徒，苦苦相思。细腰软臂，系着金丝网和半璎珞等织成的腰带，上面的银铃发出美妙的乐音。下身穿着五色彩裙，又白又圆的大腿，像露在外面的爬藤，让那些淫棍，痴癫不已。一双美脚，穿着绣花布靴。只听得铃声悠悠，益雯玛迈着鹅步姗姗而来，步入宫殿，走到王子和大臣跟前。在座的人都想到："啊呀，这真是世界上最漂亮的人儿。年轻美貌，妩媚庄重，仿佛花神降临人间。她的体态和年华，就连那厌世的隐士也要为之动心，更何况我们这些留恋红尘的凡夫呢。"大家互

相说来说去，一个个饱贪眼福，盯着益雯玛目不转睛，聚精会神。（汤池安译文）

在当时的历史环境下这是一种大胆的描写。因为，在当时从千人一面的宗教题材转为世俗题材就已不易，在世俗题材中如此大胆细腻地描写女性和男人的观感确属难能可贵。

根据目前掌握的一些材料看，才仁旺阶写《勋努达美》这一反映爱情的长篇小说，并非纯艺术想象，而有着现实生活的影子。格鲁巴掌握政权后，西藏社会暂时得到安定，人民虽谈不上安居乐业，经济生活却得到恢复。然而好景不长，自固始汗死后，诸子争位，西藏社会再度陷于战乱之中。1676 年，噶尔丹杀侄索诺木阿拉布坦，自立为准噶尔汗；1682 年，五世达赖圆寂，第巴桑吉坚措匿丧不报达 15 年；1705 年，桑吉嘉措被拉藏汗杀死，翌年六世达赖仓央嘉措被废黜，押解北京；1717 年，准噶尔部策旺阿拉布坦派策零敦多布突袭拉萨，杀拉藏汗，洗劫拉萨；1718 年，进藏清军在哈拉乌苏全军覆灭；1720 年，清军分青、康两路入藏，击败准噶尔军。这些战乱对作家的影响是巨大的。作家就生活于那个时代。

由于受时代的局限，在《勋努达美》的最后一部分，作者将这一美好的形象引入了佛教的渠道。可爱的王子勋努达美“在幽林中一心一意修行坐禅，终于练就五大神通。神眼一张，即知万物生死；神耳一听，即知外方所言之事；思及他人，免去众生三毒；忆及前情，则洞悉善恶报应；施展神变，上身烈火熊熊，下身洪水滔滔。”洞悉佛法，满腹经纶。完全成了一位地道的佛徒，也就缺少了故事前半部分的那种清新和明快。

（2）《郑宛达娃》

《郑宛达娃》的作者是达普巴·罗桑丹贝坚赞，西藏娘保甲地方（今工布江达县桃保果村）人，生于 1725 年，为西藏达普寺第四世活佛。其生平不详。

《郑宛达娃》共九章，主要讲奸臣严谢父子千方百计企图加害王子曲吉尕娃，谋国篡位的故事。几经曲折斗争，正义战胜邪恶，曲吉尕娃王子获得胜利，奸臣的阴谋被揭露，遭到了应有的报应。故事讲：

印度婆罗那斯国国王热旦娶了崇信佛法仁慈贤惠的公主玛德玛哈尼做王后。王后生一王子，取名叫曲吉尕娃，年轻臣子益西增做侍臣，国王夫妇非常喜欢他。由于母亲崇信佛法，王子从小就虔诚信佛。觊觎王位的奸臣严谢便出计谋，企图挤掉对王子倍加照顾的益西增，由自己的儿子拉尕阿那做王子的侍臣。阴谋果然得逞。但此事引起正直、善良的大臣达玛和达牟不满，他们与益西增结成联盟，并得到王后玛德玛哈尼、王子妻子赛桑玛、王妃维拉的支持，准备翦除严谢父子。严谢施计挑拨昏庸无能的国王以谋国篡位罪将三侍臣发配至边远地区。在王后及王子的帮助下，后来三人逃到扎蔺拉城王后娘家，拜智麦班登喇嘛为师，修法。此种情况下，严谢父子拉尕阿那勾结了王妃索日苏尼，加紧了篡夺王位的步伐。拉尕阿那约王子出游，以欺诈手段将二人灵魂迁入二死杜鹃尸内，飞至河对岸赏景，不料，拉尕阿那先期溜回，将自己灵魂迁入王子躯壳，并把自己的躯壳扔进河中冲走。假借躯壳，冒充王子的拉尕阿那回到宫中，谎说拉尕阿那落水身亡，窃居王位。但是他暴虐异常、不信佛法等行迹很快引起王子夫人赛桑玛的怀疑，去寻找王子的起初灵魂所寄的鸟，果然真相大白，也使国王了解到王子被害的真实情况。可是这一残酷的宫廷权力斗争的结局充满了佛教内容，披上一层迷离之色彩。

依托杜鹃躯体留在森林中的王子遇见了一只神鸟为他解说因果，并给他取名叫郑宛达瓦，得传静修之法，后又遇见智麦班登喇嘛，修得高行，喇嘛又命一名叫俄旦的杜鹃灵魂，迁入王子躯体，将拉尕阿那的灵魂驱出。俄旦成了王子，将益西增、达玛等被流放的大臣迎接回国，辅佐朝政。其中又贯穿了一些因果报应之说，国王要将作恶者处死时，王后托梦，劝说其不要杀他，否则会有恶报。拉尕阿那之所以害王子，是因为前世作为南方国王的王子杀了前世作为北方国王的拉尕阿那，拉尕阿那是报前世之仇。以此告诫人们不怨怨相报。

郑宛达瓦获得正果，在林中为众鸟兽说法。佛家消极的宿命论思想在书中得到充分的宣扬。

《勋努达美》和《郑宛达娃》都反映了佛教的出世思想，勋努达美获得爱情不久，遭父王新妃的嫉妒，便产生出世思想，到森林中去静修，获得道果。《郑宛达娃》中这种倾向更甚，甚至在构思中就将佛教的灵魂和生死轮回作为重要手段。郑宛达娃最后仍投入佛门，在大森林中给鸟兽说法讲道，了其一生。作品的这种思想倾向告诉我们，在18世纪时佛教思想不但已全面地影响藏人的意识形态领域，且已步入衰退的年代。

韵白相间同样是《郑宛达娃》的基本表现手法。

2. 寓言小说

进入19世纪以来，藏族的寓言小说得到了较快的发展，出现了《猴鸟的故事》、《茶酒仙女》、《牦牛、绵羊和猪的故事》、《白公鸡》、《莲苑歌舞》佳作。

《猴鸟的故事》是一部文辞优美，流传很广的作品，20世纪70、80年代时曾选为中央民族学院的教材。它的作者，有十三世达赖喇嘛、十二世达赖喇嘛、多仁·丹增班觉、六世班禅多种说法。其原因主要在于《猴鸟的故事》文本自身。故事说，有一座山，山上住着各种鸟类和兽类，起先是和平祥和的，后来几只猴子撞入了鸟类的居地，吃喝玩乐，无所不为，侵扰了鸟类的生活。于是众鸟便派白松鸡到猴子处交涉，并进行抗议。猴子为自己的行为寻找托词，蛮不讲理。于是白松鸡便警告说："若不如此，就用武力解决。"猴子被迫无奈，便请兔子和公鸡调停，结果用鸟类让出三分之一土地给猴子，猴子的领地可让鸟类寻食为条件，解决了此事。一般认为，这一故事影射了18世纪时廓尔喀人入侵西藏这一事件。书中运用了大量的格言、谚语、比喻等。其语言精巧，思维也是十分严密的。如鸟类代表鹦鹉警告猴子时的一段诗句：

如果最后不能来和好，
大鸟布满天空如云涛，
中鸟好像山塌滚石击，
小鸟宛如从天降冰雹。
大大小小鸟儿千千万，
全有霹雳钢嘴和利爪。
钢嘴啄烂群猴脑袋瓜，
利爪撕破你的猴袍套。
勇猛的鸟兵从天袭来时，
看你猴群能往哪里跑？
鸟儿本来不愿这么做，
如果惹得鸟儿发了火，
猴子住处鸟儿来修窝，
猴子皮肉鸟儿当吃喝，
全部消灭一个也难活！

真是义正词严，不容辩驳。

《莲苑歌舞》的作者巴珠·乌坚吉美却吉旺布（1808～1887年），知名学者，尚著有《诗论释例》、《音韵纲要》、《酒之罪愆》等书。在文人作品中，《莲苑歌舞》的语言艺术是十分优秀的，但是，在思想内容上，它主要通过金蜂和玉蜂夫妇对世事人生的感悟，宣传佛理。语言精美而内容苍白。

（三）传记文学

这一时期的传记文学有才仁旺杰著的《颇罗鼐传》、《噶伦传》，丹津班珠尔著的《多仁班智达传》等。其主要特点是：

第一，忠实地保存了相当一批珍贵的历史资料。比如在《颇罗鼐传》中记载了抗击准噶尔入侵、颇罗鼐平定内乱等一些重大事件。

第二，对人物的勾勒已向小说形式靠拢。比如在《颇罗鼐传》中关于拉藏汗的长子与策旺阿拉布怛女儿的婚事的记载：

> 拉藏汗的长子噶登丹增已到成亲年龄，正待迎娶王族贵胄的公主。当时相中了准噶尔王策旺阿拉布怛的女儿。然而，该王狡诈异常，秉性不良，惯于欺世盗名。他给拉藏汗来信道：
>
> “呵，贵公子若要娶吾女为妻，无疑美满如意。凡足智多谋的人，武艺高强的人，美丽贤惠的女子，都是世间至宝，如同那昙花一般。财宝并无价值，时而增加，时而耗尽。但是，为了最好的女子，当值得会出白银十万两。请贵公子来此与吾女成亲。两小无猜，合卺完婚之后，再送回卫地。”
>
> 拉藏汗洞悉策旺阿拉布怛的诡计，言道：“此事万万不可。”制止长子前往，婚事被拖了下来。
>
> 就像撒野的大象那般毫无顾忌地横冲直撞一样，受情欲支配的人也都任情地胡作非为。长子噶登丹增道：
>
> “请父王三思啊，如果阻止我去准噶尔迎亲，失去良缘，我就要自杀！”
>
> 说着，他抽出随身小刀，在自己的肚皮上划了一道约有十二指长的口子。

这已与小说中的细节描写不相上下。《多仁班智达传》等传记作品同样不乏这种细致入微的描写。

第三，讲究语言的文学性。

二、民间文学

（一）民歌

1. 长歌

目前收集到的藏族叙事长歌（或者说叙事长诗）主要有《流奶记》、《卡吉嘉洛》、《不幸的擦瓦绒》、《益西卓玛》、《不幸的姑娘》、《拉萨怨》、

《负心的喇嘛》、《唐洛郭哇》、《达纳多和霍雄》、《在甲格尔草原上》。与叙事长歌相并足另有一类不叙事的长歌，也可包括其中，主要篇目有：《青稞歌》、《吉祥羊歌》、《纳嘉才洛遗言》、《珠、东论战》等。长歌的传播似在安多见多。

《流奶记》和《卡吉嘉洛》是两部反映藏族人民悲惨生活的长诗。《卡吉嘉洛》讲的是去卫藏地区学法后回到故乡的卡吉嘉洛受冤屈的辛酸故事，读来令人潸然泪下。有一天嘉洛放牧到阳山坡，突然无故来了一群兵：

铁索链像龙卷黑旋风，
哗啦啦套上我脖颈；
可怜嘉洛我像野狗，
任人牵来拽着走。
我急问这是为什么，
不见回音和道理，
只有拳脚雨点般落身上，
兵士心毒手又狠，
打得嘉洛眼前飞金花。

罪名为何？说是抢劫阿吉官马营，杀死守营士兵。嘉洛被押往旗台堡，不容分辩打50皮鞭，押到县衙：

押我来到县衙前，
屈膝向县官三磕头，
启齿向他诉屈冤；
兵士如虎狼动了刑，
不容分辩一百棍。

最后押解到斯郎（即西宁）城，绕城示众三圈，被押上阴森的大堂，“不容分辩”（被打了）五百板。嘉洛被屈判死刑，押赴刑场。这位屈死者满腔愤怒地唱道：

我是冤屈的清白人，
跪着不死站着死，

后面别砍前面砍，
砍断头颅眼不眨，
不淌鲜血会喷奶。
今生无处评公理，
因果报就看后世，
手持青白长短剑，
我地狱门前等百年！

值得一提的是这首长歌的表现形式。笔者有幸聆听一位老者演唱其片断，每段之后均缀一“大老爷”，哀切而凄惨，完全是一种悲愤的哭诉，情直意切，哀婉动人。

《流奶记》同样是反映马步芳黑暗的统治的。歌中说，马步芳的兵士为了抢劫藏人的马和财物，当隆务地方的兄弟二人经过“尕浪沟”时，对他们进行围攻。陪伴生病的哥哥去拉卜楞寺求医的弟弟被迫开枪应战。哥哥想到如此会引起更大的麻烦，就劝弟弟不要开枪。结果打虎不成反为其害，他们被绳捆索绑带走了。

慈祥的父亲闻讯，
赶上好马一大群，
恳求缓我三年刑。
别说缓三年，
连三个月也不准！
善良母亲焦在心，
牵来牦牛一大群，
哀恳缓我三月刑。
别说三个月，
连三天也不准！

据《青海省黄南藏族自治州概况》介绍，在马家军阀统治时期，仅同仁县原有的12个部落中，惨遭屠杀的就有7个。1937年同仁县长牙昂地区的藏族人民为反抗民族压迫，进行了抗税抗差的英勇斗争，马步芳旋派大批军警进行疯狂镇压，400余名群众死于其屠刀之下，24个村庄和5座寺院被烧毁，数以万计的牛羊被劫走，人民，财产被掠夺一空。更有甚者，这些灭绝人性的刽子手竟割下被害者的头颅悬挂示众，当家属索要头颇时，强迫他们缴纳“赎头税”。——《流奶记》等反映的正是这种血腥统治，所控诉的也是马步芳匪徒的暴虐罪行。《流奶记》中的青年被诬为土匪，行将处死时有几句六月飞雪、惊天骇地的语言：

把我的脖子像摘花一样地掐断吧，
我的头颅将像羊羔似的跃动。
把我的生命像吹灯似的弄熄吧，
但是从我的喉管里，
会流出洁白的奶，
汇成一座是非的分水岭。
在阴间的窄路上，
报仇雪恨的机会总会有！

——他被刽子手杀害了，他的脖子里流出了白花花的奶！这奶的构思是美妙绝伦的，它象征着邪恶的失败，象征着正义的胜利。

爱情长歌有《不幸的擦瓦绒》、《拉萨怨》、《负心的喇嘛》、《唐洛郭哇》、《拉依勒和隆木措》等，从不同的侧面颂扬了真诚和纯洁的爱情，鞭笞了那些为了自身功名利禄背叛爱情的人。

2. 短歌

情歌，在藏族民歌中是最为丰富的门类。“蜜蜂”与“野花”之爱，春风就是媒人；青年男女相爱，以情歌为媒。这并不是夸饰之词，而是藏区生活的真实写照。

如别离歌：

路边开遍了金莲花，
我走花不走，
我舍得鲜艳的花，
美丽的金莲花呀，
叫我怎忍心把你弃丢？

村子里有我的朋友，
我去她不走，
我舍不得她到远方去游，
心坎上的情人哟，

叫我怎忍心把你弃丢？

思念歌：

如果黄莺知道人的语言，
我定会在它漂亮的翅膀上，
写上我心中无尽的思念，
寄给那远方的朋友。
可是啊，黄莺怎知人的语言！

如果有上天的梯子，
我一定登上去站在云端里，
凭借太阳的光明，
看看我那心爱的朋友。
可是啊，人间哪有上天的梯子！

藏族民歌中的生活歌同样十分丰富：

四方方的麦场，
连枷时起时落；
有的人像举鸡毛，
有的人像举石头。

四横四竖的连枷，
是阿姐朗萨的连枷，
阿姐朗萨去修行，
这把连枷留给我。

连枷，请高高地扬吧，
别担心，蓝蓝的天空捅不破；
连枷，请狠狠地砸吧，
别害怕，坚实的土地砸不烂。

再如流传在西藏安多地方的《剪羊毛歌》：

绵羊，绵羊，你太忙了，
夏天的毛没剪完，冬天又来了。

牧人，牧人，你太累了，
夏天的活没干完，冬天又来了。

磨石，磨石，不会缺少，
地上的没完，天空又送来了。

剪羊毛是牧业劳动中的重要内容之一，各地都有这种剪毛的歌谣，极具生活情趣，其语言也简洁明快。

酒歌，藏语称“鲁”（གླུ或ཆང་གཞས།），是藏族民间歌曲中十分重要的一类：

在蓝天的中央支起帐篷，
铺上红云和白云的毡，
让太阳和月亮来作客，
快来哟青龙，让我们嬉玩。

在山上支起帐篷，
铺上青草和鲜花的毡，
让雄健的野牛来作客，
快来哟小牛，让我们同欢。

在村里支起帐篷：
铺上红氆氇的毡，
让四面八方的人来作客，
快来哟大叔，让弟兄们畅欢。

藏族民歌的艺术特色主要是：

第一，比喻生动，形象鲜明。在一四句体的民歌中，前两句为比兴，后两句说明正意。比如：

黄莺会单独唱歌了，
就是长成大鸟了；
姑娘敢羞答答看小伙子了，
就是懂得爱情了。

以黄莺会唱歌喻姑娘懂得爱情，生动而明了。在三段体民歌和多段体民歌中多反复使用比喻手段，来升华比喻的主体。比如：

今早我从家中出发时，
马尾巴上绾了五道结，
嫌结少又绾成九道，
马哪儿开跑都便当。

今早我从家中出发时，
竹箭尾装了三排翎，
嫌翎少又装成四排，
箭哪儿开射都便当。

今早我从家中出发时，
盘歌准备了整一套，
顺便还带有美妙曲，
歌哪儿开唱都便当。

第二，浪漫主义和饱满的生活热情。

藏族民歌想象丰富多变，有浓厚的浪漫主义色彩。一般民歌，虽然反映事物很小，却总要夸饰一番，即所谓"没有盐的茶没喝头，没有比兴的话没听头"。比如，有一流传在青海藏区的民歌如此唱道：

要唱情歌就唱情歌，
唱情歌要唱出自己的心愿。
要说起我的心愿来，
我要骑上天上的青龙，
鞴上那白云的鞍子，
套上那黑风的嚼子，

到天空去绕上三圈，
这就是我的心愿。

这种浪漫主义的描述所勾勒的意境是美妙动人的。以青龙为马，让其套上黑风的嚼子，鞴上白云的鞍子，可谓想象奇特，别具一格。

第三，语言生动、质朴、清新。

（二）故事、传说、谚语

藏民族有着十分丰富的民间故事。全国解放以后曾收集的民间故事就有数十种之多。像《阿克顿巴的故事》、《聂局桑布的故事》、《尸语故事》、《铁匠与小姐》、《藏族动物故事》等，在民间享有盛誉。它们既是优美动听的故事，也是代代相传的人生教科书和藏族文化的精品。诚如恩格斯在《德国的民间故事》中所说："民间故事书还有这样的使命，同《圣经》一样培育着它的道德感。"

《茶和盐的故事》是一篇描写爱情生活的民间故事。故事讲文顿巴是西部落土司的儿子，美梅措是东部落土司的女儿，这两个有世仇的青年在河东岸和河西岸放牧时以歌问答，产生爱情，后常将羊群赶到一起玩耍。女土司知道女儿与文顿巴恋爱的消息，派大儿子、二儿子用毒箭去杀死文顿巴，大儿子、二儿子都不忍加害，射了乌鸦和喜鹊回来交差。女土司威胁三儿子若不杀死文顿巴，就用毒箭杀死他。三儿子用毒箭射死文顿巴，悲剧发生了。

美梅措是个对爱情忠贞不渝的姑娘，当她知道文顿巴已死，悲痛欲绝，在火化情人尸体的时候，她毅然跳进熊熊烈火中，追随文顿巴而去。狠毒的女土司将他们的骨灰分开，埋在河两岸，不久埋文顿巴骨灰的地方长出一朵大黄花，埋美梅措骨灰的地方长出一朵大红花，彼此隔河相望，含爱注视。女土司派人将他们掐断。第二年，长花的地方又长出两棵柳树，各有一只小鸟，彼此隔河啼鸣，和谐美妙，像在诉说无尽的情爱。穷凶极恶的女土司又派人射死了柳树上的一对小鸟。活着的时候爱情被阻隔，"死后"的爱情也不断受到摧残。于是，文顿巴到汉地变成茶树，美梅措到藏北的湖泊中变了盐。当人们喝酥油茶时，文顿巴和美梅措便相聚在一起，自此永远不分开。

故事感人肺腑。诚如欧洲人的罗密欧和朱丽叶、汉民族的梁山伯与祝英台一样，藏人在谈到那些坚贞不渝的爱情时也喜欢用美梅措和文顿巴作比喻。

《青娃骑士》、《铁匠与小姐》，也都是在藏区家喻户晓的爱情故事名篇，这些爱情故事歌颂了幸福的爱情和对自由的追求。

《阿克顿巴的故事》属于“智慧”故事或“机智人物”故事范畴。解放后曾多次出版藏、汉文本，大概有200来篇小故事。深受藏族人民的喜爱，类似于维吾尔族的《阿凡提的故事》、蒙古族的《巴拉根仓的故事》。

《阿克顿巴的故事》有如下一些特点。其一，主人公阿克顿巴这一幽默、智慧的形象是位普通的百姓，具有广泛性，他的爱憎和情感是人民的，他表达的是人民的心愿。这有别于其他一些故事和那些受佛教影响很深的作品。其二，与藏族传统文学中多见的忍让，无原则、无是非的慈悲、怜悯不同，《阿克顿巴的故事》具有斗争性。其三，这些故事不但构思精巧，而且短小精悍。试举一例：

> 阿克顿巴对国王说：“人死了都有自己的座位，有的人在天堂，有的人在地狱。”国王问：“什么人在天堂?”阿顿答：“好人在天堂。”国王又问：“什么人在地狱啊?”阿顿说：“当然是坏人在地狱了。”国王忙问：“我的座位在哪里?”阿顿笑了一笑，说：“你的座位应该在天堂，可是天上的座位已经满了。”国王着急了，问：“那怎么办?”阿顿想了一想，对国王说：“那你就到地狱去吧！那儿和你一样的人还不少呢?”

实际上这不仅是一则小故事，而且是一段精彩、机智、漂亮的对话。尽管它没有什么故事情节。有些则是有情节的小故事。如《佛爷吃糌粑》：

> 阿顿和财主去拉萨做生意。财主装了两口袋好糌粑，用牦牛驮着；阿顿装了两口袋树叶，用毛驴驮着。夜晚，投宿在一座小寺院里。深夜，财主睡得正酣，阿顿悄悄起来，把自己袋子里的树叶倒出来，喂了毛驴；把财主的糌粑装进自己的空口袋，把财主的口袋放在菩萨的手上。第二天清早，财主发现自己的糌粑不见了。阿顿指着菩萨手上的空口袋说：“世间人们不给菩萨供养，大概菩萨饿了，才把您的糌粑吃光了吧！”财主垂头丧气，阿顿高高兴兴地把两袋糌粑分给了穷哥们。

这些故事都程度不同地鞭笞了统治阶级，揭示了他们的昏庸无能和贪婪自私，同时也颂扬了劳动者的智慧、才能和美好道德思想。

同样，藏族民间也蕴藏着丰富的传说。比如藏区多山多水，而每一座山每一条河都有故事，都有传说。至于名人、名胜传说更为普遍。如唐东杰保的传说。有一则传说讲，作为藏传佛教噶举派喇嘛的唐东杰保，有一天看到湍急的河上打转的小牛皮船和等待过河的焦急的行人，心中十分不忍，便想为民众解除痛苦，造桥行善。造桥需要钱，穷人没有钱，官人有财不给钱。后有女神托梦，见到了雅砻琼吉的七兄弟，组织藏戏班子，四处表演，赖以募集资金，很快在十三个地方架起了十三座铁索桥。为了民众的利益活着的人是不朽的，"唐东杰保"已成为藏族人民世世代代颂扬的名字，每个藏戏团中都供奉有他的塑像。

有些山神的传说十分有趣。比如藏族著名的四大山神之一的念青唐古拉山神的传说。这个山神有多种身份，有时称它为护持财宝之神，又传说莲花生大师进藏时将它降伏成了佛教的护法神，赞普赤松德赞的生命神，它还是卫藏四茹之地的保护神，具有非凡的神通。实际上它是雄踞于藏北当雄草原的山脉，主峰当拉山海拔高 7117 米，终年银装素裹，由上百座山峰组成。

在传说中念青唐古拉山神颇具人性，它穿白衣，戴白巾，骑白马，颇潇洒，而且是个男性。它有 360 名随从（360 座山峰），有几种化身，并有几位夫人——羊八井的白孜山、尼木县的其玛岗嘎山。

藏族民间故事传说在藏族文化中具有重要的作用，而这一作用在过去的文化研究中并没有引起充分的重视。有三点十分重要：

第一，藏族民间故事传说是最具权威和影响力的教科书。现在有一词叫"养成教育"，从概念去看，每一个民族都有自己的养成教育，只是形式不同罢了。养成教育实际上在做"童子功"，这一功夫倘若获得，终身受益。藏民族对自己家乡、民族、宗教、文化的热爱，对自然朴素的认识，甚至初步的世界观、文化观、人生观、价值观的确立，大多靠民间文学。其中故事传说承担了重要的作用，成为最权威（数百年而很少改变）、最有影响力（一经输入头脑便终生储存，难以磨灭）的作品。

第二，藏族民间故事传说是最为广大群众喜爱，最具有广泛性的文学作品。虽然有许多作家文学在文学史上具有影响，虽然许多作家文学在文人中占据市场，但是在藏区很难有作品像民间文学那样拥有最广泛的"读者"（听众），小到咿呀学语的幼童，长到七老八十的老者，几乎可以说无一例外，而且不需要任何条件，骑在马上坐在船上，带一张嘴两个耳朵就可以教育别人，或被别人教育。不但是自觉地接受，自觉地宣传，而且是愉快地接受，愉快地宣传，听与讲、唱都是一种幸福。

第三，藏族民间故事传说是发挥文化功能最好，最能体现民族文化性格的文化成分。文化是人们为了满足自己的需要而创造的，需要层次的提高是人类社会由低级到高级无休止发展的必然结果。藏人由于自己特殊的生活、生产方式，使得民间故事（其他民间文学也如此）成为最重要的认识自然、社会的工具，具备规范人们行为的功能，增强藏民族内在凝聚力的功能，满足人们平常娱乐需求的功能。何以为然呢？藏族地区地大物博，居住十分分散，除了少数人进入寺院学习经文以外，许多不能进入寺院学习的儿童的第一个道德教材，第一次民族认同感的产生，第一次行为教育，第一个有记忆的娱乐或许都是民间故事传说（或其他的民间文学形式），而且潜移默化，耳濡目染，根深蒂固。

谚语，藏语称“丹辉”，包罗万象，囊括天地，涉及社会生活的各个方面。比如让人们具有志气和理想的谚语：

骏马要向天上飞，
连白云都会让路。

没有志气好偷闲，
没有骨气嘴巴软。

鹰要紧的是翅膀，
人要紧的是理想。

这些谚语从不同角度鼓励人们勤奋好学，心怀大志，踏踏实实学习和工作。“有志气的人，首先要勤奋；如果把勤奋当作痛苦，他的希望就会落空。”这些谚语的思想力量是永久的，掌握了它会受益终生。

鹿在陆地上行最危险，
人在名利上争最危险。

专门为别人挖成的陷阱，
埋葬的却是自己的灵魂。

火性子只能打死羊羔，
韧性子会驯服烈马。

这些谚语，告诫人们加强道德修养，胸怀宽大，不要争名争利。并且在具体的生活中磨炼自己，“再聪明的人，也难精通一切事；再明亮的眼，也不能看见声音。”谦虚谨慎，做正直的有道德的人才是为人的首要原则；否则，损人利己，行不轨之事，那只能名誉扫地，失去朋友，脱离群众。

有些谚语是告诉人们要警惕恶人，分清敌友的：

饿狗的心思在骨头上，
强盗的心思在钱财上。

马在软地上容易失前蹄，
人在甜言上容易栽跟头。

狡猾的人总拿别人去试刀口。

有些谚语充满了人生哲理和辩证思想：

骆驼的身子再高，
够不着山后的草；
兔子的腿再短，
一样能够跑远。

绳子在不结实处先断，
人总在骄傲时摔跤。

——这两条谚语对短与长的关系、虚心与骄傲的利弊的归结可谓入木三分。

藏族谚语中也有许多歌颂劳动，鼓励用自己的血汗获得财富的：

要想吃酥油，
先要喂奶牛。

劳动是幸福的右手，
节约是幸福的左手。

藏族谚语短小洗练，言简意赅，比喻生动，多为两句一则。从比兴的手段看，其喻体大多取自藏族人民所世代繁衍生息的雪域土地上，山川江河、飞禽走兽、雪山、草原、牛羊等等常常进入谚语中。有一部分尚带有浓厚的宗教思想和观念。

（三）斋嘎

斋嘎这一种形式在整个藏区都有流传，它的产生也不会太晚。因为我们从斋嘎的一些基本形式上可以看到它与别的文学体裁的联系性。

1. 斋嘎的内容。斋嘎的内容涉及面很广，可上至天文，下至地理，中间人间万事都有。比如耿予方译、发表在《西藏群众文艺》1986 年第 2 期的一篇斋嘎，除了斋嘎自我介绍的部分外，分为若干的部分，即天地起源、解说人体、三种人、三种官、三种男子、三种女子、剖析学法的人、剖析官员、剖析朋友、剖析夫妻、剖析各种人物、剖析因果，等等。而这则斋嘎主要是讲生活经验，从而达到劝世的目的。如其中剖析各种人物：

啦！
人有各种各样，
研究一下很有必要。
有些人虽然不是孔雀，
却对毒物十分喜好；
有些僧人虽然没有犄角，
却对角斗兴趣不小；
有些出家人虽有戒律，
喝起酒来却没完没了；
有些修行者虽无翅膀，
却到处捉拿走兽飞鸟；
有些官吏虽不是土匪，
却抢劫百姓的一切财宝；
有些坏事虽不是无价之宝，
有些人却争着去找；
学习圣法虽能成，
有人却远远扔掉；
地狱之中虽无幸福，
去的人却总不见少；
忠言虽说了千遍万遍，
却很少人在心中记牢；

应该做的偏偏不做，
不应该做的偏偏不肯戒掉；
有用知识不下工夫学习，
无用坏事却津津乐道；
……
这样的黑白颠倒，
应该弄个明白，
应该多加思考。
哈哈！

全篇主要是劝说人们行好向善的。而边多、洛朗等收集的《歌手之歌》却是另一种风格，其内容也与上文迥异：

歌唱呵歌唱！
歌唱呵歌唱！
我身背箭袋，
箭袋里装满了歌；
我就是这样自由，
走进了美丽的村庄。
我骑的是黄骠骏马，
将满袋的歌儿置鞍后。
我舀一满碗歌儿端手上，
我舀一满勺歌儿放在舌中央；
鬼鸟突然高声叫，
黄骠马受惊突然飞奔；
我满碗的歌儿掉进了草原，
从此藏民人人有歌唱；
歌儿的传播者就是我，
我就是这样地在四海歌唱。
歌唱呵歌唱！
歌唱呵歌唱！
歌手我走啊又走向前方，
歌唱呵歌唱！
歌手我步上了蓝蓝的天空；

我在天空中回旋飞舞，
把我的头投向太阳和月亮；
我大声地念着“阿麻尼么”，
歌手啊那时你又走向何方？

语言朴素、生动、鲜明、豪壮而优美。

2. 斋嘎的形式。由于是一种表演，斋嘎的语言要受到表演本身的限制，即其语言既要符合韵律，又要符合节奏，如此才能朗朗上口，张弛有致。斋嘎的开头是值是研究的，它可以很快地将我们的思想集中在表演者所要传达的信息中：

格格索索拉加洛，
扎西德勒彭松措。
斋嘎我桑巴顿珠来了，
向你们祝贺向你们报到。
要问我今天从哪里来？
请听我慢慢表一表。
我从升起太阳的东方，
推开金刚石的大门来了；
我从盛产宝石的南方，
推开松耳石的大门来了；
我从无量光佛的西方，
推开珊瑚的大门来了。
我从俱卢洲的北方，
推开海螺的大门来了。
碰到高耸云天的大山，
我就猛力纵身一跳；
碰到低矮连绵的丘岭，
我就快步不停地跑；
碰到波涛汹涌的大江，
我就像大海的龙蛟；
碰到徐徐流淌的小溪，
我就像小鱼一样逍遥；
碰到满天滚动的云彩，

我就用手一指飞过来了；
碰到宽大无边的平坝，
我就不慌不忙地走过来了；
我像先知的鹦鹉飞来了，
我像呱呱叫的乌鸦飞来了，
我像破空的雄鹰飞来了，
我像领头的山羊走来了。
今天我斋嘎前来祝贺，
吉日良辰十分美妙，
天上阳光万道无比温暖，
地上载歌载舞无比热闹。
要问我斋嘎来干什么？
我的使命确实不小。
祝贺大家身体健康，
五谷年年富饶。
祝贺水草丰美牛羊肥壮，
祝贺幸福星斗永远高照！
哈哈！

这样一些讲述形式会使我们自然地想到其他的一些民间文学形式，比如故事。一些传统的故事多有夹叙夹唱者，既有散文也有韵文，其中的韵文部分，多似斋嘎的表现方法。如次仁玉珍收集的《上方的日西日嘎和下方的日西日玛》：

有一天，他（猎人日嘎）射伤了梅堆曾松三兄弟的神魂鹿，鹿带着箭伤跑回去找它的主人。自称北霸的梅堆曾松三兄弟从鹿身上拔下箭来看，发现箭是日西日嘎的。他们面面相觑，怒火胸中烧。于是，他们招兵买马来打日西日嘎。日西日嘎本不想与任何部落结仇，但事到如今他只好出门应战。

他张弓搭箭威风凛凛地站在北霸三兄弟面前唱道：

叭咪哞，先不忙动武看山景，
这里的景色多迷人。

后边那座黄色的山，
多像祭坛的圣锦瓶。
右边那座白色的山，
多像欲飞的神雄鹰。
左边那座蓝色的山，
多像跃跃欲驰的马。
我日嘎居于三山间，
它们是我家的后神山。
再看前面更美丽，
两个波光粼粼的湖。
一是达孜玉木措湖，
一是玛邦玉木措湖，
都是日嘎的神魂湖。
旁有两座吉祥的岩，
敌人望而生畏的岩。
右边那座黑色的岩，
像战刀刺敌显威风；
左边那座白色的岩，
像哈达随风在飘扬；
都是日嘎的守护神，
都影子似的跟着我。
上方的猎人日嘎我，
蓝天当帽头上戴，
大地做垫铺膝下，
七星为饰身上披，
从未有人来挑战，
今日竟有三人来。
今早是从何处来，
尊姓大名怎称呼？
恐怕不该来这里，
来此必凶多吉少：
短命的山羊来找豺，
再短命就进豺狼窝；
短命的人儿来找魔，

再短命就钻妖魔洞。
如果你们不想死，
劝你们快快回家去。

这种讲唱方法与斋嘎的形式也是如出一辙。实际上我们进一步去看，《格萨尔王》的讲唱形式也与此十分接近。我们试看《世界公桑》中的一段唱词：

（因米琼桑珠的话揭了超同的短，超同非常生气，见他要发作，总管王容擦叉根便有这一段唱词）

……
这个地方你若不认识，
黄河直接上卫藏，
这是上部卫藏的芳邻。
黄河直接下甲那，
这是下部甲那的芳邻。
黄河面对着博域有雪地，
这是博域雪山形成的中心。
大水是黄河路玛水，
大山是玛杰奔木蕊山。
大水向右旋如梭，
吉祥右旋曲如环。
……
我这个人你若不认识，
我住在鹰地虎寨岔路口，
城寨坚固神建成。
我的城寨是富城寨，
叉城囊木楚保是寨名。
这个坚固的城寨主，
冬总管容擦叉根是我名。
……
长官超同和两个小神子，
不要互相诘斥要克制。
世上古人有谚语：

两个上等男人相遇时，
像绸衣和羔皮放一起，
又是轻来又是软，
温温暖暖最相宜。
两个中等男人相遇时，
像甜食与炼乳放一起，
又是甜来又是油，
甜甜蜜蜜不分离。
两个低等男人相遇时，
像毛驴打滚尘土起，
又是呛人又难受，
吓人踢人四者齐。

至少我们可以看出这些民间文学作品间的相互影响和相互吸收。因为在解放以前有专门的斋嘎艺人，这些艺人跟《格萨尔王传》等的讲唱艺人一样，大多都是下层穷人，不仅是为了现在的那些酒足饭饱后的人们所高谈阔论艺术，更重要的是为了生计，为了填饱肚子。每到年节，他们走村串户，献上斋嘎，以求得到一点微薄的报酬。也因为此，虽然也不乏套词套语，但斋嘎的唱词对艺人自身来说已经是“千锤百炼”的了。因为不如此他们就很难挣到钱。作为节庆的一个项目，斋嘎这种艺术形式在新社会也得到了很好的利用和发展。

三、藏戏

藏人称藏戏为“阿姐拉姆”，意为拉姆大姐或拉姆阿姐。此称谓据传源于14世纪的噶举派僧人唐东杰保。唐东杰保为了解除人们过河的苦难（等待、涉水、翻船、死亡等），决心筹资架桥，即请山南穷结县一叫百纳家的七姐妹，组成演出剧团。其中二人扮演温巴，二人扮演甲鲁，二人扮演仙女，一人击钹。由于演出人员均为女性，且饰演仙女等角色，故百姓称之为“阿姐拉姆”。由此，根据藏语表述习惯，将演藏戏的人称为“拉姆娃”。

（一）藏戏的形成和发展

从目前可资引用的材料分析，藏戏的缘起大约是在公元7、8世纪。公元779年桑耶寺落成典礼上所表演的面具舞可能就是最早见于史料的藏戏：

黑头庶同满天地，
铙钹鼓乐如雷震，
骏马亦无奔驰处。
衣着美丽手击鼓，
童男少女歌且舞，
又扮牛虎狮子形，
头戴面具舞吉祥，
丝竹鼓乐献王前。

《吐蕃王统世系明鉴》记载的这种面具舞大约就是较古老的白面派戏剧，在桑耶寺康松桑康林神殿的壁画中就绘有演出白面藏戏的场景。考察传至今日的白面派唱腔，仍遗有拟兽之声，诸如牛叫、马叫、驴叫声。当然，依据西藏“歌音七品”（དབྱངས་ཀྱི་ རིས་པ་བདུན།）之中令、仙曲、绕地、六合、五合、励志、近闻规定，每个音都要拟兽吼叫：“中令之声似鸿雁，仙曲之声似黄牛，绕地之声似山羊，六合之声似孔雀，五合之声似杜鹃，励志之声似骏马，近闻之声似大象。”

藏人将唐东杰保（1361～1455）奉为藏戏鼻祖。唐东杰保所谓之藏戏，显然是对旧藏戏的改造，或自此诞生新的流派——蓝面派藏戏，使藏戏得到了进一步发展。剧团人数还少，当然比当初的“宾顿巴”（七兄妹）要多；大多在民间活动，走村串户。同时在艺术上不再仅仅是白面派简单的野牛舞和单人卓（单人舞），而融合了其他民间艺术形式，变得丰富多彩。

藏戏的兴盛期大约在17世纪以后。此时藏传佛教之格鲁派掌握西藏政权，一度出现较为稳定的政治、经济局面。每至林卡节，五世达赖及其后辈喇嘛则命一些活跃于农牧区的藏戏班子到拉萨演出。其中主要是蓝面派，也有古老的白面派和表演野牛歌舞的“西荣仲孜”班子以及单人表演的阿卓鼓舞。此所谓“支戏差”。

每年七八月份是农忙季节，这些民间艺术家们汇集拉萨。对于忙于农事的人来说离开家庭妻儿老小和待收割的庄稼，跋山涉水而来，并不是什么好事。而对信仰佛法的教民来说，能以自己的歌舞敬献于僧众，甚至达赖喇嘛等大活佛，却不能不说是一件幸事。同时，这种会演形式本身就存在竞争性质，对各藏戏团体的发展不能说没有促进作用。

（二）藏戏的分布

1. 白面藏戏

白面具藏戏是藏族最早的戏曲艺术形式。至迟在公元7、8世纪孕育于雅鲁藏布江中游河谷地带西藏山南地区的雅隆。后来的剧种多受其影响。据边多等同志考证，其唱腔“是在雅隆地区的民间歌曲，野牛舞蹈以及模拟动物的吼叫声的基础上进行加工发展而成。因此它的音乐唱腔既有藏族古老音乐基本特色，又独具山南民间音乐的乡土气息。因而它同其他藏族戏曲剧种之间，不仅在表演形式上，而且在唱腔、曲牌的基本旋律以及风格特色和鼓钹点子等方面，形成了非常鲜明的差别。由于它是藏族最古老的民族戏曲剧种，历代藏族统治者们把它当作一种古老吉祥的象征，每当有传统的节日时，用来进行展览性的艺术表演。为了保持它较原始的面貌，不准人们对它的内容到形式有任何的改动。因此，白面具戏直到现在还仍保持粗犷而原始的风格特色。”其分布地区仍然以雅砻地区为主。

2. 蓝面藏戏

据边多等研究藏戏音乐的先生考证，蓝面具戏是起源于公元14世纪的后藏地区，是由佛教高僧汤东杰保，根据白面具戏的西藏形式和特点重新创立起来的一个民族戏曲剧种，它的许多唱腔曲牌都是在后藏地区从藏族大型歌舞——“谐青”、“鼓舞”、“夏”的主唱对词等基础上进行加工发展而成。因而它不仅具有浓郁的民族风格，而且具有非常强烈的乡土气息和地区特色。西藏的几个不同剧种中，蓝面具戏的唱腔曲牌和鼓钹点等均有较丰富的艺术表现力。因此它是藏族群众喜闻乐见的民族戏曲剧种，整个藏区均有流传。尼泊尔、不丹、锡金等国的藏族过去很多人所指的“藏戏”就是这个剧种。

3. 昌都藏戏

据边多同志的文章介绍，昌都戏源于七世帕巴拉时期的昌都寺院中。除当地僧俗群众之外，外界人对其不十分熟悉。因为过去演戏只限于该寺僧人之中，很少在民间进行，现在已在民间流传。它所独有的唱腔曲牌都是在当地的民间歌舞“果尔卓”和山歌的基础上进行加工发展而成，因此其音乐唱腔略带藏族传统戏曲特有的风格和当地民间音乐所独有的特色。这个剧种在历史上虽然遭受过种种磨难，但因受到当地广大僧俗民众的酷爱，一次又一次地得到抢救和恢复。

4. 德格藏戏

德格藏戏起源于公元5世纪的德格江达县。该剧唱腔曲牌大多在吸收和利用当地民间歌舞音乐之外，是在采纳藏传佛教艺术金刚神鬼之舞的音乐以及其他宗教音乐等基础上发展而成的。因而它的音乐唱腔、鼓钹点子以及各种宗教器乐曲牌，都独具藏传佛教艺术的浓郁风格和特色。在西藏地区民间戏曲中，这是个非常特殊的民族地方戏曲剧种，与其他各剧种相比，它有着截然不同的风格和特色。

5. 安多藏戏

安多藏戏藏语多称“阿姐拉姆”或“南木特”（故事、传记之意）。发始于格鲁巴六大寺院之一的拉卜楞寺。

在二世嘉木样·久麦昂秀（1728～1791年）时，为了严肃教规，受二世嘉木样旨意，三世贡唐仓·丹贝仲美（1762～1823年）编写了《至尊米拉日巴语教释·成就者之密意庄严》一书，并将《语教释》部分改编为《哈倩木》（即鹿舞剧）。万玛多吉同志介绍说，安多藏戏结合民间歌舞和传统的神舞艺术，构成了有说有唱，有韵有舞，有较完整故事情节的六场戏剧演出形式。其故事讲一个猎人放下武器，皈依佛门，性生慈悲的故事。从它的演出来看，人物、禽兽都有双双成对的近似分身表演形式。身段表演也接近形象化。如鹿舞一场，一对梅花鹿在猎犬的追逐下，双膝上下起伏，多次下腰等技巧及掸断鹿角等动作表示在逃命时遇到艰难险阻和惊吓之意。其中最有趣的是第五场贡保道尔吉借机示威一场。这场戏是嘉木样大师和寺院允许扮演贡保道尔吉者借这一年一度的演出之机，揭露上至嘉木样大师，下至一般贫僧的违戒行为和社会上的丑恶现象，不受任何惩罚。当同一形象的两位贡保道尔吉先后出场时，整个场面肃静无声。他俩一问一答，用幽默的言词揭露僧众中的越戒行为，引得众多观众捧腹大笑。有时则用尖锐的措词使违教规者坐立不安。时而用形象比喻来暗示有弊病的佛僧引起注意。这种戏剧演出形式，演员临场发挥，即兴而编，幽默贴切，通俗生动，直截了当，提名道姓揭露当时人的文学形式，在戏剧表演艺术中是少见的。再则《哈倩木》剧的歌、舞、剧技的有机结合和唱、白、表的虚拟程式表演，已突破了那种早期艺术且在原有的基础上向前迈进了一大步。藏历第十四饶迥木猪年（1841年）贡唐·丹贝仲美大师撰写了戏剧韵白艺术之论著，即《对话剧本·引入正道之游戏》一书。较系统地论述了道白语气、表达方式在藏戏表演艺术中的运用。这一时期前后，安多其他各地也出现了局限于一定范围内演出的戏剧或杂剧形式。像甘肃天祝藏族自治县却唐典一带的僧俗共演过《智美更登》一剧。

五世嘉木样·丹贝坚参（1916～1947年），曾赴西藏学法，优美的卫藏给他以强烈的影响，1940年正月，他返故里时，国内局势紧张，威胁拉寺，经“议论”（嘉木样办公厅）需用安多方言以法王松赞干布为历史背景的剧。遂根据《嘛呢合集》、《吐蕃王朝世系明鉴》、《青史》、《吐蕃王臣记》等著作，编写了拉卜楞寺第一部舞台剧本《松赞干布》，并很快传播到甘、青、川交界处安多藏区部分寺院内。如青海果洛藏族自治州的多知钦寺，黄南的一些寺院，河南蒙古族自治县、泽库县，四川阿坝、若尔盖、色达等地，均得到群众的热烈欢迎。

（三）藏戏的角色和演出程式

藏戏有一些任何剧目都出场的固定角色。这些人物是：

温巴——意为猎人或渔夫。七人。执彩箭，戴画有喷焰末尼图的蓝面具。

嘉鲁——意为王子。二人。执弓箭，穿王子服装，饰国政七宝图案。

拉姆——意为仙女。七人。着古代藏族妇女装，戴仙女头饰。

以上三类人物主要用于开场戏。

藏戏的表演程式可分为三部分：

“顿”——开场戏。主要内容为祈祝吉祥，颂扬为民造桥的活佛、藏戏鼻祖汤东杰保。艺人将此用“猎人净地，太子降福，仙女歌唱”三句话概括。上场演员均以自己最拿手的技巧、能耐，通过韵白、演唱、舞蹈等来表演，王子和温巴逗趣打诨，借以吸引观众。

开场戏后，所有演员自始至终站在台上（露天广场，藏戏大多无舞台，为广场戏），其他角色登台演唱时，随即伴舞、伴唱。

“雄”——正戏。戏班子中有一戏师起着非常重要的作用，他既是剧团“团长”，又是导演。正戏开始时，戏师要说“雄”——以韵白方式讲解剧情。同时掌握演出的快慢和详略。同一剧目，根据多方情况可延伸，演四五天；也可收缩，演一天、半天。说“雄”之后，则由剧中人物表演。

扎西——吉祥尾声。一般都以传统藏戏《诺桑王子》中的达仁长调唱腔，在鼓钹伴奏下，唱吉祥祝福之词。

（四）八大藏戏

八大藏戏是指《文成公主》、《朗萨姑娘》、《苏吉尼玛》、《顿月顿珠》、《赤美更登》、《卓瓦桑姆》、《诺桑王子》、《白玛文巴》等最为知名的八部藏戏。此外尚有《云乘王子》、《日琼巴》、《敬巴钦布》等藏戏。从八大藏戏的取材情况看，主要有以下四种类型。

第一，取材于历史，歌颂伟人的功业。比如《文成公主》，主要讲松赞干布派噶尔东赞去汉地迎娶文成公主和吐弥桑布札去尼泊尔娶赤尊公主的故事，歌颂了藏汉、藏尼友谊，塑造了文成公主、噶尔·东赞等形象。尤其是噶尔·东赞这一形象，丰满、充实，栩栩如生，表现了他的机智勇敢，远见卓识。由于取材于真实的历史故事，颇能吸引观众。甘南拉卜楞寺创作的《松赞干布》同样取材于此一历史事件。

第二，取材于现实生活，反映常人的情感和生活。如《朗萨姑娘》，据说取材于江孜发生的一个真实故事。前半部分基本上采用现实主义手法描写人物和事件。故事讲：后藏娘堆地方的一对老夫妻到年老时生了一位貌美、善良、聪明伶俐的姑娘，名叫朗萨雯波，种庄稼、织氆氇样样能干，而且有一副好嗓子。可是，这位不幸的姑娘在一次庙会上，被扎钦巴看中，便强娶她为儿媳。尽管朗萨的父母不同意这门婚事，但慑于扎钦巴的淫威，让爱女委屈顺从。朗萨嫁到扎钦巴家七年，生了儿子拉乌达布，由于他温顺善良，尊老爱幼，受到众人的赞赏，可是尼玛宁措因嫉妒而挑拨离间，造谣中伤。朗萨终日操劳，却受尽欺凌。最后，终被扎钦巴父子打断肋骨，含恨而死。这一故事真切地反映了在封建农奴制度下，下层劳动群众的苦难生活。故事后半部分讲朗萨死后魂游地府，又因阳数未终，阎王令其还阳。死而复生，朗萨感到人生无常，遂出家修行，遁入空门，扎钦巴父子也皈依正法。

第三，取材于传说、故事，歌颂仁爱和正义。如《顿月顿珠》就取材于民间故事。

国王巴拉德瓦有两个儿子。王子顿珠五岁能诵六字大明，颇受群臣及父王喜欢。为了让自己生的儿子顿月继承王位，其继母波姆吉企图阴谋杀害顿珠，国王于心不忍，遂将顿珠流放。顿月、顿珠兄弟情深，顿月背着父母与顿珠到北方荒野之地。千里行途，干粮吃尽，顿珠找野果、水让弟先吃先喝，然而顿月终因年幼难经饥渴，死于途中。顿珠北行，被一修行喇嘛收为徒弟，不想此国年景欠佳，依风俗，要将属龙少年投下湖祭龙。属龙的顿珠被大臣带到王宫中，意外得到公主的爱慕，共同玩了七天。国王拟另寻少年替顿珠作祭。顿珠为了不让别的少年受害，投身于湖。龙王为其感动，不忍加害，将顿珠送回人间，摒弃活人祭祀，顿珠和公主结为夫妻。国王传位于顿珠，顿珠时刻思念着弟弟顿月。一日到森林中寻访，见到被仙人救活的弟弟。兄弟二人回国探望父王，年事已高的巴拉德瓦国王将王位传给顿月，顿珠仍当北方的国王。继母为自己的过错忏悔。此戏对顿珠形象的塑造可谓入木三分。

第四，取材于佛经故事，宣传佛教教义和人生观。这样的剧目较多，像《云乘王子》、《敬巴钦布》等。最有代表性的是《赤美更登》。此戏根据《圣者义成太子经》编定而成，个别情节参考了《快目王施眼》等佛经故事。赤美更登是白代国王子，有品貌出众的妻子门达桑姆公主和三个孩子。可是当王子见到衣服褴褛的穷苦人时，便生恻隐之心，开国库进行施舍。后敌国的婆罗门要赤美更登施舍镇国之宝，赤美更登便瞒着父亲将镇国之宝给他。国王了知此事，愤怒之中决定将王子流放。沿途，赤美更登将衣物钱财施给了穷人，儿子也送给了婆罗门。夫妻二人在荒凉的哈日山艰苦度日。12 年后返家途中，他将眼珠施舍给了一位双目失明的老太婆。当见到失去双目的王子，大臣们泣不成声，王子暗自祈祷，求佛神保佑，果然得以复明。全剧宣扬了人生无常，布施积德等佛教思想，有浓重的宗教色彩和强烈的感染力。

（五）藏戏的艺术特点

藏戏的表演程式即是传统藏戏的一大特点，除此之外，以下几点也较突出：

1. 歌舞性特点

传统藏戏自始到终贯穿着舞蹈。这一特点我们将在“舞蹈”部分之《拉姆夏卓》中进行介绍。换言之，藏戏具有歌舞剧的形式特征。

2. 讲唱性特点

讲唱文学在藏区是十分发达的，诸如著名的藏族长篇英雄史诗《格萨尔王传》就采用这种形式。可以说无论是藏族的传记文学、长篇小说都有讲唱文学之印迹，藏戏也不例外。唱自不必说，光韵白，藏戏就有三种类型：

其一为说“雄”，念板式韵白，主要用来介绍剧情，韵白之头、尾，均增长音，以警示开始或结束，中间部分多用诗句或散文词。

其二为“夏”，意为对韵白，加于每一段词的结束处，有诗、散文、白话多种形式。

其三为快板式韵白，主要用诗词表达，用来作为自我介绍（自报家门）等，且舞且说。

3. 别致的唱腔

藏戏的唱腔别致而独特。白面具派有许多拟兽唱法，后期的蓝面具派以及德格、昌都、甘南等处的藏戏吸收了许多优美的古典民间音乐，融会贯通，自成一系。有专家称，仅蓝面派藏戏就有一百多首唱腔，有达仁（长调）、巴尔通（中调），达能（短调）、觉鲁（悲调）等。如“嘿字腔”的旋律和唱法就十分独特。

藏戏除唱腔独特外，还有伴唱形式，伴唱者或在前台或在后台，主要是重唱唱词末尾的一个词和哼末尾的调，有帮腔的意蕴，显得豪壮而奔放。拉卜楞寺藏戏团以及受其影响的四川阿坝等地区的藏戏则多使用《格萨尔王传》演唱音乐，旋律清新简洁。

4. 面具艺术性特点

藏戏的化装除服饰外，主要表现在所戴面具上。脸谱基本上表达了人物的身份和个性。如在旧时四大藏戏流派中：

温巴——戴蓝面具。刘志群在《藏戏的流派》一文中说："据艺人说：'温巴'是劳动人民，整日在湖边和山上劳作，脸被湖水映蓝了，被太阳晒黑了。"这一解释是美好的带有诗意的。

隐士喇嘛——白胡子，戴黄面具。

父亲——黑胡子，红面具。

母亲——绿面具。

鬼——黑面具。同时也代表反面人物。

在制作上也充分地表达了情感因素。如国王、仙人，面具形象端庄、善良、美丽；反面人物之面具形象则丑陋、狰狞。

5. 神、人、魔并举的浪漫主义特点

生活、成长于浓郁的藏传佛教文化氛围中的藏戏，跟藏族其他艺术形式一样，受到宗教的浓重浸染，许多作品都是神、人、魔，天上、地上、地下同时并存，空间开阔，人物和事件的辐射也较强烈。像《卓瓦桑姆》中卓瓦桑姆是来自天上的仙女，哈江则是一魔妃。卓瓦桑姆生下一公主一王子，魔妃想吃掉他们母子三人。在毫无办法时，卓瓦桑姆飞回了天界，魔妃将国王关入黑牢，又想吃掉小公主和王子，先后派屠夫猎人去杀，均未得逞。最后年轻猎人将王子从山崖上扔下去，在天上的卓瓦桑姆见此，变成一大鹏鸟把王子接住，放在崖下的海滩上。一只鹦鹉把他举到白马坚国，拥立为王，并见到了姐姐。魔妃攻打此国，被打入九层地狱，上盖镇妖宝塔。王子救出了父王。——这种类似神话剧的现象在藏戏中是遍见的。像《诺桑王子》等都如此，对人物的塑造也起到了良好的作用。

6. 民歌式语言特点

藏戏多用唱词，而唱词多用"民歌式"语言。何谓"民歌式"？主要是指藏戏语言多用藏族民歌的表述方式。如《朗萨姑娘》中朗萨的一段唱词：

玉鬣丰美的雪山白狮你，
不要留恋我白雪山吧，
还有胜过我的底斯雪山，
雪山我有被太阳晒化的危险；
羽翅丰满矫健的白鹫你，

不要留恋我这高岩吧，
还有胜过我的须弥山，
山岩我有被雷劈碎的危险。

——这一种表达方式有比喻、比兴，形象、生动，给人以丰富的联想，有很强的表现力，且语言朴实、易懂。

（六）藏戏团

对近乎专业的藏戏团未做过统计，据有关专家估计，全藏1949年前大约有20多个藏戏团，有12个藏戏团参加一年一度的“雪顿节”会演。故称12个“雪顿巴”。这12个藏戏团又分为新旧两派。旧派（白面具派）：穷结的宾顿巴、若提巴，乃东的扎西雪巴，尼木的塔仲、伦珠岗，堆龙的良则娃藏戏团。新派（蓝面具派）有：（1）昂仁、拉孜的迥巴；（2）仁布的江嘎尔；（3）南木林的香巴；（4）拉萨的觉木隆等四大流派。

迥巴派主要流行于拉孜、定日、昂仁、阿里一带。此派演出团体有多个，表演中加杂技和当地的酒歌及六弦琴弹唱舞蹈。形式活泼。

江嘎尔派主要流行于日喀则、江孜、仁布 和白朗等地。亦有许多业余剧团，以优美、高亢、浑厚的唱腔取胜。

香巴派主要流行于南木林县的多吉、卡则、山巴等地。据称此派最初是由一叫扎西直巴的贵族所组织，后受到八世和九世班禅的扶持。

觉本隆派主要流行于拉萨、山南诸地，而觉木隆藏戏团是唯一由噶厦政府和功德林管理的藏戏团，在藏戏团中最富影响力。并有一些诸如在其他剧团中挑选演员的权利等。长期居住拉萨，用拉萨方言演唱，深受群众喜爱。出现过像米玛坚赞等著名演员。

除卫藏腹地的藏戏团外，像上文提到的昌都剧团、四川巴塘剧、甘肃甘南拉卜楞藏戏团都各有特色。

（七）藏戏节——雪顿

“雪顿”节早期并不与藏戏有染。据考它是藏传佛教的一种宗教活动，即遵照佛戒律，凡比丘、沙弥在夏时要行长净、夏安居、解制三事，不能出越寺门。解制后百姓即以“雪”（酸奶）施舍，僧众便带酸奶到林卡中玩乐。相沿成习，便有了“雪顿”这一节日。

雪顿节的时间一般在六月底、七月初。

雪顿节和藏戏发生联系大概是在五世赖达执政时期，或为夏月不出门的僧众轻松轻松神经，或为丰富他们的林卡生活，或为了艺术欣赏，总而言之，此时始便指令一些农村的藏戏班子去拉萨演戏。

雪顿节的程序大致如下：先以哲蚌寺为中心，进行活动，因此人称“哲蚌雪顿节”。这一程序的出现与“噶丹颇章”政权的出现有关，因为当时的五世达赖就住在哲蚌寺——当时西藏的政权中心。后来五世达赖移居布达拉宫，每年的雪顿节仍然于六月三十日在哲蚌寺进行，诸路戏班子先在此会演，演戏一天。第二天再到布达拉宫为达赖演出。据有关资料反映，噶厦政府对藏戏剧目、内容、表演形式，角色等的审查是较严的。基本要求是上演传统剧目，剧目内容、韵白、表演、唱腔、鼓点等不能擅自改动。同时，各戏班子的戏师，必须在每年藏历 6 月 15 日向噶厦政府之孜恰列空报到。6 月 24 日前后被指定演出的节目接受审查。孜恰列空负责审戏的官员针对唱词还要翻阅有关传统藏戏的木刻本。

自从 18 世纪初建成达赖夏宫罗布林卡后，雪顿节又从布达拉宫移至罗布林卡，也准许拉萨市民入院观戏，当罗布林卡的兽头大门缓缓开启，翘首以待、穿红着绿的人们便雀跃而入。

7 月 1 日，拉萨、日喀则、穷结、雅砻、堆龙德庆、尼木等处的四个剧团和六个“扎西雪巴”戏班子、一个野牛舞班子和一个“卓巴”（打鼓舞）在罗布林卡进行演出，热闹非常。

7 月 2 日至 5 日，由江孜、昂仁、南木林、拉萨的藏戏团再各演一天。五天雪顿节期间，噶厦政府机关放假，政府官员陪达赖看戏。

第五节　学　　术

18 世纪至 20 世纪中叶这一阶段的藏族学术趋向主要有两个：其一，向全面的宗教教义和宗教仪轨方面发展，使藏人的学术倾向更加紧密地集中于佛的旗帜之下。以文学而言，像《莲苑歌舞》、《郑宛达娃》等作品的出现就是最为有力的证明。在史学领域表现得更为突出。一是治史方法逐步走向重视历史事实。这种现象的出现是符合历史的辩证法则的。藏传佛教思想中所体现的核心之一——入世与出世，必然地要走入学术研究领域（或者说是史学研究领域），因为入世与出世是一对矛盾，这一矛盾的平衡也是由文化思想决定的。过分地入世，必然地要呼唤超越这种状态的更高境界，而求对世俗的超脱；同样过分地“出世”，身在现实，吃喝拉撒，却要做未来的梦，天界的梦，图许多不现实的空想，那都是难能持久的。虚幻缥缈，对于更多的人来说还不能当饭吃，要吃饭的人自然地要考虑它的价值。藏传佛教文化经过千余年的发展变化尤其是基本定型后，它的积极因素逐渐消失，而消极因素则不断增长。不少藏族有识之士（有些是出自寺院的僧侣）在反思这一问题。这种思考在虚幻的重雾中透来了一束阳光。以根敦群佩为代表，这种学术文化的积极势力在过去的沉雾中终于觉醒了！当然，我们不是仅仅从史学角度看这一问题，从经济、政治和别的方面也同样反映出这一特点。这一巨大的历史惯性还强有力地推进着，藏传佛教在千余年的发展过程中赖以生存的社会基础——封建和封建农奴制度在走向腐朽的同时也顽强地运行着。此为一。其二，在这个制度上生存着的政教合一制度，同样发挥着强有力的作用。贫穷和落后，缺乏科学技术是其最为根本的原因。我以前曾经说过，从 18 世纪到 20 世纪中叶这一段历史，藏族社会与西方发达国家比缺少了“工业革命”；和内地比缺少了“五·四”运动。由于这两者的缺乏，使藏族社会始终缺乏社会发展的巨大的文化和科技推动力，始终艰难地迈着沉重的迷迷糊糊的步子挪动，缺少清醒、快捷和开放。从文化特点看，同时也反映出两点：一是文化的宗教化，一是文化的封闭性。

假如我们冷静而客观地考察这一问题，就会发现，我们以前批判的一些思想并不一定是准确的。因为，文化的宗教化，在具体的历史环境中不一定代表落后；同样文化的非宗教化在一定的阶段也不一定就代表先进。文化的宗教化在一定的历史阶段是文化先进性的表现，因为某一类处于落后状态的文化，只有接受了更为先进的宗教文化，这一文化就有可能得到飞速的发展。宗教使文化更为系统更为丰富。同样，没有这种刺激的文化，有可能在平缓无力中拖延无数的时日。因为文化的先进性往往是由文化的最高表现形式——哲学思想的先进性所决定的（我在这里所说的先进性是指那些代表时代文化的更为丰富、更为严谨、更为理性和更为有秩序的对人们文化行为的统摄能力）。没有朴素的哲学思想的产生，人们的思维还在蛮荒之中。每一种巨大的哲学思想的产生，都是人们文化观念的一次更新，也是对社会的一次推动。尤其是从工业革命以后，这种现象更为具体和实在。首先是人们的思维能力的提高和科学方法的使用，使人们在自己的文化世界里具有崇高的指导能力，这种能力加上原有的学科研究的积累，一些新的科学成就便诞生了！这些科学成就的诞生，小的可以改变局部，大的可以改变世界，改变人们的生产生活方式。也就在这时人类的一种文明形式也便产生了。社会的发展规律和无数的辩证法则无不在证实着这一原理。值得我们明确的一点是，虽然我们对这些学界的巨星们给予了这样那样的现代学科的分类，但是，藏族的此一时代的学者们有一共同的特点就是，他们大多涉及多个领域，在多个领域获得成就。我们这里所说只不过是点及其最有影响和后世公认的那部分成就，而不做全面的分析。

一、语言文学

米旁嘉措（1846～1912年）生于雅曲定琼（现四川省甘孜藏族自治州德格县），据有关资料介绍，一生撰写了32部著作，涉及文学、佛学、工艺、历算等多个领域。著名的有《国王修身论》、《诗注妙音喜海》等。在文学上颇有成就，有思想。

在《诗镜》的注疏方面此时也涌现出一些学者。如五世达赖写有《诗镜释难妙音歌》，一世嘉木样活佛写有《妙音语教十万太阳之光华》，噶玛司徒丹白宁布写有《梵藏诗镜合璧》，康珠丹增却吉尼玛写有《诗注妙音语之游戏海》等，从而推动了诗学的发展，形成了文学写作的“年阿”体。

朵喀·才仁旺杰在此一时期写有《颇罗鼐传》，用传记形式描写了颇罗鼐波澜壮阔的一生，留下许多宝贵的历史资料；尚写有自传《噶伦传》、《藏梵字典》等。

二、社会历史

止贡巴贡却丹巴饶杰（1801～?），生于今甘肃省甘南藏族自治州合作镇丹增村，曾在拉卜楞寺和西藏拉萨学经。后尊其上师教导，遍访安多诸地，修成大著《安多政教史》，保存了极为珍贵的安多地区的政教历史资料。全书主要有三大部分，第一部分主要叙述了现青海地区的政教发展情况，即青海蒙古首领的历史、湟水北岸和南岸、黄河上游的果洛、玛多，下游的贵德等地及隆务河流域的政教发展情况。第二部分主要介绍了拉卜楞寺的传承和各札仓和佛殿的情况，第三部分主要记述了大夏河、洮河、阿曲河、然科河等地方的政教发展情况。关于这本书的价值，汉译者吴均先生在其“译后记”中有一段话总结得很好，特录于此：

> 其三十三岁之年，慨然肩负这一任务，先后钻研有关资料，包括三大藏区的各种史志、各种遗教、教法史、史鉴、纪事、传记、本生记、佛统记、族谱、世系志、王统记、寺志、传奇等三百余种，遍历黄河、洮河、大夏河、白龙江、隆务河、湟水诸流域访问调查，积累了大量的第一手资料，乃发愤写作，历三十二年，几经易稿，并经其诸师友的修订，终于在他六十五岁的乙丑年（公元1865年，清同治四年）完成了这部有分量的巨著。把包括甘肃陇南白龙江流域之武

都、文县、迭部、舟曲等处；洮河流域的卓尼、临潭、岷县、临洮、和政、康乐、碌曲等处；大夏河流域之临夏、永靖、夏河、合作等处；河西走廊；四川的松潘、阿坝、大小金川等处；青海之黄河、湟水、隆务、大通诸河流域的大小寺院（主要对象是格鲁派）的建立，发展过程，大小政教合一实体的形成，中央政府对这些地区各主要寺院的敕建与其历史作用，各中心寺院的形成与兼并，主要历史人物的成长与作用，一些部落的形成与发展，以及一些地区的宗教斗争和青海与卫藏的关系等都一一抉择采录；对于各大寺院之各学院的设立，讲学制度，等级、课程、学位、僧侣数目，活佛府邸以及法会等等也都一一罗列；尤其对于各寺院所属的谿卡庄园，更缕述其隶属关系，被誉为史料十分可贵，概括性强，叙述完满，是一部值得信赖的卓越的政教史。

贡唐·丹贝仲美（1762～1823年），生于甘肃省甘南藏族自治县美仁乡德合茂村。七岁被迎至拉卜楞寺，广学各种典籍经论，22岁获拉然巴格西学位，因其学识渊博而名贯全藏。31岁时升任拉卜楞寺法台。主要著作有《贡唐丹贝卓美文集》、《黄教兴盛祈祷词》等，尤其长于写作，著有广为传播的《水树格言》、《世故老人劝世箴言》、《白莲传》等。

松巴益希班觉（1704～1788年），是青海省佑宁寺活佛，其生地有青海互助、贵德、祁连，族属有藏族、土族、蒙古族多种说法。为第二世松巴活佛。后至拉萨哲蚌寺学经，师从诸多高僧，学及大小五明。18世纪初叶正是西藏政治动荡时期，其返回安多，从章嘉进京，协助处理宗教事务和一些藏文经籍的校勘，曾被章嘉国师授予“额尔德尼班智达”称号，声誉远播。后担任多个寺院的法台。其著作主要有《印汉藏蒙宗教史》（《如意宝树史》）、《青海历史》、《世界广论》、《自传》、《佛像、佛经、佛塔尺度经注疏》等，尚著有一些医学和历算方面的著作。

章嘉若贝多吉（1717～1786年），生于今甘肃省西莲寺附近，即史载的所谓多麦宗喀北部汉藏杂居地区的凉州游牧部落。为三世章嘉活佛。因康熙皇帝曾封二世章嘉为“灌顶普善广慈大国师”，掌管藏传佛教事务，十分器重。三世幼时适逢罗卜藏丹津之乱，故八岁即被接到北京，住嵩祝寺，享受二世所享之规格，由二世土观活佛授其显密佛法，并命他与四皇子弘历（乾隆）等一同读书，学会了藏、汉、满、蒙文字，并与弘历关系甚好。1734年正式册封为“灌顶普惠广慈大国师”，颁发诏书金印、金册。1741年奉乾隆皇帝之命带领众译师将《大藏经》之《甘珠尔》译为蒙文，于1743年刊行。1745年雍和宫改为藏传佛教寺院，章嘉向乾隆皇帝传授胜乐灌顶。1767年后，每至四至八月，驻五台山闭关静修瑜伽。1771年奉旨将《甘珠尔》译为满文。其主要著作有《七世达赖喇嘛格桑嘉措传》、《甘丹赤钦阿齐诺门汗传》、《热振大师传》、《五台山详志》、《甘丹香曲林寺寺规》、《甘珠尔目录》、《上乐教法史》等。在学术界卓有影响。

根敦群佩（1905～1951年），生于青海省同仁县双朋西村。幼时入扎西曲寺学经，聪慧异常。15岁入拉卜楞寺学习。23岁时入拉萨哲蚌寺郭莽札仓，从师于喜饶嘉措大师。1938年后到印度、斯里兰卡等地游历学习。学会了英、梵诸文，1945年从印度返回西藏被噶厦政府逮捕入狱，酷刑折磨。1950年释放，已重病在身，后经中央派来的医生多方医治无效而死亡。这是噶厦政府对藏族进步知识分子迫害的最为残酷的一例，显示了当时西藏进步与保守、革命与反动斗争的最为激烈的一页。作为藏族当时最为杰出的学者之一，根敦群佩的著作是十分有价值的。主要有《斯里兰卡纪事》、《江湖游览记》、《龙树教义饰》、《中观因明之深义》、《欲望论》、《印度八大圣地志》、《梵文宝藏》等，译文有其与惹热合译的藏史巨著《青史》（英译）、《教诗》、《三自性定》、《无我问》、《善女歌》等。其最为重要的学术成就是《白史》。《白史》是一部没有写完的著作，始写于1945年，1946年因被捕入狱而中断。作为藏区一部新型史学的开山之作，《白史》的写作方法有二特点：其一是采用了实地考察与历史资料相结合的方法。据一些资料介绍，根敦群佩入藏以后，为了写成这部史书，曾经专门到一些保留有古迹的地方去考察，研读碑文，访问百姓。同时由于他在国外有机会接触流散在海外的古藏文文献和一些研究论文，因此充分地利用了这部分丰富的敦煌古藏文文献。其二是实证与考辨相结合的方法。以前的历史著作不但在内容上充满了宗教色彩，而且在写法上也存在着神神鬼鬼、虚妄不实、任意虚构的不良风气。这种存真求实、在史学研究上还历史以本来面目的做法是符合唯物主义基本原则的。《白史》内容主要涉及藏族在吐蕃王朝时期的相关历史、文化、风俗等，自发表以来，为研究藏学的学者广泛应用。其对一些问题所提出的观点、资料，至今尚未有人超越。1985年，笔者专程到根敦群佩的故乡双朋西考察，虽时日较短，但所获口碑资料不少，尤其是在领略其精神思想方面，颇多感想。

三、宗教

嘉木样・阿旺宗哲（1648～1721年），第一世嘉木样活佛。生于甘肃省夏河县甘加乡当让德查顶（甘加哇代地方）。7岁随伯父学经。13岁出家为僧，21 岁前往拉萨哲蚌寺郭莽札仓学经。53 岁被六世达赖喇嘛任命为郭莽寺堪布，61 岁时应青海河南蒙古前首旗贝勒的邀请，返回甘南修建拉卜楞寺。主要著作有《因明疏》、《俱舍论疏》、《律经注》、《生起次第自在成就法》、《圆满次第第四种瑜伽文疏解》、《宗教纲目》、《佛历表》等，最为著名的是《五部大论注释》，曾作为许多寺院的教材，而广为传播。

土观洛桑确吉尼玛（1737～1802 年），生于今甘肃省天祝藏族自治县之松林乡。属扎得族。幼时被认定为三世土观活佛，到佑宁寺坐床学经。19 岁时赴西藏深造，学问大进。后返本寺任佑宁寺第 32 任法台。1763 年奉诏入京，觐见了乾隆皇帝和章嘉国师。因其通晓藏、汉、蒙等多种文字，曾参与章嘉国师主持的《四体清文鉴》、《满文大藏经》翻译和编纂工作。后任塔尔寺第 35 任法台。晚年潜心著述，著有《土观宗教源流镜史》、《三世章嘉若贝多杰传》、《喇钦贡巴饶赛传略》、《甘丹派美饰诗集》等，以其《土观宗教源流镜史》名闻中外。《土观宗教源流镜史》全书主要分四部分，介绍了天竺、藏区、汉地的儒道佛，蒙古、于阗等地的宗教源流，采众家之长，细述源流教义学说，不见枝蔓，却完备详尽。

工珠云丹嘉措（1813～1899 年），生于康区江边的绒甲贝巴地方。幼时拜高僧为师，长成遍访高学，遂学问渊博，淹贯全藏。其著述颇丰，主要有《知识总汇》，是以佛学为主的五明学科知识。

喜饶嘉措（1883～1968），生于青海省化隆县道帏乡。少时入古雷寺学经。长成后前往拉萨在哲蚌寺学习，遍修“五部大论”及五明诸科，遂声誉腾跃达及全藏。1915 年获得拉然巴格西学位，受十三世达赖喇嘛之命，任《大藏经》总校勘。后应内地一些大学的邀请到内地讲学，遍得高评。1949 年后曾任青海省人民政府副主席、中国佛教协会会长等职。主要著作有《喜饶嘉措佛学论文集》、《喜饶嘉措文集》（1～3）等。

第四编

社会主义藏族新文化

（1949 年至今）

引　言

一、社会主义藏族新文化的提出

在以往的历史进程中，藏民族在相当长的一个阶段内，经济上处于封建农奴制和封建地主制的经济形态，生产力低下，工业文明一直处于原始的手工业状态，而农业、畜牧业均在自给自足、靠天吃饭的阶段，驾驭自然的能力十分有限。假如我们做一个粗略的比较就可以知道，藏族社会的发展滞后，主要在于近500年，近200年，顺而影响到近50年。为何如此表述呢？

第一，在公元7世纪到公元9世纪，吐蕃是举世皆知的蓬勃发展的大国，曾“左右着中亚的命运”，此一时期的吐蕃王朝，在经济、政治、军事、文化、科学技术的应用方面，与大多数当时最为发达的国家和民族并无多少距离。比如在公元610年，穆罕默德在叙利亚与阿拉伯南部商道麦加向人们宣传伊斯兰教义，世界第二大宗教诞生。此后，阿拉伯文明给世界带来了深远影响。而在此一时期的藏人已在苯教的影响下度过了漫长的世纪，佛教文化已经进入藏土，藏文的使用已经达到非常成熟的阶段，有了系统的语法著作。一直到12世纪时，日本禅宗才告建立，而在此时，藏区的主要宗教流派，除格鲁派以外，大多已经成立。炼铁以及当时意义的工业、商业、农业、畜牧业均有一定程度的发展。

第二，在16世纪后，这种差距在逐渐拉大。我在许多文章中都谈到了这一问题，经过英法百年战争和哥伦布发现新大陆，欧洲世界开始萌动新世纪的文明，而此时的西藏社会却向强化宗教的方向发展。最典型的是马丁·路德（1483～1546）的宗教改革和宗喀巴大师的宗教整顿。一东一西，两种做法，导致两种不同的结果，形成以后社会文明的两种不同的流向。马丁·路德的《九十五条论纲》震撼了欧洲，锋芒所向直指罗马教廷及其意识形态天主教的统治。新兴的资产阶级第一次在宗教、政治、经济、思想领域进行革命，此即闻名世界的“文艺复兴”（德国人称为“宗教改革”）运动，也是一次伟大的思想解放运动，此后产生了一大批巨人。

如薄伽丘、毕代、赖希林、莫尔、伽利略、哥白尼、米拉多拉、蒙田、培根、达·芬奇等。文艺复兴核心的思想是反对神的权威，主张一切以“人”为本，在思考人自身价值的同时，主张个性解放，摆脱一切神的桎梏，追求人自身的生活，获得爱情、物质财富，反对来世思想和禁欲观念。马丁·路德出生于宗喀巴大师辞世后64年，大概与第二世达赖喇嘛根敦嘉措（1475～1542）属于同一时代的人。此时的藏区虽然对宗教界存在的僧非僧，吃喝玩乐，追逐权力，奢侈腐化，戒律废弛的状态有所纠正，对于当时的社会起到了较好的作用，但问题的另一面是，在经过宗教整顿，纠正错谬，树立形象的过程中，也强化了社会的宗教信仰，强化了僧侣阶层在社会中的地位，成为后世数百年宗教兴旺发展的助动力。在社会条件成熟时，僧人登上政治舞台，进入执政阶段。其结果是，一个趋向更加开放，一个趋向更加封闭；一个由于树立人的地位而使人的创造力得到空前的发挥，一个由于树立神的地位而使人的创造力受到扼杀，以至于在以后数个世纪的社会运动中，在科学上几乎没有多少长进。

第三，藏族社会真正与西方发达国家、民族和地区在社会整体文明进程上的差距大概主要出现于第一次工业革命以后，那个诞生了美国以后的两个世纪。此时西欧出现了一系列的科学文明成就，但是辽阔的藏区仍然在桑烟的笼罩下虔诚地向神佛礼拜。这种状态一直持续到20世纪50年代中。

第四，随着全国的解放，藏区也得到了较快的发展。但是由于整个中国在世界科学技术领域的差距，其发展仍然十分缓慢，差距进一步加大。从全局看，与发达国家、民族和地区比较，是社会的更加落后；但从藏族自身看，进入20世纪50年代以后一直到90年代这一段时间内，是发展比较快的时期，但起点过低，很难做到快速发展。而一些发达国家和地区此时已进入加速发展阶段。你发展快，他比你发展更快，这便是新的差距仍然在加大的一个重要原因。

1949年以后（西藏在1951年以后），藏族社会进入了一个新的伟大时代。从文化上看，它与过去时代截然不同。其主要标志是：

其一，在藏区推翻了封建制度和封建农奴制度。这是一个最为根本的变化，这一变化使原来的统治阶级成为被统治的对象，而原来的被压迫阶级成为统治阶级，即广大的劳动人民翻了身，成为国家的主人。

其二，推翻了政教合一制度。几个世纪来藏族社会的政权与教权混为一体的制度，已被彻底清除。

其三，建立了社会主义制度。社会主义的特征在当时主要有以下四点：1. 生产资料的公有制，即恩格斯所说的社会主义是“实行全部生产资料公有制（先是单个国家实行）的基础上组织生产”。2. 各尽所能，多劳多得，个人消费品按劳分配。3. 实行以工农联盟为基础的人民民主专政。4. 中国无产阶级的先锋队——中国共产党为执政党，领导中国的社会主义革命和建设。在藏区由于社会主义制度的建立，使藏族人民走上了一条光明大道，走上了一条与过去截然不同的道路。

其四，以马克思列宁主义、毛泽东思想作为全党全国的指导思想。

虽然文化的变迁不是一朝一夕的事，但是这样一个时代的到来，已经从根本上改变了藏族文化原来的流向，而使之进入一个新的历史发展时期，我之所以名之为“社会主义藏族新文化”，主要强调两条，一是从文化范畴上看是“社会主义”的；一是从民族归属上看是“藏族”的。同时它是一种新兴的文化，以示与藏族传统文化的区别。

二、社会主义藏族新文化的基本内涵

社会主义藏族新文化的主要内涵是什么？我想主要有以下几条。

（一）哲学指导思想的马克思主义化。

在建国之初尤其是在“史无前例”的无产阶级“文化大革命”中，有两条毛主席语录是家喻户晓，人人皆知的。这就是“领导我们事业的核心力量是中国共产党，指导我们思想的理论基础是马克思列宁主义。”和“千万不要忘记阶级斗争”。这两句话部分地反映了马克思主义在中国社会的实践程度和具体状态。

我们知道马克思主义有一些基本的原则：(1) 精神与物质、意识与存在的关系上承认物质是第一性的，精神是第二性的；是人们的社会存在决定人们的意识，而不是人们的意识决定人们的社会存在。物质运动的规律是客观的，世界统一于物质。意识是物质的反映，意识对物质有反作用。(2) 世界的一切事物都是互相联系的，是运动发展的，而不是静止不动的。事物的发展呈现出量变与质变两种状态，量变是事物数量上的增加或减少，质变是事物根本性质的变化；量变是质变的必要准备，质变是量变的必然结果。事物内部的发展都要经过肯定、否定、否定之否定的规律，按这一周期发展。因而新事物总是要优于旧事物。(3) 客观事物本身存在着既对立又统一的辩证本性。同一性和斗争性是辩证矛盾的基本本性，矛盾存在于一切事物之中，存在于一切事物的发展的始终。(4) 以实践为基础的能动反映论：实践是认识的基础，同时认识对实践有反作用。感性认识是认识的出发点和构成一切知识的基础，理性认识是认识的高级阶段。从理性认识再回到实践，这是理性力量向现实力量的一次转化，是认识的更高一层的飞跃。真理有其绝对性和相对性。(5) 社会发展是合乎规律的历史过程，其基本矛盾是生产力和生产关系的矛盾，经济基础决定上层建筑，上层建筑又可反作用于经济基础，社会的经济形态是经济基础和上层建筑的统一。(6) 阶级的存在仅仅同生产发展的历史阶段相联系，阶级斗争必然要导致无产阶级专政，这个专政不过是达到消灭一切阶级和进入无阶级社会的过渡。阶级斗争是阶级社会发展的直接动力。等等。很明显，马克思主义有其鲜明的阶级性。

从总体上看，藏族地区马克思主义哲学（或马克思主义）的宣传和影响，与中国大地整体的马克思主义的宣传和影响是基本一致的。大体经历了三个阶段：

1. “文革”前。这一阶段藏区的马克思主义宣传是随着建党、建政进行的。基层政府的建设伴随着党的建设，党的建设过程是一个接受马克思主义思想的过程。从建政看，建立基层政权的过程是一个发动群众，认识旧社会，向往新社会的过程，也是一个提高阶级觉悟，用马克思主义毛泽东思想武装头脑的过程。

2. “文革”中。“文革”是整个中国的灾难，自然也是藏区的灾难，对国家和民族地区的破坏是空前的。“文化大革命”的过程，形式上看是在大力地宣传马克思列宁主义毛泽东思想，但实际上是以一种极“左”的东西来践踏和歪曲了马克思列宁主义毛泽东思想。但必须看到，它在藏族地区的思想影响力同样是巨大的。经过十一届三中全会后这 20 多年的时间，有时候我们仍然可以感受到一些极“左”思想的存在。

3. “文革”后。十一届三中全会以后的 20 多年，中国社会发生了翻天覆地的变化，马克思主义理论在中国的发展，已从毛泽东思想进入了邓小平理论阶段，邓小平理论在理论思想上有了新的突破。比如：

在哲学的理论基础上，强调解放思想，实事求是，尊重实践，尊重群众，以是否有利于发展社会主义社会的生产力，是否有利于增强社会主义国家的综合国力，是否有利于提高人民的生活水平，作为决定各项改革措施和检验其得失的根本标准。解放思想，实事求是是邓小平建设有中国特色社会主义理论的精髓。

在什么是社会主义、怎样建设社会主义这一根本问题上，邓小平同志突破前人，提出了“社会主义的本质，是解放生产力，发展生产力，消灭剥削，消除两极分化，最终达到共同富裕”的思想，将发展社会生产力作为社会主义社会最根本的任务。

在社会主义市场经济问题上，邓小平理论主张以公有制为主体，多种经济成分共同发展，建立以按劳分配为主体，效率优先，兼顾公平的分配制度，等等。

（二）生产资料和生产、生活方式的公有化。

这一点整个藏区的实施不太平衡，有的地区早一些，有的地区晚一些。主要是西藏晚于东部藏区，因为西藏的民主改革在1959年才开始进行；牧区稍晚于农区。先是20世纪50年代的合作社，后来改为人民公社、大队、生产队等，生产资料归集体所有，人们在生产队里一起劳动，靠挣得工分的多少进行分红。

（三）文化教育的社会主义化。

建国以后，寺院教育逐步从藏区教育的垄断地位，退为真正意义上的寺院教育。虽然在大学阶段藏区的教育由于语言的问题，没有统一的教材，但在中学阶段，基本上使用全国统编教材，各级各类学校都设有公共课，这些公共课主要是以马列主义原理、民族理论和民族政策、科学社会主义、时事政治、爱国主义、外语作为主要课程。尤其是在大学生中进行的树立马克思主义科学世界观、人生观和方法论的教育，起着重要的思想观念的更新作用，使学生从宗教思想的束缚下解放出来，从而也使他们成长为用新的科学知识和马克思主义武装的建设人才。

第一章 社会主义藏族新文化的初萌时期

（1949～1965年）

第一节 藏区社会主义新制度的建立

一、藏区的解放

东部藏区的解放主要是在1949年至1950年完成的。这些地区解放之后，中央派慰问团到甘、青、川、滇藏区去进行慰问。比如青海省，在旧社会深受马步芳等地方军阀黑暗统治压迫的广大藏族人民摆脱了沉重的枷锁，得到了新生。1949年10月1日，当中华人民共和国成立之际，年仅11岁的十世班禅便向中央人民政府主席毛泽东和中国人民解放军总司令朱德发致敬电，并明说自己等候进藏的想法："班禅世受国恩，备荷优崇，二十余年来，为了西藏领土主权之完整，呼吁奔走，未曾稍懈。第以未获结果，良用疚心，刻下羁留青海，待命返藏。"毛主席、朱总司令于同年11月23日给十世班禅回了电：

班禅额尔德尼先生：

接读十月一日来电，甚为欣慰。西藏人民是爱祖国而反对外国侵略的，他们不满意国民党反动政府的政策，而愿意成为统一的富强的各民族平等合作的新中国大家庭中的一分子，中央人民政府和中国人民解放军必能满足西藏人民的这个愿望。希望先生和全西藏爱国人士一致努力，为西藏的解放和汉藏人民的团结而奋斗。

毛泽东

朱　德

一九四九年十一月二十三日

这封信发表在1949年11月24日的《人民日报》上。此时的西藏问题逐步成为中央人民政府关注的重要问题。1950年1月2日，正在苏联访问的毛泽东从莫斯科致电中央和彭德怀、邓小平、刘伯承、贺龙等："由青海及新疆向西藏进军，既有很大困难，则向西藏进军及经营西藏的任务应确定由西南局担负。"西南局根据毛主席的指示，迅速确定十八军为主力进军西藏，由张国华为书记、谭冠三为副书记，王其梅、昌炳桂、陈明义、刘振国、天宝为委员，组成中共西藏工作委员会，筹划进军西藏事宜。1951 年 1 月 10 日，中国人民解放军第二野战军刘伯承司令员与邓小平政委在重庆接见十八军军长张国华，于 15 日接见师以上干部，传达中央和毛主席的指示，部署进军西藏的任务。邓小平同志对当时的形势的判断是正确的。他说，西藏有特殊性，政策性很强，解放西藏有军事问题，也有政治问题，但军事与政治比较，政治是主要的，要军事政治协同解决。同时他指出政策问题极为重要，要靠政策走路，要坚持民族区域自治，团结达赖、班禅两个集团。

由于帝国主义长期的挑拨、离间和培植亲信，西藏当时的情况十分复杂。先是以摄政达扎为首的亲帝国主义势力，于 1949 年 7 月 8 日，驱逐国民党政府蒙藏委员会驻拉萨办事处官员，后噶厦以"亲善团"名义前往美国、印度、尼泊尔、北京活动，表明其所谓"西藏独立"立场，并以噶厦政府"外交局"的名义致电毛主席说明西藏的所谓"独立地位"："西藏是观世音菩萨教化之地，已成为宗教兴旺发达的美妙地方，不论在过去和现在，一直享受着独立自主的权利，从未丧权于外国。由于青海、新疆与西藏接壤，请不要让军队越境进入西藏领土。"与此同时西藏噶厦政府积极备战，准备负隅顽抗，将原来的藏军由 14 个代本，扩编为 17 个代本，并在金沙江和藏北地方构筑工事，调遣部队。

与此同时，一批爱国民主人士投入了揭露帝国主义阴谋，促使西藏早日和平解放的工作。青海省政府副主席喜饶嘉措大师在西安发表广播讲话："……箭已在弦，时机紧迫，只有起义，才有生路。望我西藏同胞快快起来，努力争取和平解放，迅速派遣全权代表赴京进行和平协商，使西藏人民避免不必要的损失，经由和平途径达到解放。这不但是前后藏人民和佛教的幸福，全国各族人民也是一致欢迎的。"西康省的格达活佛等前往昌都做噶厦的工作，青海省的达赖的哥哥当采活佛从水路于 1950 年 7 月前往西藏。可是格达活佛却被毒死于昌都。1950 年 8 月，中国人民解放军发动了昌都战役。此时，藏军第九代本德格・格桑旺堆宣布起义。

昌都战役之后，西藏内部的两派势力发生突出的变化，亲帝分裂势力受到沉重打击，主张爱国统一立场的势力开始活跃起来，主张响应中央政府号召进行和谈的声音也占了主流。但部分亲帝分子迫不及待地将年轻的达赖挟持到亚东，企图逃往国外。1950 年 11 月 9 日，阿沛·阿旺晋美、三名大小堪布和第三、第八、第九、第十五代本等40 名官员致信噶厦，在禀告昌都战役的基本情况后，向噶厦也说明了中国共产党的基本政策："共产政府所定的基本政策是，对外五族团结一致；对内各大小民族建立自治政府，工作人员根据各个民族人数多少确定；大民族绝不压迫小民族。特别是对西藏要采取特殊政策，首先是大救主全知佛主达赖今后仍然主持政权，教主摄政活佛及各僧俗官员照常供职；保护宗教寺庙和经堂；西藏现行政治和军事制度均不予变更；藏军改编入国防武装之内；帮助西藏人民发展文化教育和农、牧、工、商业。今后凡是为发展政治和谋求人民幸福的一切办法措施需要改革时，要与人民及其主要领导人协商，在大家同意的原则下决定；尊重宗教信仰和地方风俗习惯；过去与英美两国及国民党的一切关系，不予追究。"这些内容在此后的和平解放西藏的十七条协议中也有反映。此封禀文由金中坚赞平措和嘎准桑林送往拉萨交给了噶厦。噶厦与达赖喇嘛商量后，随即派员携和谈委托书到达昌都，委任阿沛·阿旺晋美为首席代表，土登列门、桑颇·丹增顿珠为代表进行谈判。据阿沛副主席回忆，当时噶厦的意见是："可以同共产党建立联系，但不能放弃西藏独立。西藏当局想与中央保持国民党时期那样的关系，既不承认西藏是中国的一部分，也不准解放军进藏，只设一个办事处。我一看这封委托书，就感到根本不具备谈判的条件，因为中央已经决定要解放西藏，这样就没有谈判的余地。"阿沛等与王其梅等商量后，再向噶厦汇报，根据目前条件无法在昌都谈判，可否到拉萨谈判？同时也迅速派人去拉萨汇报情况。拉萨方面很快回话，同意在拉萨谈，但是在亚东的达赖喇嘛和噶厦则与中国驻印度使馆商量后发电报给他们，同意到北京去与中央进行和平谈判。

实际上，根据中央指示，西南局在1950 年5 月下旬拟定并请示中央批准，提出与西藏地方政府和平谈判的十项条件。这十项条件是：

1. 西藏人民团结起来，驱逐英美帝国主义侵略势力出西藏，西藏人民回到中华人民共和国祖国的大家庭来；2. 实行西藏民族区域自治；3. 西藏现行各种政治制度维持原状概不变更，达赖活佛之地位及职权不予变更。各级官员照常供职；4. 实行宗教自由，保护喇嘛寺院，尊重西藏人民的宗教信仰和风俗习惯；5. 维持西藏现行军事制度不予变更，西藏现有军队成为中华人民共和国国防武装之一部分；6. 发展西藏民族的语言文字和学校教育；7. 发展西藏的农牧工商业，改善人民生活；8. 有关西藏的各项改革事宜，完全根据西藏人民的意志，由西藏人民和西藏领导人员采取协商方式解决；9. 对于过去亲英美和亲国民党的官员，只要他们脱离与英美帝国主义和国民党的关系，不进行破坏和反抗，一律继续任职，不究既往；10. 中国人民解放军进入西藏，巩固国防。人民解放军遵守上列各项政策。人民解放军的军费完全由中央人民政府供给。人民解放军买卖公平。

这十项谈判条件成为以后签订的《十七条协议》的基本框架。

到了 1950 年 12 月，西藏地方政府也提出了和平解放西藏的五项条件，全文如下：

为了中国政府与西藏政府进行和平谈判，藏方提出如下条件：

1. 据说中国人民政府进军西藏的目的，是为了把西藏从英美两国的霸权下解放出来，因是谣传之言，确否可疑，但是在铁鼠年，内地政府则为英藏之间稍有接触为由，派遣军队进攻西藏，使大救主十三世达赖喇嘛无法安身，被迫动驾，主仆一行出走印度。时值英国政府正掌握统治印度王权，而印度又同西藏接壤，相互通商，建立和睦关系，这些纯系内地旧政府所逼，并非西藏有意与英国亲善和睦。同时，又因佛国西藏财政来源不足，为了佛教事业，才同美国建立商务关系，此事也并非同英美勾结，让英美两国任意干涉西藏军政事务，此事众人皆知。中国人民政府倘若不信，可派一官员来藏，查明是否存在英美强权，以消除对英美两国所持之疑心。

2. 要求中国人民政府今后不要派遣军队来以势欺人，不要进入昌都前后地区及原内地政府占领的西藏土地，保证昌都总管噶伦阿沛及文武官员安全撤回。通过和谈，使汉藏关系和睦融洽，让西藏、内地以及全世界所有国家众生安居乐业，静心佛事，并保持现状。西藏政府也将维护藏地不被他人占去，同世界各国保持友好关系，西藏过去没有同外国人勾结，今后也不会勾结。

3. 如果西藏遭到外国的弱肉强食，领土受侵犯，将按照汉藏固有关系只向中国政府要求援助，那时请汉政府给予帮助。

4. 西藏地区农田不多人口也少，缺乏食物，百姓易遭饥荒，故要求已进驻康区和阿里的汉政府军队撤回内地。

5. 汉藏关系不能融洽，主要原因在于站在汉方的人企图伤害汉藏之间感情，肆意造谣，而中国人民政府则听信谣言，产生疑心，因此和睦关系遭到破坏。为了改善藏汉关系，从现在起请勿听信谣言为好。

以上五条如能实现，则有了发展汉藏和睦关系的办法，不再进行战争，使人民安居乐业，也说明我方有言在先，不被别人指为推诿失言者。所提五项条件，请予考虑接受。此外还有什么要事相商，请速报告，再商量。

噶厦　　铁虎年十一月十一日（盖章）

从两方面所提的条件即可知道谈判的困难是多么艰巨。但是毕竟有谈判这一基本意愿，仍然向和平进程迈进了一步。

1951 年 3 月下旬，西藏和谈代表阿沛·阿旺晋美、土登列门、桑颇·登增顿珠等从昌都出发，于 4 月 22 日抵达北京；凯墨·索安旺堆、土登旦达于 3 月上旬从亚东出发，经香港等地于 4 月 26 日到达北京。凯墨等经过印度时，印度总理尼赫鲁曾为之出谋划策。但是中央人民政府为了使和谈成功表达了极大的热忱。周恩来总理、朱德总司令及首都各界群众数千人到北京站迎接和谈代表。

以李维汉为首席代表，张经武、张国华、孙志远为代表的中央人民政府和谈代表，与西藏地方政府的全权代表于 1951 年 4 月 29 日，就各自提出的“十条”和“五条”为基础进行谈判。在李的建议下，大家学习《共同纲领》；5 月 2 日，举行第二次谈判，西藏代表提出承认西藏是中国领土，但不赞成人民解放军进藏；边境有事时再请解放军进去，还可以把藏军扩大并编为中国人民解放军。5 月 7 日进行第三次谈判，确定了进军西藏的人数、驻地以及藏军改编等问题。此后又进行了三次正式谈判，有些环节的谈判非常艰难，但终于于 5 月 21 日，达成了《中央人民政府和西藏地方政府关于和平解放西藏办法的协议》（简称《十七条协议》），并于 1951 年 5 月 23 日，在勤政殿举行了签字仪式，仪式由中央人民政府副主席朱德、李济深和中央人民政府政务院副总理陈云主持，董必武、郭沫若、黄炎培、陈叔通、聂荣臻、彭真等党和国家领导人及爱国民主人士参加了签字仪式。中央人民政府的全权代表李维汉、张经武、张国华、孙志远和西藏地方政府的全权代表阿沛·阿旺晋美、凯墨·索安旺堆、土登旦达、土登列门、桑颇·登增顿珠等在协议书上签字，两位首席代表在签字仪式上致词，朱德副主席讲话。自此，整个藏区均获得解放。

二、藏区社会主义新制度的建立

《十七条协议签订》后，毛泽东主席于1951年5月25日发布进军西藏的训令："此次进军系在和平协议下的战备进军，各部万勿以和平协议已成而松懈战斗意志战斗准备。协议虽然签字，但尚未付诸实施，同时帝国主义必会利用各种阴谋手段来破坏我们和平解放西藏的实现。因此应提高警惕性，随时都有应付意外情况的充分准备，同时必须加强部队的政策纪律教育，以保证解放西藏巩固国防任务的圆满完成。"人民解放军第十八军从西康，十四军一部从云南，独立骑兵师从新疆，西北西藏工委（十八军独立支队）从青海，四路向西藏挺进。9月9日十八军在拉萨进行了隆重的入城式。12月19日，中央批复同意西南局提出的以张国华为工委书记，谭冠三、范明为副书记，王其梅等为委员的中国共产党西藏工作委员会的新的领导成员，十八军先遣支队、五十二师等分头驻进相应城镇，组成中共拉萨市委、日喀则临时分工委、江孜临时分工委；1952年2月10日，中国人民解放军西藏军区成立，张国华任司令员，谭冠三为政委，阿沛·阿旺晋美为第一副司令员，朵噶·彭措饶杰为第二副司令员，昌炳桂为第三副司令员，范明、王其梅为副政委，李觉为参谋长。此时在中央和西藏工委的领导下处理了一系列的重大事件：

1. 争取达赖从亚东回到拉萨。

2. 认真贯彻执行《十七条协议》。围绕实施《十七条协议》的斗争十分尖锐。

3. 广泛接触民主人士，建立爱国统一战线。

4. 同伪"人民会议"作斗争。

5. 自力更生，解决食品供应问题。

6. 班禅进藏，达赖班禅和解。

7. 组织各级各类团体到内地参观学习。

8. 达赖班禅联袂进京。

9. 成立西藏自治区筹备委员会（1956年4月22日）。

10. 达赖班禅访问印度。

东部藏区从1949年解放以后，跟其他汉族地区的情况大体相似，很快地进行了建党建政工作，而在西藏1951年至1959年发生叛乱前，一直保留着噶厦政府，保留着原来的经济制度。一些同志在讨论西藏这一时期的社会性质时，不禁要问：这一时期的西藏社会性质到底属于什么？我想，对于西藏来说从1951年起，从整体上看，已经进入了在中央人民政府领导下的社会主义革命和建设阶段，但是由于西藏自身的特殊原因，这一阶段以达赖喇嘛为首的噶厦政府还在保留，许多做法便有别于其他藏区。其性质仍然是社会主义，是在中国共产党领导下正准备进行社会主义的社会主义。只是，这种进行式中还保留着完整的封建农奴制度罢了。这是由它的特殊性所决定的，它的归宿仍然是社会主义。无论如何西藏以后要走社会主义的路子，这一点不但中国共产党的领袖们看得非常清楚，就连当时西藏的贵族、寺院领主也看得非常清楚。因为从一般的意义看，东部藏区的社会主义革命和建设步伐对于西藏来说就是最好的一面镜子。

在东部藏区，社会主义的诸多因素在与日俱增：

1950 年 5 月 6 日，成立了甘肃省天祝藏族自治县。

甘肃天祝藏族自治县的成立，是中国共产党于红军长征时期在四川甘孜藏族地区时成立的“博巴自治政府”，在社会主义时期的第一次实践。虽然，在此之前已成立内蒙古自治区，但作为藏区的第一个自治政权，这具有非常重要的意义。它体现了中国共产党一贯主张的各民族不分大小一律平等、民族聚居区实行民族区域自治，自己管理本民族内部事务，从而实现国内各民族共同繁荣的基本原则。自天祝藏族自治县成立以后，其他省区藏族聚居区也相继成立了自治机关。如下表所示：

省　份	自治机关	成立时间
四川省	甘孜藏族自治州	1950. 11. 24
青海省	玉树藏族自治州	1951. 12. 25
四川省	阿坝藏族羌族自治州	1953. 1. 1
四川省	木里藏族自治县	1953. 2. 19
甘肃省	甘南藏族自治州	1953. 10. 1
青海省	海南藏族自治州	1953. 12. 6
青海省	黄南藏族自治州	1953. 12. 22
青海省	海北藏族自治州	1953. 12. 31
青海省	果洛藏族自治州	1954. 1. 1
青海省	海西蒙古族藏族自治州	1954. 1. 25
云南省	迪庆藏族自治州	1957. 9. 13

天祝藏族自治县在成立之初称“天祝藏族自治区”，后更名为天祝藏族自治县。当时设有西康省，撤省后原属于西康省的藏族自治区改属四川省，并更称××藏族自治州及藏族自治县。

到1957年，整个藏区已有州级自治地方10个、县级自治地方2个。从权力构成上看，这些自治机关与全国其他地方政权部门一样设有“四大班子”：1. 党委。在县以上的这些机构，均设有党的委员会，即州委、县委，乡（公社）设党委，大队设党的总支（小一点的设支部）。2. 政府。从州、县至乡（合作社、人民公社）都设有政府。乡以下有生产大队、生产队承担组织生产、分配等任务。3. 人大，即人民代表大会。设在州、县、乡（有些小的乡不设人大）。4. 政协，即政治协商会议。县以下不设此机构。至1965年西藏自治区正式成立，整个藏族地区方实现民族区域自治。这一政治制度的实施，完全地摆脱了过去藏族地方的寺院、贵族、头人的统治，从组织结构上翻开了历史的新的一页。

“四大班子”（以县为例）设置的主要管理人员有：

党的系统：党委书记、副书记若干。下设党委组织部、统战部、宣传部等。

政府系统：政府县长、副县长若干。下设政府农林、教育、文化、民政、财政、工业等职能局（科）。

人大系统：人大主任、副主任若干，下设若干委员会。

政协系统：政协主席、副主席若干，下设若干委员会。

民族发展的过程是个不断变化的过程。20世纪50年代的藏民族发展也是如此。按照中央最初的设想，在“慎重稳进”方针指导下，应该和平演进的，即等待至西藏人民和政教上层愿意进行民主改革且条件成熟时再进行改革。这些我们可以从《十七条协议》、1956年《陈毅副总理在西藏自治区筹备委员会成立大会上的讲话》、《中央关于西藏民主改革问题的指示》、《中共西藏工委关于今后西藏工作的决定》、《中央对〈西藏工委关于今后西藏工作的决定〉的批示》中看得非常清楚。比如中央在1956年给西藏工委的指示中要求工委做好两件事，一是“同他们的各方面的领导人员协商好，要认真地反复地同他们协商，取得他们真正的同意，而不是勉强的同意，如果他们没有真正表示要改革，就决不要勉强进行。二是要把上层安排好。即在不降低上层的政治地位和生活水平的原则下把所有僧侣贵族的工作和生活特别是他们的代表人物的政治地位和生活待遇，经过协调，作出适当安排。”并且进一步解释说：

“从西藏当前的工作基础、干部条件、上层态度以及昌都地区最近发生的一些事件看来，西藏实行改革的条件还没有成熟，我们的准备工作也绝不是一两年内能够做好的。因此实行民主改革，肯定不是第一个五年计划期内的事，也可能不是第二个五年计划期内的事，甚至还可能要推迟到第三个五年计划期内去。在西藏的民主改革问题上，我们已经等待好几年了，现在还必须等待。应该说这是对西藏民族上层分子的一种让步，我们认为这种让步是必要的、正确的。因为西藏民族至今对汉族、对中央也就是说对我们还是不大信任的。而采取一切必要的和适当的办法，来消除西藏民族的这种不信任的心理，乃是我们党的一项极其重大的任务。如果我们在改革问题上，作了适当的让步和等待，就能够大大地增加西藏民族对我们的信任，有利于西藏民主改革的顺利进行和改革后的各种工作。这样慢一些、稳一些，就会好一些，从实际效果上看来，反而会快一些。如果我们不让步、不等待，或者以为过去让步了、等待了，现在不应该再让步、再等待，因而勉强地去进行改革，就必然大大影响西藏民族对我们的信任，甚至发生叛乱，不利于西藏民主改革的进行和改革后的各种工作，这样做不是快了，反而是慢了。同时我们处理国内民族问题还必须考虑到对亚洲地区各民族的影响。在对待西藏民族问题上，尤其必须这样。”但是当时西藏的一些领导干部的思想有过热的情绪，在《西藏日报》上大量刊登了关于改革的文章，工委在向中央上报的五年规划中也提出：“目前西藏的政治形势，已经进入了一个可能进行和必须着手进行民主改革的新阶段。”并准备在昌都和日喀则进行试点。对此西藏上层产生疑虑，甘、青、川藏区此时发生叛乱。事隔40年再回过头来看这一问题，中央的决策可谓十分英明。

1957年2月的最高国务会议上毛泽东再一次强调西藏改革的条件尚不成熟。中央明确指示“六年不改”。于是，西藏的工作采取了收缩的方针。此时从康区流窜到拉萨的恩珠·公布扎西、夏格·郎加多吉、甲马·桑培等组织了“四水六岗”的叛乱组织，积极活动，与拉萨的反动上层勾结，迫使民众参与叛乱。1958年下半年，叛乱已造成声势，不断袭击人民解放军，抢夺物资，破坏车辆；部分改编的藏军此时亦携带枪支，加入叛乱队伍。形势迅速恶化。至1958年年底，全区叛乱军队已发展到两万多人。1959年3月10日发展至全面的武装叛乱。3月17日夜，达赖被挟持外逃，此前曾写了三封信给谭冠三将军，诉说他的困难处境。谭亦复信达赖，悉心劝说。1959年3月20日，西藏军区发出布告，号召广大僧俗百姓协助中国人民解放军讨伐叛乱分子。3月28日，周恩来发布国务院令，要求西藏军区平息叛乱。由于各种原因，许多研究当代西藏历史的朋友未能充分地注意这命令，实质上这一命令是一个极为重要的历史文献，其价值在：1. 命令西藏军区平叛；2. 宣布解散西藏地方政府；3. 由西藏自治区筹委会行使西藏地方政府职权。“命令”中如此写道：

为维护国家统一和民族团结，除责成中国人民解放军西藏军区彻底平息叛乱外，特决定自即日起，解散西藏地方政府，由西藏自治区筹备委员会行使西藏地方政府职权。在自治区筹备委员会主任委员达赖喇嘛·丹增嘉错（措）被劫持期间，由班禅额尔德尼·却（确）吉坚赞副主任委员代理主任委员职务。任命自治区筹备委员会常务委员帕巴拉·格列朗杰为副主任委员；常务委员兼秘书长阿沛·阿旺晋美为副主任委员兼秘书长。撤销叛国分子索康·旺清格勒，柳霞·土登塔巴，先喀·居美多杰（夏苏），宇妥·扎西顿珠，赤江·罗桑益西，噶章·洛桑旦增，达拉·洛桑三旦，凯墨·索南旺堆，绒朗色·土登诺桑……十八人的自治区筹备委员会委员和一切职务，并按国家法律分别给予惩处。并任命邓少东、詹化雨、惠毅然、梁选贤……十六人为自治区筹备委员会委员。望自治区筹备委员会，领导全藏僧俗人民，团结一致，共同努力，协助人民解放军迅速平息叛乱，巩固国防，保护各民族人民利益，安定社会秩序，为建设民主和社会主义的新西藏而奋斗。此令。

假如我们从社会文化角度再来细考这一文献，便可如此说：西藏农奴制度的真正灭亡应该是以噶厦的彻底灭亡为标志的，这一天就是1959年3月28日。同时也可以说藏区全面实行社会主义制度的标志也应该是1959年3月28日。自五世达赖建立甘丹颇章政权以来延续了300年的噶厦也就此退出了历史舞台。藏区社会主义的新制度也就此宣告建立，西藏社会主义新政权也开始真正全面地行使权力。

与此同时，西藏地区的行政建制也发生了重大变化。以前的宗成为社会主义条件下的新的政治体制中的一种形式，贵族和寺院的谿卡也就此退出西藏社会的组织形式。比如：

解放初期，西藏共有147个宗（相当于县）和“谿”（谿卡，庄园），通常称西藏地方政府之宗谿制度。噶厦政府的辖区有：

1. 阿里区：济咙宗、普兰宗、聂拉木宗、杂不让宗、绒辖谿、达巴宗、宗喀宗、日土宗、萨噶宗、噶大克、仲巴落强11个宗谿。

2. 藏区（后藏地区）：日喀则、协噶尔宗、江孜、定日谿、巴朗宗、甲错豁、堆穷豁、拉布豁、汪丹豁、岭噶豁、仁孜宗、仁本豁、定结宗、早扎宗、萨迦、南木林宗16个宗豁。

3. 洛喀区（即山南地区）：温宗、多宗、桑日宗、隆子宗、沃卡宗、嘉玉豁、拉加里、觉拉豁、乃东宗、桑木鸢宗、泽当、贡喀宗、颇章宗、堆宗、穷结宗、错那宗、雅堆宗、门达旺、札期豁、浪噶子宗、札朗豁、岭豁、哲古豁、白地、达马豁、夏洛、拉康豁、夏江、僧格宗、杰得秀30个宗豁。

4. 塔布工布区：拉绥豁、觉穆宗、古如朗木杰宗、则拉宗、加查宗、德木宗、朗宗、德木巧布纳豁、太昭、金东豁、雪喀宗11个宗豁。

5. 绛区（即黑河地区）：黑河、朗如、当雄、达木曲柯尔、白仓豁、达波错斯、旁多豁、嘉黎宗、聂荣宗、巴青宗、索宗、比如宗、尺牍宗、沙丁宗14个宗豁。以上多宗为昌都解放委员会辖区，噶厦政府派有宗本。

6. 卫区（即拉萨附近地区）：尼木宗、南木甲岗豁、羊八井、洛麦豁、曲水宗、协仲豁、麻江、札什豁、堆龙德庆宗、南木豁、撒拉宗、聂当豁、朗塘宗、朗如豁、喀则宗、仲堆豁、林周宗、札豁、墨竹工卡宗、陇巴豁、东噶宗、昌谷豁、德庆宗、达孜宗、蔡豁、乃乌豁26个宗豁。

7. 班禅堪布会议厅辖：后藏拉孜、彭错林、昂仁、康巴四个宗，黑河地区达木萨迦宗。尚辖有谢通门、梅康萨、打那仁钦则、金龙、兰伦饶五个相当于“宗”的“豁”和插花在噶厦辖区内的63个“豁卡”。

8. 昌都人民解放委员会辖区：昌都、左贡、八宿、江达、类乌齐、拉多、贡觉、洛隆宗、察雅、硕板多、三岩、宁静、盐井、西邓柯、桑昂曲宗15个宗。委员会驻丁青第一办事处辖丁青、比如、色札、尺牍、聂荣、嘉黎、巴青、沙丁、索宗、边坝10个宗豁。委员会驻波密第二办事处辖曲宗、易贡、倾多3个宗。

当时，西藏工委为便利工作，又将西藏划分为拉萨、日喀则、江孜、亚东、黑河、塔工、阿里、昌都八个区。每分区设立了党的工作委员会，简称“分工委”。

西藏自治区成立后又有一些新的变动。

下面是西藏自治区1989年的行政区划表：

市、地名称	县（市辖区和县级市、口岸、办事处）名称
拉萨市	城关区、当雄、堆龙德庆、曲水、墨竹工卡、达孜、尼木、林周

续表

市、地名称	县（市辖区和县级市、口岸、办事处）名称
日喀则专区	日喀则市、南木林、定日、江孜、白朗、萨迦、拉孜、昂仁、亚东、聂拉木、仁布、康马、定结、吉隆、萨噶、岗巴、谢通门、仲巴、樟木口岸
山南专区	乃东、贡嘎、隆子、浪卡子、琼结、桑日、曲松、措美、札囊、洛扎、加查、错那
昌都专区	昌都、芒康、江达、贡觉、丁青、察雅、左贡、类乌齐、八宿、洛隆、边坝
那曲专区	那曲、申扎、安多、比如、班戈、巴青、嘉黎、聂荣、索县、双湖办事处、文部办事处
阿里专区	普兰、噶尔、革吉、改则、措勤、札达、日土
林芝专区	林芝、工布江达、米林、波密、朗县、察隅、墨脱

目前西藏自治区共辖一个市，6 个专区，包括 1 个市辖区，1 个县级市、70 个县，1 个县级口岸，2 个县级办事处。

第二节　民主改革

一、民主改革的基本内容

民主改革是西藏当代政治历史中的重大内容，作为文化研究同样具有重要的意义。因为这个历史已过去将近 40 年，许多年轻人对此十分陌生。被称为“民主改革”的这次在藏族历史上具有重大影响的改革是在中国共产党的领导下进行的，是针对西藏封建农奴制度的一次根本性改革。在东部藏区，有些改革内容与西藏相类似，有些则是针对封建地主制度的一次根本性改革和革命。正由于这次带有根本性和彻底性的改革，西方一些反共反华媒体便攻击说这是一起共产党中国摧毁藏族文化的严重事件。实际上，无论何种社会，何种民族，封建农奴制度和政教合一制度被新兴的社会制度所代替，这是历史的必然。因此作为一种社会的基本规律，这一改革迟早都会到来，只是由谁来发动，以什么形式来发动，在什么时间来进行的问题。问题的关键所在是无数的人对被霓虹色缠绕的西藏缺乏最为本质的认识，只看到了宗教的一面，没有看到政治的一面；只看到了文化的一面，没有看到经济制度的一面；只看到了神的微笑，没有看到人尤其是那些作为农奴的人的苦恼、苦泪、苦楚和苦难。

民主改革前的西藏社会的一个最基本的特点是：建立在封建农奴制经济之上的政教合一制度，有的同志也将这一制度称为政教合一的僧侣和贵族联合专政的封建农奴制度。在这一制度下存在着农奴和农奴主两个相互对立的阶级，占人口95%以上的农奴、奴隶，没有土地，没有羊牛，有的甚至没有人身自由，而人口不足5%的三大领主（官家、寺庙和贵族）占有95%以上的生产资料。显然，这是一个不公正的社会。不公正就不公正在它还存在着高利贷、乌拉差役和人身依附关系，并以此来残酷地压榨和束缚广大的农奴，使他们过着非人的生活。要认识把握这一社会和这一社会的文化就必须认识这一点。民主改革的主要内容也在于此。

其一，高利贷。三大领主是三大债主，用高利贷来盘剥农奴，这是西藏社会和东部藏区同样存在的普遍现象，是一种残酷的剥削手段。据《西藏社会历史调查》（二）《札朗囊色林调查报告》介绍，囊色林共有107户农奴，借有债务的有79户，占农奴总数的73.56%。其债务形式共有五种：1. 新债。自身和当年欠的债。是相对祖上欠的债而言。欠这种债的农奴有66户，借债总额为青稞4481克，藏银514品。2. 子孙债。即祖辈所欠的债。欠这种债的共60户，欠债额为青稞17425克，藏银670品，占全豁卡欠债总额的80.45%。3. 连保债。只一例，为由康沙巴、强拉厦、强拉路、门中、曲科雪巴、曲科龙巴等六户差巴连保，向哲蚌寺的郭莽札仓、同噶、打尔马等债主共借新债、旧债青稞1323克，六户共同负担，有逃亡的要大家共同赔偿，绝了后也要赔偿。最后导致全部破产。4. 代还债，即破了产的差巴欠的债，由接受逃亡户“份地”的差巴代为偿还。5. 全豁卡均摊的债等。在这种债中主要有粮食和藏银两种，其利息为：

粮食。政府为借十还十一，即借青稞十克，到年底还十一克；寺庙和贵族一般是借七还八，即借青稞七克，到年底本息共还八克；一些富裕一点的差巴或堆穹还放债的利息为借五还六，即借五克青稞，到年底本息共还六克。牙含章先生在《试论西藏封建农奴制度》一文中介绍，1956年在对江孜年楚河上游65户农奴的负债情况调查时发现，此一地方放债粮食的利息共有六种。即：

1. 西阿界。即借四克青稞还五克青稞。此债以寺庙为主。

2. 阿主界。即借五克青稞还六克青稞。此类债较为普遍。

3. 主敦界。即借六克青稞还七克青稞。此类债比较少。

4. 四苏。即借十克青稞还十一克青稞。西藏地方政府索南列空的债即接近此数。

5. 解古界。即借八克青稞还九克青稞。此种债在西藏和平解放以后才出现。

6. 切白。即借 50 克青稞，年利为六又四分之一克。

藏银。借藏银的利息有以下五种：

1. 噶界，即藏银一品，年利 30 两，此种高利贷只有个别贵族才放。

2. 卡界，即藏银一品，年利 15 两，此种利率较为普遍。

3. 觉界，即藏银一品，年利 10 两，此种利率亦较为普遍。

4. 介许界，即藏银一品，年利十又二分之一两，此种利率为数较少。

5. 界日界朗，即利又生利。据说此种高利贷政府不准使用，未发现具体材料。

除了粮食和藏银外，西藏的高利贷中尚有借牛羊的。但借牛借羊似无定律，其利息较以上为小。如江孜的差巴次旺借领主的牦牛一头，年利息藏银 12 两，而群仓的扒角借丁青寺的羊 12 只，每年每只仅仅交 4 两酥油。

高利贷剥削是一种残酷的剥削，由于这种残酷的剥削，使得许多差巴在经济上如大山压顶，永无翻身之日。比如东嘎宗有一户差巴，在百余年前曾向哲蚌寺的一个札仓借了五克青稞，还了一百多年，还剩 200 多克。

其二，乌拉差役。乌拉差役分两类，一类为外差，一类为内差。据对囊色林谿卡 1958 年的调查，外差有以下 19 种：

1. 传大昭费用差。每年要向噶厦捏仓列空交纳藏银 246 品四雪五噶马（每品为藏银 50 两，藏银每十雪为一两，藏银每十噶马为一雪）。此差始交糌粑，因运送困难改为藏银。有专门支这种差的差地。

2. 柴费差。据说是专为传大昭时用。每年交给拉萨薪日列空藏银 27 两三雪五噶马。

3. 驻藏大臣衙门用粮差。每年交青稞 59 克。

4. 驻藏大臣取暖费。每年向拉萨薪日列空交藏银 972 两，即一岗地交 36 两。

5. 交给铜匠的差。每年青稞 24 克。

6. 拉恰颇差。每年交给拉恰列空七两三雪五噶马。

7. 交给石匠的差。每年交给萨多夏列空四品藏银。

8. 卡差。每年交给拉萨拉让强佐约 600 两藏银。

9. 割草差。原派两名差巴到拉萨割泥塘草两个月，后因政府封地时无记载而免除。

10. 耳朵差。此差只交过两次，一次一人交一个章噶，一次一人交三雪，不分老少。类同于人头税。

11. 卓斯婆马差。年交青稞 75 克。

12. 信差费。年交青稞 19 克四折四匹，藏银 54 品。

13. 差堆婆马。年交藏银 73 品三两。三个月交一次，一年分四次交清。

14. 萨崔。为短站差。每年从囊色林到乃东宗约需马差 189 匹次，人差 140 人次；从囊色林到充堆寺，每年需要马差 114 匹次，人差 180 余人次，驮牛（或驴）1452 头次。由豁卡的萨斯根保负责分派。

15. 粮驮差。每年从囊色林运至羊噶，约 1350，去人约 340 个。年支此种差三次以上。

16. 六月算账差。年交藏银约 35 品，分两次交清，交与曲科豁卡头人，用于招待来往官员、差人等。

17. 招待政府骡帮差。年交藏银约 75 两外加三个人的伙食两顿。

18. 阿中伙食费。年交藏银约 720 两，交给阿中（信差）本人。

19. 神瓶喇嘛差。年需牛四头，乘马四匹，人夫 17 人。

内差的负担也十分繁重。仍以囊色林为例，共有 23 项：

1. 无偿耕种领主自营地的劳役。囊色林豁卡共有自营地 501 克，分给差巴无偿耕种，凡耕种领主分给“分地”一“批”（六批为一折，20 折为一克）地的农奴要无偿地耕种领主一托尔自营地，约三至五克土地。除打碾外从种到收全程负责。大约需要劳动力如下：出肥工 924 人日；送肥工 396 人日和 396 驴日；筛种、选种工 660 人日；播种工（包括碎土、撒种、盖种等）924 人日；中耕锄草工 660 人日；拔草工 528 人日；放水工 264 人日；割禾工 924 人日和 528 驴日；打场、入仓工 2376 人日。

2. 割荆棘差。为豁卡全年烧的柴火，年需约 800 人日和 800 驴日。

3. 炒青稞差。夏、冬两季各一次，炒约 500 克青稞，磨成糌粑，供囊色林的朗生们吃。

4. 割草差。供喂养领主饲养的骡马耕牛，每年需约 800 个人日。

5. 捻毛线差。给领主织氆氇捻毛线，一户差巴年需 648 个人日。

6. 送领主的食粮差，即给住在拉萨的领主送食物等。每年约需 324 人日和 1256 畜日。

7. 短途差。从囊色林去泽当、多吉扎、吉德雪、桑耶寺等地送信送物。每年约 80 个人日。

8. 售粮差。向外地运送领主出售的粮食，每年约 31 个人日和 125 个畜日。

9. 刷白灰差。每年 10 月给领主的住宅楼和经塔、街道等刷白灰饰新，每年约 486 人日。

10. 差房顶差。维修领主住的七层楼房，加一层阿噶土防漏雨，每年约需 81 人日。

11. 背水差。给每年藏历年给领主念平安经的喇嘛供水。每次需 62 人日。

12. 剪羊毛差。夏、秋两季给领主的羊剪两次毛，年需 38 人日。

13. 织氆氇差。组成氆氇后为领主家的朗生做衣服，晒垫或出售等，每年需 240 人日。

14. 染色差。为氆氇染色。领主从年轻差巴中挑选一二人去学此染色技术，然后终身为领主之氆氇染色等事宜服务，一年至少出 130 人日。

15. 缝纫差。给领主做针线活。缝纫工由领主供给伙食和一克八折工资地，没有工资地的差巴，由领主证明可向其他差巴收取相等的工资，以减轻自己的差役。

16. 木匠工差。囊色林只有一户木匠，木匠活均由其承担，做活期间，领主供给伙食，工资为工资地，随叫随到。

17. 杂差。为领主铡草、碾麦、榨油等。年需 162 人日。

18. 开镰酥油差。每年开镰时差巴要向领主交纳一捏噶的酥油杂果。

19. 放牛酥油差。收割后有牛需要放的差巴需交一捏噶的酥油。

20. 奶牛酥油差。有奶牛的差巴一头奶牛每年要向领主交纳 510 捏噶的酥油。

21. 桑差。领主过年煨桑时要用的松柏枝由差巴交纳。每年交约 144 甲玛。

22. 马草差。种一岗地交 30 甲玛，种一批地交 5 甲玛，全谿卡每年交 800 甲玛。

23. 春草放牛差。每年三月草青时，有牛的差巴每年要向领主交一个鸡蛋，才准牛到草地吃草，差巴每年要向领主交 285 个鸡蛋。

此外还有许多说不上名目的杂差。可见农奴的劳役之苦。

其三，人身依附关系。三大领主不完全地占有农奴的人身，这是西藏社会的一个突出特点。这样的例子不胜枚举。比如噶厦政府的谿卡资龙“在 1958 年时，共有差巴、堆穷、牧民、手工业者 83 户，都是人身依附于封建农奴主的。在 26 户差巴中，属于官府谿卡的 15 户（资龙谿卡 11 户，普通谿卡 4 户）；属于寺庙的 11 户（萨迦寺米谿卡 5 户，札什伦布属下多吉登寺 5 户，多吉登和康金札仓合有 1 户）。其余的堆穷不是直接依附于领主就是在差巴之下依附于领主。在 49 户堆穷中，直接依附于官府谿卡的有 9 户（资龙谿卡 3 户，普通谿卡 6 户），在差巴之下（一般说是某户差巴的堆穷）依附于官府谿卡的有38户（普通谿卡37户）；在差巴底下依附于寺庙的有7户（多吉登4户，萨迦米谿卡3户），直接依附于寺庙的2户（萨迦属下寺庙开宗拉卜让1户，康金札仓1户）；直接依附于萨迦贵族江木札仓的1户，贵族昂阶谿卡1户。牧民1户，直接依附于萨迦贵族江木札仓。6户手工业者，分别属于贵族杜素，寺庙谿卡有6个领主。”①

农奴是没有人生自由的。在贵族或部落间可以进行农奴的交换。比如《西藏社会历史调查》（三）之《那曲桑雄阿巴部落调查报告》中附录了一份桑雄和阿巴部落的换人文书：

在土鼠年（1948年）　月　日　一式两份文书。达扎拉让的属民（阿巴部落的人）：女珠吉38岁；女扎莫32岁；住在呷旺秋地方的呷尔测儿子三岁，住在测部地方呷则的儿子三岁，女勒争。

住在星桑地方的白珠桑姆珠21岁，住在诺珠地方的儿子索则八岁，儿子俄丹五岁；女央尖30岁，其女尔测久七岁，小女测白五岁，男朴布24岁，加呷尔娜姆的妻子珠玛48岁，他的女儿洞沙则18岁，女拙可31岁，男桑油，男尼玛札西，男旺秋多布钦47岁，女才丹珠玛46岁，女阿泽28岁，郭珠朴达；索马尔妻白玛旺秋家四人，共男女25人，今后归属森巴部落。

森巴的属民呷知觉37岁，亲戚昂强巴23岁，才丹的儿子木达14岁，秋达尔媳妇阿久34岁，操保的儿子代替人，女拉昂却28岁，丹达究儿子鲁珠34岁，索南旺久的儿子代夫替人，女才仁却作姆37岁，她的女儿白操15岁，二女儿央吉13岁，三女儿却英格丹四岁，四女儿桑姆麦一岁，一家共有女五人。测达尔之子白玛南杰，拉隆阿姆的女婿珠云丹20岁，女塔尔错之子白玛南杰四岁，女客即76岁，男洛桑克珠35岁，女木底的儿子贡呷札都五岁，共男女25人，今后属阿巴部落。

以双方的百户、根布为代表，经过充分的协商，公平地进行了属民的交换，从此各属民及其全部遗产归属新的领主，原领主不得进行干预，已商定的协定，双方都不得违犯。如果一方有违犯欺骗的行为，另一方将上告大法官，根据达赖喇嘛的命令，进行彻底的处决。

阿巴部落百户洛柱和代表次仁拉杰

① 西藏社会历史调查资料丛刊编辑组编：《藏族社会历史调查》（五），西藏出版社，1989年，第554页。

（按手印）

森巴部落百户呷尔娜姆和代表百户多保

（按手印）

列宁说，农奴制度的特征是将农奴束缚在土地上。西藏的封建农奴制度同样具有这种特征，广大的农奴被牢牢地捆在他所劳作的土地上，对自己的人身和财产没有完全的自主权利，三大领主紧紧地控制着他们的人身权利。显然，没有农奴的解放，就没有西藏的真正解放；就没有西藏生产力的真正解放，从而发展生产力，推动西藏社会的发展进步。

这是一个极为重要的任务，同时也是一个极为复杂而艰巨的任务，它针对的不是少数人，而是一个民族，它所改革的不是一个小的领域，而是整个社会；它所改革的不是这个社会的表面现象，而是它的根本性质；不是轻描淡写，而是脱胎换骨。《西藏自治区筹备委员会关于进行民主改革的决议》（1959 年 9 月 17 日）中说：

随着叛乱的迅速平定，他们遭到可耻的失败，促使西藏形势进入了一个民主改革的新阶段，一方面是：叛乱武装的巢穴已经摧毁，上层反动集团的卖国害民的罪恶行为已为广大群众所痛恨，他们在群众中完全陷入孤立的境地；反动的西藏政府已经解散；另一方面是：广大的劳动人民起来坚决要求进行民主改革，爱国进步的上层积极赞成改革，本地藏族干部大量地在成长。以上说明了在西藏实现民主改革的条件已经成熟。当前西藏的中心任务是：彻底平息叛乱，充分发动群众，在全区实行民主改革……实现民主改革应当分两步走：首先是充分发动群众，大力开展反对叛乱、反对乌拉差役的制度、反对奴役和减租减息的运动，为下一步分配土地打下基础。

砸碎千年的铁索链！百万饱受乌拉差役、高利贷沉重压迫的广大农奴，在政府的号召下，挺起身来，摆脱人身依附关系，废除乌拉差役，实行减租减息，为自身的解放自由和幸福而斗争，这的确为崭新的西藏拉开了序幕，是在再造人生，改换天日，得到了广大农奴的普遍拥护。

这也是西藏社会有史以来一次最伟大最本质的变革，它的作用是多方面的，就文化而言，以此为契机，藏族文化也便进入了一个崭新的发展阶段——社会主义新文化的发展时期。为建立一个新的伟大时代铺平了道路，夯实了基础。

二、民主改革的伟大胜利

上文已述，从西藏民主改革的实际情况出发，西藏自治区工委提出了西藏的民主改革分两步走的方针，后将其进一步归结为“三反”（反对叛乱、反对乌拉差役、反对奴役）、“两减”（减租、减息）；进行土地分配。与东部藏区相比，西藏的民主改革有其自身的特点，即中央原来的方针是“六年不改”，但是由于反动上层发动叛乱，改革便提前进行，因而西藏是在发生叛乱的形势下进行民主改革的。因而，工委提出了边平边改，先叛先改，后叛后改，未叛地区暂时缓改的方针。同时，根据农村、牧区、寺院等不同的改革对象，自治区工委先后制订了若干文件来指导这次伟大的运动。这些文件是：

《中共西藏工委关于农村工作问题的通知》（1959 年 5 月 25 日）、《中共西藏工委关于在当前平叛工作中几个政策问题的决定（草案）》（1959 年 5 月 30 日）、《中央对西藏工委关于当前平叛工作中几个政策问题的决定（草案）的批示》（1959 年 5 月 31 日）、《西藏自治区筹备委员会关于进行民主改革的决议》（1959 年 7 月 15 日）、《西藏地区减租减息的办法》（1959 年 7 月 23 日）、《中共西藏工委关于加强党的统一领导、增强党的团结和培养藏族干部的指示》（1959 年 8 月）、《中共西藏工委关于当前牧区工作的指示》（1959 年 9 月 11 日）、《中共西藏工委关于三大寺若干问题的处理意见》（1959 年 9 月 2 日）、《中共西藏工委关于西藏地区土地改革方案》（1959 年 11 月 3 日）、《中央批复西藏工委关于土地制度改革方案的报告》（1959 年 9 月 7 日）、《中共西藏工委关于划分西藏农村阶级的方案》（1959 年 9 月 7 日）、《中共西藏工委关于执行赎买政策的具体办法》（1959 年 9 月 20 日）、《西藏自治区筹备委员会关于西藏地区土地制度改革的实施办法》（1959 年 9 月 21 日）、《中共西藏工委关于牧工牧主两利政策实施办法（草案）》（1959 年）、《中共西藏工委关于在农村进行建党工作的指示》（1959 年 11 月）。这些具体的文件是指导西藏民主改革取得伟大胜利的思想路线保证。从这些文件中，我们不但可以看到社会制度变革而引发的隆隆声响，政治制度变革而掀起的暴风骤雨，也可以看到文化制度变革推动人们思想观念转变而汇成的滚滚波涛，和那些最初的也是崭新的文化因子浸入人们的心灵的过程。

牧区的民主改革主要是按照《中共西藏工委关于牧工牧主两利政策实施办法（草案）》的精神实施的。这一《草案》一共有 6 章 15 条。

第一章为“总则”。第二章“牧工牧主平等”，是对有史以来的等级制度的彻底否定。因为在以往的社会中，牧工和牧主是绝对对立的两个阶级，他们是绝对不允许平起平坐的。内中包括两条：一条是“牧主不得虐待牧工，牧工牧主在法律上一律平等”，将牧工的地位以法律的形式固定下来。一条是“废除人身依附制度，解除‘蔡约’（ཚེ་གཡོག，终身奴隶），‘蔡约’得享有人身自由的权利。”农奴解放的直接表现形式是人身依附关系的废除。第三章“关于工资”，以政府条文形式进行规定，共四条。其一为“成年牧工的工资，除牧主按照中等牧民生活管吃、穿外，得能供养一人至一个半人的生活费用。”其二为“依据上述原则，按通常年成的中等牧民生活计算出工资标准，发给定额工资。”其三为“短工因工作无保障，劳动强度大，其工资得按实际时间高于长年工。”其四为“男、女牧工实行同工同酬，童工除牧主管其吃、穿外，得按劳动量比照成年工人发给工资。”第四章“牧工福利”，有孕期的女工有半月至一月的产假，照发工资；病假期间照发工资；年老、体残者，牧主有抚养之责任；死亡的应以当地习惯进行安葬；改善牧工条件，不使牧工露宿，不使童工做力不能及的工作。第五章为“贯彻执行”，规定“所有牧工牧主一律按本条例订立合同，在合同期，牧主不得解雇（牧工），牧工亦不得无故离职，牧主应保证改善牧工待遇，牧工得保证放好牛羊，如发生纠纷，由牧民协会调解处理。”第六章为“附则”。与上文所介绍的农奴所承担的繁重的乌拉差役、高利贷及人身依附关系相比，这个《草案》的确是来自天堂的福音，是个非常好的牧工的解放证书。在当时还存在牧主的情况下，充分地保证了牧工的经济利益和各种权益。当然，这样一些条文的实施，不是靠原有的三大领主，而是由党和政府领导在发动群众，平息叛乱，开展“三反两利”运动的前提下，进行人民政权的建设，在牧区真正废除三大领主的封建特权和剥削，草场牧场归牧民集体使用。与此同时，通过订立合同等形式，也保证了牧主和牧工的政治权利，既对双方有利，也对双方有约制。此时虽然没有划分阶级成分，但阶级阵线已十分明确。

农区的民主改革较之牧区稍显复杂。其主要依据的政策文件是上文业已提到的《西藏地区减租减息办法》、《关于废除封建农奴制所有制，实行农民土地所有制的决议》、《关于西藏地区土地制度改革的实施办法》、《关于农村阶级划分的决定》等。据《中共西藏工委关于西藏地区土地制度改革方案》介绍，1959 年时，在西藏 120 万平方公里的土地上，牧区约占四分之三，农区约占四分之一；人口 105 万（不包括驻藏部队和职工），其中农业区人口 55 万人，牧业人口约 25 万人，僧尼 12 万人，住在城市的贵族和商人约三万；耕地面积约 337 万克（每克约合一市亩），其中每年的实耕地281克，休耕地56万克，农村每人可平均耕地5.1克，如加上喇嘛每人4.3克，一般年成粮食产量平均四克（每克28斤），年产粮食约3亿斤左右，按全区人口平均，每人近300斤。牲畜约890万头，牧区约600万头，平均牧民每人牧畜24头，农业区约290万头，农民每人平均约为4.4头。

在“三反双减”工作结束后，农区的民主改革主要是划定阶级成分和土地分配，即进行土地改革。在西藏工委的土地制度改革方案中（1959年11月3日），就形势、方针、任务，提出了12条意见。撮要言之为：其一，农村的阶级划分主要是划分农奴主和农奴两大阶级。阶级路线是，依靠贫苦农奴和奴隶，团结中等农奴（包括富裕农奴）和团结一切可以团结的力量，打击叛乱的最反动的农奴主和农奴主代理人，彻底消灭农奴制度，彻底消灭农奴主阶级。其二，改变封建土地所有制为农民土地所有制。当时的土地占有为，封建政府为38.9%，寺院占有36.8%，贵族占有24.3%。在624家贵族中，已叛的462家，占72%；寺院2138座，已查明叛乱的有971座，占45%强；叛乱寺院的喇嘛68000人，占喇嘛人数的60%，工委估计，若进一步查对，参与叛乱的寺院可能要达到70%。原西藏政府所有的耕地和农业生产资料一律没收，对叛乱贵族的所有耕地、房屋、耕畜、农具等一律没收，对叛乱寺院占有谿卡的耕地、房屋、耕畜、农具等一律没收。对未叛乱寺院的上述生产资料进行赎买。其三，为寺院改革问题（此后下文中涉及）；其四为牧区工作问题（上文已述）；其五为城市工作问题。政策大体与“二”同；其六为土改中边境地区和涉及外事方面的工作问题。其七为斗争的方式问题。“在改革中斗争上层，必须实行区别对待的政策，对拥护中央、拥护改革的“左派”分子，采取背靠背的诉苦的斗争形式，坚决保护他们过关；对于中间分子，可以背靠背地诉苦，也可以面对面地斗争，这方面的斗争面不能太大，并且在斗争后也要保护过关；对于封建领主和他的代理人中的叛乱分子和一部分作恶多端的右派分子，必须发动群众进行充分的斗争，否则群众不能翻身。要不要开杀戒？现在确定暂时不杀，以后如确有必要，须请示中央批准。”其八为干部问题。“普遍地大量地培养藏族干部，是民主改革工作中的重要任务，只有大批的、忠实于党的当地藏族干部培养起来之后，我们党才能在西藏深深地扎下根，西藏问题才能获得彻底解决。因此，应当紧紧地抓住培养藏族干部这一环。”其九为宣传问题。其十为建党、建团、建政问题。其十一为土地改革的具体步骤。其十二为组织领导问题。工委号召在土地制度改革过程中，要加强党的领导，必须做到统一政策，统一思想，统一行动等。在这些统一的思想、路线、方针指导下，具体的阶级也有具体的划分标准。显然，这些阶级的划分标准参考了内地的划分阶级成分的一些经验，并充分考虑到了西藏社会的特殊性和复杂性。

据《中共西藏工委关于划分西藏农村阶级的方案》中介绍，阶级成分划分的标准如下：

农奴主阶级。(1) 农奴主——“占有大量土地和农奴（含奴隶），握有封建特权，自己不劳动，依靠剥削、压榨为生者。”贵族和那些“原西藏封建政府宗以上的各级主要官员是封建农奴主的政治代表，依靠封建特权，剥削、压榨农奴为生者，即便不占有土地和农奴，也应划为农奴主。”土司、千户和占有土地、农奴的活佛、官员、大头人、孝堆、孝折等均在此例。(2) 农奴主的代理人——“代表农奴主直接统治、剥削压榨农奴，直接经营农奴主的庄园或在支差、交租、纳税条件下，经营农奴主的大量土地；自己不参加主要劳动，依靠乌拉、雇工、朗生耕种土地，过着剥削生活；或自己参加主要劳动，但剥削收入超过全家全年总收入的50%者。综合上述条件之一者均应划为农奴主代理人。”诸如农奴主的管家、谿堆、大差巴和不占有农奴的孝堆、孝折等，“原西藏各级封建政府中的一般官员，如世袭根保、佐札、错本、秘书等，依靠封建特权，经常敲榨勒索劳动人民特别恶劣者，应划为农奴主代理人。”

农奴阶级。(1) 富裕农奴——人身依附于农奴主，在支差、交租、纳税条件下，经营农奴主较多的土地，自己占有较多的牲畜、农具，参加主要劳动，受农奴主的剥削和压榨，但同时也剥削贫苦农奴或奴隶，如剥削与被剥削相抵消后，纯剥削收入超过其全家全年总收入的25%～50%者。诸如富裕差巴和富裕堆穷等。(2) 中等农奴——人身依附于农奴主，在支差、交租、纳税条件下，经营农奴主部分土地，自己占有部分牲畜、农具，生活来源全靠自己劳动，不剥削别人，还受别人轻微剥削；或者既剥削别人，同时又受别人剥削。但剥削与被剥削抵消后纯剥削收入不超过全家全年总收入的25%者。诸如中等差巴和中等堆穷等。“从事手工业生产和经营小本生意，生活来源主要靠自己劳动，生活水平相当于中等农奴者，可划为中等农奴，或根据本人志愿划为小手工业者、小商人。”(3) 贫苦农奴——人身依附于农奴主，在支差、交租、纳税等条件下，从农奴主那里，取得少量土地，自己占有少量牲畜、农具，生活来源靠耕种土地和出卖部分劳动力，主要受别人剥削。诸如贫苦差巴、贫苦堆穷、不占有生产资料，靠出卖劳动力为生的雇工和手工业工人；人身依附农奴主，没有任何生产资料，或只有少量生产资料，以打猎、屠宰、驮脚、当小贩等为生或无固定职业，依靠其他劳动为生，且生活贫苦者等。（4）奴隶——“人身和劳动完全由农奴主所占有，过着牛马般生活的朗生、差若和某些没有工资的‘约波’。”（5）贫苦喇嘛——“一般均有人身依附关系，原则上可按本人家庭成分来划定本人成分，或根据本人意愿，经过群众同意，将本人划为贫苦喇嘛（扎巴）。”

划定阶级成分是西藏社会的一件大事，此后将近20年的西藏社会都是在这种阶级关系中度过的。阶级归属往往决定着自己在社会中的地位。西藏最后的阶级划定结果是：农奴主在农村总人口中所占比例不到2%，农奴主代理人不足3%，总括起来农奴主阶级所占人口比例不足5%；其余的95%都是农奴阶级。与内地和东部藏区比较，西藏的阶级成分中未划富农。

寺院的改革是个较为复杂的问题，主要办法是进行“三反”（反对叛乱、反对奴役、反对封建特权）、“三算”（算政治压迫账、算等级压迫账、算经济剥削账），主要是反对封建特权和剥削，进行寺院民主管理和爱国守法。这一方面的文件是《中共西藏工委关于三大寺若干问题的处理意见》（1959年9月2日）。据统计，西藏拉萨三大寺中共有上层分子224人，“其中叛首和最反动的上层分子，经过群众大小会斗争的约占60%，但隐蔽较深的敌人，尚待肃清。”因而寺院中必须做到：

1. 彻底摧毁一切叛乱组织和反革命组织（如“西藏独立国人民会议”、“西藏自由同盟”、“四水六岗”等）；彻底肃清寺内的叛乱分子和反革命分子。

2. 坚决废除寺院的各种封建特权，包括寺院委派官员、管理市政；私设法庭、监牢、刑罚和私藏武器；没收群众财产，流放人民；干涉诉讼，干涉婚姻自由和干涉文化教育卫生事业。

3. 废除寺院放给农奴和贫苦喇嘛的所有的高利贷债权。

4. 依法没收三个寺院所占有的牧场、庄园及一切生产资料（包括牛羊、土地房屋、农具和耕畜等）。

5. 废除寺院向群众派乌拉、派差役、对群众进行人身奴役的封建特权制度。

6. 不准寺院向群众敲诈勒索财物和强行摊派；取缔其非法工商业和强买强卖；严禁其投机倒把和走私漏税行为。

7. 废除寺院向宗、豁、部落摊派群众当喇嘛的制度，禁止寺庙强迫群众当喇嘛。

8. 废除寺院内的封建统治和封建等级制度，废除寺庙内的打罚制度。

9. 废除寺院间的封建统治隶属关系。

10. 废除寺院利用宗教节日（如传召）行使的一切封建特权，包括接管市政，对人民横征暴敛，巧取豪夺，没收人民财产，强奸妇女，残害人民等。

同时宣布了保护和不加干涉的十条：

1. 贯彻执行宗教信仰自由的政策，保护爱国守法的喇嘛寺院。

2. 保护喇嘛权利，喇嘛在政治上一律平等，享有人身自由的权利。

3. 保护寺院的建筑、佛经、佛像、宗教用具和陈列品。

4. 保护文物古迹。

5. 保护喇嘛有生产劳动和政治学习的权利。

6. 保护群众自愿当喇嘛和喇嘛自愿还俗的权利。

7. 保护寺院的正当商业、运输业和手工业。

8. 不干涉群众自愿给寺院放布施。

9. 不干涉正常的宗教活动，但宗教活动不得妨碍生产建设和违反国家的政策法令。

10. 不干涉寺院的学经、辩经和确定宗教职务的考试制度。

为了上述规定的落实，也相应的做了一些其他方面的措施和处理：

给留寺院的喇嘛一定的生活标准；正当的宗教活动和房屋维修等开支，从寺院收入中解决；寺院的各项收入不敷其正常开支时，经寺院管理委员会申请，由政府予以补助；对爱国守法的宗教人士进行政治安排；分给寺院一定数量的土地和生产资料，根据自愿原则组织寺院有劳动力的喇嘛进行劳动生产，增加收入改善生活，逐步做到以寺养寺；建立寺院管理委员会，委员会是寺院的权力机关，经管经济、行政和宗教事务，对寺院进行民主管理。“该委员会受当地政府和政府管理宗教事务的部门领导。它的任务是：贯彻宗教信仰自由政策，和政府的各项政策法令；管理寺院财产，组织喇嘛生产，组织喇嘛参加政治学习；安排在寺喇嘛的正常宗教活动。寺院管理委员会由三分之一的贫苦喇嘛和三分之一的爱国守法的宗教中上层人士组成。委员会任期一年。委员的产生，目前由军事代表暂行任命；改革结束后，由全寺喇嘛选举产生，委员产生后应报经政府批准。”寺院民主管理委员会，自此后成为西藏宗教的一个重要制度，而运行了近30年。以“政治统一，信教自由，政教分离”为方针，《寺院民主管理试行章程》（1959年）在实行的过程中起到了重要的作用。

从这些基本的措施可以看出西藏的民主改革的力度和幅度。在取得第一阶段的成果后，顺利进入第二阶段，即进行土地牛羊等的赎买和分配的阶段。据1959年的统计，需要赎买的土地共90万克，其中属于堪厅及其所属寺院的 21 万克，另加五万克做机动数；需要赎买的牲畜约 82.5 万头只，其中属于农奴主代理人的约 67.5 万头只；需要赎买的房屋约 65 万间，农具约二万套。根据赎买价格不宜偏低的原则，耕地统一每克以 30 元计，全区共需 2700 万元；牲畜，骡、马每头平均 100 元，耕牛、奶牛 50 元，牛 20 元，驴 25 元，绵羊 5 元，山羊 2 元，共需款 1705 万元；房屋平均每间 20 元，共需 130 万元；农具每套 20 元，共需款 40 万元；以上合计共需款 4575 万元，再增加 15% ~20% 的预备费，赎买款总数共 5270 万元。国家承担这一笔巨款，由政府统一办理赎买手续，采取分期付款的办法，分 8、10、13 年三种期限付清。然后再将土地和牛羊等按数量、远近、好坏、进行搭配分给广大农奴。如此极大地调动了广大农奴的生产热情，解放了生产力。到 1960 年年底，全区共没收和赎买了农奴主阶级占有的耕地 280 多万克，分给了 20 万户 80 多万元地的农奴和奴隶。到 1961 年 1 月，全区有寺院 2676 座，僧尼 114925 人，其中已有 2379 座寺院完成了“三反三算”活动。建党建政也取得了丰硕的成果，在此过程中，发展农村党员 692 名，团员 1967 名，建立农村党支部 123 个，团支部 252 个，全区建立乡政权 1009 个，区政权 283 个，县政权 78 个，专区（市）政权 8 个。藏族干部县以上的 300 多名，不脱产的基层干部二万余人，半脱产的基层干部 4000 多人，比 1958 年增加了 66%。主要是，广大农奴获得了解放，有了人身的价值和尊严，提高了生活、生产水平。有首歌如此唱道：

从前穷人也唱歌，
尽唱苦歌没甜歌。
唱着唱着心酸痛，
歌声中断泪珠落。
如今来了共产党，
翻身农奴唱甜歌。
一唱有了房和地，
二唱有了牛马骡，
三唱有了粮和面，
四唱有了碗和锅，
五唱有了新衣裳，
六唱有了新被褥，
七唱废除高利贷，
八唱不再受奴役，

九唱不支差乌拉，
十唱当家做主多快活。
唱了一歌又一歌，
翻身农奴歌儿多，
谢过恩人毛主席，
再唱改革胜利歌。①

民主改革取得了伟大的胜利。民主改革的伟大胜利在文化上的重大意义在于：

1. 从精神文化看，共产主义思想开始进入藏人的意识形态领域，阶级的思想，公有制的思想，无产阶级专政的思想，反对剥削、反对压迫的思想，人人平等的思想，已逐渐地成为指导和主导的思想。换言之则为马克思主义列宁主义毛泽东思想已在藏传佛教主导的藏族社会徜徉，已为广大的农奴阶级所欢迎、接受、信仰。

2. 从制度文化看，政治制度方面，（1）已逐步建立了自治区、专区、县、乡级的社会主义政权；（2）建立自治区、专区、县、乡级的党的组织系统；（3）有了相当数量的中国共产党党员——一批出自藏族的共产主义信仰者。这在藏族历史上都是全新的，尤其是在西藏地方，许多都是第一次。在东部地区则在红军时期就有了藏族的革命者和共产党员，如扎西旺徐、天宝、杨东生等红军战士。

3. 作为中华人民共和国的一部分，藏区开始全面的社会主义革命和建设。中国共产党是领导这一事业的核心力量，同时也是领导社会主义藏族新文化建设的核心力量。

4. 政、教的分离，使宗教不能再左右政治、经济和文化；高利贷、人身依附关系和乌拉差役被废除，使贵族文化失去依托，而农奴阶级（被压迫阶级）的文化受到重视，拥有社会地位。

社会主义藏族新文化如新芽破土，显示出勃勃生机。

第三节　文化教育

新型的藏族当代文化教育伴随着全国的解放而进入新的发展阶段。

① 中国科学院民族研究所、西藏少数民族社会历史调查组编：《藏族简史》（上篇），中国社会科学院民族研究所内部铅印本，1963 年，第 234 页。

从上文可知，藏族新兴教育的尝试和萌芽早在20世纪初便开始了。但是，由于藏区特殊的人文环境和经济条件，大多没能得到良好而迅速的发展。我们以青海省兴办蒙藏学校为例，便可知晓一二。

1933年，国民党中央政府计划拨发边疆教育专款，以促进边疆民族地区的教育。显然这是好事。而时任陆军新编第九师师长兼省会西宁城防司令的马步芳闻此信息，则立即指使青海蒙藏上层洛桑香趣、阿福寿等于1933年7月5日成立“青海蒙藏文化促进会筹备委员会”，并呈请国民党蒙藏委员会批准，旋正式成立“青海省蒙藏文化促进会”，马步芳为理事长，洛桑香趣（田恩雨）、阿福寿、祁建昌、夏鲁哇、华宝藏等15人为理事，设立总务、组训、编译等几个股，分别管理教育、训练、设计、教材、编译等工作。马步芳的意图十分明确，就是想控制这批专款的使用，从中捞到个人好处，因而他根本不把国民党中央教育部放在眼里，一切经费开支都是自己说了算。于是在青海省的农业区设了10余所蒙藏学校，培养为自己所用的蒙藏王公、头人子弟，同时借此加重派粮派款。此事一开始，就受到军阀的插手和利用。

1933年，在西宁设立了青海南部边区警备司令部附设蒙藏小学，马步芳自任校长，将一些头人子弟收笼入学。由于教学的目的不纯，因而百姓子弟都不愿入校学习。如海西蒙古族藏族自治州有一首歌就无情地揭露了逼人入学的现象：

尕娃被赶进学堂，
像羊儿被哄进屠场，
像把鹰剪去了翅膀，
定把骨肉送给了狼。①

因为少数民族学生被强制入校后，主要是接受军训，不准回家，经常挨打受骂，毕业后便到马步芳的部队当炮灰。1936年6月，马步芳升任青海省主席，委派洛桑香趣为“蒙藏初级中学”校长。至1937年时，学生已接近200名，分七个班级上课，其中有桑热嘉措等著名学者担任教员。1940年，青海省蒙藏文化促进会所办的蒙藏中学与青海省回教促进会所办的昆仑中学等三校合并，马步芳因洛桑香趣等着力为本民族培养骨干，壮

① 《青海省海西蒙古族藏族哈萨克族自治州概况》（初稿），海西蒙古族藏族哈萨克族自治州概况编辑委员会内部铅印本。

大自己的势力，担心其不甘人下，羽毛丰满后与自己争上下，又因时任省政府秘书长的陈显荣与洛桑香趣同在马步芳新九师司令部任职时有隙（陈为司令部副官长，洛为师部少校科员），陈从中进言，马步芳便令洛桑香趣只在合并后的干部训练团担任班主任，蒙藏中学遂告终结。后洛桑香趣于1943年被派为同德县县长，便与此事隔远。

可以看出马步芳办蒙藏学校的主要目的有二，一是为控制那部分办学经费，二是为了以学生为人质，牵制蒙藏部落（主要是藏族部落）。虽然其口号非常响亮："提高蒙藏文化，发展蒙藏教育，培养蒙藏人才。"其用心却十分卑劣。1939年，马步芳马元海部血腥屠杀了黄南州同仁县当采部落，马担心昂拉诸部藏人不服，遂命令各部落征集400名学生到西宁受训，并指定各头人子弟和勒令千百户嫡亲子弟入蒙藏中学，且不许顶替。故而学生年龄从七八岁到30多岁都有。其意图用他自己的话说就是："我收养小虎，诱制大虎，不动干戈，坐而治之。"在学校学生不准穿藏服，严格以军队形式进行管理。靠这种办法搞教育，怎么能搞好民族地区的教育呢！又如何持久呢！

1949年以后，新型教育才开始植根于藏区，这一点十分重要，确乎有划时代的意义：

一是全国解放后良好而稳定的社会政治环境为藏区教育的发展提供了机遇。这与20世纪初以来兵荒马乱，烽火四起，你去我来，你争我夺，转轮式的政权更迭，民不聊生的状态，确有根本不同；经济的发展，人民群众的生活得到改善也是其中很重要的原因之一，经济条件好了，广大农村牧区的劳动人民子弟才有机会去接受教育，向往学习文化知识。教育才成为面向人民的教育。

二是人民翻身解放，实现了政教分离，宗教一统教育领域的局面被打破。这一点同样十分重要，尤其是西藏社会农奴和奴隶的翻身解放，使他们有了人身自由，改变了所处的地位，也有了享受教育的资格。否则，农奴尤其是奴隶是没有这种学习文化的权利的。随着科学的世界观、民族观、文化观的宣传、建立和科技知识的普及宣传，藏族人民普遍地对新型教育的认识有所转变。宗教不能制约新型教育的发展，政府支持普及科学文化知识，受教育的人也逐步扩大，不再只是进入寺院的僧人、贵族、头人和富商子弟。真心实意地让广大的劳苦群众接受教育，使他们拥有科学文化知识，这是中国共产党与历代封建统治者最为根本的区别。

三是国家从师资、经费上给予支持。教育是一项利益国家、提高民族整体素质的大事业，但同样也是见效比较慢，需要经济支持的大事业，没有良好的经济势力，较大规模地发展新型教育也会困难重重。在解放初期，无论是西藏还是东部藏区，都在培养师资队伍上下了很大气力，许多学有专长的活佛喇嘛被培养成为光荣的人民教师。

1949 年至 1965 年的藏族教育，与以前的教育比较，其特点在于：

1. 寺院教育继续进行，新型教育逐步普及。处于历史的剧变时期，藏族的教育也遇到了与社会变革同样的问题。围绕教育，在藏人面前有两条路可走：一条是继续维持以前的教育模式，即以寺院为主体继续培养僧职人员；一条是在寺院教育之外建立新型教育模式。旧的教育模式，一切现成，路子好走，但是出路不大，它解决得了僧侣的培养问题，却解决不了新型人才尤其是多领域、多规格、具有科学头脑的社会建设人才的培养问题；而新的教育模式，一切都要从头做起，道路艰难，但前景广阔。在中央的领导下，在解放了的广大藏族仁人志士的努力下，藏族教育终于走上了一条色彩斑斓的光明道路，即现代新型教育的道路。教育模式的转变是藏族教育在新中国成立以后的最为根本的转变。

2. 教学对象由原来的僧人为主变为俗人为主。这也是一个重大转变，历来的藏族教育的教学对象都是以僧人为主，而今以俗人为主，这是一个了不起的变化。因为，在教学对象是僧人这一前提下，所培养的人才，主要还是宗教职业者。虽然这些宗教职业者，在政教合一的制度下，照样可以涉足政府权力，管理地方事务，但图求宗教利益仍然是他们的根本目的。新型教育的建立，使学生从服务于宗教变为服务于人民、社会；从以发展宗教为己任变为以提高人民生活水平、发展藏族社会为己任，这同样是重大的转变。

3. 科学的知识、世界观和方法论进入课堂。以往的寺院教育虽然也涉及社会教育和社会知识的各个方面，但由于学校的宗教特性和学生的宗教身份，他们的知识仍然以宗教为中心（或者说以宗教文化为中心），从而也创造了灿烂的宗教文明。因此，今天在谈论藏传佛教文化时，我们绝不能忘记藏传佛教在那个特殊的历史年代为藏族文化的丰富和发展所起到的重大推动作用，为藏民族的共同意志所起的重要凝聚作用。但是，从发展的角度看，宗教文化同样有它的局限性。比如在 20 世纪 50 年代已发展到相当阶段的物理、化学、数学等新兴学科还不能进入到学生的教材中、课堂上、头脑里，在飞速发展的现代社会中，这不能不说是一个巨大缺陷。新型教育的伟大功绩也恰好在这一方面，给学生带来了耳目一新的最新的科学文化知识，带来了科学的世界观和方法论。

时代越进步，藏族社会越往前发展，我们越可以清楚地认识到新中国建立之后推行新型教育对藏族社会带来的巨大的推动作用。假如说当时没有这种教育的转型，仍然因循守旧，今天我们因教育滞后与发达地区、发达民族的差距，将会比现在更大。

当然，任何新生事物的发现、认同和发展都有一个过程，都不是一步到位，一蹴而就的。藏族的新型教育也经历了这样的过程。只是有些地区的发展稍快一些，有些地区的发展稍慢一些罢了。比如在藏区建立自治机关最早的甘肃省天祝藏族自治县，1949 年前，除寺院教育外，民间只有一所私塾、一所完全小学、五所初级小学，学生 203 人，教职员 21 人，且校舍破旧，时办时停。1949 年解放，尤其是 1950 年建县后，各级领导十分重视发展教育，至 1957 年在县府所在地建成一所完全中学，全县小学已发展到 100 所，在校学生达到 8600 多人，同时还办了畜牧兽医、农牧技术、卫生医疗等方面的半工半读的专业学校。至 1965 年，全县中小学已发展到 585 所，在校学生已达到 21000 人，已有 80% 的学龄儿童入学。

在西藏，1950 年昌都解放，1951 年 3 月建立了昌都小学。1952 年 8 月，由西藏军区司令员张国华兼董事长、十四世达赖喇嘛的副经师赤江·洛桑意西任校长，筹建了拉萨小学。至 1953 年，已在日喀则、盐井、察雅、丁青、波密、林芝、塔工、黑河、泽当、江孜、亚东等宗创办了 28 所学校，有了在校生 2000 多人。到 1957 年，全区的小学已发展到 98 所，有在校生 6360 人。小学教育已初具规模，许多在旧西藏吃不饱、穿不暖，放羊放牛的孩子，走进了课堂。

1956 年，西藏自治区筹委会建立了拉萨中学（普通初级中学），招学生 200 多人，由十四世达赖喇嘛任名誉校长。1960 年，该校在初中的基础上增设高中班。西藏从此才有了一所完全中学。

1965 年，经国务院批准，在陕西咸阳西藏公学的基础上建立了西藏民族学院，这是西藏第一所新型的高等学校，开设了藏语、汉语、师范、会计、卫生等系科。到 1966 年上半年，西藏的公办和民办学校已发展到 2035 所，在校学生 7.5 万人，适龄儿童入学率已由民主改革前（1959 年）前的 1% 上升至 30%，取得了可喜的成果。

就连一些平时我们认为是比较偏远的地方，教育的发展也是喜人的。如青海省果洛藏族自治州，20 世纪 40 年代初，国民党中央政府曾派人到那里办学，可是临近解放时只有 33 名小学生。1954 年果洛藏族自治州成立的当年，就办了一所民族小学，成立了州干部学校。1957 年成立了果洛州民族师范学校，小学增至七所；1959 年各类小学已增到 96 所，在校学生 7000 余名；至 1965 年，全州教职员工已发展到 195 名。其发展是很快的。

在教育发展的同时，在整个藏区，电影、体育、歌舞团、新华书店等的发展也十分迅速。

第四节 文 学

1949 年至 1965 年这一阶段藏族文学的主要成就表现在两个方面：一是诗歌创作。涌现出了具有全国影响的饶阶巴桑、伊丹才让等诗人和一批优秀的作品。二是做了许多工作，搜集整理出了一批民间文学作品。同时，这一时期的文学也表现出另外一些缺憾：一是这一时期藏族的小说、戏剧、散文等的创作十分寂寥；二是用藏语文创作的作品太少，未产生文学流派，没形成创作队伍。

一、文人诗歌

（一）饶阶巴桑等藏族诗人的诗歌

饶阶巴桑（1935～　），藏族，出生于云南省迪庆藏族自治州德钦县乎日林地方。解放前曾读过一年私塾，一年高小，三个月师范和中学，上学的时间前后相加还不满三年。解放前夕举家搬至西藏察卡宗（现芒康县）一个叫赤卡炉的村庄。

诗人的父亲靠租种农奴主的土地及兼营小商为生。因而幼年时的饶阶巴桑曾随父亲做买卖，加入马帮，有过商旅生活，得以有机会广泛地接触生活，对他以后的创作产生了深远影响。1951 年，诗人只身西渡澜沧江，翻越雪山，经桑昂宗至察隅，加入中国人民解放军，历任战士、翻译、工作队员、侦察员、文化教员、干事等，随所在部队转战于察隅河、怒江、澜沧江、金沙江等广阔的藏区，耳闻目睹了解放后藏区的民主改革过程和各地方丰富的民间文学。这些沸腾的生活激发了创作热情，1956 年 3 月诗人发表名篇《牧人的幻想》，一举跃上文坛，开始了自己的诗人生涯，成为当年诗坛新秀中“最惹人注目的一个”（臧克家语）。

跟许多当代作家一样，饶阶巴桑也是将歌颂新生活、歌颂共产党和社会主义作为自己作品的主要内容的。如他在《牧人的幻想》中如此写道：

今天他不再羡慕白云，
他也不再对天空幻想，
他骑在马上，策鞭驰骋，

对天空骄傲地唱：

“我的牛羊盖遍了草原，
我的马赛过了飞箭。
白云哟！你为什么
还和过去一样？

“我的草原上，
也有爱泥土的铁牛奔跑，
白云哟！你为什么
还和过去一样？……”

雪山升起了太阳，社会形态变了，人民当家做了主人，“他迎着早晨的太阳，头发变得分外黑亮；他牧放着合作社上万的牛羊，新的生活带给他的是新的幻想。”浓情泼墨，诗人唱出的正是两个不同时代人民的心声。感情质朴而细腻，是诗人贯穿始终的一大特色。

饶阶巴桑是诗人，也是战士。他熟悉草原，熟悉藏族人民的生活，也熟悉部队战士的生活。部队和草原、战士和藏族人民是他的诗描写的主要对象，也是他创作的基础。因而他的诗是边疆和草原的风景画，是战士和藏族人民生活和思想感情的写照。读着他的诗，会使你感到游身于边疆奇峰、泉流百折的水光山色之中，与战士一起登险顾远、密侦暗探；读着他的诗，会使你感到驱马于绿毯般的草原，听到悠扬的牧笛，见到如云的羊群，朴厚、勤劳的草原的主人，和你一起喝酥油茶、青稞酒，烤羊粪火，唱酒曲、“拉伊”（山歌），跳弦子舞。他善于细腻地体察生活，捕捉形象，摄取细节，且借助这些形象、细节创造出完美特殊的意境：

一队伏击兵避开大路，
在半空中选择了一串岩洞。

大鹰回巢见了他们，
只当是几团才飞来的凝云。

因为它飞遍天下选窝巢，
这里才是最高最平静，

除了云和月光，
绝不会有别的登临。

它栖歇在士兵身上，
一再洗刷自己的羽翎，
只等那密云一散，
就向遥远的村庄启程。

诗中对伏击兵伪装之巧妙避而不谈，却用“凝云”来形容战士的隐蔽。蓝天中一只悠然归来的鹰，瞧着几团凝云发疑：我的窝巢旁“除了云和月光”“绝不会有别的登临”，那是什么呢？是云，是云。这样既鲜明地托出了高峻峋嶙的山峰，又融进了战士的崇高形象，那不是凝云，而是战士，凝云怎么会那样洁亮，幽静？那不是战士，而是凝云，战士怎么会登得上只有“云和月光”登临的险峰？大鹰“栖歇在士兵身上，一再洗刷自己的羽翎”，这是个十分传神的细节，有意趣，有情态，全诗经它点缀，如土骤然成金生华，如龙骤然通性飞腾。此时，士兵、凝云、大鹰已融为一体，使个体的形象完全归于一个集中的精神上，给人以雄俊，柔谧，有盎然生机，具仙界风采的艺术境地。

想象巧妙，新颖奇特，构思精致，是诗的又一特点：

道路像丝线一样，
把我的脚印串成闪光的项珠，
一串串悬挂在山尖，
一串串遗忘在深谷。

前两句从实以道路比丝线，以脚印比项珠；后两句“一串串悬挂在山尖，一串串遗忘在山谷”，避实藉虚，开拓新意，言尽意无穷。诗人说：“诗，应该把有限的翅膀刺向无限的空间，延伸——收缩，收缩——延伸。”他是精于这个翅膀的收缩、延伸的动作的。

诗人的写作过程大体可以分为四个阶段。1956 年～1959 年可称为接触、借鉴、摸索、探讨阶段；1960 年～1965 年可称为成熟丰收阶段；1967 年～1976 年基本上无甚作品；1977 年至今为重操旧业，思考创新阶段。第一阶段初期是诗人以强烈的对生活、对祖国的爱，以民歌的表达方式去思索、构思探步的阶段，思想没有任何条条框框，创作了以《牧人的幻想》

为代表的一系列诗作。第一阶段后期，诗人接触了一些外国文学和中国古典文学。外国文学对诗人的影响较深，他喜欢普希金、泰戈尔、拜伦、歌德、雪莱、裴多菲的诗，有些诗句也有不自觉的模仿。中国古典诗歌由于当时文字上的障碍，影响甚少，但李白的浪漫主义诗风和气魄曾激励感奋过他的心。这一时期是他创作的一个重要阶段，不但稳固了已形成的风格，而且开阔了视野，夯实了知识基础，加强了理论修养。第二阶段是诗人的收获阶段，发表了一些有分量，代表他的诗歌成就的好诗。如《山林江雨》、《步步向太阳》、《太阳》、《二月江水向远方》、《采茶献给毛主席》、《雪山之歌》、《轻骑蹄花》、《爱的花瓣》、《鹰翎集》、《纳西人的心愿》、《山之子》等。除空白的第三阶段外，第四阶段诗人在迈着崭新的步履，文笔不失前期粗犷洪亮，委婉有致，隽永不露之风，且更加遒劲有力、刚健雄宏、深邃旷远、持重犀利，作有《失踪的山》、《光明恋》、《钻石的发现》、《棘叶集》等。自1960年出版《草原集》二十年后诗人出版了《钻石》、《爱的花瓣》等诗集。

（二）擦珠·阿旺洛桑的诗

擦珠·阿旺洛桑（1879～1957），藏族，原名伯玛杰波。5岁时被拉萨色拉寺擦瓦康村的僧侣通过宗教仪式，认定为曾任噶丹赤巴的洛桑格勒的转世灵童。6岁时，被迎去色拉寺举行坐床典礼后，开始学习大乘显教典籍，21岁考得拉让巴格西学位。此后遍游西藏，拜访有名学者，探求密乘典籍和西藏的历史、文学、文法、诗歌、医学、星算等学问。曾任第九世班禅额尔德尼的助理称霞（等于传读）和十三世达赖喇嘛的私人秘书，并协同格西喜饶嘉错校对藏文《大藏经》。由此他的声誉逐渐遍及西藏，拜他为师学习各方面知识特别是文法、诗歌、文学的门徒日益增多。在他的门徒中，有西藏僧侣贵族、普通僧侣，也有回族和汉族学生。西藏和平解放后，诗人怀着满腔热情主动地参加了西藏军区干校（西藏地方干部学校前身）的教材编写和教学工作。西藏军区编审委员会成立后，他担任了常务委员，兼西藏爱国青年联谊会委员、拉萨小学董事。1957年担任了《西藏日报》副总编辑。

擦珠·阿旺洛桑的诗歌格调明朗清澈，有草原之宽阔、雪山之崇高、奶水之香甜、巨火之热烈，有深刻的教育作用和美学价值。他在《爱国青年大团结》中写道：

歌儿一唱再唱，
越唱越悦耳。

舞蹈一跳再跳，
步伐越来越齐。

圈儿一转再转，
团结意志越坚。
拳头一击再击，
帝国主义一定灭亡。

团结堡垒高筑，
巩固祖国国防，
祖国温暖家庭，
祖国民族平等。

诗句清新爽朗，虽是勉励，却没有高傲的姿态；虽是言谈青年，却牢扣自己的身影；虽是讲团结，但不是旧式的意义，而是把它与保卫祖国国防，打击帝国主义，建设社会主义联系在一起。全然不像一个“活佛”所作。当然，诗言志，诗歌的产生与作者的思想感情是密不可分的。他曾以诚挚洋溢的情感歌颂中国的伟大领袖、歌颂新生的社会主义：

太阳从东升，
毛主席，和平的救星，
宪法和协议，幸福的根本，
中国人民过渡到社会主义，
西藏人民回到了祖国的大家庭。

世界的心脏，祖国的中央，
雪山丛中有西藏，
中央人民政府园林内有一株宪法檀香树。

在弥漫着檀香树气氛的协议林荫下，
西藏人民剧烈的痛苦，得到了解除。

这里将宪法比作檀香树，颇有特色。檀香树在藏族人民心目中是圣洁、尊贵的。以檀香树比宪法可说非常契合，是有形象、有情感，既写出了宪法的崇高、光明，也写出了人民的思想感情。

一个爱国的进步的诗人，总是把自己和民族、人民的事业结合起来，他的歌喉是人民的心声：

历史上，藏汉民族的团结，
曾似茂林繁花，
人民珍视这相互团结的友谊，
像皇冠上的明珠。

他也痛恨当年：

但在反动统治的年代里，
帝国主义伸出了毒敌舌，
它咬破了这艳丽的花朵，
并以阴谋挑拨了西藏人。

诗人多么希望有一个团结的民族平等的大家庭，因为，他想着他的人民，他是把自己的心血泼给了自己的民族的。他说："我从困窘的坑道里被解放出来，生活没有困难，安定了，朝夕盼望为西藏人民服务的理想实现了，这使我感到极大的荣幸。"他有多少次激动，多少次欢畅！那是协议的翅膀，那是宪法的歌声，那是对康、青、藏公路通车的热烈拥抱，诗人心里点着一把火：

我们要永远亲密一条心，
像水乳交融，像树干、树叶紧紧地连着根，
爱国主义的思想坚固得像须弥山一样，
要当家做主，赶快建设祖国的新西藏！

诗人无论表达自己对领袖的思念之情，或是讴歌藏族人民的团结友谊、社会主义的新气象，都不是呆滞的。他选择的题材是重大的，但他采用的形式是自由、灵活、富于表现力的。如《欢迎汽车之歌》，诗人以拟人的手法，通过汽车兄弟与自己对话，十分艺术地表达了自己的思想感情，亲切而别致：

汽车兄弟对我说：
兄弟们远道不辞劳苦来，
响应毛主席的号召来，
有了中央的关怀才能到此来，
来为西藏的文化指大道，
来为西藏的经济设筵宴，
来为西藏的前途大放光明焰火，
不久公路还要布满全西藏，
要从铁路上迎接我们的长兄到此间。

作为诗，诗人不但注意选择重大的思想内容，而且是很注重形象的塑造和意境的构制。

另外，诗人写有《金桥玉带》等名篇，可惜，他为新生活只歌唱了七年就不幸逝世了。

（三）丹真贡布的诗

丹真贡布（1934～1997 年），藏族，曾任甘肃省文联主席，甘肃省甘南藏族自治州人大副主任。

丹真贡布出生于甘肃省甘南藏族自治州夏河县一个“差巴”家中，曾就读于初级师范学校，1949 年入第一野战军政治部藏民学校，1951 年起在西北民族学院担任教学工作。旋即进行藏族民间文学的翻译、整理，并从事诗歌创作，是新中国成立后藏民族的第一代诗人。

丹真贡布的诗作稳健而幽默，老练而开朗，博大雄浑，深刻犀利，有诗人独特的风格。《奇怪的法律》是首讽刺国王禁屁立律的叙事诗，写得意趣横生，十分别致。刻画了一个残暴而愚蠢的国王：

像所有封建时代的国王一样，
那里的国王非常残暴荒唐，
他经常剖开活人的胸膛，
取出心肝来下酒玩赏。

制定莫名其妙的法律，
是他的另一个嗜好，
违犯了每条都是死罪，
被无辜杀了的人可真不少。

诗人接着写王妃因乐师放了个屁，便昏了过去。国王闻报，立律禁屁，一禁三年，将一个无辜的猎人抓来，要“剖开肚子拉出他的五脏”，那原因只是听太医报告：“今早我到一个猎人家中去，闻到一股不同寻常的气味，我敢判定那不是别的，一定是猎人自个儿放了个屁。”聪明的猎人出奇制胜。他用下颚指着自己的珍珠项圈说：

这是我家祖传的宝贝，
种在土里会立刻发芽成长，
结出来的果实，
吃了的人就万寿无疆……

哪一个统治者不希望自己长寿？国王自然不例外，可是猎人说要能种活珍珠，必须得三年没放过屁的人，否则是不会活的。

猎人说罢走到国王面前，
请国王摘下项圈。
国王哪敢动它，
慌忙间说出他也放过屁。

猎人挺起胸膛，
眼中射出胜利的光芒，
挨着个儿问遍每一个大臣，
没有谁来帮助。

从这以后那国王的屁法，
一下被揭了底，
正好像一股臭屁，
“嘟”的一声无影无踪。

诗中热情歌颂了劳动者，深刻地讽刺了统治阶级将自己一点儿做不到的事，硬要老百姓全部做到，草菅人命，虚伪荒唐而又无知，凶恶的嘴脸，使我们读之喷饭，思之愤懑，有很好的艺术效果。

丹真贡布的叙事诗歌较有影响的是根据民间故事创作的《拉伊勒和隆

木措》。全诗叙述的是一对青年夫妇追求婚姻幸福而与邪恶势力斗争的故事。

由于对藏、汉文均有较深的功底，丹真贡布的抒情诗也有较高的成就，像《同志墓前》、《春愿》、《亚热带的字母树》、《海的印象》等都是为许多行家称道的篇什。诗人性格内向、沉静思深，情感细腻而胸襟宏大：

我幻求一柄奇妙的长剑，
切给我一个海的纵断面，
那时，朋友啊，
你我会看见：
浪的生命，
涛的力量，
全来自大海那深沉无底的胸膛。

“文革”时期，诗人和许多同行一样，被迫停止歌喉。粉碎“四人帮”以后，诗人重操旧业，陆续发表新作。如《阿里琴》、《护卫我吧》等都写得很有情趣。1987 年出版了诗集《羚之街》。

（四）伊丹才让的诗

伊丹才让（1933 ~ ），藏族，出生于青海省海东地区一个藏族小山村里。1948 年春因躲兵役去互助县白马寺，当年入昆仑中学。青海省解放后，参加青海省青年干部训练班。1952 年保送到西安西北艺术学院少数民族艺术系学习舞蹈、音乐，并开始文学创作。1954 年调西北民族学院歌舞团，同年被选为甘肃省文联委员，长期从事表演艺术和诗歌创作。诗集有《婚礼歌》、《雪山集》等。

伊丹才让是位浓情泻瀑布，畅怀吐胸臆的诗人。诗风豪放颇有些李白风韵。

由于诗人出身贫寒，多历艰难，他的作品中饱含着对祖国、对党、对人民的爱。如《党啊，我的阿妈》等，把满腔滚热的爱全部喷泻出来了，时而千里江河，波涛叠叠；时而万里野火，烈焰灼灼；时而霹雳闪电，有倒海翻江之勇威；时而险岭峻峰，有超离天地之崇高。泪水纵横，足见爱情之真诚，愤怒窜胸，方显恨思之深远。坦坦然然一腔肺腑言，浩浩荡荡一纸诚挚语。诗人在《致海洋》中这样写道：

我告别了威严的雪山，
来到这喧嚣的海岸。
啊，壮阔的海洋呵，
你像雪山一样威严。

这里诗人没有做作，没有伪饰，开口便谈自己的感受，且紧紧依托自己所经常见到的自然景物。他不取别的什么东西作为喻体，而以雪山，说海洋“像雪山一样威严”是有地区和民族特点的：

我的歌声飞旋在海上，
海洋变成广阔的牧场；
那海上滚滚的波涛，
就像是蹦跳撒欢的牛羊。

噢，我的心境变得海洋一样宽广，
心头欢乐的歌儿就像海水一样；
谁能说远离了家乡，
那渔帆、岛屿不就是家乡的圈窝、篷帐？

先合后分，不仅仅是概括提炼后的一点印象和感受，而是一种深切的情感。这种联想也是十分自然的。看见滚滚的波涛，就想起了撒欢的牛羊，牛羊是活物，而水是死物，以蹦跳撒欢的牛羊来比喻滚滚的波涛，既贴切、形象，又给人以柔和优美的运动感，又以“圈窝、篷帐”比喻“渔帆、岛屿”，倍加亲切之感。至此，诗人将遥远的高原，和海洋紧紧连在一起，写的是海，却使我们看到草原。诗人的感情也奔腾起来，进入那旖旎的意境里，节奏也骤然急促，连用六个“喧响”，进一步叙述这种感情，由对祖国的歌颂，诗人笔锋一转，想到了过去：

爷爷干瘦的面孔又显在我的眼前，
讨饭的皮袋，引路的桦棍；
枯枝样的赤脚踏着冰川，
野兽的黑嘴吞掉了他苦难的生命。

这一转换用得极好，可谓引弓之举，虽是绳箭后退，却射出了更远的距离。“不，这不是昨天，静一静吧，海涛；哦，透过你的回音，我听见了……”继而诗人连用15个“我听见了”将心中的爱与恨、情与火，全部倾泻出来。诗句达到情感的高潮，自然落翅于这样的结论：

哦，海洋，透过你怒涛的轰响，
我看见了人类的希望，
苦难就要尽了，
世界将被人民战斗的火光照亮。

末段与前首两段照应，结构自然谐和。但由于直抒胸臆，往往因过“直”而脱离那种优美的意境，用感情的流势决定了一切。

伊丹才让的诗不仅以感情取胜，而且也以实为宗。感情和“实”是分不开的。“实”无感情，则无所言；感情无实，则无所托。他的诗之所以有动人之处，就是因为他把诗人丰富的感情和实实在在的生活结合起来。诗人的性格是欢乐风趣而激越的，也是多思的。他熟悉本民族的多种艺术形式和民间文学遗产，尤其对自己的家乡和民族有诚挚的爱。

这一时期的藏族诗人中，昂旺·斯丹珍（1929～　）也是比较突出的一个。诗人出生于四川省阿坝藏族羌族自治州理县，解放前曾参加党的外围组织，解放后曾任小学教员、校长，并开始搜集整理民族民间文学。1956年发表处女作，曾与段斌合写过中篇儿童小说《林中篝火》。其主要诗作发表于1958、1959两年。作者富于想象，手法多变，善于将抽象的事物形象化，意境清新，热情地歌颂了人民的领袖和新生活的喜悦。

在《指南针》一诗里，诗人热情地歌颂了马列主义。诗人先借指南针的形象，写出“在滔天的海浪里，漫天腾腾的云雾里，绿意茫茫的草原里，阴森连天的原始森林里”它仍指着南方，而后歌唱道：

啊，你，不平凡的针，
是生活的烈火炼成的针，
伟大的马克思安装的针，
伟大的列宁磨亮了的针，
永远永远地指向南方，
我沿着你指着的方向，
永远永远地前进、前进！

全诗表达了诗人对革命事业的满怀热情和终生革命的决心。这一时期的主要作品还有《悲歌》、《黎明的献礼》、《平凡的志愿》、《红军颂》、《花和歌》、《斩断了的手铐和脚镣》、《到草地来吧!》等。可惜我们的诗人自写了《拉萨河上的泡沫》之后，却一下“失踪”了，诗坛上再见不到他的名字。诗人是被诬陷而受累的，此时还不到“文革”。自“文革”开始，又经历了许多风风雨雨，直到1980年才见到他的诗作，此时他已经是年过半百了。

二、民间文学及其搜集整理

文学是民族的文学，也是时代的文学。有什么样的民族就有什么样的文学；有什么样的时代就有什么样的文学。随着社会主义制度在藏区的建立，藏族地区产生了一系列新的民间文学，新民歌、新故事、新谚语、新唱词层出不穷，在这些民间文学形式中最为丰富最有价值的是藏族新民歌。

如上文所述，此有一深刻背景，即在封建制度和封建农奴制度下，生活在水深火热之中的广大藏族劳苦大众和百万农奴，随着全国的解放，尤其是民主改革运动，获得了新生。作为生活的真切反映，藏族新民歌中记录了这一内容。以三类作品见多：

其一，歌颂共产党、毛主席和人民解放军。如《金字写成的颂歌》中如此唱道：

用银子包鞘的藏刀，
给金珠玛米（解放军）佩上，
是他们驱走了草原的虎狼。

用檀香雕成的格桑花，
给共产党献上，
是党为我们医治了草原的创伤。

用金字写成的颂歌，
向着北京高唱，
是毛主席指引我们走在幸福的路上。

其二，歌颂幸福的新生活。如有一首叫《变》的歌，如此唱道：

苦年月曾幻想河里的泥沙，
都变成糌粑面能够充饥；
不是草原上不长青稞麦，
只因为种麦人是受苦的奴隶。

苦年月曾幻想天上雨水，
都变成鲜奶注入碗里；
不是奶牛不愿献出奶子，
只因为挤奶人是受苦的奴隶。

今天咱社里丰收的麦堆，
高过了终年积雪的大山；
不是土地有了什么两样，
是因为奴隶制已被彻底推翻。

其三，是歌颂民族团结。如《藏人汉人团结在一块》这首歌唱道：

藏人汉人团结在一块，
我们的心永远不分开；
就像哈达的经纬线，
紧紧密密地织起来。

民间文学是人民的文学，而人民的主体就是那些昔日吃不饱穿不暖的劳苦大众。翻身、解放、做主人，使他们的社会政治地位和经济地位一夜之间发生了根本的改变，他们从心眼里感谢人民领袖、感谢解放军，歌颂人民领袖，歌颂解放军，歌颂汉藏民族间的兄弟友谊。因为在 20 世纪 50 年代，以解放军为主体的汉族干部用铁的纪律，全心全意为人民服务的高尚精神，曾感动了无数的藏人。人民唱的说的都是他感受最深的，最需要表达的。

50 年代以来在民族民间文学的搜集整理方面，党和国家花费了巨大的人力、物力、财力。中国的民间文学的搜集整理工作主要有三部分力量构成，一是专门的民间文艺工作者。此不同于其他国家，在中国中央一级有统一的全国文艺家联合会（简称文联），下设民间文艺家协会；各省区都设有文联，同样下设民间文艺家协会，有些甚至在州、县都设有类似组织。民间文艺家协会的工作任务之一就是研究和搜集民族民间文学。二是在高校从事民族民间文学教学、研究的教员。这部分人为了教学和研究需要，经常组织学生到民族地区进行民间文学的搜集整理工作。三是在各级社会科学院系统进行社会科学研究或者专门进行民族民间文学研究的科研人员。从实际情况出发，党政部门和理论工作者，对民族民间文学有一"抢救"的紧迫感，因而在指导思想上一直是向这一领域倾斜的。

藏族地区蕴藏着十分丰富的民间文学。历史以来对这部分民间文学的整理是十分薄弱的。除了《格萨尔王传》有一些手抄本、木刻本以外，对于民间文学的整理很少。在这一点上，传统观念（主要是宗教观念）的影响是巨大的，寺院文化对于一些世俗文化尤其是那些非佛教的文化是排斥的，甚至到了20世纪80年代，在这种思想的影响下，有的出自寺院的学者仍然不承认诸如《格萨尔王传》、民间故事、甚至当代小说是文学。当然，这不是这些学者对这一领域的陌生，也不是他们有意贬低，只不过他们是依照传统的观念来解释、说明这一问题罢了。可见问题之严重。在传统的观念里，除了用"年阿"体写的有关佛理的诗文以外，别的是不算文学的。

民间文学的搜集整理工作主要有以下几个方面。

1. 民歌的搜集整理。主要有中央民族歌舞团创作研究室编的《金沙江藏族民歌选》；苏岚编的《藏族民歌》（一），蒋亚雄编的《藏族民族》（二），庄晶编译、开斗山整理的《藏族民歌》（三）；王沂暖编的《玉树藏族民歌选》；陈之光等搜集整理的《四川藏族民歌选》；周良沛整理的《藏族情歌》；乐安等收集的《从黑夜唱到天明——四川藏族民歌选》；芦笛辑译的《哈达献给毛主席——四川民歌选》、开斗山编译整理的《西藏新生曲》；李刚夫整理的《密色协惹——拉萨河谷藏族民歌集》；扎西泽仁等搜集整理的《藏族民歌集》；青海省委民族民歌收集整理办公室编的《青海藏族民歌》等。这些民歌集都出版于50年代。同时在这一时期的包括《诗刊》、《人民日报》这样的国家级报刊也发表了不少以各种形式搜集整理的藏族民歌。可以说50年代是藏族民歌搜集整理的黄金阶段，这一盛况也延伸到60年代上半叶。

2. 民间故事传说的搜集整理。藏族的民间故事同样是十分丰富的。1949年以后进行了较大规模的搜集整理，也取得了很大成绩。20世纪50年代至60年代上半叶搜集的作品有萧崇素整理的《青蛙骑手》、《山兔的故事》、《藏族寓言故事》、《奴隶与龙女》、《葫豆雀与凤凰蛋》；王尧整理的《藏族民间故事》、《文成公主》、《说不完的故事》；中央民族歌舞团创作研究室编的《泽玛姬》；西南师范学院中文系康定采风队编的《康定藏族民间故事集》；赵燕翼编的《顿珠和卓玛》；开斗山编译的《阿古登巴的故事》；陈家琎编著的《老鼠金巴》等。

3. 其他形式民间文艺作品的搜集整理。这一时期还收集了一些品种较为稀少的形式，如婚礼祝词、藏语相声、斋嘎等。民间谚语、歌谣、格言的收集，也卓有成效。

第五节 学术研究

中华人民共和国建立以后，许多在1949年以前从事藏学研究和教学的学者仍然发挥着巨大的作用。从人员组成上，这部分学者队伍主要有如下三部分人：一是在寺院学有所成的高僧大德，后来随着新的时代的来临，进入高等学校和一些翻译研究机构。比如除了下面将要介绍到的著名学者外，尚有夏日冬活佛、桑热嘉措、钦饶威色、赛仓活佛、朵识活佛、土登尼玛等等。二是在解放前就从事各类学科研究和教学的人员。三是长期受党培养做民族、统战工作的高级领导干部。由于极“左”思想的干扰、影响和“泛阶级斗争主义”的挤压，其中相当一部分人因为家庭出身、受过旧的教育或从事过宗教职业等因，没能在政治上受到应有重视，但他们在学术上的成就是十分显著的。

当然，值得指出的一点是，这时候的学术研究受到“左”倾思想的影响颇重，在不少领域，诸如宗教、历史等领域尚有许多禁区，其研究课题的取舍也过多地受到了“左”的干扰。比如对于宗教教义、宗教文化，过多地进行了无情的批判，却忽略了它的社会价值、文化价值、思想价值和历史研究价值；对于藏族历史，重视了祖国和西藏的政治关系，却忽视了历史的整体性和学科特点，写成了汉藏关系史等。但从整体看，建国初期到“文革”前，藏学领域的研究成果同样是喜人的。

一、语言文字研究

1949年后的语言文字研究，对当时的学术研究有着巨大影响，为以后的学术研究留下了宝贵的财富。语言文字研究的这种状态，是那一时代的特别需要。因为在全国解放后，成立了中央民族学院、西北民族学院、西南民族学院、青海民族学院、西藏民族学院等，这些院校都设有藏语文专业。设置藏语文专业的主要目的是为了培养当时以干部为主的建党建政需要的各级各类人才。因为解放初期的藏区与现在相比，由于相对封闭，双语人才奇缺，藏族青年需要学习汉语，汉族在藏区工作的各类干部需要学习藏语。针对这种情况，要进行教学活动，就需要解决文字、词汇、语法、修辞、翻译等基本问题。需求牵动生产，需求牵动市场，如此党和国家从各个方面挖掘人才，提供良好的条件和较好的待遇，使之进入工作岗位，为国家培养大量人才，训练队伍，如此也造就了一批专家学者。他们的业绩是值得我们怀念的：

才旦夏茸（1910～1985 年），青海省循化县人，藏族。3 岁时被认定为第五世才旦夏茸活佛的转世灵童。是精通佛学的高僧。曾与桑热嘉措一起整理《格萨尔王传》，在青海民族学院、西北民族学院进行教学工作。其语言类著作主要有《藏文文法》、《藏文词典》、《诗学通论》、《藏语语法简论》、《藏传佛教各宗派名称辨析》等。其《藏文词典》享有广泛影响。此外他还著有《藏族历史年表》、《夏琼寺志》、《丹斗寺志》、《宗喀巴传》、《书信格式》、《菩提道次第广论要义集》、《密宗注疏》等。

于道泉（1901～1992 年），山东省临淄县人，汉族。硕学之士，精通世界语，懂梵文、英文、藏文、蒙古文、法文、德文等。曾在法国、英国等国留学、工作。1949 年回国后，在北京大学东语系任教，1952 年院校调整时到中央民族学院民族语文系任教，主持藏语文专业的教学工作，培养了不少学生。尤其是中央民族学院藏语文专业的第一批学生，诸如胡坦、王尧、佟锦华等都是藏学界知名的学者。主要成果有主编的《藏汉对照拉萨口语词典》、《第六代达赖喇嘛仓央嘉措情歌》的英译等。著者于 1978 年春入中央民族学院学习时，常有求教，其学识渊博，令人佩服崇仰。只可惜他兴趣广泛，有学识而不作高文，有思想而不著宏论，所留甚少。

张克强（1917～1989 年），河北省武清县人，汉族。著者初识克强先生是在大学学习阶段，时张讲授《说文解字》，我选修此课，为一学年，刚开讲时，学生满座，时间过半，来听课者所剩无几，可是即便是三五人，张一进教室，便旁若无人地开讲，认真之至。他在藏学方面的主要成果是与法尊法师一起翻译的藏文《格西曲札藏文字典》、《布敦教法史经录义例》等。

张怡荪（1893～1983 年），四川省蓬安县人，汉族。曾任山东大学中国文学系、四川大学中文系教授。其主要成就是主编的《藏汉大辞典》，历一生之功。这部词典是国内外藏学研究工作者的案头必备书，1978 年获“吴玉章奖金”语言文学一等奖、1993 年获国家图书奖提名奖。

二、文学研究

王沂暖（1907～1997年），吉林省九台县人，汉族。长期在兰州大学、西北民族学院任教。其藏学方面的主要成果为：1. 主编《藏汉佛学辞典》、《藏族文学史略》；2. 译著有《印度佛教史》、《西藏王统世系明鉴》、《米拉日巴传》、《仓央嘉措情歌》等，并长年进行藏族长篇说唱体英雄史诗《格萨尔王传》的翻译、研究工作，译有《降伏妖魔》、《世界公桑》、《卡切玉宗》等十数部，为史诗的翻译、介绍做了许多有益的工作。

多吉杰布（1913～1992年），西藏自治区昂仁县人，藏族。1954年调北京，长期在民族出版社担任编辑工作。其主要著作有《益希拉姆和铁匠多吉》、《藏文文法知识》、《诗学明灯》、《多吉杰布文集》等。凭依渊博的藏学功底，他的主要成就在于审订和编辑了许多珍贵的藏文图书。比如编辑出版的有《贤者喜宴》、《西藏苯教源流》、《知识总汇》、《古印度因明学选编》等，审订的有《毛泽东选集》藏文版四卷、《达赖喇嘛传》等。

毛尔盖·桑木旦（1913～1993年），四川省松潘县人，藏族。出家后，曾在毛尔盖寺、拉卜楞寺学经，获格西学位。曾参与审订《中国人民政治协商会议共同纲领》、《中央人民政府和西藏地方政府关于和平解放西藏办法的协议》等重要文件。主要著作有《藏文文法概论》、《诗学明析》、《妙音声明学注解》、《梵藏对照词典》、《格萨尔其人》、三万言的《藏族文化发展略史》等。他在诗学和藏语语法方面的著作在藏区较有影响。为中国藏学研究中心副总干事。

东嘎·洛桑赤列（1927～1997年），西藏自治区林芝县人，藏族。为第八世东嘎活佛。1947年获拉然巴格西学位。1959年后在中央民族学院任教，1986年晋升为教授。获“国家级有突出贡献的优秀专家”称号，后在西藏大学任教。第六至八届全国政协委员，中国藏学研究中心副总干事。主要著作有《诗学明鉴》、《西藏目录学》、《汉藏历史辞典》、《西藏各教派斗争史》、《论西藏政教合一制度》等，其诗学著作和《论西藏政教合一制度》影响十分广泛，后者在国内有多种汉译本面世，并已被译为英文。同时校订注释有《红史》、《贤者喜宴》、《颇罗鼐传》等。东嘎·洛桑赤列是国内外卓有影响的藏学家。

三、社会历史研究

从整体看，建国以后的社会历史研究是党和国家扶植关怀最多，科研人员用力最多，成果也最为丰富的一个领域。其主要收获是起于20世纪

50年代的藏族社会历史调查。其调查成果先前在内部铅印，后于20世纪80年代陆续出版，即为《藏族社会历史调查》（1~5）、《四川省阿坝藏族社会历史调查》、《四川省甘孜州藏族社会历史调查》、《青海省藏族蒙古族社会历史调查》、《西藏文史资料选辑》（藏汉文）等，收集了大量的资料。在史料的翻译（包括对国外研究成果的翻译）整理方面也有了很大进步，出现了一些优秀的著作和优秀的专家学者。

牙含章（1916~1989年），甘肃省和政县人，汉族。曾在甘肃省拉卜楞保安司令黄正清手下工作，并学习藏文。1938年进入陕北公学。曾任延安民族学院研究室副主任兼藏民班班主任、中共西藏工委秘书长、内蒙古大学副校长、中国社会科学院民族研究所所长等职。藏学方面的主要著作有《达赖喇嘛传》（三联书店1963年版）、《班禅额尔德尼传》（西藏人民出版社1987年版）两本著作，有藏、英文译本，对研究达赖、班禅及现实政治问题起到了重要作用。

任乃强（1894~1989年），四川省南充县人，汉族。20世纪30年代开始对四川藏区进行考察和研究。1950年后曾在西南民族学院、四川省社会科学院工作，任教授。主要著作有《康藏史地大纲》、《西康图经》、《西康札记》、《川边历史资料选编》、《川康藏农业区划意见》、《青藏高原采金刍议》、《羌族源流考》等。

刘立千（1910~　），四川省德阳县人，汉族。20世纪30年代进入四川藏区学习藏文。其主要成就在于藏文典籍的汉译。译著有《西藏政教史鉴》、《续藏史鉴》、《土观宗教源流》、《米拉日巴传》、《格萨尔王传》的《天界篇》、《卫藏道场对迹志》等。其译文信实，为众人称道。

吴丰培（1909~1996年），江苏省吴江县人，汉族。30年代时曾被北平研究院史学研究会聘为编辑，研究明史与家藏蒙藏档案。中央民族学院成立后先后到该院研究部、图书馆工作，为研究员。吴丰培一生，功在文献资料的整理，诚可谓著作等身，涉及藏学者亦不下几十种：《清代西藏史料》、《清季筹藏奏牍》、《廓尔喀纪略补辑》、《联豫驻藏奏稿》、《联豫青海奏稿》、《民元藏事电稿》、《藏乱始末见闻记》、《宗教源流考·番僧源流考》、《赵尔丰川边奏牍》、《清代藏事辑要续编》、《川藏游踪汇编》、《平定金川方略》、《平定两金川方略》、《巴勒布纪略》、《西域同文志》、《丝绸之路资料汇抄》、《桂祥科布多奏稿》、《钦定理藩部则例》、《有泰驻藏日记》、《清末蒙古史地资料汇萃》、《明代宫廷杂录汇编》、《抚远大将军允禵奏稿》等，主要著作及论文有《明驭倭录校补》、《记班禅达赖失和事》、《清代驻藏大臣传略》、《清代驻藏大臣制度的建立与沿革》等。

柳陞祺（1909～ ），浙江省杭州市人，汉族。1944年进入西藏，任国民政府蒙藏委员会驻藏办事处英文秘书。后在印度国际大学进行藏学研究，1952年回国后任中央民族学院研究部讲师，也进行藏学研究。1980年晋升为研究员。主要著作有《西藏和西藏人》（Tibet and Tibetans 合著，英文，美国斯坦福大学1953年版）、《藏族简史》（合著）等。

恰白·次旦平措（1922～ ），西藏自治区拉孜县人，藏族。曾在西藏地方政府担任宗本等职。西藏和平解放后，曾任拉萨小学教导主任、副校长，日喀则专区文教科长等职。曾有多种诗文发表。主要成果是百万言的著作《西藏简明通史》，出版后被广泛引用。

四、宗教研究

法尊法师（1902～1980年），河北省深县人，汉族。幼时出家于五台山，1931年入拉萨哲蚌寺学习，精通藏文佛典，曾获得拉然巴格西学位。主要著作有《西藏民族政教史》、《现代西藏》、《我去过的西藏》等，译著有《阿底峡尊者传》、《宗喀巴大师传》、《菩提道次第广论》，以及与张克强一同翻译的《格西曲札藏文字典》等，为藏学界提供了丰富的文献资料。

王森（1912～1991年），河北省安新县人，汉族。曾在北京大学、中央民族学院任教。1958年后一直在中国社会科学院民族研究所从事研究工作，为研究员。其主要佛学著作为《西藏佛教发展史略》（1987年出版，此前以《关于西藏佛教史的十篇资料》面世），在中国藏学界具有广泛的影响，尚著有《宗喀巴传论》、《宗喀巴年谱》等文。

五、其他

藏学其他领域的研究，主要在于天文历算、音乐、舞蹈、医学等学科。其中音乐舞蹈的搜集整理工作在20世纪50年代就已经开始，也取得了丰硕的成果。但其留存的文字材料并不多见，如音乐有毛继增收集的《西藏的民间歌舞——堆谢》、《西藏的宫廷乐舞——囊玛》等。而在舞蹈方面的材料更为鲜见。

强巴赤列（1929～ ），西藏自治区拉萨市人，藏族。早年在哲蚌寺学经，后入“曼仔康”（藏医历算学院）学习，师承当时的著名医学大师钦饶诺布。西藏和平解放后主要在教育、医学部门工作，曾任西藏自治区藏医院院长、卫生厅副厅长等职，国家有突出贡献的专家、第四届中国科协副主席。主要著作有《藏医历史人物传》、《临床学入门》、《四部医典后续部形象论》、《中国医学百科全书》之《西藏卷》等，并写有多种医学教材。在藏医学领域取得了卓越成就。

黄明信（1917～　），北京市人。20世纪30年代毕业于清华大学历史系。后入甘肃省拉卜楞寺学经，获热降巴学位。建国后长期在民族出版社、北京图书馆工作。主要著作有《藏历原理研究——藏族时宪历渊源述略》、《藏历漫谈》、《中国佛教史》之《藏传佛教》部分等，在藏历方面有独到的研究。

第二章　社会主义藏族新文化的挫折

（1966～1976年）

第一节　“文革”在藏区

一、如何理解、评价藏区的“文革”

“文化大革命”已经过去20多年了，如何理解、评价这一时期的藏族文化，并不是一件易事。在这里我要借用两篇文章中的观点。我以为这两篇文章的观点是较为中肯的，是具有代表性的。一是《西藏工作座谈会纪要》（1984年3月28日，即第二次《西藏工作会议纪要》，以有别于1980年4月7日形成的第一次《西藏工作座谈会纪要》），一是李维汉同志的《西藏民族解放的道路——纪念〈关于和平解放西藏办法的协议〉签订三十周年》（1981年5月23日）。我以为从国家这一角度，从思想认识和方法看，建国50年来在民族工作和民族文化建设等方面的失误主要表现在两个对立统一矛盾的处理上，一是一般性和特殊性关系的处理，或者说是全国这一一般性和民族地区这一特殊性问题的处理；一是主要矛盾与次要矛盾的认识、处理，此分两个层次，一是在国家全局上的主要矛盾和次要矛盾，一是民族这一领域的主要矛盾和次要矛盾的处理。凡是这两个矛盾解决得好的时期往往是此二者的关系处理得比较好的时期。

（一）一般性与特殊性问题

在第二次《西藏工作座谈会纪要》中，从认识的特殊性和一般性的角度谈到了这两个问题：

在对西藏的认识上，有两种错误的思想。一种是只看到西藏的特殊性，不承认西藏同全国其他各地有共同性，甚至非常错误地认为西藏可以“独立”。有这种认识的人为数不多，但却不可低估它的影响和危害。必须懂得，我国的辽阔疆域是长期历史形成的，我国的悠久历史和灿烂文化是各民族共同创造的。中国各民族只有在中国共产党

> 的领导下，团结友爱，互相依存，共同走社会主义的道路，才有无限光明美好的前途。任何搞分裂的思想行为，都是违反全国各民族、包括藏族在内的根本利益的，是要遭到各族人民坚决反对的。另一种是只看到西藏同全国各地的共同性，忽视甚至否认西藏的特殊性。必须看到：西藏在我国是一个具有很大特殊性的地方，它不仅同内地各省的情况有很大的差异，而且同内蒙、新疆等民族自治区相比也有很多的不同。

我以为这个判定是符合客观事实的，是十分中肯的。客观就客观在它看到了问题的两个侧面，中肯就中肯在它对两个侧面的问题都有深入的公正的评价和对待。从辩证的认识法则来提高对西藏问题的把握十分重要，没有这样一个认识，就很难从特殊性和一般性的关系来理解、认识这一问题，从而解决处理好这一问题。对于面对全局工作的领导同志是这样，对于处理具体的、局部工作的领导也是这样；对于党内是这样，对于党外也是这样；对于高级领导干部是这样，对于一般干部和普通群众也是这样。《纪要》进一步说明了西藏特殊性的四个方面：

> 1. 是世界屋脊，高寒缺氧，地广人稀，地处祖国西南边陲，交通不便，基本上长期处于封闭状态。2. 过去长期处于封建农奴社会。政教合一的僧侣、贵族统治达数百年之久。在跃进到社会主义以后，历史上遗留下的痕迹依然很深。3. 基本上是单一民族——藏族聚居的地区。藏族人民勤劳、朴实、智慧、勇敢，在长期的历史发展中形成了独特的民族心理素质、民族情感和风俗习惯。4. 基本上全体藏民都信仰喇嘛教，宗教在群众中有长期的、深刻的影响。

我想这样一种把握是准确的，考虑到了自然、社会、民族、宗教四大重要因素。新中国成立以来在民族问题上出现的许多失误多半是由于没有能够从实际出发，处理好全国这一“一般性”和民族地区这一“特殊性”的问题。

（二）主要矛盾和次要矛盾问题

解放以前的中国革命主要解决的是无产阶级通过革命夺取政权的问题。全国解放以后，在认识、把握和解决社会主义中国主要矛盾方面，我以为主要有五个阶段：第一阶段（1949～1956），以毛泽东同志为首的党的第一代领导核心领导中国人民“完成了”社会主义改造，这一改造的结果是八大确定的我国的主要矛盾为人民对于建立先进的工业国的要求和落后的农业国的现实之间的矛盾，经济发展不能满足人民需求的矛盾。第二阶段（1957~1961），政策转“左”，在取得巨大成就的同时，也走进了一段弯路，50 年代的反右、搞合作社、人民公社、大炼钢铁，脱离中国实际，错误地判断了国情，超越发展阶段，走上了一条“左”的冒进的道路。第三阶段（1962~1965），这是一个短暂的过渡时期，虽然对“左”倾冒进等思想有所纠正，开始恢复生产，但整体上没有改变“左”的路线。第四阶段（1966~1976），继续向“左”滑行，爆发了史无前例的“文化大革命”，仍然以阶级斗争为纲，忽视了发展社会生产力，使国民经济濒临崩溃的边缘。第五阶段（1977 至今），粉碎“四人帮”后，以邓小平同志为核心的第二代领导集体以建设有中国特色社会主义理论为旗帜，改革开放，实事求是，又回到了以经济建设为中心，着力发展社会生产力这一正确的认识上来，抓住了主要矛盾，使中国社会在短短的 20 年中发生了翻天覆地的变化。

这五个阶段，从认识的角度看，大体经历了肯定——否定——再肯定的认识过程，积累了正反两方面的经验教训。第一阶段是经过社会主义改造得出真知，坚持生产力发展标准的阶段；第二、第三、第四个阶段是否定第一个阶段的正确认识，从反面证实了不发展生产力，不发展经济的巨大危害；第五个阶段从正面雄辩地论证了坚持改革开放，坚持实事求是的思想路线，发展经济，发展社会生产力取得的辉煌成就。同时也证明八大提出的中国社会所要解决的主要矛盾的论断是正确的。

马克思主义的思想家们历来重视发展生产力问题。马克思在《共产党宣言》中说，无产阶级在夺取政权后，“要尽可能快地增加生产力的总量。”[①] 马克思、恩格斯还说：“我们首先应当确定一切人类生存的第一个前提也就是一切历史的第一个前提，这个前提就是：人们为了能够创造历史，必须能够生活。但是为了生活，首先需要衣、食、住以及其他东西。因为第一个历史活动就是生产满足这些需要的资料，即生产物质生活本身。”[②] 列宁说：“无产阶级取得国家政权以后，它最主要最根本的需要就是增加产品数量，大大提高社会生产力。”[③] 为什么要“增加生产力的总

① 中共中央马克思恩格斯列宁斯大林著作编译局编：《马克思恩格斯选集》，第一卷，第 293 页。

② 同上，第一卷，第 32 页。

③ 中共中央马克思恩格斯列宁斯大林著作编译局编：《列宁选集》第四卷人民出版社，1995 年，第 623 页。

量”、“增加产品的数量”？主要的目的仍然是解决人民的物质需求，人要吃饭，人要不断地追求高质量的生活，不发展生产力，别无他法。邓小平同志说：“社会主义的第一个任务是要发展社会生产力。”[①] 同时他指出贫困不是社会主义。

历史地看，人类社会从简单到复杂，从低级到高级的发展，主要是由于生产力和生产关系、上层建筑和经济基础这一基本矛盾不断运动的结果。离开了社会生产力的发展，既不可能有科学社会主义，也不可能有人类社会的发展。

当大规模的急风暴雨式的阶级斗争结束后，中国共产党在1956年9月召开的第八次全国代表大会的报告中曾明确指出：“我们国内的主要矛盾，已经是人民对于建立先进的工业国的要求同落后的农业国的现实之间的矛盾，已经是人民对于经济文化迅速发展的需要同当前经济文化不能满足人民需要的状况之间的矛盾。”“党和全国人民当前的主要任务，就是集中精力来解决这个矛盾，把我国尽快地从落后的农业国变成先进的工业国。”这个论断是符合中国当时国情的。这一论断的认识价值在于，在社会主义改造基本完成之后，没有再将阶级斗争作为中国的主要矛盾，而将落后的农业国转变成为先进的工业国、人民对经济文化迅速发展的需求作为主要目标。党的十五大所提出的关于我国新时期的主要矛盾的论断是与此一脉相承的，核心所在仍然是发展经济、发展生产力。自然，这与毛泽东提出的“在社会主义中，基本矛盾仍然是生产关系和生产力之间的矛盾，上层建筑与经济基础之间的矛盾”[②] 的主张，在理论思想上是完全一致的。历史没有假如，假如在40年前中国人民就坚持抓住这一基本矛盾，经过40年的发展，现在的中国或许是另一派风光了。可是在1957年10月召开的党的八届三中全会上，毛泽东同志又否定了这一正确认识，认为“无产阶级与资产阶级的矛盾，社会主义道路与资本主义道路的矛盾，毫无疑问，这是当前我国社会的主要矛盾。”以错误的判断代替了正确的认识，自此一错而不可收。1958年5月召开的党的八大二次会议在认定这一错误认识的前提下，通过了“鼓足干劲、力争上游，多快好省地建设社会主义的总路线”；在斗争手段上采取了大鸣、大放、大辩论、大字报的形式；在经

---

① 中共中央马克思恩格斯列宁斯大林著作编译局编：《邓小平文选》，第三卷，人民出版社，1993年，第227页。

② 中共中央马克思恩格斯列宁斯大林著作编译局编：《毛泽东著作选读》，下册，人民出版社，1986年，第787页。

济工作中采取了急躁冒进的方针，忽视客观实际，搞15年“赶英超美”、“大跃进”，九千万人大炼钢铁，盲目推进，片面发展，天灾人祸，将六亿人民引入了三年困难时期，使党和人民的利益遭受了重大损失。1961年后，中央提出了“调整、巩固、充实、提高”的方针，逐步恢复和发展国民经济。毛泽东同志也感觉到了那种急躁冒进是行不通的，他说：“建设强大的社会主义经济，在中国五十年不行，会要一百年，或者更多的时间。”① 但是由于当时的历史条件所限，“左”的错误认识和判断并没有得到根本的清理和纠正，毛泽东同志已不把发展社会生产力、满足人民物质文化需求这一问题作为社会主义社会的主要矛盾。他在1962年9月召开的八届十中全会上强调阶级斗争问题，并号召全党“千万不要忘记阶级斗争”，在“左”的认识路线上又迈出了一步。至1964年，他甚至错误地估计三分之一的政权掌握在敌人及其同情者手中，扩大了敌情，使党、政府和人民的视点关注于这三分之一，而淡化了生产力的发展。到“文化大革命”，这种认识惯性已发展到了登峰造极的地步——搞“以阶级斗争为纲”、“阶级斗争，一抓就灵”，运动的重点成为“整党内一小撮走资本主义道路的当权派”，因为这些人是睡在我们身边的“赫鲁晓夫”、“定时炸弹”，必须清除。于是十年“文革”，天天喊斗争、搞斗争，使中国人民白白丢掉了十数年发展的黄金机遇，使国民经济濒临崩溃的边缘。一直到1978年党的十一届三中全会以后对于社会主义初级阶段的主要矛盾的认识又重新回到了20年前正确的轨道上——发展经济，发展生产力，满足人民的物质、文化需求。

事物的发展离不开矛盾，但是在解决矛盾的过程中，能不能认识、抓住并解决主要矛盾，是最为关键的一步。许多同志没有将民族地区与国家这一整体的关系搞清楚，在高度集中统一的年代里，国家权力是国家运转的核心，在这个意义上说，国家权力与民族地区存在着主动轮和从动轮的关系，这是绝对的，没有这种绝对性，国家就不可能有效地去管理，也就不可能形成整体。因此，在民族地区的发展进程中的失误或成绩多数与国家整体有关系。就民族地区而言，国家在这里所起的作用不是外因而是内因，不是客体而是主体，且具有绝对性和权威性，民族地区的工作既受到民族地区的权力部门工作、政策等指导方面的影响，同时也要受到中央的权力部门的工作、政策等指导方面的影响。因此，中央在主要矛盾认识方

① 中共中央马克思恩格斯列宁斯大林著作编译局编：《毛泽东著作选读》，下册，人民出版社，1986年，第827页。

面的失误，自然地要波及民族地区。在全国搞阶级斗争，红卫兵运动的情况下，西藏自然地要搞阶级斗争，要搞红卫兵运动。因此，“文革”也就自然地成为全国的一场浩劫，并不仅仅是西藏或藏区。

二、藏区在“文革”中的主要损失

整个藏区在“文化大革命”中的情况是大体相似的。我们仍以西藏为例来说明这一问题。

1965 年 9 月 1 日，西藏拉萨各界群众一万多人隆重集会，庆祝西藏自治区正式成立。本来这是西藏加快发展的一个非常好的契机，可是事隔不久，就被轰轰烈烈的无产阶级文化大革命所冲击。据丹增、张向明主编的《当代中国的西藏》介绍，西藏的“文革”大体经历了如下的过程。

1966 年 5 月 31 日，中共中央西南局同意西藏自治区委成立文化革命领导小组。王其梅任组长，任明道、张再旺任副组长，设委员若干。

1966 年 6 月上旬，《西藏日报》职工贴出大字报，“炮轰”“当权派”，西藏的“文化大革命”自此迅速蔓延。西藏自治区委员会召开会议决定学习、贯彻《五·一六通知》，开始公开和在内部批判一批领导干部，派工作组到《西藏日报》社去领导“文化大革命”。

8 月后，群众组织陆续成立。内地红卫兵到西藏“串联”，拉萨和其他一些地区的红卫兵走上街头，搞破“四旧”（旧思想、旧文化、旧风俗、旧习惯），“横扫一切牛鬼蛇神”，两派辩论，揪斗领导，各机关单位呈半瘫痪状态。

1967 年初，西藏各地开始夺权。群众组织间开始武斗。

1967 年 2 月，解放军执行“三支两军”（支左、支工、支农、军管、军训）任务。

1968 年 9 月 5 日，经中央同意成立西藏自治区革命委员会。

1969 年 3 月后，根据西藏自治区革命委员会、西藏军区的通知，各地、县、区、公社（乡）以及学校、企事业单位成立革命委员会和革命领导小组。

1969 年 10 月，西藏自治革命委员会将自治区党政机关和群众团体的大部分干部集中到林芝和松宗两地办“学习班”，进行“清队整党”，至 1973 年 9 月结束。不少干部受到批斗，有的被隔离审查，有的被迫害致死。

1971 年，开展“批清”运动（批判极“左”思潮、无政府主义、资产阶级派性、清查“五·一六”分子和其他反革命分子）。

1971 年 8 月 7 日至 12 日，召开中共西藏自治区第一次代表大会，组成第一届委员会，任荣任第一书记，陈明义、天宝、杨东生等任书记。

1971 年 9 月，林彪事件后，西藏根据中央精神进行批林整风运动。后进行批林批孔运动，拉萨街头出现大字报。

1975 年 1 月，第四届全国人民代表大会后，邓小平同志主持中央日常工作，进行工作整顿，西藏召开了区革委会第五次全体会议，召开了全区公安、商业和手工业等会议。经过整顿，西藏的社会秩序、工作秩序、生产秩序等明显好转。

1975 年 9 月，以华国锋同志为团长的中央代表团到达拉萨，庆祝西藏自治区成立十周年。此后不久便开始了"批邓、反击右倾翻案风"运动。

李维汉同志在《西藏革命的道路》一文中在谈到西藏的"文革"时说：

> 在十年浩劫中，由于林彪、"四人帮"的破坏，"左"的错误发展到了极点。其主要表现如：1. 搞了一大批冤假错案，伤害和牵连了大量的干部和群众。2. 在人民公社化和学大寨运动中，不顾西藏实际情况，要求过急，并照搬追求大、公、平均主义、穷过渡、割尾巴、单一搞粮食、硬性推行多种冬小麦、少种青稞，以及高指标、高估产、高征购等一套做法，严重束缚和挫伤了群众的积极性，破坏了西藏农牧结合的经济结构，使群众生活遭到困难。3. 党的民族政策、宗教政策和统一战线政策遭到诋毁和否定。民族区域自治流于形式。群众的宗教活动被禁止，绝大多数寺院被拆毁，重要文物大量散失、破坏。爱国上层人士受到迫害。4. 基本建设战线过长，投资多，效益差，甚至搞无米之炊，造成巨大浪费。所有这些都使西藏人民遭受了苦难，给汉、藏之间的民族关系造成严重创伤。这种"左"的做法一直延续到粉碎"四人帮"以后两年，甚至在三中全会后，在一段时间内，也还没有根本转变。

同时，李维汉肯定了西藏的广大干部所做的工作：

> 在这十几年中，西藏的党政军和广大干部还是做了许多工作，付出了辛勤的劳动。他们的大多数是忠心耿耿为西藏人民服务的。这是不可磨灭、不容抹杀的。只是由于指导思想"左"的错误，特别是由于林彪、"四人帮"的反革命破坏，他们的辛劳没有取得应有的成果。

第二节　“文革”中的文化教育

一、“文革”文化

在中国历史上，“红卫兵”和“文革”运动已载入史册，这一运动将给今人后世留下无数疑惑、无数的教训和无限的遗憾。人们可以从政治、经济、文化、传统、现实等角度进行多个范畴、多个层次、多个侧面的总结、研究和探讨。“文革”作为一个特殊的时代，已逐渐离我们远去，但它也作为一个畸形的时代给我们留下了“文革”文化（可不可以使用这样一个概念，可以进一步探讨）。以下就这一文化对藏区文化的影响，作一些介绍和归纳。

（一）“造反有理”

毛泽东曾说过：“马克思主义的道理，千条万绪，归根结底，就是一句话：‘造反有理’。根据这个道理，于是就反抗，就斗争，就干社会主义。”这是“文革”中人人皆知的一条语录，后来被谱成语录歌广泛传唱。与此相类似的口号是：“革命无罪，造反有理。”任何革命的理论和革命的口号都有其时代性，时代变了，还用旧时代的理论指导新的革命运动和建设，就会走向反面。因为这样一些语录，在革命时期起到了很好的作用，是革命的思想武器。这一点是不能否认的。但是在社会主义条件下，造反的对象产生了根本的变化。在旧社会，革命者是无产阶级及其广大劳苦大众，革命的对象是“三座大山”，无产阶级要通过暴力革命推翻三座大山；而在社会主义时期，这一关系发生了根本转化，原来的统治阶级成为被统治阶级，原来的被统治阶级为成统治阶级。“文革”中的革命的“对象”（主要是“地”、“富”、“反”、“坏”、“右”五类分子加“走资派”）在今天看来，有两点是非常清楚的，一是在“五类分子”中，前四类中的部分或许可以确定为革命的“敌人”，第五类明显是错的。因为在反右运动中，那些戴了帽子的右派，几乎都是反右扩大化所致，在十一届三中全会后得到了平反，真正的右派比例极小。“走资派”主要是指党和政府的各级各类领导干部。对这些人进行造反、进行斗争，显然是搞错了对象。对象搞错了问题的性质也就变了。将革命的功臣、革命的友人、革命的依靠力量当成了革命的对象。成为这种对象的人受到的斗争、打击，甚至摧残是多方面的：

首先是经受“四大”的“考验”，大鸣、大放、大字报、大辩论，最后的目的是“批倒、批臭”。搞这种事的有专门的“揭老底战斗队”，从斗争对象的幼年到少年、青年、成年，要查个底朝天，从而查出一些形形色色的所谓“问题”来，进行无情的斗争；有的甚至要查祖宗八代，而后公之于众，让众人批判，让众人唾弃。不论是西藏，还是东部藏区，藏族的广大的知识分子和干部，相当一部分人都经过了这种“考验”，而经历这种“考验”最甚的是那些家庭出身“不好”（或者是社会关系“不好”）和那些出自寺院的干部。其次是戴高帽、游街、坐“喷气式”等，使其身体受到损害，颜面全无，“体无完肤”。

实际上，那种对人自身的攻击，已成为过去，成为人们读过了的“伤痕文学”，关键是那种凡事都对抗、斗争的文化心理，在那一代人心灵上留下了深刻的影响，有些甚至流布至今，被作为一种“革命精神”而颂扬。实质上这种心理的深层有严重的无政府主义倾向、破坏倾向、非理智倾向和群众运动倾向。由于佛教文化的长期影响，藏区本来是需要一些斗争精神的，比如对封建农奴主阶级，比如对神权的顽固统治。“文革”斗争对社会文化、经济、道德等造成的损失是不可想象的。当我们看到国家主席刘少奇冤死河南，贺龙元帅、彭德怀元帅等革命功臣、开国元勋的悲惨经历时，对此也就有了更为清醒的认识。“造反派”们的后边有林彪、“四人帮”的煽动、破坏；而其自身，一方面是绝对地听从毛泽东的指挥、对毛泽东盲目的崇拜，一方面确乎有不少的人接受了这种“对着干”、“造反”确实“有理”的思想。在不少人的心目中，他们是在为国家而“造反”，是为无产阶级的革命事业而“造反”；除了一些真正的坏人外，他们在斗争“走资派”时，确确实实是出于无产阶级革命的“义愤”，因为不批倒批臭他们，不打倒他们“再踏上一只脚”，他们就要复辟资本主义，让广大劳苦大众“吃二遍苦，受二茬罪”。

（二）“横扫一切牛鬼蛇神”

这一理论口号佐之以破“四旧”，对藏族文化造成了最为严重的损害。主要是在以下几个方面：1. 对文化人的冲击、迫害。来自旧社会的藏族知识分子大多出自寺院，这是五六十年代，甚至是七八十年代的一个突出特点。因为在旧西藏，不进入寺院就无法获得知识。而在这些文化人和知识分子中，最有学问的却是一些活佛喇嘛，如藏学界所熟知的喜饶嘉措大师、桑热嘉措、毛尔盖·桑木丹、才旦夏茸、东嘎·洛桑赤列、夏日冬，以及稍年轻于这一代人的赛仓、多识、土登尼玛等活佛。其中的一些人被送进了监狱，有些人被开除公职，有些人被下放到农村、牧区放牧务农。这部分人是特殊的一代人，他们处在一种时代交替和文化交替的特殊年代，有其特殊的历史使命，即继承传统，接受新文化，推陈出新的任务。而“文化大革命”的这一“横扫”，几致有些传统文化类型的断裂。以后至粉碎“四人帮”后20年才有所接续。2. 对藏文化遗产的摧残、破坏。主要表现在寺院、典籍、建筑、器物等，因为这些东西都是封、资、修的东西，都属于“四旧”范畴，都属于扫除之例。以至于“文革”结束20年后还有不少人对藏区的这一部分知识分子和文化遗产改变不了看法。

（三）“五·七”干校

是对干部集中下放劳动、进行改造的场所，是为贯彻1966年5月7日毛泽东给林彪的信中关于党政机关干部也要学农、学工的指示而成立的。被送去劳动、学习的除党政干部外，还有大专院校的教职工、科研人员等。其做法五花八门。

（四）“上山下乡”

是对青年知识分子进行改造的一种手段。成千上万的青年知识分子都走上了这一条道路。

这两种形式在藏区同样实行。这些做法虽然都有美好的言词作包装，但其实际效用是，在思想上产生了一种形而上学的片面的思想方法。其逻辑是“实践出真知”——生产劳动（尤其是体力劳动）是唯一的实践——生产劳动中可以获得真知和达及一切的知识。同理的另一个逻辑是：不劳动会产生修正主义（因为任何剥削阶级都不参加体力劳动）——劳动改造是提高政治思想觉悟的唯一渠道——所以干部必须要通过劳动实现改造和提高马克思主义的思想理论水平，从而成为坚定的马列主义者。其结果是牺牲了对前人和今人科学技术知识的学习，尤其是对一些高精尖的科技的学习，白白地浪费了一代人的大好年华。按此逻辑继而进行工农兵上大学、管大学，视知识为儿戏；因此也就自然地产生了黄帅、“白卷英雄”张铁生等人物。片面地抬高体力劳动的价值，甚至认为体力劳动“万能”，这种思想曾是被吹捧的思想观点之一，其危害不浅。其次是知识（主要是指书面知识）无用论，因为劳动（主要是体力劳动）价更高，因而文化知识也就没有多少用处。这个观点的实质是对马克思的“劳动创造了人”、劳动是一切知识的基础等理论思想的机械理解。因为“劳动”这一概念在科学中的应用并不就是专指体力劳动。

（五）“民族问题的实质是阶级问题”

这一曾经被许多人奉为真理，也流行一时的观点，在中国的民族问题的理论研究和对民族问题的处理上都产生过重大的影响。一些人曾在理论上坚持过这一观点，这主要是长期以来一直认为毛泽东和列宁都曾提出过类似观点的缘故。直至“文革”结束后若干年，在《中共中央关于转发〈西藏工作座谈会纪要〉的通知》中才作了总结：

> 各民族的存在，多数是千百年历史形成的，在今后很长时期也将继续存在。在我国各民族都已实行了社会主义改造的今天，各民族间的关系都是劳动人民之间的关系。因此，“民族问题实质是阶级问题”的说法是错误的（马恩列斯和毛主席都没有说过这样的话。毛主席在支持黑人斗争时所说：“民族斗争，说到底，是一个阶级斗争问题”，是指美国广大黑人同美国垄断集团和反动派之间的矛盾是阶级矛盾，广大黑人同白人劳动者联合起来，才能实现自己的解放。毛主席这个论断，完全不能适用于我国解放后的民族关系），这种宣传只能在民族关系上造成严重误解。如果进藏干部和解放军在帮助藏族人完成社会改革以后，以“恩人”和当然的“领导者”自居，不努力培养本地干部并帮助他们真正当家做主和正确处理民族关系（既反对大汉族主义也反对地方民族主义，巩固祖国各民族的民主平等的团结统一），轻率地把历史遗留下来的民族隔阂说成是阶级斗争，那么我们就不但不能加强民族团结，而且必然要给内外敌人以可乘之机，这是所有进藏同志都必须充分了解万万不可粗心大意的。

中共中央的这个总结是具有结论性质的，对西藏和整个藏区在理论上解决此一问题，起到了非常重要的作用。

（六）“个人崇拜”

西藏和其他藏区的“文革”中，与内地一样也出现了“天天读”、“早请示，晚汇报”，日日唱语录歌，天天跳忠字舞的局面。不管是乡村还是牧区、小镇，“敬祝伟大领袖毛主席万寿无疆！万寿无疆！敬祝林副统帅身体健康！永远健康!”的口号常常不绝于耳。对毛主席的崇拜甚至胜过对神佛的崇拜，有些地方甚至出现了在供的毛主席像前摆酥油灯的现象。吃咒时的“觉仁波且”，换成了“毛主席”或“敢向毛主席保证”，一直流传到现在。领袖神化，领袖语言神谕化，“句句是真理，一句顶一万句。”

（七）“左”比右好，“左”是革命，越“左”越革命我曾在《克服惯性思维影响，推动伟大事业发展》① 一文中，对此问题进行了若干探讨。长期以来，我们党为“左”的思想所困扰。我以为“左”的思想之于我们党，其特点有三：一是历史久远。建党第六年，即1927年“八七”会议瞿秋白成为党的负责人，即行“左”倾路线搞暴动。此后有建国后1957年的反右，1958年的大跃进、人民公社，以及后来的十年“文革”，从理论（无产阶级专政下的继续革命）到实践（运动），在政治（集权）、经济（高度集中统一）、文化（破四旧）等各个领域将“左”的一套推向顶点，达到了登峰造极的地步。二是破坏性大。暴动造成诸多的无谓牺牲；苏区的大肃反抓AB团冤死七八万壮士；1957年反右，数十万知识分子蒙冤；1958年搞大跃进、人民公社，加上自然灾害，死亡人数以千万计；“文革”损失可说空前绝后。三是影响深远。至“文革”时，从内涵到形式，都形成了一种“左”好右坏，“左”是革命，右是保守、反动的思想观念，形成了一种越“左”越好，越“左”显得越革命，越革命就需要越“左”的荒唐逻辑，甚至出现了“左”派整所谓的右派，“左”派中的极“左”派又整“左”派的现象。政治的生活化，使“左”的思想、意识、作风、行为普及到了中国社会的千家万户、各个角落，也普及到了藏区的千家万户，各个角落。正正反反几十年，影响了几代人。这种“左”的倾向沉淀于人们的文化心理中，便有这种“左”的思维惯性。虽然粉碎“四人帮”后，彻底否定“文化大革命”，对“左”的一套东西进行了坚决的批判，但是，长期形成的“左”行保险、右行危险的思维惯性，在我们的工作生活中仍悄然存在，仍然成为我们进行伟大事业的严重障碍。比如在理论上，对马克思主义作教条主义的解释，从概念出发，仍然倡导那种一大二公、纯而又纯的所谓“社会主义”，在姓“社”姓“资”、姓“公”姓“私”的问题上，仍然发出“社会主义几十年，一夜回到解放前”的“叹惋”。在一些人眼里，社会主义就是吃“大锅饭”，因为吃“大锅饭”舒服、保险；吃“小锅饭”辛苦、有风险。有的人至今一听到抓阶级敌人、搞斗争就来劲，就来神。甚至有的人到今天，革命的词语不改，革命的宝像不变。一有风吹草动，就兴一点风浪。新的一代人虽然旧的框框少些，但诚可谓耳濡目染，这种心理的惯性也不同程度地存在。在我跟一些年轻藏族干部接触时，尚发现不少的年轻干部也存在着“左”不吃亏，“左”别人抓不住你什么，“左”是革命性，革命的坚定性

① 丹珠昂奔：《克服惯性思维影响，推动伟大事业发展》，《藏学研究》，民族出版社，1998年，第3页。

的表现，“左”中自己可以捞到诸多好处等思想。时代发展到今天，“左”的言词少了，甚至不见了，但是从许多人的工作方式和讲话中仍然可以深切地感受到宁“左”勿右，“左”比右好的深层的思维律动。

二、“文革”中的教育

如何评价“文革”中的教育，这是一个非常重要的问题。因为在这一问题上有两种截然相反的观点。由于“文革”被彻底否定，有的同志将“文革”中的教育也进行全面否定；有的同志则认为“文革”中的教育是有成就的。如何理解这一问题，我想有两点十分重要，其一，由于受有极“左”思潮和全国整体形势的影响，“文革”的教育从整体上来说是失败的。其二，假如说有什么成绩的话，也是由于在党的领导下，广大教育工作者反对林彪、“四人帮”的路线，辛勤努力尽全力减少损失的结果。

从教育思想和理论看，以下两种教育思想对藏区的文化教育影响较大：

（一）“民族融合，语言归一”

这是“文革”在民族问题上的一个“创见”和常见。说它是“创见”，是因为马恩所说的民族融合、语言逐步成为一种统一的语言，是未来的事。是一千年还是一万年，几十万年，马克思恩格斯没有讲，但有一点是可以肯定的，这是一个漫长的历史过程。但是，“文革”中将这一思想进行了歪曲的解释和理解。如同1958年时认为共产主义马上要实现一样，认为民族的融合和语言的归一，也是即刻实现的事。因此，刮过一阵“民族融合”风，也刮过一阵“语言归一”风。甚至出现一种不正常的现象，认为在中国，民族语言是影响实现四个现代化的障碍，只有汉语是先进的语言，少数民族应该扔掉自己的语言，直接学习使用汉语。有些甚至称说本民族语言为“说黑话”。在一些民族自治地方甚至主动放弃和减少民族语文的使用。尤其在一些纯藏区的小学中，强行推行汉语，其结果是“年年上学去，年年一年级”，课程不用母语去讲，学生接受较为困难，违反教育规律，结果收效甚微。受这种思想的影响，时至今日在不少人的思想深处仍然漠视民族语言的存在，在教育上搞“一刀切”，既闹出了许多笑话，也使民族地区的文化教育事业受到了严重的损害。

（二）“教育与生产劳动相结合”

这不是一个错误的口号，但是执行过程中在许多地方都进行了错误的理解，进而进行了错误的操作。认为一切教育都需要生产劳动。在小学是这样，在中学是这样，到大学也是这样。因而具体的生产劳动既成了惩罚的工具，也成了获得一切知识的唯一渠道。这种曲解危害不浅。在这种口号下，当时的教育也进行过一些所谓的改革，即“教育革命”。但是“教育革命”的目的完全是为了解决“资产阶级知识分子统治学校的现象”，是为了打倒这些资产阶级知识分子；而“革命教育”才是唯一合法和合理的教育。教育过分地强调了“革命化”而轻视了文化知识的学习。既然是从事简单的生产劳动，自然不需要多少文化知识，那么“知识无用”、“知识越多越反动”就成为人们容易理解和接受的口号。

从教育形式上看，也有两种不切合实际的做法：

1. 马背学校。许多地区，尤其是牧区建了许多这样的学校。形式上，似乎好多适龄儿童都上了学；实际上，许多地方的这种学校并没有很好地发挥教育应该有的作用。有的教员进行巡回教学，来回短则三五天，长则十天半月。一轮回来，学生原来学的东西大多已经忘记。继而从头再学，空费时日，多无长进。

2. 农业大学。即到农村去，接受贫下中农再教育。

在一些地方，“文革”中教育似乎发展很快，建了多少多少小学、多少多少中学、多少大学，那只是一种虚假的繁荣。比如西藏在 1971 年后，提出在第四个五年计划内实现“县县有中学，区区有完小，队队有民小，普及小学教育”，在 1971 年 4 月至 1976 年 10 月，公办小学从 85 所发展到 513 所，民办小学从 1845 所发展到 6131 所，普通中学由 6 所发展到 35 所，中专由 1 所发展到 23 所，高等学校由 1 所发展到 4 所，在校学生共 24 万人。实际上多数学校由于仓促上马，不具备条件，有名而无实。①

① 丹增、张向明主编：《当代中国的西藏》（下），当代中国出版社，1991 年，第 307 页。

第三章 社会主义藏族新文化的发展

（1977～1997年）

第一节 藏族地区的拨乱反正

1976年对中国人民来说是个十分悲痛的年份，这一年党和国家的三位主要领导人毛泽东、周恩来、朱德相继去世；同样，这一年也是中国人民兴高采烈的一年，党和人民粉碎了“四人帮”，结束了“文革”长达十年的动乱。进入10月下旬后，整个藏区和全国其他地区一样，举行了欢呼粉碎“四人帮”的隆重的群众集会，揭批“四人帮”的群众运动也随之展开。1978年具有历史性意义的党的十一届三中全会召开后，藏区也开始进行拨乱反正的工作。

一、农牧业生产得到恢复

“革命”对藏区的最为严重的破坏之一是“以革命干扰生产”，由于人们的精力集中于“革命”，搞群众斗群众那一套，生产建设急剧下降。1960年至1965年时创造的良好局面，很快遭到破坏。实际上，由于受全国性气候的影响，“宁要社会主义的草，不要资本主义的苗”，“宁要社会主义的低速度，不要资本主义的高速度”，“宁要社会主义的晚点，不要资本主义的正点”那一套思想在藏区也十分流行，甚至在一些方面有过之而无不及。其原因十分简单：

其一，在西藏不少的翻身农奴，将自己的那种对党和政府的感激之情集中于对“文革”事业的忠诚上，因为当时的广播里、报纸上都在讲：“轰轰烈烈的无产阶级文化大革命是伟大领袖毛主席亲自发动和领导的”，既然是毛主席亲自领导和发动的，那么，在“读毛主席的书，听毛主席的话，照毛主席的指示办事”，毛泽东是绝对权威的那个年代，毛主席的话确乎一言九鼎，“一句顶一万句”，谁人怀疑？谁人不听？这是毛主席说的，那么，不少的人都会奋勇而往，粉身碎骨而在所不惜。在这一点上，国外的许多人不太理解，认为这是一种奇怪的现象，怎么会有那么多人盲从？其中就没有有头脑和清醒的人吗？实际上，中国人自身是很容易理解的，关键的问题是：毛泽东此时是神，而不是人，尤其在西藏，由于传统的观念中的神佛思想，前文已经述及，不少的人将毛泽东当作神来供奉，因而毛主席的话就是“神言”，就如同内地的许多百姓将毛主席的话当作真正的“圣旨”一样，这是由社会的大背景造成的，不是个别的头脑清楚的人所能左右的。故而，现在许多人将此称为“现代迷信”，是有一定道理的。问题的另一面是，毛泽东是中国人民的大“救星”，中国社会广大的被压迫阶级和先进分子将中国共产党领导中国人民站起来，走上没有压迫、没有剥削的新社会的那些深厚的感激之情全集中在毛泽东一人身上，抱着莫大的感恩思想。因而现在我们感到非常复杂的问题，在当时都是由非常朴素而简单的思想决定的。“毛主席的话就是绝对真理，谁要反对毛主席，就砸烂谁的狗头”，这在当时，不是一个人的思想，而是无数人的思想；在客观上，这也是当时政治的基本要求。我在西藏曾经采访过一名当时的积极分子，他说：

> 现在许多人都在说谁如何如何正确，谁如何如何错误，实际上当时我们脑子里什么也不想，就知道毛主席怎么说我们就怎么做，谁还有疑问？有疑问就是罪过。对毛主席都不相信，你相信谁呢？就是到后来，很长时间内我也不相信毛主席会犯错误。尤其是一些小干部对毛主席还敢批评，我感到很可笑。我曾经讽刺一个干部：“毛主席睡着了，比你醒的时候清楚；毛主席是什么人物你是什么人物，你有资格批评吗？”关键是思想情感上过不去。很少怀疑其中会有问题。共产党解放了我们，我们应该很好地听党的话，搞好革命就是。有人说我们是想捞什么，这有点冤枉，我们当时也很辛苦，我当时也很少考虑自己，真正在按照毛主席说的“完全彻底为人民服务”的指示办。只是，那时候生活太困难，大家都有意见，这一点我们没办法解决。

其二，西藏和许多藏区本身自然条件不太好，再加上只注重搞革命，不发展生产力，群众生活十分困难。据有关资料记载：1968 年比 1967 年国民经济主要指标全面下降，工农业总产值下降 9.79%，货物运输量、工农业主要产品产量大幅度下降。

> 1969 年国民经济继续恶化，工农业总产值下降 3.75% 以上，财政收入负数扩大，其他国民经济主要指标继续下降。

“文化大革命”中，为“填空白”办工业，盲目兴建了一些“无米之炊”或技术不过关的企业，如玻璃厂、广播器材厂、糖厂等，占用大量资金，基本建设战线拉长，造成很大浪费。民族手工业产品、特别是民族特需用品被当作“四旧”，大部分停产。有些单位由于片面理解“以粮为纲”的口号，把大量的手工业工人、特别是有技艺的匠人强行转为农民。在割“资本主义尾巴”的口号下，没收了农牧民家庭中传统的手工织机，仅札囊县就没收了4000多户。这种错误做法，使本来就落后的民族手工业受到很大摧残，产值急剧下降。据不完全统计，产值由1965年的892万元降到1976年的300万元。①

粉碎“四人帮”后，于1978年9月，中共西藏自治区党委颁发了《关于农村经济政策若干问题的规定》、《关于牧区人民公社几个政策的规定》，从分配制度、劳动管理、指导方针等方面对农牧业生产进行指导，如“两定一奖”（定产、定工、超产奖励）、“三兼顾”（畜产品的分配要兼顾国家、集体、个人三者的利益）等，较好地调动了广大农牧民搞好生产和治穷致富的积极性。

二、平反冤假错案

粉碎“四人帮”后第一件对中国社会产生巨大影响的大事是举行党的十一届三中全会。在此会议的公报中说：“解决历史遗留问题必须遵循毛泽东同志一贯倡导的实事求是、有错必究的原则。只有坚决地平反假案，纠正错案，昭雪冤案，才能够巩固党和人民的团结，维护党和毛泽东同志的崇高威信。”“过去那种脱离党和群众的监督，设立专案机构审查干部的方式，弊病极大，必须永远废止。”“为了保障人民民主，必须加强社会主义法制，使民主制度化、法制化，使这种制度的法律具有稳定性、连续性和更大的权威，做到有法可依，有法必依，执法必严，违法必究……检察机关和司法机关要保持应有的独立性；要忠实于法律和制度，忠实于人民利益，忠实于事实真相；要保证人民在自己的法律面前，人人平等，不允许任何人有超越于法律之上的特权。”这些重要的思想对藏区的落实政策和平反冤假错案起到了非常重要的指导作用，整个藏区也在全国基本形势好转的情况下进行落实政策和平反冤假错案的工作。与其他地区相比，藏

① 丹增、张向明主编：《当代中国的西藏》（上），当代中国出版社，1991年，第377页。

区的落实政策和平反冤假错案主要有以下几个特点：

其一，叛乱问题。叛乱问题主要有两个层面，一是叛乱是在整个藏区都曾发生过的历史事件，安多、康区多是在1956年、1957年、1958年，西藏是在1959年。这一事件的性质中央早有结论。二是在甘青等藏区的平叛过程中出现了扩大化的问题。真正的叛乱分子是包括藏族人民在内的广大群众所反对和愤慨的，在平息叛乱以后的控诉中，藏区广大的群众一直拥护中央的决定，而且积极帮助人民解放军平息叛乱。但是，对叛乱中的扩大化问题一直没有解决，群众同样是有意见的，而且也在严重地影响着民族团结。1980年后，在党中央和青海省委、甘肃省委的正确领导下这一问题得到了妥善解决。

在西藏，这一工作的开始还要稍早一些。1978年3月，西藏自治区公安机关宣布宽大释放原西藏政府参与叛乱的官员、寺院活佛和叛乱骨干等24人；1979年3月17日，拉萨市、昌都、日喀则、山南等地行政公署召开宽大处理1959年参叛人员服刑大会，发放释放证；西藏自治区司法机关还决定宽大释放在押的武装叛乱分子367人，摘掉刑满就业后继续戴叛乱分子帽子和社会上戴叛乱分子帽子监督改造的6000多人的帽子，发给摘帽通知书，给予公民权利，其中有原西藏地方政府七品以上的参叛官员16名，大寺庙的活佛、堪布9人，到此为止，1959年参加叛乱而服刑的叛乱分子全部得到了人民政府的宽大处理。①

其二，宗教上层和一些爱国人士的政策落实。在这些问题中，被广泛重视的是十世班禅的问题。十世班禅额尔德尼确吉坚赞（1938～1989）由于1962年向中央上《七万言书》，在1964年7至9月召开的西藏自治区筹备委员会第七次扩大会议上受到了批判，且扣上了“反党、反社会主义、图谋叛国”三顶帽子，决定撤销自治区筹备委员会代理主任委员的职务，在同年10月举行的第三届全国人大第一次会议上，正式撤销其西藏自治区筹备委员会主任委员职务，通过选举免去了全国人大副委员长职务，并免去了全国政协副主席职务，仅仅保留了政协常委一职。《七万言书》的内容共分八部分，涉及了平叛、民主改革、统战、生产和群众生活、民主集中制、无产阶级专政、宗教、民族等范围的问题。1980年8月26日，邓小平同志与班禅大师谈话时对此有如下评价：“你的《七万言书》，有一部分是对的，有一部分是错的。整你主要是两次：1964年，文化大革命。你

① 丹增、张向明主编：《当代中国的西藏》（上），当代中国出版社，1991年，第392页。

两次出来，表现都是很好的。”小平同志的评价是正确的，也是一分为二的。1966 年始班禅被红卫兵揪斗，1968 年关入监狱，近十年。1976 年 8 月获得释放，任全国政协委员，1979 年补选为全国政协副主席，1980 年补选为全国人大副委员长。

其他如甘肃省副省长黄正清，曾任全国佛教协会会长、青海省政府副主席的喜饶嘉措等，一直到州、县，在民族、宗教人士中，在“文化大革命”中免受冲击的几乎凤毛麟角。西藏此一时期的工作进展同样很快，到 1980 年 1 月时，550 名受冲击的爱国人士中，有 258 人当选为全国或区内的各级人大代表、政协委员，有 150 多人被安排到自治区人大、政协及群众团体里工作，有一些进入专业部门工作；1979 年自治区有关部门给 50 多名爱国人士补发了在“文化大革命”中停发的赎买金。①

十一届三中全会后，在藏区落实政策的人数以千万计。这些问题的解决，为藏区的工作化解了不少矛盾，极大地调动了广大干部和爱国统战人士和宗教上层的积极性，为藏区的现代化建设发挥了很好的作用。大多数爱国人士和宗教上层在与中国共产党数十年的风雨同舟、肝胆相照、荣辱与共的反帝反封建和社会主义革命和建设的斗争过程中建立了深厚的感情，都能客观而正确地对待这一段历史。比如伟大的爱国主义者、著名的国务活动家、中国共产党的忠实朋友、中国藏传佛教杰出领袖班禅大师虽然被关了将近十年的监狱，可是自从放出来工作以后，他却说：

> 我幼年放羊，很淘气，爱骑马，经常跌得头青脸肿。被选为班禅灵童以后，从七岁的一个娃娃，被拥上活佛宝座，受人尊敬，唯我独尊，养成了非常骄傲的性格，以致后来自以为是，动辄生气发火，遇事只凭直观，不顾前因后果。六十年代说了许多错话，也干了些错事，犯了错误，在“文化大革命”中被关进了监狱，饱尝了各种滋味。这使我受到很大的锻炼，对思想改造有很大好处。多年来被人捧上天，几经周折，我从宝座上跌落下来，这才使我认真地分析自己，认识到自己确有错误。但我总想，自己的动机是好的，心是好的，不是坏人。只要不被整死，总有一天，党和国家会给我做出公正的结论。②

① 丹增、张向明主编：《当代中国的西藏》（上），当代中国出版社，1991 年，第 390 – 391 页。

② 荣增·嘉雅活佛：《缅怀第十世班禅大师》，民族出版社，1990 年，第 110 页。

可见大师对自己也是一分为二的、坦诚的、积极的，是热爱党和国家、相信党和国家的。

其三，宗教寺院的开放。在藏区，宗教寺院的开放也是关系到广大群众的大事。这一点各地情况略有不同，但由于党的宗教政策的一致性，整个藏区整体上是相近的。我们以甘孜藏族自治州为例：

解放初期，甘孜藏族自治州有藏传佛教寺院有575座，其中觉姆寺（尼姑寺）21座。各教派所占有的寺院为：宁玛派，232座；萨迦派，86座；噶举派，35座；格鲁派，147座；苯教，72座；其他，3座。僧尼近8万人，约占当时藏族总人口的14.7%，其中宗教上层（活佛、堪布、格西、翁则等）2600多人。1956年全州进行民主改革，旋即发生以寺院为据点的武装叛乱，广大农村牧区便不失时机进行了“四反”斗争，即反叛乱、反违法、反特权、反剥削。1959年叛乱被平息，“四反”斗争随之结束。自此后，为了满足群众进行宗教信仰活动的需要，全州保留藏传佛教寺院27座，清真寺1座（康定），天主教活动场所1座（康定），基督教活动场所1座。保留的27座藏传佛教寺院的教派归属为：格鲁派16座，宁玛派6座，萨迦派3座，噶举派1座，苯教1座。地域分布为：

康定：金刚寺（宁玛派）、南无寺（格鲁派）、安觉寺（格鲁派）、塔公寺（萨迦派）

丹巴：松安寺（格鲁派）

雅江：白孜寺（格鲁派）

道孚：灵雀寺（格鲁派）、惠远寺（格鲁派，原属乾宁）

炉霍：寿灵寺（格鲁派）

甘孜：甘孜寺（格鲁派）、白利寺（格鲁派）、大金寺（格鲁派）

德格：八邦寺（噶举派）、更庆寺（萨迦派）、俄支寺（萨迦派，原属邓柯）

白玉：白玉寺（宁玛派）、嘎拖寺（宁玛派）

新龙：益西寺（苯教）

色达：塔子寺（宁玛派）、拉则寺（宁玛派）

石渠：色须寺（格鲁派）

理塘：理塘寺（格鲁派）

巴塘：日登寺（格鲁派）、降卡寺（宁玛派）

乡城：桑坡寺（格鲁派）

稻城：雄登寺（格鲁派）

得荣：龙绒寺（格鲁派）

保留寺院的僧侣，成立寺院民主管理委员会，僧众从事农牧业生产，走劳动自养的道路。1963 年甘孜州成立了佛教协会。在十年动乱中，林彪、“四人帮”取消党的统战、宗教政策，许多地方“强行禁止信教群众的正常宗教生活和保留寺院的宗教活动，把宗教界人士乃至一般信教群众当作，‘专政对象’，在宗教界制造了大量的冤假错案。在破‘四旧’中，民主改革后的大部分保留寺院被废止，殿堂破坏，佛像经书被毁，法器丢失，住寺喇嘛被逐，使宗教界遭受了一场浩劫”。[①]

十一届三中全会以后，甘孜州的寺院才陆续开放。1981 年省民委指定开放塔公寺、甘孜寺、八邦寺、更庆寺、理塘寺等五座寺院。1982 年 3 月，甘孜州委批准开放城内的清真寺一座，开放关外的藏传佛教寺院 10 座。同年 11 月，州委再次决定开放藏传佛教寺院 26 座。至 1983 年年底群众自发开放 77 座。至 1989 年，全州共开放藏传佛教寺院 446 座。其中格鲁派 102 座，宁玛派 198 座，萨迦派 68 座，噶举派 31 座，苯教 42 座。[②]

第二节 文化教育

“文化大革命”中，西藏的新型教育受到冲击，学校停课串联，教育处于半瘫痪状态。1970 年，自治区师范学院和西藏民族学院也被撤销。1971 年以后，虽然从数量上出现了许多学校和学生，实际有名无实，水分很多。

1978 以后，拨乱反正，落实政策，西藏的新兴教育才得到逐渐恢复。西藏自治区为本区的教育投入、教育管理、办学方针等都做出了巨大的努力。同时，也根据本地区的实际情况，制订了一些新的规定和原则。比如自治区决定在区各级各类学校中实行“以少数民族为主”的原则，高校招生，须在 75% 以上，并对少数民族学生适当降低分数线。1985 年后，对部分重点中小学和边境沿线地区中小学实行包吃、包穿、包住的“三包”。在内地 19 省市开办的西藏中学和 16 个初中班学生则实行包吃、包穿、包

① 朱革：《党的宗教政策在甘孜州的伟大实践——十一届三中全会以来甘孜贯彻执行宗教政策的情况》，中国人民政治协商会议甘孜藏族自治州委员会编《甘孜州文史资料》第九集，第 86 页。

② 朱革：《党的宗教政策在甘孜州的伟大实践——十一届三中全会以来甘孜贯彻执行宗教政策的情况》，中国人民政治协商会议甘孜藏族自治州委员会编《甘孜州文史资料》第九集，第 89 页。

住、包学习费用的“四包”，在调整、整顿过程中，将藏语文的学习也提到了一定位置，加强了藏族语言文字、历史、文学、艺术、医学等专业的学习。

十一届三中全会以后的藏族文化教育得到了较为迅速的发展，其标志有如下几点。

其一，藏族新型教育得到较快发展。任何民族的教育，看其是否成功，关键要看它所培养人才的质量，在于这些人才在社会中的适用性和先进性。没有先进的教育模式，就不会有先进的成批量的教育人才。因而，现在的民族教育，既是立足于本民族的教育，同时也是立足于世界的教育。封闭的教育是面向死亡的教育，只有开放的，尽情地吸收世界最先进科技文化的教育才是代表着民族希望和生命的教育。藏族新型教育的发展进步是藏族社会发展进步的表现，藏族社会的发展进步是藏族教育发展进步的推动力。

其二，新型的藏族教育系统在逐步确立之中。虽然在“文革”前已有多所新型高等院校，实际上由于办学指导思想的不同，这些大学教育与一般的大学教育是有根本区别的。因为五六十年代面向民族地区（藏区自然也在其中）的教育主要是为了培养民族干部，因此学校教育的主要视点也在于培养干部。改革开放以后，许多学校才更多地将注意力集中到学科建设上，既注意干部的政治思想教育和一般的文化知识教育，也注意干部的业务基础教育和综合素质的提高。从教育内部的规律看，此一时期才逐步向规范的学科体系迈进。

其三，藏族教育的新型办学层次在不断提高。在将近10个藏族高等教育教学点，除了目前没有博士学位点外，现在像中央民族大学、西北民族学院，青海民族学院、西南民族学院早就在招收藏学、藏语语言文学等方面的硕士研究生。西藏大学也于1998年获准招收硕士研究生。藏族教育的教学层次得到了提高。

西藏民族学院，1965年创建，校址在陕西省咸阳市。“文化大革命”中曾被撤销。现设有政治、财经、汉语文、历史、体育、医学等6个系、7个专业和干训部；有教职工581人，教授、副教授36人，在校生874人。其中本、专科生697人，少数民族占本、专科生总数的42.2%。校舍建筑面积9万多平方米。建校30多年，西藏民族学院已为西藏培养民族干部和各类专业技术人才13379人。其中藏族等少数民族11292人，占83%。

现在，除西藏民族学院外，西藏尚有高等学校两所。

西藏大学，1985年建，校址在拉萨，其前身是西藏军区干部学校、西藏师范学校、西藏师范学院。西藏大学现设有藏语文、汉语文、政史、艺术、数理、化生地（化学、生物、地理）、经济管理等7个系，共15个专业，另设有藏语文授课的师资培训等。有教职工628人，其中少数民族占53.9%；获得高级职称的19人，其中少数民族占78.9%以上。像著名藏学家、国家级专家东嘎·洛桑赤列等先生生前曾在就在该校任教。作为综合性大学，西藏大学拥有设备良好的教学、实验、电教、图书、办公、职工宿舍、卫生所、印刷厂等建筑群体，并且在电子计算机、电视教学等现代化教学手段方面也有发展。建校以来，已培养学生2000多人。1989年9月新建了西藏大学藏医学院，将西藏大学藏医学系和自治区藏医学校并入藏医学院，设立了大学部和中专部。

西藏农牧学院，原为西藏民族学院林芝分院，校址在西藏林芝地区八一镇。设有农学、畜牧兽医、林学、水电等4个系7个专业，两个部一个研究所；拥有电教中心和33个教学、科研实验室，有仪器设备5000多台（件）；办有教学实习使用的农场、牧场、林场、苗圃、果园、工厂、电站等。自1978年西藏农牧学院正式建校十年来，培养出本、专科毕业生857人，中专生430人，预科生210人，培训各类进修学员15000人。其中藏族和区内其他少数民族占60%以上。1989年年底，在校生699人，其中大专生294人，藏族占在校生总数的61%；教职工536人，其中高级职称10人，中级职称48人。

社会主义新西藏的成人教育、专业技术教育、电化教育等也得到迅速发展，尤其是在师资队伍和教材的建设方面取得成绩尤为突出。

师资队伍的建设。小学、中学、大学的设立本身就标志着师资队伍的发展。据有关资料反映，截止1989年，自治区共培养中小学教师8800人，其中藏族和区内其他少数民族占5100多人，占总人数的一半以上。内地各省市还选派了一定数量的援藏教师，去西藏各地，支持西藏教育。

教材建设。教员和教材是教学的两个重要环节。西藏和平解放以前，除了寺院教育外，西藏没有新型教育的统一教材，物理、化学等授课可以说是空白。1960年自治区筹委成立了民族教材编写组，着手编写小学藏语文、汉语文，初中数、理、化的编译工作，至1963年年底，完成民办小学藏语文教材1~8册，藏文版数学课本1~8册，汉语文课本1~6册，藏文农村简易簿记课本1册，夜校藏文扫盲课本1册；公办小学藏语文教材1~12册，藏文语法1册，藏文版数学课本1~12册，汉语文课本1~8册，1964年又编译出版了公办小学藏文自然常识和地理课本，可惜“文革”中受冲击而停止。1972年恢复此编译机构。20多年来，西藏共编译了200多种中小学教材。印刷3000万册中小学教科书，而且其中大部分是藏文版。可以说为西藏的教育事业的发展起到了重要作用。

下面是1989年西藏教育的统计数字：

学校类别	数量（所）	在校生数（人）	其中民族学生（人）	民族学生比　重
公、民办小学	2398	13.9万	13.1万	占95%
普通中学	49	17492	13017	占74.4%
完全中学	19	5734	2881	占50.2%
中等专业学校	15	3968	3021	占76.1%
技工学校	1	200		
高等学校	3	1976（本、专科生）	1194	占61.5%

除此之外，幼教事业、干部、教师的培训也在经常进行。到1989年，全区大、中、小学共有教职工15186人，其中藏族和区内其他少数民族10842人，占教职工总数的71.4%。小学专任教师共有7939人，其中藏族和区内其他少数民族占89.35%。普通中学专任教师2317人，其中藏族和区内其他少数民族901人，占中学专任教师总数的38.9%。高校专任教师中有藏族教师262人，中等专业学校专任教师中有藏族教师279人。适龄儿童入学率由西藏和平解放时的1%提高到53.12%，文盲率由原来的95%降至70%。

甘、青、川、滇藏区的教育状况大体与西藏相似。中小学教育（包括此类学校的双语教育）情况较好，有完整的教材（藏、汉文）。40年来，藏族高等教育的发展虽较羸弱，也在不断壮大，如目前除有前面介绍的西藏大学、西藏民族学院、西藏农牧学院外，自20世纪50年代始在中央民族学院（现更名为中央民族大学）、西北民族学院、青海民族学院、西南民族学院都设有藏语文专业；进入20世纪80年代又开设了青海省海南师专、甘肃省合作师专等大专学校；1992年9月，经过多年酝酿国家民委批准成立了全国第一个藏学系也是唯一一个藏学系——中央民族大学藏学系，笔者作为系的第一任主任，对藏学的课程进行了设计。继而西南民族学院和西北民族学院分别成立了藏语文系，这些系科的建立，为藏学专业的统一课程、统一教材的建立，对藏族高等教育的进步发展，提供了有利条件。

藏族教育目前所面临的几个问题：

1. 如何解决科学发展与藏族教育发展的问题。
2. 如何解决藏学教学中的多语问题。
3. 藏族传统教育与藏学新型教育的关系问题。
4. 完整的藏学教育体系的建立与藏学教育的发展前景问题。
5. 藏区教育的民族化与现代化问题。
6. 藏族教育如何为转型的藏族社会服务的问题。

此一时期也出现了蜚声教坛的藏学著名教育家，如已故的于道泉教授、王沂暖教授、东嘎·洛桑赤列教授、才旦夏茸教授，尚在一线任教的赛仓洛桑华丹教授、夏日冬教授和即近或已经退出教学岗位的温存智、郭登元、多识、马进武、王尧、胡坦教授等。

第三节 新时期的学术

跟以往的学术研究相比较，新时期的藏族学术具有以下一些特点。

第一，新时期的学术是自吐蕃王朝和十四五世纪的学术繁荣之后，又一次学术的进步和繁荣时期。其特点是人才多、成果多、领域广阔。

第二，在原来学术研究的基础上，有了新的大踏步地发展。从研究所使用的语言种类看，呈现出多语状态，不但有大量的藏语文的研究成果问世，也有大量的汉文和外文的研究成果问世；从内容看，在传统的“五明”文化基础上，增加了新的学科内容，较之自吐蕃王朝以来千余年的历史学术，更为新颖，更为科学，更为广泛；从学术指导思想看，马克思主义的世界观和方法论已成藏族学术的基本指导思想；从研究方法和手段看，藏族学术已采用当今最先进的录音、录像、摄影等崭新的科技成果，采用东西新兴学科研究的理论与方法，同时，科学和现代文明已成为藏族学术研究的重要对象。

第三，随着藏族学术研究的进步，藏学作为一门学科，逐步形成了自己的独立系统。在为本民族服务方面，学科思想的树立，对于藏族学术的目的、功用等一系列具体问题有了清晰的认识，使藏族学术逐步走向研究与人民群众的利益密切相关，促进藏民族发展进步的道路。在与世界文化的联系、交流方面，如何提高研究层次，开掘藏文化成就，弘扬藏文化精神，使人们科学地认识藏文化方面仍然任务繁重。

一、学术研究

（一）语言文字研究

1. 主要著作

《藏汉大辞典》，民族出版社 1985 年出版，此后多次再版。这部书的主编为张怡荪；副主编有：祝维翰、年叙·钦饶威色、土登尼玛、多吉杰布、洛桑土旺、罗桑多杰。这是新中国成立以来出版的最具规模、最有代表性的藏语研究成果之一，曾获得多项奖励。据主编在序言中说，这一宏著开编于 1928 年，至抗战末，辑成藏汉辞书蓝本计十大册，1951 年始再次进行修订。1958 年，主编率辞典工作组前往拉萨，在西藏自治区党委和自治区筹委会的领导关怀下，充实藏、汉族编写人员，扩大收词范围，重新拟定《藏汉双解大辞典》资料收集规划和收词凡例。“关于书面语，从各种字书、语法注释、诗歌修辞、同义辞藻、医药、历算、封建法典、旧时公文、逻辑推理、古印度语言学和宗教哲学等古典书籍中选出大量词汇；关于现代语，收集了解放后的新译词汇、地名、谚语、传统生产技术和风俗习惯等方面人民大众口头流行的词汇，时间约经四年，共得八万余条”。后经多次增删，成书时全书收词 53000 余条，这一宏著也是藏汉学者团结互助，努力攻关的集体智慧结晶，辞典发行十多年来，一直受到国内外藏学界的普遍好评，成为研究藏学不可或缺的案头书。

《英藏汉对照词典》，民族出版社，1988 年出版。主编：扎西次仁；副主编：刘德军。初为西藏民族学院科研项目，后列为西藏大学科研项目。收词 15000 余条，连同列在各词条内部的派生词、复合词共收词 50000 余条，是国内出版的第一部藏汉英三语对照的词典。

《藏汉对照拉萨口语词典》，民族出版社 1983 年出版。于道泉主编。共收词 29000 余条，且每词都有拉丁注音，便于学习使用。

《安多藏语口语词典》，甘肃民族出版社 1993 年出版。收词 11000 条，用国际音标注音，藏汉双解，其口语主要以拉卜楞地区的方言为主。

《梵藏对照词典》，甘肃民族出版社 1993 年出版。桑木旦主编。主要参考史著《翻译名义集》、《声明要领二卷》、《藏梵对照词典》等编成，收词约 40000 余条。

《梵藏汉对照词典》，民族出版社，1991 年出版。安世兴主编。主要参考朵喀·次仁旺阶的《藏梵词典》、《翻译名义集》等编成。安世兴尚编有《藏文藻词释难》，甘肃民族出版社 1991 年出版。参考多种藻饰词书写成，共收词 13000 条，较为全面。

自 50 年代擦珠·阿旺洛桑、才旦夏茸、桑热嘉措等老学者著有语法著作外，十一届三中全会以后，陆续问世了许多语法著作。

《藏文文法教程》，四川民族出版社 1981 年出版，格桑居冕著。格桑居冕为中央民族大学教授，长期从事藏语语法的研究。本书应用新的学科思想对传统语法进行了探讨。作者尚著有《实用藏文文法》等书。

《藏语语法论集》，多识著。甘肃民族出版社 1987 年出版。作者运用现代语言学理论对藏语语法中的动词、虚词等问题进行研究，提出了新的见解。

《三十颂详解》，钦饶威色著。四川民族出版社 1986 年出版，对传统文法三十颂进行了解说。作者尚著有《藏文动词释难》等书。

《现代藏文修辞学浅谈》，桑杰著。青海民族出版社 1983 年出版。作者用新型的修辞学理论对《诗镜论》中的修辞方法进行了理论探讨。

《阿里藏语》，瞿霭堂、谭克让著。中国社会科学出版社 1983 年出版。以拉萨话为对照，对阿里方言中的语音、语法、词汇进行了介绍。

这一时期还出版了一些旧的藏语语言、语法、修辞学类的著作，如《三十颂》、《司都文法》等。

2. 主要研究方向

（1）关于文字的研究

藏文的起源和创制问题是新时期藏族文字研究中普遍关注的问题之一。散见于报纸杂志的观点不少，而进行专论的却并不多见。才让太的《藏文起源新探》，载《中国藏学》1988 年第 1 期；罗秉芬的《也谈藏文的创制问题——从敦煌手卷 P. T. 1047 谈起》，载《藏学研究论丛》，西藏人民出版社 1992 年版，分别对藏文起源进行了探讨。前文认为，吐弥桑布札创制藏文说来源于伏藏，伏藏为佛苯斗争的产物，真伪难辨，故而不可信；吐弥创制藏文伊始就开始译经工程，不可能。故《三十颂》和藏文的创制并不是同时产生的。藏文可能源于象雄文。后文认为敦煌藏文写卷 P. T. 1047 第八段卜辞是松赞干布以前产生的，敦煌文献中并无吐弥桑布札创制藏文一事，因而推测在松赞干布时就有藏文存在。

（2）关于词汇的研究

《藏语并列式复合词的一些特征》，胡坦著，载《民族语文》1986 年第 6 期，对藏语并列式复合词的特征进行了总结归类；《安多藏语（夏河话）中的同音词》，载《民族语文》1985 年第 4 期；《藏语安多方言内部词汇的差异》，华侃著，载《西北民族学院学报》1993 年第 3 期，对安多藏语的同音词词汇差异进行了探讨。

（3）关于语法研究

涉及语法研究的论文较多。但是语法研究大体仍然处于两极的发展中，尚未能较好地将理论探讨与藏语语法现象结合起来。这两极也可以称作两种学术观点或者学术流派，有些同志将此称作保守势力和革新势力的斗争，我想此概括未必准确。一言以蔽之，所谓语法研究的两极，一是以传统的《三十颂》为主体，并在传统的既定框架中的研究；一是借助西欧和苏联的语法研究形式、方法的研究。实际上在近四五十年的藏语语法研究中，这两极在各自既定的领域中研究，各有特色，各有成就，有时候也免不了有一些学派之见。

（4）关于方言的研究

陆绍尊的《云南藏语语音和词汇简介》，载《藏学研究论丛》之四，西藏人民出版社1992年出版，主要介绍了云南中甸地区的词汇、构词特点和借词应用等；黄布凡、索南江才、张明慧的《玉树藏语的语音特点和历史演变规律》，载《中国藏学》1994年第4期，总结了玉树话的语音特点，并与拉萨等地的藏语进行了比较；孙宏开、王贤海的《阿坝藏语语音中的几个问题》，载《民族语文》1987年第2期，以阿坝地区之红原话为主，对阿坝地区的方言进行了探讨。

就整体看，语言文字的研究，在新时期取得了较为突出的成绩，但是，至少在以下一些问题上，未能跟得上时代的步伐。其一，在队伍建设上，较严重地出现了断层现象，20世纪50年代和60年代培养起来的新型的一代藏语文语言学队伍，随着时代的更易，已逐步退出工作岗位，而新一代语言学人才尚未得应有的成长。其二，在学科建设上，由于队伍状态所存在的问题，在五六十年代处于领先地位的藏语文研究，还没有较快地赶上世界语言学发展进步的步伐，还未能较快、较好地吸收、引进世界语言学科在20世纪，尤其是在20世纪下半叶所创造的语言学成就。其三，在应用研究上，后滞于藏族社会发展的基本节奏，对在现代化建设过程中，日新月异迅猛发展的藏语大量涉及的新型学科、新鲜事物的语言，还没有能够很好地进行研究，从而提出有效的对策。比如，在现代化过程中，如何解决传统语言到现代语言的更新问题，科技词汇的翻译问题，双语及多语问题，藏语标准语问题等。

（二）政治经济研究

1. 主要著作

《论西藏政教合一制度》，东嘎·洛桑赤列著，民族出版社1981出版。这是改革开放以来，在藏学界卓有影响的一部专论，也是曾经作为活佛的作者运用马克思主义的世界观和方法论撰写的第一部专著。作者重点梳理并论述了西藏政教合一制度的形成和发展过程，在20世纪80年代初许多藏文资料尚未被汉译的情况下，为复苏的藏学研究提供了耳目一新的材料，并广为引用。此书有甘肃民族出版社 1984 年版唐景福汉译本，民族出版社 1985 年版陈庆英汉译本，西藏人民出版社 1985 年版郭冠忠、王玉平汉译本。

《西藏地方是中国不可分割的一部分》（史料选辑），西藏社会科学院、中国社会科学院民族研究所、中央民族学院、中国第二历史档案馆编，西藏人民出版社 1986 年出版。全书共分七章。第一章，吐蕃王朝及其建政前后西藏地方与中原之间关系的发展；第二章，元统一全中国，对西藏地方全面施政；第三章，明朝管理西藏地方的政治措施和经济措施；第四章，清朝治理西藏地方的章程和建制；第五章，鸦片战争后，西藏人民英勇抗击外国侵略、维护国家主权的斗争；第六章，民国时期历届中央政府维护西藏主权的措施，全国各族人民反对外国侵略分裂西藏的阴谋；中华人民共和国成立，西藏和平解放。以汉文史料为主，选辑了历史以来大量的有关西藏和祖国关系的资料。

《元以来西藏地方与中央政府关系档案史料汇编》，中国藏学研究中心、中国第一历史档案馆、中国第二历史档案馆、西藏自治区档案馆、四川省档案馆编，中国藏学出版社 1994 年出版。主要收录了元、明、清及民国时期中央政府与西藏地方政府的官方档案，以藏汉文档案为主，并收译了部分蒙文和满文档案。共七册，278 万字。

《中国西藏地方历史资料选辑》，西藏社会科学院、中央民族学院藏学研究所编，藏文本，上下两册，西藏人民出版社 1986、1989 年出版。收录了敦煌古藏文写卷、《吐蕃王臣记》、《萨迦世系史》、历辈达赖班禅传记等藏文史料。

《西藏自治区概况》，该书编写组编，西藏人民出版社 1984 年出版。全书共分 13 章，前 6 章主要介绍了西藏的基本情况，历史沿革及封建农奴制度；后 7 章主要介绍了 1951 年西藏和平解放后在各行各业所取得的成就，文末附有相关文件和若干历史年表。

《当代中国的西藏》（上下两册，为“当代中国丛书”之一），当代中国出版社 1991 年出版。丹增、张向明主编。上册共 10 章，主要讲述西藏历史和和平解放以后的西藏情况。下册共 17 章，主要讲述西藏和平解放以后在农业、畜牧业、林业、交通运输、工业、商业、财政金融、气象水文、城镇建设、教育、科技、文化艺术等方面取得的巨大的成就。

《西藏革命史》，中共西藏自治区党史资料征集委员会编，西藏人民出版社 1991 年出版。叙述了西藏革命的历史过程。

《英俄侵略我国西藏史略》，周伟洲著，陕西人民出版社 1984 年出版。

《近代俄国与中国西藏》，王远大著，生活·读书·新知书店1993年出版。这两部书介绍了英俄对西藏侵略的历史。

《西藏历代法规选编》，西藏藏文古籍出版社1989年出版。收集了曾在西藏历史上使用过的一些法律条文。

《青海藏区部落习惯法资料集》，张济民主编，青海人民出版社1993年出版。全书收集整理了青海省黄南、玉树、海南、海北藏族自治州，四川甘孜藏族自治州，甘肃甘南藏族自治州等藏区存在的民间习惯法。

研究法律方面的论文并不多见，稍有影响的有仁青的《吐蕃法律初探》，载《藏学研究》第4集。阿旺的《吐蕃法律综述》，载《中国藏学》1989年第3期。何峰的《藏巴汗〈十六法〉试析》，载《藏学研究》之五，西藏人民出版社1993年版。

对于藏军及军制的研究主要有巴桑诺布的《藏军若干问题初探》，载《中国藏学》1992年特刊，为1991年北京藏学会会议论文。任树民的《吐蕃军事力量概述》，载《西藏研究》1990年第3期，从作战兵种及装备；战役策略；军事情报；军功奖罚；统帅专一，号令不二；宗教热情；战时体制与部落群体战等七个方面对吐蕃的军事力量作了叙述。

关于藏区经济的研究，在粉碎“四人帮”后的20年中得到了长足的进步，也取得了较为理想的学术成果。这些成果的取得，主要来之于三个方面：一是党和政府本身对藏区尤其是西藏经济工作的重视、扶植，比如自1980年以来召开的三次西藏工作会议，均形成了《西藏工作会议纪要》，对西藏工作乃至对整个藏区的工作都有非常重要的指导意义，而其中一个重点就是经济工作，各级的党政部门对此进行了卓有成效的研究。二是随着改革开放，社会主义市场经济体制的逐步确立，对相对封闭的西藏提出了一系列重要的研究课题，经济问题首当其冲，必须进行深入而全面的研究，才能适应时代的要求。各级从事领导工作的同志，对此也进行了大量的调查、研究。三是随着新中国成立以来培养起来的新的一代藏族知识分子的成长，形成了一批研究力量，虽然这一批力量的重点仍然分布于宗教、历史等研究领域，但不少研究工作者也受到经济建设这一主战场的吸引，致力于这一工作。四是在高校和科研机构从事藏区经济研究的教学和科研人员。这一时期出版了《西藏经济问题论文选》、《西藏经济概论》、《西藏经济发展概论》、《西藏经济的发展与对策》、《西藏经济学》、《西藏：非典型二元结构下的发展改革》、《西藏高原未来经济社会发展假说》、《西藏边贸市场建设与个体私营经济发展》、《西藏产业论》等书，从不同的角度对西藏的经济问题进行研究。其中具有代表性的是《西藏经济史》，此书由多杰才旦、江村罗布主编。全书共10章：1. 西藏解放前经济史；2. 西藏解放后的经济史；3. 西藏解放后的农业发展史；4. 西藏解放后的交通、航空、邮电、能源、工业史；5. 西藏解放后计划财政金融史；6. 西藏解放后流通与市场；7. 西藏改革开放后的新兴产业；8. 西藏城镇建设与内地的后勤基地建设；9. 西藏的产品与消费；10. 西藏的经济发展展望。对于西藏的经济发展的历史，尤其是西藏和平解放以后的经济历史进行了较为系统的勾画。

2. 主要研究方向

西藏政治的研究主要集中于以下一些方面。

第一，有关西藏与祖国关系史的研究。此一领域成果较多，如上所述之《西藏地方是中国不可分割的一部分》等。其较有代表性的作品有《西藏地方与中央政府关系史》，黄玉生、车明怀、祝启源等编著，西藏人民出版社1995年出版。全书分上下两编16章，分“政治关系”、“经济文化关系”进行叙述，反映了自公元6世纪以来1300年间藏与汉、中央政府与西藏地方在政治、经济、文化等方面的关系，贯穿了西藏是中国不可分割的一部分这一主题。

第二，现实政治研究。其中有专家学者的专题研究，也有中央和藏区各级领导干部的讲话、报告和文章。主要集中于以下几个方面：

其一是西藏和平解放以来一些重要的历史事件的研究。

关于西藏和平解放和“十七条协议”的研究。全国政协阿沛·阿旺晋美副主席在《中国西藏》1991年第1期发表《西藏历史发展的伟大转折——纪念〈关于和平解放西藏办法的协议〉》一文指出：“《十七条协议》的签订，是西藏历史发展的一个划时代的转折点，它标志着西藏民族永远摆脱了帝国主义的侵略和羁绊，使帝国主义分裂中国的阴谋彻底破灭；它包括西藏民族在内的中国各民族在新的历史条件下的大团结。”盛赞这一伟大事件。

关于推翻政教合一的封建农奴制度、平息叛乱的研究。阿沛副主席在《中国藏学》1988年第2期发表《一九五七“三月十日事件”的真相》一文，以亲身经历回顾了这一举世瞩目的历史事件。

《西藏春潮》（中国藏学出版社1990年出版）一书收附有《拉萨叛乱真相纪实》一文，回顾了拉萨叛乱的一些真实情况。

关于民主改革。吴从众的《试述西藏的民主改革及其伟大意义》一文，载《中国藏学》1994年第1期，论述了民主改革这一历史巨变的意义，认为西藏的民主改革，埋葬了西藏的封建农奴制度，废除了人身奴役制度，解放了生产力，使人民群众的生活得到改善，边疆得到巩固。后期的一些文章中也涉及到关于西藏的社会主义改造和建设、关于西藏的“文化大革命”、关于拉萨骚乱、关于反分裂斗争等问题的研究。

其二是关于西藏的所谓“两权”（主权、人权）问题的研究。所谓西藏的“主权”问题和“人权”问题都是自20世纪80年代以来，随着国际斗争的加剧而摆到台面上的。这一类论文都是批判性的。同时也是一种针对性的批判斗争形式。主要是以批判夏格巴的《藏区政治史》和范普拉赫的《西藏的法律地位》为主，也批判一些不同历史阶段西藏流亡集团和西方反共反华势力在西藏问题上的造谣、诬蔑和歪曲不实之词。

杨公素的《所谓“西藏独立”的由来》一文，载《中国藏学》1989年第1期，通过英帝国主义在西藏的早期活动，其提出的所谓“宗主权”，“西姆拉”关于“西藏独立”幕后交易，“麦克马洪”线问题，伪“人民会议”问题，1956年的“藏独”活动等七个方面对所谓“西藏独立”的发生和演化过程进行了全面的论述。

罗润苍的《评夏格巴的〈藏区政治史〉》一文，载《中国藏学》1992年第3期，对夏格巴的“西藏自古是一个独立国家”；“元王朝至民国，西藏与中国的关系是一种檀越关系”；“1912年十三世达赖喇嘛时赶走了汉人，结束了檀越关系”；“1951年中国侵略并占领了西藏，毁灭藏民族及其文化”等四种核心观点进行了批判，认为夏格巴的“西藏独立”论、“宗主权”论、“檀越关系”论、“典型侵略”论是继承了帝国主义的衣钵，是西藏少数上层的心愿，而不是广大人民的意志，是别有用心的，站不住脚的。

王贵等的《西藏历史地位辨》，民族出版社1995年出版，用50万言的篇幅，论述了西藏的历史地位问题，批判了夏格巴和范普拉赫的诸多观点。

柳陞祺的《评范普拉赫先生的西藏历史观及其他》，载《中国藏学》1992年第1期，对范普拉赫《西藏的地位》一书中的主要观点的历史渊源进行了研究，认为这些观点都出自英国人黎吉生的《西藏简史》一书。

针对所谓“西藏人权”问题，中国藏学研究中心总干事多杰才旦在《中国藏学》1992年第2期发表了《“西藏问题”不是人权问题而是维护中国主权问题》的文章，以自己所亲身经历的大量历史事实，揭露批判了国外反华势力炮制的“中国政府在西藏侵犯人权”的谎言，并指出他们核心的目的是为了分裂中国领土。毕华的《所谓“西藏人权问题”的实质是企图分裂中国》、张植荣的《“西藏人权问题”述论》等都在这一论题上发表了自己独到的见解。

其三是关于党在西藏的方针、路线、政策方面的研究。这一方面的代表性作品主要有江平、廖祖桂的《重大英明的决策》、江平等的《论“慎重稳进”方针》、多杰才旦的《毛泽东与西藏的伟大历史变革》等。

黄万纶的《论西藏民主改革的几个问题》一文，载《西藏研究》1984年第4期，分析了民主改革的重大意义。民主改革的任务主要分两步，第一步，发动群众，大力开展反对叛乱，反对乌拉差役，反对奴役和减租减息运动，在此基础上，第二步，进行土地改革和土地分配。这两步使西藏发生了翻天覆地的变化——废除了封建农奴制，建立了人民民主专政的西藏地方人民政权；废除了封建土地所有制、封建剥削、封建特权，生产得到恢复和发展，人民的生活得到改善和提高。

对于西藏的政治、经济的研究，在现实生活中发挥了重要的作用。但仍然存在两个问题，一是还不够普遍和深入，尚未形成一定的规模，队伍的培养还缺乏应有的力度，还缺乏有分量的作品；二是在许多时候理论上还没有起到前行的作用，应急、短期考虑较多，还缺乏长远的系统的规划，缺乏卓有建树的理论思考和宏观策略。

（三）社会历史研究

新时期藏族社会历史研究的状态是良好的。主要表现在：其一，自十一届三中全会以后，解放思想，拨乱反正，在被林彪、“四人帮”践踏殆尽的学术领域，重新贯彻执行了一条实事求是，结合现实的思想路线和学术原则，使藏学研究进一步向科学、求实的方向发展。一种学术，假如充满了虚伪和谎言，那么这一学术是很难得到发展的；同时，一种学术也必须与现实相结合，在改革开放，以经济建设为中心的社会总律动中，假如我们的学术研究不与现实相结合，而走一条经院式的研究道路，我们的学术肯定会走向死胡同。新时期的社会历史研究在冲破林彪、“四人帮”时期在藏学研究领域所形成的一套“左”的思想的同时，将学术研究的触角延伸到更广阔更深邃的领域。其二，社会历史的研究在藏学研究中处于排头兵的角色，在历史积累和五六十年代遗留的丰富资料的基础上，此时有了较快的进步，涌现了一些新人，出现了一批扎实的著作。其三，由于国家对西藏和藏学的大力支持，有经费、人力、物力的良好条件，这支队伍的研究工作才得以开展，研究成果才得以及时地出版。没有这些基本的保证，藏族社会历史学科如此突出的进步也是不可能的。

1. 社会研究

这一时期的主要作品有：

多杰才旦主编的《西藏封建农奴制度》。这是一部关于西藏封建农奴制研究的集大成之作。参加这一课题研究的多是长期从事这一领域研究的专家学者，如常凤玄、姚兆麟、吴从忠、王晓义、朗杰、李坚尚、张江华等。此书倘与50年代关于藏区的社会历史调查资料结合阅读，将有利于全面地了解西藏封建农奴制度。全书共分五编22章，第一编、生产部门，下分生态环境、农业、畜牧业、手工业与现代工业的萌芽、商品交换五章；第二编、经济制度，下分生产资料所有制和人身依附关系、封建地租和高利贷、庄园、昌都阿里等地的经济制度、阶级和阶级关系五章；第三编、政治制度和社会制度，下分中央管理体制、地方政权、法律和军事组织、寺院组织、藏北牧区的部落组织、家庭组织六章；第四编、思想文化，下分宗教信仰、教育、哲学思想与伦理观念、史学、文学与艺术、科学技术六章。在藏族文化和藏学研究中，西藏封建农奴制度问题的研究属于最为基础的研究，由于我们在指导思想上的一些原因，就整体而言，这一领域的研究尚待深入。因为，对这一领域的研究有两种思想倾向的干扰，一是以为对这一制度腐朽性的研究有损于藏民族的形象，对现实的民族关系和群众的情感也有损害，故望而却步，或充耳不闻，视而不见，躲闪回避，或就于表面，不及本质；一是将这一制度所体现的西藏社会基本状态放置于整个藏区，以此来观察藏族社会，成为藏族社会“最黑暗、最落后、最野蛮、最反动”的依据，而由社会沿革及整个藏人，由个别代替一般，以部分统领全局，走向了另一个极端，引起部分藏人的反感。实质上，对于一名藏学研究工作者，了解西藏的封建农奴制，是一“基础课”，也是一“必修课”。因为，我们现在对于西藏社会的诸多研究都要涉及西藏经济制度和社会制度，不了解西藏的社会制度、经济制度而研究藏学，就很容易失之偏颇。同时，也必须看到，研究西藏封建农奴制在整个世界同类学科研究中的重要地位，那种讳莫如深的态度同样是错误的；在对西藏封建农奴制的把握上，一些同志过多地强调了奴隶制的一面，而淡化了封建性的一面；过多地强调了它的代表性，而忽视了它的有限性，即封建农奴制不是整个藏区的社会制度，而是在西藏自治区的大部分地区实行的社会制度。以偏概全，以局部代替整体，自然会出现偏差。同时要将社会评价和民族评价严格地区分开来，不能将社会评价的结论运用于民族评价，损害民族感情。

《西藏封建农奴制论文选》，中国藏学出版社1991年出版。全书收录研究论文31篇，译文2篇，涉及西藏封建农奴制社会的政治、经济、宗教、文化等多个方面。

格勒的《论藏族文化的起源形成与周围民族的关系》，中山大学出版社 1988 年出版。全书共 7 章，主要探讨了藏族古代文化的来源形成与周围诸民族的关系问题。梁钊韬教授在该书序言中如此评价道："全书以辩证唯物论和历史唯物论为指导思想，努力运用人类学的理论和民族考古的综合研究方法，比较系统地论证了藏族的起源、形成、发展及其与国内外各民族的历史文化关系，颇多创见，是当今唯一以青藏高原文化为依据的人类学著作。"

刑海宁的《果洛藏族社会》，中国藏学出版社 1994 年出版。

杨明编著的《藏族游牧部落及社会主义现代化》，成都电讯工程学院出版社 1988 年出版。

青海省社会科学院藏学研究所编的《中国藏族部落》，中国藏学出版社 1990 年出版。较系统地介绍了分布在甘、青、川、西藏自治区藏北地区的藏族部落的基本情况。

陈庆英主编《藏族部落研究》，中国藏学出版社 1995 年出版。由陈庆英、何峰、周生文、敖红、谢热等撰写。全书共分 8 章，即绪论、藏族部落的组织结构、政治制度、法律制度、军事制度、部落经济、宗教信仰、社会文化等，对藏族部落的基本特点进行了研究。

洲塔著《甘肃藏族部落的社会与历史研究》，甘肃民族出版社 1997 年出版。全书共分 12 章，即绪论、部落生存的自然环境、历史沿革、部落建置沿革、部落分布、社会形态分析、宗教信仰、牧业经济、法律规范、军事制度、文化教育、风俗习惯等，对甘肃省境内的藏族部落进行梳理探讨。

王尧著《吐蕃文化》，吉林教育出版社 1989 年出版。对吐蕃王朝时期的藏族文化进行了研究介绍。王尧编著《吐蕃金石录》，文物出版社 1982 年出版。辑录、译注了有关吐蕃社会文化历史的重要金石铭文资料若干。

王尧、陈践译注《敦煌本吐蕃历史文书》，民族出版社 1980 年出版。

2. 历史研究

历史资料的选辑是新时期学术进步的一个重要基础。其中有几套书是卓有影响的：

（1）《清实录藏族史料集》（1 ~ 10），西藏人民出版社 1982 年出版。

（2）陈燮章、索文清、陈乃文编《藏族史料集》（1 ~ 4），四川民族出版社，1982 年、1983 年、1987 年、1993 年出版。

（3）苏晋仁、肖鍊子编著《册府元龟吐蕃史料校正》，四川民族出版社 1981 年出版。

（4）刘建丽、汤开建辑校《宋代吐蕃史料集》（1～2），四川民族出版社1986年、1989年出版。

（5）西藏社会科学院、中国社会科学院民族研究所、中央民族学院、中国第二历史档案馆编《西藏是中国不可分割的一部分》，西藏人民出版社1986年出版。

（6）中国藏学研究中心、中国第一历史档案馆、中国第二历史档案馆、西藏自治区档案馆、四川档案馆合编《元以来西藏地方与中央政府关系档案史料汇编》（1～7），中国藏学出版社1994年出版。

（7）中央民族学院选编《中国西藏地方历史资料选辑》（藏文，上、下两册），西藏人民出版社1986年、1989年出版。

（8）西北民族学院历史系、西藏社会科学院资料情报研究所合编《明实录藏族史料》（1～3），西藏人民出版社1985年出版。

（9）《西藏文史资料选辑》（1～14），民族出版社出版。

主要研究成果有三种类型：

其一，简史、通史类。

平措次仁的《藏史明镜》，西藏人民出版社1987年出版。这部书问世后，由于篇幅不大，且行文简洁，文字流畅，坚持爱国主义立场，曾被中央民族大学藏学系等采用为历史教材。

才旦夏茸的《西藏历史年表》，青海人民出版社1982年出版。

《藏族简史》编写组的《藏族简史》，西藏人民出版社1986年出版。由中国社会科学院的柳陞祺、邓锐龄、常凤玄、李凤珍、黄颢等编写。全书分三部分，一是奴隶社会，分五节，记述吐蕃王朝及其以前的社会历史；二是封建社会，分六节，记述了割据时期及元、明、清时期的藏族社会历史；三是半殖民地状态下的封建社会，分九节，记述了西方帝国主义侵略西藏以来至中华人民共和国建立阶段的藏族历史。

黄奋生的《藏族史略》，民族出版社1984年出版。这是作者的倾心之作，自写出至公开出版，前后经历了数十年的光景。在藏族史的研究成果中具有一定的代表性。全书共分三编十章，第一编，原始公社到吐蕃王朝的建立——远古至唐；第二编，吐蕃分裂，藏传佛教的复兴，封建割据，政教合一，元、明、清在藏区的施政——唐末至鸦片战争；第三编，帝国主义对西藏的侵略和清朝、北洋政府、国民党政府对藏族的黑暗统治——鸦片战争到藏族的解放。所涉领域宽阔，系统而严谨。

王辅仁、索文清的《藏族史要》，四川民族出版社1980年出版。此书作为一本“文革”刚结束后的通俗作品，发挥了很好的作用。

恰白·次旦平措等的《西藏简明通史》（藏文，上、中、下三册），西藏人民出版社 1989 年、1990 年、1991 年出版。这是 1949 年以来，迄今为止的藏史研究中，用科学的世界观和方法论进行藏史研究的，内容最为丰富、部头最大的史书。尤其出自一位藏族老学者之手，确实难能可贵。从传统的藏史研究看，从根敦群佩到东嘎·洛桑赤列、恰白·次旦平措，在史学的科学研究方面迈出了更为可贵的一步。

其二，藏传佛教教派和教派史。

王森的《西藏佛教发展史略》，中国社会科学出版社 1987 年出版。

措如次朗的《宁玛派史略》，民族出版社 1989 年出版。

云丹桑布的《觉囊派史略》，民族出版社 1990 年出版。

赛仓洛桑华丹的《格鲁派史略》，民族出版社 1990 年出版。

祥萨格桑确吉坚赞的《蒙藏佛教史》，民族出版社 1993 年出版。

班班多杰的《藏传佛教哲学史纲》，三联书店 1994 年出版。

其三，地方史志和历史人物。有：

陈庆英的《元朝帝师八思巴》，中国藏学出版社 1992 年出版。

黎宗华、李延恺的《安多藏族史》，青海人民出版社 1993 年出版。

王辅仁、陈庆英的《蒙藏民族关系史》，中国社会科学出版社 1985 年出版。

祝启源的《唃厮罗——宋代藏族政权》，青海人民出版社 1988 年出版。

格勒的《甘孜州史话》，四川民族出版社 1984 年出版。

樊保良的《蒙藏关系史研究》，青海人民出版社 1992 年出版。

蒲文成主编的《甘青藏族寺院》和冉光荣的《中国藏传佛教寺院》，中国藏学出版社 1994 年出版，等。

3. 专家、学者

王尧（1928～ ），中央民族大学教授。1951 年进入中央民族学院民语系学习藏文，后留校长期从事教学与研究工作。主要成就在于：敦煌古藏文文献的注释、研究与教学；藏传佛教的研究；藏戏的研究等。现活跃于藏学界的陈庆英、褚俊杰、熊文彬、沈卫荣等均出自其门下。主要著作有《敦煌本吐蕃历史文书》、《吐蕃金石录》、《吐蕃简牍目录》、《西藏文史考信录》、《吐蕃文化》等，在国内外多所大学和研究机构担任兼职教授。

王辅仁（1930～1996），中央民族大学教授。主要成果有：合著《藏族史要》、《西藏佛教史略》、合著《蒙藏民族关系史》等。

陈庆英（1943～　），中国藏学研究中心历史宗教研究所所长、研究员。主要成果有二：其一、翻译，译有《汉藏史集》、《萨迦世系史》、《吐蕃王统世系明鉴》、《吐蕃传》、《论西藏政教合一制度》等；其二、藏史研究，著有《元朝帝师八思巴》、合著《蒙藏民族关系史》、主编《中国藏族部落》等。

格勒（1948～　），藏族，四川省甘孜藏族自治州甘孜县人。中国藏学研究中心社会文化研究所所长、研究员，人类学博士。主要著作有《论藏族文化的起源形成与周围民族的关系》、《甘孜州史话》、合著《藏北牧民》等。

（四）文学艺术研究

1. 文学研究

藏族文学的研究主要有以下一些成果：

其一，《藏族文学史》，1985 年由四川民族出版社出版，1994 年修订再版。主编马学良、恰白·次旦平措，佟锦华为主要执笔人。是新中国成立后最具影响的《藏族文学史》，前后经过了 30 年的努力方得以竣工。全书分四编 33 章 70 万字。第一编，原始社会和奴隶社会时期的藏族文学，下列社会发展与文学概况、神话、诗歌、传说、故事、史传文学、《巴协》、翻译事业的兴盛 8 章；第二编，分裂割据时期的藏族文学，下列社会发展与文学概况、英雄史诗《格萨尔王传》、《米拉日巴道歌》、《萨迦格言》“伏藏”、传说故事、藏文《大藏经》中的文学作品等 7 章；第三编，封建农奴制社会前期的藏族文学，下列社会发展与文学概况、《诗镜论》及藏族文学创作、历史文学、传记文学、作家诗、藏戏、传说故事等 7 章；第四编，封建农奴制后期的藏族文学，下列社会发展与文学概况、史传文学、诗镜注释及研究、作家诗、长篇小说、寓言小说、民歌、民间长篇诗歌、谚语、民间故事、藏汉文学交流等 11 章。所辑材料丰富，文学类型齐全，论述较为精当。佟锦华教授尚著有《藏族民间文学》（西藏人民出版社 1991 年版）等书。

其二，《藏族当代文学》，耿予方著，中国藏学出版社 1994 年出版。是新中国成立以来第一部系统地研究藏族当代文学的著作。全书共分八章。第一章，导言，下分藏族当代文学的社会背景、文学背景、发展历程、崭新拓展、春风春雨等五节；第二章，诗歌，分三节，介绍评论了擦珠·阿旺洛桑、桑热嘉措、恰白·次旦平措、饶阶巴桑、伊丹才让等诗人的诗歌作品；第三章分五节，介绍评论了意西泽仁、尕藏才旦、扎西达娃等人小说创作；第四章，长篇小说，分七节，介绍评论了降边嘉措、益希单增、益希卓玛、班觉、多杰才旦、丹珠昂奔等人的长篇小说创作；第五章，散文，分三节，介绍了赤列曲札等人的散文作品；第六章，戏剧与电影，分三节，介绍了贡布扎西等人的戏剧作品；第七章，民间曲艺，分三节，介绍了斋嘎等民间曲艺；第八章，新民歌，分四节，介绍了新民歌的思想内容、艺术特色和社会作用。第一次对藏族当代作家做了全面的介绍。

其三，《格萨尔王传》的研究，主要成果有：

降边嘉措的《格萨尔初探》，青海人民出版社 1986 年出版。降边嘉措尚著有《“格萨尔”的历史命运》等书。赵秉理主编的《格萨尔学集成》(1 ~4)，甘肃民族出版社出版，这部近 500 万言的丛书，汇集了研究《格萨尔王传》的主要论文。杨恩洪的《民间诗神——格萨尔艺人研究》，中国藏学出版社 1996 年出版；杨尚著有《中国少数民族英雄史诗〈格萨尔〉》，浙江教育出版社 1991 年出版。《格萨尔王传》的研究在新中国的藏族文学研究中是成果最为丰富的。

其四，部分文学评论。评论藏族作家文学作品的评论文章不少，但出自藏族评论家之手的评论目前尚不多见。有丹珠昂奔的《佛教与藏族文学》等。

2. 艺术研究

在藏族艺术的研究中，西藏民间艺术研究所主办的《西藏艺术研究》、《艺研动态》（1986 年创刊）发表了许多很好的介绍性文章和理论、评论作品。涉及面十分广泛，许多都是开发性的填补空白的作品。一些内地的专业性杂志也发表了不少有关藏族艺术的文章。

音乐方面。《乐论》的翻译、注释受到艺术界普遍的关注。1986 年，民族出版社出版了萨迦班智达贡噶坚赞的《乐论》，并附有《乐论注疏》和《略论堆谢和囊玛的起源》两篇文章。中央民族大学教授赵康翻译了《乐论》和《乐论注疏》一书，分别发表于《中央音乐学院学报》1989 年第 4 期和《西藏歌舞》1985 年第 4 期上，并附有毛继增的评论文章《萨迦班智达贡噶坚赞及其〈乐论〉》，对《乐论》一书进行了高度评价。

何永才的《西藏舞蹈概说》，西藏人民出版社 1988 年版。全书介绍了藏族的常见的舞种果谢、堆谢、囊玛、果卓、谐青、热巴、拉姆、噶尔、卓等。

1990 年青海民族出版社出版了甘南藏族自治州文化局主编的《藏戏音乐选》，记录了流传在拉卜楞地区的《松赞干布》、《赤美更登》、《罗摩衍那》等剧本的藏戏音乐。

美术研究。《藏传佛画度量经》，尕藏编译，青海人民出版社1992年出版。全书分三部分：一是身、语、意度量经注疏花蔓，分四篇，即"佛"身的比例尺寸、佛"语"的比例尺寸、佛"意"的比例尺寸、绘画颜料；二是诸神、佛像三百幅；三是常用藏汉美术词汇对照表。此书是一部在藏传佛教和美术界备受关注的书。

安旭的《藏族美术史研究》，上海人民出版社1988年出版。全书共分八章，较为全面地研究、探讨了历史以来藏族的建筑、绘画、雕塑、服饰、工艺美术等艺术形式和藏族艺术与毗邻的印度、尼泊尔等国艺术的关系。

李冀诚、顾绶康编著《西藏佛教密宗艺术》，外文出版社1991年出版。全书分两部分，文字部分介绍了藏传佛教密宗的来源、教理、修习次第及艺术等；图版部分主要有铜雕、唐卡、壁画、泥雕、木雕、板画、石雕、法器等。

中央民族学院少数民族文学艺术研究所主编，杨树文、张嘉言等编著《八思巴画传》，西藏人民出版社、新世纪出版社1987年出版。全书对萨迦寺所存的反映八思巴一生历史功绩的唐卡拍照出版，并加以文字说明。杨树文尚编有《藏族器物艺术》等。

侯石柱的《西藏考古》，西藏人民出版社1991年出版。在书中最后一部分对在阿里发现的岩画进行了介绍。

根秋登子的《藏族传统美术概论》，中国藏学出版社1994年出版，对藏族的传统美术进行了探讨和论述。

于乃昌的《西藏审美文化》，西藏人民出版社1989年出版。

主要专家学者：

佟锦华（1928~1989年），中央民族大学教授，山东莒县人，长期从事教学研究工作。主要著作有《藏族文学史》、《藏族民间文学》、《藏族古典文学》等。在藏族文学史的研究中成果突出。

耿予方（1929~ ），中央民族大学教授。山东昌乐人，长期从事教学与研究工作，著有《藏族当代文学》，翻译有《国王修身论》（西藏人民出版社1987年版）、《格丹格言》、《水树格言》（西藏人民出版社1985年版）、《萨迦格言》及当代中短篇小说若干。

赛仓洛桑华丹（1942~ ），甘肃拉卜楞寺第六世赛仓活佛，甘肃省合作师范专科学校校长、教授，所著《诗镜论》影响广泛。

从总体上看，在当代中国最有影响的藏学著作有：1. 东嘎·洛桑赤列的《论西藏政教合一制度》；2. 恰白·次旦平措等的《简明西藏通史》；

3. 王尧、陈践的《敦煌本吐蕃历史文书》；4. 高尔斯坦《喇嘛王国的覆灭》；5. 张怡荪主编的《藏汉大辞典》；6. 牙含章的《达赖喇嘛传》；7. 赤列曲札的《西藏风土志》；8. 佟锦华等主编的《藏族文学史》等。这些作品为推动藏学事业的向前发展，起到良好的资料积累、理论借鉴和学术指导作用。

（五）文化教育研究

科教是兴国之本。教育既是社会经济发展的基础，也是文化发展的基础。有什么样的文化，就有什么样的教育，同理，有什么样的教育，就会形成什么样的文化。教育模式虽然不能与文化模式画等号，但教育模式直接影响着文化的类型和发展。

1. 主要著作

十一届三中全会以后，对于藏族教育的研究发展较快，成果较为突出。出版了一些专著，也发表了不少论文。

《藏族近现代教育史略》，朱解琳编著，青海人民出版社 1990 年出版，24.6 万字。全书共分上下两编，上编为近代时期（1840～1919）的藏族教育，共分六章，即第一章，鸦片战争后的藏族社会和教育状况；第二章，西藏和甘青藏区近代教育的产生和发展；第三章，清朝末期的康区（川边）藏族教育；第四章，新的教育行政机构、“教育会”的建立和蒙藏学校章程的公布；第五章，藏传佛教的寺院教育；第六章，帝国主义对藏区文化侵略的开始和藏族人民反对奴化教育的斗争。下编为现代时期（1919～1949）的藏族教育，共分六章，即第一章，北洋政府和国民党政府时期民族教育的实施方针及藏区教育行政机构的沿革；第二章，各级各类教育的实施；第三章，编译教材，划拨经费，奖励优待师生员工等办法的实施和文化教育研究活动的开展；第四章，格鲁派（黄教）的衰败和僧侣现代新式教育的兴办以及佛教对藏族文化教育的影响；第五章，帝国主义对藏区文化侵略的扩大和加深；第六章，红军长征在藏区的教育活动和陕甘宁边区对藏族干部的培养教育。全书之末尚附有四川藏文学堂章程、打箭炉关学师范传习所简章、教育部公布蒙藏学校章程、打箭炉直隶厅教育会简章、拉卜楞藏民文化促进会组织章程、青海省推进蒙藏教育实施办法等六种资料。

《藏族近现代教育史略》一书较为全面而系统地叙述了藏族近代（从鸦片战争到“五四”时期）和当代（从“五四运动”至解放时期）教育发展、演变的过程。搜集资料较为全面（尤其是汉文资料），虽然对藏族教育主体（寺院教育）的开掘尚欠深入，但其对藏族近现代教育发展基本状态的勾勒是客观而清晰的，也是十分难得的，有些方面具有开拓性。

《西藏教育》，多杰才旦著，8 万字，中国藏学出版社 1991 年出版，虽然篇幅较小，却是近年来研究藏族文化教育的重要著作之一，被学术界广泛引用。这部书的可贵处是作者是西藏当代教育许多事件的见证人、领导者和组织者，具有资料与思想的权威性。多杰才旦现为中国藏学研究中心总干事、研究员、博士生导师。1951 年进藏，历任拉萨小学副校长、西藏自治区筹备委员会文教处副处长，办公厅副主任、副秘书长，西藏自治区农牧厅厅长，西藏社会科学院院长，拉萨市委第一书记，自治区党委书记、政府主席等职。作者基本经历了西藏当代教育的全过程。全书分上、下两篇。上篇，第一章，教育的渊源；第二章，吐蕃时期的教育；第三章，元明以来藏传佛教诸教派的教育；第四章，黄教的寺院教育；第五章，对寺院教育的评价；第六章，清代和民国时期的教育。下篇，第七章，西藏的现代教育；第八章，西藏过渡时期的特殊教育措施；第九章，现代教育的发展；第十章，新时期教育的调整和发展；第十一章，中等专业教育的发展；第十二章，高等教育的调整；第十三章，成人教育成绩显著；第十八章，西藏各地、市的教育；第十五章，发展西藏教育若干问题的探讨。全书的精华主要在下篇。下篇中作者用丰富的数据、实例和论证，阐述了藏族当代教育发展的基本状态和取得的成就，对现行教育的规划思考，对如何看待传统教育，均有良好的学术参考价值。

《藏族古代教育史略》，谢佐、何波著，青海人民出版社 1994 年出版，28 万字。全书共分五章，第一章，藏族史前教育概述；第二章，吐蕃时期的藏族教育；第三章，宋元时期的藏族教育；第四章，明清时期的藏族教育；第五章，藏传佛教的经院教育。该书对藏族教育的产生、演变、发展，每一时期的教学内容和特点进行了梳理和总结，具有较高的学术价值。作者谢佐（1941 ~　），青海省海东地区人、教授，曾任青海省委党校副校长、青海省社会科学院副院长等职，尚著有《瞿坛寺》等书。

在藏族教育的研究中，处于行政区划和各地不同的特点，也出现了研究某一地区教育状态的论文和书籍，甚至研究某一学校和某一专业的论文。其中较有特色的是韩克苗、张延安、巴建坤所著之《希望之光——关于甘南藏族教育的探索与思考》一书（甘肃民族出版社 1991 年版），全书分困惑篇、求索篇、实践篇、希望篇，对甘南藏族教育的过去、现状和未来进行了多方位的探索和思考。尽管有些问题的提出还欠成熟，但文章写得颇具情采，充满了对甘南教育问题的深切关注和深厚情感。作为一个藏族自治州，甘南的教育与其他藏区仍有区别，牧区教育在其教育形式中占有重要地位。甘南藏族自治州现有55个牧区乡，占全州总乡数的53%；牧区人口27万人，占总人口的43%；牧区面积24750平方公里，占全州总面积的55%。牧区乡与农区乡不同，既有地广人稀、居住分散的区域特点，又有冬春季定点居住、夏秋季随畜群游牧等生产特点。与其他一些藏区一样，针对此种情况，甘南同样以寄宿制和固定教学点为办法解放教学问题。据《希望之光》介绍，至1990年年底，全州新建、改建寄宿制小学41所，在校学生6547人；寄宿制藏族中学6所，在校学生2236人，全州78%的牧区乡都建起了寄宿制小学，除临潭县外，其他六县都办起了藏族中学，以加强这些县的民族语文教学。实行寄宿制后，学生的入学率有了明显提高。如玛曲县曼日玛寄宿制小学，在改寄宿制前全校学生只有20名，入学率只有55%，实行寄宿制后学生增加到210名，入学率增长到60%以上，年巩固率在90%以上。

《希望之光》介绍，在"双语教学"方面，甘南藏区也走过弯路，如在"文革"中，"强行停止藏语文授课，严重挫伤了民族感情，直接影响教育质量，使牧区教育濒于崩溃的边缘。学生上课如听天书，教师授课犹如'哑巴教聋子'，路子越走越窄"。粉碎"四人帮"后，州委决定恢复藏语文教学。并从两个环节入手：一是迅速建设用民族语文授课的师资队伍。（1）立足本地，建立培养用藏语文授课的小学师资基地。1980年开始，在州民族学校增加了用民族语文授课的少数民族师范班。（2）立足现实，从本地分散在社会上的喇嘛、学者中招聘教师。从1980年开始，经过考试，在社会上招收了98名民族知识分子补充到师资队伍中来，发挥了很好的作用。（3）引进外来力量，作为充实、提高教师队伍的一条重要途径。1980年以来从青海省黄南藏族自治州聘请了30名藏语文教师，缓解了师资紧缺问题，且对当地教师进行传、帮、带。小学师资缓解后，全州兴建6所藏族中学，中学藏文师资又出现短缺。1985年，在甘南建立了合作师范专科学校，开设了藏语文、汉语文教学三个专业（现已增至5个专业）。二是重点进行民族语文的教材建设。经过多年努力，确定在群众通用藏语地区基础教育阶段实行以藏语文为主，从小学高年级开始单科开设汉语文体制；在汉藏语兼通地区，中小学实行以汉语文教学为主，单科开设藏语文的体制。两类地区在学生毕业时做到"主通辅懂"的水平。同时，州上颁布了《全日制十二年制藏族中小学教学计划》，对全州中小学进行全面规划，合理布局，使"双语"教学落实到学校，并要求实行双语教学的学校必须按五省区协编教材的规定，做到教学计划、教材内容、考核命题、质量要求、检查评估五统一。截止1990年全州已有239所中小学用双语进行教学，学生达 17882 人。其中以藏语文为主进行教学的 76 所学校，9642 名学生，分别占双语教学总校数的 31.8%，学生总数的 53%，加之甘南民族学校和合作师专的藏语文专业，一个由初级到高级以藏语文教学为主的师范教学体系已经形成。

2. 主要研究专题

第一，关于教学改革和教育现代化的研究。

自进入 20 世纪 80 年代以来，有关教学改革和教育现代化的文章不少，也提出了许多颇有见识的意见、建议。著名藏学家东嘎·洛桑赤烈在《西藏研究》（藏文版）1986 年第 4 期发表的《西藏教育学的发展》具有一定代表性，兹述如下：

（1）该文实事求是地总结了藏族教育所存在的问题：①没有教学计划；②没有教案；③忽视教育理论的学习（主要指传统的教育、教学方法）；④教材与辅助教材不分；⑤无统一教材。

（2）分析研究了藏、汉文使用问题上的糊涂认识，诸如先抓富裕、后抓教育；学古文化用藏文，学现代新文化用汉文；藏文水平高无人识，汉文水平高受重用，藏文无出路等，认为这些糊涂观念的存在，从各个层面阻碍了藏语文的学习。作者列举了几个数字：

①通过对自治区 19 所初中和 8 所高中的统计，师生总数 9450 人，其中藏族学生 5265 人；拉萨一中共 28 个班，其中汉族班 16 个，藏族班 12 个，该校共有学生 1451 人，其中汉族学生 518 人，汉族学生占学生总数的 35.7%。

②据统计，1984 年西藏大学、西藏农牧学院、西藏民族学院共有学生 1318 人，其中藏族学生 666 人；派到内地大学学习的学生 230 名，藏族学生仅 60～70 名。

作者从上述情况分析，从小学开始，藏族学生汉、藏两文都未能达到标准，形成了从小学、中学到大学逐级减少的情况（不是正常的升级规律），关键问题不是学生智力低下，也不是藏语文难学难懂，而是发展文化教育脱离了本民族的文字。认为文化教育的民族化是提高民族文化修养，进行现代化建设的根本途径。显然，这是一个具有重要理论和实践意义的思想。

（3）作者认为通过藏语文提高藏族文化教育水平具有远大前途。理由是：①藏文历史悠久，体系完备，有很强的适应性；②藏文是藏人居住区的通用文字，语言和文字结合，容易接受；③藏文由元音符号、辅音、基字、前置字、后置字等组成，字形少，易掌握；④由于是拼音文字，创造新名词不需要另造字形；⑤有系统完整的正字学；⑥有一大批学者，古藏文和现代藏文不像汉文那样差距大；⑦藏文是拼音文字，创造新名词方便。

东嘎教授认为藏族应该向朝鲜、维吾尔、蒙古等民族学习，用自己的语言文字实现教育的科学化和现代化，这一观点自发表以来，在知识界和青年学生中具有较为广泛的影响。

彭存宣的《西藏的人口文化素质与教育改革》① 一文通过西藏人口的文化教育素质，提出了西藏教育改革的有关问题。全文分：一、西藏人口文化程度的现状。根据第三次人口普查（1982 年）资料：西藏有大学文化程度的人口为 6975 人，占总人口的 0. 37%；高中文化程度 22925 人，占总人口的 1. 2%；初中文化程度 68232 人，占总人口的 3. 6%；小学文化程度 308436 人，占总人口的 16. 35。全区小学以上文化程度人口为 407615 人，占总人口的 21. 5%。二、藏族人口文化程度与其他民族文化程度的比较。三、西藏文化人口的地区差异。四、文化人口的城乡差异。占人口总数 15. 4% 的城镇，小学以上程度人口占城镇人口的 46. 7%；占人口总数 84. 6% 的农村牧区，小学以上人口只占农牧区人口的 17%。昌都县向达公社，1982 年人口普查时无一名小学生，全公社均为文盲。五、西藏人口的文盲、半文盲状况。全自治区文盲、半文盲人口为 74. 3%；其中有 36 个县的女性文盲人口为 93. 6%。六、各级各类学校各年在校生人数。基于上述西藏人口的基本状态，作者提出一些改革的设想：一、面对现实，承认落后，锐意改革，迎头赶上。二、制订计划，逐步实现普及教育。三、大力发展师范教育，培养一支合格而稳定的民族师资队伍。四、关于西藏的办学原则。作者认为根据以往的经验和教训，西藏办学应考虑到西藏的历史、社会、经济与文化教育的发展水平以及群众的生活、地理环境因素；教育应以公办为主，集中办学为主，办寄宿制学校为主。

杜拉杰的《藏区教育改革急需解决的一件大事》② 一文就面对市场经济大潮如何变革藏族教育提出了自己看法。全文由前言和四部分组成，对藏区教育的前景给予了深切的关注，并明确指出，藏族教育必须面向现代化、面向科学，而不是固步自封，因循守旧。虽然有些言词较为激烈，但文章发展后，受到一些青年学生的关注和讨论。

---

① 彭存宣：《西藏的人口文化素质与教育改革》，载《西藏研究》1986 年第 2 期。

② 杜拉杰：《藏区教育改革急需解决的一件大事》，载《中国藏学》（藏文版）1993 年第 3 期。

第二，关于传统教育的研究

关于藏族传统教育的论述文章较一般文章为多，因而重复者也多，且大多是介绍文字，真正有分析、有理论，且结论科学者无多。

1. 有关教育史的研究

群培多杰的《略述旧西藏的学校教育》[①] 对旧西藏的教育分为寺院教育、官办（地方政府）教育、私办教育三种形式进行了阐述，其中对现代官办学校的叙述（如十三世达赖、九世班禅办教育事）较为详细，也具有一定的资料价值。

李延恺的《历史上的藏族教育概述》[②]、《再论藏族寺院教育》[③] 两文，对传统进行了探讨。前文的新意在于对藏族寺院教育的估价。认为其积极方面有五，即：(1) 培养、造就了大批人才；(2) 创造、汇集了数以万计的藏族历史文化典籍；(3) 传播了社会科学和自然科学知识；(4) 丰富、发展了藏语文；(5) 在一定范围推行、普及了藏族文字。消极方面亦有五，即：(1) 宣扬“人生苦海”佛教，求来世，不参加变革现实活动；(2) 使广大百姓失去受教育的机会，阻碍文化普及和科技进步；(3) 不设现代学科，影响四化建设；(4) 所学经论虽多，对社会无益；(5) 入寺僧多，影响物质生产。后文分三部分：即 (1) 寺院教育的来历、形成与发展；(2) 寺院教育的特点；(3) 寺院教育的历史作用。第一部分无甚新意，第三部分基本与上文重复，唯第二部分提出了寺院教育的四个特点：即 (1) 学制严格，一以贯之；(2) 课程固定，教科书不变；(3) 学位考试严格，程式独特；(4) 重专精，尚背诵。

2. 有关教育制度的研究

经学制在传统教育中占有重要地位，因而此方面的探讨也颇有价值。由于许多研究者都没有受过正规教育学的训练，因而所见文章不少，而对教育本身却没能找出较有价值的理论思想来。

孙雨志、刘洪记的《藏传佛教学经僧考取学位简析》[④]，依据藏、汉文资料对学僧考取学位的有关事宜进行了总结、归类和探讨。文章分四部分：(1) 格西学位的考取过程；(2) 从经济条件分析贫苦学僧考取格西学

---

① 群培多杰：《略述旧西藏的学校教育》，载《西藏研究》（藏文版）1985 年第 4 期。

② 李延恺：《历史上的藏族教育概述》，载《西藏研究》1986 年第 3 期。

③ 李延恺：《再论藏族寺院教育》，载《中国藏学》1992 年第 4 期。

④ 中央民族大学藏学研究所编：《藏学研究》之六，天津古籍出版社，1990 年，第 267－276 页。

位的难度；（3）从对活佛、却则实行派考照顾看贫苦学僧取得学位的难度；（4）少数普通考僧取得学位及其带来的社会影响。

3. 关于传统教育方法的研究

随着藏族传统教育为多数人所了解，国内外不少学者较多地关注藏族传统教育。罗碧玲的《试论藏传佛教寺院教育的“问难”》① 一文对藏区寺院的特殊学习方法辩经（即该文中所谓“问难”）进行了论述，认为该方法对培养和发展学僧思维能力有良好作用，也有利于培养和发展学僧的记忆力。

第三，关于中小学文化教育的研究

中小学教育是藏族教育的关键，涉及面广，工作任务繁重，问题比较多，又是近几十年进步比较快的一个方面。

据统计，西藏全区有民办小学 1787 所，占全区小学总数的 74.5%，共有 4259 个班级，占全区小学在校生的 39.31%；教职工共有 2874 人，占全区专任教师的 35.89%。全区共有 36 个县办中学，其中只有两县有高中，全区职高和初中各一所，在校学生只有 469 人。全区文盲、半文盲占全区总人口的 44.43%（全国为 15.88%），小学入学率 51.6%（全国为 119.1%）。白玛次仁的《谈谈西藏的农村教育》② 一文，针对这种状况进行了分析研究，其中有些观点对目前藏区教育是有参考意义的。如：（1）关于通过各种渠道，各种方式宣传教育与经济的关系和教育的经济价值，使全区群众加深认识。（2）建立以县为主体，乡为基础，党政群并抓并管，农科教多方位为一体的条块结合，吸收科、教、农、群、经、劳动人事系统人员的管理体制。（3）教育结构的改革必须要招生、分配、招工、招干、就业等方面配套，不能仅在教育内部进行。（4）建立对农村教育进行指导、监督、检查、评价、服务的教育督导制等。

多杰才旦的《拉萨小学的建立及对西藏现代教育的影响——纪念拉萨小学成立 37 周年》③ 是一篇对藏族新型教育的典型个体——拉萨小学进行系统总结的文章。分三部分：1. 拉萨小学成立的社会历史背景。2. 建校初期的组织领导工作与办学方针。（1）加强统一战线工作，建立特殊的学校领导机构；（2）办学中遇到以后明确的几个重大原则问题；a. 上层统一

① 罗碧玲：《试论藏传佛教寺院教育的“问难”》，载《中国藏学》1989 年第 2 期。

② 白玛次仁：《谈谈西藏的农村教育》，载《西藏研究》1993 年第 2 期。

③ 多杰才旦：《拉萨小学的建立及对西藏现代教育的影响——纪念拉萨小学成立 37 周年》，载《中国藏学》1989 年第 4 期。

战线与群众工作必须相结合；b. 从西藏的实践出发；c. 用藏语文讲授科学知识和党的政策，以生动活泼的教学吸引各阶层子弟上学；d. 加强党的领导，发挥党员作用，密切联系群众，充分调动学校僧侣知识分子的积极性。3. 拉萨小学对西藏现代教育的影响。a. 西藏人才的摇篮；b. 传播现代文明的基地；c. 党和民族政策正确性的具体体现，也是当时党的上层统一战线工作和影响群众工作结合的成功范例。

第四，关于师范教育的研究。

突出师范教育，加强师资队伍的培养和建设，是数十年来各级领导一直在不断强调的问题，也是教育单位和教育管理部门十分关注的问题和常规性的工作。

安如磐在《西藏优先发展教育》[①] 一文中针对改革开放之后，各行各业都在大上，农业、牧业、能源，交通、教育、科技都是战略重点，都是关键，但从西藏实际看，应该将教育放在优先发展的地位——“战略重点之首来发展”。在谈到加强教师队伍建设时，作者认为：

> 逐步建设一支以藏族为主的教师队伍，是普及和提高藏区教育水平的基础。应花大本钱，出大力气培养师资，特别是藏族师资。这是决定性的环节，是关键的关键。一个民族的精神和力量，往往是通过教师形成的。有钱不一定有好教师，尤其是少数民族教师。例如西藏农牧学院，现有教师 138 人，其中藏族教师 27 人（讲师 1 人，助教 3 人，无职称 23 人），这是很严重的问题。我们必须舍得在他们身上投资，舍得在教育事业上用人。通过预测根据需要定向招生、定向培养少数民族教师，培养学生很大程度取决于对教师的培养。我们必须尽快采取一些得力措施，把藏族中最优秀的人才吸引到学校里，用到育人上。解决教师奇缺与人们不愿当教师的矛盾……争取创办藏族师范学校，重点培养藏语文教师。可花高薪从国内外聘请急用的教师。掘开教师单位所有制的一潭死水，对所有高校教师要在全区范围内统筹使用，组织合理流动。使人尽其才，才尽其用。应确保教师队伍的稳定性，以利于提高教学质量。应组织教学与科研单位密切合作，相互兼职。

① 安如磐：《西藏优先发展教育》，载《西藏研究》1995 年第 2 期。

尽管历时10年，时过境迁，而作者对西藏教育，尤其师资队伍建设的迫切感溢于言表。抓师范教育，抓师资队伍建设这一点，作者的倡导完全是正确的。进入20世纪90年代，这种观点，已成为大多数人的共识。同时，师范教育工作者也开始探讨师范教育及自身学校的问题。如：

朱云在《突出民族特点，切实办好民族师范教育》[1]一文中提出：（1）要广泛开展社会调查，增强学生热爱民族教育的自觉性；（2）努力突出民族性、师范性，加强学生能力的培养；围绕民族性，丰富教学体系；围绕师范性，改革教学体系。江湛元《拉萨市师范学校整体改革的设想和实践》一文[2]，对拉萨市师范学校存在的问题，改革的方向和措施进行了探索。

倘若我们更开放一些考虑，藏族教育的发展还与报刊的宣传、研究及一些重要的会议有直接关系。换言之，在藏族教育进步的过程中，这些报刊和会议也曾发挥一定作用。

有关教学研究的刊物有《西藏教育》（汉、藏文版），创刊于1985年，由西藏自治区教育厅主办。随着教育事业的发展，曾设过多种栏目，如理论与探讨、德育工作、学校、管理、中学教材教法，小学教材教法、班主任工作、教师专页、雪莲花、通信等。十年来，发表了大量有关西藏教育的文章。

《青海教育》（藏文版），青海省藏文教材编写组主办。创刊十多年来设有班主任工作、心理学、写作与教学、文学教学、教学研究等栏目，发表大量有关藏族教育、教材教法、词汇、诗论、文法等方面的论文和文章。

《藏语文工作》（藏文内部刊物），西藏自治区藏语文工作指导委员会主办，发表了一定数量的有关藏语文方面的论文，其中相当部分涉及教育和教学问题。

此外，《西藏研究》（藏汉文版）、《中国藏学》（藏汉文版）、《西北民族学院学报》、《青海民族学院学报》、《西藏民族学院学报》、《藏学研究》、《西藏日报》（藏、汉文版）、《青海日报》（藏汉文版）等刊物也曾发表过一些有质量的有关藏族教育的文章。

与藏族教育的研究相并足，一些机构的成立和重要的教育工作会议也相继召开，对藏族教育的发展起到了推动作用。

---

① 朱云：《突出民族特点，切实办好民族师范教育》，载《西藏教育》1993年第3期。

② 江湛元：《拉萨市师范学校整体改革的设想和实践》，载《西藏教育》1993年第3期。

1982 年，在教育部、国家民委等部委的指导下，成立了五省区（西藏、青海、四川、甘肃、云南）藏文教材协作组。这一组织应时而生，顺应了藏区教育最为迫切的需要。该组织成立以后进行过多次活动，为藏区教育的发展尤其是对五省区中小学藏语文教材的建设立下了汗马功劳。

1985 年，成立了全国中小学教材审定委员会藏文教材审查委员会。由五省区教育界学有专长的同志参与审查。从小学到高中，藏文教育的教材、教学大纲、教参等逐步实现统一，成为系统。这对完善藏语文教育体系是一莫大的贡献。

1987 年 11 月，西藏自治区召开了第三次教育工作会议。这次会议有两个基本条件，一是 1980 年中央召开第一次西藏工作会议后，拨乱反正，总结经验，消除“左”的思想干扰，加强对教育的领导，采取比较切合实际的特殊政策，西藏的教育事业有了起色。二是 1984 年中央召开第二次西藏工作会议后，对西藏的工作进行了重新部署，进一步推动了西藏教育的向前发展。

从上面有关藏族文化教育的研究状态可知：

其一，虽然五省区设有相关教育研究机构，出版有关教育的杂志和图书，但藏族文化教育的研究仍显羸弱。其表现在于：1. 研究科目多而论文少，一些重要的科目甚至见不到论文。2. 对一般教育状况陈述多而对实践中存在的问题总结、研究少。这种现象既存在于那些失败的尝试中，也存在于那些较为成功的尝试中。比如青海师大在中小学理科教材的翻译和人才培养方面做了大量工作，但很少见到可引为推广的经验报告和论文。3. 从为数不多的一些研究工作者的论文看，理论准备不足，有些是半路出家，多就事论事，既未受过系统的教育学训练，又不知世界教育大势和藏族教育的背景及特点。

其二，藏族教育在 1949 年以后 40 多年来的发展中取得了很大的成绩，也存在着一系列问题。如：（1）传统教育与现当代教育的关系及继承性问题；（2）双语教学问题（此问题从理论到实践仍然问题甚多）；（3）地广人稀，交通不便与普及中小学教育、扫盲问题；（4）社会发展滞后和教育的超前问题；（5）教育体系不完整、类型不全与藏区需要人才量多求全的问题；（6）教材、辅助教材、教学大纲的配套及更新问题；（7）师资量少质差，补充提高缓慢的问题；一般群众生活相对困难、对教育的重要性认识不足，市场经济浪潮对教育的冲击问题，教育投入不足问题；办学形式较为单一、呆板等。其中的一些关键性问题倘若得不到及时解决，将仍然阻碍藏族教育的发展。

其三，藏族教育本身存在着不平衡性问题，五省区既有深刻的联系性，又有各自的特点。既可相互补充，相互借鉴，又可共同推动藏族教育的发展。只是宏观研究者少，即或有，空论太多；尤其对于教育教学问题的具体探讨只有中小学教材协作组，而无全方位的相应机构，实际上无形中也削弱这种宏观的共同性的研究。

其四，教育是个以教育教学部门为主，全社会关心，全社会支持，全社会推动的事业。研究工作也如此。从研究论文看，有几个至关重要的问题尚未引起较为广泛的讨论：

1. 关于学前教育问题。世界各发达国家将学前教育作为人类早期智力开发的一项大事，有十分丰富的研究成果。进入20世纪80年代以后，中国的学前教育研究和学前教育均有了长足的发展，在北京、上海等一些大城市学前教育已成规律、形成体系。藏区的学前教育，除了一些稍大的城镇外，广大农村牧区，作为一项事业仍处于浑沌状态，没有幼教师资，没有场所，甚至看不到规划和提倡。显然，其中有许多历史遗留的问题，各种客观条件的限制，但是倘若不将其作为战略设想，那么就不会及时地建立幼教学校，培养幼教师资，学前教育的问题将永远拖下去，遥遥无期。而这是至关重要的一块，以未来教育的角度看，没有这一块，我们的教育系统仍然是不完整的。对于社会和教育及个人来说也是一大损失，因为学前的开发是人类智力开发的一个关键时期。

2. 关于职业教育和成人教育问题。据《西藏教育》金鑫的文章《西藏教育必须与经济发展相适应——记区党委书记胡锦涛同志林芝、山南行》一文介绍。胡锦涛同志任西藏自治区党委书记时，曾到林芝、山南考察教育。他认为：发展西藏教育，第一，必须抓好基础教育，基础教育上不去，教育质量提不高，合格人才就培养不出来。第二，为了适应经济发展的需要，必须加快职业教育的发展，努力提高劳动者素质。第三，要把基础教育特别是牧区的基础教育同生产实践结合起来。第四，无论是基础教育，还是高等教育，都要把教书和育人结合起来。胡锦涛同志特别强调基础教育和职业教育问题。

二、学术翻译

翻译是进行学术交流、推动学术发展的重要手段。藏民族发展历史上，自吐蕃王朝开始译介佛经以来，一直没有中断过这种翻译的历史。进入20世纪以来，这种藏印、藏汉翻译的历史又有了新的发展，即进入了藏汉、汉藏、藏英、英藏，英汉、汉英翻译的历史新阶段，形成了藏学研究的藏、汉、英三语特点。当然，我这里所说的“英”主要是指英文为主的外文翻译，而不仅仅指英语。学术上的这种三语状态，在更为广阔的背景下构成了一个良好的工作循环，从藏区（藏）走向全国（汉），从全国走向世界（英），从世界返回中国，从中国再注入藏区。这里带动的是以文化为主体的诸多的信息。藏区不再是封闭的，藏区在了解全国，在了解世界，在认识中国，认识世界；同样，全国在了解、认识藏区，世界也在了解、认识藏区。相互串联，相互沟通，相互推动。翻译通达此“三界”，其功勋是不可磨灭的，对推动藏学研究的深入开展起到了重要的作用。

（一）藏文汉译

藏文的汉译主要分两部分，一是藏文典籍的汉译，一是藏文研究成果的汉译。其中以藏文历史典籍的汉译成果卓著：

土观确吉尼玛：《土观宗教源流》，刘立千译，西藏人民出版社 1984 年版。

索南坚赞：《吐蕃王统世系明鉴》，别译《西藏王统记》、《王统世系明鉴》，早期有王沂暖节译本，20 世纪 80 年代后有陈庆英、仁庆扎西译本，刘立千译本，分别为辽宁人民出版社 1985 年版、西藏人民出版社 1985 年版。

蔡巴贡噶多吉：《红史》，东嘎·洛桑赤列校注，陈庆英、周润年译，西藏人民出版社 1988 年版。

班钦索南扎巴：《新红史》，黄颢译注，西藏人民出版社 1984 年版。

郭·勋努贝：《青史》，郭和卿译，西藏人民出版社 1985 年版。

五世达赖喇嘛：《吐蕃王臣记》，郭和卿译，民族出版社 1983 年版。

巴赛囊：《巴协》，有段克兴、丹珠昂奔等译文，载于《西北民族研究》、《西藏文学》；有佟锦华、黄布凡译本，四川民族出版社 1991 年版。

止贡巴·贡却丹巴饶杰：《安多政教史》，吴均等译，甘肃民族出版社 1989 年版。

《莲花生大师本生传》，洛追嘉措、俄东瓦拉译，青海人民出版社 1990 年版。

布敦仁钦珠：《布敦佛教史》，郭和卿译，民族出版社 1986 年版。

多罗那他：《印度佛教史》，张建木译，四川民族出版社 1988 年版。

乳毕坚赞：《米拉日巴传》，王沂暖译，西藏人民出版社 1980 年版。

法王周加巷：《至尊宗喀巴大师传》，郭和卿译，青海人民出版社 1988 年版。

朵喀夏仲·才仁旺杰：《颇罗鼐传》，汤池安译，西藏人民出版社 1988

年版。

达仓宗巴·班觉桑布：《汉藏史集》，陈庆仁译，西藏人民出版社 1986 年版。

阿旺贡噶索南：《萨迦世系史》，陈庆英等译注，西藏人民出版社 1989 年版。

《铁虎清册》，索南卓噶等译，中国藏学出版社 1993 年版。

巴卧祖拉臣哇：《贤者喜宴》，黄颢译，选载于《西藏民族学院学报》等杂志。

大司徒绛曲坚赞：《朗氏家族史》，赞拉阿旺、佘万治译，西藏人民出版社 1989 年版。

丹津班珠尔：《多仁班智达传——噶锡世家纪实》，汤池安译，中国藏学出版社 1995 年版。

释迦仁钦德：《雅砻尊者教法史》，汤池安译，西藏人民出版社 1989 年版。

藏文现代学术专著的汉译主要有：

东嘎·洛桑赤列：《论西藏政教合一制度》，有陈庆英译本，郭冠忠、王玉平译本，唐景福译本，分别为民族出版社 1985 年版，1986 年版，1982 年版。

恰白·次旦平措：《西藏简明通史》，陈庆英、格桑益西、何宗英、许得存译，西藏自治区社会科学院、《中国西藏》杂志社、西藏古籍出版社联合出版。

这两本书在新时期的藏学研究中影响广泛而深刻。

（二）汉文藏译

《吐蕃传》（即新旧《唐书》之《吐蕃传》），端智嘉、陈庆英译，青海民族出版社 1983 年版。

牙含章《达赖喇嘛传》，王承昆、史学礼译，青海民族出版社 1986 年版；《班禅额尔德尼传》，洛桑平措、丹真珠扎译，西藏人民出版社 1992 年版。

《西藏自治区概况》（上、下册），次仁顿珠等译，西藏人民出版社 1991 年版。

汉文的藏译是个薄弱的环节，虽然在文学作品的翻译上成果突出，但学术成果的翻译尚十分有限，是 21 世纪应该大力推动的领域。

（三）外文汉译

这一时期的外文翻译主要有：

杜齐（意大利）：《西藏中世纪史》，李有义、邓锐龄译，中国社会科学院民族研究所1980年铅印本。

谭·戈伦夫（加拿大）：《现代西藏的诞生》，伍昆明、王宝玉译，中国藏学出版社1990年版。

A. 麦克唐纳（法国）：《敦煌吐蕃历史文书考释》，耿升译，青海人民出版社1991年版。

中央民族学院藏学研究所编的《国外藏学译文集》（1～2），其中选译有噶尔梅·散旦的《苯教历史与教义概述》等，发表后受到国内学者广泛关注，辗转引用。

在这一时期较为集中的是王尧主编的《国外藏学译文集》（1～12），翻译有不少国外学者的藏学研究成果。

杜齐：《西藏考古》，向红笳译，西藏人民出版社1987年版。

毕达克（意大利）：《西藏的贵族和政府》，沈卫荣、宋黎明译，中国藏学出版社1990年版。

巴伯若·尼姆里·阿吉兹：《藏边人家：关于三代定日人的真实记述》，西藏人民出版社1987年版。

古伯察：《鞑靼西藏旅行记》，耿升译，中国藏学出版社1991年版。

史泰安：《西藏的文明》，耿升译，西藏社会科学院汉文文献编辑室编印（1985年），这是“西藏学参考丛书”之六，尚有《闯入世界屋脊的人》，土登晋美诺布所著《西藏——历史、宗教、人民》等。

梅·戈尔斯坦：《西藏现代史（1913～1951）——喇嘛王国的覆灭》，杜永彬译，时事出版社1994年版。

（四）藏汉文的英译

藏文英译的主要：东嘎·洛桑赤列的《论西藏政教合一制度》，陈观胜译，外文出版社1991年版。

汉文藏学著作英译的有：赤列曲札的《西藏风土志》；牙含章的《达赖喇嘛传》，王文炯译，外文出版社1991年版；《班禅额尔德尼传》；李安宅的《西藏佛教史实地之研究》等。

在中国藏学学术研究蓬勃发展的同时，中国的藏学家们也不断地举行各种类型的学术会议，如拉萨藏学讨论会（1986年）、北京国际藏学会议（1991年、1997年），第一、第二、第三届国际格萨尔学术讨论会（1989年，成都；1991年，拉萨；1995年，内蒙古）中国也多次组织藏学家出访，或参加国际学术会议。

第四节 文 学

一、诗歌

（一）饶阶巴桑在新时期的诗歌创作

经过了“文革”的较为漫长的痛苦经历以后，饶阶巴桑的生活阅历更加丰富，思想也更加深沉，尤其是随着艺术性格的成熟，思想锋芒也日渐显露出来。饶阶巴桑在新时期的名篇《钻石的发现》的一诗中写道：

我对枉法者说：不要横加干涉！
我替法律辩护：不要横加干涉！
我们需要护林人而不是山主，
我们欢迎的是严师而不是鸣鞭者。

让花枝把万担花粉撒向人间吧，
伴着徐徐和风驱赶心灵的荒漠；
再不能在授粉的年代刮起飓风，
又一次把活跃的花蕊倾入血泊。

开首一节，诗人以艺术家的气度大声疾呼：“不要横加干涉！”有震慑大地、叱咤风云的气势。这是“文革”十年的血泪辩白。诗人关心的是荒芜的艺术园地百花凋零的凄景。“我们欢迎的是严师而不是鸣鞭者”，此代表了艺术家的愿望，代表了人民的愿望。第二段却是颤人肺腑的规劝和哀求。十年的动乱，十年的荒芜，十年的灾难，祖国的艺苑真是到了“再不能在授粉的年代刮起飓风，又一次把活跃的花蕊倾入血泊”的时候了。诗人写道：

生活已厌弃了把住大门的“婆婆”，
如牢的庭院何足容下奇伟的峰壑！
只会咬碎麦粒的磨齿是多么的饶舌，
天下多一支抒情曲也认作是罪过。

已经是迟开的花朵只为驱赶严寒，

它没有镭的铠甲，没有铀的放射；
何必慌慌张张从睡梦中拉响警铃，
向苗圃和花准开来威严的消防车。

人类的生活怎能长期受“武装看押”，
追捕母爱，残杀爱情，禁绝鼓瑟；
伤痕斑斑外露还要叫人欢歌曼舞，
泪往心里长流还要叫人感恩戴德？

这是历史现象的高度概括，每个字都是从血泪中捡来的。“把住大门”的婆婆惹人讨厌，多一支抒情曲有何不可？何必慌慌张张从睡梦中拉响警铃，向苗圃和花准开来消防车，人类的生活怎容得“追捕母爱，残杀爱情，禁绝鼓瑟”！伤痕斑斑，何意欢歌曼舞？流着血泪，怎能感恩戴德？百废待举，拨乱反正的日子里，是多么需要一颗园丁之心啊——“花瘦，舍得输血；粉淡，巧手添色”，千万千万不要忘记寒心的昨日：

是的，我们曾经像国耻一样有过，
在一个“忠”字舞里如狂地编织理想的王国；
于是，冥冥之神代替了庄严的人，
宗教仪式竟在电子信息中复活。

是的，我们有过无法补偿的损失，
人人学会挤进“安全”的前台高唱“赞歌”；
于是，现代迷信狂潮般汹涌而至，
一统多彩的现实于尺寸相等的坯模。

是的，我们不幸地有过误伤，
把铅字当作向党进攻的集群坦克；
于是，出现了一代被损害的人，
捧着知识气袋在黑暗中摸索。

我们有过炸药般危险的档案，
无声的爆炸震得艺园满目零落；
于是，人们告别藏有希望的专业，

“虔诚”地去诵读“阶级斗争主课”。

是的，我们有过巨大的震痛，
剖尽母腹挑选“高、大、全”的先哲；
于是，一代骄子拖着血淋淋的脐带流产了，
血，把母亲藏之多时的微笑淹没。

……

一个真正的诗人，永远是一切丑恶的敌人。诗人大胆地、毫无犹豫地撕去过去的粉饰，怀着愤怒、感慨、沉痛的心情，揪来一个个扭曲的灵魂，推出一件件历史的憾事悲情，都以“我们过去曾经”统领句段，让人们在回忆的诗节上对照：过去是那样，我们今天该怎么办？这是政治诗，但绝少空洞的政治口号，都以形象去表现。这一个个形象，一个个形象的画面，多么令人触目惊心！历史呀，人们呀，请记住这些如“国耻”的日子！历史的悲剧是不能让其重演了。诗的末一节，诗人这样写道：

今天追求美的人发现了钻石，
钻石也发现了美的信使，美的灵魂，美的珠箔；
艺术已重新获得棱角，锋芒与折光，
把自己神圣的使命投影在史册。

诗人对已有的新局面感到欣慰，这首诗与饶阶巴桑过去的诗相比较，无论是在思想上，还是艺术手法的采用上都有重要的地位。诗人是怀着复杂的感情引吭而歌的，一忽儿高声呼唱，一忽儿低声规劝，一忽儿委婉曲悠，一忽儿笑中带哭，一忽儿哭中带笑，一忽儿冷嘲热讽，一忽儿沉痛欲绝，一忽儿无限慨叹，一忽儿放声悲唱，一忽儿涉笔于原始社会的火把中，一忽儿涂墨于欧洲产业革命的胜景里，神思腾跃，往来纵横，上下往返，思接千载，可谓是“高吟肺腑走风雷”。当然，全诗也有其毛病，前两部分集中，语言工巧，形象鲜明，后两部分较为松散，语言也不及前两部分优美，全诗也欠整体构思。尽管如此，《钻石的发现》仍然是一首不失光彩的好诗，诗人的语言总是向着真实、具体、适切、自然、简洁、朴素、生动迈步，很少有干瘪乏力、虚伪、粉饰。饶阶巴桑在《瀑布》中写道：

一泓山泉在苍苔中飘拂，
义无反顾地跳下悬崖深处。
有人叹息人间从此没有水了，
——它恐怕跌得粉身碎骨。

瀑布落地就大声怒吼，
咬碎一路坚砂顽石兴波东赴，
有人惊喜从此人间有希望了，
——借它的性格去寻找道路。

——这是诗人塑造的瀑布的性格，也是诗人自己的性格，在艺术的探索道路上，他正以这样的性格前行。

（二）伊丹才让在新时期的诗歌创作

十一届三中全会以后，随着藏族新文学的崛起，50 年代登上文坛的一批卓有才华的诗人焕发青春，拿起笔继续为人民呼号呐喊，写出了一批深受群众欢迎的作品，在藏族文坛率先挥笔，对后来的藏族作家和诗人起到了良好的引导作用。因为，这一批诗人大多在“文革”中受到冲击，生命、感情、社会、事业在他们心中曾有过长期撞击，当他们再次拿起如椽之笔时，也正是他们思想上已进入成熟期，人也大多步入中年，丰富的生活阅历饱含着成长的壮美，生活的辛酸和他们得到的无数经验和智慧喷泻在他们丰富多彩的诗作上。

在众多的藏族诗人中伊丹才让是在新时期诗作较为丰富，也是深受藏族人民尤其是青年读者爱戴的诗人，十余年来，他的足迹几乎走遍了整个藏区，在藏族腹心地区的拉萨，曾留下他歌颂藏族名胜古迹的优美诗篇；在云南迪庆藏族自治州，在四川藏区、在青海藏区、在甘肃藏区都曾留下他歌颂雪山草原、反映藏民族生活的惓惓心音。伊丹才让这一时期的主要作品有《母亲黄河的恩怨》、《母亲心授的歌儿》、《金色的大海》、《问》、《生命的沉浮的旋律》等。这一时期诗人曾探讨过诗歌欣赏和诗歌理论，写出了《我呼唤真正的诗魂——关于诗的断想》和一些应邀给青年文学爱好者的演讲文章。

诗人曾如此写道：“歌民族的尊严，唱人民的豪情，是诗人心脏的功能，诗人鼓动的是——整个世界的精神！”伊丹才让真是这样做的，他心里装着人民，装着伟大的藏民族，装着整个祖国，他为此而激动，为此而奔波，为此而废寝忘食，为此而兴高采烈，手舞足蹈，也为此而声泪俱下，痛不欲生。在《母亲心授的歌儿》一诗中诗人如此写道：

我们的道路也不算平坦，
有时候还痛感脚下道险路陡，
如果前面的道路本来就是海宽天阔，
母亲就用不着费心血为我们塑造双手。

是的，在我们走过的道路上，
蒙受过冤屈，枉担过忧愁，
可巧匠左手举起的铁锤，
还错砸过自己连心的右手。

对的，往后的道路上，
我们可要倍加爱护手足骨肉，
不能让咬穿过嘴唇的牙齿，
再去咬自己弹拨心声的舌头。

同时诗人强烈的爱憎观念也表现在他的诗作中，如在《问》一诗中，诗人如此写道：

能推开门扇的劲风，
却吹不散迷路的雾，
难道雾也有凝固的时候?!

能晒焦皮肉的炎阳，
却晒不化封道的冰，
难道冰也有变成顽石的时候?!

《问》是一首针对时弊的刺世之作，开初发表在一很不起眼的刊物上。全诗共分十个小部分。在这第一部分里，诗人用反问的方法，提出一些超乎常情的疑问。本来，能推开门扇的劲风是可以吹散迷路的雾的，能晒焦皮肉的炎阳也是可以晒化封道的冰的。然而事实就是如此地复杂、奇异，“劲风”吹不散雾，“炎阳”晒不化冰。这究竟是为什么？诗人接着写道，那个造神的时代结束了，为什么还有主宰凡人的神呢？那些造神的帝王废除了，为什么还有王封的诸侯？他的锋芒是指向那些官僚主义和通过投机钻营握得权柄的人的：

当佛门里举行了比丘戒，
说是得了佛法无边的道！

当手中握得了权柄，
说是通了指点乾坤的窍！

于是，得此道的说的，
就是替天行道的宣诏！

于是，通此窍者说的，
就是青云直上的护照！

呜呼，我们理想的事业，
难道是超度你成仙的天桥?!

诗人这里说的是一种社会现象，一个惨痛的教训。在我们生活中确乎有那么一些人，采取一切卑劣手段追逐权力，而一旦得到了它，便骤然色变，发号施令，凌驾于人民之上。诗人极其愤慨地写道：“呜呼，我们理想的事业，难道是超度你成仙的天桥?!”撼人心魂的一点也就在这里：攀着我们理想的事业，那些卑鄙的小人却达到了他们升官发财的目的。这既是对卑鄙者的鞭笞，也为善良的人们敲响了警钟。

作为一名诗人，伊丹才让具有强烈的历史使命感和民族责任感，他关心祖国的命运、民族的发展，他无时无刻不牵思于藏区的四个现代化，然而他更关注民族精神的振奋，他在1991年出版的《雪狮集》后记中如此写道：“这就是我诗集命名为《雪狮集》的全部用意。就一个目的，就是弘扬民族文化，振奋民族精神，激发民族自豪感，以造就藏族文学（乃至藏族文化）的新气候、新环境、新氛围，为社会主义祖国，也为人类文化，做出与我们民族传统相称的贡献，不至于使先人的指望、后人的期望落空。”情绪激越，敢于直言，是伊丹才让秉性的一大特点，也是伊丹才让诗歌风格的一大特点，平时他对那些虚伪、虚假、“口惠而实不至”的行为极为鄙视，倡言人们说“嗓子眼以下的话”（心里的真言）。

现在，伊丹才让是甘肃省作协副主席、一级创作员，他的另一诗集《雪域集》也已出版。

（三）格桑多杰在新时期的诗歌创作

格桑多杰现在是青海省人大副主任，是一位长期从事行政领导工作，又在诗歌创作上获得成就的诗人。他的诗不多，但每篇都饱含着草原的芳香，凝聚着草原藏人的质朴和善良，近于生活，近于人民。诚如他说："如果说，我们民族的社会主义文坛就像辽阔的草原，我做一株小草。"

格桑多杰1936年出生于青海省海南藏族自治州贵德县，1951年参加工作，曾在青海民族公学学习，1952年起在中央团校读书和工作，1955年到1957年担任《青海青年报》记者，1957年后在青海省果洛藏族自治州担任县团委副书记、乡党委书记、县委宣传部长、州委宣传部副部长、州委书记、州长等职，在党的第十三大时被选为中央候补委员，此后担任青海省委宣传部副部长、省文联主席等职务。繁忙的行政工作并没有使他对诗歌的爱好有丝毫减弱，诗人在《晨曦是地球的启航》一诗中，热情地歌颂了青藏高原美丽的自然风光，细细玩味，禁不住使人心旷神怡，进入那"银峰玉蟒般纵横的山野"，"薄霭的炊烟牵出沉思的毛帐"的草原景象，和那羚羊在山顶"追逐若隐若现的残星"的别致意境中，这每一句诗都可以作一幅画。试设想，在东方微露晨曦，蜿蜒披着积雪的山脉，残星隐现若许，几只羚羊在那里追逐着。本来，羚羊追逐，不一定是志在残星，而在我们的视觉里却是十分自然的。这虽然是无色彩的点缀，却见着许多色彩：天空之幽蓝，残星之银白，雪岭之素洁，已是一派雅娴去处，残星隐现，有动感，诱人伸颈，而以"羚羊追逐"，却是点睛之笔，骤然来神，使静的画面动了起来，富有情趣。

流云悠悠地飘向远方，
留下一阵无声的歌唱；
太阳轻轻地迈着脚步，
用极强的投射穿过山石的胸膛。

听不到一丝海的咆哮，
看不见一处水的浮沉、浪的高扬，
光波在无际的山蟒的鳞甲上跑步，
采撷着新晨的异彩、新晨的娇香。

流云是无声之物，而歌唱必须有声。说流云有歌唱，自有一种特殊的心思。流云是无声之歌，歌什么呢？是歌这高原风貌，这迷人的高原风貌，“光波在无际的山蟒的鳞甲上跑步”，可谓神来之笔，以蟒喻山，苍劲而有力，自然中见形象；山而有磷，却是顺理成章，若以阳光照射着山野，山鳞等词，却是俗谈，虽有形象，却不具体，使人无所捉摸。说“光波在蟒的鳞甲上跑步”，神情俱在，又状以“采撷着新晨的异彩，新晨的娇香”。使这晨曦中的高原骤然进入诗情画意之中，在读者面前就有清晰动人的形象了。

格桑多杰的有些诗是富有劝世意味的，娓娓叙来，语重心长。如《醒来吧，萨尔洛!》作者在诗前小题中写道：“漫长的历史，暗淡的天日，滴血的足迹告诉我：宗教是麻醉人民的鸦片，是一种精神上的劣质酒。”继而作者用同志的态度，说：“我劝你不要再饮‘名牌’劣酒，劝过你三十个难忘的寒秋花春”，那感情是极其诚恳的，其中有满腔的爱，也有对执迷不悟的恨，有对“萨尔洛”的肯定：“难道你忘了，你也曾张开双臂欢呼黎明”：

我热爱你纯金美玉般的品格，
毫无保留地赞颂你开朗、奔放的个性，
我曾美慕过你的轻捷、质朴、勤劳，
更酷爱你的剽悍、勇敢、憨厚、忠诚。

格桑多杰还写过一些歌颂家乡和草原的散文，写得颇具情采。其主要诗作辑于青海人民出版社出版的诗集《悠悠牧笛》中。著名诗人邵燕祥在评论这部诗集时如此评价道：

我没有到过青海，我不认识格桑多杰。

我读着这一束诗稿，正是这位没有见过面但似曾相识的果洛藏族自治州藏族兄弟，以他时而雄浑，时而幽婉的歌声，引我走到了昆仑山下、江河源头。

我听到歌者唱着，四千米的歌，六千米的歌，八千米的歌。

读了这卷诗歌，我多年的夙愿更加强烈地翻腾起来。是的，一定要到青海去，造访柴达木，也造访巴颜喀拉山、黄河源头，造访劳动、生息在那里的雪山、森林、河湖、草原的主人。

邵燕祥对格桑多杰的诗给予了充分的肯定。

（四）丹真贡布在新时期的诗歌创作

自 50 年代后，丹真贡布的诗作不多，写得十分谨慎，几乎每一篇都经过精雕细刻。1987 年出版的诗集《羚之街》，所收诗作仅 55 首，但每篇都写得饱满、深沉。如《春原》：

我那祖国积雪的屋脊
三部四茹古老的土地啊
你的久远，你的功绩
迫我千次地扩展胸臆
我像中秋深重的紫色草穗
深深地，深深地一躬到地
我要拓一条深谷更为深邃
去盛放你今日的新光辉

一首诗，一曲令人神往的旋律，表现的却是对人民深切的爱，诗人的心与人民是息息相通的，是与人民同步的，融为一体的：

还有禁止奔跑的骏马
被挟制的三十个字母兄弟
一齐随着春鸟呼唤
从泥土里猛长
向青空中展翅
在新的征途上迅跑
在新的篇页上
分娩出现代的崭新词汇
你呀你，幸运的土地
迎接着时代的大转机

诗人以无比的激情歌颂着粉碎“四人帮”的伟大胜利，因为在粉碎“四人帮”前，整个藏区没有一家藏文刊物；粉碎“四人帮”后，万象更新，藏区竟有了十数家刊物，这使诗人欣喜若狂，激动不已。然而诗人是冷静的：

“拉萨净土界
只是蒺藜多”
这远祖以来不寂的警训
即使走到坦途也需要时时诵习

丹真贡布的诗往往将思想、意境、形象、感情四者融为一体，具有很高的艺术欣赏价值。再如《亚热带的字母树》中如此写道：

像蜜蜂飞舞一样的
是翻山越岭的阿端
阿端来到山岭间
山岭上不长字母树
阿端来到山岭下
山岭下不长词汇树
阿端来到大海边
海边不长标点树

“字母树”、“词汇树”、“标点树”的想象是独特的，也较为鲜见，其中的情感爽朗，却裹着淡淡一层愁。阿端——诗人所描写的对象黎家姑娘，虽然有富庶的家乡，却不识字，多么令人惋惜！这些是怎么造成的呢？诗人在附记中说：“海南岛黎族50年代在党和政府关怀下，制定了文字方案，可惜由于以后极‘左’思潮的干扰，至今尚未得以推广和使用。”末一段中诗人用表面清丽，内涵却浓重的笔墨，满带热望地写道：

像棕榈叶摆动一样的
是送别我们的阿端
日后再来五指山
愿见你奇花异草满山川
愿见你采来字母满箩筐
写下故事歌儿几大筐
黎家的道路有宽也有窄
大榕树下细写恩与怨

丹真贡布的表述手段归结起来基本有二：一是多见于民歌的清淡的白

描形式；一是多见于现代的凝重而隽永的长短句形式。

在新时期的中老年诗人中尚有东嘎·洛桑赤列、恰白·次旦平措、毛儿盖·桑木丹、桑热嘉措、昂旺斯丹珍、洛追嘉措、曲江才让、乔高才让等。尤其是恰白·次旦平措的诗作得到广大读者的好评。他在用“噶布协”写成的《西藏的冬天》一诗中写道：

寒冬季节的西藏高原，
像匹美丽的白绸光彩耀眼；
雪花镶嵌的巍巍雪峰，
像城墙把西藏围在中间。
尘沙飞扬的高原大地，
冲洗得干干净净、无比新鲜。
我们祖国的西南边疆，
多么像象牙雕琢的银盆玉碗。

对西藏高原的自然景观进行了真切的描绘。他还写有一些散文和小说，是西藏自治区境内年龄较长但诗作颇丰的作家。

（五）端智嘉、班果等藏族青年诗人的诗歌

十一届三中全会以后，随着藏族文学的蓬勃兴起，涌现出了一批青年诗人，他们大多来自学校，受过专门的知识训练，一经写作，起点较高，很快取得了一些令人瞩目的诗歌成就，为推动藏族新文学的发展起到良好作用。

端智嘉，生于1954年，自幼聪明强记，颇有天赋，曾在中央民族学院读书，毕业后从事编辑等工作，1978年考取中央民族学院古藏文研究生，1981年获得硕士学位。此后在中央民族学院民语系任教，1985年在青海省海南藏族自治州首府恰卜恰故去，享年仅31岁。然而在他短短的一生中，却为我们留下了许多珍贵的诗歌、小说和译作。1981年青海人民出版社出版了他的第一本书《晨曦集》（藏文），著名藏学家东嘎·洛桑赤列先生为之作序。1984年，民族出版社出版了他的学位论文《道歌源流》，在此前他曾与陈庆英同志合译了新旧唐书之《吐蕃传》。英年早逝的诗人还曾写过《虎牛滩》、《假活佛的故事》、《被霜摧残的花朵》等小说，在读者中具有广泛影响。

端智嘉的诗写得清新隽丽，比如《一个奇幻的梦》，以精巧的构思再现了藏区的封闭的现实和时代的一日千里的发展，以做梦来隐喻新时代新事物，以圆梦来解释新时代新事物：

（所做之梦）

梦见无数小星闪闪亮，
梦见一颗巨星游太空，
梦见金光四射照蓝天，
梦见歌声阵阵飘天宫，
梦见火光熠熠遍地燃，
梦见春雷滚滚震长空，
梦见雪山摇动山河翻，
梦见玉石珊瑚聚宝城，
梦见四面八方鲜花开，
梦见片片花瓣染地红，
梦见蜜蜂拍翅赛飞机，
梦见悦耳小曲嗡嗡鸣。

（所圆之梦）

为何小星点点闪亮光，
这是人造卫星在运行；
为何一颗巨星游太空，
这是宇宙飞船打冲锋；
为何金光四射照蓝天，
这是科技之花放光明；
为何歌声阵阵天宫飘，
这是亿万人民在欢庆；
为何火光熠熠遍地燃，
这是氢弹爆炸又成功；
为何春雷滚滚震长空，
这是新型机器隆隆声；
为何雪山摇动江河翻，
这是四方敌人乱哄哄；
为何珊瑚玉石聚宝城，

这是人民政权有贤能；
为何四面八方鲜花开，
这是人民团结好光景；
为何片片花瓣染地红，
这是人民幸福笑盈盈；
为何蜜蜂拍翅赛飞机，
这是男女老少竞立功；
为何悦耳小曲嗡嗡鸣，
这是城乡赞歌唱不停。

（以上由耿予方先生译文）

希望自己的民族早日进入现代化，这是端智嘉所日夜思考的事，也是他曾经大力呼吁的事业。由于端智嘉用藏语文进行创作，并且较早地进行了一些诗歌和小说方面的新的探索，在藏族创作队伍中一时颇有影响，可以说对藏文的诗歌创作起到了表率的作用，在青年中产生了较大的影响，许多对写作感兴趣的青年学生效法他的写作手法。他自己平时也很注意接受新事物，新的思想，新的写作方法。由于他的许多宝贵年华在首都北京度过，在党的教育培养下确立了科学的世界观，同时生长于藏区，熟悉藏族的传统文化特点，这也使他一度陷于深深的痛苦之中：社会在空前发展，而藏区还很落后，还在宗教的晨雾中徜徉。环境的反差，文化的反差在他的心灵深处掀起冲天波浪，他以为宗教是藏区发展的最大障碍，要想藏族社会获得飞速的进步，就必须改革宗教甚至清除宗教，如此藏区广大的劳动人民才有可能得到幸福，从而造福于儿孙后代。这种想法是严重脱离实际的，我曾多次劝解，想让他从一种偏激中醒悟过来，但收效甚微。而且诗人在对待这些问题时，显得操之过急，就现实而言，其效果是不理想的，甚至适得其反。

1991 年，我与现西藏自治区副主席拉巴平措先生、原中央统战部副秘书长李佐民教授访问欧洲行至巴黎，曾有人传言端智嘉之死是由政府迫害所致，完全是误传。我与他共同学习、工作达七年之久，是比较熟悉他的。因为当时我们彼此互相教课，他给我讲解《罗摩衍那》（藏文），我给他讲解《古文观止》。闲暇时，我们也多谈论文学，像其著《青春瀑布》等，实际是我们合作构思的产物。有才气而不能客观、辩证、准确地对待自己、对待生活、对待本民族的文化、社会、宗教，是他走上绝路的一个很重要的内在原因。

班果是生活于青海果洛藏族自治州的青年诗人，曾在北大作家班学习，其诗歌较多地歌颂了独特的果洛藏区的自然风光和人民的生活。如《牧场情绪》：

河哭泣着去远，日当午
女人的银耳坠一闪
天空的金耳坠一闪

夜黑了

我的心被夜色浸没
入随便一顶部落的帐篷
而这时
我的羊群早睡成一块巨大的岩石
我的兄弟已卧成一座古老的山脉

这是牧场最早的图腾

班果写有诗集《我的羌域》，诗歌评论家谢冕在其序《痛苦而又幸福的诞生》中说这位年轻诗人“潜在的能量是无可置疑的，他的若干诗篇所达到的艺术完整已经如此昭示我们。”

班果诗歌的另一特点是比较多地表现了藏族传统文化和现代文明的冲突：传统而古老、璀璨而沉重，现代文明迅速跃进，自己的使命和责任更加神圣。如他在《挽歌：黄昏经幡》中写道：

布幡的撕打无比沉重
动人的想象被扼制，千万片
鸟的翅翼无法飞翔
原野上
一种新的东西渴望诞生
痛苦而又幸福

诗中表现了诗人对家乡美丽自然山川和藏族人民的热爱。

用藏文创作诗歌的青年诗人多杰才让（1958～ ）也是较突出的一

个。他于1988年毕业于西北民族学院藏语文专业（研究生），后在中国藏学出版社、青海民族学院等单位工作。1979年以来，先后在《青海藏文报》、《西藏文艺》、《章恰尔》、《达赛尔》等藏文刊物上发表诗歌、小说、散文以及理论文章，像《青海赛过天界美》、《新西藏赞歌》、《祖国颂》等诗歌，《恰卜恰草原的吉祥歌》、《神龙的希望》等小说，多侧面地反映了他熟悉的青海草原的藏人生活，歌颂了自己的美丽的家乡：

回到我的家乡，
怎能抑制欢乐之泪流淌。
啊，千里青海草原，
真是赛过神仙住的天堂！

完玛央金是一位生活在甘肃省甘南草原的青年女诗人，她曾写过许多优美的诗歌，歌颂家乡，歌颂藏民族。西藏的青年诗人加央西热近年来进步很快，他的诗风格质朴、粗犷。如《灵魂之旅》：

我惆怅地仰望星空
仿佛听到无数灵魂的跳动
它闪耀着火光和声音的灵气
自荒草丛生的古冢跃然升起

列麦平措成长于四川省甘孜藏族自治州，是一位诗作产量较高的青年诗人，他的诗情感浓烈，意境优美。比如他在组诗《驮在牦牛背上的诗》之《蓝天、牧人、葬礼》中如此歌道：

当最后一只鹰鼓翅离去
牧人就完成了升天的宿愿
蓝天总是洁净的云
拥抱来自草原的魂灵

从降生的那一天起
蓝天赐女人以温柔的眼
蓝天赋男人以宽阔的胸
牧人的心是破壳而出的小鸟

渴望永远系上高飞的鹰羽……

全诗才情饱满，诗意隽永。列麦平措还是一位好编辑，为《贡嘎山》的发展付出了辛勤的汗水。

在新时期成长起来的用藏文写作的诗人中，居・格桑是自端智嘉以后较为出色的一个。他诗作较多，质量也为上乘，像《历史的见证》、《情思》、《笑容——给四个月的婴儿》都写得十分动情。其作品或以口语，朴素自然，通俗易懂；或以文辞，清新雅丽，实属难得。他与同样诗作颇丰的多杰卡在诗歌创作和学术研究上同样是佼佼者。

多杰卡（1958～　）藏族，出生于青海省黄南藏族自治州，1988 年在西北民族学院获得藏语文硕士学位，曾为甘肃省甘南藏族自治州文联副主席、《章恰尔》杂志副主编，现为国家民族语文翻译中心编审。迄今已发表诗歌 40 多首，小说 30 余篇，论文 30 篇，出版短篇小说集《花蕊》。可惜他们的诗作译为汉文的还很少，许多读者和评论家还不十分了解他们的诗歌成就。

二、小说

（一）益希单增和他的长篇小说《幸存的人》

益希单增（1941～　）是十一届三中全会以后，西藏较早出现的藏族作家，现为中国作家协会理事，西藏自治区人大常委、文联副主席、中国作家协会西藏分会名誉主席，享受国家级专家待遇，迄今已出版四部长篇小说和一些中短篇小说，是在国内外享有盛誉的藏族著名作家。

益希单增出生在四川省甘孜藏族自治州乡城县，祖籍在现在西藏的阿里地区。他的童年是不幸的，生父遭到旧军队的杀害后，他从乡城县逃到巴塘县，靠继父砍柴、母亲织腰带维持生活，历尽艰辛。1951 年中国人民解放军向西藏开进，路过其家乡时，益希单增加入中国人民解放军，成为一名小战士。进入西藏后，曾先后在西藏丁青等地区工作，当过文工队员、卫生员、小翻译、公安人员，比较广泛地接触了生活，对以后的创作打下了坚实的基础。

1957 年，益希单增到北京学习，先后就读于中央民族学院、中央美术学院美术史专业。1969 年返回西藏后，主要从事展览工作，经常深入基层调查研究，积累了大量的社会学材料。

益希单增的这种生活经历——从生活到学校，再从学校到生活，经过了生活和理论两方面的训练，他 20 世纪 70 年代开始从事文学创作以来，成长十分迅速。目前他已写有《幸存的人》、《迷茫的大地》、《菩萨的圣地》等四部长篇小说，《真金》、《金塔》、《第三只眼睛》、《在东藏的土地上》等中短篇小说，引起了社会的普遍关注，有些作品已译为藏文、法文等文字。他本人也作为中国作家代表团成员出国访问。

《幸存的人》是益希单增的第一部长篇小说，共23章，32万字。小说主要写了1936年至1950年西藏的农奴和奴隶的生活和斗争。据作者讲这部书的写作先后用了五年时间，从初稿到定稿一共修改了五次。对人物形象的塑造，主题的提炼，都经过了反复的周密的思考。作者在1981年举行的六省区藏族文学创作座谈会上发言时说："小说的主题思想是揭露封建农奴社会的黑暗，歌颂勤劳、智慧、勇敢的西藏人民。阐明在封建农奴制度下，农奴无论靠什么力量来进行斗争——例如靠佛爷、靠自己、靠朋友，都不能得到自由和胜利，即使取得胜利，也只能是暂时的。因此西藏的革命、西藏人民的翻身解放，农奴们几百年来的自己当家做主的愿望，只有在中国共产党的领导下才能实现。"这一主题的揭示是符合西藏实际，具有重要的现实认识意义的。

《幸存的人》的主人公是农奴德吉桑姆和她的侄子桑节普珠。德吉桑姆身上体现了受压迫最深但具有强烈斗争性的西藏妇女形象。血洗德吉村，德吉桑姆姑侄逃命，旋而遭到农奴主爪牙的追捕，她从昌都跑到了拉萨，然而凶恶的农奴主仁青晋美也相继追赶而来。农奴和农奴主的斗争是可歌可泣的，面对流氓成性、穷凶极恶的仁青晋美，德吉桑姆奋力与之搏斗；英勇的索甲挥舞腰刀砍向敌人。同时也可以看到农奴的斗争是不屈不挠的，农奴们在斗争失利的情况下，组织起来走上神山，继续与以仁青晋美为代表的农奴主阶级进行斗争。尽管势力还小，斗争的火焰始终没有熄灭。当仁青晋美杀害了德吉桑姆的丈夫索甲，奴隶们无不义愤填膺；后来，仁青晋美将德吉桑姆当作"鬼"投入汹涌的雅鲁藏布江中，两岸是桑节普珠等与德吉桑姆血肉相连的农奴们。农奴们和进入西藏的解放军汇合在一起，使德吉桑姆获得了新生和希望。

作为一名藏族作家，益希单增的汉语文的素养是很好的，尤其是那些独特的具有浓郁的生活情调的细节描写，颇能引人入胜，像其中的《流浪人的火圈》等写得活灵活现，令人仿佛身临其境。益希单增在总结《幸存的人》的写作经验时如此写道：参加人民解放军后，他在西藏三十九族（今那曲地区）生活了七年，由于当时西藏的社会制度还没有变，所以在巡回医疗中，了解到了许多封建农奴制度的基本形态，经济生活状况和政治制度，尤其是农奴的人身依附关系、婚姻状况、宗教迷信、乌拉差役和法典制约的各种刑罚。“我在写《幸存的人》的时候，一涉及这些课题就用不着去回避或者绕弯，可以直接地将这些东西加以生活化，从而防止了从概念和某个结论去写的毛病。当然，使我对封建农奴制度有比较明确的认识，还是后来，从学校毕业再回到西藏去以后。但是，我可以说，没有小时候在丁青的七年生活，是写不出《幸存的人》的许多章节的。”从中我们也可以看到这部书之所以成功的一个重要原因。

益希单增的小说风格基本上是一贯的，坚持走现实主义道路。据有关资料和他本人的介绍文字可知，在学习借鉴方面他比较喜欢雨果、巴尔扎克、莫泊桑、托尔斯泰、高尔基、马雅可夫斯基等外国作家的作品，尤其喜欢普希金的诗和乔万尼奥里的长篇小说《斯巴达克思》；汉族作家的作品他也读了不少，诸如《水浒传》、《三国演义》、《红楼梦》等古典文学名著。

《迷茫的大地》是益希单增的第二部长篇小说，和《幸存的人》一样由人民文学出版社出版（1985 年），也在读者中产生了良好的影响。

（二）降边嘉措和他的长篇小说《格桑梅朵》

降边嘉措（1938～ ），现任中国社会科学院少数民族文学研究所藏族文学室主任、研究员，中国少数民族文学学会副会长、中国少数民族作家学会副会长，著有《格萨尔初探》、《格萨尔的历史命运》等学术著作，长篇小说除了《格桑梅朵》以外，尚有与吴伟合著的《十三世达赖喇嘛》、《格萨尔王全传》、《班禅大师》等。

降边嘉措出生于四川甘孜藏族自治州巴塘县。1950 年 10 月，年仅 12 岁的降边嘉措加入进藏的中国人民解放军的行列，成了一名小战士。当时部队在进军的同时一边修路，一边做群众的思想工作，用了一年的时间才走到拉萨。在部队中他是一个小翻译、小宣传队员，扭秧歌、跳藏族舞蹈。1952 年春天，西藏军区在拉萨正式成立，降边被送到军区干部学校去学习，两年后毕业。这一阶段有一件小事给降边以后的生活选择产生了较大的影响。在学习期间他读到了一本《新儿女英雄传》，深深为牛大水和杨小梅、黑老蔡等人的事迹所感动，读了一遍又一遍，爱不释手。一个要当作家的愿望从那时起就悄然在他心中诞生了。

1954 年，15 岁的降边嘉措被保送到西南民族学院去学习，这使他有机会进一步得到提高。在西南民族学院学习的一年多时间里，他较多地接触了小说这一世界，阅读了大量的文学名著，期间还曾给达赖喇嘛担任过翻译。1955 年夏天他在西南民族学院毕业，便留校工作。1956 年便调往北京国家民族语文翻译局，1958 年 19 岁的降边又调往民族出版社担任藏文编辑。这一时期中国文坛出现了大量反映旧中国的黑暗和战争生活的作品，这给降边的文学创作提供了借鉴。他企图像许许多多作家那样，写自己的过去，写自己经过的故事。1960 年的一个深夜，降边终于写下了他酝酿已久的题目——《格桑梅朵》，开始了这部小说漫长的写作历程。这一年降边年仅 23 岁。从 1960 年开始写作到 1980 年，整整经过了 20 年的光景，这部小说才得以出版。据作者讲，它换了六位责任编辑。降边也随着这本书走过了自己生命最宝贵的一段时间。1980 年人民文学出版社出版这部小说的汉文版后，1982 年民族出版社又出版了降边本人根据汉文本压缩翻译的藏文本。

1980 年年底，降边嘉措调到中国社会科学院少数民族文学研究所从事藏族文学的研究工作。1991 年晋升为研究员。

40 万言的《格桑梅朵》是一部描写人民解放军进军西藏的小说。这是西藏历史乃至中国历史上的一件大事，举世瞩目。小说叙述的大体是 1950 年年底至 1951 年年底的事。至于这部作品的主旨，作者在书前的“献辞”中说得很清楚：“谨以此书献给为解放西藏、巩固国防而斗争的进藏部队全体指战员！为祖国统一、驱逐帝国主义势力出西藏而英勇牺牲的烈士们，永垂不朽！”解放前夕，西藏存在着分裂与反裂的尖锐斗争，驱逐帝国主义势力出西藏成为当时的重要任务。小说从多个方面反映了人民解放军进军西藏的艰苦历程，和西藏农奴欢迎、支持解放军进藏，获得自由解放的历史巨变。

虽然我们说这部小说是反映人民解放军进西藏的，实际这部小说并不是战争故事，而是一部“政治故事”，因为西藏是通过和平谈判，中央人民政府和西藏地方政府达成协议而获得解放的，不是通过战役解决问题。小说对进藏干部郭志诚、李刚、罗珠的塑造是十分成功的。再如，对边巴、尼玛才仁、小次登、小刀结、其美卓玛等的刻画也十分入情入理，很容易让读者进入到人物的情绪和故事的氛围之中。

在艺术上，作者采用现实主义的表现方法，有些章节的景物描写十分成功：

> 高大的措拉山，拔地而起，突兀峥嵘，峭壁危崖，叠嶂西驰，挡住了部队前进的道路。
>
> 措拉山高达六千三百多米，是部队进入藏北草原后的第四座大雪山，这样的大雪山，从昌都到拉萨的一千一百多公里的地段，共有十九座。它的主峰如同一把银色的利剑，直插苍穹，当地群众有一个说

法：人们骑马挎枪从山顶走过，枪上的牛角架能够碰到蓝天，可以听得见“唰，唰”的响声，这是极言雪山之高。又说这座山的“山神”容易生气，喜怒无常。“措拉”的意思是“易怒的山”，这是说它的气候恶劣而多变。

这种描写，并不十分花哨，但十分质朴自然，慢慢读来确有身临其境之感。

在语言的运用上《格桑梅朵》十分注意吸收运用生动活泼的民间文学资料和藏语格言、谚语、方言等，在藏人思维习惯和语言表述形式的汉文表达方面的确花费了不少心血。

（三）班觉和他的长篇小说《顶珠》

用藏文创作的长篇小说中，班觉的《顶珠》是为人称道的。这部小说的重要意义在于，自藏族长篇小说《旋努达美》、《郑宛达娃》之后近二百年没有见到用藏文创作的长篇小说，人们为此而大发感慨：是什么原因使藏族文学史上留下了这样一段难解之谜？是由于我们的资料还不够充分，没有挖掘到这一漫长阶段的藏文长篇小说，还是由于在这一时期藏族的文人骚客们真的忘记了长篇小说的创作？假如果真这一时期藏族的作家们没有留下长篇小说这一形式，那么，班觉的这部长篇小说在藏族文学史上就应该有重要的地位。因为：

1. 这部小说完全是按传统的形式写的，与藏族的传统小说有脉承关系。

2. 这部小说是当代的藏人用藏文以传统形式写的第一部长篇小说，它在人物构造方面给后来的作者提供了借鉴。

3. 与传统的藏族小说不同的是，《顶珠》（也译为《松耳石》）反映的不再是神话故事，而是真真切切发生在拉萨的事情，所用的手法是现实主义的。因为，历史上的两部名著无论是反映爱情的《旋努达美》，还是反映宫廷之争的《郑宛达娃》，都有浓厚的宗教思想和宗教描写。藏族中用汉文写作的同志可能感受不到这一点的重要性，而在用藏文写作的著作中，能做到这一点确实是不简单的，可以说是具有“划时代”的意义的。

4. 从文化学的角度看，《顶珠》一书比较充分地反映了藏区，尤其是拉萨地区的藏人的带有浓厚神秘色彩的宗教文化生活，尤其是对藏人传统心理的刻画，可以说十分深刻。它是文学读物，同样也是优秀的社会文化学的参考资料。

5. 这部小说的语言独特而优美，为丰富和发展藏语做出了重要贡献。

显然，这部作品的价值还没有引起广泛的重视。

故事讲的是察雅宗的农奴平措的父亲在朝拜神山玛庞雍措时候捡到一块松耳石，视为圣物，可是不料被察雅宗宗本知道，便用尽计谋想得到这块松耳石，接二连三迫害平措一家。关进牢房的平措夫妇在姨母玉珍的帮助下逃出宗本的毒手，来到四川德格地方。此后，流浪中平措的妻子宗巴病故，平措带着幼儿带着妻子的遗愿，来到拉萨将这块珍贵的松耳石献给了大昭寺的释迦牟尼佛。这块宝石很快又进了拉萨米本的腰包，继而在拉萨演出了一幕幕争斗此宝的活剧。

小说生动地刻画了主人公班丹这一生活于基层的农奴形象，他既有曲折的生活经历，也有曲折的思想历程，在险恶的人世风尘中不断地陷入误区又不断地觉醒，在不断的波折中得到思想上的提高，思想上的成熟。读来颇合情理，符合生活本身的逻辑。当他真正认识了朋友和敌人以后，他也具有坚强的斗争精神。另外，对达本的刻画也有独到之处，既描写了他阴险毒辣、谙于官场权术的一面，也反映了他的一些作为常人的“人性”。更重要的是作者比较充分地揭示了他赖以生活的盘根错节的社会关系和社会基础，从而对和平解放以后的西藏进行了充分的剖析，给我们展示了在封建农奴制度下，统治阶级和一般贫苦百姓的生活。

班觉是具有一定的社会阅历和思想深度的，尤其是他给我们描绘的解放以前的西藏社会在藏文创作的文学作品中并不多见。

班觉（1941～ ），出生在拉萨的一个贵族家庭，7 岁时到国外读书，11 岁时返藏。1955 年至 1959 年在中央民族学院读书。进藏后一直投身于西藏的教育事业，现任西藏自治区拉萨市宣传部副部长，西藏自治区作协副主席。他的短篇小说《花园里的风波》自 1980 年发表以来，也受到评论界的关注和读者的普遍好评。

（四）扎西达娃的小说

扎西达娃（1959～ ），四川省甘孜藏族自治州巴塘县人。幼年和童年基本上在重庆的母亲家度过。1974 年初中毕业后，到西藏自治区展览馆学习绘画，同年考入西藏自治区话剧团搞舞台美术。1980 年在中国戏曲学院编剧系进修一年。20 世纪 80 代中期以后，成为专业作家。是以《归途小夜曲》、《西藏，系在皮绳扣上的魂》、《巴桑和他的弟妹们》、《没有星光的夜》等作品蜚声文坛的青年作家。

少年时期的扎西达娃有许多梦和幻想，“他希望天上飞来很美的音乐，在沉闷的教室里飘荡。他趴在课桌上写科幻小说、侦探小说，认定自己多么厉害，本事多么大，把一个初中生脑袋所能容纳的怪诞念头全部装进最初的作品中。有时逃学，跟好朋友们一起读书并谈论各种国际问题。大人不让看的书，说是怕中毒，他只好躲在被窝里看，这时，他觉得自己很像高尔基三部曲中的阿辽沙。"① 艺术的启迪、熏陶，伴随着色彩斑斓的想象，伴随着作家早期的学习、爱好在行进。读书，扎西达娃是最用心的，早期的涉猎对象主要是汉族的现代、当代文学和一些苏联的翻译文学，进入80年代后，较多地涉猎了译为汉文的拉美爆炸文学，博尔赫斯、马尔克斯、胡安·鲁尔旨、海明威、福克纳等都是他求教的师长。他的主要作品收集在《系在皮绳扣上的魂》、《世纪之邀》两部中短篇小说集中。

《朝佛》是扎西达娃发表于1979年的一篇仅六七千字的小说，可以说扎西达娃是通过这篇小说登上文坛的。小说涉及了藏区特有的非常复杂非常敏感的宗教问题。众所周知，西藏是我国至今仍然在虔诚信仰佛法的不多的地区之一，由于长期的政教合一制度，佛教占据了藏人意识形态的各个领域，无数的人将人生的希望寄托于来世，或修法，或转经，或礼佛，都是为了这个神圣的目标。小说着力塑造了珠玛和德吉的形象，并且注意到了崇佛这一行为的连续性：珠玛的奶奶在磕下"最后一个长头后再也没有起身"，珠玛来到奶奶当年磕头的大昭寺，乞望得到福祉。然而磕头终不解决这些问题，她仍然饥饿无助，仍然疲惫无奈，仍然形影相吊，沿街流浪，八角街如故、无言，甚至差点遭到流氓的侮辱，因而她对佛产生了怀疑。这一点进步在20世纪80年代似乎不足挂齿甚至可笑，但是在西藏的确存在着这种严重的现实，藏传佛教的的确确在主宰着那里的人们的灵魂。德吉是作品中的另一形象，她代表着一代新人，出生于父母都是国家职工的家庭，从小在城镇接受着的是社会主义新文化的熏陶，又接受过学校教育，既对旧西藏有较为深刻的认识，也热爱社会主义的新生活，尤其她具有很强的民族责任感和民族自尊心。比如，在大昭寺前有一个朝佛的老头口吐鲜血昏了过去，众人围观，七嘴八舌，而作为司机的德吉跳下车，"分开人群，蹲下来仔细看看老人，果断地说'抬他上车。'"当一个外国人要对留在地上的血污拍照时，她"闪出来，双手叉腰，挡住镜头。"自尊、善良、果敢、泼辣。

自《朝佛》之后，扎西达娃又创作了《归途小夜曲》、《沉寂的正午》、《导演与色珍》、《江那边》、《白杨林、花环、梦》、《闲人》、《没有星光的夜》、《星期天》、《谜样的黄昏》、《阳光下》、《西藏，系在皮绳扣

① 龚巧明：《这片绿色的土地》，载《西藏文艺》1983年第2-3期。

上的魂》、《冥》、《去拉萨的路上》、《妈妈无言》、《智者的沉默》等一批深受读者欢迎的作品，使扎西达娃从青藏高原逐步走向全国，跻身于中国当代最受读者欢迎的中青年作家行列。他的一些小说也不断获奖，如《朝佛》获西藏优秀创作奖，并被改编为电视剧；《归途小夜曲》在《萌芽》发表以后，由《民族文学》和《小说选刊》选载，并编入《1982 年短篇小说选》，获《萌芽》文学创作荣誉奖；《江那边》获第二届全国少数民族文学评奖一等奖、五省区藏族文学评奖短小说创作一等奖。

从整体看，扎西达娃早期的作品是现实主义的，写得清醒而明朗。比如《归途小夜曲》和《没有星光的夜》，前者写青年司机罗珠与牧民姑娘妮妮在风雪天相遇于草原的浪漫故事，虽然这些新人不一定能代表得了藏族当代青年的主体，但是从他们身上我们可以看到新的世界对藏族一代人的深刻影响，他们已经不是他们的父辈那样虔诚信佛跪拜于神佛脚下的宗教徒，而是一代受了现代思潮影响的青年，他们戴着意大利太阳镜，留着关知村警长式的长头发，穿着牛仔裤、尖领花格衬衣，哼着流行的小调。然而他们身上所体现的并不是颓废和玩世不恭，而是深厚的人性。比如，当妮妮受冻时他可以把自己的大衣给她披，当妮妮在车上冻得说不出话来时，他将她从篷顶上抱下来，点牛粪火给取暖。妮妮这一形象的处理也十分得体，合乎人物身份，作为牧羊姑娘她身上拥有藏族传统女性的诸多优点，纯朴、倔犟、热情、善良。

《没有星光的夜》讲的是另一类型的故事，拉吉遍寻十多年找阿格布报血仇，因为口角等因阿格布的父亲杀了拉吉的父亲，按照传统的习惯，拉吉应该报父仇，倘若连父仇也不能报，还算得了什么父亲的儿子！可是时代变了，当拉吉找到阿格布时，作为革命退伍军人和共产党员的阿格布，却跪在拉吉面前，此事使拉吉大为感动，使两个有世仇的青年成了莫逆之交。但是，旧世界的印迹仍然是存在的，不了解内情的阿格布的妻子担心失去丈夫而杀死了拉吉。这部小说具有很好的教育意义。

自 1985 年以后，扎西达娃的小说又有了新的天地，《西藏文学》1985 年第一期刊登了扎西达娃的“魔幻小说”《西藏，系在皮绳扣上的魂》，自此冒出了西藏的魔幻现实主义，几乎惊动了整个中国文坛。在肯定扎西达娃的《西藏，系在皮绳扣上的魂》的同时，评论界对这一插入西藏文坛的新的创作形式褒贬不一，说好的以为这一文学形式给西藏新文学注入了活力，此与藏族人生活的环境是十分吻合的；说不好的以为这一形式脱离了传统的形式，扑朔迷离，使人难以捉摸，看不懂的文学本身就失去了文学的基本功用。但是，这种尝试本身是非常有意义的，也是非常可贵的。虽然，对于真正的用藏文写作的作家，西藏魔幻小说的出现与它们并无多大关系，因为由于语言的差异，用藏文创作的作家并未感受到这种形式的可贵，反而在那里销声匿迹。

此后，扎西达娃写了《世纪之邀》、《风马之耀》、《悬岩之光》等三部曲，将作品的艺术水准又推进了一步。

扎西达娃的创作路子较宽，早期作品大多描写西藏首府拉萨，以拉萨最繁华并著名的大昭寺为中心形成的八角街的人与事为主要对象，其环境也多为有八角街影子的甜茶馆、小酒摊等。后期领域不断拓宽，笔下可见形形色色的人物，像为扎西达娃最初赢得声誉的《归途小夜曲》① 中戴着意大利眼镜、留着长发、穿着真正的牛仔裤的现代派青年罗珠，《没有星光的夜》中的退伍军人阿格布，《石宅》中命运浮升的农奴朗钦等。作品范围的拓展与作者艺术追求和生活范围的拓展是相一致的，它从多个方面反映了今天的藏族社会。

扎西达娃作品的一个重要特点是写今天的西藏人，写 80 年代的西藏人，同时侧重于写今天西藏人中的年轻人，写他们对生活的思索，写他们心灵深处现代化与传统文化、新的价值观与旧的价值观的深刻冲突。我以为这是难能可贵的。他之所以获得较高成就，大约有如下几个原因：

其一，从作品的内容看，扎西达娃的作品中外界的发达（内地的、世界的现代文明）和西藏的现实有强烈的对比度，这对不了解西藏的读者也很容易留下深刻的印象。

其二，从写作的视点看，扎西达娃的作品中文化差异感不强，他并不着眼于某一种特殊风俗的涉猎而忘记文学的根本使命，换句话说，上述两现象的存在说明，扎西达娃自觉不自觉地以“外视”的手段观察这个民族的生活，这比那些长期囿于一隅、对本民族的生活形态和文化特点已经“木然”了的本民族作家，确乎技高一筹。

其三，从写作的手段看，扎西达娃尽量学习借鉴外国，多效法拉美作家作品和欧美现代文学的一些手法，找到了反映藏区生活内容的恰当的形式。

魔幻现实主义等现代派手法一在中国文坛亮相就褒贬不一，这种现象同样伴随着扎西达娃，而我以为尽管扎西达娃的这些尝试与藏民族的主体文学——藏文文学并无瓜葛，但同样是成功的探索，他因此赢得了社会声

① 《归途小夜曲》，最初发表于《萌芽》杂志，获该刊文学创作荣誉奖，入选《1982 年短篇小说选》（法文版）、《中国文学》1984 年第 2 期。

誉，除《朝佛》、《归途小夜曲》外，像《江那边》、《系在皮绳扣上的魂》等作品曾在西藏自治区和全国的文学评奖中获奖，其中一些篇什还被译为外文。其中有两点给藏族新文学的发展提供了启示：

之一，魔幻现实主义手法与藏区生活的关系。由于不了解西藏，众多的读者都认为西藏是神秘的。所以魔幻现实主义中叙事形态的魔幻手法，与读者对西藏的认识欲望可以说一拍即合，产生共鸣，读者所认识和将要认识的西藏在他们心灵深处本来就是如魔如幻的。我以为扎西达娃正是在这一点上引入拉美爆炸文学的魔幻手法，赢得了读者。因为这种艺术策略将描写对象（西藏生活——人与事等）、读者心态和作者心态统辖于同一环境氛围之中。

之二，从历史和现实的综合切入上，给艺术地认识西藏找到了途径，浓重的宗教生活（宗教的生活化）使藏族社会披上了一层霓虹色，而千百年来藏人自己创造的形形色色的神话、童话、传说，将历史、大自然（山川江河、风云雨雪、蓝天白云、日月星辰）描绘得如梦如幻。归根结底，藏族原始信仰的经久不衰等因素，给真正的藏人以外的较发达地区的人们造成一种鲜明的“历史落差”——除了那些真正研究文化人类学和民族学的学者们，感到这一切平淡无奇外，一般的读者确乎不能不承认那里的一切对他们来说是个梦。

扎西达娃现在是西藏自治区作协专业作家，作协分会副主席，《西藏文学》编委，中国作家协会会员，出版有小说集《系在皮绳扣上的魂》、《世纪之邀》等。其中短篇小说曾多次在全国文学作品评奖中获奖。

（五）益希卓玛、益希泽仁、尕藏才旦、多杰才旦等的小说

益希卓玛（1928 ~　），甘肃省甘南藏族自治州人，建国初期曾在《新中国妇女》、《甘肃日报》、《甘肃文艺》任编辑、记者，写有散文《拉卜楞的女工》、《山谷里的变化》、《两个女钻工》等，并写有电影文学剧本《在遥远的牧场上》。1980 年在《人民文学》发表短篇小说《美与丑》，获得当年全国优秀短篇小说二等奖。

短篇小说《美与丑》讲的是一个非常普通的故事：藏族青年放牧员松特尔攀登科学高峰，在草原改良羊种。故事反映的内容是美好的：“人对美和丑的观念往往会改变。这中间有一个标准，就是人民的利益。”且语言质朴，富有生活气息和藏区特点。

益希卓玛的儿童长篇小说《清晨》是一部描写藏族儿童生活的小说，1981 年中国少年儿童出版社出版，曾获得甘肃省少数民族文学创作二等奖。故事主要讲：

全国解放初期，中央人民政府和西藏地方政府签订关于和平解放西藏的十七条协议以后，人民解放军一面进入藏区，做群众的思想政治工作，一面修路。但是，国民党残匪勾结地方头人对群众的剥削压迫也更为残酷。小说的主人公巴丹就在这时遭到迫害，父母都成了残废，给头人放牧的小巴丹受尽了人间的苦难，后被头人扔进山谷里喂狼，路过这里的解放军救起了奄奄一息的小巴丹。像建国初期的许多青年一样，小巴丹在解放军这所革命的大熔炉里得到锻炼，迅速成长。

像许多女作家一样，益希卓玛的小说写得比较细腻委婉，符合人物身份，比如对小巴丹知道妈妈不知去向后的一段描写：

> 巴丹像一只被子弹打伤了的小雁，避开人，躲到荒僻的草原上，放声大哭。他的哭声，使天空的飞鸟悲痛得没有了扇动翅膀的力量；他的哭声使小河里的游鱼悲痛得失去了摇动尾巴的力量。但是他心里的悲伤还是越来越增长。阿妈呀！亲爱的阿妈呀，你为什么没能等一等，等到你的儿子领了你想见的金珠玛米来救救你，等到你尝到儿子给你积攒的好吃食。阿妈呀，亲爱的阿妈呀！失去了你，你的儿子怎么活下去？

因为生活阅历丰富，功底扎实，热心社会公益事业，她的作品中洋溢着草原生活的气息。

益希卓玛现为甘肃省甘南藏族自治州文联创作员，一级作家，中国作家协会会员。

意西泽仁（1952～　），四川省甘孜藏族自治州康定县人，曾任小学教员，报刊编辑，1972年开始发表作品，主要作品有短篇小说集《大雁落脚的地方》、《松耳石项链》（均由四川民族出版社），像《伊姆琼琼》、《想不到的事情》、《并非阿古登巴的故事》等都是他较有影响的作品，另外意西泽仁还写过一些散文、诗歌和评论文章。

意西泽仁现为中国作家协会会员，四川省作家协会副主席、作协书记处书记，专业作家。

意西泽仁是位勤奋的藏族作家，尽管他只读过初中，但在长期的学习和写作中，阅读了大量的中外小说和一定数量的理论文章，从而得到了迅速成长。他写了大量的短篇小说和散文。也曾写过一些谈创作感想的议论文章。其小说具有浓厚的民族特色和地方特色。他对四川甘孜藏区的描写是有成就的。

意西泽仁的小说写得清隽而美丽，细腻而富有情感，无论写人还是状物都经过仔细的文字斟酌，但文字表面却显得平淡无奇。这是需要点功力的。如在《一支无字的歌》中作家如此描写宰牛的场面：

不知为什么，桑塔草原的晚霞太红了，红得就像血。

下午，队里为我们杀了头牦牛。当时出于好奇，我没有回避，我亲眼见到了从牛脖子里喷出来的血，红得真吓人。

红色，按照牧民们的说法，是可以避邪气的，还能使人壮胆，但我却突然感到有些惧怕了。当时，屠夫从牛的胸膛里，掏出好大一个肚子，破开后倒出好大一堆刚嚼细的草，冒着热气，还是绿的。周围的牦牛都来了，它们伸长脖子，小心地去闻闻这堆草，然后又晃着脑袋，在草地上乱跑起来。它们竖起尾巴，伸着舌头，发出阵阵沉闷的“霍霍”声。牧民在说这是牦牛们在哭。以往，狗是牧场上最活跃的，但此时都躲进自己的帐篷里去了，因为这些“霍霍”吼叫的牛，一见就要用角去顶。

这些写景的文字宛如抒情小诗一般，优美别致。如在小说《瞧，那还有两朵花》的开头如此写道：

牧草青了，野花开了。

紫的、红的、粉的、蓝的、白的——

桑塔草原美极了，就像阿爸刚从城里买来的卡垫，因为，那天展开卡垫时，阿妈惊喜地说：“天哪！你把美丽的草原都搬进帐篷里来了。”

不言而喻，意西泽仁在创作上的潜力是很大的，并且他善于吸收他人之长，无论是外国的还是中国的，只要有用，他都积极学习借鉴。诚如他在《松耳石项链》的后记中所说：“你（即作者）喜欢读藏族的古典文学和民间文学，也喜欢中国的古代、现代和当代文学。你喜欢读苏联文学作品和美国文学作品，最近读得更多的是拉丁美洲的文学作品。你似乎觉得，西半球的拉丁美洲民族，和东半球的藏民族，有好些共同的‘宇宙意识’……”借鉴和学习使他开阔了眼界，同时也为他的创作注入新的活力。

尕藏才旦（1945～　），青海省黄南藏族自治州同仁县人，成长于甘肃省甘南藏族自治州，1968 年毕业于西北民族学院，1975 年开始创作，并开始民族民间文学的翻译、整理工作。出版有短篇小说集《半阴半阳回旋曲》，藏族民间诗集《益希卓玛》。曾任甘肃省甘南藏族自治州文联主席，《达赛尔》杂志副主编，为中国作家协会会员，现任西北民族学院藏语文系主任、编审。

尕藏才旦的小说以反映地道的藏人生活而见长，他的许多小说既是文艺作品，其中又蕴藏着十分丰富的民俗材料，尤其是对甘南藏区的描写可谓独树一帜，比如《羊粪蛋儿组长》、《血酒》、《圣地，飞来一只杜鹃》、《冬虫草》、《麝香》、《三月花芳香》、《三送冬肉》等。其中《最新最美的画》获甘肃省优秀文学作品三等奖，《羊粪蛋儿组长》获西藏优秀文学创作三等奖、五省区藏族文学评奖小说一等奖。

尕藏才旦的小说比较注意细节描写。比如在《羊粪蛋儿组长》中有一段关于有关藏民风情“辣子尕勺”的介绍，虽然不是直接的表述式的描绘，细细读来却颇有情趣：

> 小伙子，不知道你吃过辣子尕勺没有？我可是最爱吃辣子尕勺呀。油津津的辣子酱红红的，肉丁、粉条、窄溜葱片，经过一炒一烩，散发出喷香喷香的味儿，再把捏好的糌粑用大拇指塑成缸式坯子，吃时盛进椒咸合胃的辣子尕勺——啧啧——油香、肉香、葱香、糌粑香，连呵出的气也香喷喷的。

读着这样的文字会使人有身临其境之感，仿佛可以看到吃辣子尕勺的镜头，嗅到辣椒和糌粑的香味。

从整体来看尕藏才旦作品的风格是比较朴厚的，娓娓道来，绝少做作，不刻意追求华丽的辞藻。所反映的生活是扎实的真切的，具有说服力。

多杰才旦（1951～　），青海省化隆县人，现为青海省黄南藏族自治州党委宣传部副部长、青海省作家协会副主席。1967 年毕业于青海省民族中学，此后长期在基层工作，具有丰富的生活经验和素材。十一届三中全会后开始进行文学创作，曾在《西藏文学》、《青海湖》、《民族文学》、《当代》等杂志发表中短篇小说。写有《走向新的草场》、《齐毛太》、《我和三个白度母》、《藏蓝色的牧场》以及长篇小说《又一个早晨》、《六世达赖出逃》等。

《又一个早晨》是多杰才旦撰写的一部反映藏族当代生活的一部长篇

小说，1985 年由人民文学出版社出版。小说写的是在粉碎“四人帮”以后的一段生活。对藏区来说描写记录这一阶段的生活是非常重要的。因为十年动乱作为中华民族共同的灾难在藏区的特殊体现，是具有非常重要的历史意义和现实意义的。

小说讲的是发生在藏区黄河源公社金银滩大队的一系列既与全国的其他地区一样又具有其特殊性的事件：靠造反起家的公社党委书记雅龙朋措为首的小集团以县革委会马副主任为后台，将县委书记钟一高赶下台，并倍加摧残打断了他的一条胳膊，将原县长千户桑托却吉逼杀，又私设公堂用酷刑搞出所谓的“地下仓库”，将平静的草原搞得乌烟瘴气，人心惶惶。“四人帮”倒台后，在党中央的亲切关怀下，拨乱反正，金银滩大队又恢复了原有的生机，藏汉两个民族的人民和睦相处，共同建设社会主义的家乡。

多杰才旦的作品在人物塑造和艺术构思方面颇具匠心，许多作品写得不枝不蔓，恰到好处；在语言的运用上也颇具情采。

在藏族中青年小说作家中还有些具有一定影响的作家。比如西藏的女作家德吉措姆曾以一篇《漫漫转经路》走上文坛，现为自治区政府副主席的拉巴平措曾著牵人心魄的中篇小说《三姐妹的故事》（藏文），年轻的女作家央珍和梅卓以《无性别的神》、《太阳部落》崛起文坛，四川的苍林、泽旺、土登晋美、索朗仁称、阿来、扎登，甘肃的贡老、嘉洋，青海的多杰卡等也写过一些具有特点的小说，在读者中尤其在藏族读者中具有一定的影响。

三、散文

较之新时期的小说和诗歌创作，散文创作和文学评论在藏族当代文学中是比较薄弱的。就文学评论而言，许多藏族作家诗人的成长都得到了汉族作家、文学评论家的提携、支持、培养。比如50 年代藏族诗人饶阶巴桑初出茅庐发表诗作时，著名诗人臧克家在其《鲜果色初露——读诗散记》中如此评论道：“这几年来，诗坛出现了一些新手……这些作者当中饶阶巴桑是最惹人注意的一个。他在个人创作中，已经逐渐形成了自己的风格。他善于体会生活，从中发掘出诗意来，读他的诗毫无平庸干巴的感觉，总令人感到诗意浓郁、新鲜有味。他写得很细致、很委婉。像春天的泉水，涓涓地流着，带着清脆的声响，把人引到一幽深的诗的境地。”评论家、诗人张光年等也对饶阶巴桑的诗给予高度评价。十一届三中全会以后成长起来的藏族诗人作家，同样也得到了汉族评论家的支持和帮助。对于降边嘉措、益希单增、扎西达娃、意西泽仁、多杰才旦等作家作品的评论基本上都出自汉族的评论家作家之手。长期研究藏族作家作品，并取得可喜收获的是中央民族大学耿予方教授，曾任西藏自治区宣传部文艺处长、《西藏文学》主编的李佳峻。他们都有关于藏族当代文学的专论问世。耿予方的《藏族当代文学》是对藏族当代文学的全面总结，全书八章，分导言、诗歌、中短篇小说、长篇小说、散文、戏剧电影、民间曲艺、新民歌等，起于1949年，终于90年代初，对活跃于当代文坛的擦珠·阿旺洛桑、桑热嘉措、恰白·次旦平措、饶阶巴桑、伊丹才让、丹真贡布、格桑多杰、昂旺斯丹珍、端智嘉、班果、列麦平措、伍金多吉、乔高才让等的诗作，意西泽仁、尕藏才旦、扎西达娃、扎西班丹的短篇小说，降边嘉措、益希单增、班觉、益希卓玛、多杰才旦、丹珠昂奔等的长篇小说进行了评论介绍。但是出生于藏族的评论家一直没有成长起来。偶见一二篇文学评论，但量质均未达到一定层次。因而，当我们述及藏族当代文学时，文学评论这一部分只得阙如。需要说明的是文学理论的研究不在其中，在文学或文艺理论方面藏族的理论工作者同样具有丰硕的成果，比如对于《诗镜论》的注释研究，当代著名学者东嘎·洛桑赤列、毛尔盖·桑木旦、赛仓活佛等均有著述。

散文的情况大体与评论接近，但稍好于评论，其主要表现是：其一，作品少。尚未出现一批有影响有分量的散文作品和散文集，较之当代丰富的诗歌和小说创作，显得很不协调。其二，散文作者少。现在的散文作者大多是“兼职”，即在写小说和写诗歌之余，偶尔写一两篇散文，因而没有出现散文大家的基础。其三，质量不高。在散文方面，在西藏或曾经在西藏生活的汉族作家取得了引人注目的成就，比如马丽华的《藏北游历》、《西行阿里》等长篇散文，得到读者的普遍好评。但从藏族作者的散文作品看，同样没有在这方面得到突破。

散文写作的这种状态与藏族的文学传统也多少有所联系。作为一种文体，散文的写作在藏族文学中同样有一定地位，但并不发达，此或与藏传佛教思想在渗透文学领域时，较多地利用诗、传记、颂词、小说、故事等形式，而对散文重视不够有关。

新时期的散文中较有文学意蕴且内涵丰富的是赤列曲札的《西藏风土志》。此书在写法上接近游记和风俗散文形式，在全书长长短短几十篇文章中，除了那些直露的介绍文字外，大多文辞优美，语言生动。比如《藏族发祥地》、《漫话拉萨》、《后藏举胜》、《阿里——充满神话的世界屋脊》、《羌塘草原散记》、《雪顿节》、《逛林卡》、《沐浴周》、《藏族和茶》

等。说是讲风土，而作者的笔触却时刻在一种诗情画意之中，在一种艺术的思索之中，给人以藏乡丰富而独特的知识，也给人以美的文学享受。作者在《“神山之王”冈仁波钦》中如此写道：

> “冈底斯山”这个名字，是藏、梵、汉三种文字的混合。“冈”，藏语的意思是“雪”；“底斯”，是梵语，意思也是“雪”；“山”当然是汉语，不言自明。那冈底斯山脉，确实雪峰林立，天寒地冻。山上，时常可见挂着成排晶莹发亮的冰凌的山洞，和挺立着的透明的冰笋、冰蘑菇水晶宫；也可在两座山峰之间，见到巨大坚冰凌空横架的“冰桥”……冈底斯山上，除了巨岩嶙峋、大石累累外，就是冰雪的世界。“冈底斯”确实称得上是“雪上加雪”。
>
> 冈底斯山的主峰叫冈仁布钦，它坐落在阿里高原的普兰县境内，海拔六千七百一十四米，峰顶四季覆盖冰雪。“冈仁布钦”，藏语的意思是“神灵之山”。梵语称为“湿婆的天堂”，“湿婆”是印度神的名字，即神的天堂。据《冈底斯山海志》记载，著名的佛尊杰尊达孜瓦，曾对冈底斯山的形状，以及从这山上流出的四大河流作了一番描绘和形容。他说，冈仁布钦形同橄榄，山尖如刺，直插云霄，连蓝天都穿破了。山峰南面，朵朵白云，似向山峰磕头朝拜；峰顶上，有七彩圆冠；山身如水晶砌成，透亮发光。当日月照射到山体上时，从它身上反射出奇异的光芒，这时，从它的颈项上，清泉沿石缝流下，发出有节奏的叮当声，那一串串清脆的琵琶声，犹如仙乐般动听。傍晚，西边的落日照在这高高的山峰之上，彩云间反射着光环，山峰犹如披上彩绸一般；这时的山腰，彩虹紧锁，恰似一条七色的腰带，要是正午，日光从头顶直射下来，自上而下，冈仁布钦便套上彩裙了；山脚下俨然彩裙之边，有绿草繁花嵌衬着，真有绣花绒般美丽。

作者的描写将我们完全带入了那个冰清玉洁，却又扑朔迷离、色彩斑斓的世界。

藏族的散文写作也在发展中，近些年来也有一些作家在悉心钻研，想这一文体会在雪域文坛发扬光大。目前业已出版的散文集有马丽华编《西藏散文选》，刘万庆、莫福山编《当代藏族散文选》，甘孜藏族自治州《雪山红霞》编写组编《雪山红霞——特写散文选》、藏族古典文学深造班著《西藏散文选》、扎西旺堆等著《散文选》、端智嘉所著《晨曦集》、恰白·次旦平措的《冬之高原》、伍金多吉所著《高原的风》等，都记录有藏族作家们对藏族新散文的探讨。

四、戏剧

（一）藏族剧作家索朗次仁和他的话剧《斯几毕几》

索朗次仁是新中国培养的话剧作家，毕业于上海戏剧学院。可贵的是他用藏文进行创作，熟悉藏族社会的历史、风俗和文化，熟悉戏剧艺术的基本理论，有丰富的写作实践经验。以往的藏族戏剧艺术或为哑剧或为歌、舞、白混合的歌舞剧，话剧艺术尚未进入西藏，即使现在的一些话剧作品，多为汉族同志所作，或为藏族同志用汉文写作，纯粹用藏文写作的话剧作品至今也不多见。

索朗次仁的话剧作品有两个比较重要的特点：一是重视藏族的传统风格，注重藏语多种形式的使用，比如较多地使用藏语方言等，通俗易懂；二是多在民间文学中汲取营养，比如他的两部主要话剧作品《斯几毕几》和《阿古登巴》都取材于民间故事。

七场话剧《斯几毕几》取材于民间故事《爱情鸟》，获全国少数民族戏剧文学奖，深受藏族群众的喜爱。剧情是犹如汉族著名的爱情故事《梁山伯与祝英台》那样的动人心魄的男女情爱故事。相爱的一对恋人斯几和毕几在举行婚礼那天遭到了空前的厄运，凶狠的国王抢去毕几给太子做妻子，为了纯贞的爱情，斯几只身闯王宫，遭到了杀害。得知夫君被杀的消息，毕几悲痛欲绝。在为斯几举行火葬那天，毕几投入了熊熊的烈火之中与自己的丈夫共同化为灰烬。在烈火中窜起的白烟变成了两只鸟，叫着“斯几毕几”飞向蓝天，自由自在地翱翔。

《斯几毕几》不但歌颂了忠贞的爱情，而且对封建农奴制度和旧西藏社会生活的反映也有一定的广度和深度，注意刻画人物。比如，毕几姑娘的母亲——年轻美丽的农奴卓玛汉泽被国王的大臣扎巴旺曲霸占为妻，扎巴旺曲后又与他人结婚，将怀孕六个月的卓玛汉泽赶出了门。毕几姑娘出生后母亲又病故，收留她们的农奴桑竹带大了毕几姑娘，在两小无猜的生活中斯几和毕几产生了爱情，因而他们的爱情是牢固的。如下面一段斯几和毕几的对唱：

毕几唱：
美丽鲜艳的玉簪花，
怀念翠玉般的蜜蜂。
我心爱的蜜蜂呀，

你可真想落入我的怀中？
我和翠玉般的蜜蜂，
两颗心儿一起跳动。
酿成香甜的蜜糖，
共同享用何等高兴！

斯几说：是这样，今后我们就像小山羊一样，山上有青草一起吃，河中有清水一起喝！

只有忠于爱情的人，才有可能为爱情牺牲。一对恋人，当毕几身陷囹圄时，斯几毫不犹豫地去拼杀，用刀刺伤了大臣的右眼；而当斯几遭大臣暗算被长矛刺死后，在其丧礼上毕几则毫不犹豫地投身火中，与自己的心上人同归黄泉。嘴像白绸子一样光滑，心同毒刺一般狠毒的扎巴旺曲害死的却是自己的亲生女儿，于是他疯了；国王的太子死了。虽然，在那个时代农奴处于被压迫被剥削的地位，而在话剧中，人民的愿望得到了实现，斯几和毕几并没有死，他们化作了一对小鸟自由自在地飞翔在天空。

在根据藏族民间家喻户晓的机智人物故事《阿古登巴》改编的话剧《阿古登巴》中，索朗次仁再次完满而准确地刻画了阿古登巴这一人物形象。

索朗次仁还写过独幕话剧《贪贿者》和一些曲艺作品，如相声、斋嘎等。

（二）贡卜扎西和他的电视剧《苏鲁梅朵》

贡卜扎西（1938～　），甘肃省甘南藏族州夏河县人，藏族，1957年自西北民族学院语文系藏文专业毕业后留校任教，1960年至1962年在中央民族学院政治系读哲学研究生，毕业后回西北民族学院任教。1958年始发表作品，写有小说《竞争者的马蹄声》、电影文学剧本《绿色的旋律》等。

贡卜扎西的电视剧《苏鲁梅朵》（与胡耀华合作）起先以话剧形式搬上舞台，称《白雨》，曾在甘肃、北京等地上演，荣获1983年～1984年甘肃省话剧创作一等奖，第一届全国少数民族题材剧本金奖，1986年荣获甘肃省委、甘肃省政府颁发的优秀作品证书。后更名为《苏鲁梅朵》（上中下三集）拍成电视剧搬上银幕，除在国内播放外，还被拿到法国等国播出，受到较为广泛的欢迎。是藏族当代电视剧艺术的重要收获。

“白雨”是冰雹的别称，此剧中主要指一个牵动众人心弦的事件及其在人们思想观念上引起的震撼。故事讲二十多年前逃往国外的部落大头人洛桑丹增，听到祖国敞开了大门欢迎游子归来的召唤，心中燃起树高千丈、叶落归根的烈火，“想使自己忘了过去，想使别人忘了自己”，改名志化，以古藏文学者的身份回到祖国，并被邀请参加传统的“浪山”活动。这在草原上自然是一个新闻。然而，事情竟是这样的巧合，人民政府帮助志化找到了日夜思念的失散二十多年的女儿，这当然又是一桩喜事。同时，谁也没有想到，志化的女儿，是老牧民昂青从小抚育长大的梅朵姑娘。而昂青的儿子在二十多年前的古木梁草山纠纷中，被志化手下的人打死。昂青每忆此事，总是难平心中怒火，旧仇未报，又眼看二十多年一直相依为命的梅朵姑娘，将要被他人领走。这样一来，昂青和志化就成为矛盾冲突的两个中心人物，他们之间既有旧的矛盾又添新的夺女之恨，这件事，就像一场冰雹打在昂青、志化和草原牧民的心上。剧情围绕如何解决这些矛盾展开，塑造了年轻美貌的苏鲁花梅朵姑娘，纯朴善良、刚直的阿爸昂青和从海外回来的藏胞志化。

这部电视剧的成功处在于，它反映了在改革开放之后藏区的巨大变化，旅居海外藏人的回归问题，藏民族在四个现代化的大道上辛勤耕耘，创造自己新生活的崭新画面。在艺术上具有结构严谨，语言通俗而生动，人物形象鲜明等特点，这与作者长期在藏区生活，熟悉藏人的民情风俗、宗教、文化等有直接关系。

作为行政领导干部，贡卜扎西在繁忙的工作之外还在摄影方面取得了引人注目的成绩，先后在《甘肃日报》、《西藏日报》、《中国民航》等杂志发表摄影作品，1991 年在上海美术馆举办了“贡卜扎西甘南风情摄影展”，其传略已收入《中国摄影家大辞典》。

五、民间文学

（一）《格萨尔王传》的搜集整理

作为一部世界上最长的英雄史诗，《格萨尔王传》已成为藏学领域独立成系统的研究课题。其范围大约涉及《格萨尔王传》的内容、版本、艺人、音乐、流布史等，实际上同样涉及了藏学研究中的一些基本问题。1949 年以后，这一工作得到了党和政府的关怀、支持，并着力组织力量进行抢救。50 年代即取得了阶段性的成果。“文革”中这一工作中断。十一届三中全会以后重新列入议事日程，重新进行搜集整理和抢救工作。1984 年在中央组建了由国家民委、文化部、中国社会科学院、中国民间文艺家协会等部门以及各省区的相关部门参加的全国《格萨尔》工作领导小组，对这一工作进行协调、领导，一些相关的省区也建立了类似的机构，如甘、青、川、藏、滇、内蒙等省区。在这些机构的协调组织和各级地方党政部门的支持下，《格萨尔王传》的搜集、整理、研究、教学、翻译等工作取得丰硕的成果。

1.《格萨尔王传》的部数和基本内容

《格萨尔王传》是世界上最长的英雄史诗，究竟长到何种程度，是许多读者热切关注的问题。国内不少同志对史诗的部数进行过统计，但由于这些统计多不是依据已出版的《格萨尔王传》说唱本或者已有的木刻本、手抄本，而是根据不同艺人所提供的自身所唱的部名（有些只是部名而已，未曾说唱，连记录者本人也不知道该部内容及规模）统计，难成定数。比如据载青海的说唱艺人才让旺堆能演唱 148 部之多，且有每部之部名[①]，可谁也没听他讲完过这些说部。另外，一些报刊也报道过某某艺人能演唱十几部或二十几部、三十几部《格萨尔王传》的事，且以某两部部名为导引，也难知其详。著名《格萨尔王传》翻译家、西北民族学院教授王沂暖先生曾在一些报刊发表过自己的统计数字，近又有新的统计，较为科学而可靠，兹引介如下。为了节省篇幅，我们只记录部名和该部出处——刻本、抄本或录音情况等，其余概不收录。

（1）《天岭九藏之部》，有四川林葱土司家木刻本，1980 年四川民族出版社根据该刻本刊行的铅印本，译名《仙界遣使》，唱词 2185 行，甘肃民族出版社版译名为《天岭之部》。另有西藏人民出版社出版之西藏老艺人扎巴说唱的本子，铅印本。多为叙述，唱词 7 段计 95 行。

（2）《果岭大战之部》，青海省委宣传部收藏的《格萨尔王传》书目中有此部，此系青海同仁手抄本。另有异译本《葛岭》一部，为四川康定手抄本。

（3）《甲擦猎鹿之部》，甘肃甘南藏族自治州搜集，有录音。

（4）《花岭诞生之部》，四川林葱土司家木刻本，四川人民出版社 1980 年版翻印本。6 章，唱词 2477 行。

（5）《玛域水晶岩之部》，青海民族出版社 1982 年版铅印本，汉译《玛燮扎石窟》。10 章，唱词 2352 行。

（6）《西宁马宗之部》，系一残本，仅 15 页。

（7）《丹玛青稞之部》，中央民族学院图书馆藏，青海有汉译本，唱词 6922 行。

---

① 详见中国社会科学院少数民族文学研究所编：《格萨尔研究》第四集，第 262－281 页。

（8）《赛马七宝之部》，有四川林葱土司家木刻本，四川民族出版社1989年翻印本，异译《赛马称王》。唱词4016行。异本较多。

（9）《世界公桑之部》，有藏族老艺人官却才旦整理，甘肃人民出版社版铅印本。

（10）《降伏妖魔之部》，有西北民族学院内部铅印本，甘肃民族出版社版本。8章，前者唱词3333行，后者唱词3385行。内容同。

（11）《降伏霍尔之部》，青海民族出版社版，定名为《霍岭大战》，两册，上册唱词5177行，下册15244行。

（12）《辛丹相争之部》，异译名《辛丹内讧》。甘南藏族自治州文联内部铅印本、四川民族出版社版铅印本。

（13）《姜岭大战之部》，手抄本，西藏人民出版社1981年版铅印本。异译《绛岭之战》本。唱词15928行。

（14）《门岭大战之部》，西藏扎巴老艺人说唱本，1980年西藏人民出版社铅印本，异译《门岭大战》。唱词9635行。

（15）《降伏夹日江村之部》，北京民族文化宫图书馆所藏。藏文手抄本。唱词1258行。

（16）《大食牛宗之部》，有四川德格木刻本，西北民族学院内部铅印本，西藏人民出版社根据手抄本出版的铅印本等。唱词11444行。

（17）《分大食牛之部》，异译《大食施财》，有德格木刻本，西北民族学院内部铅印本，西藏人民出版社根据手抄本排印的铅印本等。

（18）《甲岭传奇之部》，有云南迪庆藏族自治州手抄本，北京民间文艺出版社1982年铅印本。11章，唱词4672行。

（19）《阿达拉毛之部》，有木刻本，西北民族学院打字油印本，青海民族出版社铅印本，异译《地狱救妻》，据称根据青海同仁县手抄本译出，青海内部铅印本。唱词2081行；另有一抄本，唱词1891行。

（20）《上蒙古马宗之部》，在中央民族学院图书馆藏本，青海省民研会曾根据青海囊谦藏文手抄本汉译，分上中下三册，唱词上册2269行，中册4392行，下册2477行，共计为9138行。

（21）《下蒙古铠玉宗之部》，有西北民族学院藏本，青海省民研会根据玉树地区流传的手抄本整理，唱词8187行。

（22）《阿扎玛瑙宗之部》，异译名为《阿扎玛瑙国》。青海民族出版社出版铅印本，21章，唱词11675行。青海有根据果洛地区流传的手抄本所译出之汉文。唱词12804行。

（23）《擦瓦箭宗之部》，有西藏人民出版社1982年版铅印本，唱词

2916 行。

（24）《杰日珊瑚宗之部》，有青海民族出版社 1983 年版铅印本，异译《歇日珊瑚国》。13 章，唱词 3711 行。

（25）《征服江国之部》，有藏文手抄本，果洛民间艺人喇嘛尕绕著。唱词 4267 行。

（26）《征服贝达之部》，果洛地区南囊多吉著，异名有汉译《雄狮王传贝达下部》。唱词 2890 行。

（27）《卡切玉宗之部》，有德格木刻本，西藏人民出版社 1979 年改排铅印本，上、中、下三篇，唱词 5894 行。

（28）《香香药物宗部》，有甘肃民族出版社 1984 年版铅印本。上下两部唱词共 8119 行。

（29）《木古骡之部》，有西藏人民出版社 1982 年根据藏文手抄本出版之铅印本，异译《木岭之战》。为唐丁柴旺多吉作。唱词 10013 行。北京民族文化宫藏有手抄本。

（30）《香雄珍珠宗之部》，有西藏人民出版社 1982 年版、甘肃民族出版社 1984 年版、青海民族出版社 1984 年版铅印本。甘肃本唱词 4156 行，青海本唱词 3725 行，西藏本唱词 3250 行。

（31）《朱孤兵器宗之部》，有中央民族学院、西北民族学院藏文手抄本，甘肃民族出版社根据此铅印出版，共四册，一册唱词 7662 行，二册 6563 行，三册 7303 行，四册 10146 行，计 31674 行。

（32）《阿里黄金宗之部》，异译《取阿里金窟》。有四川民族出版社 1981 年根据甘孜州流传的手抄本，出版的铅印本。9 章，唱词 2835 行。

（33）《雪山水晶宗之部》，有四川民族出版社 1982 年根据藏文手抄本出版之铅印本。17 章，唱词 6282 行。

（34）《夹岭大战之部》，有西藏人民出版社 1983 年版铅印本。5 章，唱词 5486 行。

（35）《梅岭黄金宗之部》，有青海民族出版社 1983 年版铅印本。唱词 3428 行。

（36）《美岭大战之部》，有手抄本，西藏人民出版社 1982 年版，铅印本，异译《攻取北美洲夏瓦玉隆玛瑙宗，英雄大战动听鼓音》。4 章，唱词 4178 行。

（37）《松岭大战之部》，有手抄本，西藏人民出版社 1981 年版铅印本；异译《岭主格萨尔王松岭大战，取犏牦牛运返回藏地吉祥篇》。不分章，唱词 3834 行。另有北京民族出版社 1982 年版的铅印本，译名《松岭之战》。20章，唱词3015行，系西藏大学格萨尔办公室整理本，较西藏本少1000余行。

（38）《格萨尔王城颂之部》，有西南民族学院紫腾嘉搜集于阿坝藏族羌族自治州的藏文手抄本。纯诗体，唱词共159行。

（39）《格萨尔王帽颂之部》，有西南民族学院紫腾嘉搜集于阿坝藏族羌族自治州的藏文手抄本，纯诗体。唱词共325行。

（40）《格萨尔王帐篷颂之部》，有西南民族学院紫腾嘉得之于阿坝藏族羌族自治州的藏文手抄本。纯诗体，唱词103行。

（41）《降伏朗如之部》，有青海民族出版社1985年版铅印本，汉译《浪日》。5章，唱词1765行。

（42）《阿塞松石宗之部》，有印度达兰姆萨拉图书馆藏本。

（43）《卡霞王山羊宗之部》，收藏地点同上。

（44）《尼泊尔绵羊宗之部》，收藏地点同上。不知与《白若绵羊宗》有无关系。

（45）《塞巴财运宗之部》，收藏地点同上。

（46）《嘎兑觉卧黄金宗之部》，收藏地区同上。

（47）《珠嘎代王大鹏宗之部》，收藏地点同上。

（48）《蒙古狗宗之部》，收藏地点同上。

（49）《特列箭宗之部》，收藏地点同上。不知与《擦瓦箭宗》有无关系。

（50）《朱乍熊朱砂宗之部》，收藏地点同上。

（51）《宁域之部》，收藏地点同上。

（52）《绒岭之部》，又译作《容岭》，收藏地点同上。

（53）《龙国之部》，收藏地点同上。

（54）《东魔路尺虎面之部》，收藏地点同上。

（55）《木雅冈尺王之部》，收藏地点同上。

（56）《卫藏法王之部》，收藏地点同上。

（57）《尼泊尔阿乍王之部》，收藏地点同上。

（58）《甲毛绒稻米宗之部》，收藏地点同上。

（59）《北江玛水晶宗之部》，收藏地点同上。

（60）《洽格奔木惹宝藏宗之部》。

（61）《印度砂砾宗之部》。

（62）《印度六妙药材宗之部》。

（63）《外道恶咒九兄弟之部》。

（64）《黑白花台乌让魔鬼神之部》。

（65）《嘎绕十八族之部》。

（66）《黑方天神罗刹八部之部》。

（67）《北甲毛绒母牦牛之部》。以上收藏地为达兰萨拉图书馆。

（68）《降伏妃扎魔王之部》。四川阿雍由石渠县借到此部藏文手抄本，云“抄于两本笔记本及一本稿纸上，约有 200 页。”

（69）《地嘎尔之部》，西藏自治区收集到此部的藏文手抄本上中两部，下部未收集到。

（70）《姜门大战之部》，西藏自治区收集到此部藏文手抄本。

（71）《乌炎大战之部》，西藏自治区收集到此部藏文手抄本。

（72）《都巴七兄弟之部》，西藏自治区收集到此部藏文手抄本。

（73）《木扎日宗之部》，西南民族学院搜集到此部藏文手抄本云：“70 页”。

（74）《神鸟托梦之部》，此据《甘孜州格萨尔工作概况汇报》介绍四川理塘有人讲此部。

（75）《格萨尔三界故事之部》，《西藏自治区抢救格萨尔工作简报》第四期，《格萨尔全传说唱书目一览表》中注明：“已有书”。

（76）《给格萨尔的信之部》，青海省委宣传部收藏之同仁地区流传的手抄本，66 页。

（77）《卡容黄金宗之部》，西藏自治区《我区抢救格萨尔工作情况汇报》中列有此书，并注有“藏文手抄本一部”。

（78）《桑器岭传之部》，青海省委宣传部收藏之玉树地区流传的手抄本，45 页。

（79）《拉堆之部》，旺秋《昌都地区格萨尔的调查报告》列举此部，云“约有 100 多页”。

（80）《玛岭大战之部》，旺秋《昌都地区格萨尔的调查报告》中，列举此部，作者为西绕单增。

（81）《珠堆玛之部》，旺秋上述报告中列举此部。购自贡觉县，藏文手抄本。

（82）《夏堆夏娃如扎之部》，旺秋上述报告列举此部。购自贡觉县，藏文手抄本。

（83）《伯如之部》，旺秋报告中列举此部。购自贡觉县，藏文手抄本。

（84）《司马之部》，旺秋报告中列举此部。购自贡觉县，藏文手抄本。

（85）《诺布扎堆之部》，旺秋报告列举此部。购自贡觉县，藏文手抄本。

（86）《雪山黄金宗之部》，旺秋报告中列举此部。购自贡觉县，藏文手抄本。

（87）《红岩大鹏宗之部》，西南民族学院收集之藏文手抄本，据云流传于四川阿坝地区。

（88）《歌唱好缘起之部》，西南民族学院收集之藏文手抄本。流传于阿坝地区。云“小页，161 页”。

（89）《则格尔之部》，西南民族学院搜集之说唱记录本，流传在阿坝地区。

（90）《甲擦去盐湖取盐之部》，甘肃甘南藏族自治州文联收集到此部。

（91）《岭国六十人马名称的由来之部》，甘肃甘南藏族自治州文联收集到此部。

（92）《在降魔归岭路上之部》，甘南藏族自治州收集到此部。

（93）《司钦之部》，西藏自治区在墨竹工卡搜集到藏文手抄本上下册。

（94）《色岭阿宗之部》，《1983 年西藏格萨尔王传抢救工作总结》称此部为西藏索县民间艺人自唱自抄的藏文手抄本。

（95）《色锦之部》，有藏文手抄本。出处同上。

（96）《昂岭之部》，藏文手抄本。出处同上。

（97）《三时预言之部》，西藏自治区搜集到此部藏文手抄本。

（98）《乌斯茶宗之部》，西藏扎巴老人说唱，已录音。

（99）《霍其巴山羊宗之部》，别译《外霍尔山羊宗》，扎巴老人说唱，已录音，整理成本。

（100）《麦岭之部》，西藏自治区已录音整理文字。

（101）《白惹绵羊宗之部》，有青海民研会内部铅印汉文译本，唱词 5381 行。

（102）《米努绸缎宗之部》，有青海民研会之汉译本，唱词 7248 行。

（103）《日努绸缎宗之部》，有青海民族出版社 1985 年版铅印本。

（104）《甲昂巴盔甲宗之部》，有西藏自治区民间艺人勇珠说唱录音，据云录成 31 盘小磁带。

（105）《塔岭生铁宗之部》，西藏女艺人玉梅说唱，已录出 6 盘大磁带。

（106）《玉色曼扎宗之部》，出处不详。

（107）《格萨尔密传之部》，旺秋购到此部，云：“大致有 100 多页，前面缺 26 页。”

（108）《说法故事之部》，有四川省格萨尔办公室的藏文原文复印本，小页共214页，唱词1787行。

（110）《东魔长角鹿之部》，有西藏自治区从昌都收集之藏文手抄本，云“约6万字”。

（111）《欣喀药物宗之部》，西藏女艺人玉梅说唱，录23盘磁带，已抄录完毕。

（112）《吉岭药物宗之部》，西藏民间艺人桑珠说唱，录45盘磁带，已抄写完毕。

（113）《亭尺药物宗之部》，西藏民间艺人曲扎自写，“稿纸786页，约10万字。”

（114）《朗如黄金宗之部》，西藏艺人班丹自写，“约7万字”。

（115）《怒岭之部》，西藏艺人赤列尼玛自写，“稿372页，约6万字”。

（116）《阿岭之战之部》，西藏艺人赤列尼玛自写，“约4万字”。

（117）《楚岭之部》，江达县索朗多吉所送，600页。

（119）《色绒铁宗之部》，西藏艺人勇珠说唱，已录音。

（120）《罗刹阿赛珍宝宗之部》，西藏艺人勇珠说唱，已录音。

（122）《派岭铁宗之部》，西藏艺人次旺居美说唱，已录音，26盘磁带。

（123）《岭国形成史之部》，西藏艺人次旺居美说唱，已录音，39盘磁带。

（124）《木如大鹏宗之部》，西藏艺人次旺居美说唱，已录音，31盘磁带。

（125）《格萨尔三界故事之部》，《西藏自治区抢救格萨尔工作简报》第四期《格萨尔全传说唱书目一览表》注：“已有此书”。

（126）《世界战争英雄凯歌之部》，四川阿雍收集，《格萨尔王传目录》中列有此部。

（127）《囊岭黄金宗之部》，西藏艺人曲扎说唱，已录音，41盘磁带。

（128）《毛奶牛宗之部》，西藏艺人曲扎说唱，已录音，56盘磁带。

（129）《色拉玉宗之部》，西藏艺人曲扎说唱，已录音，45盘磁带。

（130）《曲拉铁宗之部》，西藏女艺人玉梅说唱，已录音，36盘磁带。

（131）《郭喀药宗之部》，西藏女艺人玉梅说唱，已录音，23盘磁带。

（132）《奇岭武器宗之部》，西藏女艺人玉梅说唱，已录音，16盘磁带，尚未完。

（133）《奇岭铁宗之部》，西藏艺人桑珠说唱，已录音，68 盘磁带。

（134）《罗刹肉宗之部》，西藏艺人桑珠说唱，已录音，49 盘磁带。

（135）《水晶岩牛奶库之部》，西藏艺人勇珠说唱，已录音，7 盘磁带。

（136）《奇岭朱砂宗之部》，西藏艺人勇珠说唱，已录音，38 盘磁带。

（137）《阿若黄金宗之部》，西藏艺人鲁珠说唱，已录音，27 盘磁带。

（138）《汉岭日月争辉之部》，西藏桑珠说唱此部，已录音，46 盘磁带。

（139）《岭国十八英雄世系之部》，不丹廷布国家图书馆于 1979 年编辑出版。

（140）《岭王格萨尔世系之部》，不丹廷布国家图书馆于 1979 年编辑出版。

（141）《岭与地狱之部》，有青海民族出版社版铅印本，唱词 6063 行。青海民研会汉译内部铅印本，汉译《地狱救母》，唱词 6220 行。

王沂暖先生称，在这 141 部中，数过唱词行数的仅 42 部，唱词共 257300 行。此数是惊人的。

王先生也辑录了说唱艺人自报的部分唱本目录：

（1）《天神水宗之部》，玉梅说唱。

（2）《黄铜宗之部》，同上。

（3）《姜位狼宗之部》，同上。

（4）《达拉虎宗之部》，同上。

（5）《斯拉射宗之部》，同上。

（6）《德格太阳宗之部》，同上。

（7）《白尺眼睛宗之部》，同上。

（8）《船宗之部》，同上。

（9）《月亮宗之部》，同上。

（10）《生命宗之部》，同上。

（11）《顿珠火宗之部》，同上。

（12）《牛卡树宗之部》，同上。

（13）《米努剑宗之部》，同上。

（14）《聂荣红宝石宗之部》，同上。

（15）《百法罗刹宗之部》，同上。

（16）《擦瓦盐宗之部》，同上。

（17）《北罗刹海螺宗之部》，同上。

（18）《真那驮畜宗之部》，同上。
（19）《登巴奶渣宗之部》，同上。
（20）《达容水晶宗之部》，同上。
（21）《鱼宗之部》，同上。
（22）《山南香獐宗之部》，同上。
（23）《山南头盔宗之部》，同上。
（24）《木雅绸缎宗之部》，同上。
（25）《木雅云彩宗之部》，同上。
（26）《色玛马宗之部》，同上。
（27）《马雄黄金宗之部》，同上。
（28）《亭格铁宗之部》，同上。
（29）《象雄山羊宗之部》，同上。
（30）《热尺山羊宗之部》，同上。
（31）《阿里山羊宗之部》，同上。
（32）《芒康绵羊宗之部》，同上。
（33）《白波珊瑚宗之部》，同上。
（34）《且岭机器宗之部》，同上。
（35）《达则珍珠宗之部》，同上。
（36）《兴卡珍珠宗之部》，同上。
（37）《康拉雪山宗之部》，同上。
（38）《色规鲜花宗之部》，同上。
（39）《东方鹿宗之部》，同上。
（40）《收服释吾铁福之部》，西藏艺人阿旺江措说唱。
（41）《上蒙无骡宗之部》，同上。
（42）《收服福宝珍珠宗之部》，同上。
（43）《收服龙王七宝之部》，同上。
（44）《取财神王神库宝之部》，同上。
（45）《收服哈门金福之部》，同上。
（46）《收服释吾铜福之部》，同上。
（47）《收服子香银福之部》，同上。
（48）《米努海福之部》，见玉梅说唱。
（49）《麦拉法宗之部》，同上。
（50）《百增朱砂宗之部》，阿旺江措说唱。
（51）《欣尺粮食宗之部》，同上。

（52）《中索机器宗之部》，同上。

（53）《贝惹杂那黄羊宗之部》，玉梅说唱。

（54）《郭尔卡羊羔宗之部》，同上。

（55）《卡巴书宗之部》，西藏艺人阿达尔说唱。

（56）《杰吉山羊宗之部》，同上。

（57）《罗刹山羊宗之部》，同上。

（58）《亭响铜宗之部》，同上。

（59）《扎西百觉之部》，同上。

（60）《征服五部野兽宗之部》，同上。

（61）《当岭财宝之部》，同上。

（62）《金萨货物宗之部》，西藏艺人阿旺江措说唱。

（63）《虎魔饿鬼之部》，西藏艺人才杰说唱。

这些统计（尤其是自报部名的统计）是难见其详的。因为，根据目前的情况看，对每一个艺人和非艺人的说部进行统计还不那么容易，至少现在尚未做这一工作。倘若做也很难求其全，不断地为艺人们创作的史诗，不断地发现的新的艺人本身，会给我们的统计工作不断地提供新的内容。同时，我们如果放在更为广阔的范围内——格萨尔学所触及的诸多领域去考察，更加会发现这一问题的“严重性”：目前的部数之统计多集中于藏族之中，土、裕固、蒙古、纳西、傈僳、白、普米等民族中的《格萨尔王传》尚未得到足够的搜寻和收集。因此，至今，我们只能说掌握了这部史诗的概貌，而未掌握全貌。

通过部数的叙述，我们对《格萨尔王传》的基本内容也大致有了了解。这部恢宏的史诗反映的是：当时妖魔鬼怪横行，残害百姓，人间一片黑暗。白梵天王的三儿子投生下界，作黑头人的君长，降伏妖魔，抑强扶弱。此人便是岭国之格萨尔王，他有“世界雄狮宝珠制敌王”等许多名号。虽然《格萨尔王传》卷帙浩繁，主要的框架是降伏四魔和十八大宗，即：格萨尔降生后受到叔父超同的谗言和不断的迫害，父亲原是个部落的小首领，无力保护他们母子，被驱逐出部落。他与母亲过着自己挤奶、拣牛粪、揉皮子、挖掘蕨麻、掏地鼠的贫苦生活。15 岁时，格萨尔赛马称王，与珠牡结为夫妻，开始他的“军王”生涯。

格萨尔首先降伏了四方四魔：鲁赞魔王、霍尔白帐王、姜萨旦王、辛尺女王。消灭四魔国之后，即进行十八大宗与二十八中宗的战争。这十八大宗的划分虽有出入，大体一致，现根据才让旺堆的说法列出：

（1）玛燮札；（2）象雄珍珠宗；（3）歇日水晶宗；（4）梅岭金宗；

（5）卡契松石宗；（6）雪山丝绸宗；（7）朱古兵器宗；（8）牟古骡宗；（9）扎曰药宗；（10）楠铁宝藏宗；（11）犀岭金宗；（12）雪山水晶宗；（13）托曰火宗；（14）俄罗铠甲宗；（15）汉地茶宗；（16）蒙古马宗；（17）罗刹女焚尸宗；（18）印度经宗。

——这些宗大多讲的是部落间的战争故事，如“卡契松石宗”，主要讲卡契国的赤丹王征服尼泊尔、廓尔喀等小国之后，目空一切，自傲自大，挥兵侵犯岭国，欲与格萨尔争胜，格萨尔反击侵略，杀死赤丹王，打开其松石库，分散宝贝、财物。史诗充分地反映了格萨尔抗击外族入侵，抑制豪强，扶助弱小，降妖除魔，使百姓安居乐业这一主题。

2. 说唱艺人的基本类型

说唱艺人，藏语称“仲娃”（སྒྲུང་བ།）或“仲肯”（སྒྲུང་མཁན།）。“仲”为“故事”之意，“娃”和“肯”为缀词，此处可译为人，“仲巴”即为“讲故事的人”。由于“仲肯”的类型不同，因而演唱的形式也各不相同。总体看，艺人的类型有如下几种：

之一，“巴仲”（བབས་སྒྲུང་།）。今多译为“神授艺人”，取“梦传神授”之意。这种艺人多有一段神奇的经历，突然成为说唱《格萨尔王传》的艺人。比如青海著名的属于“巴仲”类型的《格萨尔王传》艺人才让旺堆的经历就足以说明这一点。郭晋渊、歌行在《神奇迷离的“巴仲”现象与传统文化内质》一文中介绍说：

才让旺堆，今年59岁，出生于西藏那曲地区的上安多地方，一个普通牧民的家庭中。是这个家庭中最小的孩子。才让旺堆八岁时，部落械斗，失去了父亲和长兄。为了活命其他兄长姐姐出走，剩下他和母亲相依为命。9岁时，母亲辞世，才让旺堆开始了流浪生涯。他自己孤独地走遍了拉萨、日喀则、山南、阿里等地。

13岁时才让旺堆为了祈求神超度父母亡灵、祈求福运，去朝祭冈底斯山和南木措神湖，绕着圣山、神湖叩拜祭奠。一天傍晚，当他和伙伴在神湖畔休息时，出现幻觉，一个持宝刀披金甲的骑士匆匆而过，随后便昏厥过去。一直昏迷了七天七夜，在这七天七夜中，他脑海里显现出一幅幅神的画面：有千军万马的战场；有许多人从一座巍峨的城堡中出出进进搬财运宝的镜头；骁勇的武士驱赶着一群又一群牛羊；湖水般的百姓在领取胜利者发放的布施……

他醒来后，虽身心虚弱不堪，却口中念念有词，无休无止地吟诵着什么，使他的伙伴们惊愕不已。后将他背进附近一座寺院，恳请住持活佛为他祛灾除邪。活佛聆听了他的念词，掐指卜算一番，明言相告说才让旺堆吟诵之词是格萨尔祈祷三界众神和祝福万物生灵的颂词，并说词调具有严格的格式和吟诵规律，是“神灵附体”的显示。

自此，才让旺堆激情难抑，开始以说唱《格萨尔王传》为业，从圣湖一路传唱回到了故乡安多县。

“巴仲”艺人这种无师自通的情况是比较奇特的。据有关资料反映，目前藏区的“巴仲”艺人近 30 名，像已故的著名艺人扎巴老人、著名女艺人玉梅都属于这一类型。扎巴自称能说唱 42 部，1986 年辞世时已录音 25 部，得 770 盒磁带；玉梅自称可说唱 74 部，已录 3 大部，16 小部，得 700 余盒磁带。才让旺堆本人则说可说唱 148 部，已录音 4 部。

“巴仲”艺人多目不识丁，但都有惊人的记忆力（或者说创造力），基本都有少年时代做梦后开始说唱生涯的经历。

之二，“退仲”（ཐོས་སྒྲུང་།）。是靠听闻学得他人说部而说唱格萨尔的艺人，在艺人中所占比例稍大。只是这种艺人靠耳听心记学会说唱，所记部数不多，一般一二部或三四部。其中多数人不识字，如同听故事一般，反复重复，耳闻目睹，则可说唱；有一部分是识藏文的人，他们借助文字进行说唱。“退仲”中以说唱《格萨尔王传》为谋生手段的人不多，他们或务牧或务农各有职业，只在闲暇时讲唱。当然，为了混饭，学会说唱《格萨尔王传》的人也是有的。这种学来的艺人也带有学来的特点，所学多为《格萨尔王传》中的精彩片段，诸如《天岭卜筮》、《英雄诞生》、《赛马称王》、《北地降妖》、《霍岭大战》等篇目常是这些人学习的重要篇目。同时，在演唱手段上也较为自由，暇时演唱几段，忙时则各操其业。

之三，“德仲”（གཏེར་སྒྲུང་།）。现多译为掘藏艺人，即靠挖掘出来的伏藏（关于格萨尔内容的本子）进行说唱的格萨尔艺人。“掘藏”形式的出现与藏传佛教文化有直接关系。印度有“掘藏”而出佛言圣语的；苯教徒中亦有这种掘藏师；藏传佛教教派中以宁玛派为甚，有许多“掘藏经典”，同时伴随着许多神奇的故事，后人多以此为伪书。有些内容、事件与正史相去较远。《格萨尔王传》的这种掘藏艺人是不多的。据一些资料介绍，《贡泰让山羊宗》是一部掘藏唱部，发掘者是四川省甘孜藏族自治州色达县的宁玛派世袭大掘藏师根桑尼玛，该部是其在阿尼玛沁雪山朝佛时，发现于石头之中。后在甘孜、果洛等地为人们传阅和转抄。

从文字表述看，掘藏可分为两种：一为“则德”（རྫས་གཏེར།），即“物藏”——埋藏在物中，后发掘出来；另一为“贡德”（དགོངས་གཏེར།），即“心藏”——埋藏在心（思想、意识）中，遇特殊事件而“挖掘”（大多是写）出来。杨恩洪在《格萨尔艺人论》一文中介绍，青海果洛藏族自治州年轻的艺人格日坚参能写出120部《格萨尔王传》的目录，并认为莲花生大师及其高徒为后人留下的格萨尔故事是藏于宇宙和灵魂世界之中的，通过掘藏艺人的领悟，才可以从他们心中发掘出来。

掘藏艺人所说唱的本子，据说是得到某种神圣的预言（如佛、空行母等），从而产生强烈的写作冲动，才写得出来，再以此本子进行说唱的。这种书写成的本子，书面语言及宗教色彩较浓，或模仿于伏藏经典，文中标有“༔”符号，结尾部分书有“保密”（གསང་སྒྲུང།）、“缄口”（ཁ་བཙུམས།）诸词。

人们认为“德仲”艺人是一些幸运的、有缘分的人，他们之所以能从石堆、废墟和山洞中发掘出史诗的抄本等，都是由“业力”在起作用。

之四，“丹仲”（གདམ་སྒྲུང།）。现多译为吟诵艺人，是靠阅读《格萨尔王传》抄本或木刻本讲唱《格萨尔王传》的艺人，显然，这部分人需要有一定的藏语文水平。虽然，他们是在“读”《格萨尔王传》，由于《格萨尔王传》牵扯到曲调问题——许多是靠唱讲述的，倘若曲调变化较少，很难吸引听众，因此这部分艺人在曲调上是颇费努力的，尽力使之丰富。当然，作为讲唱艺术，需要看群众的兴趣，一部唱本，群众满意时，可从头至尾，尽数讲唱；群众兴趣不大时，可删删减减，不一定全部照本宣科。

在十分喜爱《格萨尔王传》的藏区，尤其是文化稍发达区，识字的人演唱几段《格萨尔王传》是常有的事，如同北京人老老少少都可以喊几嗓子京剧。但由于人们的天赋不同，有的人天生有一副好嗓子，唱起来娓娓动人，这给他们成为“丹仲”艺人提供了条件。像四川省甘孜藏族自治州德格县的女艺人卓玛拉措，她的嗓音圆润动听，据说在群众的要求下，她唱遍了格萨尔的所有回部，只要有本子，她拿起来就可以唱，因之闻名遐迩。四川人民广播电台曾播出过她说唱的《格萨尔王传》。

之五，“扎仲”（པྲ་སྒྲུང། 或 པྲ་བ།）。现多译为圆光艺人，是通过看铜镜、碗水、拇指盖等器物说唱《格萨尔王传》的艺人。这种艺人在演唱《格萨尔王传》时在眼前要放一铜镜（或一碗水、一张白纸等）。据说他们的眼睛较常人特殊，藏语称“扎尼”（པྲ་མིག），可以从铜镜中看出所说史诗章节的画面、肖像；有些艺人还可见到铜镜中讲述格萨尔故事的文字，将其抄录下来。

圆光之术，是藏区巫师的占卜手段之一，在藏区较为古老，也较为普及。是藏区众多的占卜术中较为重要的一种，与今选择达赖、班禅灵童时观看神湖之影像，如出一辙。据从事艺人研究的杨恩洪等同志介绍，“扎仲”艺人目前发现的很少，仅西藏自治区昌都类乌齐之76岁的卡察扎巴·阿旺嘉措，数年来，借助这种神奇的看视铜镜的手段，已写出九部格萨尔王传，有些回部已由西藏人民出版社出版。

之六，“洛仲”（བློ་སྒྲུང་།）。靠读木刻本、手抄本自学背诵，从而说唱《格萨尔王传》的人。这些人均识字，喜欢《格萨尔王传》，据说他们背诵史诗，并非像小学生背书一般，反复诵读，从而烂熟于心，而是过目不忘，靠自己的强记忆讲唱《格萨尔王传》。

之七，“颇仲”（འབོ་སྒྲུང་།）。是靠神灵附体说唱《格萨尔王传》的艺人。这种艺人的情况目前研究界介绍不多。一些目睹者说，“颇仲”艺人大多平时不会说唱，只在神灵附体，处于昏迷状态时，才如江河决堤，唱词诗文滚滚而来，而一旦神灵离体，则不知所云，所讲词句亦无记忆。这种情景颇似藏区之“拉娃”（神汉），“拉娃”在神灵附体时，“扑！扑！”吹气，浑身颤抖，口中念念有词，或行一些驱鬼逐邪祭奠等活动，或给病人治病，或传圣言，有诸多行为，然一旦神灵离体，则如常人。一般民间的“拉娃”使神灵附体必须要有一套程序，比如净身、煨桑、请神等，所请神——一般附于“拉娃”之体的神，多有名号，不是随便的神灵，且对于同一“拉娃”来说，每次附体的神灵也往往是一个，“拉娃”即代此神行诸多利于民间之事业。

之八，“知仲”（འབྲི་སྒྲུང་།）。是书写《格萨尔王传》的艺人。他们作为艺人的特殊处是在书写前，脑中无所知，甚至无所思，而一旦提笔书写，顿时妙笔生花，将《格萨尔王传》的故事、唱词一一写将下来。据郭晋渊、歌行等人的材料介绍，尚有一种“知仲”艺人，只要开始说唱，便用手或器物进行描画，他们所说所唱完全依托于自己手下所画的暗示符号。而现有的和曾有的此类艺人尚未见报道。

之九，“结仲”（བརྒྱུད་སྒྲུང་།）。是一种传继艺人。这种人多出生于格萨尔世家，世代相传，耳濡目染，从而成为艺人；有的则以投师学艺继承老师衣钵成为艺人。

《格萨尔王传》艺人的类型或许不仅仅是以上九种，但从艺人的划分，我们可以感受到藏族文化的丰富性和《格萨尔王传》本身的丰富性。

3.《格萨尔王传》的搜集、整理中所要解决的几个问题

第一，《格萨尔王传》的收集工作仍然处于抢救阶段。原因是一些老艺人不断去世，一些可贵的说唱也随之而消隐于世；民间的许多已知的或不知的说本尚未变成文字或录音、录像作品留存下来。假如长期得不到记录整理，必造成无可挽回的损失。

第二，《格萨尔王传》的收集工作与《格萨尔王传》艺人有着紧密关

系，在保护艺人、给其以适当条件、进行说唱整理上要下工夫，而这一工作处于无人过问的状况；一些艺人的著作权也屡屡受到损害，自己不明其理，亦无人问津。

第三，已录音、录像及手抄本等资料的保护、整理、翻译、出版尚待加强。据有关资料介绍，1980 年时录音的《格萨尔王传》有 5000 ~ 6000 盘之多，这些材料因无人整理而束之高阁。若长此以往，磁带损坏，同样会造成无可挽回的损失。

第四，投资不足是其中最重要的因素，无宏观的统一规划也造成上述现象的出现。

（二）其他民间文学形式的收集整理

1. 民歌的收集整理

十一届三中全会以后，是藏族民歌收集整理的又一黄金时期，这一时期发表出版的作品有三个显著特点，一是重新整理了一些在五六十年代收集整理的作品；二是重新收集整理了不少新作；三是用藏文记录的作品的发表明显多于五六十年代。这一时期成集出版的民歌有青海省艺术馆编的《拉伊》（1 ~ 2，藏文）；中央民族学院民族语文系藏族文学小组编的《藏族民歌选》（藏汉文对照）；庄晶、开斗山翻译整理的《藏族情歌》；陶立璠、莫福山、丹珠昂奔编选的《藏族情歌选》；赤曲等收集的《西藏民歌》（1 ~ 2 集）、扎巴贡觉等收集的《西藏民歌》（1 ~ 2）；德庆卓嘎选编的《西藏民歌选》（选入庆祝西藏自治区成立二十周年藏文版丛书）；王小松收集整理的《迪庆藏族民歌选》；贡桑坚赞、达娃扎西收集整理的《西藏民歌选》等。在藏区的各类刊物上，这一时期也发表了大量的民歌作品。从这一阶段队伍的构成上看有两个特点：一是队伍进一步扩大，而且逐渐年轻化；二是懂得藏语文并且使用藏语文直接记录民间文学作品的人逐渐增多。因而收集的科学性、数量、质量也进一步提高。

2. 民间故事传说的收集整理

十一届三中全会以后，在原来的基础上出版发行了一大批民间文学作品，其中民间故事占有相当比重。有多吉杰布编写的《益西拉姆和铁匠多吉》；中央民族学院少数民族语言文学系藏语文教研室藏族语文文学小组编的《藏族民间故事选》；萧崇素整理的《五色海的传说》；西藏人民出版社出版的《西藏民间故事》第一集（廖东凡执笔，次仁多吉、次仁卓嘎收集翻译整理）、第二集（黎田等收集整理）、第三集（阎振中等收集整理）、第四集（贡嘎坚参、达瓦扎西收集）；廖东凡、贾湘云编选的《西藏民间故事选》；次仁多吉等选编的《西藏民间故事》（庆祝西藏自治区成立二十周年藏文版丛书）；诺日仁庆翻译整理的《藏族民间动物故事》；迪庆藏族自治州群艺馆编的《藏族民间故事》。

这一时期也出版了不少谚语、谜语选，如郭登元整理的《藏族谜语》；玉树藏族自治州群众艺术馆收集整理的《康巴谚语精选》；许英国选编的《青海藏族民间谚语选》；李舞阳、刘大林选编的《格萨尔谚语选》；扎巴贡觉收集的《西藏谚语汇编》；毛继祖、朱刚编译的《藏族谚语选编》等。

3. 其他作品形式的收集整理

这一时期也收集了婚礼祝词、藏语相声、斋嘎、打阿嘎歌等形式的作品。民间谚语、歌谣、格言的收集，也有一定数量。比如青海省海西蒙古族藏族自治州文联编的《藏族婚礼祝词》；德庆卓嘎、廖东凡编选的《西藏民间歌谣选》（庆祝西藏自治区成立二十周年丛书）；青海省群众文艺馆编的《藏族歌谣》等。

这一时期民间文艺作品收集整理的特点是，内容进一步丰富，种类进一步增多，作品更忠于原作，艺术性进一步增强。既有旧的逐步开掘出来的作品，也有常见形式的新的内容，呈现出一派繁荣景象。比如廖东凡等的《西藏民间故事》、甘南藏族自治州文化局编的《藏族民间叙事诗集》（像其中的《创世歌》、《大鹏与龟》等都有重要的文化价值）。塔热·次仁玉珍的《藏北民间故事》是这一方面具有代表性的作品，当我一口气读完这部363页的册子时，心情久久不能平静。其一我为故事所吸引、所感动，长长短短73篇故事，山川景色，飞禽走兽，状物拟人，神佛鬼怪，一个个活灵活现，历历在目；其二我为故事的地道的民间特色和草原特色所感染。或许由于专业的习惯，也或许是由于对自己民族文化的偏爱，我时常看民间文学作品，也留意购买一些民间文学作品作为研究资料，而有时候有些民间文学作品让人看着冒火，为何？盖因不实，不是一字一句来自民间，而是收集整理者的创作，乍看似是，细究则非。作为一名研究工作者，常常要为考订这些作品有无虚实真假，花费大量时间和心血。而次仁玉珍的故事让人读来，仿佛可以感悟到讲述者的身份，讲述者的动作和表情，真切而可信。比如《过路人和骷髅头》中的一段描写：

有一天，那人在空旷的荒野下马烧茶。他独自一个人喝茶吃糌粑，还用干肉块蘸辣椒吃。吃得正香时，扭头看了一下，见身后不远处有一个骷髅头，他便无意识地把一勺辣椒粉倒入骷髅头的嘴中问道：“辣不辣？”“辣嘴，很辣嘴！”骷髅头竟说起话来，吓得那人屁滚尿流，哪里敢继续吃东西，翻身上马，头也不回地跑了。

他跑了大半天路，来到一座大山脚下，勒马朝后一看，什么都没有，放大胆子小声说："辣不辣嘴?"本来心想再不会有什么了吧。可没想到，离他很近很近的地方说："辣嘴。"这声音近得似乎在他肩头上。

那人连抽马背，飞似地逃走。马跑得像草原上的羚羊，他还嫌跑得慢，皮鞭不停地抽打马背，马屁股都肿得像个大粥锅。可是不管它怎样奔跑，那无形的声音像影子似的地直跟着他。他连续不停地跑了几昼夜，终于遇见了一户牧人。到了门口，滚下马背，根本就来不及向那家说借宿，托着马褡子就往帐篷里钻。牧人家里只有一个年方花甲的老头在家。他见了客人的这种鲁莽举动并不介意，反而把他当作贵客让座，和气地说："远方的贵客，看来您饿了，请您稍等，我去河边打水回来给您烧茶。"……

故事简捷、通俗而引人入胜，极少看到人为创作的痕迹。

这一时期发表的一些新创作的斋嘎，其内容精彩而丰富，也具有很强的艺术表现力。如巴扎为庆祝玉树藏族自治州成立三十周年而写的《吉祥幸福的日子》同样歌颂了新的幸福生活：

若问玉树什么样?
玉树坐落草原上，
高原牲畜品种齐，
玉树宝地真欢畅。
地区辽阔矿藏多，
高山大水颇雄壮。
雪峰洁白似海螺，
如同海螺排成行，
雄狮玉鬃更刚强。
石山明亮似水晶，
宛如佛塔立地上，
山鹰展翅高万丈。
土山紫褐似大鹏，
好似鹏羽甚辉煌，
野牛相斗好战场。
草山青青似碧玉，

宛如黑夜闪亮光。
草坪金黄似酥油，
宛如油海腾细浪。
公路一线又一线，
交通方便实空前。
汽车飞驰似卫星，
货物滚滚如流川。
州县公社连一起，
南来北往不困难。
利用水力发电好，
电线如虹悬半天。
电灯如同众星星，
幸福之光照高原。
各家都有收音机，
远方消息能听见。

虽然，翻译文字难能表现其韵、其情、其灵妙之处，但读者不难从中领悟到作者对家乡的一片热爱、赞美之情。

第四章　文化风俗与名胜

第一节　文化风俗

一、衣食住行

（一）衣

个民族文化发展的历史过程便是这个民族从低级向高级转化的过程。每个民族都生存在特定的环境中，而任何生活于特定环境中的民族都要依赖于物质性的生活资料，衣、食、住、行便是要事，它体现着人改造和战胜自然的能力。环境决定着人们的生活形式，处于寒冷高海拔地区的藏区，兽皮是人们衣饰的主要用料，自从早期的先民们将所获猎物的第一张皮裹在身上以后，从此尽管岁月沧桑，样式变换，再没有脱下，阿里、云南的藏人至今多多少少还保留着这种风俗，他们背上还披着制作精良的兽皮披风，头上饰有似牛角的头饰，卫藏地区的“巴珠”大约就是早期牦牛图腾崇拜的某种遗风了。

肥腰、长袖、大襟是藏人服装的基本结构。肥腰、大襟主要是为了服装宽大，有两个突出功能，一是牧民夜宿或长途旅行，一般都不带被子，而用自身所穿的衣服，白日当作衣服是行装，到了夜晚就是所要盖的被子，倘若短小窄狭，就很难有这样的作用；衣饰宽大的另一作用便是防寒保暖，高原寒冷，尤其到三九严冬，冷风袭来，砭人肌肤，因而除了它的审美因素外，御寒就成为衣服实用性最重要的特点。此时穿上宽大的藏袍，戴上狐皮皮帽，脚踏皮靴或如靴的“连巴”，无论骑马奔驰还是步行劳作，就可御寒保暖了。藏袍袍袖大多做得长，也是御寒手段，袖短露手，露着手就经不起寒冷的侵袭，因而皮袍衣袖常长出手尖五寸至一尺。袍襟宽大的主要作用也有两条，一是便于骑马，二是便于工作，倘若袍襟太小，蹲、坐、跳、跨就会不方便。长袖宽襟的另一好处是用腰带系缚后，背部和前怀形成一兜囊，可装不少行程所用什物；脱袖方便，藏人脱右袖，脱袖大约又有两个作用，一为劳作方便，如用右手打“吾朵”（抛石绳）、宰羊等；一为调解气温。高原气候空气稀薄，气压低，氧气少，温差大，像拉萨、日喀则等地区，6 月的中午气温高达 27 ~ 29℃。傍晚下降，午夜则降至 5℃，因而高原虽有春夏秋冬四季，而生活在这里的人们却一年四季都得备有冬装。如此藏袍便是最实用、最经济的服装了。热时袒露一臂，冷时套上双袖，于冷于热都可以应付。

当然，在几乎占全国四分之一面积的广阔的雪域大地上，藏族的服饰类型也不尽相同，可谓千姿百态，但根据藏人的地区划分，主要的有卫藏、康巴、安多三种类型。

卫藏大体包括除昌都地区以外的西藏自治区全境。实际上这一地区内的服饰仍有更小的区域性特点，如拉萨与工布、日喀则、阿里的服饰就有区别。自唐以来，汉区丝绸织品随着汉藏贸易进入藏区，一般平民难以穿得起这些衣料，尤其是在旧社会，统治阶级与被统治阶级，富人与穷人就有明显区别，比如头饰等就与品位相关，“穆弟巴珠”（珍珠巴珠）只有前后藏世袭贵族的夫人才能戴，银饰宝珠的“嘎吾”（佛盒）等就是让戴一般平民也无力购买。统而观之，除了寺院的活佛、堪布的服饰有品位要求外，男性即使身份很高，衣饰花样并无大改，而女性差别较重，如贵夫人、小姐要穿起花缎制成的求巴晋美（无袖袍）和求巴普玉（有袖袍），一般妇女均穿黑白氆氇制成的简易服装。就是同一地区，城镇和乡村，农区和牧区，其服饰也有差别。农区多喜白衬衣，外套白、黑氆氇和哔呢毛呢等藏袍。牧区则多穿镶边的皮袍，女性则以纯红、蓝、绿为边，让人会自然地联想到寺院的壁画技法和唐卡（卷轴画）上的色彩。一般来说，大多数藏装要比人体高，穿法五花八门，有的用腰带系缚后使下襟稍离脚面（尤其是女性），有的则将下襟抽到膝盖下面。拉萨男装素以典雅大方闻名，女装则显雍容华贵，隽永清丽。

康巴类型的服装除了包括今四川甘孜州、云南迪庆外，在西藏自治区主要集中在昌都等地区。男性多内穿右襟齐脐短袄，外罩圆领宽袖长袍，其下摆位置颇多讲究，常人与膝平齐，武士、猎手等高于膝，学者、官员、豪富等则放到膝盖稍下。如此，配上狐皮帽和高筒靴，气势雄壮，勇武潇洒；女性穿长袖衫，外罩坎肩，袍子下摆垂至脚面，上系彩条围裙。迪庆中甸女性服装多是深蓝色长袍，衩口镶黑色丝绒边，上着绣花硬领银纽扣，边饰艳丽，穿右襟坎肩，下着裤，系白色腰带，披方形披肩，或缎面白羊皮，或彩纹氆氇。

安多类型的服饰除了青海、甘肃等地的藏人外，西藏自治区主要集中在那曲地区等与安多接壤的地方。这种服装男服衣领多饰金钱豹皮，这一风俗可能与吐蕃王朝时期（7～9世纪）的军旅生活有关系。当时以虎豹皮奖励那些战场上的勇士和有功者，以狐尾等羞辱那些作战的懦夫和逃兵，当初大约作为一种标志斜饰于肩，久而久之，作为服饰的一个组成部分保留了下来。现在的这种边饰已有所变化，多以水獭皮为高贵。一件藏袍动辄便是上千元、数千元、甚至上万元。妇女服饰尤其讲究很多，衣服或羔皮、老羊皮，或氆氇、棉布、呢料，边饰多为水獭皮、锦缎，多用彩绸带，腰带，挂尺许的银制奶钩和有日月形图案镶有宝石的银制“罗色尔”悬于腰下左侧，手多戴戒指，腕着镯，项饰珊瑚、玛瑙等宝石，耳悬金玉翡翠，可谓华贵而大方。

像牧区常用蓝、绿、紫、青、橙、黄、红的花边“坚”一样，藏人服饰的色彩对比鲜明，热烈活泼。自公元7世纪佛教传入藏土后，藏人服饰（如寺院僧服系列的出现，多源于印度），特别是色彩受到印度文化的影响。藏人早期崇白、黑，现多尚黄，佛服用黄色。

居住在西藏的门隅地区和墨脱县的门巴族的服饰也很有特点。门巴族居住区南部与印度阿萨姆邦接壤，北部靠藏区，东南与洛渝地区毗连，西部与不丹为邻。由于山河阻隔，外人难涉，历史上曾将门巴族的居住地称为“隐藏地”，至今还流传着许多带神秘色彩的传说和神话。由于长期与藏族相处，藏族文化对其有一定影响。

在衣饰上，门隅地区无论男女都喜穿赭色长袍，系腰带。头戴褐色圆顶、橘黄边、前边留有缺口的小帽。脚穿红、黑两色氆氇制成的牛皮软底筒靴。妇女在袍外加系一条白色圆筒围裙，背披一块完整的小牛皮或山羊皮。少女披羊尾和四条腿俱全的小羊皮，成年后披牛犊皮或山羊皮。即便是婚礼上，盛装的新娘也要披一张好羊皮。相传文成公主入藏时，为避邪，披一兽皮，途经门隅时将这张皮赐给了门巴族妇女，自此相沿成俗。实际上这一风俗的来源可能更早，或为古俗：与门巴族的生活环境有直接关系。门巴族居住的门隅勒布地区气候潮湿、寒冷，身披兽皮，皮毛朝外，可挡住风雨、防潮、保暖。再者，由于这一地区坡大路窄，人们擅背不擅挑，披上兽皮，在背东西时可作为垫物用。地处准热带的墨脱，其门巴族男女均喜欢穿长短两种用棉麻自织的白色上衣。妇女着花色裙子，蓄发梳辫盘于头顶，以红、黄、绿线为饰。男子也蓄发，佩戴松石制的耳环。

妇女们盛装时喜欢佩戴银质手镯、耳环、戒指，上嵌珊瑚、绿松石等各种宝石。戴白玻璃串成的项链，胸挂“嘎吾”。男子腰挂腰刀，显得十分威武。

门巴族妇女同藏族妇女一样，农闲或劳作休息时多纺毛线、织氆氇和腰带。由于纺织技术较原始，功效不高，其衣料除部分是自织的氆氇外，相当一部分则要靠从藏族地区输入。

（二）食

糌粑是藏族群众食用的最普遍的食品。一些汉族群众称之为酥油炒面。其实酥油炒面和糌粑仍有区别，糌粑食用可以有酥油，也可以没酥油；糌粑既指磨成的炒面粉，也指用酥油等物捏成的炒面团。

做糌粑的原料主要是青稞，也可以用麦子、大麦，有的地区甚至用豌豆面做糌粑。

糌粑的制作方法是首先将青稞（麦子、大麦等）晒干，仔细地捡去里面的砂粒、小石头、土块，簸净，然后在锅里炒熟。假如量大，可拉到磨房去磨成粉。若量小或者离磨房较远，可用手推小石磨碾碎。在稍偏远的地方，几乎每家每户都有这种小石磨，大的直径在一尺五左右；最小的直径约五寸许，穿长袍的妇女坐在地上，将衣襟摊开就可以磨糌粑。

小石磨分两片，上下相咬处凿有齿，上磨盘凿有一盛东西的浅窝，中间一眼，为下灌粮食用，另有安木把的石眼；下磨盘中间有一安固定木桩的眼。少量的急需的食品，用这种小石磨处理非常简便。

糌粑的食用方法比较简单，但不单调。拌吃是比较常见的一种，先在茶水里放上酥油，而后放上糌粑粉、曲拉（奶渣），用指头搅、搓、压、捏，不停转动，最后成油漉漉的糌粑团，香甜可口。喜欢吃蒜的人先将蒜捣成蒜泥，捏一把糌粑，用大拇指摁个坑儿，用小匙将蒜泥舀入小坑中吃，喜吃辣椒的则将辣椒油填入小坑中吃，别有一番情趣。

有些地方在舔食的习惯，即将少量糌粑、曲拉放在碗底，摁实上面倒上茶，喝完一次茶，舔食一次，将茶水浸湿的部分吃尽，再倒茶再喝，喝完后再舔，直至将糌粑吃尽。

“吐玛”的喝法是在糌粑粉中放点酥油，喝完后即拌食，量较少。若想吃还可以继续多拌一些吃。在一些地方“吐玛”已成为一种礼节性的喝法，无论谁去串门，热情好客的主人总要倒一碗“吐玛”给你，你想吃可拌着吃了；不想吃，拌了以后拿在手里（不能放在桌上），出门后扔给狗吃。

拌糌粑的确得有一点“技术”，一个小碗，尖尖放一碗炒面，上面再垒一两片酥油，不会拌的人真不知如何下手，往往弄得汗流浃背，弄一手油，撒一地糌粑；会拌的人会不慌不忙先将酥油捏入糌粑粉中，甚至且拌且吃，借以减少“负担”，直到碗可容得下再手搅拌成团，捏在手里，再从壶里倒上茶，一面自由自在地喝茶，一面自如自得地在那个大糌粑团上一点一点撮糌粑吃。

糌粑虽然是藏人的主食，到人家做客不能多食，在我的故乡就有“一碗是亲戚，两碗是饿了，三碗是牛”的说法，吃多了就会惹人笑话。

在家里和长住的地方盛糌粑一般用羊牛皮口袋。笔者在家读书时，每到假期就上山去背柴，到远一点的地方需要一天，我们将糌粑装在獐子皮口袋里，里面放上酥油、曲拉、糖，上坡下洼，跑来跑去，等中午食用，口袋早给我们拌好了，便找一处清泉，一面大口地嚼糌粑，一面用芨芨棍吸泉水喝，十分惬意。

手抓（或称手抓肉）在藏乡，尤其是牧区，可称得上“便饭”。肉是藏民的主要食物。藏人主要吃牛羊肉和其他野牲肉，不吃驴、骡、马等肉。习惯上藏族将所食的动物和不食的动物用单蹄、偶蹄、爪（多蹄）来区分，即使你从来没见过某一动物，一见其形状和蹄，便可知道能吃不能吃。传统的耳口相传的教育说，所有偶蹄动物藏人都能吃，其他的单蹄、爪类动物都不能吃。我就此问题求教过许多长者，为何如此吃法，谁也说不清楚，只能猜测这可能与藏人长期地饲养羊牛有关。此外，藏人也不吃死肉，一些病死的牛羊一般都埋了了事，不吃它们的肉。对自己的坐骑和长期喝奶的乳牛，老后不宰杀，让它们自然死亡，死后挖坑埋掉；若吃它们的肉，被人认为是不道德、没良心的，会遭报应。也禁止吃獭拉肉，传说佛在创造人类时，肋下少了一块肉，就借獭拉肉补充，才塑造了完整的人体。挖獭拉洞，吃獭拉肉被认为是忘恩负义。

以牛羊肉为主的手抓肉，方法极简便，将肉放在锅里刚刚煮熟，即可食用，有时加点盐和其他调料，一般情况下什么也不加。当然这种煮法异于汉区，假如是刚刚宰杀的新鲜羊肉，你要煮到肉脱骨别人就会说你把肉糟蹋了，像吃糨糊。

藏族人吃肉大多用刀，若用嘴啃就会笑你吃肉像狗。用刀割肉有一定的讲究，用大拇指夹肉向里割，然后把割下来的肉一片一片放到嘴里，且吃且割，不能向外割，向外割意味着对主人不尊重。请客人吃肉，若客人带刀，则用自己的刀；客人无刀，用主人家的刀时，主人要将刀把送在客人手里，让他吃肉，而不能将刀刃一面冲着客人。由于吃肉是日常生活的重要内容之一，牧区的小孩五六岁时，都可以自如地用刀割肉吃，不至于割破手或划烂嘴唇。不管割、剔、挖、挑，一定要将骨头上的肉吃尽。谚曰：“杀生害命，骨头啃尽。”将带肉的骨头放下，主人会认为你没教养。因此，在藏区，未来的女婿首次上丈人家，岳父母有一种善意的玩笑是让其“啃羊脖子”。羊脖子骨头硬、骨节多，曲里拐弯，转弯抹角，十分难啃，要想根据骨节环环相接的部分一一分裂同样很不容易。自然，啃食不尽的女婿会被讥为“草包”，甚至会影响平稳发展的婚姻关系。意为：“你连块骨头都啃不尽，还能干什么事?”通常情况下，对训练有素的藏族青年来说，这只是一碟小菜，他会挥动小刀左刮右削，上切下割，很快将羊脖子刮吃干净。

藏族在吃完手抓肉后，一般都喜欢喝一碗肉汤化原食。若需要吃东西，或在肉汤里泡饼子，或拌点糌粑吃，这便算吃一顿饭了。

藏族以吃面食为多，米次之。面主要有小麦、大麦、荞麦面等，米主要是大米，像包子、饺子、面条、面片、蒸馒头、烙饼等制作方法与汉族大同小异，有些具有民族特点。

“者赛”是一种用大米做的食品，整个藏区都有。

水油饼的做法是先将面和好，擀成圆形小薄饼，在开水中煮熟，捞起放碗里，加酥油、白糖、曲拉等，趁热食之，香甜可口。这种吃法待客时可作为加餐，如吃糕点，同样可以作正餐，吃饱为止。做水油饼的面粉可以是白面、大麦面，也可以是青稞面。

烧饼，汉族所谓烧饼多为烙饼，用锅等器具烙成。藏区的烧饼确实是烧成的，在制作烧饼时，先要将晒干的牛粪、羊粪燃起，烧旺，扒开灰，再在用牛奶和成的面中揉上酥油，摊在火灰上，再盖上一层火灰，不时翻看，烧成后放在一处慢慢食用，酥脆爽口。

牧区的藏民还有一种做大烧饼的风俗，一是祭拉则敬神，二是敬活佛。一般的二十多斤面粉，中等的五六十斤，大的百来斤，据说还有近二百斤的。烧制这样的大饼，确乎需要技术，否则要么火过大烧焦，要么火太小不熟，或者夹生。

有一种叫“肷”的食品，也颇具特色。它是将曲拉、蕨麻磨碎，加上酥油、白糖，做成圆形或方形，蒸成，有大有小，花样颇多。一般作为待客的糕点，也可以做拜访亲友的礼品。

在一些宴会和一般家庭招待贵宾时，总要宰羊，新宰的羊一般先要吃掉下水，这就要装肠。装肠多见于半农半牧区和农区，一些纯牧区不怎么吃这些下水。尤其是农区，肠的做法形式很多，吃肠胜于吃肉。

在藏人家里，除青稞酒、茶外，酸奶是常见饮料。在炎热的夏天，当你来到牧民帐里，好客的主人会给你端一碗白生生的酸奶，像一碗没有切开的凉粉，喝了它你会感到浑身清爽，渴意全无。草原上的人喜欢在饭后吃酸奶，尤其是中午，炎阳当空，热气袭人，掀起帐房角，让和风徐徐吹来，你再喝上一大碗清心爽身的酸奶入睡，那的确是一大享受。

酸奶的制作方法是：把鲜牛奶煮熟，倒在做酸奶的桶和盆里，桶和盆要洗涮干净，等牛奶温而不凉时，把酸奶酵搅入其中，盖严包好，放在温度适宜的地方。不能太热，也不能太凉，太热，酸奶容易过酸，不好吃；太凉，不易变成酸奶——不结块。适宜的温度下，几小时后，桶里的奶就像豆腐一般结块，酸奶的芳香随之在屋里飘溢，此时便可食用了。

草原上的酸奶可能是由于纯鲜牛奶所做，甜酸适宜，一般不加糖吃，接近农区的地方喜欢用馒头蘸着吃，别有一番风味。

为了在冬天和过年时也能吃到酸奶，有些地方将酸奶用干净的布包起，将其中的水分浸干，再放在较严实的器皿中，到过年时像点心一般放在盘里让客人受用，虽然干一点，依然香甜可口。

科学告诉我们，酸奶不但味美，同时它具有开胃、镇静、催眠的功效，与牛奶相比，更易于被人体吸收。酸奶中的乳酸菌可以杀死肠道中的细菌，对肠胃疾病有治疗作用。定期食用酸奶，可降低血液中的胆固醇。据有关专家考察，酸奶还有抗癌作用。

有些地方打酥油时将挤来的生牛奶放在里面打；有些地方则将牛奶熬熟后放在桶里，放一段时间，掠去上面的奶皮，奶皮集中多了，放在一起打。因而，煮过以后的剩奶水即可饮用，味道虽不像酸奶那样鲜美，但很接近，有一种酸甜味，清凉爽口，是消暑解渴的好饮料。

关于茶叶，有着许多美丽动人的故事。上文已及，《汉藏史集》说茶叶在藏地的出现始于吐蕃赞普都松芒布结（676～704）时期，即公元8世纪。《汉藏史集》还记载了一段吐弥创制藏文时，因茶而产生联想，创制几个字母的传说。吐弥桑布札为了创制藏文，曾前往印度学习，印度文字元音有16个，辅音有34个，虽然都能发出声来，但吐蕃人很不容易把音发准，吐弥想不出好办法，就将寝门紧闭，昏然睡去。醒来时见身边有一位瘦小的老太婆。便问：我将门紧闭，老太太是如何进来的，老太太说天空是我的路，你将门紧闭又有何妨。吐弥听了迷惑不解，再次询问路程有多远，老太婆说没一定，吐弥再问路上带什么口粮，老太婆回答说是茶叶。说完顿然消隐。此事过后，吐弥才从老太婆的话中悟出有夏、萨、阿和家、恰、贾6个印度文字中没有的音，构成藏文30个字母，云云。

藏人与茶结下了不解之缘，因此茶文化在藏人的日常生活中占有一定地位，这些我们可以从15世纪对茶叶种类介绍的著作中看出一二。《汉藏史集》将茶叶分为16类：

1. 扎那普达茶，生长山谷深处，叶小，枝干粗圆，颜色灰白，气味像当归，味涩，烧煮后饮用，可以治涎分之病。

2. 乌苏南达茶，生长在山谷谷口处，叶片大而柔软，树干粗圆，颜色深黑，汁味很苦，对风病很有疗效。

3. 郭乌玛底茶，生长在旱地，叶片大，枝干粗，颜色红褐，气味难闻，汁黑色，味涩，可以去胆热。

4. 阿米巴罗茶，生长在浇水之地，叶片厚而光滑，颜色青绿，多次浸泡汁色不变，气味甜，柔和，研细浸泡，平寒热。

5. 哈拉札茶，生长在农田中，颜色灰黑，叶片大而粗，枝干粗，汁如血色，味道很苦，有甲明树的气味，快煎，可去痴愚。

6. 阿古达玛茶，生长在熟田中，颜色灰黑，叶片小而厚，枝干细，汁如乳浆树汁，味芳香、清甜，可去风病。

7. 哈鲁巴达茶，生长在施大粪的田地中，色黄，叶小而薄，枝干细，茶汁黄绿色，气味像多罗树，可去胆热。

8. 朱古巴拉茶，生长于施小便肥的田地中，叶多，树干倾斜，茶汁黄色，味很涩，气味像曼殊夏迦树，可医血病。

9. 萨日巴利茶，生长于施肥的田地中，色黄，叶大而柔滑，茶汁像胡麻油，味香而淡，能去各种魔病。

10. 阿梨跋弧茶，生长于不施肥的田地中，色红，叶大而硬，枝干粗，茶汁黑红，味苦，烧煮饮用，可治风病与胆病。

11. 穆班底古茶，采叶尖制成，色黄叶小柔软，茶汁红黄，味淡，有八种功效，为人称道。

12. 黑底古茶，色黄柔和，叶片柔软光滑，茶汁微绿有甜味，气味清香，年老体弱者饮用这种茶对身体有益。

13. 居那达鲁茶，烘焙制成，其茶树枝叶互相缠绕，汁色如红花，或如酥油，能调养强壮身体。

14. 拔拉米达茶，是冷制茶，冲泡时生淡绿色泡沫，汁可映出七色彩虹，其叶轮廓清晰，茶汁淡黄，味苦难闻，身体健康的人饮用，增强气力。

15. 呼鲁呼噶茶，茶树老熟，枝叶色黑油亮，叶光润，枝条柔软，汁如金色油脂，具六味，气味清香，适于多放水煎熬，可去风病，解毒味。

16. 札那札都茶，未成熟时采摘，光泽红润，枝干粗圆，叶少，汁墨绿，味酸而涩，可致胃病和风病。

藏区不产茶，而茶的需要量仿佛远远超过了产茶地区。对茶的研究（实践）中积累了不少经验，如哪种茶可强身，哪种茶可治病等。一些观念也渗入茶文化中，“茶水刚倒入茶碗中时，若茶汁中出现毛驴、骆驼、猴子的影像，然后出现人尸、骷髅的形象，这些影像在茶碗中出现就是凶兆，无论何人遇到都不会吉利。若茶碗中出现八吉祥物或长寿仙人的影像，或是国王七宝的影像，无论何人遇到都会大吉大利。”① 茶水的饮用已与宗教占卜结合在一起了。

藏族饮茶，种类较多，主要的有三种：

清茶。清茶的熬法很简单，打一壶水（或者一锅水），随之放上茶叶，若是茯茶，掰碎投入适量即可；若是硬砖茶，先用茶窝将其击碎，然后投入水中。不在水开后下茶叶，那样熬茶茶的颜色下不来。有的地区清茶中放盐，有些地区不放盐。

清茶一般是在没有奶的情况下喝，有时因个人嗜好不同，即使有奶、酥油也如此喝。民主改革以前有些地方贫困的农牧民连打拉水（提取酥油后的奶水）也喝不到，则喝这种茶。当然，它不是有些同志说的“无产阶级的喝法”，尤其是牧区，作为雇员或者是“奴隶”的放羊娃、放牛娃，也有其一定的灵活性，因为牧主不可能每天跟在他们屁股后面监视，让他们失去人身自由，更不可能陪他们到远山深沟去坐圈。

清茶也有一定的治疗作用，草原上，老人尤其小孩伤食后就让其喝清茶；胃不好、感冒时，就在清茶里放上花椒、姜片、红枣熬了喝。一些经济富裕的人家，还有一种保健的喝法，在清茶里放上核桃仁、桂圆、大枣等熬了喝。

藏族家庭一般禁止小孩喝酽茶，以为酽茶伤胃、伤脑子，小孩喝了会肚子痛、头痛。

藏族热情好客，用茶待客可以说是第一内容，无论远客、近客，贵客还是一般客人，进屋后的第一件事往往是主妇先煮茶，有些家庭一天到晚都有煮好的奶茶，客人一进门，马上给你倒上一碗热气腾腾的奶茶，而且碗一定要满，倒半碗以为是对客人的不礼貌。客人喝茶时也不能让碗里空着或半碗茶放得太久；主妇一面和客人谈话一面注视着客人碗里的茶水，浅一点马上添满。客人告别时，要把碗里的茶全部喝完，以表示对主人的谢意；留下碗里的茶意味着对主人的不礼貌。倘若同时有两个以上的客人，主人在添茶时大多以辈分长幼为序，即或做侄子的碗里见了底，叔叔的碗里往外溢，仍然先要在叔叔碗里滴上几滴，然后给侄子倒满。碗满表

① 达仓宗巴·班觉桑布著，陈庆英译：《汉藏史集》，西藏人民出版社，1986 年，第 130 页。

示着主人的诚恳、谦敬、大方。

卫藏地区大多数人爱喝酥油茶。贵客进门总是要请他喝酥油茶。有一首新时代歌颂解放军的歌唱道："不敬青稞酒，不打酥油茶，也不献哈达，唱上一支心中的歌，献给亲人金珠玛。"可见酥油茶在生活中的地位。就是从未到过藏区的同志也知道，藏族待客要献哈达，敬青稞酒、酥油茶。可有的同志不解：藏族人真怪，酥油是油，油怎么当茶？我有位朋友说有一年他去上海，一位上海人问他："藏族是不是有喝油的习惯？"这些都是由于不了解造成的。

酥油茶的重点并不在油而在茶，制作方法并不复杂，和煮清茶一样。先将茶水煮好，而后倒入茶桶里，放一块酥油。茶桶中放一根下端安有木板，木板上有圆孔的木棍，不停地上下抽动、捣提，酥油便完全溶入茶水里，茶的颜色鲜美，味道极佳，甚于奶茶。喜欢有盐的，还在打茶时加点盐。

打酥油茶的器具主要是茶桶，大的周有两围，高一米四五的；小的只有尺许，茶碗那么大，有用粗竹子做的，也有用木头镟的。有的用皮子包扎起来，怕干裂；有的用银、铅、铁、铜等装饰，箍圈有花纹；有的已经失去了使用价值，镶以银、宝石，像艺术品般挂在墙上。在一些难以用茶桶的地方，藏人则用皮口袋打酥油茶也别有一番风味。主人把熬好的茶水倒在皮口袋中，加上酥油，扎紧袋口，随意摔打揉搓，顷刻便成。城里的许多藏族人有时也用热水瓶代替，将茶水和酥油放在里边，不停地晃动，不费多少工夫即可饮用。

此外，拉萨人现在爱喝甜茶，拉萨街头出现专门的"甜茶馆"，甜茶的制作跟奶茶差不多，只是在煮好的红茶里加奶加糖而已。

在藏区，茶叶一直是拜亲访友的重要礼物，熬成的茶水也可以当"礼物"。几次到拉萨发现，热情好客的拉萨人有一种非常亲切、暖人心窝的礼节，那便是送茶。先生来了，学生们提着香喷喷的酥油茶来看他，亲手盛一碗献上让先生喝。就是自己的师长、朋友住院了，也要带一壶酥油茶去看望他，让人感到如同自己家中一样。

（三）住

藏人使用帐房，年代久远。《旧唐书·吐蕃传》中说："贵人处于大毡帐，名为拂庐。"当然，藏人使用帐房的时间要比这早得多。帐房的类型粗观约有三种：

牛毛帐。牛毛帐是牧区群众居住中最常见的帐房，大多为黑色，它是将牛毛捻成线，再用土织褐机，织成约七八寸宽的长条"褐子"，再根据所需要帐房的大小裁剪，用牛毛线缝成。一般情况下是以帐房横梁支承处分两边，然后缝严实，前留有门，中间留有可以开合的“天窗”，做饭烟大、天气炎热时打开；阴天下雨和天冷时盖上半拉，以挡风雨和保暖。

帐房一般有八角，立帐房时首先要稳住四角，这需要技术，太紧不好架起，太松架起不稳；还要注意地点的选择，地点不合适立帐篷容易东扭西歪。固定帐篷四角的绳必须结实耐用，通常采用牛皮绳和牛毛绳，所用的橛子多用铁橛和硬木橛。

牛毛帐房并不怎么遮雨，小雨尚可抵挡，大雨和霪雨就很难对付，往往是“帐外大下，帐内小下”，人在里面睡觉吃饭都成问题；牛毛帐房也不怎么能御寒，薄、透风、不保温在夏天是优点，到冬天就是缺点。因此，牧民若久住一地准备越冬，便在帐房里侧用木箱、装满青稞的袋子围上，其上再苫皮张、毡片等，有的还在外侧用草坯垒起一段矮墙，以挡风寒。

牛毛帐有大有小，规模大的可容纳千人，这种千人帐私人织不起也无必要。因许多藏区都保留有部落遗风，故此大多部落都要织一顶大帐篷，一旦部落集会，可以派上用场；贵族头人织这样的大帐篷多是为了炫耀富贵、摆阔气的，上面饰有吉祥图案，富丽堂皇；寺院有时也织这种大帐房，作为帐房寺院念经或一般寺院户外大型佛事活动时用。

随着人民生活水平的提高和与内地的频繁交往，草原上的白布和白帆布帐房逐渐见多，其制作比以前更加精巧美观，每到像赛马会那样的盛大节日，无数顶色彩不一的帐房在碧绿的草原上悠然落定，俨然一座宏大壮阔的帐房城，人欢马叫，气象万千。

以前，藏人的孩子长大成人后，要给他做一顶帐房，通过自由的或不自由的婚姻而结婚，另立门户。

毡帐。毡帐一般不太大，用擀的毡片缝制而成，耐寒、耐雨。假如毡片的制作技术好，即使霪雨连绵也不透漏。由于造价高，携带不方便，游牧的人较少使用。一些与蒙古族杂居地方的藏人，毡帐的做法近似蒙古包，圆形有顶，里有可活动的木头支架。

兽皮帐。兽皮帐是靠近林区，以打猎谋生的藏人的帐房，因其雍容华贵，也成为豪富贵族、大活佛显示财富尊严的帐幕，如一顶虎皮帐和豹皮帐，在解放前其造价也不低，因而，此类帐房不可能做得很大，里面能住下七八人就不错了。至于用野牛皮和其他一些兽皮制作的帐房，和此类帐房就无法相比了。

有帐房，要住人，就得有“塔垮”。所谓“塔垮”就是牧民使用的灶。

“塔垮”用土块、石头等垒成，一般用长草泥灌结实，再用细泥抹光。上面用来放锅、壶等。左右各有一个火洞，火洞设火塘，平时帐篷的主人吃饭睡觉都在火塘周围。“塔垮”的里部是个燃料仓，把晒干的羊粪牛粪放在里面，以备天阴下雨时用。燃料仓的上面是帐房的正中，牧民群众喜欢在此处挂上佛像，“塔垮”、帐房门正好在一条直线上，将帐房自然地分成左右两部分。在帐房里，右是客座，来客人一般都要让到右面，右边也是人睡觉的地方。男女的坐处也有讲究，男右女左，不能混淆，假如一男客走进帐房坐到了左边，就会惹人笑话；若一年轻女客坐到了右边最里侧的地方，同样被认为不妥，因为那儿是年长者的座位。女客们（除非是年长的女性）即或坐在右边，也要客气地坐下座而不坐上座。

“塔垮”的作用显然不只是烧茶煮饭，在寂静而偏远的草场上，牧人们围在“塔垮”旁不时拨拨火，火就是灯，照红每个人的脸；火烧得不旺时，可以用山羊皮、黄羊皮、石羊皮制成的火皮袋，一下一下吹火。风吹旺火，牧民们便谈天说地，唱歌娱乐，热气腾腾的奶茶就煨在火塘里，渴了有喝的，饿了有吃的，娴静优雅，令人陶醉。

“塔垮”也是帐房里神圣的地方，冬天人们烤火不能把脏靴搭在上面，向里填羊牛粪时也不能把头发、狗毛、狗屎等脏物烧在里面，认为那样会触怒灶神。因此，刚在一个新地方架起帐房的牧民，先要杀一只羊祭“塔垮”，吃完羊肉，把羊粪留着，和了土涂在“塔垮”表面，细腻光滑，不容易干裂。等抹的泥晾干后，还要用生肝等逐步擦拭表面，于是“塔垮”变成了紫红色，朴素而庄重。这种祭灶的方法是一古俗，至今在藏区沿用。

石室碉楼也是藏区的主要居住形式。《隋书·附国传》说：“附国者……有嘉良夷即其余东部所居种姓……无城栅，近山谷，傍山险。俗好复仇，故垒石为巢而居，以避其患。有巢高至十余丈，下至五六丈，级丈余，以木隔之。基方三四步，巢上方二三步，状似浮图。于下级开小门，从内上通。”《册府元龟》说这种“重楼层屋，王至九层，国人至六层”，“夜必关闭，以防盗贼”，已有阶级地位的差别。

这种建筑形式从今四川、云南藏区到西藏以及其他藏区，大体相似，多为平顶碉房式建筑，多用石块筑起土墙，坚固耐用，一般高两三层，高的达五层，门窗上端斗拱作檐，窗户开向也较讲究，有些较大，采光尚好，有些宛如箭孔。平常人家，下层作畜厩，上作伙房、卧室、库房，最上层作经堂。楼顶平，可晒粮食，观览山景牛羊。不难想象，战争年代它自然成了哨所或烽火台。

同样，两层楼房的下层仍然是畜厩，厨房、仓库、宿舍等都在楼上。我去过许多人家，其经堂都设最右边一间，堂堂皇皇，供着“唐卡”佛像，点着酥油灯，有香案；有些人家还供着铜铸佛像。楼上全用地板，房屋顶层也全用木板覆盖，上有间隙，储存饲草。

（四）行

通常认为体小力弱的羊是供食用的，而在藏区，除食用、剪毛外，羊还用于运输。这种情况不但现在有，而且早在1300多年前的吐蕃王朝时期就有，并且见诸于史籍。据《吐蕃王统世系明鉴》记载：松赞干布迁都拉萨后，填卧措湖，修大昭寺时，采用的就是山羊驮土的办法。自然用山羊驮土填湖并不是松赞干布和文成公主的发明，而是在他们生活的时代，甚至更早的社会中普遍使用的一种运输方法。这种方法在现在的藏族地区仍然可以见到。除了在平日的放牧生活中牧羊人选几只健壮的羊给他驮东西外，成群的羊组成的运输大队还奔走在西藏藏北的草原上。

藏北的双湖一带是藏区著名的盐区，不知自何时起就有了驮盐的营生。从事这一营生的主要是牧民，他们从春季开始赶着驮牛驮羊去驮盐，跋涉数百里乃至上千里，而后在秋冬季节将盐出售给农区的藏人。与驮牛相比，驮羊显得凄苦些，它背上的口袋并不算重，一般在十至十五斤之间，而且都装在用牛毛制成的花色小褡裢中，褡裢上有固定用的绳子，倘若你问一位驮盐人这种褡裢会不会在中途中掉下来，他便会笑着说：“驮到地狱也掉不了！”如果羊身上的盐袋不稳，真的掉下来，那可苦了驮盐人，因为驮羊并不像驮牛队伍那样每人管二三十头，那是数百只的驮队！在藏北的蓝天白云下，有人在一望无际的绿地上，见过一支足有七八百只羊组成的驮队，一路走来，羊头攒动，如洪如潮，浩浩荡荡。羊是不安分的动物，行走时并不像牛一样，一步一个脚印，踏踏实实往前走，它们多是热热闹闹拥挤着向前推进，时常伴着小跑，人稍有促使它们便大跑起来，通常牧人所谓“马靠扬鞭，羊靠嘴喊，牛靠棍赶”就是这个道理。要让马跑快，不需要你狠劲揍它，只要扬起鞭来，它便会散蹄飞奔；而灵敏的马是不需要扬鞭的，只要扯扯缰绳，双脚叩叩马腹即可使马奔驰起来；羊靠牧人的喊叫，因为藏区的牧人怀里都揣着“吾朵”（一种抛石绳），“吾朵”的射程很远，牧人一声喊过之后，羊若仍不回头，石头便会呼啸而来，经过长期这样的训练，羊对牧人的口令十分敏感。而牛，尤其是黄牛，不使劲用棍棒抽打，它是很难体现主人意志的。

浩浩荡荡的驮盐羊队每天的行程十分可怜，只二三十里，最多也不过四十里，不能走得太急，要时常让羊吃草，否则饿着肚子，便难以前行。

牧人必须小心翼翼地照顾驮羊，否则这支队伍很难完成艰巨的长征——如此不停地走一个月，甚至两三个月。这种疲惫不堪的跋涉会使许多驮羊倒毙在途中。

到了目的地，牧人们除了出售食盐，还要卖掉一部分驮羊，这时已到秋冬季节，它们走过的绿色草原已被皑皑白雪所覆盖。

牦牛被称为“高原之舟”，深受藏民的喜爱，这不仅由于营养丰富、色味俱佳的牦牛肉，喷香的牦牛奶，硕大的牦牛犄角，和一千多年前就作为商品售往国外的牦牛尾，也在于牦牛作为运输的工具，为藏人的生活做出了杰出的贡献，藏人的一年四季都离不开牦牛的辅佐。

从春季开始到秋冬的驮盐生活中，牦牛是主力。用牦牛搞长途运输时必须要有木鞍——我见到的这种木鞍十分简易，只用几块粗糙的木料做成，在木鞍下填上毡垫，由两道肚带勒着，也还结实。行路时货物需要捆成两个重量基本相等的驮子，以免行走时一重一轻掉下来，倘若走长路还要将驮子连同鞍子等扎紧。长期的行旅生活使牧民群众积累了一整套出门的经验，也有了不少辅助用具，如专门用来驮东西的袋子，牛毛褡裢就是其中的一种。这种褡裢如同一个口袋，只是在口袋一面的中间开了口，一端用牛皮做两环，另一端用牛角做成半月形的两个片作为扣，不用囊中什物时两头装满东西，扣上扣；用时不需要解下驮子就可取出其中的东西。牛毛褡裢有时也成为富有的象征，在上面织上各种吉祥符号，下端饰有三绺缨穗，这种褡裢不装一般的东西，远途中大多用来装主人的衣物、茶叶等稍高级一点的东西。为了集中统一，牧民尚有一种皮袋做的驮囊，多为牛犊、羊等动物身上剥下的筒子，除头部和四肢外皮张别处不曾割裂，较为耐用；有些则是用皮子缝成箱子模样，驮运时里面装满东西，系缚于牛背、马背，即使掉下来也不会使囊中之物受到损伤。

除了远途驮运外，牧民一年四季要随季节而搬圈，搬圈也是藏人运输的一个重要内容，即古书所谓“逐水草而居”。有人著文说，牧民的逐水草而居是每天赶着牲畜行走，牲畜走到哪儿，人便住到哪儿。实际上这是一种望文生义的解释，至少在我到过的牧区没有这种常年的放牧方法。求教一些阅历丰富的老人，亦未见闻。牧民一般将草场划分为春、夏、秋、冬四季草场，过去这些草场由部落头人统一管理，统一使用，因而在搬迁中也要统一部署，顺序进行，不能抢先和落后，也不能各行其是，擅自做主。搬迁时部落头人将贫困户和富裕户搭配起来，如此富裕户可以利用贫困户的劳力，贫困户可以利用富裕户的驮牛，彼此有利，各得其所。这种从一草场到另一草场的迁移，少则一两天，多则三五天，要将帐篷、日常用具等都驮走。现在牧区几乎都有定居点，进行四季轮回牧放时，家庭基本的财产放在定居点，留人看守。过去牧民没有定居点，只有四季牧场，依季节转移，要驮上家庭所有的东西，没有驮牛是根本不行的，就是有了驮牛，老人、孩子、男男女女都要随大队行动，有驮牛可以骑乘而行，若没有驮牛，又没有马，只好徒步而行，非常辛苦。当然，牧民的搬迁并不像农民那样有许多东西。牧民的东西可说十分简单，一个家庭的用物三五头牛就驮走了。旅途中的驮牛除了白日驮着日光，负载牧人的一应东西外，到了夜晚还要披着月光，肩负起“警卫任务”。在牧区工作时，我听说过这样一件事：

有一纯粹牧放牦牛的人家在搬迁途中遇上了狼群，这是牧人时刻提防着的最倒霉的事之一。家中只有两个年过花甲的老人和他们的一个不足十二岁的女孩。形势可谓十分严峻。牧人是有经验的，他们先燃起火堆，野兽怕火，不敢近前，而在周围嗥叫，不肯离去。熬到大半夜，燃料用尽，狼群也逐渐向牛群逼近。牦牛是有灵性、且不乏“智慧”的动物，它们将小牛犊和老弱病残的牛围在中间，其他健壮的牛亮出匕首一样锐利的犄角，屁股冲里，脑袋冲外，一旦有狼扑上前来，便用犄角奋力抵去，勇猛无比。有一高大的公牛，则走出圈外，嗥叫着绕着牛群奔跑，时而冲向狼群，独自奋战几个回合，又返回牛群中。直到天亮后狼群撤走，除那头在圈外奔走的公牛几处负伤外，其他牛一概安然无恙。牦牛的这种护群行为或许是动物的本能，草原上屡有所闻。

“肩上钢枪坐下马”被藏人视为两宝，青年人互相攀比的首先就是枪和马。一支叉子枪或是一支非常普通的快枪，许多人镶上了银，有的甚至镶上了金和宝石。有枪的青年人几乎像临战的兵士，枕戈待旦，枪不离身，走到哪里便背到哪里，其中既有枪的“使用价值”，遇到虎豹狼等可以自卫、射猎，更多的时候是一种装饰。

草原上的牧人三五岁就跟马厮混，对马的感情十分深厚。就像城里人的自行车、汽车一样，藏人稍有走动便骑马而行，他们通常会说“没有骏马英雄显不出威风”，因而对马的装备也十分用心，有些不要说骏马的价钱，只鞍子所花的钱是惊人的，少的数百，好的上千甚至几千，什么鲨鱼皮鞍、四平银鞍，甚至饰金、珠宝，鞍下有饰以花纹的垫子，鞍上有非常讲究的马褥子。当然，一般的家庭是购置不起如此昂贵的东西的。但即便是家境窘迫的汉子也要把马打扮得漂漂亮亮。

爱马和常年骑马也使许多藏人害有“职业病”——许多人患有关节炎，也有许多人成了罗圈腿。然而他们的马上功夫可说个个不赖，如同在马背上贴了一只蝴蝶，任凭骏马飞奔，不会掉下来。有的人可以在马上睡一觉也丢不下来。

长途跋涉需要脚力，因而牧人选择的马一般都是善跑而体态优美的，这是一个基本标准。

牧人对马倾注了无限的爱心，当远足崇山峻岭，食物用尽，最后剩下一点糌粑和茶叶，首先要留给马吃，骑手宁愿自己饿肚子；冬日，在凛冽的寒风中，骑手自己宁愿烤着火熬到天亮，也要把自己的皮袍盖在马背上，以防马被冻坏。到了下坡路要下马步行，有格言说："上坡不骑马不是骑手，下坡要骑马不是好人。"

西藏一些地方也有如此景致：毛驴上驮东西，马上骑人赶毛驴，所谓骑马赶驴者也。

藏人的旅行大多是早走早歇。早晨天刚蒙蒙亮便驱马上路，大约在下午四时许便寻找避风、避洪、近水草的地方停下来，让马有充分的时间吃草，以保证第二天的体力；倘若第一天休息太晚，入了夜马吃不饱肚子，翌日的行程就会受影响。而早上让马吃带露水的草，马很容易拉稀。

草原上旅行的人不但饮食简单，睡觉也是简单至极，头枕马鞍，下铺鞍垫，身上盖着自己身上的长袍，以手抱膝，蜷成一团。草原牧人的这种卧法，堪称一绝，头一落枕，则终夜一动不动，直到翌日。天一亮，便穿起皮袍，将鞍垫搭到马身上，收拾好行囊，即刻起程。假如头一天烧了火（做饭、取暖），这时候要将火熄灭，一般都是用土石盖死，这样既可防止火灾，也是一种礼俗；倘若那些年轻的二愣子用尿浇灭火，那便犯了禁忌，火神和土地神就会给他找许多麻烦：让他在行程中丢东西、害病、马失前蹄……所以藏族人对火的敬奉十分周到，有时在野外做饭还要专门采一些艾蒿、松枝、柏枝等物放入火中，祀祝一番。

藏人渡河主要有以下几种方法：

牛皮筏和羊皮筏。主要由牛、羊的筒子皮制成，充气以后即可使用，有的人可左手夹一皮袋，右手划水渡河；有的人则用四个或六个皮袋紧紧系缚于一木排上，后置一桨，载人载物过河，风平浪静时这种牛羊皮筏还算安稳，若遇水涨，人在其上，水浸脚腿，波浪涌过，令人心惊。皮袋是结实的，倘若碰到山崖等利器刺破，则非常危险。

船。藏人使用船的历史也很悠久，至少在纪元初就开始用船摆渡了。公元7世纪以后船的使用更加频繁，一些大的河流中基本都有渡船。最早的船大约是独木舟，这种舟在一些边远地区现在仍在使用。藏区的船主要有木船和牛皮船两种，木船与普通的船并无二致，只有牛皮船稍见特色，它是在一木船架上绷上牛皮而成，轻便结实，使用较为广泛。这种船船体小，每船约坐三五人，最大的也不过十来人，只有一个船夫即可。由于载重量轻，吃水浅，任何河道都可以行驶自如，而且泡软后的牛皮颇具韧性，在多乱石的河道上行运也不至于像木船那样一碰就漏。若搁了浅也用不着着急，只需一人就可以背起。在西藏雅鲁藏布江上，常可看到用这种牛皮船捕鱼的船队。

桥。藏族最早的桥据说是香巴噶举派僧人唐东杰保建造的。关于唐东杰保有许多优美的传说，一是他编写了多种歌舞剧形式的藏戏剧本，发扬光大了藏戏，被尊为藏戏之始祖，备受尊崇，现在演藏戏时还要供奉这位祖师的像。二是说他曾发明能治百病的白药和治疗瘟疫的红药。其三是修桥，并送雅号为“铁桥喇嘛”。

据说唐东杰保曾看着拉萨河上打转的牛皮船和两岸焦急等待的人们而于心不忍，心想雪域藏土多河流，每条河上过往的人都如此等待，不但浪费时间，而且也给他们的生活造成无数困难。他由此立大誓愿决心修桥，并以演藏戏形式筹集资金，很快在阿里、后藏等地修起十三座铁桥，受到藏族群众的拥戴。

实际上藏人打造铁桥的历史要比民间传说中的唐东杰保造桥的历史要长。据有关文献记载，藏人的造桥史不晚于吐蕃王朝时期。连环的铁链从岸之两边扯来，而后在上面搭上木板，两侧有手扶的链子，这种铁索桥不但节省了时间，人畜从上面通过，十分安全。据说有些吐蕃时期的古铁桥上现在仍可以驶过小车。

有一种自然生成的桥称冰桥，在冬日这种“桥”也普遍使用，主要是利用结冰的河面。有些地方不需要加工一到季节即可使用；有些地方则在形成冰桥的地段，放上草、木棍、树枝等物以加固，虽然路有点滑，但走起来仍然安全可靠，不要说牲畜与人负重而过不会有影响，而且过得了汽车。

溜索。溜索在西藏的使用并不广泛。这种方法主要是在河的两岸扯起一根绳——或铁索、或篾绳。人则在系缚于身的滑行架上从河的一端渡到另一端。有些河段设一根，有些河段设两根。显然，以这种手段渡河速度十分缓慢，运送货物更为困难。

藏族局部地区还有背夫，或一两日或三五日，背着东西送货物，非常辛苦。

无论牧区还是农区，藏人行走多佩刀。刀有两种，一种是小佩刀，几乎男女老少都有一把，主要作用是吃肉，因为牧区的藏人以肉为主食，一日不可无肉，并且在吃肉时忌讳啃食。吃肉的佩刀一般长五寸左右，不会太长。另一种刀便是腰刀，大多在二尺四五寸长。腰刀的做法是多样的，这主要依据主人的使用情况而定，若是长期在外奔走——或是牛帮，或是羊帮，或是马帮，腰刀便是重要的自卫武器，旧社会对马帮、牛帮、羊帮的袭击（抢劫）是非常频繁的，一个帮客不但是优秀的劳力，而且是自己财物的强有力的保镖，遇到强盗时需要挥舞腰刀去搏斗，一般情况下主要是对付野兽和牧羊人的狗，若不用腰刀刀背奋力砍那些獒犬的脑壳，它们有时会断送你的生命。因此，有的腰刀鞘尖上做一环，环内穿一条三四尺长的皮绳，绳头上拴一铁砣子，一旦牧羊狗袭来，便抡起腰刀同时带动索子，使狗不能近前，由于刀上按绳等于手臂伸长，一旦这铁砣子落在狗身上，其打击力非常强，有经验的牧人可以一砣使狗丧命。而在腰刀手把上安有机关，若需用刀，摁动机关，即可迅速抽出。

腰刀是藏人的生命，许多藏区的牧人都这样看，他们走到哪里就把它带到哪里，同时它也是一种装饰品，即便是“和平时期”他们也要带在身上，而且在上面镶金银宝石，显得十分华贵。当然，腰刀也有离身的时候，那是草原上当进入别人家帐房的时候，需要把刀立在帐房门上，以示对主人的尊敬。

此外，藏人的行旅还有许多禁忌，比如见到寺院要下马脱帽，躬身而行；遇到拉则要下马，向顺时针绕行（苯教徒为逆时针）；不能在道口、路中大小便等。

二、传统节日

藏民族居住区域辽阔，节日也多，大概可分为三类：各地区共同的节日；部分地区的节日；寺院的法会。我之所以将寺院法归为藏族节日的一个组成部分，是因为寺院的法会不仅对僧人来说具备节日的性质，对百姓来说同样具有节日性质，实质上许多法会已经是僧俗共庆、僧俗同乐的节日，即一些法会在漫长的历史发展中，已由宗教活动演变为具有节日性质的节日活动。

藏族节日的时间大多是以藏历计算的。公元11世纪以前，藏族使用过多种历算方法，公元1027年才使用时轮历“饶迴”算法，以铁、木、水、火、土加阴阳与子、丑、寅、卯、辰、巳、午、未、申、酉、戌、亥十二地支相配，十二年一小循环，六十年为一大循环；第一年为胜生，依次为：2. 妙生；3. 太白；4. 迷醉；5. 生主；6. 数苑；7. 瑞颜；8. 实有；9. 华年；10. 能持；11. 大自在；12. 谷丰；13. 沉迷；14. 镇伏；15. 超群；16. 众杂；17. 太阳；18. 救日；19. 护国；20. 不尽；21. 普化；22. 遍持；23. 违越；24. 仪态；25. 行健；26. 欣悦；27. 尊胜；28. 胜利；29. 致醉；30. 丑颜；31. 金钟；32. 悬垂；33. 致变；34. 俱备；35. 超升；36. 致善；37. 致美；38. 愤怒母；39. 杂宝；40. 威慑；41. 猕猴；42. 木曜；43. 温文；44. 共通；45. 致伟；46. 总维；47. 无忌；48. 庆喜；49. 罗刹；50. 炎火；51. 金黄；52. 信使；53. 义成；54. 猛厉；55. 恶心；56. 呕血；58. 荧感；59. 愤怒明王；60. 终尽。一饶迥终后，第二饶迥再开始，同汉族之六十年为一甲子。藏历同汉历，十二月为一年，大月三十天，小月二十九天，每六十五年设二十四个闰月，即不足三年就有一闰月。为了求取吉祥，藏历规定可以双日、双月，如某年某月的五、六、七、三日，若六日不吉祥，可以过两个五日（即跳过六日），直接过七日。

（一）年节

藏族的年节最为隆重的是藏历年，其次是本来跟年节扯不上边的赛马会，许多地方将赛马会称为过小年，同样热闹非凡，是故我们权且将此也列入年节之中。

藏历年不纯粹是一个节日，而是多个相连的节日，这些节日若独立而论可归入宗教法会或别的类型之中，为叙述方便，我们将几个正月的节日统统归入藏历年中叙述。

正月初一为藏历新年，藏语称“洛赛尔”（新年）或“嘉吾尔洛赛尔”（国王新年），是藏族人民普遍庆贺的最为重要的节日。

天亮后，穿着节日盛装的青年男女手捧“琪玛”（ཕྱེ་མར།）和青稞酒，先给长者献“琪玛”，敬青稞酒拜年。“琪玛”也称“竹素琪玛”，斗形，内盛拌好的酥油等做的称“吉卓”的彩花板，现在多以彩绘的木板代替，还插有青稞穗、鸡冠花等饰品；有的还用酥油塑造的“娄高”（绵羊头），现在多用瓷品代替。整个“琪玛”象征吉祥和五谷丰登、牛羊兴旺。长者先从“琪玛”中取些许糌粑，向上弹三弹，放一点在嘴里，再用无名指蘸着酒向上弹三弹，或三口或三杯或一口一杯喝了敬酒（这些都是特有的讲究），祝以“扎西德拉”（吉祥如意）等语；平辈人只有互相致祝节日吉祥，互相敬酒。对于饮酒时向上弹三弹的风俗，解释不一，有人认为三弹分别表示向佛、法、僧三宝致意；有人认为三弹分别表示向天、地、人三者致意。也有说向天神、年神、龙神致祭的，取第一种说法的较多。但这一风俗的产生非常古老。

拜过年后，成群结队的人们到街上去唱歌、跳舞、游戏；靠近寺院的，还要不失时机去拜佛，求得在新的一年里平安、吉祥、幸福。

安多藏区大多初一早上起得很早，首先去“拉则”煨桑祭神，因为“拉则”一般在山冈上，一旦火光闪烁，桑烟滚滚升起，四周的人都可以看得见。素以第一个去“拉则”煨桑为光荣。第一个人煨好了桑，后来的人只是在已经燃起的桑堆上加松枝、桑面等物，顺之献酒及净水，跪拜叩首，添箭杆。第一个煨桑的人燃起桑烟后，便向四周吹响吉祥的海螺，海螺以白色为佳。有的还放鞭炮。倏而，远远近近的山头上燃起桑来——这是因为作为地区的土主只有一个，而“拉则”村村都有。人们不可能都到那座象征土主住地的神山上去煨桑，一般就近方便，只在离家近的山头上冲那个有土主的神山煨桑、磕头，也等于去了那里，因为神是无所不知的。与此同时，或者稍晚一点，各家各户的桑炉（或者在院中央，或者在屋顶依山处或屋顶上）里都腾起桑烟，远山近野，高楼低屋，都酣然浸沐在或淡或浓的桑烟里。祭完“拉则”后，各自回家准备吃早饭。当炕上或地铺上端上了节日的各色食品，一家人按长幼老少男女坐好，开始家里人间的拜年，儿女拜父母，晚辈拜长辈，有的甚至弟拜兄，妹拜姐。拜的方式大多是给长辈要磕三个头，兄弟姐妹之间小的给大的磕一个，当然每个人在给“人”磕头前必须给佛磕三个头。自已家里的人拜完年后，再动筷子吃早饭，早饭后再去给村子里年纪最长、辈分最高的人家拜年磕头，不像西藏地区初一只在家中与家人欢聚不出门。

新年的食品，藏、甘、青、川、滇有同有异。如手抓肉、糌粑、奶酪、酥油，处处都有。西藏炸油“卡赛”种类很多：条形的“那夏”，圆形的“布罗”，如耳的“库高”，如勺的“边朵”等。安多区的油馃有三叉的，多是四叉的长油馃，长的有一尺二三，有人说解放前有人还炸二尺五的油馃，可以像柴火一样用绳子捆起来背。此外还有馄锅、圈圈、酸奶丸子等。

安多区的许多地方，大年初一禁止扫地，也不挑水、背水，女人不做针线活儿。据说西藏、康一些藏区，家庭主妇大年初一的第一件事是洗漱完毕，去泉或井打第一桶水，饮饱牲畜。第一个打到水的被认为是勤快、幸运、有福气的人。当然，打水的时间也不能过早。

安多区的许多地方尚有出新的习惯。清晨，男人们（或老人们）一起床，就往羊圈和牛圈里跑，去看牛羊的卧法，牛羊的头冲向或东或南或西或北，意味着这些地方将是吉祥的。继而，给牛羊的头上、身上拴了三色、五色的花线花布（马、骡等大牲口同样），赶向头所冲方向的草场。出新是个非常有趣的活动，它与生产紧密联系，而对青年男女和孩子们来说，则是年节中相互道声吉祥、比比穿戴、联络感情的第一个回合。

由于历史的演变和藏民族形成的一系列特殊原因，如同其他藏族风俗一样，年节的许多过法也有所不同。就连过年的时间也不全一致，现行藏历的使用是在1027年，在农历丁卯年为第一饶迥。在此以前，至少在纪元前一百多年，藏区就有一种以月亮的圆、缺、朔、望来推算月份季节的历算方式——苯教历法。按这种本教历法计算，每年的大年初一相当于现在所使用藏历的十一月一日，据说日喀则地区仍以此种方式推算过年。又，一些靠近汉区的藏族群众，受汉族春节的影响过春节，而不过藏历新年。

拉萨的"默朗钦茂"是藏历年中的一个隆重节日。"默朗钦茂"，意为祈愿大法会，因而也称作传大召。

许多文章中，由于对"默朗钦茂"的起止时间引用不一，造成一些混乱：有人写作正月初一开始，过21天，至26日结束；有人写作初三开始，至16日或24日结束。其实这些写法都不算错。

"默朗钦茂"的诞生是在1409年。1407年，藏传佛教大师、格鲁派的创始人宗喀巴为了联络敦促藏传佛教诸教派共同戮力振兴佛法，严守戒律，与阐化王札巴坚赞协商于元月举行祈愿大会。继而筹集资金，将大昭寺的殿堂、佛像、法器供物、幡幢、壁画修饰一新，宗喀巴本人特意集金五百两，为大昭寺觉卧佛像制作了五佛金冠、准备工作就绪，于1408年年底，佛教诸教派僧人万余，信教群众数万云集拉萨。

法会于1409年正月初一至十五日举行，宗喀巴带领僧俗信徒诵祈祷经、发愿文，以及进行其他佛事活动。正月十五日为释迦牟尼示现神变降伏妖魔日，这一天，宗喀巴为纪念佛祖举行了"举阿曲巴"，即许多文章中所谓"元宵会"、"花灯会"、"酥油灯会"、"灯会"，在大昭寺周围的八廓街上，摆满了用酥油添彩塑造的各色人物、花卉鸟兽塑像，惟妙惟肖，玲珑剔透，四处灯火，彻夜通明，观酥油花灯者通宵达旦。

这次法会为格鲁派的发展拓宽了道路，也标志着格鲁派的正式成立。

此后宗喀巴辞世，不喜欢格鲁派的仁蚌巴政权首领顿珠多吉武力占据拉萨，原为甘丹、哲蚌、色拉三大寺主持的传召法会更由噶玛噶举派掌握，先后达十九年之久。1517年，帕竹法王驱逐噶举派势力出拉萨，"默朗钦茂"法会才得以恢复。

1643年，在五世达赖喇嘛主持下，建立了政教合一的甘丹颇章政权，祈愿法会又有了一些改革和新的内容：

1. 将法会的时间，由原来的正月初一至十五日改为正月初三至二十四日。

2. 法会期间，在三大寺僧人中考取格西拉然巴（一等格西），每年录取十六名，前七名由甘丹赤巴率领上街夸耀。

3. 正月二十四日，由甘丹赤巴主持，哲蚌寺俄华扎仓和布达拉朗吉扎仓的僧众诵驱鬼经，举行规模宏大的“默朗朵甲”驱鬼仪式，由古装骑兵护送，鸣放火铳，燃烧“朵玛”，向拉萨河南岸趋之。

此后，这些规程一直延续到1959年西藏民主改革时停顿；1960年再度恢复，至1966年“文革”开始，再次中断；1986年元月，“默朗钦茂”再次与其信徒、教民见面。

清人如此记录过这一节日的盛况：

> 西藏年节，如腊月大，以元日为年；小以初二为年。凡商民停市者三日。各以茶、酒、果、肉等食物互相馈送为礼。郡王于元日设宴布达拉，请汉番官员头人过年。初九日，大召内聚集各山寺喇嘛四万众，迎接达赖喇嘛诸佛登台，或有名呼图克图讽诵大经。至上元，郡王及隆噶（今作“噶伦”）、牒巴等各于大召寺周围大放花灯。扎木架，以五色油面做人物、龙、蛇、鸟、兽，下设木架数层，安设大灯，周围约数万盏。自黄昏点起，至次早始撤，以天之晴、阴、风、雪并灯焰之色，占一年吉凶。如是夜天清气爽，月明无风，灯焰光辉色正，则一年人畜安康，五谷丰稔。若天不明朗或遇风雪，及灯焰红白闪烁，乃为不吉。二十一日，调集各处蒙古、西番马步兵三千名，顶盔贯甲，执长矛、弓箭、鸟枪、藤牌，马亦从头至尾披挂五色甲裙，各个跳舞放枪，绕召三次，至琉璃桥南，点放火炮，以为迎神逐鬼。其炮系铜铸，有二十余位，内最大者一位，上列“威剿除叛逆”五字，铸自唐时。事竣，于布达拉库内动发银、茶、绸缎、绫锦、布匹、金珠等物，布施僧众，以为念经之资。二十三日，郡王及噶隆、牒巴，并有各大喇嘛，各出八九名以至十四五岁幼童数名，快马数匹，跑马至色拉寺东山脚起，由布达拉后至工布堂，约三十里，一气跑到，先到者赏绸缎、哈达、银钱等物；其次到、后到者，各分赏有差。又选善走之人数十名，自布达拉西跑到拉萨东止，约十余里，亦一气跑到，别其先后分赏；赏毕，绕召跑三匝而散。此以为一年抢标夺彩之戏。至二十七日，迎色拉寺之飞来杵至拉萨“转召”①。

---

① 《西藏志·卫藏通志》，西藏人民出版社，1982年，第20－21页。

元月二十五日，为迎请未来佛强巴降临人世、化度众生仪式，僧人抬着银制强巴佛像绕八廓街，受众教民朝拜。

这些活动，在安多区的格鲁巴寺院，如甘肃的拉卜楞寺、青海的塔尔寺等大寺院都过，尤以塔尔寺的酥油花著称于世。当然，在广阔的藏区，凡佛事活动也不是个个寺同出一律，据《拉卜楞寺概况》介绍，拉卜楞寺在正月的具体节日程序是：

1. “默朗钦茂”从正月初三下午始到十六日结束，共十三天半。其间诵经、接受布施，请总法台讲经。

2. 初八日为放生节，在图旦颇章院内进行。僧侣诵《招财经》，将事先预备好的牛、马、羊洒上净水，系上彩绸结或布结放走，任其来去往还，自生自灭。俗称“神牛”、“神羊”、“神马”，每年约二三百头（只）。

3. 十三日为瞻佛节，于九时左右在河南蒙旗亲王府前南山麓举行瞻佛仪式。佛像高约 30 米，宽约 20 米，用高级绸缎剪堆而成的释迦牟尼、无量光佛、弥勒佛三尊，每年依次轮换一尊。在预先砌好的瞻佛台瞻佛后，由总法台率仪仗队及僧众诵经沐浴后结束。

4. 十四日为法舞，在大经堂举行。舞者约三四十人，戴护法面具，主角为阎罗王。在器乐伴奏下，且舞且由阎罗王将写好的妖魔的符（ལིང་ག）投进油锅焚烧，预祝一年吉祥如意。最后由总法台率舞者及僧众将“多尔钦”（གཏོར་ཆེན།，大施食）送至寺西荒郊纵火烧之。

十五日同样为酥油花灯会。酥油花为僧人所作。

十六日为转贤巴（བྱམས་པ་སྐོར་བ།），将弥勒佛抬出，乐奏仪仗，绕大经堂一周。四方信徒，咸来顶礼膜拜，祈求幸福。

（二）赛马会

藏区的赛马会一般在七八月举行，主要有下几种形式：

1. 纯粹的赛马。披着节日盛装的骑手们进入赛马场——一般是一片宽阔的草场，人头攒动，骑手们为争夺第一、第二、第三名，跃马扬鞭。

2. 骑手们化装成古代将士，身披铠甲，手持弓箭赛马；时而穿插骑马射箭比赛，或从地下捡羊、捡哈达等，这种比赛带有点杂技和表演性质。

3. 赛马、演节目、物资交流等混合。如此便成了项目众多、规模宏大的民间集会。

（三）寺院法会

寺院的法会类型较多，在稍大一些的寺院中有众僧都参加的法会，也有各个扎仓僧人参加的法会。如拉卜楞寺有六个扎仓，各个扎仓都有自己的法会。

色多罗桑雀臣嘉措在《塔尔寺志》中介绍，塔尔寺的法会，“初由持律法王戚玛本师·峨热嘉措（光明海）于第一饶迥壬子年（1552）正月十一日，创立讲说僧院开始；并于正月二十五日起，创立春季大法会为期一月，首先是在此法会期中，每天上午传召僧众大会；下午则在‘帕敦协珠岭’（具德说修院）法会上学习，创为例规。”如此出现了一系列的法会：

从三月初三日起的春季后期法会，为期一月；六月十五日起的夏安居（佛教戒律规定，比丘在夏季雨期三月，足不出户，安居一地）法会，为期一月半；八月十五日起的冬季法会为期一月；正月初八起的神变节大愿法会，正月十五日结束。

有些法会是属于纪念性的。比如四月初十日起的四月发愿法会，是纪念释迦牟尼诞生、出家、涅槃，通常是在四月八日开始；六月初三日起的六月法会，是纪念释迦牟尼“三转法轮”；九月二十日起的九月发愿法会，九月二十六日结束，纪念释迦牟尼“降凡”，以上被称为四大法会。十月二十三日起要举行纪念宗喀巴大师的忌辰；十二月二十二日起，供修月下弦“岗索”法（一种酬谢恩泽，以娱众佛的酬补仪轨）。

寺院的法会按寺院之大小，有增有减。但无论川、滇、甘、青藏区，还是西藏，一些主要的法会基本上一样。这些法会虽然大多在寺院内进行，但与老百姓的日常生活同样有直接或间接的联系。如塔尔寺的四大法会，不但寺院要进行盛大的佛事活动，对于周围百姓来说也是喜庆的盛大节日，常常是百里以外的牧民、农民携家带口前来参加，同时也成了物资交流的盛会。因为，作为信教的群众，不光在藏历每月的初八、十五、三十日（藏语称“聂当杰松”）转经、礼佛，大法会也是朝佛的最好时机。以下是几个僧俗同庆的法会：

1. 送魔节和亮宝会

这两个节日，基本上全藏都过。拉卜楞寺的送魔节是二月初七日，先用钱买一名穷人，化装成魔鬼模样，身穿半白半黑的翻毛皮袍（西藏为两个。一穿白一穿黑），脸也涂成半白半黑，头插羽毛。初七日在大经堂举行宗教仪式后，由大昂（ནང་ཆེན།）和夏旦劳巷佛殿的僧众念经送“多尔钦”（大施食）并将化装成魔鬼的人“驱逐”至大夏河对岸，七天内不准返寺。

二月初八日为亮宝会，早上在寺旁的仓拉（寺旁集市）瞻礼绘有寺主嘉木样活佛源流的大佛像，佛前有供养，由衣着整齐的僧侣千人各执象牙、犀角、羚羊角、珊瑚、玛瑙、各种化石，以及著名活佛等的衣帽、用具、法器等，随仪仗队，伴着化装的狮子、野牛、大象、老虎，由弥勒殿前出发，到仓拉佛前由僧众念经沐浴后绕寺一周，返回讲经院，最后在小僧侣的舞蹈中结束。

拉萨在二月下旬过“充曲”，即会供法会。由于正月有“默朗钦茂”，故而称此为小祈愿法会或传小召。据说此法会始于1682年，是第巴桑吉嘉措为了巩固自己的地位和稳定藏区，在五世达赖死后秘不发丧，至周年所进行的年祭。原为五天，后来每去世一位达赖加一天。还要举行措让巴格西的选拔仪式。

“充曲”的最后一天，举行亮宝会，曰“充曲含章”，展出布达拉三十多丈的唐卡佛像，三大寺的珍贵宝物，并列队从大昭寺出发，经过布达拉、小昭寺，绕一周结束。亮宝会同样含有祈求吉祥幸福、兴旺昌盛之意。《西藏志·岁节》如此记载道：

> 二月三十日，布达拉悬挂大佛。其佛像系五色缎堆成，自布达拉第五层楼垂至山脚，长约三十丈，将大召中所有宝玩、金珠、器皿陈列。喇嘛装束神鬼诸妖，各番国人物、牛、虎、象等兽，转召三次，至布达拉大佛前，各跳舞歌唱，如此一半月间始散，乃其地之春戏。神鬼、人兽等衣着，颇极精巧华丽，其宝玩无穷，不能枚举。

2. “萨嘎达哇”

四月是佛月。四月十五日是释迦牟尼入胎、成道、圆寂日，故称四月初一至十五日为“萨嘎达哇”（ས་ག་ཟླ་བ，善果期），各地藏民在这些日子里都要磕长头，朝佛念经，作种种功德。相传四月中作功德一次等于十万次，作恶一次，等于数百次。故这个月内不分僧俗，都要念佛，希望借以修积善根，以补平时不足。拉卜楞寺地区的老百姓，要在其间穿上节日盛装，按老少排队诵经，绕寺转经；僧俗男女不吃、不喝、不说话一天两夜，称“娘奈”（སྨྱུང་གནས་དུས་ཆེན།）节。

四月初八日为浴佛节，四川省甘孜藏族自治州康定地区的藏族群众要过转山会，祭神祈福，游山拜佛，求得农牧丰收、兴旺。有时还要举行赛马、射箭等比赛。

实际上，由于节日由僧到俗，由少数到多数等的演变，一些法会和一些宗教性的纪念节日也很难断然区分：

（1）三月十五日为时轮金刚节，纪念藏历第一个饶迴之第一天（火兔年——公元1027年3月15日）。

（2）五月初五为“桑吉曼拉”节（སངས་རྒྱས་སྨན་བླ།），传说这一天药圣要洒下圣水灵药，因此华锐地区的人们这一天要到山上去采药游山，饮酒作歌，尽情娱乐。同如甘南地区的“香浪节”。

（3）五月十日是莲花生大师的降生日，称“智达得钦”（པཏྲེ་ཏའི་དུས་ཆེན།），山南莲花生当年的修行地协扎和洛扎卜曲等地举行庆祝活动，每年一小庆，十二年为一大庆，大庆时锡金、布丹、拉达克等地的佛教徒以及其他地方的僧人百姓也慕名前来参加。举行歌舞、施舍等活动，十分隆重。

（4）六月一日至七月十五日的45天内，是喇嘛专心修道时间，绝对禁止喇嘛出境。如万分不得已时，也得由寺院堪布替他作法后才能出去。

“六月三日，哲蚌寺、色拉寺挂大佛，亦装神鬼等类。垂仲下神，番民男女并皆华服艳装，或歌或唱，翻杆子跌打各种跳舞，亦二寺之大会也。”一般以六月四日为节，即“丹伊得钦”（བདེན་བཞིའི་དུས་ཆེན།），是释迦牟尼口授的“四大真经”之日，民间又称朝山节，人们多到附近寺庙朝佛、诵经、点灯。

（5）九月二十二日为降神节（ལྷ་བབས་དུས་ཆེན།），人们朝佛、行善、诵经。

（6）十月十五日为仙女节，藏语称“摆拉日珍”，举行多种降神活动，妇女以为这是她们的节日。（དཔལ་ལྷ་མོའི་དུས་ཆེན། དཔལ་ལྷ་རྟ་མགྲིན།）

（7）十月二十五日是宗喀巴圆寂日，这天晚上各地俗人家庭和寺院要在屋顶上点无数灯，寺院里要举行隆重的宗教纪念仪式，并发放喇嘛口粮份金，《西藏志》如此写道：

> 至十月二十五日夜，云系宗卡（喀）巴成圣之日，各家以及寺庙山院，皆于窗棂、墙壁间挨放灯数百不等，光明如昼，布若列星，亦一大观。又云：系古燃灯佛诞，未知孰是。亦以灯焰、天色，占次岁之吉凶。

这一节日藏语称“甘丹阿曲”（དགའ་ལྡན་ལྔ་མཆོད།），俗称燃灯节。

（8）十二月二十七日，在色拉寺举行金刚杵行，这个金刚杵据说是莲花生传下来的，藏人相信如果能得到这个金刚杵在头上碰一碰，保险一年无病无灾。所以这天总有万人来拉萨看这金刚杵。

（9）十二月二十九日是驱鬼节，各寺院举行盛大的跳神驱鬼活动。在拉萨，男男女女，华服盛饰，群聚欢歌，观看喇嘛跳神。到了晚上人们则举行逐鬼仪式，认为这样在新的一年中才能万事如意。布达拉宫也举行盛大跳神活动，到了晚上人们则绕大昭寺放枪呐喊以逐鬼邪，饮酒作乐，带醉而归，以度岁节。

（四）其他节日

1. “雪顿”节、沐浴节（ཞོ་སྟོན་དུས་ཆེན།）

七月一日至十日左右，是“雪顿”节（酸奶节，现在因此节日以演藏戏为主，故也称藏戏节），原是百姓为六月间修行闭斋的僧人们的施舍日子，后演化成为一个专门演藏戏的节日，并不是真吃酸奶。每年此时，有多处藏戏团来拉萨演出。藏族群众不分男女老幼，空巷去看藏戏。传统藏戏大多是以宣传佛教教义为主的，如《赤美更登》、《顿月顿珠》、《诺桑王子》等，都是劝人向善，惩罚邪恶的，群众观此如痴如迷。笔者 1986 年 8 月在拉萨参加“雪顿”节时了解到，“雪顿”节大约形成于 17 世纪中叶，即五世达赖喇嘛掌握西藏政教权力之时，此后不断丰富发展。“雪顿”节的排练、准备工作较早，各地藏戏团要为此花费许多心血。解放前，在藏历六月二十九日各藏戏团向藏政府报到，接受达赖接见，三十日在哲蚌寺过“雪顿”节，七月一日才到罗布林卡演出，有日喀则、堆龙德庆、尼木、拉萨本地的藏戏班子，轮流登台，确有点藏戏会演的意味。十一届三中全会以后，藏戏艺术得到了新的发展，各地参加会演的热情很高，区域也不断扩大，如像 1986 年的“雪顿”节，不但有西藏本地的藏戏团，安多和康区的藏戏团也前来献艺，可谓盛况空前。

七月六日至十二日是沐浴节，藏语称“嘎玛日杰”，时间一周，此时高原藏乡风和日丽，气候宜人，牧草正绿，山花正旺，天蓝水清，辛勤一年的人们扶老携幼，接踵来到河边，尽情洗濯，或游泳，或嬉戏，欢乐无穷。据说此时的水可除病祛灾，所以，人们不轻易放过这一年一次的洗礼。沐浴节大约有七八百年的历史，其初源无从查起。民间传说认为，早先藏区发生过一次大瘟疫，人死畜亡，无计其数。百姓纷纷祈祷上苍降福，感动观世音菩萨，派出仙女拿神水洒在藏区的所有河湖渠中，再托梦给大家，结果大家下水沐浴，病瘟顿时消除。这便是沐浴节的来历。清人记载说：

七月十三日，其俗各将凉棚帐房下于河沿，遍延亲友。不分男女，同浴于河，至八月初五日始罢。云：七月浴之则去病疾。[①]

沐浴节在其他一些藏区也程度不同地存在。康区的沐浴节是在每年秋收以后。如位于雅砻江和大渡河之间的明正土司的辖区内（现九龙、泸定、丹巴、雅江、道孚诸县）有得天独厚、星罗棋布的温泉，每至秋收后天气晴朗，农牧民便来到温泉边架起帐篷，一边唱歌跳舞，尽情娱乐，一边下到温度适宜的泉水里沐浴。当地人谓之“泡澡”。“泡澡”不但是洗除疲劳，歇息游玩的好机会，也是联络彼此感情的好机会，有些人家邀请自己的亲友一块去“泡澡”。青年男女们则以目示意，以水传情，在温泉边谈情说爱，寻求理想的爱人。当然，由于当地风俗的影响，这儿的“泡澡”者们不可能像海滨城市的游泳场，男男女女、老老少少，穿着游泳衣、游泳裤，尽情畅游，他们大多还是和衣入水，不露肌体。

自然各地由于气候冷暖状况不同。沐浴的时间也有区别。无疑，这是一种值得发扬光大的很好的风俗习惯。

2. 世界烟祭日和林卡节

拉萨、昌都、日喀则地区在五月初一至五月十五日有一逛林卡的节日称“赞朗结桑”（འཛམ་གླིང་སྤྱི་བསང་།），传说是世界神灵下降之日。要进行煨桑（བསང་གསོལ་བ།）祈祷仪式。后期的人们渐渐淡化了这一仪式，而成了纯粹的逛林卡节。

煨桑是藏人生活中的一件大事，每个家庭、部落一年四季要煨许多次桑。部落里的拉则前必有煨桑的地方，“玛尼康”中有煨桑的地方；几乎每个家庭都有桑炉，有的砌在院子里，有的砌在房顶上，初一、十五、一些年节和大的节日不用说，有的家庭几乎每天清晨都要燃起桑烟，庭院里有专门的大桑炉，砌在山门前或大殿前，人多时终日不灭，香烟袅袅。

煨桑是烟祭的意思，即以烟火祭祀。这一风俗非常古老。据有关专家考证，最初是部落里的男子们出征或狩猎回来，部落的首领、长者和妇女儿童，在寨子外面的郊野，燃一堆柏树枝和香草，并不断向出征者身上洒水，用烟和水驱除掉因战争或其他原因染上的污秽之气。这种做法在我的家乡随处可见，若家里有人去参加别人家的丧事，回家前必须用烟熏一熏，才能进屋。当然，所用不一定是柏叶、松枝，在无条件时用把草代替也未尝不可，但不熏是不行的，因为这样你会把污秽不洁之气（甚至死者

① 《西藏志·卫藏通志》，西藏人民出版社，1982 年，第 22 页。

的灵魂）带回家来，尤其是那些有老人和小孩的家庭更为讲究，老人和小孩比较脆弱，很容易受到污秽之气的侵染而生病。就是出远门回来的家里人也要熏熏再进屋。用水清除污秽之气的做法现已少见，但不是没有，如一般的人出门后看到背水、挑水、驮水回来的人就非常高兴，认为今天运气好，有的人甚至跪卧地上让水桶从自己头上经过；忌讳碰到空桶。婚礼上，当新娘要进门时，有些地区有向新娘和送亲的人身上洒水的习惯；有些地区则衍变为一种娱乐活动，当送亲的人和西客在欢宴喝酒、唱曲至热闹时，厨房的“玛实”（做饭的人）要向客人讨喜钱，端着水到西客面前，西客若抠门不掏钱，“玛实”们就劈头盖脸向他们身上泼水；若西客掏钱爽快，只洒几滴，点到为止。此或许与用水来除污有关。

实事上，后期的煨桑已被赋予许多佛教内容，成为一种重要的宗教仪式，是在用烟献祭，祈神求愿，大则乞求国泰民安、五谷丰登，小则乞求个人消灾免难、幸福吉祥。至少在苯教兴起后，作为一种宗教仪式，烟祭在内容和形式上已经定型。

公元7世纪佛教传入藏土之后，大约经过莲花生“化苯为佛”的吸收革新，苯教的许多祭祀禳祓仪式便与佛教相结合，烟祭也不例外。据有关文献记载，在牟尼赞普时期，烟祭与佛教的“四大供养”相结合，形成了“世界烟祭节”这一传统节日，则定日期为每年藏历之五月十三日。

烟祭的对象是“四大宾客”，即（1）佛、法、僧三宝，属于供养慕敬之宾；（2）怙主，为佛法公德之宾；（3）六道众生，为悲悯之宾；（4）魔类，为欠债之宾。这四大类宾客囊括了整个世界出世和在世的所有鬼神。在烟祭之后，还要委托四大宾客作“四业”，即（1）息业，消灭病魔之灾；（2）兴业，获得福、禄、寿、喜；（3）慑业，能慑服天、地、人三界；（4）诛业，消灭一切敌人。实质上就是让四大宾客受到供养祈祷后，让他们办点事，满足人间的诸多愿望（“四业”）。

尽人皆知的“林卡节”的时间也是在五月十三日，实际上就是由世界祭烟节演变而来，或者说就是世界祭烟节。每年这天，据说全世界的一切神癨都来享受人间香火，因此在这一天，人们必须或上山头，或下河沿，燃起烟火，供奉四大宾客，有条件的还要请喇嘛念经。最初的这一活动可能是在庄严肃穆中进行，因为是敬神，不可能嘻嘻哈哈。现在这一活动的内容已有改变，加进了一些娱乐项目。在拉萨，每年五月十三日，僧俗民众一起到郊外一面举行烟祭，另一方面举行摔跤、赛马、跳舞、演戏等活动，尽情游玩。生意人也见机而动，具有物资交流的性质。

烟祭的用物并不复杂，主要是柏树枝叶，没有柏树枝叶则用松树枝叶，还用艾蒿、石南等香草叶子，撒上糌粑、五谷诸物。桑燃起后，要洒一点净水。净水洒完后，方磕头祈祷。

近几十年林卡节发展更快，许多地方烟祭已成为形式和遗迹，每到此节日，人们携家带口来到森林边、草地上，各自为阵，扎上帐篷，喝酥油茶、青稞酒，弹琴、跳舞、唱歌。个别地方为增加节日气氛，还增加了赛马等内容。

3. 望果节、除夕

西藏地区八月最重要的节日是望果节（འོང་སྐོར་དུས་ཆེན།），“望”是“田地”之意，“果”是“转圈圈”之意。合译为巡田或者转田埂较为合适。望果节可能源于祈求丰收的一种宗教仪式。许多同志的文章中以“游牧民族”一词来概括藏族，这不确切。藏民族至少在第九世赞普布德巩杰时建造了青瓦达孜宫，开始用木犁牛力耕作，引水灌田，大臣茹来杰教人们将夏草储存以备用，此后历世赞普“串连湖泊，广作沟渠，引水以溉田”努力发展农业。至松赞干布时代，藏族实际上是个以农为主的国家，雅砻河谷、年楚河流域、拉萨河流域，都是种植农作物的肥沃土地。因此，农业风俗的出现也顺乎情理。据《苯教历算法》等资料介绍，布德巩杰时已有了农民转田埂，行仪式，求丰收的风俗：举着幡、达达（缠着哈达的木棍）、羊右腿、青稞穗、麦穗的农人倾巢出动，沿田埂转圈游行。后来随着佛教的广泛传播，尤其是藏传佛教格鲁派的建立，又加进了念咒，转田埂时擎佛像、背经卷等内容。

望果节后，遂为紧张的秋收工作。因此这一天也逐渐成了跳舞、唱歌、赛马等娱乐活动的盛大节日。《西藏志》记载了这一景况：

> 七月十五日，另雇牒巴一人，以司农事。其他之头目牒巴，陪之游街，佩弓挟矢，旗幡导引，遍历郊圻，以观田禾，射饮一日，以庆丰年。然后，土民刈获。

即至十二月，节日也渐增多。西藏那曲地区将十二月一日称小年（ལོ་ཆུང་།），将元月一日称大年（ལོ་ཆེན།），按本地习俗，小年这一天，主人不挤奶，全让牛犊吃掉。

十二月初七日是四川凉山彝族自治州木里藏族自治县藏族人民的传统节日——“俄喜”节，“俄喜”节的由来据说是：从藏、云南等地迁入此地的阿哲、让甲、草坡、八尔等藏族部落到达今木里县之宁朗、车子、白硼、桃巴等地定居的时间恰为腊月初七日之夜晚，所以“俄喜”节定为腊月初七，过法如同藏历年。

十二月二十九日开始，大多数藏区都有在屋里、帐篷里、大门口等地方画一些吉祥图案的习惯。图案大概可分两种类型：其一，在屋里或帐篷里画太阳、月亮、雍仲（卍）等和在门口用白灰等画吉祥结、海螺、宝贝等吉祥饰物，求吉祥添喜庆之气氛；其二，在帐篷或屋里用白灰或糌粑粉等画奶桶、牛、马、羊、鞍、麦穗等物，祈求农牧业丰收。晚上吃用糌粑、蕨麻、元根、大米、小麦、豌豆、核桃仁、羊油等九种食物熬成的粥，藏语称“格突”（དགུ་ཐུག），有些地区吃包子或面条、面片，里面放上面捏或面包的太阳、月亮、牛鼻圈、拴马桩、帽子、茶壶、炭焦、团肉、骨头、羊毛团、向左和向右捻毛线等东西，既是一种对来年运气的向往追求，每一种面捏的形象都有一定含义，或说整年每个方面都吉利，或说做某件事吉利，或说来年哪件事不宜做等等，同时也是一种娱乐活动，一家人对吃到某件面食的人，友好地取笑一番。

十二月三十日，是除夕（གནམ་གང་），每户人家依旧做“卡赛”（ཁ་ཟས），煮肉等，准备招待宾客的食品，做“琪玛”，挂经幡，打扫卫生；在家具、住地四周、畜圈墙上摆冰块。安多区摆冰也是三十日，华锐藏区是将冰块摆在花园里和房檐上，象征着给降临的众神献上了净水。

年节是人们一年中最隆重的节日，这一天大家总以阖家团圆为美。然而事情总不能尽如人意，一个家庭在年节这一天会经常遇到亲人在外未归的事情。对于这些亲人，家庭也有具体的表达思念的方式。如在三十晚上阿坝有些地区都要有份饭菜，以吃饱喝足为佳，因此，对在外未归的亲人，并不是将他们遗忘，而是盛同样的饭菜供在佛龛前，男左女右，若是子女在外，男的一般由父亲去供，女的由母亲去供，若父母在外，可由年长的子女去供，供奉的食物不摆在佛龛正中，供的时间也不宜过长，一夜后或者一日后便可由家人食用。

第二节 文化名胜

一、卫藏名胜

卫藏名胜是极为丰富的。倘若我们以寺院而论，仅西藏自治区境内在“文革”以前就有2712座寺院，每座寺院都有一段自己的历史，在西藏历史的某一时刻曾经发挥作用。其中驰名的寺院也不下百座，像哲蚌寺、甘丹寺、托林寺、札什伦布寺、萨迦寺、夏鲁寺、昌珠寺、桑耶寺，洋洋大观，每一寺院即可成书一本。名水名山，可谓不计其数，像前文提到的“世界形成九尊”、“十二丹玛”、雅鲁藏布、狮泉河、象泉河、马泉河、孔雀河、玛旁雍措、羊卓雍措、南木措，不一而足；若论古遗址、古墓葬亦灿若群星，像藏王墓、列山墓、卡若遗址、曲贡遗址、墨脱遗址、林芝遗址、古格遗址，等等。在此，我们只介绍一二代表性名胜。

（一）大昭寺

大昭寺是藏族最古老的寺院之一。始建于公元647年。全国重点文物保护单位。藏语称“则拉康”（ཙེ་ལྷ་ཁང།），意为放经的大殿。由于文成公主进藏时，将一尊觉卧佛像供在寺内，也称“觉卧康”（ཇོ་བོ་ཁང།），意为释迦牟尼殿，相传文成公主带进藏的是一尊释迦十二岁身量鎏金佛像。

大昭寺最早的名称是“热萨祝囊”，意为山羊土幻显宫。现在西藏自治区的首府“拉萨”一词就源于此。

据说，松赞干布迁都拉萨以前的这块地方是一片沼泽地，叫吉雪卧塘，中间有一个镜子样清澈美丽的湖泊，叫卧措，风景优美，气候宜人。年轻的松赞干布从尼泊尔迎来了王妃赤尊公主，从汉地迎来了王妃文成公主。两位王妃都来自信佛国度，都希望有寺院供佛礼佛，赤尊公主先在拉萨的乃乌塘地方奠基建寺，结果白天修建到了晚上都被神鬼摧毁，她心中十分悲伤。松赞干布见爱妃伤心，就带她和文成公主到卧措湖边散心游玩，说：“赤尊，你把你的戒指取下抛向空中，它落在哪里我们就在哪儿建造佛殿。”赤尊取下戒指抛向空中，戒指突然被一道光明卷入卧措湖中。赤尊傻眼了，想：湖面上能建寺吗？陆地上还建不起呢，看来我这辈子也不能有座供养佛的寺院了，于是下马啼哭。松赞干布劝她说：“你莫哭，看看湖中，有各种功德。”赤尊拭泪观看，果然，湖中有各种光明形成的九层座椅高的塔，湖心有一座由交错的光明变成的神殿的形象。接着由精通经算和金、木、水、火、土五行学说的文成公主，日察地形，夜观天象，发现吐蕃的地形似仰卧的罗刹女，卧措是她的心脏，湖水是她的血液，填土阻塞她的血路，修寺镇压她的心脏，吐蕃就会出现各种吉瑞之相，就会繁荣昌盛。于是在圣王松赞干布亲自率领下，填湖修寺的工程便开始了。

文成公主又以五行相生相克的原理，不用人，不用马，让白山羊背土。成群结队的山羊，驮着土络绎不绝地运往卧措。松赞干布又请来尼泊尔、汉地的工匠帮助修寺，吉雪卧塘斧声、凿声、人声、马声、羊声，响成一片，热闹非凡。

碧波荡漾的卧措湖被填平了，成了一块小平原，松赞干布亲自参加了修寺的工作，他挥斧削木，上梁铺檐，惊动了天神，天神也下凡帮他修寺。为了使寺早日竣工，他分身为无数个松赞干布在那里辛勤劳动。一天，仆人去给他送饭，见到处都是松赞干布，急忙把这事儿告诉赤尊公主，赤尊公主到工地一看，不由惊愕，失声叫道："怪呀!"松赞干布听到有人叫，急一回头，手中的斧头抡偏，砍在承檐下的人面狮身伏兽的鼻梁上，把108个人面狮身伏兽的鼻头全削掉了。现在我们见到的伏兽像的鼻梁都是偏平偏平的。

大昭寺建成后，文成公主再看吐蕃的天象地理，"天如八辐轮，吉祥无比；地比八瓣莲，福运亨通；群山如吉祥徽，瑞相拱照。"拉萨周围是山如同妙莲、金轮、法幢、宝瓶、金鱼、宝伞、右旋海螺、吉祥结八定，东西南北均是吉瑞之相。

如今我们走进大昭寺，在正殿靠近门廊一侧的墙壁上，可以看到当年山羊驮土填湖，百姓扛木运石，藏汉尼泊尔工匠修整木材等场面的大型壁画，活灵活现，栩栩如生，我们的心会顿然飞往一千三百多年前的那个施工现场。

由于修大昭寺有一段山羊驮土的典故，故拉萨早期的名称用"热萨"（ར་ས།）两个字，"热"即山羊，"萨"即土。汉族的史书上译为"逻些"。后藏文中将"热"更为"拉"（ལྷ།），"拉"是神的意思，拉萨的含义也就是"圣地"了。继而这个概念已不是指大昭寺，而指日光城本身了。

大昭寺门前有两个宝物：公主柳和唐蕃会盟牌。公主柳又叫唐柳，它矗立在大昭寺门口对面。老的一棵，树干已经干枯，枝枝桠桠，许多地方连厚厚的树皮也腐败脱落，露出白骨似的枝干。对这棵树的来历有两种说法：一是说文成公主出嫁时，听人讲吐蕃是不毛之地，她便带了许多植物种子、图书、工具，还特意驮了柳枝，运到拉萨后，就把它栽到了卧措旁；一种说法是大昭寺建成后，文成公主亲手栽下了一些柳树，大昭寺门前的那棵就是其中的一棵。藏族人民缅怀公主，因而倍加爱护。据住在拉萨的一些老人们说，在他们记得的时候，这棵树枝叶繁茂，茎干粗壮，连大昭寺的门都挡住了，上百人可以在树阴下乘凉。

旧的公主柳枯死了，倘若它真的是文成公主所栽，已有一千三百多年的历史，够本了。而新栽的一棵公主柳也已绽放着它的绿叶，亭亭玉立在老柳下，迎风摇曳，怡然自得。大昭寺的僧人像他们的一代代先辈们一样，辛勤浇水、养育，精心保护，那短短的修饰整齐的围墙就说明着这一切。

围墙里，和公主柳并排向北的便是著名的唐蕃会盟碑，藏语称"则拉康多仁”，意为“大昭寺门前之石碑”，立于公元823年，高4.78米。宽0.95米、厚0.50米，上有石帽遮其顶，四面刻有文字，为藏汉两文之盟文。

自吐蕃强盛以来，蕃唐之间时战时和，近二百年，这通碑记载的史实具有很高的史学价值。盟文写道：

> 大蕃圣神赞普可黎可足与大唐文武孝德皇帝和叶社稷如一统，立大和盟约，兹述舅甥二主结约始末及此盟约节目，勒石以铭：
>
> 圣神赞普鹘提悉补野自天地浑成，人主人间，为大蕃首领。于雪山高耸之中央，大河奔流之源头，高国洁地，以天神而为人主，伟烈丰功，建万世不拔之基业焉。王曾立教法善律，恩泽广被，内政修明，熟娴谋略，外敌慑服，开疆拓土，权势增盛，永无衰颓。此威德无比雍仲之王威严煊赫，是故，南若门巴天竺、西若大食，北若突厥拔悉密等虽均可争胜于疆场，然对圣神赞普之强盛威势及公正法令，莫不畏服俯首，彼此欢忭而听命差遣也。东方之地曰唐，地极大海，日之所出，此王与蛮貊诸国迥异，教善德深，典籍丰闳，足以与吐蕃相颉颃。初，唐以李氏得国，当其创立大唐之二十三年，王统方一传，圣神赞普弃宗弄赞与唐主太宗文武圣皇帝和叶社稷如一，于贞观之岁，迎娶文成公主至赞普牙帐，此后，圣神赞普弃隶缩赞与唐主三郎开元圣文神武皇帝重协社稷如一，更续姻好。景龙之岁，复迎金城公主降嫁赞普之衙，成此舅甥之喜庆矣。然，中间彼此边将开衅，弃却姻好，代以兵争，虽已如此，但值国内政情孔急之时仍发援军相助（讨贼），彼此虽有怨隙，问聘之礼，从未间断，且有延续也。如此近厚姻亲，甥舅意念如一，再结盟誓。父王圣神赞普弃猎松赞陛下，深沉谋广，教兴政举。受王之慈恩者，无分内外，遍及八方，四境各部，来盟来享。与唐之亲好夫复遑言，谊属重亲，地接比邻，乐于和叶社稷如一统，甥舅所思熙融如一。与唐主圣神文武皇帝结大和盟约，旧恨消泯，更续新好。此后，赞普甥一代，唐主舅又传三叶。嫌怨碍难未生，欢好诚忱不绝，亲爱使者，通传书翰，珍宝美货，馈遗频频，然，未遑缔结大和盟约也。甥舅所议之盟未立，怨隙萌生，盖因彼此旧日纷扰、疑虑，遂使结大和盟事，一再延迟。倏间，即届产生雠仇，行将兵戎相见，顿成敌国矣，于此危急时刻，圣神赞普可黎可足陛下所知者聪明睿哲，如天神化现；所为者，悉合诸天，恩施内外，威震四方，基业宏固，号令遍行，乃与唐主文武孝德皇帝舅甥

和叶社稷如一统，情谊绵长，结此千秋万世福乐大和盟约于唐之京师西隅兴唐寺前。时大蕃彝泰七年，大唐长庆元年，即阴铁牛年（辛丑）冬十月十日，双方登坛，唐廷盟主；又盟于吐蕃逻些东哲堆园，时大蕃彝泰八年，大唐长庆二年，即阳水虎年（壬寅）夏五月六日也。双方登坛，吐蕃主盟；其立石镌碑于此，为大蕃彝泰九年，大唐长庆三年，即阴水兔（癸卯）春二月十四日事也。树碑之日，观察使为唐之御史中丞杜载与赞善大夫高××等参与告成之礼。同一盟文之碑亦树于唐之京师云。

这通碑是历史的见证。尽管经过了元、明、清各代僧人们不断的扩建，使大昭寺由原来仅有八个殿堂，发展成为拥有建筑面积约2.5万平方米的宏伟建筑——五世达赖时期整缮、扩建大昭寺，第巴桑吉嘉措时，再行扩建，增添殿堂，后来七世达赖时连“噶厦”政府的一些办事机构也设在那里，但是，饱经沧桑的蕃唐会盟碑依然安然无恙。

当然，大昭寺的珍贵文物，不光是公主柳和唐蕃会盟碑，像文成公主带进藏的释迦牟尼佛像，唐代的丝织佛像，元代的大银灯，明代的珍珠佛衣和金灯，都是稀世珍品。尚有大量有数百年历史的雕塑、堆绣、壁画等，都有很高的研究价值。

自从拉隆·贝吉多吉在大昭寺门前射死朗达玛后一百多年，整个藏区看不见有穿袈裟的僧人，一直到佛教“后弘期”，大昭寺也萧条冷落，香火稀疏，经受了四五百年的冷落和寂寞。直到公元1409年，宗喀巴大师创立万民祈愿大法会——“默朗钦茂”，大昭寺才重新兴旺起来。也是自那以后，尤其是五世达赖时，围绕大昭寺修建了许多房屋，慢慢形成了八角街。一代又一代的信徒们，沿着这三里长的八角街，转经，转经，转了一圈又一圈。商人来了，小贩来了，木匠、铁匠、银匠、画匠、裁缝，各式各样的手工业者也来了，八角街成了商业街。

（二）桑耶寺

桑耶寺是藏区第一座佛教寺院，随着藏传佛教的广泛传播，它也闻名遐迩。

桑耶寺的全名称是“桑耶敏久伦吉朱白拉康”，意为“不变自成桑耶寺”；有人也将它称为“三样寺”，是因为桑耶寺的建筑吸收印、藏、汉三种风格。

延至8世纪中叶，佛教已在吐蕃宫廷取得相当大的发展。但也受到苯教的强烈反对。要想使佛教在吐蕃扎下根，既需要有信仰它的群众，也需要有僧人队伍，此便有了“七试人”的出家为僧。同时，教派的根本道场（据点）也提到议事日程上来了。此举首先受到苯教徒的强烈反对。苯教徒们说，吐蕃原先是信奉苯教的，不应该奉行佛法。而当时在藏土传教的僧人寂护（菩提萨埵）说：“一国之中，信奉两种宗教，此罪恶极大，我们进行辩论吧，倘若苯教获胜，我便离此而去；倘若我获胜，你们应该废弃苯教。”由赞普赤松德赞作主，佛苯进行了激烈的辩论。苯教败北。佛教对苯教采取了一系列限制措施，并决定为桑耶寺奠基。当时正值吐蕃王朝兴盛时期。

桑耶寺的开工及竣工时间，史载多不统一，据《桑耶寺志》、《吐蕃王臣记》等史料记载是在赤松德赞十三岁时的卯年（767 年）所始修，至 771 年竣工，中间五年光阴；《青史》等书说是在卯年（767 年）修，至未年建成，《智者喜宴》等书说是从兔年（763 年）奠基，兔年（774 年）完工，此间整十二年；《布敦佛教史》则说是阴火兔年（787 年）奠基，阴火兔年（797 年）竣工。当代一些学者也提出许多观点，但我们取 767 年始建，797 年竣工一说。

尽管开工和完工的年代不甚统一，但开工和竣工的庆祝活动是十分热闹的。奠基时藏王赤松德赞亲自“手执金铲”做破土之举，挖出了白、黄、红三色土。整个设计布局据说是由寂护所为。

桑耶寺完工后的开光典礼，为史家所称道。典礼由赤松德赞、寂护、莲花生亲自主持。《贤者喜宴》如此描写这一盛况：

> 当在举行开光喜宴时……赞普坐于金座之上。可意的五位王妃盛装而坐。所供养的全部译师班智达，均在讲经说法。所有主要的执法大臣环列于座位之后。如是，（赞普）属下的幸福属民，从卫藏阿里一切地方起，无一处不集会（庆祝）。以各种饮食及享用之物，使一切所欲均可满足。跳起欢乐舞，唱着快乐歌，日复一日无间断，伞、幢以及飞幡等，（其数量之多）几乎遮蔽了中午的太阳，使飞禽雀鸟也几无飞翔之地。黔首属民充满大地，（其数量之多）致使骏马无驰骋之地。铙钹之乐如龙鸣。所有男女少年装饰打扮，手执牦牛尾，击鼓歌唱舞蹈，他们（学着）牦牛叫声、狮子吼声和老虎啸声。他们（戴着）面具（扮成）幼狮、舞蹈（佩以）美丽的装饰，手里拿着鼓，游戏散步，等等。上述人们向赞普献以供奉。如是，全体王之属民，其欢乐的身体欢乐得身不由主。人们跳舞，（其舞蹈之声）犹如天空降雨一样。快乐之心令人忘却（一切）。

由于桑耶寺的庆典涉及许多文艺体育活动，因而史书的这些内容为许多研究者竞相引用：搞舞蹈的以为此是一次集中的有记载的舞蹈表演，搞藏戏的认为戴面具而舞此或为藏戏白面派之表演，赛马、长跑、抱石、摔跤等被认为是现代藏人体育比赛正式记载之始。还有许多杂技艺术表演：有人可以在奔跑中换乘七匹骆驼，有人在奔驰的骏马背上可以飞刀射门。更有趣的是当时也有魔术表演，魔术师在立木顶端表演烈火烧身之技。另外，像敦煌文献、《汉藏史集》记录有桑耶寺庆典上，赞普编制了十三种欢乐歌，诸大臣唱“吉祥幸福九歌”，又认为这是最早见于史载的藏族音乐。

桑耶寺的庆典活动多数被画在该寺的墙壁上，给我们提供了真实而形象的史料。

桑耶寺完全是按照佛教的世界观设计的，因而每一布局并非随心所欲，而有严格的象征意义。

1. 乌孜大殿——象征世界中心的须弥山。佛教认为最初宇宙是一片无边无际的虚空。后来十方起风，互相击撞，形成十字形，其中心是一个青灰色坚硬的风轮。其深度无法计量。风轮上积水，形成大海，其深度 112 万由旬，其广度为 1203055 由旬，大海之上有了 30 万由旬广度的大地。中央有山曰须弥山，其 8 万由旬没入海中，8 万由旬露出海面。乌孜大殿即以此建造，是桑耶寺的主体建筑，总体面积为 6000 平方米，坐西朝东，共三层，据说一层由藏族工匠建造，为藏式；二层为汉族工匠建造，为汉式；三层为印度工匠建造，为印式。实际上，我想这种说法有点不合逻辑，我想关键在于设计者，设计完成后，不一定按民族划分去修殿了。

据《桑耶寺志》介绍，乌孜大殿有两层转墙，外围墙范围最大也最壮观，其东、南、北三面中部各设一座大门。紧贴外围墙内壁有两层木构建筑，下层是宽阔的回廊，每边各有列柱两排，每排二十二根，都是八棱形柱六柱，在三座三门的门廊处，各增加一排柱子，东西两门廊为六柱，南北两门廊为四柱。这些柱子下部均有石础，多呈覆碗形，石础上雕有覆莲瓣、升云纹、桃心、方框等图案。这些图案全为四对，与八棱形柱子对称。回廊墙壁上绘满壁画，尤以东大门内左侧的壁画为珍贵，有第模·德列加措修缮桑耶寺竣工后举行庆祝大典的盛况，以及在庆典期间进行的杂技、舞蹈、体育活动及修复前和修复之后的桑耶寺的形制布局图等，涉及广泛内容。上层为僧舍，僧舍前有一排方柱的回廊。大殿底层有诸多佛像，也有松赞干布、赤松德赞、汤东杰保、阿底峡等人塑像。佛殿后部及左右有厚达 4. 3 米的隔墙。

2. 江白林、阿雅巴律林、强巴林、桑结林——象征四大洲。以乌孜大殿为中心，在东、南、西、北四面靠近围墙大门的地方，分别建有上述四座神殿，代表所谓四大部洲，佛教认为须弥山之东有东胜身洲，南有南赡部洲，西有西牛贺洲，北有俱卢洲。江白林坐西朝东，占地约300平方米，内壁画多为文殊菩萨像。阿雅巴律林坐北朝南，占地约600平方米，上殿主供无量光佛及护法神，底层东南西三面两层建筑的回廊墙壁上绘有鹰头人身、狗熊、菩萨及《十地经图》等。强巴林，坐东朝西，占地约560平方米，为诵经场所，主供强巴佛。桑结林坐南朝北，占地约360平方米，主供佛祖合金铜像等。

3. 朗达参康林、达觉参玛林、顿丹林、仁钦那措林、白哈贡则林——象征八小洲。佛教认为四大部洲均携二小洲，东胜身洲边有提河洲、毗提河洲，状如半月；南赡部洲边有遮末罗洲、筏罗庶末罗洲，状如户胛骨；西牛贺洲边有舍谛洲、怛罗漫怛里洲，状如圆形；北俱卢洲边有矩拉婆洲、桥拉婆洲，状如方形。

朗达参康林，坐西朝东，平面呈“凸”形，占地170平方米，主供三世佛。据云中层为寂护大师卧室。

达觉参玛林，坐西朝东，平面呈“中”形，占地约190平方米，为印经院。

顿单阿巴林，已毁于“文革”。

扎觉加嘎林，坐北朝南，占地500平方米，为译经院。

隆丹白扎林，坐东朝西，平面呈“凸”形，占地约650平方米。佛殿已毁。桑丹林，坐东朝西，“文革”中毁为废墟。

红钦那措林，坐南朝北，占地约100平方米，主供泥塑三世佛。

白哈林，坐南朝北。占地面积约140平方米，现已成废墟。

此外，在乌孜大殿南北两侧有象征日、月的两座殿堂，南为日，已毁；北为月，尚存，占地面积约70平方米。乌孜大殿四角与殿相距10米，修白、红、黑、绿四塔，以象征声闻、转法轮、独觉、吉祥天降善逝四规式。

桑耶寺周围有高3.5米，厚1.2米，长1200余米的围墙，其上以1008座佛围绕之。

一千多年以来，桑耶寺历经沧桑，它数次被毁，又数次重建。近二十余年来，它的重建工作一直在继续，被毁的乌孜大殿已建修完备。

（三）布达拉宫

美丽的拉萨平原有三座峰峦，宛如海洋中的三只战舰，自西而东分别是“邦瓦日”、药王山、红山。雄伟壮丽的布达拉宫就建造在红山上，位于拉萨古城之西。布达拉是梵语普陀洛迦的译音，意为“航行”或“持航”，佛典中观音菩萨的圣地即为普陀洛迦（或普陀山），在此佛教徒取第二个殊胜的普陀洛迦之意，是独具特色的古代宫堡建筑。全国重点文物保护单位。

据《吐蕃王统世系明鉴》等史料记载，吐蕃第二十七代王拉脱脱日年赞曾居住在红山上。公元7世纪，松赞干布建都拉萨，遂大兴土木在红山上营造王宫。

现在的布达拉宫，是五世达赖喇嘛洛桑嘉措建立甘丹颇章政权后，陆续扩建起来的。

公元1645年3月25日，五世达赖、固始汗、第悉索朗绕登等聚集红山上，举行白宫、桑呷嘎采（密咒乐园）的开工典礼，并由第悉索朗绕登为工程总管。建造时拆毁了吐蕃王朝时期的一些旧遗址，留下了法王洞的超凡佛殿，并以此为中心向东向西兴建白宫。1652年，五世达赖去北京觐见清朝顺治皇帝，1653返藏时，白宫已竣工，他便从哲蚌寺搬到白宫居住。1682年，五世达赖圆寂。1690年，第悉桑吉嘉措拆除了东西白宫间的旧房子，营建红宫和五世达赖灵塔，经两年四个月，于1693年4月完工。布达拉的主体建筑形成，举行了隆重的落成典礼，并在宫前立无字碑，以示纪念。此后历世达赖均有修缮和增建。十三世达赖喇嘛土登嘉措时，又进行了大规模扩建。十三世达赖圆寂后，在红宫西面修建了格勒顿觉殿，供奉他的灵塔。整个建筑形成现在的规模。

巍峨壮观、气势磅礴、金碧辉煌的布达拉宫建筑群，占地41公顷，高117.19米。红宫、白宫、朗杰札仓、扎厦、僧官学校、旺坚觉、夏钦觉、结布觉、旦玛觉、瑶西、藏军司令部、印经院、监狱、骡马圈、供水院等建筑，如神工雕刻的巨大山体，嶙峋突兀于整个红山。

红宫。红宫的主体建筑是历辈达赖的灵塔殿和各类佛殿，共有灵塔殿八座，首一座，也是最为高大的一座，是五世达赖的遗骸灵塔，塔高14.85米，分塔座、塔体、塔顶三部分，塔身用金皮包裹，耗黄金11万余两，上面镶嵌着各式宝石珠玉，琳琅满目，富丽堂皇，经过特殊处理的五世达赖喇嘛的骨骸就安放其中。此塔被称为“赡部洲唯一庄严”，“世界一饰”。灵塔之东为用来集会的“司西平措”（意“寂静圆满”）大殿，是五世达赖的享堂。享堂有50根大柱，面积680余万平方米，是红宫中最大的宫殿。四周绘有五世达赖生平业绩的壁画，东壁醒目地绘着1652年五世达赖赴京觐见顺治皇帝时的情景。殿内高悬乾隆二十五年御赐“涌莲初地”

匾额，其下正中是达赖的宝座，称无畏狮子大宝座。享堂四周尚修有仁增拉康等佛堂为厢殿，藏有《甘珠尔》等藏文大藏经。

五世达赖为何享有如此崇高的礼遇呢？这与他特殊的身份和辉煌的业绩是分不开的。他生于1617年，名洛桑嘉措，前藏穷结（今山南）地方人。父都杜饶登曾任“第悉政权”的宗本。五世达赖六岁时，由四世班禅洛桑确吉主持，由三大寺僧众迎至哲蚌寺供养。1625年，拜四世班禅为师，受沙弥戒。1637年受比丘戒。当时噶玛政权统治西藏（1618年～1642年），宗喀巴创立的格鲁巴的势力受到抑制，五世达赖成年后，即与四世班禅商议，请当时雄踞青海的蒙古王爷固始汗率军入藏，驱逐了噶玛巴的势力，建立了著名的甘丹颇章政权，合“西藏三区十三州政权全权悉以供养第五世达赖喇嘛”。

可见五世达赖是个很有魄力的政治家，他的这种政治才华也表现在对时局的判断和对外策略上。吐蕃王朝时期以拉萨为首府，萨迦王朝时期设首府于萨迦寺，帕竹政权立于乃东，噶玛政权设于日喀则，鉴于教派的不相统属，小邦自立，难以号令，五世达赖仍选中心地带拉萨为首府，大规模营造布达拉宫，健全噶厦政府机构，对管理西藏政教事务起到了重大作用。同样表现出远见卓识的是，甘丹颇章政权建立之际，正是明末战乱之时，清军尚未进关，五世达赖便派赛青曲结等为代表前往沈阳，与清廷结好。此后三年（1644年）清顺治方入关做皇帝。沈阳、拉萨远隔千山万水，在当时的条件下，能如此准确地判断形势，确乎不易。1652年，五世达赖应旨入京朝见顺治皇帝，受到隆重欢迎和厚赏，乘坐金顶黄轿入都，册封为“西天大善自在佛所领天下释教普通瓦赤喇怛喇达赖喇嘛”，授满、汉、蒙、藏四种文字的十五页金册和金印，康熙皇帝还赐给他大型锦绣幔帐一对，据说此幔帐费时一年才完成。这些稀世之宝，都保存在布达拉宫。五世达赖用从北京等地带来的金银，在前后藏修建了格鲁派十三座寺院，给甘丹寺、色拉寺、哲蚌寺、札什伦布寺等规定了僧员数额，并且制订了僧侣制度法纪、寺院内部组织机构、僧官任免制度、喇嘛学经程序等一系列建设体系。

晚年的五世达赖潜心著述，成为博大精深的学者，写下了《吐蕃王臣史》、《相性新释》、《菩提道次第论讲义》、《引导大悲次第论》等三十余卷著作，文名盖世。

1682年，五世达赖圆寂于布达拉宫，终年66岁。

红宫最西和最后的建筑物是十三世达赖喇嘛土登嘉措的灵塔殿，虽赶不上五世达赖的灵塔那般举世罕见，其规模、格局也非同一般。1933年动工，1936年竣工。殿堂内高三层，塔高14米，珍珠玛瑙，各色宝石缀满塔身，塔前供一金灯，为国民党政府黄慕松致祭时所献；放一叫“康松朱札”的法锣，传说是格萨尔挖掘出的莲花生埋在地下的宝贝。殿内有一“曼札”（坛场），用二十余万颗珍珠串成，价值连城。殿堂三楼是享堂，绘有十三世达赖的传记壁画，其中有1908年在北京见慈禧太后和光绪皇帝的场面。

从司西平措画廊登上三楼，就是布达拉宫现存最古老的建筑曲结竹普(法王洞)，不足30平方米，左右两侧有两座小白塔。塑着松赞干布、文成公主、赤尊公主、噶尔·东赞宇松、吐弥桑布札的像，传说当年松赞干布曾在这里居住，还有一处文成公主使用过的锅灶。

曲结竹普的上一层楼为帕巴拉康，意为超凡佛殿，供有布达拉宫的镇宫之宝——帕巴·洛给夏然（梵语观音菩萨）塑像，传说从松赞干布到帕竹政权时一直供在此殿，后来流到青海，公元1645年蒙古女王白母达赖滚吉将佛像送到拉萨，仍安置在原来的殿堂内。帕巴拉康外面悬挂着同治皇帝题写的匾额“福田妙果”。

“萨松朗杰”——殊胜三地殿在红宫第八层南侧中间，供有乾隆皇帝画像和皇帝万岁牌位。靠南西墙便是十三世达赖喇嘛费一万两白银铸造的十一面千手观音像。十三世达赖如此重视铸造这尊像，这与历史传说有关。据《吐蕃王统世系明鉴》记载，十一面千手观音是松赞干布的本尊神，当年有尼泊尔的雕塑家从印度运来了造像的原料——蛇心旃檀一段、菩提树枝、海岛的茅草、尼连禅河边的沙子、八大伽兰若的土，将它们磨成一个大泥团。松赞用心祈祷入梦，有众佛和菩萨像日光一样来到，进入泥团中。醒后不经工匠塑造，泥团就形成了十一面如意宝像，最下面的三面是白色微笑面，做和平功业；其上三面是金色威猛愤怒面，做昌盛功业；再上二面是珊瑚色笑容愤怒面，做自在功业；再上二面是黑色愤怒面，做镇压功业；最上边是黄丹色的阿弥陀佛像。整个佛像与松赞干布的身量不差分毫。佛像上有代表法身根本的十只手，具足受用的变化之手三十六只，细支的千手，每一手掌心都有一只智慧眼。“萨松朗杰”也是个非常重要的政治、宗教活动场所，驻藏大臣、达赖喇嘛和噶厦政府的一些重大活动，如金瓶掣签等都在这里进行。

白宫。白宫在红宫之东，里边有历辈达赖喇嘛居住的宫殿、摄政王和达赖的经师的寝室，噶厦政府的办公处，集会厅等。

东西日光殿在白宫的顶层，是达赖喇嘛的两座寝宫。西日光殿“白朗莱奇”（意为大福妙旋）由朝拜殿、经堂、修法室、护法神殿、卧室、厨房等组成；东日光殿“甘丹朗色”（意为聚喜光芒）的设置与西日光殿相似，是十三世达赖晚年增建的。

措木钦厦（东大殿），是白宫中最大的也是最主要的殿堂。诸世达赖的坐床、亲政、册封等重大庆典和宗教活动都在此处进行。大殿四壁，壁画绵连。像“猕猴变人”的故事，金城公主许配太子姜擦拉温，中间发生变故，公主用宝镜照射藏土，悲痛欲绝，摔碎宝镜，后又千里迢迢嫁到西藏的故事，颇为动人。

白宫的东面便是德阳夏，面积1600余平方米，是专门供达赖喇嘛娱乐的小广场。小广场全部用西藏特有的阿嘎土打成，平坦如镜。每年藏历十二月二十九日，都要在此举行盛大的跳神活动，达赖喇嘛便可以在东日光殿敞厅里观赏节目，噶厦政府的僧俗官员，三大寺的堪布，出席作陪。

德阳夏的正面扶梯上达松格廊道，有并列三排的扶梯，木制，不高却很陡，中间扶梯是专供达赖上下，其他官员人等，只能从两侧扶梯上下，不允许违犯。上楼后，南壁有一只手印用玻璃罩着，它是五世达赖晚年潜心著述，不问政事，一切政教事务均委托年轻而才华横溢的第悉桑吉嘉措去办理，怕众人不服，才出其盖有整个手印的命令。

布达拉宫是写不尽的。写不完的殿堂建筑，写不完的雕塑，写不完的壁画故事。它是一所文化宝库，金字缮写的《甘珠尔》经，天竺等地的贝叶经，只是这座宝库中的一两件宝物罢了。它对文化艺术的贡献，对藏族政治、经济、历史等的研究价值是难以估量的。

五世达赖洛桑嘉措在《吐蕃王臣史》中如此记述松赞干布建造当时的红山宫的情况：

在红山那里，筑起三道围城。然后，在围城当中，修起了堡垒式的宫室九百九十九座，又在红山顶上修起一座来凑足千座之数。这些宫室装以金铃、尘拂、珍珠网饰、璎珞等物，显得十分美丽，真与天宫相媲美。藏王和王妃的宫室之间，是以银桥和铜桥连接在一起。宫室的基地上竖有一千支尖端锋利的长枪，枪上系着随风飘动的美丽长幡。四面又有能收集一切财物资具的四门，各门上是穹窿的屋顶来装饰。外面利用低洼坑道作为跑马聚点的跑马场，深二度、宽十八度、长三百度。在坑道上面排列着木板，木板上铺着厚砖。这样的作用是，一马飞驰就有万马奔腾之声。总的说来，由于福德的力量，俨然是把罗刹王楞伽山主拥有的十项城，都搬到了雪城西藏的那般景象。

宫殿气势的雄伟，我们是不难想象的。但这座“颇章玛尔布赤孜”此后受到雷殛和战乱的侵害，毁坏殆尽，早期的遗迹只剩下法王洞和超凡佛殿两处。

（四）小昭寺

小昭寺，藏语称“热木欣则拉康”，或“甲达热木欣”，意为“汉人的大庭院”，是与大昭寺同时修建的。通常认为，大昭寺是松赞干布为赤尊公主而建，小昭寺是为文成公主而建。是西藏自治区重点文物保护单位。

公元633年，松赞干布让儿子贡日贡赞监理国事，自己率军经略东土，开始和当时兴盛的唐王朝接触。东女、歌邻、白狗、逋租、南水、弱水悉董、清远、咄霸等八国臣服吐蕃，苏毗、党项、羊同，先后被吐蕃吞并。唐使臣冯德遐来到松赞行辕，松赞对唐的情况业已熟悉，开始向唐求婚，未准。传言说唐人认为吐蕃人尚未开化，吐蕃地方是不毛之地，松赞询问情况，疑为吐谷浑首领诺曷钵从中作梗、离间，顿时大怒，集合大军，一举灭了吐谷浑，再次以献金鞍向唐“逼”婚——松赞将一件琉璃金鞍作为聘礼，献给唐王。继而便有了脍炙人口的“六难婚使”的故事，聪明智慧的噶尔东赞从长安迎回了文成公主。松赞干布亲自到河源迎亲，与江夏王李道宗“执子婿礼”。文成公主的行装到了拉萨，可是，载着觉卧佛像的车到小昭寺的地方不动了，怎么也搬不动，于是就地盖了寺宇，供养觉卧佛像。史载建热萨幻显殿（今大昭寺）和甲达热木欣（即小昭寺），所有一切建筑风格仿汉唐形式，正门东向，端庄高雅。据说，文成公主在藏凡40年，有时住雅砻，有时住拉萨，住拉萨时大多住在这座宫中。公元651年，松赞谢世，孙，十岁的芒松芒赞即位，传说唐将发50万大军进攻拉萨，珍贵的觉卧佛像便迁至大昭寺藏了起来。一直到公元712年金城公主再次嫁往吐蕃，这尊佛像才重见天日，把它移至大昭寺主殿供养，小昭寺内放进了赤尊公主从尼泊尔带入的一尊释迦牟尼像。

80年代以来，随着改革开放，党的民族宗教政策也得到了进一步落实。觉卧佛像经过精心缮饰，再次厝至小昭寺供养，衰落、残破的小昭寺也得到了缮修，这座古老的寺院重放光彩。

小昭寺占地面积2100余万平方米，底层由经堂、佛堂组成。经堂东西长21.4米，8间；南北宽17.6米，5间。佛堂呈长方形，宽4.4米，长5.1米，大殿的周围有转经廊房。1959年被烧毁，翌年重新修复。

（五）昌珠寺

昌珠寺位于西藏山南雅砻河东岸，距乃东县2公里，是西藏著名的佛教寺院。1961 年被列为全国重点文物保护单位。“昌珠”在藏语中是鹏（鹞）龙的意思。相传在松赞干布时，昌珠地方是个大湖，湖水幽深，变幻莫测，湖里有条五头毒龙，非常凶恶。松赞干布为了利益百姓，镇服毒龙，来到竹康孜修法，取得正果后，化身大鹏鸟飞到离贡保日不远的铁不日（鸠冠）山头上，引毒龙出水，只要毒龙的脑袋一露出水面，大鹏就俯冲下去，与之奋勇搏斗，发出的呼叫声撼山震岳，惊天动地。等斗累了再返回铁不日山休息，如此反复五次鏖战，大鹏啄掉了毒龙的五个毒头，毒龙被消灭了，七天后，湖水枯竭，松赞干布为了让百姓永远平安，让毒龙永世不得翻身作孽，便建寺震慑，这就有了昌珠寺。

根据建筑的新旧程度考察，早先的昌珠寺规模不大，总面积不足 40 平方米，高不到一丈，宽不过两丈，殿内六根立柱，三扇不大的窗户，地面用土石铺成，柱头有梵文装饰，四周的壁画，线条粗略，不甚精细。主殿供养着能言度母，据说这尊度母是从黎玉地方的紫色铁轮围山请来的。南、西、北三面墙很厚，凿壁时所建。原先寺门廊上悬一口铜钟，与桑耶寺铜钟形体相似，铭文也十分接近，藏文书写，内外两层，呈回环状。铭文说，此钟为汉族比丘僧仁钦监造，根本施主是赤松德赞第三妃菩提氏。赤松德赞在公元 755 年至 797 年在位，比松赞干布晚百余年，即便是这样，这座寺的建造年代也是比较早的。

公元 14 世纪中叶，属于藏传佛教噶举派的帕木竹巴推翻萨迦统治，建立了声势显赫的帕木竹巴政权，置首府于乃东，封绛曲坚赞（1302～1364 年）为大司徒，颁以印信，世称“乃东王”。绛曲坚赞不仅扩建了乃东山顶的王宫，对近在咫尺的昌珠寺也进行了较大幅度的改建、扩建。昌珠寺现在的规模，基本上是从那时定型的，此后历代均有修缮。

昌珠寺的主要建筑为措钦大殿，由殿前廊院、大殿和回廊三部分组成，殿门向西，大殿底层平面呈凸形，东西长 45 米，南北宽 29 米，面积 1300 余平方米。建筑内部中间为天井天棚，呈半开敞明堂形式，经堂有柱 64 根。除措钦大殿外，沿有噶丹拉康、护法神殿、喜珠节拉康、塔殿、达金拉康、措钦拉康、脱吉拉康、赤巴拉康、德谢拉康、乌金拉康、通曲拉康等十二座佛堂，每一座佛堂都有自己的供佛和神龛。如：措钦拉康，主供三世佛，两侧有铜铸十大菩萨立像，凝重、端庄、高雅、深沉；乌金拉康在南墙中部，分前后二室，主供无量寿佛，四面观音和莲花生像。据说当年莲花生大师进藏，曾在昌珠不远的西扎地方修行，那里有个修行洞，直到今天，还有虔诚的信徒去朝拜，甚至修行。喜珠节拉康是在墙中部挖凿而成，主供十一面大悲观音塑像，墙上的壁画绘有宗喀巴大师和他的高足弟子贾曹杰、克珠杰等格鲁派祖师、高僧像。曲结拉康内塑有松赞干布、文成公主、赤尊公主、吐蕃大相噶尔·东赞宇松、藏文的创始人吐弥桑布札的塑像，真实、亲切、栩栩如生。

昌珠寺围廊墙——南、北、西三面绘有一些以佛教故事为内容的壁画，以及五世达赖、固始汗、第悉·桑吉嘉措的画像。在南北廊的里端，各有印度窣堵波式的塔一座，相传也是松赞干布时期所建。

这儿也留下了不少文成公主的传说。据说文成公主进藏，生活了40年，大多数时间是在雅砻度过。昌珠寺周围的柳林，说是公主亲手所种，大殿西南角有一土灶，上面放着陶盆，说这是公主使用过的。在近塔殿及德谢拉康外，有座小楼，别人不准入内，传说公主在此居住过。

由于昌珠寺地处雅砻河谷，吐蕃的发祥地，因而它有十分诱人的魅力。离它不远的贡保日山上的猕猴洞（传说藏人就是由猕猴演化而来），泽当（猴子玩耍坝），以及稍远一些的藏族历史上第一座建筑雍布拉康、青瓦达孜宫、藏王墓葬等，无论是专家学者，还是一般游人都是非看不可的名胜古迹。

（六）色拉寺

色拉寺，藏文意为“野玫瑰园寺”，传说寺所在地拉萨北郊色拉乌孜山下，早先长满了色拉（野玫瑰），因而得名。寺名全称为“色拉大乘寺”。由宗喀巴八大弟子之一的释迦益希受宗喀巴之命修建，是拉萨三大寺中最后建成的一座。

释迦益希，1383年出生于拉萨东郊蔡公塘，天资聪颖，10岁前能背许多佛经，12岁在蔡公塘寺出家，受沙弥戒，修习毗沙门，18岁始去各地朝拜名寺大刹，寻访高师，数年之间投拜过50几位高僧大德。后为宗喀巴大师司膳，拜大师为师，在大师指导下系统学习了五部大论，以及辞藻、韵律、修辞、医学、历算等，学问大进。并以他超人的才华，惊人的记忆力，雄辩的口才，独占鳌头，深得大师器重。

永乐六年（1408年），明成祖朱棣遣使迎请当时进行宗教整顿、声名盖世的宗喀巴进京。宗喀巴正在筹备年初将于拉萨举行的默朗钦茂（大祈愿）法会，无意他顾，固辞不去。十一年（1413年）朱棣再次延请宗喀巴，并赐赏御制佛像，宗喀巴觉得再不去不太合适，自己年老多病，不能长途跋涉，遂派大弟子释迦益希代表他前往南京进见永乐皇帝。永乐十二年（1414年）十一月，释迦益希在皇宫大行殿朝见明成祖，备受荣宠，并在南京举行了许多佛事活动。永乐十三年（1415年）四月五日，明成祖封释迦益希为“妙觉圆通慈慧普应辅国显教灌顶弘善西天大佛子大国师”，赐给他不少佛像、法器、袈裟、禅衣等。永乐十四年（1416 年），释迦益希自五台山准备返藏时，明成祖赐黄牛 88 头，绸缎数千匹，佛经、法器、佛像、金银器皿诸物，并将御旨刻版印刷的藏文《甘珠尔》经 108 函以及《御制后序》颁赏给释迦益希，这些珍贵文物至今仍珍藏在色拉寺。

释迦益希回到拉萨后，将皇帝赏赐的财宝一部分供献给宗喀巴，一部分便成了色拉寺的镇寺宝物。永乐十六年（1418 年），释迦益希便受训建寺，翌年建成。因此，《宗喀巴传》等著作认为色拉寺是以汉皇帝为施主建成的。色拉寺建成，宗喀巴大师亲自参加了僧众的半月诵经诫会，足见他对这座寺院的重视。第二年（1419 年）十月二十五日，他便与世长辞了。

明宣德九年（1434 年），释迦益希再次应诏进京，被册封为“万行妙明真台上胜清净般若弘照普慧辅国显教至善大慈法王西天正觉如来自在大圆通佛”，简称“大慈法王”，身价倍增，明为其制作了彩色缂丝像，此像也是色拉寺最珍贵的文物之一。

释迦益希从内地带去的财宝中，还有檀香木雕十六尊者像一套。后来在阿巴札仓重新仿塑了十六尊者像，将檀香木雕像，放在每尊像的肚子里。

色拉寺的雕塑佛像，威严高大，特别是大殿中的弥勒佛像和大殿后部中室两侧的八菩萨等，体态繁简得体，精美无比。寺内有上万藏区本土制造的金铜佛像，也有不少从内地和印度带来的黄响铜像，还有不少明、清数朝的唐卡（卷轴画），大量壁画和大量佛教典籍。

色拉寺吉巴札仓的马头明王神像与众不同。据说马头明王是佛教大师洛珠仁钦僧格的父亲信仰的神，其父临终前嘱咐，要他诚信马头明王，将来才可能功成名就，因而塑造了这尊像。马头明王也便成了色拉寺的依恃之物。并将藏历 12 月 17 日定为纪念马头明王金刚橛的宗教节日。

色拉寺有大殿、三大札仓、29 个康村，僧人最多时达 5500 人。大殿称措钦，是色拉寺的主体建筑，麦巴札仓和吉巴札仓属显宗，阿巴札仓属密宗。

色拉寺也是个出学者的寺院，先后有六人当皇廷国师。著名的热振活佛就出自色拉寺，“热振事件”在现代藏族史上占有重要地位。

1934 年，十三世达赖喇嘛去世后，热振活佛出任摄政，掌管西藏事务，国民党政府授予他“辅国宣化禅师”封号，任国民党中央候补委员，曾亲自带领三大寺的僧人为内地人民早日取得抗日战争的胜利念经祈福，抵制英国人在拉萨开办学校，进行文化渗透。他的这种“亲汉反英”举动引起了亲英势力的强烈反对，1941 年被迫辞职到热振寺，并举荐自己的师傅，年已七旬的达扎活佛代理摄政。当时十四世达赖年幼，不能亲自处理政教事务，达扎活佛年老体衰，生性宽厚、软弱，噶厦政权很快被亲英势力控制。在达扎任摄政的四五年中，国际国内和西藏的形势发生了很大的变化，抗日战争胜利，国共分裂，内战再起，英帝国主义也加紧了对西藏的侵略活动，企图使其从中国的版图分裂出去。热振决定再次出任摄政，维护祖国统一。亲英势力听到这一消息，为了自身的利益，决定除掉热振活佛。

1947 年 4 月初，有人送礼物给达扎活佛，礼品送到噶厦政府秘书处，竟神奇地爆炸了。这便成了噶厦政府认为热振活佛为了再次出任摄政而谋杀达扎活佛的口实，因为调查的“结果”表明，只有色拉寺有这种炸药。

1947 年 4 月 30 日，五百名藏军开赴热振寺，迅速逮捕了对这些事端一无所知的热振活佛，关进了布达拉宫下的一座监狱。

热振被捕的消息，使色拉寺的僧人大为震惊。吉巴札仓的堪布阿旺坚赞认为，热振被捕，凶多吉少，他是吉巴札仓的人，吉巴札仓的僧众应该全力营救他。爱戴、崇敬热振活佛的僧人们在阿旺坚赞率领下去劫狱，结果藏军火力猛烈，阿旺坚赞的僧人武装，根本无法接近监狱。在深夜偷袭，也未成功，色拉寺僧人武装和英式武装的藏军在拉萨北郊展开激战，色拉寺僧人武装败退色拉寺。大批藏军将色拉寺团团包围起来。

色拉寺僧人的武装发难，使噶厦政府非常恐慌，便于五月七日，用毒药害死了热振活佛。色拉寺被打死打伤一百多人，阿旺坚赞率领少数人突围而去。入寺藏军，抢劫了吉巴札仓的财宝、文物。一场变故遂告结束。

色拉寺西侧的山坳里，有一处佛教遗址称帕邦卡，意为“顽石上”——佛殿建造在顽石上。据说帕邦卡的建造比大小昭寺还要早。在有大小昭寺之前，松赞干布在此建宫居住，石下的山洞即为松赞修行处，洞内一土台，是他的宝座，洞内有一石刻佛像，相传为尼泊尔石匠凿刻。当年的建筑用砖砌成，用铜汁灌缝，四周用四条铁链固定，高九层，既是松赞进行宗教活动的场所，又是政治活动的场所。《帕邦卡志》记载，松赞干布曾在这里接待外国使节，创制藏文回到拉萨的吐弥桑布札也是首先在这里向松赞干布献上文辞，并第一次用藏文书写六字真言，铭刻石上。从那时，经常有僧人在此诵经作法。公元 9 世纪中叶，朗达玛大规模灭佛时，帕邦卡才遭到毁坏，成为一片瓦砾。11 世纪时，阿底峡大师的高足弟子博多瓦（1031～1105）嘱其弟子札噶尔哇又在此废墟上建起了学习哲学、理论的寺院，一座二层建筑，兴盛时，僧徒达四五百人。13 世纪，蒙古军队威胁西藏，萨迦班智达贡噶坚赞应邀前往凉州与阔端会晤时，途经拉萨，驻足帕邦卡，侄子八思巴便在此受沙弥戒。15 世纪时，一代佛学泰斗宗喀巴大师曾在帕邦卡石后的山洞里修行，至今此洞仍称宗喀巴法洞，宗喀巴的弟子们在洞西侧建造了 108 座土石佛塔，据说每一座塔中有宗喀巴使用过的念珠一颗。甘丹、哲蚌、色拉三大格鲁派寺庙建成后，帕邦卡随之衰落，但它仍然是佛徒们崇拜的圣地，凡到色拉寺参观的游人们，总要到那里凭吊一番，抚今思古。

（七）白居寺

白居寺坐落在江孜平原中心年楚河畔的山坳里。四周围有城墙，城墙设有箭垛、敌台。白居寺全称为“吉祥轮上乐金刚鲁希巴坛城仪轨大乐香水海寺”，简称“白郭德钦”，意为“吉祥轮大乐寺”，通常叫“白郭曲丹”，意为“吉祥轮寺”，是西藏自治区重点文物保护单位。

据《黄琉璃》、《江孜地区佛教源流》等书记载，1309 年，帕巴贝的儿子贡嘎帕始建白居寺，修成桑仁波林寺。1414 年，贡嘎帕之孙曲吉饶登桑帕和宗喀巴大师的弟子一世班禅克主杰扩建寺观，形成现在的规模。也有人说，白居寺的始建者就是克主杰和桑帕，1418 年开始破土动工，历时十年，费一百万余工日，可见修造之艰苦。

白居寺有两大显著特色，或者说有二绝。

一是白居塔，共九层，高 40 米，建筑面积 2200 平方米。分塔座、塔瓶、塔顶三部分，塔座四面二十角，高四层，渐次收缩，叠级而上；塔柱六层以上呈圆形，直径 20 米；塔顶为金碧辉煌的十三天，高指云天，庄严肃穆。整个塔集佛家建塔八种风格于一身，别具风采。

别的寺观是寺中有寺，而白居寺是塔中有寺，白居塔内共有佛殿、佛龛等 77 间，有门 108，殿堂内所绘所雕佛像近十万尊，因而也称“十万佛塔”。

二是白居寺虽小，设有古巴、琴各洛、洛布干、德娃今、塞贡、四刚王马、仁定、顿各洛、拉刚、杰布久、翁卡、西乃、列珠、长米切、乃腆并等十七个札仓（学院）。札仓并不属于一个单一教派，而分别隶属于萨迦、噶当、格鲁三个不同的教派，而分别隶属于萨迦、噶当、格鲁三个不同的教派，这在藏区是鲜见的。

白居寺不但在建筑形式和僧人成分上独具特点，在雕塑、绘画艺术方面也不乏精品。措钦大殿是寺的中心，坐北朝南，有三层，底层中间为佛堂，有 48 根立柱，北左壁有尊高大的强巴佛铜像，升入二层，近 8 米，据有关资料记载，铸造这尊佛像时，用去了二万八千斤黄铜，佛像上身稍向后挺，慈善而深沉。经堂北面为觉康正殿，宽五间，深三间，供养着三世佛铜像，两侧是十六文殊。大殿周围都是壁画，二层有体态高雅、神态各异的泥塑罗汉像。大殿二层的拉基大殿是召开全寺最高会议（拉基）的地方，朗斋夏殿和登觉殿，登觉殿中 3 米左右的立体时轮坛城，精妙非常，而大殿北部的三层叫夏耶拉康的四面墙壁上大大小小画了55 个坛城，佛教玄妙神韵均在其中。

无数的小庙，无数的墙壁，无数的壁画，佛、菩萨、度母、金刚，五光十色，美不胜收；无数的小庙，也有无数的雕塑，泥的、铜的、金的，宗喀巴、松赞干布、赤热巴巾，以及各教派祖师们的尊容，情态动人，惟妙惟肖。还有饰于门上的飞龙、奔狮、走象浮雕，也是一个个活灵活现，细腻动人。白居寺的绘画雕塑在表现手段上，不仅继承了藏族艺术讲究造型优美、神形兼备的特点，也吸收了汉地、尼泊尔、印度、克什米尔的一些艺术表现技法，自成体系，称江孜派，对藏族其他地区的雕塑、绘画艺术也产生过一定影响。

（八）札什伦布寺

札什伦布寺是藏传佛教格鲁派的六大寺观之一。它位于日喀则专署所在地。日喀则的开发不算晚，大约起于元代，元王朝在西藏设十三万户，后来大司徒绛曲坚赞（1302～1364）战胜萨迦派，建立帕竹政权，在藏设了十三个大宗豁，其中的一个就叫豁卡“桑珠则”，意为如愿以偿。后来人们将此名简称“豁卡则”，汉语“日喀则”则是藏语“豁卡则”的译音。

噶玛巴统治西藏的时间虽然很短，但是日喀则却作为首府而得到兴盛和发展，那时它是西藏政治、经济、文化的中心。

札什伦布寺建于1447 年，是宗喀巴大师的著名弟子根敦主创建的。“札什伦布”是“吉祥须弥”的意思。四世班禅在世时，札什伦布寺有僧侣5000余人，楼房3000余间，属寺51 处，豁卡16 处，所辖牧区部落10余处，已有相当经济、政治实力。

四世班禅是一位杰出的宗教领袖，活了92 岁。班禅系统和班禅本人的崇高位置以及达赖、班禅互为师徒的关系是由他奠定的。据说他出外讲经说法，都是自背行囊，徒步而行，虽德高望重而无架子，保持僧人本色，善察民心，体恤群众。据其《自传》记载，他一生有门徒出家人15 万人，其中受比丘戒者5 万余人，受沙弥戒者约10 万余人，另有受居士戒者5 万余人。这个数量可以说是惊人的。为了纪念这位杰出的人物，后世僧徒为他建造了豪华的灵塔，这个灵塔高11 米，用黄金2700 两，白银3.3 万两，铜7.8万多斤，绸缎9000余尺，珊瑚、珍珠、玛瑙、松耳石7000多颗，仅灵塔殿就用了将近五年时间修建。

札什伦布寺现有经堂56个，大经堂是其重要的建筑之一，据说这个经堂盖了12年才建成，可容纳2000多人，里面雕刻、佛像、绘画，金碧辉煌。

札什伦布寺最出名的是铜制强巴佛，被称为世界第一大铜佛，高26.5米，莲座高3.8米，一只中指便长1.2米，脚长4.2米，肩宽11.5米，佛的眉间嵌镶大小钻石31颗。这尊佛像是九世班禅罗桑确吉尼玛（1883～1937）主持用了四年时间建造的，用去黄金6700两、黄铜231750斤，所用珍宝装饰，不计其数。

1989年1月28日，在札什伦布寺发生了一件举世瞩目的事情：第十世班禅额尔德尼确吉坚赞大师圆寂了！

十世班禅1938年生于青海省循化县温都乡玛日村，乳名官保慈丹。父亲尧西·古公才旦是文都千户。3岁时，官保慈丹才被认定为九世班禅的转世灵童，11岁时（1949年8月）在青海省塔尔寺举行坐床典礼。当时正值人民解放军向青海推进，国民党、马步芳的反面宣传甚嚣尘上，又有九世班禅与达赖失和后，滞留内地多年，后圆寂于玉树等原因，西藏噶厦政府与班禅堪布会议厅有着很深的矛盾，何去何从，对年幼的班禅来说是件困难的事。后经他求神打卦，决定继承九世班禅的爱国主义立场，决定跟共产党走。虽说此事有点“玄”，但是11岁就决定如此重大的政治问题，确乎难能可贵。

1949年10月1日，中华人民共和国成立，当日班禅大师即致电毛主席、朱总司令，表示拥护新中国的成立，希望人民解放军早日解放西藏。毛主席和朱总司令于同年11月23日复电①。

可以说自此十世班禅便在中国共产党的领导下走上了一条爱国爱教爱民族的道路。

1951年5月4日晚，班禅大师出席了庆祝西藏和平解放协议签订的盛大宴会。

1951年12月，一直滞留青海的班禅大师及堪布会议厅全体官员及家属启程前往拉萨，于1952年4月28日平安到达。1952年6月23日，十世班禅终于进入自己的寺院札什伦布寺。从1923年九世班禅离开札寺至此，

---

① 电文见本编第一章。

已过了整整 29 个年头。班禅活佛对此感激不尽。

1959 年 3 月，西藏反动上层集团，撕毁“十七条协议”，在拉萨发动武装叛乱，挟持十四世达赖喇嘛逃往印度，班禅大师高举爱国、团结、进步的旗帜拥护中央迅速平息叛乱，支持西藏僧侣人民进行民主改革运动。4 月，当选为全国人大副委员长。

“文革”中，班禅大师被关进监狱，受到不公正待遇。

1980 年 8 月，班禅大师重新当选为全国人大副委员长。自此以后的十多年里，他的足迹几乎走遍了整个藏区。他想着国家、想着藏族人民的幸福安危，他反对搞所谓“西藏独立”，为了促进西藏经济的发展，他与阿沛副委员长共同创办了援助西藏发展基金会；为了提高宗教职业的素质，他在北京创办了中国藏语系高级佛学院；为方便藏胞来京办事，他兴建了松赞宾馆；为了满足信教群众的愿望，他有时为群众摸顶十几个小时，胳膊都摸肿了。

1989 年 1 月 9 日，十世班禅去札什伦布寺主持五世至九世班禅合葬灵塔“札什南捷”的开光典礼。一下飞机就进入繁忙的工作中，听汇报、检查工作、举行座谈会、接受记者采访、主持各种佛事活动，夜以继日，废寝忘食，终因操劳过度，心脏病发，导致心肌梗塞，于 1 月 28 日 20 时 16 分，在札寺他的新宫溘然长逝。

中华人民共和国全国人民代表大会常务委员会的讣告说：

> 我国伟大的爱国主义者、著名的国务活动家、中国共产党的忠诚朋友、中国藏传佛教的杰出领袖班禅额尔德尼·确吉坚赞的逝世，使我们国家失去了一位伟大的爱国主义者和国务活动家，藏族人民失去了一位杰出的爱国宗教领袖。这是我们国家的一个重大损失，是包括藏族人民在内的全国各民族人民的一个重大损失。我们相信，西藏人民和全国各民族人民必将发扬班禅副委员长热爱中国共产党、热爱社会主义祖国的精神，为坚决维护祖国统一和民族团结，为贯彻执行党的十三大的路线、方针和政策，建设团结、富裕、文明的社会主义新西藏，建设有中国特色的社会主义，促进各民族共同繁荣而奋斗！

为了纪念这位伟大的爱国者、藏传佛教杰出的领袖和国务活动家，国家除了在北京举行隆重的追悼会外，还拨 6400 万元专款、600 多公斤黄金、500 多公斤白银，为他在札寺建造灵塔、祀殿。大师的法体将会永远留在札什伦布寺供后人瞻仰。

二、安多、康名胜

安多藏区名胜颇具特色，山有阿尼玛卿雪山、日月山，水有黄河、长江源头，寺观也为数众多，像丹斗寺、夏琼寺、佑宁寺、天堂寺、隆务寺、禅定寺等在藏族历史上都曾发挥过重要作用。康区名胜当属德格印经院、八邦寺、归化寺、昌都寺、贡嘎山、卡哇噶保雪山、吐蕃铁索桥等。尤其像四川甘孜藏族自治州、云南迪庆藏族自治州发现的众多的石棺葬，颇为世人瞩目。

在此只撮要介绍。

（一）塔尔寺

塔尔寺，藏名“根奔贤巴浪”，意为亿佛身像慈氏洲寺。坐落于青海省湟中县鲁沙尔镇，占地面积600余亩。1961年3月4日国务院公布为全国重点文物保护单位。

塔尔寺是一代宗师宗喀巴的诞生地。盛期僧众达3600人，大小殿堂52座，经堂、僧舍9300余间。主要建筑为大金瓦寺、大经堂、九间殿、小金瓦寺、大厨房、花寺、过门塔、菩提塔和太平塔等。

生于14世纪中叶的宗喀巴，是现青海省湟中县鲁沙尔地方人。父鲁本木格，元末为官“达鲁花赤”，母香萨阿切，兄弟6人，排行老四。3岁时从噶玛·若比多杰受近事戒，得名贡嘎宁布；6岁从顿珠仁钦受密法灌顶，得密号顿悦多吉；7岁时受沙弥戒，得名罗桑札巴贝，通常称罗桑札巴。16岁去卫藏地区求学，以他超群的才华和刻苦的学习精神，求师萨迦、噶当诸派，研习五论、五明，成为博大精深的佛学泰斗，著有《菩提道次第广论》、《密宗道次第广论》、《辨了义不了义论》等巨作凡数十卷。鉴于当时佛教戒律废弛、僧徒颓靡等状况，整顿佛教，主张先显后密，显密双行的学习原则，倡导僧人必须恪守佛家清规，僧是僧，俗是俗，僧人不得干政，创格鲁派，开一代宗风。1409年在拉萨大昭寺创办“默朗钦茂”大法会，建甘丹寺。达赖、班禅两大活佛被认为是他的高足弟子根敦主和克主杰的转世。宗喀巴本人也越来越被神化。从某种意义上说，塔尔寺也是这种神化和藏族人民对自己学者的崇敬缅怀的产物。

传说宗喀巴出生后，他的母亲香萨阿切将他的胎衣埋在了现在大金瓦寺的大银塔底下，后来这里长出了一棵白檀香树（菩提树），一说是香萨阿切剪脐带时滴下鲜血甘露，才长出佛像，精美绝伦，所有树枝和树皮上也都长出佛像、文字、器械（刀、剑、铃、杵）等相。母亲想念精心于佛教事业年久不返的儿子，托人带信给他。还装了一绺自己的白发，老了，想见见他。然而，宗喀巴从宗教事业的全局着想，没有返家探母，只托人带回一座狮子吼佛像和一张自画像。是母亲的寄托吧，她给那棵白檀香树张挂缎衣。还建了一座小塔，后来这座小塔又被改建为高11米的大塔。宗喀巴从16岁离家到63岁（1419年）圆寂，再也没来探望他的母亲和家乡，将毕生的精力都献给了他所追求的事业，然而他的声名却与日俱增。1560年，仁庆宗哲坚参在塔前建了一座小寺，称“根奔贤巴浪”，简称“根奔”，这便是大金瓦寺的前身。此后，有多次扩建。1711年，青海蒙古王公额尔德尼布施黄金1300两，白银10000余两，将大殿顶部的瓦换成鎏金铜瓦。1740年，藏王颇罗鼐布施巨款，安装了檐口鎏金云头、滴水、花瓣、殿脊宝塔和一对火焰掌，四角饰以金制套兽、铜铃等装饰。在殿内供起了金灯、银灯、铜灯、古瓶、象牙等佛教寺院必用器皿及法器、法物。大殿正檐下，悬挂着乾隆皇帝御笔敕赐的“梵教法幢”匾额一方。殿内墙壁上绘有大金瓦殿的施主、蒙古亲王单增旺秀和王妃尔克夏、佛经故事等壁画，运笔精细，惟妙惟肖。

大金瓦寺两侧是两座弥勒佛殿，左为“下贤康”，右为“上贤康”。“下贤康”前是宗喀巴佛殿，殿中供奉高数米的宗喀巴鎏金铜像。

“聪灵多活”（大金堂）是全寺僧众礼佛、诵经的场所。始建于1611年，此后曾多次扩建、重建，至1776年，才成为有154根立柱的两平顶式大经堂。1912年突然失火焚毁，不久再重建，有166根明柱，进深11间，占地面积1981平方米，经堂内的108根方形立柱上部，雕刻着同一精美花纹，柱上围裹着蟠龙图案的彩色藏毯，彩梁华栋，斗拱、藻井，金碧辉煌。地下设有整齐美观清雅的禅座，上铺五彩条毯，可供两千余喇嘛集体诵经。大殿内挂着帏幔、经布、幢、幡、伞盖、刺绣、堆绣，刺绣飘带，绘有壁画，“唐嘎”，五彩缤纷，琳琅满目。堂内四周供有千佛和佛经，正面设有两个黄色弘法宝座，是供达赖、班禅和法台们讲经用的。经堂的屋顶饰有鎏金经幡、宝塔、法轮、宝伞、倒钟、刹式宝瓶和金鹿等吉祥法物。

大经堂右侧是大厨房，建于1689年，内有铜锅五口，口径都在1.65米至2.6米之间，深在0.9米至1.3米之间，是罕见的大锅。当然吃这“大锅饭”是在观经和法会期间，用它给全寺喇嘛和信教群众放“芒加”（茶水）、“头巴”（米饭）。在安多藏区颇有名声。

在经堂下设四个札仓：

1. 参尼札仓（显宗学院），1612年建，学习显宗教义和研究佛教哲学；2. 居巴扎仓（密宗学院），1649年建，学习密宗教义；3. 丁科札仓

（时轮学院），1817年建，学习天文历算等；4. 曼巴札仓（医学院），1711年建，学习医疗和采药。

“坚教公索”（九间殿），即文殊菩萨殿。建于1626年。中三间供文殊菩萨、观音菩萨、金刚手菩萨，及财源仙女、妙言仙女像；北三间供释迦牟尼像；南三间供宗喀巴大师像。殿内有块数百斤重的大石头，上面胖乎乎的脚印和手指印，传说是宗喀巴幼时留下的。文殊菩萨殿南是三世达赖索南嘉措（1543～1588）的享堂，内供其银制骨灰灵塔；殿前大院是供喇嘛进行辩经、法会、跳神的场所。

“旃康”，即小金瓦寺，建于1631年，原为琉璃瓦，1802年改为鎏金铜瓦屋顶，是塔尔寺的护法神殿。殿内有一马的标本，传说是九世班禅的坐骑，日行两千里，九世班禅就是乘此马来到塔尔寺的。跳神用的面具、服饰、枪、刀、剑、戟、弓箭等物存放在殿内和两廊。楼上有野牛、野羊、狗熊等标本，还有熊、狼、豹、狮等雕塑，象征着护法神的凶猛与威力。

“夏达拉康”，即花寺，建于1717年，殿内有释迦牟尼、十八罗汉、四大金刚等塑像。每至夏日，院内菩提树花满枝头，芳香馥郁，故名“花寺”。院中央有块石头，据说是宗喀巴的母亲香萨阿切背水时休息的地方，信徒在上面涂满酥油并粘满硬币。

塔尔寺一字形排列的八塔也是颇有声名的，建于1776年，尖顶，上圆，下方。八如意宝塔是为纪念释迦牟尼的八件功德而修建的，八邦塔（又译聚莲塔）纪念释迦牟尼降生时行走七次，每一步生一莲花；菩提塔纪念释迦牟尼修行后成佛；四谛塔纪念释迦牟尼初转“四谛法轮”；和平塔纪念释迦牟尼劝息诸比丘的争端；神变塔纪念释迦牟尼降伏外道的奇迹；降凡塔纪念释迦牟尼从天堂重返人间；胜利塔纪念释迦牟尼战胜一切魔鬼；涅槃塔纪念释迦牟尼涅槃。此外，像1711年建造的过门塔，也是塔尔寺的名塔，塔身用青砖砌成，雕有藏文“唵嘛呢叭咪吽”六字真言。传说香萨阿切曾在此处扎过帐篷。1942年塔尔寺修一白塔，名太平塔，高大雄壮，那时因抗战期间日本飞机来西宁、塔尔寺等地轰炸，塔尔寺安然无恙，教民以为神保护，故建塔纪念。

“拉让”是活佛的官邸，建于1656年，由山门、牌坊、经堂、公寓、僧舍等组成，达赖、班禅曾在此下榻，寺内总法台亦居住于此，因而教民们视为圣地，十分敬仰。宫邸为一座两层藏式平顶楼房，下设经堂，进入二楼是个四合院，宁静幽雅，别有景致。

塔尔寺也以其酥油花、壁画、堆绣“三绝”艺术为世人所知。进入90

年代后，因塔尔寺年久失修，许多佛殿、院墙显得破破烂烂，后国家拨专款进行修缮，现已竣工，面目一新。

（二）拉卜楞寺

拉卜楞，是藏语“拉让”的译音，意为“佛宫”，原为嘉木样大师的住所名，后演化成寺名和地方名。建于1710年，全国重点文物保护单位。

拉卜楞寺全名为“嘎丹夏知达吉扎西伊西奇委浪”，简称“拉让扎西奇”。又因寺主第一世嘉木样活佛俄项宗哲曾就学于拉萨哲蚌寺的扎西郭莽扎仓，任过札仓堪布，所以康藏地区的藏族群众也习惯称该寺为“安多扎西郭莽”，意为“安多区的多门吉祥园”。

拉卜楞寺像塔尔寺一样，在安多藏区享有崇高地位，既是安多藏区的佛教圣地，也是政治、经济、文化的中心。该寺有经堂6座，大小佛堂48座，其中七层楼（俗称九层楼）1座，六层楼1座，四层楼4座，三层楼8座，二层楼9座，其中饰有鎏金铜瓦顶的4座，绿色琉璃瓦顶的2座；嘉木样大师及各大囊欠的藏式楼房31座，各个囊欠活佛府邸30院，吉哇院6所，大厨房6所，印经院1所，讲经院两处，嘉木样活佛的别墅两座，经轮房500余间，普通僧宅500多院，塔、牌等多座，共占地面积达1000余亩。

拉卜楞寺的创建者俄项宗哲是甘肃省夏河县甘加哇代地方人，7岁开始学经，13岁受沙弥戒，出家为僧，21岁赴拉萨入哲蚌寺郭莽札仓学经，25岁取得噶举巴学位，27岁时，应六世达赖仓央嘉措和郭莽札仓僧众的请求，出任郭莽札仓堪布。因他学识渊博，显密兼通，深得僧众及教民敬重。1701年至1709年之间，青海和硕特前首旗蒙古亲王察汗丹津敦请这位大德高僧回家建寺。1709年，俄项宗哲终于启程返乡，9月抵河南蒙旗亲王府，备受崇信，供养之物甚多。同年，选定扎西奇滩为寺址，翌年，奠基建寺。

拉卜楞寺的建筑，多为土木和石木结构，在藏族建筑的基础上吸收了汉式建筑的特点，雕梁画栋，巍峨壮观。六大扎仓各有座经堂，其中属铁桑琅札仓（闻思院）的大经堂规模最大。大经堂是寺院“磋钦措兑”会议处，1710年由一世嘉木样俄项宗哲主持修建，原为80根明柱，可容纳千余僧人同时诵经，随着僧人增多，在二世嘉木样季美旺保（1728～1791）时扩建为140根柱子的庞大建筑；五世嘉木样丹贝坚赞（1916～1947）时，续建前殿楼。如此，整个大经堂可分为前殿楼、前殿院、正殿和后殿四部分，占地十余亩。

前殿楼脊饰宝瓶、法轮、凝重庄严，楼内供松赞干布像，前廊设有嘉木样和四大色赤、八大堪布、十八囊欠活佛在每年正月“默朗钦茂”法会和七月“丹贝热扎”法会时观会的座席，楼下前廊是僧官们的座席。前庭院在前殿楼和正殿之间，庭院全部铺着青石板，是辩经和考取学位的地方。廊房32间，壁上绘有佛祖释迦牟尼的生平事迹。正殿门两侧墙壁上绘有四大天王，殿内高悬乾隆御赐“慧觉寺”，为藏汉满蒙四文。据说，“慧觉寺”匾额原是赐给拉萨哲蚌寺的，后因使者所误，运至拉卜楞寺，而将拉卜楞寺的匾额“脱赛琅”运往拉萨，以致至今。正殿内设有嘉木样和各法台的法座，下为排列整齐的僧人诵经的座位，可容纳3000名。嘉木样佛法座两侧供有佛祖、宗喀巴、二胜六庄严及历辈嘉木样佛像，108部《甘珠尔》经。殿柱多用栽绒柱套，上饰多种花纹，宝幢、佛幡、色彩斑斓。后殿中间供鎏金弥勒佛铜像和八大菩萨像；右侧供历世嘉木样舍利灵塔、历世蒙古河南亲王夫妇和其他活佛的灵塔，共14座；左侧是护法神殿，供着本寺的护法神。大经堂正殿的西面便是大厨房，有五口大锅，一口大铁锅据说是从印度购进，直径3米多，容积13立方米许，四口大铜锅均为藏族工匠所造，逢大型法会等集会，可供3000僧人用餐。拉卜楞寺的佛殿很多，除了每个囊欠各有一处外，还有1788年依照后藏江仁钦宗弥勒佛殿而建的弥勒佛殿，亦称“寿禧寺”——大金瓦寺，殿内供高约12米的宗喀巴大师鎏金佛像（狮子吼佛）；仿照拉萨大昭寺修建的释迦牟尼佛殿——小金瓦寺，有尊高约0.7米、称“奔朵觉古”的佛像，相传为印度一位索哇毕孝格尔玛的圣者所塑，由一世嘉木样自西藏带入拉卜楞寺；像河南亲王的家庙千手千眼观音殿、白度母殿、悟真寺、普祥寺等各自供着相应的佛像，造型娴雅，栩栩如生。

独具特色的藏经楼。在萨木察仓囊欠的西面，藏经书60000余册，是安多藏区最大的图书馆。有珍贵的贝叶经两部；有金、银、珊瑚、松耳石、珍珠、砗磲六种粉汁写的《金刚经》；有第一世嘉木样亲自用金汁写的《贤劫经》，以及金汁写的《菩提道次第广论经》、《八千经》，用银汁写的《甘珠尔目录》、《松赞干布传》等，非常珍贵。尚有经版70000余块。可惜，藏经楼于1985年不慎失火，焚为灰烬，经书移往丁科札仓（时轮学院）存放。此楼国家拨巨款予以重建，现已重新开放。

原为河南亲王府的印经院，有藏文《大藏经》及其他寺内寺外高僧大德的著述刻版，“文革”中遭到破坏。

拉卜楞寺的经轮房之多，在整个藏区也是不多见的，绕寺而建，约500多间。大寺院东边有牌坊一座，上书“输财卫国”四字，是拉卜楞寺及僧俗群众为抗战捐献飞机30架，国民党政府为表彰其爱国抗日精神而建的。

拉卜楞寺中还保存着清光绪皇帝给四世嘉木样的敕封、国民党政府给五世嘉木样的册封、国民党政府褒扬第五世嘉木样令，以及清道光皇帝颁给第三世嘉木样的敕封印鉴——（“扶法禅师之印”铜印）、“中华民国大总统”袁世凯颁给四世嘉木样的银印——“广济静觉妙严禅师嘉木样沙特巴呼图克图之印”、国民党政府颁给五世嘉木样的银印——“辅国阐化禅师嘉木样呼图克图之印”等珍贵印鉴十数枚。像御赐的锡杖蟒袍、楠木床、檀木桌椅；河南亲王的念珠、项链、玉石、金银象牙餐具、兵器、红白珊瑚树、象牙、犀牛角、羚羊角；数量可观的寺内金塔、金灯、金佛、水晶石像、白玉佛、象牙佛、珊瑚佛、玉菩萨、玉如意、银香炉；见方1米的珍珠毯；高约盈尺，状似莲蕾，揿动按钮，即分8瓣，每瓣有8尊胜乐金刚，合64尊的铜质镀金胜乐金刚像；高约30厘米，用数百颗珍珠编制的宝塔；铜质千树绿度母；孔雀翎毛帐篷（顶部全用雀翎覆盖）；虎豹皮帐篷，等等，都是稀世精品。

（三）德格印经院

德格印经院的建造与德格土司有直接关系。据有关资料介绍，德格土司家族的历史非常久远，可上溯至公元617年，流传至1949年，共54代。当然，还有第二种算法是从1260年开始，这一算法或许更接近于事实。这第二种算法是以一个确凿的历史事件为依托，即1260年忽必烈路经康区时，德格第29世之索南仁庆被八思巴选为膳食堪布准备进京讲经，他们一同觐见了忽必烈，索南仁庆被册封为千户官，赐以“达高洛耸”（虎头三宝）。据说八思巴因观其有“四德”（法、财、欲和解脱）“十格”（指种地造屋的善土，筑墙、制磨的善石，行船、止渴的善水，建屋做薪的善木，放牧、饲畜的善草。土、石、水、木、草各占二格，合称十格），褒之，索南仁庆即以“德格”（སྡེ་དགེ）作为自己家族之名。① 此传说不知确否，而以索南仁庆作为德格土司传承第一世的做法可能更接近于事实一点。

至17世纪时，藏区发生了固始汗灭康区白利土司事件，据说德格第40代土司呷马松的第三个儿子向巴彭措抓住了在溃败时逃命的白利顿月土司，受到固始汗的器重和五世达赖、四世班禅的信赖，在甘丹颇章政权建立后，向巴彭措遂被封为法王，固始汗也将当时白利顿月土司的领地划归

① 参阅《四川省甘孜藏族自治州文史资料选辑》第一辑，第10页。

向巴彭措管辖，开始了政教合一的统治，向巴彭措被认为是德格第一代法王。此后，德格土司的领地也迅速扩大，繁盛时据说有36000户。尽管在政治上斗争十分残酷，但是德格土司法王统治下的宗教却仍然五花八门，并不是清一色的格鲁派，在148座大小寺院中，格鲁派的寺院18座，萨迦派的寺院31座，噶举派的寺院32座，宁玛派的寺院59座，苯教的寺院8座。这一情况，也基本上与整个藏区的情况大致相似，其中以宁玛、萨迦、噶举的寺院为多，这也符合自元以后整个康区政教发展的基本状态。

向巴彭措后传五世，至德格第六世法王登巴泽仁时，准备在宗教文化的发展与建设方面干一番事业，开始创建印经院。于1732年筹备，对书写、雕刻人员进行培训。选择了65人从事书写，1000余人进行雕刻。其程序是十分严格的，书写后经过四次校对再贴版，雕刻后经过四次校对再定版。为了提高效率，还限定了每人每天所要完成的数量。同时还雇用了百余名技术上有擅长的人从事纸、木板、墨等的备料工作。终于经过五年的努力，先后完成了《甘珠尔》103部、《丹珠尔》20部、《萨迦文集》十多部，和其他经典200多部。进行了隆重的开光仪式。

登巴泽仁辞世后，此子彭措登巴袭位，继续建设印经院。据载先后用400多农奴，花费16年时间，印经院才得以完成。彭措登巴时收集刻写了第悉·桑吉嘉措和三大寺收集的《丹珠尔》手抄本等。现在的印经院位于德格城东殴普龙沟的沟口，绿荫之中红墙耸立，十分壮观。印经院内有藏版库、储纸库、晒书楼、洗版平台等，工作操作处一应齐备，蔚为大观者为藏版库，版架上分门别类插满了书版，可以说每一块书版都是一块精致的艺术品，其规格，最长的110多厘米，宽70多厘米，厚约3厘米；一般的长66至67厘米，宽11至18厘米，厚约2厘米；最小的长约33厘米，宽约6.6厘米。一块版可印两页，约数3～500字不等。书写的颜色有红版和黑版两种，黑版用墨印刷，红版用朱砂印刷，共藏有经版217500块。

印经的主要部分可以说在印版，一是印版不能开裂，一裂将前功尽弃；二是印经版需要长期保存不变形，便于刻写。因而在印经的过程中，也形成了一套选择、处理木版的工艺：砍伐秋天落叶后的红桦树，然后顺树纹剖成板块，用微火将板子熏干，放至羊粪中过一冬，再取出来用水煮、烘干、刨平，才进行雕刻。刻完校对、改错之后，将版子放到酥油中浸泡一天，晒干，再用“苏巴”草根熬水洗净晾干。木版印刷所用的纸也特别讲究，主要用一种称“阿交如交”的草根皮制成，纤维好，防虫蛀，能耐磨。

除了印刷《大藏经》的内容外，德格经院还印刷了许多文史类图书，如《宗喀巴全集》、《达布全集》、《萨迦五祖全集》、《米旁嘉措全集》、《吐蕃王统世系明鉴》、《唐东杰保传》、《卫藏圣迹志》、《四部医典》等，涉及佛学、历史、医学、诗歌、音乐、美术、天文历算等多种学科。这些书不仅在藏区广为流传，而且也有印度、蒙古、尼泊尔、不丹、锡金、日本，以及一些东南亚国家的佛学和藏学爱好者前来购买。在1949年以前的漫长岁月里，这也是德格土司家的重要经济收入来源。

三、藏族名胜文化在藏族文化中的地位与作用

每一个民族成员，对自己文化的热爱是多方面的，热爱名胜便是其中之一。名胜文化在一个民族的文化中到底充当什么样的角色，起什么样的作用，这同样是个重要的文化理论问题。在藏族名胜文化的研究中，在藏人对名胜文化的反映中，我以为它的地位和作用有以下几点：

（一）名胜也是“典籍”。在日常的生活中，我们在不自觉地在做着这种阅读典籍的工作。我之所以说名胜是典籍，是因为在诸多的民族文化形式中，除了那些民族的知识阶层大量地在阅读民族的典籍，通过对典籍的学习，继承民族的文化精神；而那些同样是民族文化载体的文盲和半文盲的民族成员们是以何种形式继承自己民族的文化遗产？他们主要通过三种形式：第一种形式是民俗文化，即通过一系列的民间风俗、既定的仪轨去熟悉、把握、全面接受自己民族的文化，此在上文业已述及；第二种形式是民间文学，通过民间流传的众多的故事、传说、神话、谚语、笑话、格言、谜语、唱词、民歌，来学习自己民族的文化遗产；第三种形式便是对这些名胜的“阅读”。比如对寺院的建筑、壁画、佛像、法器、供物、图书、装饰、日常的和特殊的用品的“阅读”，来领会本民族文化的要义。我们在过去的研究中忽略了这一点，但我以为这是非常重要的一环。因为名胜就是历史，无数的民族的名胜便构成这个民族的历史，阅读这些名胜，也便自然地进入本民族的历史之中，那里有令人激越的乐段，也有使人苦泪抛洒的篇章，有希望，也有失望……一切都是凝固的，但一切都充满澎湃的情感和鲜活如初的人物。

（二）名胜是另一种“崇拜”。据我考察，在许多时候，名胜在每个人的日常生活中起着非常重要而神妙的作用。在普通的老百姓那里，它实际上就起着神明的作用，为人们所瞻仰。为什么会有这样一种地位和作用？对于没有这种文化经历的朋友可能是困难的，但对于一位藏人是极易理解的。

藏区的名胜就其类型来说，主要有两种，一类是江河湖海，山川大

地；一类是各类建筑和神物。就第一类情况而言，在上文诸多叙述中我已间或提到，藏区的山山水水，在藏文化中都带有神性，基本上都属于崇拜的对象。山是神山，水是神水，人对于它自然少不了顶礼膜拜：

——众山之王，神圣的冈底斯山；

——神圣的喜马拉雅；

——神圣的唐古拉；

——神圣的阿尼玛卿雪山；

——神圣的卡哇噶波雪山；

——神圣的羊卓雍措；

——神圣的南木措；

——神圣的措安保（青海湖）；

——神圣的森格桑布（意“狮子江”，即狮泉河），是印度河的源头，流经克什米尔、巴基斯坦，流入阿拉伯海；

——神圣的朗钦藏布（意“大象江”，即象泉河），流经印度，叫萨特累季河。

——神圣的达却藏布（意“骏马河”，即马泉河），为雅鲁藏布江之源头，流经印度称布拉马普特拉河，流经孟加拉国称贾木钠河，后注入孟加拉湾。

——神圣的玛夏藏布（意“孔雀河”），流经尼泊尔叫那卡那里河，经印度称哥格拉河，与恒河会合，流入孟加拉湾。

——神圣的那曲，发源于唐古拉山南麓，流经藏东昌都、云南（称怒江），进入缅甸叫萨尔温江，流入安达曼海。

——神圣的杂曲（澜沧江），发源于唐古拉北侧（青海省玉树藏族自治州杂多县），流经昌都、云南，进入老挝、泰国、柬埔寨、越南，称湄公河，注入太平洋。

——神圣的知曲（意“雌牦牛河”，即长江），发源于唐古拉主峰格拉丹冬北侧，流经十省市，分别称沱沱河、通天河、金沙江、长江，流入东海。

——神圣的玛曲（黄河），发源于巴颜喀拉山的主峰雅拉达孜东南麓，流经青藏高原，中原诸省，流入渤海。

由于有神灵崇拜的存在，这一切在藏人的文化意识中都具有神的地位。故而在日常的生活中，这些与人们朝夕相处的后来我们冠之以名胜的山山水水都是崇拜的对象。忘记了这一点对藏族文化的把握就少了一层重要的理解。

（三）名胜就是民族。名胜究其根本是民族心理的一种修造，或者说是对历史以来的各种形态的民族主体文化的一种集中展示。许多名胜中寄托了民族成员对自己民族文化的全部的情感。对名胜的虔诚往往是对民族的虔诚，对名胜的热爱往往集中于对民族的热爱。许多名胜本身就具有象征意义。我们从一些作家对名胜的礼赞中更加可以感悟到这一点。比如藏族诗人伊丹才让有一首题为《布达拉宫》的诗：

月夜里像银塔屹立天界的城池，
艳阳下像金銮放射人间的真知，
一千间华宫是十明文化组成的星座，
十三层殿宇是十三个世纪差遣的信使！

红白宫并不是装点雪域门面的粉脂！

进取的千秋儿孙该明白祖先的用意，
那宫前的高碑是等待你上马的基石！

这便是诗人对布达拉宫的一种认识。在这里，我读到的并不是纯粹的诗情画意，而是诗人民族情感的波动和对布达拉一往情深的崇敬。再比如丹真贡布在《春愿》中所写到的更为广阔意义上的“圣地”：

我那祖国积雪的屋脊
三部四茹古老的土地啊
你的久远，你的功绩
迫我千百次地扩宽胸意
我像中秋沉重的紫色草穗
深深地、深深地一躬到地
我要拓一条心谷更为深邃
去盛放你今日新的光辉

诗中给人的是一种更为深沉的情感。当然有些诗人则是直接地表达这种感受。比如格桑多杰对阿尼玛卿雪山的颂扬《玛卿雪山的名字》：

玛卿雪山的名字，

寓含着险峻峥嵘的意境，
是高贵、纯洁、宏伟的象征。
在东方的岛屿、丛林，
在西方的闹市、宫廷，
在肃穆的庙堂中，
在学者的书斋中，
在民间的传闻中，
千年来你神奇的羽翼拍打天涯海角的门窗，
让岁月的巨笔记述你生机勃勃的美名。

同样是一种谦恭、崇尚。而这种谦恭、崇尚的深层仍然是将名胜与民族融为一体。毫无疑问，不论是什么时代，什么环境下对名胜的摧残，都将是对这个民族的民族情感、民族精神、民族历史、民族文化的摧残，同样，不论什么时代、什么环境下，对名胜的爱护，都将是对这个民族的民族情感、民族精神、民族历史、民族文化的爱护。因而，热爱名胜，保护名胜，反对对民族名胜的破坏摧残，便成了每个民族儿女的必然选择。因为没有这些外化的民族自我（民族的物质文明成果和用实物表现的精神文明成果），这个民族就会失去自然的文化感召环境，失去精神，失去方向，失去内在的力量，真正失去自我。

第五章　社会主义藏族新文化的发展任务及前景

第一节　发展的主要任务

21 世纪人类的命运将会如何？这是大家所关切的问题；21 世纪的藏族和藏族文化又将如何？这是无数的藏人和藏族文化工作者所关切的问题。人们对 21 世纪满怀热望，也满怀忧愁。一方面科学的发展给人类带来了无限光明，和过去任何时代比，人类征服自然界的能力都是空前的，无与伦比的，上天入地，人类几乎无所不能。可是，另一方面，人类也面临着无数的困难，资源枯竭，环境污染，生态破坏，为了利益的残酷斗争随处可见。一方面物质财富空前丰富，另一方面精神财富却空前贫乏。金钱成了人们的上帝，利益成了人们的爹娘，红尘滚滚，浊浪滔天。生存、金钱、利益在残酷地面向文化，面向那些一代又一代人用血汗和生命创造的文化财富；生存、金钱和利益也使无数的人放弃了自己的文化。文化在许多时候成了那些文化人的事，成了无足轻重的小事。无数的文化在面临灭亡，无数的语言在面临灭亡，甚至无数的民族在面临灭亡。经济的全球化、市场化，和我们面临的信息时代、知识时代似乎在加速这种灭亡的步伐。永存不朽是无数个人的梦想，也是无数民族的梦想，但从辩证法和逻辑规律看，灭亡是一切事物的必然，只是各种事物灭亡的时间不同，灭亡的条件和方式又各有差异罢了。

对于 21 世纪的藏族文化也有不少的人在做前瞻性的估计。有人认为不出 50 年，藏族文化就完全可能被同化，失去特点，21 世纪将是藏文化走向毁灭的世纪。也有人估计，不出 60 年藏语将在这个世界上消失，如同梵文一样将会成为死的语言，仅供人研究。故此，也有人预言，不出百年藏民族将会在这个世界上永远消失。这些观点或轻或重地影响着藏族社会，尤其是青年一代对藏族文化的态度。我不同意这种估计。藏族和藏族文化的灭绝与否关键取决于两大因素：一是外力的摧残。从目前看这种因素是不存在的，中国的民族政策和民族区域自治法对少数民族及其语言、文化采取保护的措施，并帮助其发展。建国以后藏民族的语言、文化艺术事业得到空前的发展就是最为有力的证据。一是“内力”，即藏族文化自我的溃灭。这是一个很重要也是一个很复杂的问题，它要涉及以下四个问题：

第一，如何振兴藏区经济，发展社会生产力，使藏民族有足够的财富维持和发展自己的文化。没有经济的发展，文化的发展，其他一切发展都失去了应有的基础。此要在下文中叙述。

第二，如何进行文化更新，解决文化选择、文化观念更新问题。文化选择涉及两方面的内容，一是如何吸收一切民族、一切国度的先进文化的营养，一是如何抗拒一切民族、一切国家的腐朽文化的侵入。同时，也要解决文化的战略方针问题，即如何吸收一切他民族的先进文化而不丧失自我，拒绝一切民族的腐朽文化而不封闭，使不断变迁的文化向着不断优化的良性轨道前进。

第三，如何保留民族文化的根本：语言、风俗、典籍文化。1996 年我到华西村去参观考察，支部书记吴仁宝的几句话给我留下了深刻的影响。他说“大发展，小困难；小发展，大困难；不发展，最困难。”这几句话是针对经济问题讲的，我想用在社会问题、文化问题上也是适宜的。我们的社会发展和文化发展也是这样，有大的发展，我们遇到的问题就会少些；假如我们发展的步幅小，我们遇到的困难就会多一些、大一些；假如我们在原地踏步没有发展，我们就会处在最困难的境地。经济发展是硬道理，文化发展也是硬道理。要发展就要守住根本，继承传统，推陈出新。因为传统既是价值取向，又是道德标准，也是某一文化发展进化的基础。传统是对过去一切知识和文明成就的积累。推陈出新的关键是创新。比如对以下几个具体问题的处理：

1. 语言。就民族而言，丧失了语言，就丧失了民族文化赖以寄托的灵魂。民族的最根本的区别是语言的区别，其次才是文化形式的区别；因而民族和民族文化消亡的始点也是语言。语言可以翻译，但无法取代；语言承载着民族个体最为独特的文化心理和思想的表现形式；语言滋养着民族个体对所处最独特环境的最独特事物的观察和思考；语言反映着民族个体独特的生产、生活方式。但是，语言是在无穷无尽的发展之中，在无穷无尽的创新和淘汰之中。最活跃的语言往往是那些反映着人类最新的科学成就和最高最美、博大精深的文化成就的语言。因此，我在许多场合都重复这句话：语言要永远跟着科学的脚步走，跟着时代的脚步走，这才是它全部的生命所在。一个创新世界的语言永远是最新颖最美丽最富诱惑力的。

2. 风俗，或者称风习，是民族文化的又一重要生存基础。民间风俗是一个民族最基本最具认同力凝聚力的文化制度，是构成民族群体共同心理的日常的外在的表现。风俗的破坏便是统一的最基础的文化制度的破坏，是对民族共同性的破坏。民族成员间的直接认同，往往是通过风俗开始的。尤其是在以往社会生产力不发达，民族成员多是文盲的情况下，风俗便是民族成员间无形的黏合剂、凝聚力。当然，风俗也有好坏之分，随着社会的发展，一切陋俗自然在改革之列。生产方式和生活方式的改变往往伴随着风俗的改变，任何民族的风俗都有一个如何适应发展了的时代和社会的变革的问题。风俗也是一种巨大的社会力量，风俗创新也是一种制度创新。

3. 典籍。我们的文化战略中往往很少对这一部分文化进行足够的重视和用文化发展的眼光去分析研究。原因有二：一是因为藏族的典籍文化中大多浸透了佛教的内容，因而不少人认为那些都是些宗教迷信，敬而远之，怕接近这些典籍落一个落后、不求进步、思想保守的名声，有碍将来进步。在"左"的思想影响下，信仰和接近宗教的人，往往是那些"落后群众"。没有把宗教与宗教文化等进行严格的区别，没有给带有宗教内容的典籍文化给以科学的评价和适当的地位，宗教的命运往往决定着这些典籍的命运。二是因为许多的同志对这部分典籍同样采取了形而上学的解释，认为唯物主义与唯心主义在哲学思想上是根本对立的，因此，对于唯心主义的东西均嗤之以鼻，不去理它。这种思想在上上下下形成一种思维定式。没有一个民族的典籍在其历史的形成过程中不遭受到宗教浸染的，可以说受到形形色色的宗教思想和唯心主义思想的浸染这是绝对的，不受到宗教和唯心主义思想的影响才是相对的。一个民族的典籍是一个民族文明历史的珍贵宝库，一个民族从蒙昧时代到宗教时代，从宗教时代到科学时代的过渡，都必然地要经过一个宗教阶段，而在这一阶段中创造的（许多是在某种宗教的培养下完成的）精神文明成就中，不乏色彩斑斓的精华，不乏给我们以营养、启迪和方式方法的闪光的思想。过去的民族需要这部分思想，以后的民族同样需要这部分思想。当然我们所要着重学习的典籍应该是那些代表了团结、正义、人性、勤劳、上进、勇敢、节俭、智慧等人类优秀思想的作品，这些作品虽然或多或少地带有宗教和唯心主义成分，但其主导的思想成果是有益于社会和民众的，因为它代表了这个民族的文化精神。不重视典籍文化的倾向是一种可怕的倾向。

我想在民族文化的教育中，除了民族精神的教育，语言教育（或称语言文化教育）、风俗教育（或称风俗文化教育）、典籍教育（或称典籍文化教育）是最为重要的三个教育环节。我以为这四者是民族文化赖以生存的四大支柱。

第四，如何抢救、收集、整理藏民族的传统文化。随着交通、信息的通畅，尤其是市场经济的建立，藏民族文化中许多成分亟待抢救，如英雄史诗、民间工艺、民间文学、独特风俗等。

从整体看，社会主义藏族新文化在未来的发展中，应该过好科技、教育、市场经济、生产社会化“四关”。这是由我们所处的历史环境、地位和发展阶段所决定的。

马克思说：“生产工具是衡量人们控制自然、生产力发展水平的尺度，同时也是社会生产关系的指示器。人类社会从茹毛饮血采集而食到采用简单工具和机器，经过了漫长的发展过程，而这一切无不伴随着科学的发展。”科学技术的丰富积累，使人类社会已经进入了一个加速发展的空前辉煌的历史时期。从生产劳动的三要素，我们更加可以清晰地看到这一点：

从劳动资料看，重要的手段即是劳动工具。从石器时代、青铜器时代到机器时代，经过了漫长的岁月，而进入机器时代以后，其发展更为迅速：

18 世纪末至 19 世纪初，以蒸汽机的发现为标志，产生了欧洲产业革命，生产力水平大幅度提高。

19 世纪末至 20 世纪初，电力应用于生产，产生欧洲第二次产业革命。

印度原子物理学家霍米巴勒博士从能源消耗的一般情况描绘了这一发展：假如 Q 等于 3200 吨煤燃烧时所产生的能量，从耶稣诞生以来平均每个世纪消耗能量 1/2Q，1850 年以后，每个世纪则消耗 10Q。可见其生产发展的速度和效率。无论我们称现在的时代为原子能时代也好，电子时代也好，信息时代也好，较之以往，人类已经进入了一个飞速发展的时代。

从劳动对象看，早期的劳动对象都是自然物原料，进入运用金属材料时代以后，生产力大幅度提高，此后不但有了有机高分子材料，而且也有了无机非金属材料，劳动对象趋向广阔而多样。

从劳动者这一最主要的因素看，劳动者已由当初在从事物质资料生产时遇到的简单的工具和自然物的原料，将逐渐全面地更换为“物化的智力”，即科学技术成果成为基本的物质条件。同时现代生产的产品已由过去个体生产的直接产品转化为社会产品，生产工人不再是直接使用生产工具的人，而是工程技术人员、设计人员、管理人员和科学研究人员。

由上可知，在当今社会，科学技术已成为现代生产的基础，同时也成为民族发展的基础。“科学技术是第一生产力”，只有狠抓科技，才有可能缩短与发达地区和发达国家的差距，才有可能插上飞速前进的翅膀。没有成千上万的科技人才，没有成千上万的高科技人才，要想获得飞速的进步那完全是一句空话。科技直接创造的是物质文化，而最终是精神文化的基础。

教育这一关同样十分重要。一切的人才都要靠教育来培养。只要人类社会还存在，教育永远是不灭的太阳。教育需要长期的艰苦的工作，十年树木，百年树人，要造就成千上万的科技人才，就要从科学知识的普及、社会高科技的吸纳、高科技产业的构建、科学思维、科学观念和科学精神的确立等方面做坚实的努力。就藏区而言，从表象看是缺人才，而从实质看是缺教育。西藏尚有一半以上的人是文盲和半文盲，这一现实与一日千里向前发展的世界是何等地不相称！

市场经济关和生产社会化关将于后文中涉及，在此不述。

任何民族的文化都是具体时代的文化，随着现代科学的不断发展，民族间的文化已经不再可能是封闭的了，随着科学和市场的发展，世界上各个民族和国家的文化都在相互交流、影响、渗透、碰撞，能不能适应这种特殊的形势，取决于具体民族文化的吸纳能力和程度。具有独特生命力的藏族文化，只有适应这种形势，才能够发展；当然，藏族文化具有这种适应能力，只要我们认真而科学地确定文化发展战略，我们就会达到预期的目的。社会主义的藏族新文化将会更丰富多彩，它的文化精神将会更具魅力。目前阶段我以为注意处理好以下四重关系、实现四个转变至关重要。

一、处理好四重关系

（一）处理好整体与局部的关系。

从藏民族本身来说，生产力不发达，基础条件差，工业化、现代化水平不高，需要解决投资问题、矿产开发问题、提高地区教育质量问题、改善职工待遇和人民生活水平等问题，对国家的要求和对内地的支援的期望值就自然地要高一些。这不但是藏族地区和国家存在的关系问题，而且也是民族地区与国家存在的关系问题。对于国家和发达地区来说，应该明确地看到民族地区（自然也包括藏区）的发展是中国发展的一部分，民族地区的进步是全国进步的一部分；没有民族地区的现代化，中国的现代化是不完整的；没有民族地区的稳定、团结，中国整个的稳定、团结就要受到考验。因此，中央、东部沿海地区和发达省份要从全局和整体利益出发，切实地考虑到民族地区的具体的局部的利益。因为没有内地和发达省份的鼎力支持，有些民族地区非但解决不了发展问题，就连脱贫问题也很难解决。而差距过大，导致矛盾激化，引起局部的动乱，同样会影响全局和整体的发展，或者会花费比平常多得多的财力物力和精力去解决。对于具体的民族地区来说，既要考虑到局部的本地区的利益，又要考虑到全局的整体的利益，整个国家不发展，民族地区的发展进步就会受到影响。因为整个国家不发展，不创造更多的财富和利润，民族地区就不可能享受到这些改革开放的成果；同时，要是以减缓甚至伤害东部地区发展来发展本地区，得到的结果有可能是既阻碍了东部的发展，民族地区的发展也不会顺利和持久。西藏和整个藏区假如摆正了这一重要关系，就会良好调整干部和群众的情绪，激发干部群众热爱家乡，振兴藏区经济，加快发展的积极性。

（二）处理好既要跑步前进，又要从实际出发、量力而行的关系。

由于历史原因，藏族地区的最大特点之一是社会发育滞后。西藏和平解放前还处于政教合一的封建农奴制社会，东部藏区虽然已经进入封建社会，但基本状况仍然是“一穷二白”，社会生产力低下，文化教育落后，人民生活困难。全国解放以后，藏族地区一跃进入社会主义，有了翻天覆地的变化。但是，诚如中国与西方发达国家比较生产力发展有一定差距一样，藏区与内地和一些发达地区比，同样存在着相当大的差距，而且这种差距还在加大。因此，广大藏区要得到发展，赶得上全国的水平，发达地区、发达省份和发达国家的水平，就必须加快发展，跑步前进，要有差距感、使命感、责任感，为缩小差距而进行长期的坚韧不拔的努力。在这一问题上，任何因循守旧，得过且过，无所作为的思想都是可耻的。我们的行动必须体现在一个“追”字上。中国在跑步奋进，在追赶世界先进；藏区更要跑步奋进，要追、要赶，要拼命追，拼命赶，至少在经济上要逐步赶上全国的发展水平，从慢“半拍”到同拍行进状态。但是，必须注意到本民族地区经济建设和生产力的发展有其特殊性，既要在国情上看到我国尚处于初级阶段，跟上发展的路子、步子，又要从实际出发，稳步行进。较之内地，藏区更容易套用内地的经验、方法，搞“一刀切”，犯教条主义和主观主义的毛病，应力戒之。同时要注意“左”倾思想对我们的影响。因为欠发达地区的“左”倾更可怕，更具破坏力。

（三）处理好自我发展与外部支持的关系。

我们通常将外部的支持（主要是中央的支持）形象地称为“输血”，这种“输血”的方式，对大多数民族地区都是适用的。这一词语也形象地描绘了民族地区的贫弱状态，体质不强，才有“输血”之举。显然，其中有辩证法。也就是说，“输血”的目的是什么？假如是一个病体，“输血”

的目的是为了“活命”，假如是一个弱体，“输血”的目的完全是为了强壮。我想藏族地区所呈现的状态更多是后者。那么，进而言之，强壮的目的又是为了什么？回答我想只有一个：“造血。”从目前状况看，不“输”一点“血”，藏区尤其是西藏就会一直处于贫弱状态，无法使自己在短期内得到成长、发展，因此，国家采取“输血”的政策，是对西藏的莫大关怀，是绝对正确的，是共产党有别于历史以来的一切统治阶级的善举。这种支持确实也为推动这一地区的经济文化建设的快速发展，取得了明显的成效。没有这种“输血”，80年代的43项建筑，90年代的62项工程，是难以实现的。但是，这种“输血”不以“造血”为目的，就会形成“药物依赖”，一旦停止“输血”，这一地区的经济就会马上下滑，甚至停滞。因此，在这一问题上，表面文章是要不得的，要逐步形成一个由“输血”到“输血”加“造血”，最后实现强有力的自我“造血”的经济机制，不靠外力，推动地区经济和社会生产力的向前发展。

同时，我们还需要考虑到另一方面的问题：在经济发展这一层面，我们是将本地区的发展和国家的支援、支持、扶植当作外因来论述的，实际上作为国家，在这一问题上不只是起着外因的作用，它也起着（也应该起着）内因的作用。因为民族地区是整个中国社会这个大系统中的一个小系统，整个大系统的动作自然地要带动、影响这一小系统；国家在统一的发展建设中，也自然地考虑到了（也应该考虑到）民族地区的发展建设这一具体问题。因而，将中央与地方、国家与省区（尤其是民族地区）对立的提法和做法是不辩证的，也是不符合实际情况的。此为一。其二，作为民族地区，借以促进本地区发展的外因也不仅仅是国家一方，可以说是多方面的，比如引进外资、国外资助等，都是行之有效的手段，此在其他民族地区取得的成就同样是光辉灿烂的，关键是要使自己变成“鸡蛋”而不是“石头”，使自己处于“万事齐备”、只欠东风的良好状态；若“万事不备”，空呼东风，即使东风来了，也不会起到根本性的作用。因为唯物辩证法告诉我们，一事物的发展，内因和外因都是不可或缺的，内因是事物变化发展的根据，是第一位的；外因则是事物变化发展的条件，是第二位的。事物内部的矛盾是事物发展的根本原因。因此，广大藏区跟其他民族地区都必须立足于自力更生，发展自我，要从客观战略，开发人才资源，寻找经济增长点，农村乡镇化、乡镇城市化、城市现代化，从牧农社会向工业社会转变等方面精心筹划，精心实施，清醒地观察、把握社会矛盾的全局，综合平衡，协调发展，推动社会的全面进步。要力戒“等、靠、要”思想，“等、靠、要”思想是一种懒惰的无所作为的消极思想，这种思想既有由于本地区的力不能及，某些方面非得靠国家支持的具体困难方面的问题，也有由于长期“输血”而养成的干部群众不良的思想惯性和机制方面的问题，但总体而言，它与改革开放，拼搏进取，敢争一流的精神状态不相和谐，同时也不利于本民族的跑步前进，加快发展的战略原则。因为这一原则，是一日千里向前发展的时代的呼唤，是后进变先进、缩短差距的唯一选择，也是广大藏区最为切实的需要，不如此，你将会离发达社会越来越远，最后为历史所抛弃。

（四）处理好民族发展与稳定团结的关系。

每个民族都在随着社会的变化而变化，随着社会的发展而发展。列宁说：“历史告诉我们，各民族之间、各社会之间以及各民族、各社会内部经常进行斗争，此外还有革命时期和反动时期、和平时期和战争时期、停滞时期和迅速发展时期或衰落时期的不断更换，这些都是人所共知的事实。马克思主义给我们指出了一条指导性的线索，使我们能在这种看来迷离混沌的状态中发现规律性。这条线索就是阶级斗争的理论。”① 阶级社会的民族是伴随着社会的阶级斗争、民族斗争而成长的，因而在这场残酷的斗争中，有的民族靠掠夺、剥削得到繁荣和发展，同时有的民族因被掠夺、剥削甚至屠杀而衰弱、灭亡。我国是当今世界处理民族问题最好的国家之一，现阶段是中国历史上民族发展最好的阶段之一，十分有利于民族事业的发展。

民族发展不但是民族主体的愿望，也是国家整体的目标。就目前制约和影响民族发展的因素主要是：由于社会发育滞后而导致的物质资料生产方式的落后、商品经济的不发达、教育落后、民族主体的商品观念的落后等。虽然民族地区的经济发展十分落后，但享受现代物质文明和精神文明成果同样已成为民族地区人民的强烈愿望。由于民族间、地区间的发展不平衡，部分民族群体身上出现有心理失衡现象。其主要原因是由民族地区自身的社会历史造成的，经济基础差，社会发展滞后，经济发展处于一种和内地比较相对迟缓的状态，因而社会的物质文明和精神文明成果也难能同等享受。这种失衡心理抬头显然不是一个不好的信号。因为，从理论上讲中国境内的一切民族都一律平等，不仅仅是在政治上、文化上、经济上同样完全平等，而实际上存在不平等。建国几十年来，我们党采取不少措施，在不断地想办法解决这种实际存在的不平等，取得了丰硕的成果。但

① 中共中央马克思恩格斯列宁斯大林著作编译局编：《列宁选集》第二卷，人民出版社，1995年，第586－587页。

并没有从根本上解决这一问题，因为这一问题的形成有一个历史过程，同样，解决也需要有一个历史过程。但必须高度重视，极力消灭差距，消灭这种实事上的不平等。平等是团结的基础，严重的不平等就会损害团结，损害团结就会影响国家的稳定甚至统一。

中国的发展离不开世界，藏区的发展离不开中国，因为中国是世界的一部分，藏区是中国的一部分。事物之间都存在着千丝万缕的联系和关系，认识这些关系，抓住这些关系中最为主要的关系，处理好这些最为主要的关系，就是认识主要矛盾，抓住主要矛盾，解决主要矛盾。就如同在藏区如何解决好稳定与经济发展的关系一样。只有保持稳定，才能发展经济；只有发展经济，才能发展文化，这是个基本的理论推理。那种只求稳定不求发展的思想是错误的，因为以发展求稳定，这是可靠的；以停止发展求稳定，这个稳定是靠不住的。同理，那种只求发展不顾稳定团结的思想也是错误的，必须将此二者有机地结合起来，把握尺度，不可偏废。

二、努力实现四个转变

发展是硬道理，没有发展就没有进步。我们发展的目的是要在西藏和广大的藏区建立一个社会主义的现代社会，这个社会有无数的指标需要完成，需要经过长期的艰苦努力才能实现。每一个民族都要在自己原有的基础上发展生产力，建立新型的现代社会，藏民族也必须在自己现有的特定的基础上发展。从本地区的实际出发至关重要。每一个地区的实际不同，因而在发展过程中所采取的途径和方法也应各有不同。

藏族地区地大物博，发展也不平衡，但从整体看，与较为发达的东南沿海城市和发达国家比，现代化建设程度大多仍处于定格局、打基础阶段，因而必须面对三个客观现实：一是历史因素造成的相对封闭，社会发育滞后，生产力水平低下。二是交通、能源、信息等建设基础差，还没有形成适应新型社会发展的基本条件。三是教育水平低，没有储备高质量的适应于新时期发展的各类人才。现代社会不可能建立在一落后的教育、落后的社会基础条件和落后的生产力发展水平之上。因而，转变原有的不符合现代社会发展的经济模式、生产经营模式和人们的观念行为模式等，就显得十分重要。可以说，没有这种转变，藏族地区的腾飞将遥遥无期。

和解放以前的落后状态比，和“文革”前的情况比，藏族地区较之以往得到了突飞猛进的发展，但从如何建立现代社会这一角度看，许多地区并没有切实可行的办法和良好的战略设计，生产条件和生产生活方式并没有多大改变，尤其是那些边远牧区，经济状况和人民生活还十分落后。

社会主义社会的基本任务是发展生产力，建立社会主义的现代化的新藏区的根本任务自然也是发展生产力。要发展生产力，就要以经济建设为中心，解决人们日益高涨的物质文化需求和落后生产之间的矛盾。对于藏族地区来说，我以为实现以下四个转变尤为重要。

（一）从传统教育向学科现代化和科学现代化的转变。

藏族地区在教育和思想意识形态方面存在的极为严重的问题是，观念陈旧，教育落后。此二者均有连带关系，实际上都与我们的教育制度有关，一是我们的中小学教育、高等教育、职业教育、成人教育等还没有形成系统，或者体系不完整，质量不高；二是学校教育和社会教育虽然一直在进行转变观念的教育，有效果，但没取得根本性成就，在多数情况下，将转变观念的教育当成了政治学习的任务，而在政治学习中又将其重心放在了政治态度的转变上，极"左"思想严重，思想观念的科学化和现代化仍然步履蹒跚。其中有一个如何切实地转变思想方法问题，不但是藏族地区的群众中问题较为严重，也表现在相当一部分干部身上。我们通常讲，实现现代化，首要的关键的是要实现人的现代化，没有人的现代化就不能实现"物"的现代化，而实现人的现代化这一大事，有关政府部门还没有作为一个战略任务来设想，来计划，来进行为了最终目标的艰苦细致的工作。

从教育的内容看，实现现代化的转变的任务更为艰巨。有三大问题没有得到充分解决：一是学科的现代化，二是科学的现代化，三是文化现代化。从学科现代化看，我们所谓的许多新型学科都建立于50年代，学习苏联模式，吸纳不少当时时代的科学和人文成就，这与全国的情况基本一样，但是当代社会科学技术经过将近50年突飞猛进的发展，学科系统从体系、层次，大多落后于国外的发展速度，还没有用世界最新的科学成就来统领、改造我们的学科，该淘汰的没有淘汰，该压缩的没有压缩，该重新设置的没有重新设置，还没有形成具有现代化意义的学科模式。传统学科在这方面的问题更为严重。从科学现代化看，由于藏民族有自己的语言文字，具有独立文化系统，科学现代化表现得更为突出。因为科学是个不断发展的过程，因而它本身存在着层次性，科学发展的基本规律告诉我们，新的科学成就必然取代旧的科学成就，否则科学就无法向前发展。较之汉族地区，藏族地区的教育内容中，科学现代化的任务仍然十分艰巨，像计算机教学等一些高科技成果，在藏区刚刚进入一些高校，而在一些中学和小学学生尚不知计算机是何物。我们的一些传统教材还在转述着几百年前的科学成就。我们不能否认几百年前的科学和成就，问题在于这些科学成就与发展了的今日的科学成就已不可同日而语。死守着甚至津津乐道于过去科学成就而不拾级而上，不能及时地不失时机地掌握今日最新的科学成就，这是我们的学科目前发展的悲剧，也是我们的科学目前发展的悲剧。因而，就学科而言，必须科学化，只有科学化，才有生命力；就科学而言，必须现代化，只有现代化，才有生命力。学科竞争是学科先进性的竞争，科技竞争同样也是科技先进性的竞争。邓小平同志说科学技术是第一生产力，我以为在这第一生产力之中真正具有光彩的巨大力量的是那些最新的科学技术成就。而教育的伟大功用就在于让更多的人以最快的速度学习、掌握这些最新的科学成就。因此，我们的学科和科学的建设、发展应该时刻瞄准那些最新的科学技术成就，树立科学技术是第一生产力观念和崇尚科学、追求科学的民族传统。

藏族地区只有在教育上实现学科和科学的现代化，用科学技术的力量去缩短与发达地区和发达民族的距离，这才是唯一的出路。没有这一条，不实现这一转变，我们与发达民族和发达地区的距离只能越来越远。

教育是一种渐进的过程，对于个人要通过这一过程完成现代化素质的积累；对于民族整体要完成现代观念的积累，成为具有现代意识的民族；作为一种战略，要通过这一过程，为未来藏区的腾飞储备人才。

（二）从松散的农村、牧村向城镇化的转变。

牧村、农村的城镇化或城市化转变是藏族地区发展进步的重要环节。因为，城镇化（或城市化）的过程，往往标志着产业结构、农业人口向非农业人口，人们的生活方式由农村模式向城市模式的变迁过程。发达国家和地区大多经历了这样一个过程（或称历史发展阶段）。以前我们多讲缩小城乡差别，缩小城乡差别的途径是多样的，但是我以为没有城镇化的过程，这一目标是难以实现的。城市化的转变过程，不仅仅是产业结构和农业人口的改变，这一改变的关键是集中，将人们集中起来，从而产生经济关系和生活方式的改变，或者称文化形态的改变。牧业文化、农业文化向城市文化的改变，是现代化程度的提升。从一些发达国家的情况也可以看到这一点，如据1992年联合国《人口统计年鉴》介绍，城市化的水平，美国为76%，日本为77%，英国为89%，法国73%，加拿大78%，而我国约在35%，以此推论，我想我国的民族地区不会超过20%，[①] 藏族还要低于这个数字，大概还不到10%。

① 戴均良：《关于我国城市化建设问题的几点看法》，载《书摘》1998年第5期。

空间上人口的城市化，与工业化密切相关，城市人口的指数往往也是工业人数的一个指数，这恰恰是藏族地区最为薄弱的环节。我之所以对藏族地区用“城镇化”这一目标，是因为我以为在目前乃至相当长的一段时间内，“城镇化”更适合于藏区的实际，藏区特殊的发展道路——由村而镇，由镇而城，由小城市而大城市。这是一个常常为人们忽视却非常重要的问题。因为，在城镇化的过程中，需要解决的恰恰是藏族地区最需要解决的问题：

一是工业化程度不高。我对藏族地区的工业能力没有做过充分估价，就实际水平而言是处于工业化早期阶段，不解决这一问题，藏族地区就不可能有一本质的飞跃。因为，工业化的程度往往代表着城市化的程度，工业化和城市化的规模同时也往往代表着经济效益的规模，经济效益（包括科技含量等）的规模往往决定着社会发展的幅度。

二是缺乏资金。工业化和城镇化同时都需要一定的资本密集程度，而在藏族地区这是最为严重的问题之一。不解决资本问题，一切都是空谈，无论是国家投资，利用外资还是要采用别的什么办法，应该在这一关键环节上迈开步子。

三是科技水平低。科学和技术水平是推动生产的最为重要的因素，而科技关键在于掌握科技的产业队伍。

四是缺乏商品市场和发达的服务业。这一问题同样与城市化程度密切相关。

城镇化和工业化相互依赖，相互促进，紧密联系，从发展战略考虑，它不但为长久的发展积累形式——多重的复杂的类型多样的有机组合的经济社会模式，也积累新的观念、方法和文化内容。它建立的不仅仅是工厂、市场这些人们极为关注的东西，也要建设道路、住宅、邮局、旅游区、公园，建立教育、卫生、体育、服务系统。项目的增多，人员的集中，管理的规范，教育层次的提升，交通、信息的空前便利，有利于从根本上提高国民素质，为今后社会的全面发展打下坚实的基础。

（三）从简单生产向生产社会化的转变。

人类从采集、使用简单工具到机器时代经历了漫长的历史过程，有人将此归结为石器、青铜器、机器体系、原子能四个时代，以为现在进入人类文明的第五个时代——信息时代。在这一漫长的历史进程中，劳动资料、劳动对象、劳动者都发生了重要变化。科学技术是现代生产的基础，而现在的劳动者在生产过程中所面对的物质条件多为科学技术成果，所谓“物化的智力”，要从事生产活动，必须要驾驭这些生产资料，首先要实现自身的科学化、技术化。劳动者生产的产品也不再是个体生产的直接产品，而转化为社会产品，作为总体的工人（工程技术人员、设计人员、科学研究人员、管理人员等）所生产的产品。和以往的时代比，这种状态深刻地告诉我们：生产工作不再全是直接拿着工具的人。

生产的社会化，已不是一个新的话题，生产资料的社会化，生产过程的社会化，为满足社会需要而生产的产品的社会化，这已是大家共知的事。但是，在大多数藏族地区，由于受长期封闭的自然经济的影响，生产的社会化，在思想观念和实践措施上还存在着问题，农牧民自不必说，就是相当一部分干部，也还不能站在世界经济大势上，反观中国的和藏族地区的经济，还不能从“社会化”的角度去操纵经济运行和制定经济战略。

从生产社会化的角度看，有三点很重要：一是工业化。工业化的实现也包含和机械化为一内容，不但是为了产业工业化，而更重要的是建设工业化的社会，即实现农业社会向工业社会的转变。以力学体系的建立和蒸汽机的发明、应用为标志的第一次科学技术革命到原子能的开发利用，西方发达的资本主义社会，在工业方面取得的成就是卓著的。藏族地区实际上程度不同地存在着“工业革命”问题。因此在发展战略上，要着眼于乡村城镇化，城市现代化，要从地区特点出发，制定切实可行的战略，或以资源资本为推动要素，或以技术资本等为推动要素，尽快地在产业结构方面形成自己的特色，在新观念、新科学、新技术上紧随时代发展的步伐，脱胎换骨，登上新台阶。发展乡镇企业同样也是民族地区迈向工业化、城镇化的必由之路。

二是集约化。这是近几年我们常讲的问题，即推动经济增长的方式，要从劳动密集型向技术密集型、资本密集型、知识密集型的转化，合理地进行生产要素（劳动、资本、土地、技术等）的配置，调整结构，扩大经济规模，提高效益，降低消耗。从整体看，藏族地区从自然经济到计划经济是一转变，但这一转变的幅度并不很大，尤其一些偏远的农牧区更是这样；改革开放以来，尤其是从逐步建立社会主义市场经济体制以来，可以说这种变化是深刻的，但是经济增长方式仍然没有多大变化。1994 年 11 月，江泽民同志指出，要努力提高我国经济的结构优化效益、规模经济效益和科技进步效益，大力推进我国经济增长方式由粗放经营为主向集约经营为主的转变。这一转变对于藏族地区来说具有划时代的意义。但是由于历史的惯性和科技、资本、自然条件等的限制，从我所了解到的情况看，整个藏区在这一方面并没有多少长进。因为从本质看，集约化生产的基础仍然取决教育、城市化、工业化的发展。没有这一前提，想达此目的，十分困难。

三是全球化。从生产社会化的角度看，工业化、集约化是一种规律，而这一规律运动的前景是全球化，这是世界经济发展的大趋势。不管我们从政治上如何理解、把握，不用作过多的理论分析，至少我们可以感受到科学技术作为第一生产力，以其无与伦比的冲击力、吸收力走向世界的每一个角落，科技成果成为世界成果，为不同地域、不同肤色的地球村的村民们广泛应用。不论是物质生产还是精神生产，一经生产完结便具有世界性。各个国家相互交往、相互依赖的程度日益鲜明，日益密切。当然，在世界经济全球化的漫长的过程中，不会是公正、公平、合理的向前发展，而是一种失衡的非公正、公平、合理的发展，一些拥有经济科技势力的大国会对后进弱小的国家和地区进行军事、政治、不公正的市场占领，资源掠夺，金融、资本出口等的限制和打击，以期得到更多的利益，社会矛盾、民族冲突和国家斗争会因此而更加激烈。但我们不能不充分地把握和理解这一大现实、大背景，从而使藏区的经济、政治、文化战略一开始就立足于一个开阔的大的背景下，具有应付国际、国内复杂局面的能力。

把握和进行社会化生产，是为了内涵的积累，是为了走向现代社会的经营方式和提高经济增长的效益，这是藏族地区社会整体形态的升华和进步。

（四）从自然经济向社会主义市场经济的转变。

藏族地区在社会主义市场经济体制建立的过程中，存在的问题同样是急迫而严重的。虽然有些藏区商品经济本身比较发达，也有悠久的历史传统，其中包括自治区、自治州首府和临近交通要道的藏族村镇。但就整体而言，大多数藏区市场经济和商品经济均不发达，解放前落后、封闭的自然经济状态并没能随着解放后高度的计划经济体制而得到根本改变。存在两个亟待解决的问题。

一是转变观念，进入市场。市场经济是通过市场供求变化调解资源分配和引导经济运行的经济，供求、价格、竞争是其相互联系的三个主要环节。由于广大藏区长期的自然经济状态，许多干部和群众很少从这三个要害环节去考虑自身的经济问题，而满足于自给自足。换句话说，还不能用价值规律来指导自己的经济运行。因此，必须在转变观念的基础上精心地培育市场，运用理论，扩大实践。这也是一个沉重而艰难的转变过程。从思想观念上看，要将自己归入经济的大系统，不再是一村一户，自给自足的小社会；从商品竞争角度看，那种“古道热肠”，“大碗喝酒、大块吃肉”，已不适用于进入市场后，经济主体的激烈竞争。因为，商品竞争是以赢利为目的的；商品竞争，就要低价格，高质量，这不但是流通领域的竞争问题，同样也是生产领域的竞争问题；不但要涉及资本、资源等基本条件和实力，而且要涉及具体的科学技术水平和科技人才。因而，藏族社会只有真正进入市场，自觉地培育市场，才会真正感受到围绕市场经济的多种压力的存在，才能去解决这些压力，才能将压力变为动力，从实践中走出自然经济和计划经济的束缚，适应市场经济的要求。市场就是战场，而在一些偏远的藏区还没有市场这一“战场”，还不能感悟“战场”的残酷性，还不能利用这一“战场”，合理竞争，培育自己，使自己适应“战场”生活，从而发展、壮大自己，成为这一“战场”的强者。

假如广大藏区培育市场，进入市场，是为了转变观念和经济发展的迫切要求的话，这种进入的起点应该是高的，因为随着全球化趋势，生产三大要素中的土地因国家的存在而不能流动，劳动者的流动也十分有限，而资本的流动已十分自由，跨过国界走向世界。因而，今天的藏区的经济市场开拓不能只看到自己的区域和中国这块市场，而要面向世界，在世界市场中制定经营战略，考虑发展前景。

二是创造市场。市场的强制性、开放性和竞争性，对商品生产者和经营者都具有强力的塑造作用，因而它已不仅仅是个经济问题。藏族地区的市场经济情况，有些条件较好，有些尚处于萌芽状态，不要说与发达的国际市场比，就是跟国内的市场比，也相差甚远。创造市场，已成燃眉之急。藏族地区也应有这种气魄，借以掌握供求，牵动生产，加速生产力的发展，从而使藏民族真正在市场经济的环境中，在党和政府的扶持、帮助下，经历市场风险，面对优胜劣汰，掌握宏观调控，建立起现代的企业制度、分配制度、市场体系，真正做到以生产资料的公有制为主体，解放生产力，发展生产力，消灭剥削，消除两极分化，和其他民族一起走共同富裕的社会主义道路。

建立现代的市场经济的过程是人们的经济生活方式的积累过程，对于藏民族来说同样具有划时代的意义。

研究社会、历史、经济本身发展的规律性非常重要。从发达国家和发达地区走过的道路，我们可以清晰地看到这样一个事实：在诸多的社会发展因素中，那些起着关键作用的因素，如教育的现代化、乡村的城镇化、生产的社会化、经济的市场化，是每一个发达国家大体上都经历了的，只有时间的早晚，没有趋向的不同；只有阶级属性的差异，而没有生产力发展形式的不同。我想这就是规律。藏民族想取得较大进步，必须遵循这一规律，积极地设置自己所要走的路，从而以更加稳健的步伐前进，避开那些完全可以避开的弯路和陷阱。

第二节　弘扬藏文化精神

一、什么是藏文化精神

泰勒在《原始文化》一书中说："文化或文明，就其广泛的民族学意义来说，乃是包括知识、信仰、艺术、道德、法律、习俗和任何人作为一名社会成员而获得的能力和习惯在内的复杂整体。"① 这一界定在学术界颇有影响。一般来说，我们将广义的"文化"概括为这样一句话，即文化是人类物质生产和精神生产创造活动的总和，人类所创造的物质财富、精神财富和进行生活和活动的各种类型和形式都是文化。

什么是精神？《辞海》对"精神"一词有五条解释，其中第一和第五条与本节的内容有关。第一是哲学名词，"指人的意识、思维活动和自觉的心理状态。唯物主义者常把精神当作和意识同一意义的概念来使用，认为它是物质的最高产物"。第五是"内容实质"。[4]

因此，我这里所说的藏文化，就是藏民族自产生以来在自己生存和发展的过程中所进行的各种类型、各种形式的活动和他们创造的物质财富和精神财富的总和。进而言之，所谓藏文化精神，就是藏文化所具有的特质，这一特质决定着这一民族的文化选择和文化发展趋向。我们知道文化的核心是哲学，也就是说这一特质是具有哲学统帅作用的文化精粹。一个民族要发展、要进步、要跻身于世界先进民族之林，一刻也离不开自己的民族文化和这种文化所体现的民族文化精神。因此，探讨藏民族的文化精神对于准确掌握藏族文化，推动藏区两个文明建设和藏民族的发展进步有着生死攸关的重要作用。

二、藏文化精神形成的自然环境

这一问题我们在第一编中已有较为详细的介绍。藏人生活的地方被称为"世界屋脊"——世界海拔最高的地区。文化靠人去创造，人是生活在特定的环境中的。环境对文化有着不同寻常的制约作用。有两个突出特点，一是高海拔。这是藏人居住环境的最突出的特点，也是最基本的特

① 转引自庄锡昌等编：《多维视野中的文化理论》，浙江人民出版社，1987年，第98页。

点。一是多山、多水、多雪。这两个特点合起来，就形成了藏区的缺氧、寒冷、干燥等环境特色。文化是一种积累，一种沉淀，它既有系统性，又有综合性。在漫长的历史发展过程中，青藏高原这一独特的自然环境滋养了藏文化，造就了藏文化，也培育了藏文化精神。因此，我们研究探讨藏文化精神，就不能不看到独特的高原环境对藏族文化的深刻影响。不看到环境对藏文化的影响，我们就很难理解藏族文化和把握藏族文化。因为高原是藏人生存的摇篮，也是藏文化生存的胎衣。

三、藏文化精神形成的历史进程

在上文的叙述中，我们用大量篇幅介绍了藏族文化已经经历的三个发展时期和正在经历的第四个文化时期，这四个文化发展时期都有各自的特点和风格。

（一）史前时期的藏族文化

从藏族史前文化的情况可看出：其一，藏民族并不源于羌，而所谓的羌人之一部分是早期因高原气候变寒冷而东南迁徙后，进入甘、青、陕等地区的一部分藏人。汉籍中所说的炎帝这一系统，很有可能是指这一部分藏人。由此观之，藏汉民族先民的最早接触，或许也有4000年历史。只是后来这部分先民被同化而融入汉族之中罢了。所谓的古羌文化，实际上是与后期的藏文化处于同一系统、同一层次、同一类型。其二，史前时期的藏族文化以泛灵崇拜为特点，浑朴而强韧，我曾以雄狮比喻这一时期的文化，它展散四肢，无拘无束。作为诞生于原始社会末期、奴隶制社会早期的藏族著名长篇英雄史诗《格萨尔王传》是这方面的代表作。这一时期的藏文化充分地体现了藏民族的原始的文化精神，成为藏民族的意识基础。

（二）苯教统治时期的藏族文化（苯教文化）

藏族文明发源地，或许有两个，一是雅砻河谷，在进入历史时期以后，这里产生了藏族历史上第一个王（赞普），松赞干布的祖先们从这里开始了统一西藏高原的伟业。一是古象雄（今阿里地区），从有关资料看，古象雄文明不但不亚于雅砻河谷，而且有可能略早于雅砻河谷文明，这里孕育了藏民族早期的统一的宗教——苯教。以苯教理念为主体的象雄文明也逐渐遍布于整个藏族地区。

苯教文化的发源大约在公元前2至5世纪。至少在雅砻河谷的鹘提悉勃野王系出现之前，以古格为中心的象雄地区已形成一个强大的象雄部落联盟——象雄邦国。它的辖区据史记载有内象雄（现在的阿里、拉达克）、中象雄（现在的卫藏地区）、外象雄（多康地区）三部分，基本上涵盖了绝大部分藏区，或许其中免不了后世的夸张成分，但可以肯定以今阿里地区为主要基地的象雄邦国在当时是具有一定势力的。

象雄文明的伟大之处在于这块土地上产生了苯教。藏人从信仰的泛神论进入信仰有浅显教义的统一的苯教，这是藏族文化发展史上的一个飞跃，也是藏族社会发展的一个重要里程碑。而不少学者认为，藏人自称“蕃”（བོད）就是由“苯”（བོན）这个词演变而来的。苯教之于藏民族至少有两大重要贡献：一是新兴的苯教像春风荡溢开来，使高原的各个部落在苯教基本教义的基础上凝聚起来，使藏民族在一个同一的地域中，有了同一的宗教和文化心理。一是为语言和文字的统一开通了道路，奠定了基础。藏民族诞生了。大概早期的文字已在那个时代同时萌生。

作为一个民族，它有自己的共同语言。而文字的产生往往成为民族进步的一个重要标志。

藏语属汉藏语系藏缅语支，除了中国境内的藏人外，在尼泊尔、不丹、印度境内也有一部分人使用藏语。中国境内的藏语主要分卫藏、康、安多三大方言区。过去许多史籍都记载：吐弥桑布札创造了藏文。这一传统观点已受到许多学者的怀疑，以为创造藏文的并不是被人们一再颂扬的吐弥桑布札，而可能在吐蕃（松赞干布时代）之前就有藏文。而且这个年代或许更早，在大约公元前6、7世纪就有文字了。这时的文字是古象雄的“玛尔文”，越来越多的学者在这一点上达成共识。不过此时的文字大概和汉族的甲骨文相类似，主要用于苯教的咒誓、祭祀、禳祓活动和记载它们的经文，并没有普及到世俗社会。这种做法可能延续了上千年，一直到公元7世纪松赞干布执政时期，吐弥桑布札才创造出了新藏文。

苯教统治时期的藏族文化以三界观念和二元论思想为特点，重视祭祀、禳祓等仪式，并将史前信仰系统化。作为文化精神有两点十分重要：

其一，倘若我们从哲学和观念的角度看，此时已有了天、地、地下的世界三分观念，藏人最初的宇宙结构论。赞神住于天界，年神住于地上，龙神则多住于地下水中（从《格萨尔王传》等书籍看，赞、年、龙神的位置并不是固定的，但“三界”的划分基本上是一致的）；无论何种神灵，不悉心侍奉，人类就会遭受灾殃。此二者是造成原始先民祭祀禳祓、祈祷求福等烦琐仪式的根本原因。藏族先民大约在这种文化环境中度过了漫长的岁月。

其二，此时的藏族文化受到过琐罗亚斯德袄教二元论的冲击。具有典型意义的是苯教最初神灵的分类，它充分地体现了袄教的二元论思想：

以善与恶为核心，有了白与黑，光明与黑暗、神与魔、现实与虚幻、创造与毁灭等二元思想，并以此二重性作为苯教的基本教义。显然，这种思想在苯教统治时期是占主导地位的。尽管佛教在藏区兴盛后这一文化的许多成分已被改造和淹没，但是，它对原始文化及思想的强大冲击作用是显而易见的，并在苯法时期起到了对原有文化的重新组合和统领的作用，使苯教形成了自己的一整套思想理论体系。这同样是对藏族历史起到过重大影响的文化事件。

“三界观念”和“二元论”，使藏民族由原来的蒙昧时期转而成为一个有哲学、思想和理论的民族，强化了民族的统一意识；以雄强、豪壮、上进面对世界，为吐蕃王朝时期文化的大吸收，政治的大进步，军事的大发展和社会的大繁荣奠定了思想、理论和文化基础。

总括起来看，象雄文明和雅砻河谷文明，两个发源地，完成了两个伟大任务，跨越了两个非凡的阶段：象雄文明用苯教思想统一了青藏高原，使藏民族较早地成为一个具有哲学和理论思想的民族；雅砻河谷文明推出了鹘提悉勃野王朝，以政治和军事统一了青藏高原，一跃而成为当时时代称雄亚洲的巨人。假如不完成这两大任务，跨越这两个阶段，打下如此坚实的基础，以后的佛教就很难在藏土取得如此辉煌的成就，藏民族也可能作为古代民族而消失在雪山草原之中。

（三）藏传佛教统治时期的藏族文化（藏传佛教文化）

藏传佛教文化的发展在藏区基本上经历了以下三个阶段：

1. 初创时期（或者说佛教传入藏土与苯教的殊死搏斗时期）。时间大约在 7 世纪至 9 世纪之间。

佛教一驻足吐蕃，即渗入思想意识形态领域，向政治领域转化。随着寺院据点的增多，佛教义理的进一步传布，佛教与藏土土著宗教苯教之间的斗争已不可避免。

佛苯斗争以前多认为是一种宗教斗争，实际上这一漫长的斗争有三个层面：一为政治斗争，以崇信佛教和崇信苯教的两派政治势力，为争夺国家控制权的斗争；二为思想斗争，佛苯两种思想（两种宗教）的斗争；三为文化斗争，以佛教为代表的印度文化与以苯教为代表的西藏土著文化之间的斗争。反佛的苯教大臣们的矛头是一贯的，即针对寺院、僧人、佛典和佛像。这一点我们从吐蕃王朝时期几次大的佛苯斗争中，看得较为清楚。佛教入藏之初即与政治有染，此成为传统，延续后世，成为藏境政教合一制度之滥觞。此为一。其二，佛教的综合性渗透为后期寺院的综合性结构和效用奠定了基础。

2. 形成时期（11 世纪至 15 世纪）。

藏传佛教文化的形成是与藏传佛教的形成相一致的。

统一的吐蕃王朝解体以后，藏人一直处于分裂割据状态，长期混战，不相统属。而当佛教再度兴起后，小邦的统治者们无不利用、尊奉佛教，使佛教得到了长足的发展。

3. 兴盛时期（以达赖、班禅两大活佛系统的形成和五世达赖建立甘丹颇章政权为标志）。

藏传佛教文化在这一时期日趋丰满。从制度文化层面，形成了政教合一的政治制度；在经济方面强化了封建农奴制；在文化方面，藏传佛教文化已成为藏人的文化核心和主导文化。当然，这些都是在寺院进行的，寺院在藏区具有举足轻重的作用。寺院首先是宗教活动的场所，它寄托了教民对藏传佛教的全部的情感和向往；也是社会矛盾和个人痛苦用宗教这一良药得以“完满”调节、平衡的“神圣”地方。每一座寺院基本上都是这一地区的宗教中心，它担负着教民完成信仰所需要的繁杂的全部仪式过程，从而和教民建立起相依为命的深厚关系，起着很重要的社会调控作用。由于没有别的教育补充形式，寺院教育成为藏区传统教育的唯一形式（贵族学校等出现较晚），一地区的寺院也是这一地区的教育中心（当然它是有别于新型教育的）。从寺院所设的五部大论等课程可知，其培养目标完全是为了造就宗教职业者。

进而言之，这一时期在强化寺院的政治、经济功能的同时，也强化了寺院的文化功能。一座寺院是一个地区的文化中心，起着文化书院和博物馆的作用。丰富的藏书，使寺院成为这一地区的图书馆，有着重要的同样是伟大的文化储存作用。丰富的文物，使寺院同如一座博物馆，比如布达拉宫连绵一体的壁画，萨迦寺数以万计的元明时代的藏文手抄本和贝叶经，大昭寺斑斓多彩的雕塑，德格印经院、拉卜楞寺、札什伦布寺汗牛充栋的经书刻版，塔尔寺的酥油花、羌姆法舞，等等，都为保存光辉灿烂的藏族文化做出了杰出贡献。没有寺院的这种文化储存功能，藏族的传统文化或许是一片空白。文学、音乐、美术、舞蹈、博物、建筑等是最基本的文化形式，也只有在寺院中才能领略到藏族艺术的迷人风采。同时它也是群众社会文化活动的一个重要场所。转经、朝佛、求神问卦、过僧俗同庆的节日，人们通过寺院互通信息，进行交往，增进友谊。

然而，另一方面，藏传佛教文化却以寺院为据点封锁了诸多文化形式的群众化，如教育，要想受到教育，受到良好的教育，就需要成为僧人；就是成为僧人，一般的僧人也是很难受到较系统的文化训练的。至于对社会生产力发展的障碍作用，更是显而易见。

藏传佛教时期的藏族文化精神以佛教哲学和佛教的宇宙观为特点。由于佛教的民间化和生活化，藏传佛教文化以其巨大的凝聚力、推动力，使藏族文化有了独具风格的特色。

从发展序列看，史前信仰、苯教文化和藏传佛教文化是藏文化形成发展的三个明显阶段；从文化内涵看，史前信仰、苯教文化、藏传佛教文化又是构成藏族文化的三大主要成分，是藏文化精神形成的主要来源；从发展的规律看，以史前文化为藏族文化的文化之根和基础，藏族文化的两次飞跃都是受惠于外来文化的撞击（或称切割、侵入）。史前文化由于受二元论思想的撞击，从而整合为苯教文化；苯教文化又由于佛教文化的撞击，而整合为藏传佛教文化。两次撞击，两次发展，两个高峰，两次文化的空前丰富、飞跃和辉煌。因此，必须看到吸收外来文化营养，是藏族文化产生活力和发展的重要因素，也是藏文化精神多元共存的一个重要原因。

必须清醒地认识这一问题。认识这一问题的本因还不在于对过去的回顾和藏人在自己的历史实践中用自己民众的生命所获得的成功、经验和教训，更重要的意义在于如何面对今天和未来。常常遇到一些青年朋友对本民族文化的前景产生惶惑，即面对一日千里向前发展的现代世界，如何继承藏民族的文化遗产？如何既能保存丰富的藏文化遗产（这也是他们感情坚实而深长的依托），又能像每一个先进民族那样进入现代化？他们怀着对自己民族文化的挚爱面对世界，走向世界，而现代世界要求他们走向现代化，命令他们扔掉一部分文化，再吸收一部分文化；扔掉一部分知识，再吸收一部分知识；扔掉一部分行为，再养成一部分行为。美丽的现代化带给他们的并不全是美丽的憧憬、幸福和无比的自由，现代化也会给他们以痛苦。因为要走向现代化，从而实现现代化，首先是要改变的是我们自己，实现人的现代化，人的现代化首要解决的就是知识的现代化，观念的现代化和文化的现代化这些基本问题。现代化充满了对旧的事物的依托，没有旧的物质文明和精神文明作为基础，现代化也将会成为空中楼阁；同时现代化也拒绝一些旧的事物滞留于这一领域，因为现代化要选择适应其发展的那部分文化，并扬弃不适应其发展的那部分文化。同时得到选择的将具有新的生命，失去选择的将会逐渐消亡。我看着他们无着无落、忧虑的神色，常常陷于长久的不安中。因为这些都处于爱，处于对本民族的赤诚的爱。许多的民族成员都热爱自己的民族文化，这一点仿佛是共同的。但是在“爱”的具体方法和对象上，就出现了许多差异，这些差异有的来自不同的评判标准，有的来自对评判对象认识的深刻程度；也有的来自对本民族的无上感情。实践证明爱也需要有理性、有原则、有严格的是非标准和接近真理、符合客观实际的良知，也需要实现主观和客观的统一。我们爱民族，应该用历史的观点、辩证的观点、发展的观点分析自己的民族，看待自己的民族，爱其优而弃其劣，爱其善而惩其恶，爱其真而辨其假，爱其美而戒其丑，爱其先进而激励其落后。光有爱还是不够的，还需要有在爱的基础上的“恨”，“恨”其不争，“恨”其不强，“恨”其因循守旧，“恨”其不追随科学，艰苦奋斗，“恨”其涣散、浅陋。如此，我们才可以获得民族的责任感、使命感，科学的民族观和对民族的发展进步事业辛勤工作、忘我奋斗的动力，从而为民族的事业贡献自己的聪明才智，推动这个民族的发展。

关于传统，毛泽东有句名言，叫作：“吸收其民主性的精华，剔除其封建性的糟粕。”这是个好方针。但是，方针有了，问题并没有完结。因为，面对一个民族的具体的文化，尚要解决“何者是精华”，“何者是糟粕”的问题，要解决如何“吸收”如何“剔除”的问题。倘若将精华当成糟粕，批判之，扬弃之，我们就会成为“千古罪人”；倘若把糟粕当成精华，供奉之，朝拜之，照样会贻误、阻碍、甚至破坏民族的发展进步事业。这里有两个层面的问题：一是如何对待传统文化，一是如何对待外来文化。就历史的藏族传统文化而言，既有传统的一面，又有外来的一面；既有如何判别、评价过去文化的问题，也有如何展望未来文化的一面。倘若我们将整个的藏文化当作一个系统，然后用系统的方法去分析，我们将得出同样令人心动的结论：任何系统都有着封闭与开放、结构与功能、平衡与不平衡、有序与无序等基本矛盾，有结构、层次，有整体的运动规律。而作为现实的系统都是开放的，因为系统都要与外部环境进行物质、能量和信息的交换，互相联系，互相作用，不断地吸收新的养料，从而达到维持系统的正常运作，进而达到更新自己、发展自己的目的。在这里开放是发展的基础，因为没有开放，就没有系统正常地进行能量、信息等的交换，就会因自身的封闭、寂静导致无序，无序就要走向衰败和死亡。当然，我这里所说的开放，无论从经济角度看，还是从文化角度看，都不是指毫无选择的“输入”，而是有选择的有控制的互动。这样的实例是十分丰富的。中国明清两朝的闭关锁国，导致国家的衰败，而十一届三中全会以来中国的改革开放给国家带来了勃勃生机，邓小平同志讲“不改革就是死路一条”，实际上从系统的角度看，不开放也是死路一条。关键的问题是，在改革开放的同时，要两手抓，两手都要硬，及时而有效地解决在开放过程中出现的问题。藏文化所面临的是同一类型的问题，那种抱残守缺、食古不化的态度对一个民族文化的发展在本质上是十分有害的。同时，我们应该很好地进行总结祆教二元论和佛教文化进入藏土以后，为什么会产生如此深刻的文化变迁和如此巨大的文化成就？尤其，我们绝不能抱着过去年代因开放而产生的已经定型而缺乏活力的文化成果，拒绝外来的新兴文化和现代科学的进入，因为这样是迂腐可笑的，也是没有出路的。

一切事物均在发展变化之中，藏文化和藏文化精神也是如此。因此，永远地开放，永远地吸收他民族的文化精华和最新的科学成就，整合新文化，再造新精神，从而用新的文化成就和文化精神武装人、造就人、鼓舞人，去进行我们的新的事业，这是我们应该必须具有的文化观。

（四）藏族社会主义新文化

自全国解放，藏民族已进入一个新的文化阶段，藏族社会主义新文化正在构建之中。其中马克思主义的思想理论的影响和政治制度等的汉文化影响起主导作用。

四、藏文化精神的基本内涵

我们眼前的藏族文化是被“神秘主义”的霓虹笼罩着的藏族文化，不少的人沉浸于它的新奇，进而猎奇——用扫雷器式的眼光去寻觅那些埋在地下能给社会和某些人群以爆炸性效应的原始、野蛮的文化因子和奇风异俗，以满足一些人在感觉器官和心理上的需要，因此，天葬和一夫多妻现象等成了这个民族文化的全部和象征；藏密气功和“神秘的藏药”成了不少人梦牵心绕的话题。显然，这些异于其他民族文化的成分，作为学术研究确乎有非常重要的价值，但它不是藏学的全部，更不是藏族文化以及藏文化精神的本质所在。藏学作为目前世界最有魅力的学科，藏族文化作为目前世界最有魅力的文化，有着它内在的原因；藏文化所体现的文化精神是其根本，是藏族文化运行的轴，发展的脉搏，是诸多复杂因素中的核心因素。

由于佛教对以苯教文化为代表的藏族原有文化的整合，我们现在认识的藏文化带有浓重的佛教的印痕，它所体现的藏文化精神我以为大致有以下五大方面组成：

（一）宽容主义精神

藏族文化崇尚善和人类之间的平和相处，行善修好，反对相互厮杀和暴力行为，主张人与自然、人与人之间的和平相处。战争、灾荒，人们间的尔虞我诈，你争我夺，使无数的人们感受到宽容的可贵，和平的可贵，和谐的可贵。世界其他民族、国家的文化内涵中并非没有这种思想，而当藏族文化带着浓重的雪域气息和独特的高原风格，高高地擎起这面旗帜，并畅行于世界时，人们无不为之动容。尽管我们不能肯定其之正义性原则，但就整体而言，人类需要宽容和和平，需要宽容和和平是人类的共同愿望；人类同时反对战争，不愿在血雨腥风和枪炮声中过动荡不安的生活。处在动乱和战争威胁中的人们（尤其是那些生活在饥饿线上的百姓）对和平的渴望是空前的。宽容和和平，在不同肤色、不同国度、不同信仰的地区，都作为人类的最为崇高的理想，是人类的共同图腾。时代的文明和时代的危险并存，随着核武器的出现，一旦发生核战争，成千上万的人、成千上万的城市、成千上万的现代文明的成果甚至整个地球上的一切将会化为灰烬。因此，宽容和和平不但是过去世界人类的向往，也是未来世界人类的向往。宽容和和平也是人类永恒的主题。

（二）人性主义精神

藏族文化充满着慈悲、博爱的思想，深情地呼唤人性。这也是藏族文化最为深邃的思想所在。尽管从思想形态的根脉上讲，它得益于博大精深的佛教，但是在漫长的历史发展过程中，藏族人民在理论和实践上对此曾做过卓越的努力。为了舒适的、安全的、和平的生活环境，为了忍让的、善良的、慈悲的人性塑造，一代又一代的藏人曾付出过生命，并将这些生命的探索凝聚于文学形象之中。这些形象曾因与佛祖有染而一度受到批评。

（三）利他主义精神

从佛教教义角度看，利他是善业的重要组成部分。藏族文化中对利他主义进行了较多的深入的阐释。具有代表性的是八大藏戏之一的《赤美更登》：

> 白岱国王子赤美更登精通五明，时刻关心着百姓的苦难，将国库中的许多财物布施给缺食少衣的百姓，并且立下宏愿："只要有人需要，我可以将一切东西施舍给他人！"敌国的国王通过老婆罗门要求施舍白岱国的镇国之宝"管多蚌觉"，他便瞒着国王施舍，愤怒的国王将他流放到哈香山。一路上他将大臣和酋长们送来的金银财宝，一一布施给穷人，将自己的三个孩子布施给三个婆罗门，将妻子施舍给大梵天化身的两个婆罗门。赤美更登王子在香城住了十二年，在回来的路上一瞎眼的婆罗门要求施舍眼睛，王子毫不犹豫地将眼珠子剜下来置入婆罗门的眼睛里，婆罗门的眼睛复明了，王子却成了瞎子。这

些事感动了无数的人，来迎接他的大臣达瓦桑波为之祈祷，赤美更登双目复明，进入自己的故国岱城，三个儿子回到自己身边，敌国也送回了镇国之宝“管多蚌觉”。赤美更登继承王位后，做了许多利益百姓的事，深得国民的拥戴。

这则故事原出于佛经故事《佛说太子须大拏经》，经过藏族艺术家们的不断加工，作为藏戏的著名剧目，它的确感动了一代又一代人的心。赤美更登的彻底的利他主义精神，影响了无数的佛徒、教民。尽管对这一故事有着许多不同的理解和评价，有人认为这是形式的利他主义，本质的利己主义；有人认为这是彻底的无私精神。但有一条是清楚的，无论其动机如何，就其功用而言，赤美更登的利他主义与利己主义是根本对立的。因为，在佛教的思想中，利他是善业的要求，行善的需要，不利他，则无从行善，则无从积累善行，造就善果。佛陀要解救芸芸众生，解救芸芸众生就要给他们以利益、好处，解决他们的问题，即行善和利他。从文化这一层面进而论之，如同出世与入世，理性与情感这些基本的可以说是人自身永恒的矛盾一样，自私有制产生以来，对于人自身来说，个体与群体、利他与利己同样是绵长难解的矛盾。客观地科学地分析这些矛盾、对待这些矛盾，将有利于社会的进步和发展。西方社会一些价值观与我根本不同的人士，能在对藏族文化的欣赏中充分注意到利他主义的内在价值，这本身增添了藏族文化的光彩。人类世界发展的终极并不能是也不可能是“人人为我”，要和谐、合作、协作、团结，都要有这种人类的利益他人的精神做基础，同时发展、弘扬这一精神。因为“互利互惠，共同发展”等国际社会认同的观念本身就包含了自利利他的思想；因为这是人类共同生存的需要，是天性，违背了它，实际也就违背了这一天性，人性就会扭曲。

当然，我们不能将利他主义和中国共产党的为人民服务的宗旨画等号。中国共产党人的伟大就在于他将自己的事业和全人类结合起来，从人类社会发展的本质规律考察、分析问题，订立是非标准。马克思主义的唯物史观认为：“人的本质是社会关系的总和”，人民群众是社会一切财富的创造者，是推动社会进步的决定性力量。正由于此，中国共产党的宗旨是“为人民服务”，谋求公众利益；为人民服务就要尊重群众，依靠群众，接受群众监督，公而忘私，乐于奉献，牺牲自己，利益天下。这是符合人类社会进步原则的高尚思想。同时，我们也不能将丑恶的极端的利己主义与个人主义画等号。个人主义中那些实现“自我”的因素，并不完全是毒素，马克思把“人的依赖性”关系、“以物的依赖性为基础的人的独立性”

关系、“自由的个性”关系，当作个性与生产关系同步进化的三个阶段，倘若我们以“大我”抹杀了自我这个“小我”，“自由的个性”将无从建立。因为真正具有“自由的个性”的人，才有可能“以一种全面的方式，也就是说，作为一个完整的人，占有自己的全面的本质”。[5]

（四）出世主义精神

出世与入世是人类社会普遍存在的矛盾之一。对这一矛盾处理的准确与否直接关系到人们的人生观和生活观。逃离人世，是灰色的、没有出路的；而过分追求人世的财富、名利，也会成为世俗小人。在藏区家喻户晓的长篇小说名著《郑宛达娃》中，作者在充分反映宫廷权力之争的同时，介绍了一个充满浪漫、曲折，却又有悲怆情调的出世故事：

印度婆罗那斯国国王热旦娶了崇信佛法仁慈贤惠的公主玛德玛哈尼做王后。后来王后生一王子，取名叫曲吉尕娃，年轻臣子益西增做侍臣，国王夫妇非常喜欢他。由于母亲崇信佛法，王子从小就虔诚信佛。觊觎王位的奸臣严谢便出计谋，企图挤掉对王子倍加照顾的益西增，由自己的儿子拉尕阿那做王子的侍臣。阴谋果然得逞。但此事引起正直、善良的大臣达玛和达牟的不满，他们与益西增结成联盟，并得到王后玛德玛哈尼、王子妻子赛桑玛、王妃维拉的支持，准备翦除严谢父子。严谢施计挑拨昏庸无能的国王以谋国篡位罪将三人发配至边远地区。在王后及王子的帮助下，三人逃到扎蔺拉城王后娘家，拜智麦班登喇嘛为师，修法。此种情况下，严谢父子拉尕阿那勾结了王妃索日苏尼，加紧了篡夺王位的步伐。拉尕阿那约王子出游，以欺诈手段将二人灵魂迁入二死杜鹃尸内，飞至河对岸赏景，不料，拉尕阿那先期溜回，将自己灵魂迁入王子躯壳，并把自己的躯壳扔进河中冲走。假借躯壳，冒充王子的拉尕阿那回到宫中，谎说拉尕阿那落水身亡，窃据王位。但是他暴虐异常，不信佛法等行迹很快引起王子夫人赛桑玛的怀疑，去寻找王子的起初灵魂所寄的鸟，果然真相大白，也使国王了解到王子被害的真实情况。

依托杜鹃躯体留在森林中的王子遇见了一只神鸟为他解说因果，并给他取名叫郑宛达瓦，得传静修之法，后又遇见智麦班登喇嘛，修得高行，喇嘛又命一名叫俄旦的杜鹃灵魂，迁入王子躯体，将拉尕阿那的灵魂驱出。俄旦成了王子，将益西增、达玛等被流放的大臣迎接回国，辅佐朝政。其中又贯穿了一些因果报应之说，国王要将作恶者处死时，王后托梦，劝说其不要杀他，否则会有恶报。拉尕阿那之所以害王子，是因为前世作为南方国王的王子杀了前世作为北方国王的拉尕阿那，拉尕阿那是报前世之仇。郑宛达娃最后仍遁入佛门，在大森林中给鸟兽说法讲道，了其一生。

出世与入世在生活中大致有两重对立关系：一是追求物质和追求精神的对立；一是追求现实与追求虚幻的对立。实际上这两重对立的关系是辩证的统一体，不可失衡，一头沉就会出现问题；而许多人之所以青睐藏文化精神中的出世思想，究其根本仍然是前者过沉所致。人类社会经历的是从低级向高级，从简单到复杂的发展过程，因此人类在物质和精神等方面的需求也是按照这个规律运行的。物质财富的极大丰富必然地要呼唤精神财富的极大丰富。如此，人类社会才会健康而有序地向前发展。

（五）爱国主义精神

自元代西藏地方归入祖国版图以来，爱国主义成为藏族文化精神的重要组成部分，从萨迦班智达到十世班禅，出现过无数的代表性人物。因为，在中国这样一个多民族的国度中：其一，爱国是民族稳定的基础。大稳定决定小稳定。国家不稳定，具体民族的稳定也就无从谈起。其二，爱国是民族强大的基础。中国各民族的共同强大，才会有具体民族的强大。国家不强大，那么具体民族的强大也就无从谈起。其三，爱国是民族发展的基础，中国各民族的共同发展，才会有具体民族的发展，整个国家不发展，一个具体民族的发展也就失去了依托。因此，爱民族，必须爱国，爱国以及爱教等就是更好地爱民族。作为公民，爱国是最高的政治原则，是大局；爱国也是最高的道德原则。爱国、爱族以及爱教等的统一性原则是藏文化精神爱国主义的一个重要体现形式。

五、藏文化在世界文化中的地位

亚诺·汤恩比（Arnold Toynbee）在《历史的研究》（A Study of History）一书中将世界文明分为独立的文明和卫星文明两种类型，在独立的文明中，他视不同情况又分为三种类型：一是与其他文明全然没有关系者，包括中美文明、安达恩文明；一是非归属其他文明与其无密切关系者，包括苏美——亚加地文明、埃及文明、爱琴海文明、印度河文明、中国文明；一是归属其他文明而与其有密切关系者，包叙利亚文明、希腊文明、印度文明、非洲文明、希腊正教文明、西方文明、伊斯兰文明。在卫星文明中，他列了密西西比文明、“西南”文明、北安达文明、南安达文明、伊拉米地文明、希泰文明、乌拉尔文明、伊朗文明、美罗文明、高丽文明、日本文明、越南文明、意大利文明、东南亚文明、西藏文明、俄国文明、定居于欧亚大陆与亚非大陆草原附近的游牧文明十七类。并且列举了六类所谓“失败的文明”[6]。这种划分并不一定准确，但对世界文明进行了大致的类分，是具有重要的参考意义的。“西藏文明”是不确切的翻译，应译为“藏文明”或“藏族文明”。那么，藏族文明在世界文明中究竟处于什么地位，其价值何在？我们如何弘扬藏文化精神，使之发挥在世界文明中的作用？这是目前藏学热和藏族文化热中作为藏学研究工作者需要思考的重要问题。

作为高海拔地区的独特文化，藏族文化以其独特的魅力面向世界，它给人类文化提供的是一个全新的又是陌生的而对于人类文明又是不可或缺的文化；藏族文化所体现的宽容主义、人性主义、利他主义、爱国主义精神等，对于当今世界乃至未来社会同样是不可或缺的精神文明成果。

（一）从文化资产看，藏民族在统一的藏文化精神指导下，有以下一些具有代表性的甚至是独有的成果：

1. 藏民族是保存以《大藏经》为代表的佛教经典最多的民族。佛教被西方世界称为“东方的灵魂”，自公元 7 世纪佛教传入藏土以后，藏人进行了大规模的译经活动，经过一千多年的积累，使藏民族成为一个对佛经的翻译最多而且译文准确的民族；对佛教义理有丰富实践的民族。佛典资料，汗牛充栋。而这一笔财富尚未得到足够的利用、研究和开发。

2. 藏民族是保存了完整的封建农奴制的民族。在 1959 年以前西藏的封建农奴制的经济制度、政治制度、社会制度等一套完备的系统是完整地保留着的。所留资料十分丰富，它将为我们研究人类社会的发展历史等，提供直接而充足的材料。

3. 藏民族是保存了完整的政教合一制度的民族。中世纪的政教合一制度是人类社会发展进程中的重要现象，西藏为此提供了活的全新的资料。

4. 藏民族是保存了世界上最长的英雄史诗《格萨尔王传》的民族。《格萨尔王传》是藏民族的百科全书，从纵的方面看，它涉及了从原始社会末期到奴隶社会早期到今天藏族社会的内容（主要反映青藏高原的部落战争）；从横的方面看，它涉及了藏族社会的政治、经济、宗教、法律、风俗、职官制度等多个方面的内容，气势雄浑，卷帙浩繁。

5. 藏民族是保存了独特的苯教文化的民族。记录了苯教的神群、观念、教义、修持、发展的历史、祭祀禳祓等带有诸多史前文化材料的内容。

6. 藏民族是保留了独特的藏传佛教文化的民族。其中如独特的僧侣集团，独特的活佛转世制度，独特的僧人学经制度，佛化的文化、艺术等都为世人所注目。

7. 藏民族是保留了高海拔地区所特有的独特的医学——藏医的民族。

8. 藏民族是保存有对生命科学——气功（藏密气功）等实践的民族。有一些实践是十分可贵的，也是十分有价值的。

9. 藏民族是保存着丰富的在高海拔地区的生产、生活方式、经验和规律的民族。

就人类社会而言，尽管许多人还没有注意到这些文化资产在整个人类社会中的作用，但是社会的发展必将告诉人们这些文化遗产有着无与伦比的价值。同时，作为科学工作者，从现在起我们就应该重视保存、保护、研究这部分文化资产，不使之遭到不应有的破坏和损失。就因为有这些文化资产的存在，以青藏高原为基本环境的藏族社会才显得扑朔迷离、多姿多彩，才显得厚重、博大、巍峨，因为那里有涌动着丰富世界文明之海的“十万江河”。

（二）就藏族文化这一整体而言，善、慈悲和爱占有突出位置。这与藏传佛教教义息息相关，强调行善修好，慈悲无争，博爱，其实质是宽容主义、人性主义和和平主义，这种观念作为一种思想进入西方世界后，无疑受到欢迎。当然，西方哲学思想中并非没有这种理论，只是这些理论出现在独特的藏族文化中时，许多西方读者感到更为新奇，感到更具有诱惑力，从精神上获得更大的安慰，既成为现实生活中心理冲突的润滑剂，又成为神圣的社会理想。

每个头脑清楚的人都不能不为和平的消隐和战争的到来而恐惧和不寒而栗，生物武器、化学武器、核武器，这个世界一旦再产生希特勒、墨索里尼、东条英机等战争狂人，那时我们面临的不仅仅是千百万个生命的消失，而是人类的毁灭。

作为道德和一种心理，宽容有时也是消除对立的良药。有时候，没有宽容，就消除不了对立和对抗；没有宽容，就获得不了宁静、平静；没有宽容，就“保证”不了和平、稳定和团结，没有和平、稳定和团结，就不会有发展进步和幸福美满的生活。个人如此，地区如此，国家也如此。（当然，我们所说的宽容不是对魔鬼讲宽容，对敌人讲宽容，不是不讲是非、不讲原则、不讲正义。）因此，当西方人看见喜马拉雅山顶飘扬的宽容主义、和平主义和人性主义旗帜时，便肃然起敬，以为那是没有尘世污染的“香格里拉”中神佛的乐音，是人类最理想王国的思想。

一些重要的意识形态领域的问题（我们探讨的文化问题也一样）如果不将它放在最高的哲学观念上去考察，我们就会陷于沙粒般多的碎小的现象分析中。我曾参加接待过某国的一个代表团，会见中有一位先生讲美国人的对外政策有两条，一是要体现美国人的价值观念（即所谓个人主义、民族自尊、民主自由等），二是要符合美国国家利益（即实现其政治战略、经济战略和军事战略等目的）。即那句名言："只有永远的美国利益，没有永远的美国朋友。"我对此发表了自己的看法。这第一点很重要，给我以多方面的思考。

了解西方哲学的读者知道，美国实质上将"实用主义"作为国家哲学。这一哲学的大师詹姆士（William James，1842～1910）、杜威（Johu Dewey，1859～1952）关于实用主义发表过一系列的文章，仅杜威就有著作30多本。这一哲学崇尚个人主义是鼓吹自私自利的，追求所谓个人"发展"，个人"利益"和个人所收到的"实效"，人与人之间的一切交往，都是为了个人利益，除了个人利益不存在什么"友谊"。认为私欲是人类成功的动力。显然，这种入世的极端观念与藏传佛教所倡导的利他主义、出世主义大相径庭。

藏传佛教进入西方以后，很快受到许多人的重视，尤其是噶举派和宁玛派发展很快。据一些材料反映，美国等发达国家皈依佛门的人与日俱增。藏族的一些传教士们还在这些国家建起了为数不少的寺院。为什么将人与人的关系当作买卖、契约关系，崇尚利己主义的洋先生们对与之相反的利他主义和出世主义产生了兴趣和感情？原因可能是多方面的，但有两条是不言而喻的：

其一，发达的科学技术可以满足或部分地满足人们的物质享受，但它解决不了或者说不能完全解决得了人们的精神需求和精神发展，富裕的物质生活必须要有富裕的精神生活才能解决人的两极平衡，失衡便是矛盾，便是痛苦，便是灾难和苦难。因而，像美国这样越是发达的国家，对精神财富的需求越迫切。如果精神"赤"字达到应有的极限，物质生活再丰富的国家，同样会爆发形形色色的社会问题，从而阻碍生产力的发展。反之，精神财富丰富而物质财富匮乏的国家同样存在着努力丰富物质财富，保持与精神财富平衡发展的问题。

我想这是社会发展的必然，人类社会不会长久地滞留于政治时代，也不会长久地滞留于经济时代，在解决物质问题后，必然地要向精神问题转移——谋求一个丰富多彩的文化时代，这一时代对发展中国家和尚处于解决温饱问题的国家仿佛十分遥远，而对那些发达国家却是迫在眉睫的要事。

其二，私欲、个人主义和紧张的生存竞争，给人们带来的心理压抑已有许多文章述及，在此毋庸多说，实质上从人类基本的痛苦看，诚如佛教所说生老病死四苦是每个人都脱离不了的基本苦难，尤其病痛、衰老和死亡，谁个能摆脱得了？作为佛教人生观的理论基石，佛教对苦的描绘从时间和空间上都给以扩大化和绝对化，但是它也紧紧地抓住了人们的心理特点，即既然人生是痛苦的，人的一生该如何度过？答案只有一个：看破红尘，出离人世，证得解脱。解脱是佛教理论层次的根本目的，它的宇宙观和认识论都是为解脱提供依据的，通过修法，脱离“六道轮回”，得正果，成为佛。从实践的角度看，佛教的这些思想是一剂慰藉人们心灵的良药，尽管它的消极作用是显而易见的，但是它给那些探索生命者、失意者、得意者、穷人、富翁、目不识丁的乡民、高层的知识分子、圣洁无染的童子、双手染血的罪犯，都给予出路和恬静、宽容、宁静，无论这种恬谧、宽容、宁静是暂时的还是长久的。一般来说每个活着的人的烦恼都是尘世的烦恼，断除了这些烦恼，一个虚妄的又是无比清新的世界又展现在你的眼前。当然，进入这个每个人都可以进入的世界是需要付出代价的。众多的代价中，利他就是重要的一项。

世界在一日千里地向前发展。人类社会从徒手采集，到使用石器工具，从使用石器工具到使用青铜器，都曾经过了漫长的岁月，而自进入机器体系时代以后，其发展的脚步越来越快。首先从现代生产的特征看，生产不断地科学化、社会化，物质财富在不断地得到丰富。同时，我们看到生产资料的社会化和生产过程的社会化，都以科学技术为基础。其次，科学知识的信息量大幅度膨胀，知识更新周期缩短。据有关资料统计，1700年时，全世界每年发表的科技文献不足100篇，自此以后大约每15年增加一倍；1970年，每年约发表科技文献100万篇；目前，每年约发表500万篇；到2000年，每年将发表科技文献约一亿篇。年新科技成果的总信息量已超过了单个人的记忆总量。科学技术和物质生产力的发展，必然地要呼唤文化，呼唤那种适应这种发展需要的文化财富。因为，社会的一切物质都由人创造，而人本身是受文化和思想支配的。文化建设、心灵建设、精神建设，将是人类社会最为迫切的共同事业。而包括藏族文化在内的人类自诞生以来所创造的一切文化财富，都将给我们以借鉴，提供解决上述问题的思想、模式、方法和经验。

附　录

藏族史前考古大事记

1923 年，在青海省湟中县云固川的卡约村发现文化遗址，获得石器、骨器、陶器，此后考古工作者称此文化为卡约文化，涉及区域较广。与此相若的马厂、诺木洪文化等，同属于大的藏系民族文化范畴。

1956 年，中国科学院地质研究所在青藏高原进行地质普查时，在那曲（黑河）西约 2 公里的山谷河岸上采得细石器 2 件，首次提供了世界屋脊有古人类活动的信息。

1957 年 4～5 月间，青海省文化局根据群众反映发现了都兰县诺木洪搭里他里哈遗址，获得丰富的石器、骨角器、陶器等文化遗物。

1961 年 2 月，在拉萨澎波农场东北约 3 公里的“录布佳”山腰挖水渠时，发现石棺洞穴 8 处。

1966 年 7 月～8 月，珠穆朗玛地区综合考察队在西藏自治区聂拉木县发现两个细石器地点。

1966 年～1968 年，中国科学院西藏科学考察队在海拔 4500 米的定日苏热地方采得打制石器 40 件。

1973 年，在墨脱县马尼翁卫生所附近发现一件磨制石锛。

1974 年 3 月，云南省迪庆藏族自治州德钦县永芝生产队在修梯田时，发现多座石棺墓。

1974 年底至 1975 年春，中央民族学院教育革命小分队部分师生在林芝的红星、居木、加马拉和拉萨东郊等五个地方，采集到石器、陶片、动物残骸等遗物。

1975 年，中国科学院考古队古脊椎与古人类组在林芝河岸的阶地上，采集到打制石器 7 件和磨制石器 1 件。

1975 年 9 月，中国科学院青藏高原综合科学考察队在西藏自治区东部林芝县城附近的西藏建筑工程公司林芝砖瓦厂，发现一处新石器时代文化遗物，采集到古人类遗骨、石器、陶片和兽骨。

1976 年 6 月～7 月间，中国科学院青藏综合考察队专门组织了藏北分队，进行综合考察，从申扎县的珠洛勒、卢令和双湖的玛尼、绥绍拉等地采集到石片石器 14 件，细石器标本 156 件，并从当地牧民和干部中收集到细石器19件。

1976年7月~9月，中央民族学院进行民族考察的同志在墨脱县进行民族考察时，在达木、墨脱、背崩、地东等公社社员群众中收集到斧、锛、凿等16件磨制石器。同时在墨脱发现一些陶片。

1977年夏，昌都水泥厂工人在昌都镇东南约12公里的加卡村施工时发现了著名的卡若文化遗址。1978年5月22日至8月23日试掘。1979年再次挖掘，获得房屋遗址28座，石工具7968件，骨工具366件，陶片20000余片，装饰50件，以及粟米、动物骨骼等。

《南京大学学报》1981年4期报道了普兰、日土、吉隆等县的细石器。

1982年3月，西藏山南地区文管会的土登朗嘎同志发现规模宏大的列山墓群，6月、9月进行试掘。

1982年5月至1983年7月，青海省文物考古队，湟源县博物馆在进行文物普查时，发现部分卡约文化遗迹，获得陶器、铜器等若干。

1982年，《文物》第2期报道了青海省哈龙沟、巴哈力沟的岩画。

1984年6月，西藏自治区文管会文物普查队在乃东县昌珠区桑珠德庆公社普努沟发现一处古墓群。

1984年7月，西藏自治区文管会文物普查队先后在乃东县亚堆曲德公社、温区门中公社征集到磨制石器和玉器4件，在门中公社钦巴村发现一新石器遗址，出土烧骨、泥质和夹砂陶片等物。

1984年7月24日，在乃东县温区格桑公社结桑村发现古墓葬群。

1984年11月，西藏自治区文管会文物普查队在拉萨市北郊发现曲贡村遗址，获得磨制玉锛、骨针、骨锥、打制石器、泥制黑陶和夹砂黑陶等若干。

1985年9月，西藏自治区文管会文物普查队的同志在阿里日土县日松区、多玛分别发现任姆栋、鲁日朗卡、恰克桑三处岩画点。

吐蕃王朝赞普世系表

⋮

达布聂赛　（སྟག་བུ་སྙ་གཟིགས། 讵素若，6 世纪后半期）

│（子）

囊日论赞　（གནམ་རི་སློན་བཙན། 论赞索，6 世纪末叶）

│（子）

松赞干布　（སྲོང་བཙན་སྒམ་པོ། 弃宗弄赞，？～650）

│（孙）

芒松芒赞　（མང་སྲོང་མང་བཙན། 乞黎拔布，650～676 在位）

│（子）

都松芒布结　（འདུས་སྲོང་མང་པོ་རྗེ། 器弩悉弄，676～704 在位）

│（子）

赤德祖赞　（ཁྲི་ལྡེ་གཙུག་བཙན། 弃隶缩赞 704～755 在位）

│（子）

赤松德赞　（ཁྲི་སྲོང་ལྡེ་བཙན། 娑悉笼腊赞，742～797，755～797 在位）

│（子）

牟尼赞普　（མུ་ནེ་བཙན་པོ། 足之煎，797～798 在位）

│（弟）

赤德松赞　（ཁྲི་ལྡེ་སྲོང་བཙན།798～815 在位）

│（子）

赤祖德赞　（ཁྲི་གཙུག་ལྡེ་བཙན། 可黎可足，815～838 在位）

│（兄）

达玛　（གླང་དར་མ། 朗达磨，838～842 在位）

（括号内汉文译名据《新唐书》）

萨迦班智达贡噶坚赞致蕃人书*

奄！吉祥！敬礼护法文殊菩萨！

具祥萨迦班智达　致书与卫、藏、阿里善知识施主大德：

余为弘扬佛教，体念众生，更顾念操蕃语之众，来霍尔地方。召余前来之大施主极为欣悦曰："八思巴兄弟如此年幼，能偕从人一道携来，吾已深思矣。尔系以首归附，他人咸系以足降顺者；尔为吾所召来，他人则系惊惧而来，此情吾岂不知乎?！八思巴兄弟前此已谙蕃土之教，仍着八思巴习之；恰那多吉可令习霍尔语文，吾以世法护之，尔若护以圣教，则释迦牟尼之教岂有不遍弘海内者。"此菩萨（化身）汗于佛法三宝深为崇敬，教化修明，善遇臣下，于余恩泽更异人于他人。曾谓："尔静心传法，所需吾悉与焉，尔善事吾，吾知之；吾所为良善与否上天知也。"于八思巴兄弟尤为关切。以"自觉奉法，邦土叨光"之纯良用心，谓："尔可令尔所部土蕃民户善习法规。吾当使其乐业安居者。"祝祷此汗王及王室长寿之佛事其各勤奋从事焉。

要言之：此霍尔之军旅无算，窃以为瞻部洲已悉入其辖土矣，顺彼者与彼共苦乐；心怀厌恶不遵功令而空言归顺则不许，且终有因而覆灭者。畏吾儿之境未遭涂炭而昌盛逾前，人畜由彼等自理，必阇赤、库吏、别乞，均由彼等自任之。余如金国、西夏、阻卜等地未亡之前虽已派有霍尔使者。然（彼等）不遵功令，终遭覆亡，逃遁无门，仍需俯首归降。后彼等能奉行惟谨，至今，其各自别乞、库吏、军官、必阇赤等官员已多有委其贤者任之者。吾等部众訑悍，或有希冀百计千方脱逃者；有冀道长路远而（霍尔）或不至者；有冀以战斗获胜者；狡诈蒙骗之辈定遭覆亡，仍需各自输诚归顺者甚多。因吾等蕃部凶悍，除驱为奴隶者外，委为官者百不得一二。蕃部归顺者虽众，然贡物甚微，（此间）王公内心颇有不悦之概。

前此数年，霍尔军旅未曾压堆，余偕白利来归顺时，此间善通款曲，并言堆阿里、卫、藏等部已降，白利各部将各个归顺。故至今未遣军旅亦收益

---

* 转引自南京大学历史系编《元史及北方民族史研究集刊》1978 年第 3 期，王尧译文。原信收录于《萨迦世系史》。

矣。然堆境人众亦有不知此者。其时，向此邦输诚因贡物不丰，未能释疑而遭重兵践踏，人畜尽失，此事尔等当亦有所闻，与（霍尔）交兵者，自以地险、人雄、兵众、甲坚，且娴于箭法，希冀获胜，终至覆亡。

或以为，霍尔本部乌拉及兵差轻微，他部乌拉及军差负担甚重。殊不知与（霍尔）相比，他部或稍轻焉。

又谓："若能遵行功令，则尔等之地，各处部众原有之官员仍然加委供职。召萨迦之金字、银字使者来，吾任之为达鲁花赤极为妥当。此事可广事宣谕：应派干练之使者从事之。另将各地官员姓名、部众数字、贡物之量善缮三分，一送吾处，一放萨迦，一由各地长官执掌，并书志某已降，某未降，若未分别，则恐于未降者之祸殃及已降者。萨迦金字使与各地官员善为商榷，利乐众生有情，勿擅作威福；各地长官亦毋不与萨迦金字使议而擅权自主，法规中无不议擅权之条款，若触及刑律，来此申诉亦难矣，尔等其协力同心焉。"

遵奉霍尔法令定有裨益，金字使接送伺候应力求周到，盖金字使至时均先询以"未有遁逃者乎?""遇战者乎?""于金字使善为承侍否?""得乌拉供应否?""降顺者其意坚诚否?"若逢金字使不悦，则定进以危言，欣喜时亦定能福之也。若不听金字使之言，虽有所为亦受刁难者屡见不鲜。

地方缙绅贡物来此而受礼遇者有之，吾等若亦思获善遇者，（吾等之）长官其携以厚贡，偕萨迦人前来，贡物多少亦与之议，余亦于此间划策，然后来此，则尔我均获安乐也。去岁，余曾遣人告以如此如此方为上策之议，尔等未见如此作者，岂思于覆灭之后各自俯首帖耳听命者乎?届时将下何命令，亦难预知也。尔届时千祈勿谓萨迦人虽至霍尔邦土与吾等并无利益也。余为利他之心，顾念操蕃语之人众而来霍尔地方者，听余之言必将受益。尔等未亲睹此情此景，仅凭耳闻，自难全信，故亦有思战以获胜者，如此，则正似"安乐静闲鬼揿头"之谚：兵燹之余，恐卫、藏之子弟生民将有驱来霍尔邦土之虞也。余祸福均无悔意，依上师三宝之加持恩德或可获佳境。尔等其亦向三宝祈祷焉。

汗于余关切逾常，故金国、蕃、畏吾儿、西夏等地之善知识大德，各地人士均目为奇异，前来听经，极为虔敬，吾等来此之人，勿劳操心霍尔将如何对待，均甚为关切，待之甚厚，余之安全其放心勿劳关注可也。

贡物以金、银、象牙、大粒珍珠、银硃、蕃红、木香、牛黄、虎（皮）、豹（皮）、山猫（皮）、水獭（皮）、蕃呢、上卫（氆氇）等物，此间甚为喜爱，此间于牲畜不屑顾，然各地可以最佳之财物贡来即可。

"有金能如所愿"，其深思焉!

佛教遍弘各方欤!

钦定藏内善后章程二十九条

（一）关于寻找活佛呼图克图的灵童问题，依照藏人例俗，确认灵童必问卜于四大护法，这样就难免发生弊端。大皇帝为求黄教得到兴隆，特赐一金瓶，今后遇到寻认灵童时，邀集四大护法，将灵童的名字及出生年月，用满、汉、藏三种文字写于牙签上，放进瓶内，选派真正有学问的活佛，祈祷七日，然后由各呼图克图和驻藏大臣在大昭寺释迦佛像前正式认定。假如找到的灵童只有一名，亦须将一个有灵童名字的牙签，和一个没有名字的牙签，共同放进瓶内，假若抽出没有名字的牙签，就不能认定已寻得的儿童，而要另外寻找。达赖喇嘛和班禅额尔德尼像父子一样，认定他们的灵童时，亦须将他们的名字用满、汉、藏三种文字写在牙签上，同样进行，这些都是大皇帝为了黄教的兴隆，和不使护法弄假作弊。这个金瓶常放在宗喀巴佛像前，需要保护净洁，并进行供养。

（二）为求西藏永远安乐计，今后由邻近各国来西藏的旅客和商人，需要进行管理，如果他们安分守己，遵守地方例俗，可以准其照旧经营商业，但是所有来往商人，必须进行登记，造具名册呈报驻藏大臣衙门备案。准许尼泊尔商人每年来藏三次，克什米尔商人每年来藏一次，各该商人无论前往何地，须由该管主脑呈报驻藏大臣衙门，按照该商人所经过的路线签发路证，并在江孜和定日两地方新派官兵驻扎，各该商人经过时，须将路证拿出检验。如有外人要求到拉萨者，须向各边境宗本进行呈报，并由驻江孜和定日的汉官进行调查，将人数呈报驻藏大臣衙门批准。该外人到拉萨后，需要进行登记并受检查。派驻各地的汉官及文书等人员，如有贪污受贿等行为，一经发现即予惩办。由不丹、哲孟雄前来拉萨办理朝佛等事的人员，也同样需要呈报。外人返回本国时，也由各地宗本加以管理并进行检查。达赖喇嘛派往尼泊尔修建佛像或去朝塔的人员，由驻藏大臣签发路证，如逾期不能返回，由驻藏大臣另外行文给廓尔喀王。这样办理即可澄清边务，也对西藏有利。

（三）西藏"章卡"（市场所流行的一种硬币）历来掺假很多。今后政府应以纯粹汉银铸造，不得掺假。并依旧制，每一章卡重一钱五分，以纯银的六枚章卡换一两汉银。本来六枚章卡只等于九钱银子，所差一钱银子即算为铸造费用。章卡正面铸“乾隆宝藏”字样，边缘铸年号，背面铸藏文。驻藏大臣派汉官会同噶伦对所铸之章卡进行检查，以求质量纯真。以前尼泊尔铸有假章卡，藏政府也铸有假章卡，现规定其比价一律为汉银一两换一百枚，并决定以后不得再私自铸造。凡尼泊尔及西藏所铸章卡之没有掺假者，一律以上述比价为标准，以后不得非议。所铸新章卡如有掺杂锡、铁等假料而被发觉时，所有由汉官及噶论委派之孜本、孜仲（僧官）等管理人员以及工匠人等，一律依法应受严厉处分，并依所铸假币数目加倍罚款。

（四）以前前后藏都没有正规军队，用时临时征调，不仅缺乏作战能力，并且骚扰人民，为害很大。这次呈请大皇帝批准，成立三千名正规军队：前后藏各驻一千名，江孜驻五百名，定日驻五百名，以上兵员由各主要地区征调，每五百名兵士委一代本管理。以前西藏只有五个代本职位，这次增加兵额，应依新增人数，增加代本名额。前藏代本即调原拉萨甲本充任，日喀则、江孜、定日各地代本，由日喀则督兵充任。所有征调的兵员，应填造两份名册，一份存驻藏大臣衙门，一份存噶厦。以后如果发生缺额，即依名册补充。以上兵员统为达赖喇嘛和班禅额尔德尼的警卫。

（五）关于军官的职位，按照这次的编制，代本以下设十二个如本，每一如本管二百五十名士兵，如本以下设二十四名甲本，每一甲本管一百二十五名士兵，甲本以下设五名定本，每一定本管二十五名士兵。以上人员由驻藏大臣和达赖喇嘛挑选年轻有为者充任，并发给执照。代本出缺时，由如本中升补；如本出缺时，从甲本中升补，以下类推。贵族出身的军职人员，也要从定本、甲本逐级提升，不得任意升迁。按照旧例，平民只能升任定本，不能上升，今后应依照其学识技能及战功逐级升迁，不得歧视。如有违犯军纪的事情发生，即予严惩。

（六）以前征调兵丁，不发粮饷武器，系由各兵丁自备，一旦用完，即行潜逃。今后每年每人应发粮食二石五斗，总共为七千五百石。上数粮食仅靠前后藏的田赋收入不够支付，故以夏麻娃仲巴呼图克图的田产，以及丹增班觉之子目居索南班觉所捐献的五个庄园，总共收入青禾三千一百七十石，作为补充。如还不够支付，即将夏麻娃洛桑坚班的什物尽行变卖，以补不足，这样每年就可收青禾七千五百石，用以发给各兵丁应发的粮饷。另外受征调的兵丁，由达赖喇嘛发给减免差役的执照，这样更可使各兵丁知道对他们的照顾，以增进他们的战斗情绪。各代本因为已经有了达赖喇嘛拨给他们的庄园，就无须另发薪饷。各如本每年应发三十六两银子，各甲本二十两，各定本十四两八钱，总共两千六百两银子，由藏政府交给驻藏大臣，分春秋两季发给。兵丁的粮饷也分春秋两季发给，由甲本和代本负责，不得短少。

（七）关于军队装备，十分之五用火枪，十分之三用弓箭，十分之二用刀矛。前后藏各寺院如有剩余武器，给价予以收买，其费用由前被没收的夏麻娃牧场收入的酥油价值五百五十两中开支。弓箭、火药由政府每年派人前往太昭及边巴制造。各兵丁还要经常操练。

（八）达赖喇嘛和班禅额尔德尼的收入及开支，以前不经过驻藏大臣审核。由于达赖喇嘛和班禅额尔德尼全副精力贯注于宗教，不加细察零星事务，完全由他的亲属及随员等负责管理难免不发生中饱舞弊情事，所以这次大皇帝特命驻藏大臣进行审核，每年在春秋两季各汇报一次。一有隐瞒舞弊等情事发生，应即加以惩罚。

（九）此次廓尔喀侵犯藏地，西藏许多村落夷为废墟，人民饱尝痛苦，因此对于所属人民应大发慈悲，予以爱护，最近决定济咙、绒夏、聂拉木等三个地方免去两年的一切大小差徭，宗喀、定日、从堆等地方各免去一年的一切差徭。并免去前后藏所有人民铁猪年以前所欠的一切税收。政府僧俗官员、各宗、谿负责人等，所有欠交税收也都减免一半。以上各项措施符合大皇帝爱护西藏众生的意志，对于前后藏人民造益不浅。

（十）驻藏大臣与达赖喇嘛、班禅额尔德尼平等，共同协商处理政事，所有噶伦以下的首脑及办事人员以至活佛，皆是隶属关系，无论大小都得服从驻藏大臣。札什伦布的一切事务，在班禅额尔德尼年幼时，由索本堪布负责处理，但为求得公平合理，应将一切特殊事务，事先呈报驻藏大臣，以便驻藏大臣出巡到该地时加以处理。

（十一）噶伦发生缺额需要补充时，从代本、孜本、强佐中考察各人的技能及工作成绩，由驻藏大臣和达赖喇嘛共同提出两个名单，呈报大清皇帝选择任命。噶伦喇嘛之缺额，从大堪布中提名呈请委任。代本之缺额从如本中迁升，或从边境宗本中提出两个名单，呈请选择委任。孜本和强佐之缺额，由业仓巴、协邦（管理刑事者）、噶厦大秘书、孜仲喇嘛（僧官）中选任。业仓巴和协邦之缺额，由雪第巴、拉萨莫木、代本中选任。雪第巴、拉萨莫木、代本之缺额，由各地宗本及噶厦仲尼（交际人员）中委任。业仓巴和雪第巴之僧官缺额，从各大寺喇嘛中挑选委任。大秘书之缺额，由小秘书及噶厦仲尼中委任。大宗及边宗宗本之缺额，由小宗宗本中委任。小秘书之缺额，由武官甲本及其他适当人员中委任。各边宗及小宗宗本之缺额，由普通职员中委任。过去各宗之僧官宗本，都由达赖喇嘛的随从中委任，他们多不能亲自到宗任职，而派代理人前往，这些代理人难免不发生贪污敲诈情事，因此今后所有代理人均由驻藏大臣选派，不能由孜仲喇嘛私自委派。噶厦的小秘书及仲尼，其职位虽小，但经常和噶伦一处工作，不谓不重要，所以须从俗官中挑选能力较强者充任之。最近改组造币厂，委任两个孜本和两个孜仲为管理人，如该人员发生缺额时，须由达赖喇嘛和驻藏大臣协商选任。所有以上人员，除噶伦和代本须呈请大皇帝任命外，其余人员可由驻藏大臣和达赖喇嘛委任，并发给满、汉、藏三种文字的执照。噶伦代本以下人员和各个宗本，今后均按上述规定逐级升迁，不得逾规乱为。至于草官、卫士、糌粑管理人、帐篷管理人员等，无关重要，可由达赖喇嘛自行派任。

札什伦布的工作人员，都是僧人，过去没有规定品级，多少也不一定。今后强佐出缺时，须由索本喇嘛（管饮食者）和森本喇嘛（管寝室者）中补任，索本出缺时，从孜仲中补任，森本出缺时，从仲尼（副官）中补任，不得随意升迁。札什伦布辖区内村落较少，各边地亦无重要之宗、豀，所有强佐、索本、森本及宗本等，须依前藏之制度，由班禅额尔德尼和驻藏大臣协商委任。至于酥油、糌粑、柴火等零碎事务之无关重要人员，可依其技能优劣，由班禅额尔德尼自行选任。关于“乌拉”等之派遣可依照旧例行之。

（十二）达赖喇嘛和班禅额尔德尼周围的官员，过去都是他们的亲属，如达赖喇嘛的叔父和班禅额尔德尼的父亲班丹团主，都是私人升任，又如达赖喇嘛之胞兄洛桑格登主巴，依仗势力多行不法。今后应依西藏各阶层及札什伦布僧俗人民之愿望，在达赖喇嘛和班禅额尔德尼在世时，其亲属人员不准参与政事。达赖、班禅圆寂后，如果还有亲属，可以根据他们的技能给予适当的职务。

（十三）驻藏大臣每年分春秋两季出巡前后藏各地和检阅军队。各地汉官和宗本等，如有欺压和剥削人民情事，即可报告驻藏大臣，予以查究。驻藏大臣出巡时，所用民间乌拉等，都得发给脚价，不得扰累番民，以示体恤。

（十四）西藏和尼泊尔、不丹、锡金等疆界相连，以前这些地方来人呈献贡物和处理公务，达赖喇嘛写回信时，曾因格式不合及其他原因而发生纠葛，例如尼泊尔前此行文交涉章卡一事，西藏方面没有谨慎从事，以致引起战争。现尼泊尔方面虽然表示悔改前非，归顺投降，但以后无论何种行文，都须以驻藏大臣为主，和达赖喇嘛协商处理。今后尼泊尔派人来见达赖喇嘛和驻藏大臣，其回文必须按照驻藏大臣之指示缮写，关于边界的重大事务，更要根据驻藏大臣的指示处理。外方所献的贡物，也须请驻藏大臣查阅。不丹，以前皇帝曾加边封号，其宗教虽然不同，但每年派人向达赖喇嘛呈献贡物；锡金、宗巴、孟唐等藩属，每年也派人向达赖喇嘛和班禅额尔德尼献贡，均不要加以阻挠，而应详细检查，外方人员来藏时，各边宗宗本须将人数登记，报告驻藏大臣，由江孜和定日的汉官进行检查后，准其前往拉萨。各藩属给达赖喇嘛等人的来文，须译呈驻藏大臣查看，并代为酌定回书，交来人带回。所有噶伦都不得私自向外方藩属通信，即或由外方藩邦行文给噶伦时，得呈交驻藏大臣和达赖喇嘛审阅处理，不得由噶伦私自缮写回信。以上有关涉外事务的规定，应严格遵守。

（十五）西藏的济咙、聂拉木、绒夏、喀达、萨噶、工布等地区和尼泊尔疆土相连，又为交通要道，须在济咙的日班桥，聂拉木的潘瞻铁桥，绒夏的边界等处树立界碑，限止尼商和藏人随意越界出入。驻藏大臣出巡时必须予以检查。所有尚未树立界碑之处，亦须迅速树立，不得因迟延而引起纠葛。

（十六）边界地区与外方连接，对于当地人民之管理，来往行人之检查，都属重要事务。过去知能较强之宗本多留拉萨供职，而派知能较弱之宗本前去边界，难免耽误事情。今后边宗宗本均由小宗宗本及军队头目中选派，任满三年后考查成绩，如果办理妥善，驾驭得宜，记名以代本等缺升用，倘办理不善，立即革退。

（十七）西藏过去委任大小职务，均在贵族中选任，平民完全无份。自今新立规章，凡普通士兵如有知能较强并有战斗能力者，虽非贵族亦得升任定本甚至逐级升至代本。其他一切官职，可依旧例从贵族中派任，但如年龄过幼，亦不宜担任官职。因此规定小秘书、噶厦仲尼、小宗本等，年满十八岁之贵族子弟始可派任。

（十八）堪布为各寺院之主脑，应选学问渊博，品德良好者充任之。近查各大寺之活佛，拥有很多庄园，并因享有群众信仰，所献贡物很多，再加经商谋利，贪财好货，甚不称职。现规定今后大寺堪布活佛人选，得由达赖喇嘛、驻藏大臣及济咙呼图克图等协商决定，并发给加盖以上三人印章的执照。至于各小寺堪布活佛之人选，可依原例由达赖喇嘛决定。

（十九）政府之所有税收，有以银两折交物品者，即照所定新旧章卡兑换之数，按新铸旧铸，分别折收，不得稍有浮多。至采买各物，亦须公平交易，不得苦累商民。

（二十）在济咙、聂拉木两地方抽收大米、食盐及各种物品之进出口税，可依原例办理，除非请示驻藏大臣同意，政府不得私自增加税额。

（二十一）西藏之税收、乌拉等各种差役，一般贫苦人民负担苛重，富有人家向达赖喇嘛和班禅额尔德尼领得免役执照，达赖喇嘛之亲属及各大呼图克图亦领有免役执照。各噶伦、代本、大活佛之庄民也多领得免役执照。今后所有免役执照一律收回，使所有差役平均负担。其因特殊情况需要优待者，由达赖喇嘛和驻藏大臣协商发给免役执照。对新成立之番兵，由驻藏大臣和达赖喇嘛依照名册一律发给免役执照。番兵出缺时，须将所发免役执照收回。

（二十二）达赖喇嘛所辖寺院之活佛及喇嘛，一律详造名册，并由噶伦负责将全藏各呼图克图所属寨落人户详细填造名册，于驻藏大臣衙门和达赖喇嘛处各存一份，以便检查。以后各寺喇嘛如有不领护照而私行外出者，一经查出，即惩办该管堪布及札萨等主脑人员。

（二十三）青海蒙古王公派人来藏，迎请有学问之活佛到家念经祈祷，有些固然是通过驻藏大臣，但有些是私自前往，因而不易查访。以后青海蒙古王公前来迎请西藏活佛，须由西宁大臣行文驻藏大臣，由驻藏大臣发给通行护照，并行文西宁大臣，以便查访。到外方朝佛之活佛，亦得领取护照，始得通行。如若私行前往，一经查出，即惩罚该管堪布及主脑人员。

（二十四）依照旧例，来往派遣人夫乌拉，皆由达赖喇嘛发给执票，流弊很大，噶伦、代本以及达赖喇嘛之亲属，都有私派乌拉用以运输食粮用物。今后各活佛头目等因私出外时，一律不得派用乌拉。因公外出时，由驻藏大臣和达赖喇嘛发给加盖印章之执票，沿途按照执票派用乌拉。

（二十五）对于打架、命案及偷盗等案件之处理，可以缘依旧规，但须分清罪行之大小轻重，秉公办理。近年来噶伦及昂辖、密本（拉萨市长）等，对案件之处理不惟不公，并额外罚款，还将所罚金银牛羊等不交政府，而纳入私囊。噶伦中还有利用权势，对于地位低下之人，随便加以罪名，呈报达赖喇嘛，没收其财产者屡见不鲜。今后规定对犯人所罚的款项，必须登记，呈缴驻藏大臣衙门。对犯罪者的处罚，都必须经过驻藏大臣审批。没收财产者，亦应呈报驻藏大臣，经过批准始能处理。今后无论公私人员，如有诉讼事务均须依法公平处理，噶伦中如有依仗权势，无端侵占人民财产者，一经查出，除将噶伦职务革除及没收其财产外，并将所侵占的财产，全部退还本人，以儆效尤。

（二十六）每年操演军队所需用之弹药，由噶厦派妥员携带驻藏大臣衙门之公文，前去工布地方制造，运至拉萨发给部队。以前后藏番兵没有火炮，现从新造十四门火炮中调两门给后藏，以便在军队操演时试验射击，其余都交给达赖喇嘛。

（二十七）过去噶伦及代本等上任时，达赖喇嘛照例拨给公馆及庄园，卸任时交回。近查有噶伦及代本已经卸任，而公馆及庄园仍由家属承受不交，政府又另外拨给。今后所有卸任之噶伦及代本，应将公馆及庄园移交新任，不得据为私有。

（二十八）依照原例，应该发给活佛及喇嘛之俸银，均有定时，近来多有提前发放情事。今后应按规定时间发放，绝对不得提前。希济咙呼图克图立即进行调查，如发现提前发放俸银，或未全部发放者，对负责人员予以处分。

（二十九）西藏各村落应交付政府之赋税、地租以及物品，邻近各地多派僧官催缴，较远者多派俗官催缴。近查僧俗官员和宗本中有少数坏人，将所收赋税地租不交政府而入私囊，致逐年积欠者甚多。甚有催收本年各项赋税时，预将明年各项赋税提前催收情事，还有逃亡户应该负担之赋税，强加给住地户负担者，以致苛捐繁重，民不聊生。以后强佐派人催缴赋税时，应按规定期限办理。僧俗官员及宗本等只准催清当年赋税，不得提前催收来年赋税。各村逃亡户之负担应予减免，俟该逃亡户还乡后照旧负担。

历辈达赖班禅世袭表[①]

一、历辈达赖喇嘛世袭表

佛名	世次	生年	卒年	出生地
根敦朱巴	一世	铁羊年（1391）	木马年（1474）	西藏萨迦县
根敦嘉措	二世	火猴年（1476）	水虎年（1542）	西藏谢通门县
索南嘉措	三世	水兔年（1543）	土鼠年（1588）	西藏堆龙德庆县
云丹嘉措	四世	土牛年（1589）	火龙年（1616）	蒙古曲库尔部落
阿旺嘉措	五世	火蛇年（1617）	水狗年（1682）	西藏山南穷结县
仓央嘉措	六世	水猪年（1683）	火狗年（1706）	西藏门隅地方
格桑嘉措	七世	土鼠年（1708）	火牛年（1757）	四川甘孜州理塘县
强白嘉措	八世	土虎年（1758）	木鼠年（1804）	西藏南木林县
隆多嘉措	九世	水牛年（1805）	木猪年（1815）	四川甘孜邓柯地方
楚臣嘉措	十世	火鼠年（1816）	火鸡年（1837）	四川甘孜理塘县
克珠嘉措	十一世	土狗年（1838）	木兔年（1855）	四川甘孜道孚县
成烈嘉措	十二世	火龙年（1856）	木猪年（1875）	西藏山南地区
土登嘉措	十三世	火鼠年（1876）	水鸡年（1933）	西藏朗县
丹增嘉措	十四世	木猪年（1935）		青海平安县

二、历辈班禅额尔德尼世袭表

佛名	世次	生年	卒年	出生地
克珠杰	一世	木牛年（1385）	土马年（1438）	西藏昂仁县
索南确朗	二世	土羊年（1439）	木鼠年（1504）	西藏日喀则
罗桑顿珠	三世	木牛年（1505）	火虎年（1566）	西藏日喀则

① 此表依据《历辈达赖喇嘛与班禅额尔德尼年谱》编制。

罗桑确吉坚赞	四世	铁马年（1570）	水虎年（1662）	西藏日喀则
罗桑益西	五世	水兔年（1663）	火蛇年（1737）	西藏南木林
班丹益西	六世	土马年（1738）	铁鼠年（1780）	西藏南木林
罗桑丹贝尼玛	七世	水虎年（1782）	水牛年（1853）	西藏白朗县
丹白旺秋	八世	木兔年（1855）	水马年（1882）	西藏南木林
罗桑确吉尼玛	九世	水羊年（1883）	火牛年（1937）	西藏朗县
额尔德尼·确吉坚赞	十世	土虎年（1938）	土蛇年（1989）	青海循化县
确吉杰布	十一世	铁马年（1990）		西藏嘉黎县

中央人民政府和西藏地方政府关于和平解放西藏办法的协议

（十七条协议）

西藏民族是中国境内具有悠久历史的民族之一，与其他许多民族一样，在伟大祖国的创造与发展过程中，尽了自己的光荣的责任。但在近百余年来，帝国主义势力侵入了中国，因此也就侵入了西藏地区，并进行了各种的欺骗和挑拨。国民党反动政府对于西藏民族，则和以前的反动政府一样，继续行使其民族压迫和民族离间的政策，致使西藏民族内部发生了分裂和不团结。而西藏地方政府对于帝国主义的欺骗和挑拨没有加以反对，对伟大的祖国采取了非爱国主义的态度。这些情况使西藏民族和西藏人民陷于奴役和痛苦的深渊。一九四九年中国人民解放战争在全国范围内取得了基本胜利，打倒了各民族的共同的内部敌人——国民党反动政府，驱逐了各民族的共同的外部敌人——帝国主义侵略势力。在此基础上，中华人民共和国和中央人民政府宣布成立。中央人民政府依据中国人民政治协商会议通过的共同纲领，宣布中华人民共和国境内各民族一律平等，实行团结互助，反对帝国主义和各民族内部的人民公敌，使中华人民共和国成为民族友爱合作的大家庭。在中华人民共和国各民族的大家庭之内，各少数民族聚居的地区实行民族的区域自治，各少数民族均有发展其自己的语言文字，保持或改革其风俗习惯及宗教信仰的自由，中央人民政府则帮助各少数民族平等发展其政治、经济和文化教育的建设事业。自此以后，国内各民族除西藏及台湾区域外，均已获得解放。在中央人民政府统一领导和各上级人民政府直接领导之下，各少数民族均已获得充分享受民族平等的权利，并已经实行或正在实行民族的区域自治。为了顺利地清除帝国主义侵略势力在西藏的影响，完成中华人民共和国领土和主权的统一，保卫国防，使西藏民族和西藏人民获得解放，回到中华人民共和国大家庭中来，与国内其他各民族享受同样的民族平等的权利，发展其政治、经济、文化教育事业，中央人民政府于命令人民解放军进军西藏之际，通知西藏政府派遣代表来中央举行谈判，以便订立和平解放西藏办法的协议。一九五一年四月下旬西藏地方政府的全权代表到达北京。中央人民政府当即指派全权代表和西藏地方政府于友好的基础上举行了谈判。谈判结果，双方同意成立本协议，并保证其付诸实行。

一、西藏人民团结起来，驱逐帝国主义侵略势力出西藏，西藏人民回到中华人民共和国祖国大家庭中来。

二、西藏地方政府积极协助人民解放军进入西藏，巩固国防。

三、根据中国人民政治协商会议共同纲领的民族政策，在中央人民政府统一领导之下，西藏人民有实行民族区域自治的权利。

四、对于西藏的现行政治制度，中央不予变更。达赖喇嘛的固有地位及职权，中央亦不予变更。各级官员照常供职。

五、班禅额尔德尼的固有地位及职权，应予维持。

六、达赖喇嘛和班禅额尔德尼的固有地位及职权，系指十三世达赖喇嘛与九世班禅额尔德尼彼此和好相处时的地位及职权。

七、实行中国人民政治协商会议共同纲领规定的宗教信仰自由的政策，尊重西藏人民的宗教信仰和风俗习惯，保护喇嘛寺庙。寺庙的收入，中央不予变更。

八、西藏军队逐步改编为人民解放军，成为中华人民共和国国防武装的一部分。

九、依据西藏的实际情况，逐步发展西藏民族的语言、文字和学校教育。

十、依据西藏的实际情况，逐步发展西藏的农牧工商业，改善人民生活。

十一、有关西藏的各项改革事宜，中央不加强迫。西藏地方政府应自动进行改革，人民提出改革要求时，得采取与西藏领导人员协商的方法解决之。

十二、过去亲帝国主义和亲国民党的官员，只要坚决脱离与帝国主义和国民党的关系，不进行破坏和反抗，仍可继续供职，不究既往。

十三、进入西藏的人民解放军遵守上列各项政策，同时买卖公平，不妄取人民一针一线。

十四、中央人民政府统一处理西藏地区的一切涉外事宜，并在平等、互利和互相尊重领土主权的基础上，与邻邦和平相处，建立和发展公平的通商贸易关系。

十五、为保证本协议之执行，中央人民政府在西藏设立军政委员会和军区司令部，除中央政府派去的人员外，尽量吸收西藏地方人员参加工作。

参加军政委员会的西藏地方人员，得包括西藏地方政府及各地区、各主要寺庙的爱国分子，由中央人民政府指定的代表与有关各方面协商提出名单，报请中央人民政府任命。

十六、军政委员会、军区司令部及入藏人民解放军所需经费，由中央人民政府供给。西藏地方政府应协助人民解放军购买和运输粮秣及其他日用品。

十七、本协议于签字盖章后立即生效。

中央人民政府全权代表

首席代表：李维汉（签字盖章）

代表：张经武（签字盖章）

张国华（签字盖章）

孙志远（签字盖章）

西藏地方政府全权代表：

首席代表：阿沛·阿旺晋美（签字盖章）

代表：凯墨·索安旺维（签字盖章）

土丹旦达（签字盖章）

土登列门（签字盖章）

桑颇·登增顿珠（签字盖章）

一九五一年五月二十三日于北京

中华人民共和国第二届全国人民代表大会第一次会议关于西藏问题的决议

（一九五九年四月二十八日第二届全国人民代表大会第一次会议通过）

第二届全国人民代表大会第一次会议详细地讨论了有关西藏和各方面问题，决议如下：

（一）会议完全同意国务院对于原西藏地方政府和上层反动集团在一九五九年三月十日举行叛乱后所采取的各项措施。会议对迅速平定叛乱的中国人民解放军驻西藏部队表示敬意和慰问，对积极协助解放军平定叛乱的西藏僧俗各界人民和各阶层爱国人士表示敬意和慰问。

（二）原西藏地方政府和上层反动集团的叛乱不是偶然的。自英帝国主义在十九世纪末、二十世纪初以印度为基地对我西藏地方实行军事、政治和经济的侵略以来，反侵略的西藏爱国人民同被外国侵略势力所收买利用的少数西藏卖国贼之间，就展开了长期的尖锐的斗争，而在中国解放前夜，亲帝国主义分子在原西藏地方政府的领导集团中是占着优势的。一九五一年西藏和平解放以后，中央人民政府为了等待这批帝国主义分子的觉悟，对他们采取了宽大的态度，让他们在原地方政府继续供职，只要他们割断同帝国主义和其他外国干涉者的联系，不再进行破坏活动，就不究既往。中央人民政府的这个政策是完全正确的，因为这有利于中央人民政府和人民解放军同西藏广大人民以及很多上中层人士建立联系，并且获得他们的信任。但是，原西藏地方政府中的卖国贼对于和平解放西藏的十七条协议阳奉阴违，继续同帝国主义者和外国干涉者勾结，阴谋实现帝国主义和外国干涉者所要求的所谓“西藏独立”，并且发动武装叛乱。中央人民政府直至叛匪向拉萨人民解放军驻军发动进攻以后，才命令人民解放军讨平叛乱，才命令解散原西藏地方政府。这就使得这些卖国贼的罪恶完全暴露在西藏各阶层人民之前，暴露在全世界人民之前。一切理由完全在中央人民政府和一切拥护中央人民政府方针的人们方面。任何对于这批出卖祖国、分裂祖国、背信弃义、杀人放火、灭绝人性的叛匪表示“同情”和企图借机干涉中国内政的外国人，只能使中国各族人民和世界各国人民认清他们的面目，从而获得必要的教训。

（三）在西藏，同在其他少数民族地区一样，应当坚决实现中央人民政府统一领导下的民族区域自治。原西藏地方政府和上层反动集团妄想实现所谓“西藏独立”，因而积极反对民族区域自治，现在随着原西藏地方政府的解散和西藏上层反动集团叛乱的失败，已经有可能在实行人民解放军军事管制的同时，在西藏自治区筹备委员会领导之下，逐步建立西藏自治区的各级地方行政机构和藏族人民的自卫武装，并且开始执行自治职权。西藏自治区的各级地方行政机构，都应当有广大人民的代表和各阶层爱国人士的代表参加。在西藏的人民解放军部队全体官兵，一切在西藏工作的汉族和其他民族的工作人员，都必须同藏族人民建立最亲密的兄弟关系，艰苦工作，英勇奋斗，为藏族人民的利益服务。

（四）西藏现在的社会制度是一种极其落后的农奴制度，农奴主对于劳动人民的剥削、压迫、残害的残酷程度是世界上少有的，甚至那些口口声声“同情”西藏叛匪的人，也说不出他们为什么硬要热心于支持这种落后制度的理由。西藏人民久已坚决要求改革自己的社会制度，许多上中层开明人士也认识到，如不改革，西藏民族断无繁荣昌盛的可能。由于反对改革的原西藏地方政府反动分子的叛乱已经平定，西藏广大人民的改革要求，已经得到顺利的实现的条件。西藏自治区筹备委员会应当根据宪法，根据西藏广大人民的愿望和西藏社会经济文化的特点，逐步实现西藏的民主改革，出西藏人民于水火，以便为建设繁荣昌盛的社会主义的新西藏奠定基础。在改革过程中，应当密切团结全西藏各阶层的爱国僧俗人民，区别对待未参加叛乱的、被裹胁参加叛乱而迅速投诚的和坚决参加叛乱的农奴主，注意保护全西藏人民的宗教信仰自由和宗教文物古迹。

（五）西藏是中国的不可分割的一部分。西藏是中国人民大家庭的西藏，是西藏广大人民的西藏，而不是少数反动分子的西藏，更不是帝国主义者和外国干涉者的西藏。西藏少数反动分子的叛乱和对于叛乱的平定，完全是中国的内政，不容许任何外国人干涉。在西藏地区，贯彻地实行在中央人民政府统一领导下的、由广大人民和各界爱国人士当家作主的民族区域自治，贯彻地实行在中央人民政府统一领导下的民主改革，并且依靠各族劳动人民兄弟般的团结和互助，建设繁荣昌盛的社会主义新西藏，这是中华人民共和国的坚定不移的方针。西藏少数反动分子的叛乱，不但不能阻止这个方针的实现，而且只能加速西藏人民的觉悟，从而加速这个方针的实现。同样，任何外国势力以任何名义任何形式对于我国在西藏的这个方针进行干涉，也不能阻止这个方针的实现，只能激起包括西藏人民在内的我国各族人民的反对干涉的爱国斗争。中华人民共和国一贯遵守五项原则，同西南各邻国和平共处，尊重这些国家的主权和领土完整，不干涉这些国家的内政。全国人民代表大会遗憾地注意到，最近在印度某些政界人士中出现了极不友好的干涉中国内政的言行。这种言行不符合于两国人民的共同利益，而只符合于两国人民的共同敌人帝国主义的利益。会议希望，这种不正常的现象将迅速消除，中印两国之间的伟大的悠久的友好关系将通过双方的共同努力，得到进一步的巩固和发展。

主要参考书目

一、藏文

夏尔杂扎西坚赞：《苯教源流》，西藏人民出版社，1988年版。

芭丹杰桑布：《苯教源流宏扬明灯》，中国藏学出版社，1991年版。

章杰增巴：《赛米》，中国藏学出版社，1991年版。

《柱间史》，甘肃民族出版社1989年版。

巴赛囊：《巴协》，北京民族出版社，1980年版。

德乌：《德乌宗教源流》，西藏人民出版社，1987年版。

布敦仁青珠：《布敦佛教史》，中国藏学出版社，1988年版。

巴俄·祖拉陈瓦：《贤者喜宴》（上、下），民族出版社，1989年版。

仁蚌阿旺吉札：《萨班传》，四川民族出版社，1985年版。

昂旺贡噶索南：《萨迦世系史》，民族出版社，1986年版。

贡噶洛追：《萨迦世系史续编》，民族出版社，1991年版。

娘尼玛威色：《娘氏宗教源流》，西藏人民出版社，1988年版。

第巴桑吉嘉措：《格鲁派教法史——黄琉璃宝鉴》，中国藏学出版社，1989年版。

郭若扎西：《郭扎佛教史》，中国藏学出版社，1990年版。

蔡巴贡噶多吉：《红史》，民族出版社，1981年版。

萨迦索南坚赞：《吐蕃王统世系明鉴》，民族出版社，1981年版。

班钦索南扎巴：《新红史》，西藏人民出版社，1982年版。

大司徒绛曲坚赞：《大司徒绛曲坚赞遗教》，西藏人民出版社，1989年版。

止贡巴贡却丹巴饶杰：《安多政教史》，甘肃民族出版社，1982年版。

郭勋努贝：《青史》（上、下），四川民族出版社，1985年版。

丹增班觉：《多仁班智达传》（上、下），四川民族出版社，1986年版。

才仁旺杰：《颇罗鼐传》，四川民族出版社，1981年版。

《噶伦传》，四川民族出版社，1981年版。

边觉桑布：《汉藏史集》，四川民族出版社，1985年版。

热益希桑格：《热译师传》，青海民族出版社，1989年版。

若比坚赞：《米拉日巴传》，西藏人民出版社，1979年版。

查同结布：《玛尔巴译师传》，四川民族出版社，1084年版。

大司徒绛曲坚赞：《朗氏家族史》，西藏人民出版社，1986年版。

宗喀巴：《菩提道次第广论》，青海民族出版社，1985年版。

《辨了不了义论》，青海民族出版社，1987年版。

周加巷：《宗喀巴传》，青海民族出版社，1981年版。

阿旺洛桑嘉措：《五世达赖喇嘛传》（上、中、下），西藏人民出版社，1989年版。

阿旺多吉：《六世达赖仓央嘉措秘传》，西藏人民出版社，1989年版。

章嘉若比多吉：《七世达赖喇嘛传》（上、下），西藏人民出版社，1990年版。

若比坚赞：《米拉日巴传及其道歌》，青海人民出版社，1981年版。

土观洛桑确吉尼玛：《章嘉国师若比多吉传》，甘肃民族出版社，1989年版。

夏噶巴：《夏噶巴传》（上、下），青海民族出版社，1985、1986年版。

格西次旺：《因明七论要点注释》，西藏人民出版社，1988年版。

雍增普居巴洛桑慈成嘉措：《因明学入门》，甘肃民族出版社，1982年版。

《西藏历代法规选编》，西藏人民出版社，1989年版。

《五部遗教》，民族出版社，1986年版。

工珠·云丹嘉措：《知识总汇》，西藏人民出版社，1985年版。

多罗那它：《印度佛教史》，四川民族出版社，1986年版。

土观确吉尼玛：《宗教源流史》，甘肃民族出版社，1984年版。

《金光明》，四川民族出版社，1989年版。

喜瓦拉：《人菩萨行论》，青海民族出版社，1989年版。

钦坚白央：《俱舍论注释》，中国藏学出版社，1989年版。

一世达赖根敦珠巴：《毗奈耶经广因缘集》，青海民族出版社，1990年版。

《札什伦布寺寺规》，民族出版社，1989年版。

根敦群佩：《根敦群佩文集》，四川民族出版社，1988年版。

《白史》，西北民族学院研究所，1981年铅印。

才旦夏茸：《藏族历史年表》，青海民族出版社，1982年版。

东嘎·洛桑赤列：《诗学明鉴》，青海民族出版社，1987年版。

《藏语文发展问题初探》，四川民族出版社，1980年版。

《诗学明鉴》，青海民族出版社，1982年版。

《论西藏政教合一制度》，民族出版社，1981年版。

毛儿盖·桑木丹：《藏族文化发展简史》，四川民族出版社，1982年版。

阿旺却太尔：《藏文古词浅释》，青海民族出版社，1980年版。

觉顿仁钦扎西：《丁香帐——藏文古今词语辨析》，民族出版社，1981年版。

安世兴：《评价古藏文词书〈丁香帐〉》，民族出版社，1982年版。

钦饶威色：《三十颂详解》，四川民族出版社，1986年版。

张怡荪：《藏汉大辞典》（上、中、下），民族出版社，1982年版。

四川省阿坝藏族羌族自治州藏文编译局：《梵藏对照词典》，甘肃民族出版社，1989年版。

格西曲吉札巴：《格西曲札藏文辞典》，民族出版社，1957年版。

赛仓洛桑华丹：《诗学修辞明鉴》，甘肃民族出版社，1984年版。

班觉：《顶珠》，西藏人民出版社，1985年版。

祁顺来、何峰编选：《藏族历代文学作品选》（上、中、下），青海民族出版社，1989年版。

萨迦班智达贡噶坚赞：《萨迦格言》，四川民族出版社，1958年版。

贡唐丹贝卓美：《水树格言》，四川民族出版社，1981年版。

索南扎巴：《格丹格言》，西藏人民出版社，1983年版。

才仁旺杰：《旋努达美》，西藏人民出版社，1987年版。

米旁嘉措：《国王修身论》，西藏人民出版社，1983年版。

恰白·次旦平措：《冬之高原》，西藏人民出版社，1991年版。

恰白·次旦平措、诺昌·乌坚等：《西藏简明通史》（上、中、下），西藏古籍出版社，1996年版。

端智嘉：《晨曦集》，青海民族出版社，1981年版。

《道歌源流》，民族出版社，1985年版。

端智嘉、陈庆英：《吐蕃传》（译文），青海民族出版社，1983年版。

甘南藏族自治州文化局编：《藏族民间叙事诗集》，青海民族出版社，1988年版。

藏族长篇英雄史诗《格萨尔王传》：

《霍岭大战》（上、下），青海人民出版社，1979年版。

《仙界占卜九藏》，民族出版社，1984年版。

《英雄降生》，四川民族出版社，1980年版。

《赛马称王》，青海民族出版社，1981年版。

《世界公桑》，甘肃人民出版社，1980年版。

《降伏妖魔》，甘肃人民出版社，1980年版。

《地狱救母》，四川民族出版社，1986年版。等

二、汉文

1. 著作

柳诒徵：《中国文化史》（上、下），东方出版中心，1988年版。
谭家健主编：《中国文化概论》，高等教育出版社，1988年版。
钱穆：《中国文化导论》，三联书店，1988年版。
张立文等：《传统文化与现代化》，中国人民大学出版社，1987年版。
刘守华主编：《文化学通论》，高等教育出版社，1992年版。
莫里斯·布洛克：《马克思主义与人类学》，华夏出版社，1988年版。
本尼迪克特：《文化模式》，浙江人民出版社，1988年版。
摩尔根：《古代社会》，商务印书馆，1971年版。
冯天瑜等：《中华文化史》（上、下），上海人民出版社，1990年版。
朱狄：《原始文化研究》，三联书店，1988年版。
怀特：《文化的科学》，山东人民出版社，1988年版。
石川荣吉：《现代文化人类学》，中国国际广播出版社，1988年版。
马林诺夫斯基：《文化论》，中国民间文艺出版社，1987年版。
沈福伟：《中西文化交流史》，上海人民出版社，1988年版。
朱谦之：《文化哲学》，商务印书馆，1990年版。
刘放桐等：《现代西方哲学》，人民出版社，1981年版。
列维－布留尔：《原始思维》，商务印书馆，1981年版。
亚诺·汤恩比：《历史的研究》，台湾好时代出版有限公司，1986年版。
林耀华：《原始社会史》，中华书局，1982年版。
林惠祥：《文化人类学》，商务印书馆，1991年版。
《中国民族史》，商务印书馆，1993年版。
马克思、恩格斯：《马克思恩格斯全集》，人民出版社，1985年版之：
《共产党宣言》
《资本论》（1—3）
《关于费尔巴哈的提纲》
《家庭、私有制和国家的起源》
《社会主义从空想到科学的发展》
《路德维希·费尔巴哈和德国古典哲学的终结》
《摩尔根〈古代社会〉一书摘要》
列宁：《论社会经济形态》
《马克思学说的历史命运》
《唯物主义与经验批判主义》

《辩证法的要素》
《谈谈辩证法问题》
《国家与革命》
《论粮食税（新政策的意义及其条件）》
《共产党员要学会经营管理》
《共产主义运动中的“左”派幼稚病》
《论民族或“自治化”问题》
《帝国主义是资本主义的最高阶段（通俗的论述）》
《论合作社》
斯大林：《论列宁主义基础》
《关于社会主义的几个理论问题的论述》
《苏联的社会主义经济问题》
毛泽东：《毛泽东选集》（1—5）。所参考主要篇目：
《矛盾论》
《实践论》
《新民主主义论》
《中国社会各阶级的分析》
《自由是必然的认识和世界的改造》
《论人民民主专政》
《论十大关系》
《关于正确处理人民内部矛盾问题》
《学习马克思主义的认识论和辩证法》
邓小平：《邓小平文选》（1—3），人民出版社，1994年版。
《十一届三中全会以来党和国家重要文献选编》（一、二），中共中央党校教材。
《中共中央文件选编》，中共中央党校教材，中共中央党校出版社，1994年版。
中国科学院青藏高原综合科学考察队：
《西藏草原》
《西藏植物志》
《青藏高原地质构造》
《西藏自然地理》
《西藏地貌》
《西藏气候》

《西藏冰川》
《西藏植被》
《西藏森林》
《西藏河流与湖泊》等，均由科学出版社，1982～1988年间出版。
戴加洗：《青藏高原气候》，气象出版社，1990年版。
《西藏国土资源》，西藏人民出版社，1988年版。
《青海森林》，中国林业出版社，1990年版。
格桑居冕：《藏语文法简明教程》，四川民族出版社，1981年版。
金鹏：《藏语简志》，民族出版社，1983年版。
郭朋：《〈坛经〉对勘》，齐鲁书社，1981年版。
《四川省甘孜藏族社会历史调查》，四川省社会科学院出版社，1985年版。
《四川省阿坝藏族社会历史调查》，四川省社会科学院出版社，1985年版。
《纳西东巴经选译》，云南省社会科学院东巴文化研究室。
王森：《西藏佛教发展史略》，中国社会科学出版社，1987年版。
松筠：《卫藏通志》，西藏人民出版社，1982年版。
苏晋仁编：《通鉴吐蕃史料》，西藏人民出版社，1982年版。
王忠：《新唐书吐蕃传笺证》，科学出版社，1985年版。
苏晋仁等：《〈册府元龟〉吐蕃史料校证》，四川民族出版社，1981年版。
汤用彤：《汉魏两晋南北朝佛教史》（上、下），中华书局，1983年版。
吴天墀：《西夏史稿》（增订本），四川人民出版社，1983年版。
《拉卜楞寺概况》，甘肃民族出版社，1987年版。
法尊：《西藏民族政教史》，汉藏教理院，1941年版。
许涤尘：《西藏史地大纲》，正中书局，1936年版。
黄沛翘：《西藏图考》，西藏人民出版社，1982年版。
刘立千编译：《续藏史鉴》，成都华西大学，1945年版。
不著撰人，吴丰培整理：《西藏志》，西藏人民出版社，1982年版。
黄慕松等著：《西藏纪要》，西藏人民出版社，1982年版。
陈燮章、索文清、陈乃文编：《藏族史料集》（四册），四川人民出版社，1982～1993年出版。
A. 麦克唐纳著，耿升译：《敦煌吐蕃历史文书考释》，青海人民出版社，1991年版。
汤开建等辑校：《宋代吐蕃史料集》（一、二），四川民族出版社，1986、1989年版。
西藏民族学院历史系编：《清实录藏族史料》（1～10），西藏人民出版社，1982年版。

西藏民族学院历史系等编：《明实录藏族史料》（1～3），西藏人民出版社，1982年版。

张其勤：《清代藏事辑要》，西藏人民出版社，1983年版。

吕澂：《中国佛学源流略讲》，中华书局，1979年版。

《白马藏人族属问题讨论集》（铅印本），四川民族出版研究所，1980年。

《白马人族属研究文集》（铅印文），平武县白马人族属研究会，1987年。

黄奋生：《藏族史略》，民族出版社，1981年版。

王尧编著：《吐蕃金石录》，文物出版社，1982年版。

王尧、陈践：《吐蕃简牍综录》，文物出版社，1986年版。

王尧、陈践：《吐蕃时期的鸟卜研究——敦煌藏文写卷译释》，香港中文大学出版社，1987年版。

王尧：《敦煌本吐蕃历史文书》，民族出版社，1980年版。

《吐蕃文化》，吉林教育出版社，1989年版。

《西藏自治区概况》，西藏人民出版社，1984年版。

侯石柱：《西藏考古大纲》，西藏人民出版社，1990年版。

《西藏地方是中国领土不可分割的一部分》，西藏人民出版社，1986年版。

佟锦华等：《藏族文学史》，四川民族出版社，1985年版。

《藏族文学研究》，中国藏学出版社，1992年版。

《藏族民间文学》，西藏人民出版社，1991年版。

耿予方：《藏族当代文学》，中国藏学出版社。

青海省社会科学院藏学研究所编：《中国藏族部落》，中国藏学出版社，1991年版。

赤列曲札：《西藏风土志》，西藏人民出版社，1982年版。

牙含章编著：《达赖喇嘛传》，人民出版社，1984年版。

《班禅额尔德尼传》，西藏人民出版社，1987年版。

中国藏学中心等编：《十三世达赖圆寂致祭和十四达赖转世坐床档案选编》，中国藏学出版社，1991年版。

中国藏学研究中心等编：《九世班禅圆寂致祭和十世班禅转世坐床档案选编》，中国藏学出版社，1991年版。

朱解琳：《藏族近现代教育史略》，青海人民出版社，1990年版。

《西藏民间歌舞——堆谢》，人民音乐出版社，1959年版。

《西藏民间歌舞——囊玛》，人民音乐出版社，1959年版。

杨化群：《藏传因明学》，西藏人民出版社，1990年版。

萨囊彻辰：《蒙古源流》，内蒙古人民出版社，1981年版。
赤列曲扎：《西藏风土志》，西藏人民出版社，1982年版。
蔡景峰：《西藏传统医学概述》，中国藏学中心出版社，1992年版。
《当代中国的西藏》，当代中国出版社，1991年版。
《藏学研究论丛》（1~3）西藏人民出版社，1991年版。
《藏族社会历史调查》（1~5）西藏出版社，1989年版。
丹珠昂奔：《藏族文化散论》，中国友谊出版公司，1993年版。
《藏族神灵论》，中国社会科学出版社，1990年版。
《佛教与藏族文学》，中央民族大学出版社，1988版。
《藏族文化志》，上海人民出版社，1998年版，为肖克主编《中华文化通志》中的一卷。
丹珠昂奔主编：《历辈达赖喇嘛与班禅额尔德尼年谱》，中央民族大学出版社，1998年版。
中国藏学研究中心等编：《元以来西藏地方与中央政府关系档案史料汇编》（1~7），中国藏学出版社，1994年版。
多杰才旦主编：《西藏封建农奴制社会形态》，中国藏学出版社，1995年版。
洛桑·灵智多杰主编：《青藏高原发展与环境概论》，中国藏学出版社，1996年版。
《六世班禅朝觐档案选编》，中国藏学出版社，1996年版。
《青海地方旧志五种》，青海人民出版社，1989年版。
中共西藏自治区委员会党史资料征集委员会编：《中共西藏党史大事记》（1949~1966），西藏人民出版社，1990年版。
谢佐、何波：《藏族古代教育》，青海人民出版社。
任乃强：《任乃强民族研究文集》，民族出版社，1990年版。
土登尼玛主编：《藏汉双解格萨尔词典》，四川民族出版社，1989年版。
降边嘉措：《格萨尔初探》，青海人民出版社，1986年版。
王兴先：《〈格萨尔〉论要》，甘肃民族出版社，1991年版。
赵秉理主编：《格萨尔学集成》（一、二、三卷），甘肃民族出版社，1990年版。
杨恩洪：《民间诗神——格萨尔世人研究》，中国藏学出版社，1997年版。
《八大藏戏汇编》，西藏人民出版社，1989年版。
《说不完的故事》，青海人民出版社，1963年版。
尕藏编译：《藏传绘画度量经》，青海人民出版社，1992年版。

《国外藏学译文集》（1~9），王尧主编，西藏人民出版社出版。

列·谢·瓦西里耶夫：《中国文明的起源问题》，文物出版社，1989年版。

（意）G·杜齐著，向红笳译《西藏考古》，西藏人民出版社，1987年版。

F. W. 托马斯著，李有义、王青山译《东北藏古代民间故事》，四川民族出版社，1986年版。

（法）戴密微著，耿升译《吐蕃僧诤记》，甘肃人民出版社，1984年版。

（印）卡·古普塔著，王宏伟、王至亭译《中印边境秘史》，中国藏学出版社，1990年版。

（奥）内贝斯基著，谢继胜译《西藏的鬼怪和神灵》，西藏人民出版社，1993年版。

（美）保罗·A·萨缪尔森、威廉·D·诺德豪斯：《经济学》（第12版），中国展望出版社，1992年版。

（美）梅·戈尔斯坦著，杜永彬译：《喇嘛王国的覆灭》，时事出版社，1994年版。

（日）河邑厚德、林由香里：《西藏死者书》，放送出版协会，1993年版。

D. snellgrove：A Cultura history of Tibet. 1968 London.

（日）镰田茂雄：《中国佛教史》，新文丰出版公司，1979年版。

（日）山口瑞凤：《吐蕃王国成立史研究》，岩波书店，1983年版。

《西藏》，东京大学出版会东洋丛书，1988年版。

（日）矢崎正见：《西藏佛教史考》，大东出版社，昭和五四年版。

2. 论文

《青海的远古文化》，《考古》，1957年第7期。

《青藏高原旧石器的发现》，《古脊椎动物学报》，第2卷2~3合刊，1958年。

《西藏拉萨澎波农场洞穴坑清理简报》，《考古》，1961年第5期。

《西藏塔工林芝村古代人类遗骸》，《古脊椎动物与古人类》，1961年第3期。

《西藏聂拉木县发现的石器》，《考古》，1972年第1期。

《甘肃地区古代游牧民族的岩画——黑山石刻画像初步调查》，《文物》，1972年第12期。

《岷江上游的石棺葬》，《考古学报》，1973年第3期。

《云南德钦永芝发现的石棺葬》，《考古》，1975年第4期。

《西藏墨脱县马尼翁发现磨制石器》，《考古》，1975年第5期。

《西藏自治区林芝县发现的新石器时代遗址》，《考古》，1975年第5期。

《西藏定日发现的旧石器》，《珠穆朗玛地区科学考察报告——第四纪地质》，105~109页，1976年。

《西藏墨脱又发现一批新石器时代遗物》，《考古》，1978 年第 2 期。

《西藏昌都卡若遗址试掘简报》，《文物》，1979 年第 9 期。

《西藏自治区文物工作三十年》，《文物考古工作三十年》，文物出版社 1979 年版。

《藏北申扎、双湖的旧石器和细石器》，《考古》，1979 年第 6 期。

《西藏的史前》，《中国建设》，1980 年第 12 期。

《西藏发现大量古人类石器》，《甘肃日报》，1980 年 5 月 21 日。

《西藏考古新发现》，《新观察》，1980 年第 1 期。

《西藏吉隆、布隆盆地的上新世地层》，《西藏古生物》（第一分册），科学出版社，1980 年版。

《西藏新石器新资料》，同上。

《林芝人及其文化遗物》，同上。

《西藏昌都卡若新石器时代遗址及其动物群》，《古脊椎动物与古人类》，第 18 卷第 2 期 1980 年。

《西藏吉隆盆地新生代晚期的自然环境，》《古脊椎动物与古人类》第 18 卷第 1 期。

《西藏高原马法木湖东北岸等三个地点的细石器》，《南京大学学报》，1981 年第 4 期。

《从近年新发现看西藏的原始文化》，《化石》，1981 第 1 期。

《岷江上游的石棺葬及其族属》，《西南民族学院学报》，1981 年第 1 期。

《云南德钦纳古石棺墓》，《考古》，1983 年第 3 期。

《四川甘孜吉里龙古墓葬》，《考古》，1984 年第 1 期。

《青海湟源县境内的卡若文化》，《考古》，1984 年第 10 期。

《青海省哈龙沟、巴哈毛里沟的岩画》，《文物》，1985 年第 2 期。

《西藏考古综述》，《文物》，1985 年第 9 期。

《拉萨曲贡村遗址调查拭掘简报》，同上。

《西藏乃东县发现新石器时代遗存》，同上。

《西藏朗县列山墓地的调查和试掘》，同上。

《乃东普努沟古墓群清理简报》，同上。

《乃东县切龙则木墓群 G 组 M_1 殉马坑清理简报》，同上。

《西藏乃东结桑村发现石墓葬》，《考古》，1985 年第 12 期。

《西藏高原多格则与扎布地点的旧石器》，《考古》，1986 年第 4 期。

《西藏日土县古代岩画调查简报》，《考古》，1987 年第 2 期。

3. 杂志、报刊

西藏社会科学院主办《西藏研究》(藏、汉文版)。

中国藏学研究中心主办《中国藏学》(藏、汉文版)。

西藏自治区文化局主办《西藏艺术研究》。

青海省社会科学院主办《青海社会科学》。

青海省委党校主办《攀登》(藏文)。

中央民族大学藏学研究所编《藏学研究》。

《中国西藏》杂志社主办《中国西藏》。

西藏自治区民间文艺家协会主办《雪域文化》。

青海人民出版社主办《章恰尔》(藏文)。

甘肃省甘南藏族自治州文联主办《达赛尔》(藏文)。

青海省民族学院主办《青海民族学院学报》。

西北民族学院主办《西北民族学院学报》。

西藏民族学院主办《西藏民族学院学报》。

西藏大学主办《西藏大学学报》。

中央民族大学主办《中央民族大学学报》。

西藏自治区文联主办《西藏文学》、《西藏民俗》。

云南省迪庆藏族自治州文联主办《原野》。

四川省甘孜藏族自治州文联主办《贡嘎山》(藏汉文)。

四川省甘孜藏族自治州文化局主办《康巴文苑》。

甘肃省甘南藏族自治州文联主办《格桑花》。

青海省果洛藏族自治州文联主办《白唇鹿》。

青海省海西蒙古族藏族自治州主办《瀚海潮》。

《西藏日报》(藏汉文)

《青海日报》(藏汉文)

《甘肃日报》《甘南报》《甘孜报》《阿坝报》

部分内部刊物:

中国藏学研究中心:《藏学参考》。

青海省社会科学院:《青海社会科学参考》等。

本书后记

我们不能绝对地说未来的藏族就如何如何，尽管我们在长期地进行着这样的研究和预测。因为，对于未来我们还不能说得很透，甚至说不清楚。但是，我们必须预测，那是我们将要走的路，那是我们的子孙们将要走的路。这条路将是曲折的，没有一点儿坦途可走。但是有路——无论它何等曲折、艰险和漫长，就有光明，就有我们的希望；即或无路，也应奋勇前去。因为，生存就要前进，前进就免不了艰辛和曲折。迎着艰辛进步，就会像铁一般刚强；迎着曲折成长，就会像神一样睿智，像猛虎一般具有力量。我们不能绝对地说我们的子孙在这条路上将会走成什么样子，虽然我们为他们设计了成百的方案。因为对于这段路我们还不熟悉，甚至非常陌生。但是，我们必须设计，那是我们已经遇到和将要遇到的困难，那是我们的子孙将要遇到的困难。这个困难是空前的，非得有非凡的勇气、智慧和力量不可。

尽管每一个父母对子女负有责任，尽管每一代先辈对子孙负有责任，但我们只能预测一段而不能预测全部。实质上，人的义务和责任关键在于两个方面，一是总结历史，一是发展历史。总结，就需要历史地辩证地把握事物发展的基本规律，总结人类创造的一切物质文明和精神文明成果；总结是分析，也是综合；是对过去的批评，也是颂扬；是继承，也是扬弃；总结抑制的是苦难，举起的是幸福。发展是建设，是创新，是创造，是积累，是对事物更深入更透彻的认识和更科学的把握，是为明天的搏斗储蓄的力量，是为明天的腾飞所做的预备式。因为，今天的路是以往的路的继续，而未来的路又是今天的路的继续。站在今天，才能看清昨天，展望明天。吸取过去的经验，联系今天的实际；集中前辈的智慧，结合今天的科技，我们才会更深入地认识过去，认识自己，认识历史，认识现实，认识世界，认识本民族，从而推断未来，创造未来，发展未来。

一切都在变化，一切都是“过程的集合体”——我们还需要用这种理念认识自己，认识民族，认识这个世界，超前一百年看今天，超前一百年看未来。假如我们用终极的观念去思考，那是一段多么漫长、多么豪迈壮美的历史——我们赖以存在的地球已经运行了46亿年，它还将继续运行近

50亿年，然后从这大千世界永远消失。人猿相揖别，人类在这个世界上生存的时间只有300万年，而有文字记载的历史更少得可怜，不会超过万年。地球是人类和万物生长的皮，而这张皮也是有寿命的，人类确乎有“皮之不存，毛将焉附”的忧虑。对于过去的46亿年和300万年，人类在迄今为止的历史中已经进行了大量研究，尚有无数的奥秘没有破解，尚有无数的问题等待着我们去解决；自然，对于未来的近50亿年的地球和我们人类自身的历史，我们还没有一个比较成熟的权威的推断，因为，50亿年，地球将会面对太多的不可测因素，人类亦然。换而言之，人类还要面对无数的灾难，经过无数的凶险。人类靠什么度过这一切？我想只有两点：一是科技，一是文化。整个人类的发展进步在其根本上是靠科技和文化推动的。

刚从蒙昧中走出的人类经过了采食阶段，发明了火和石器。火和石器技术的利用，使人类大大提高了生产生活能力，开始了征服自然的第一个历史阶段，部分地摆脱了像别的动物那样完全地依靠自然的状态，进入了依靠劳动，依靠自己的双手，依靠劳动工具进行狩猎、采集、捕鱼等生存生活方式。积累着原始的经验和文化，对自然世界的万事万物各种现象进行着自身的文化解释和描绘。此时的人类仍处于人与自然不分的阶段，人类的斗争集中于具体的财物——牛羊、衣物、珠宝、劳动力等的争夺。

种植技术的发明是人类文化史上最大的发明，它使人类从逐物而行的流动群体成为固定的居民，从采食野果、猎食兽肉到种食谷物，彻底地改变了以前的生产、生活方式，从公有走向私有，从单一走向多元，从简单走向复杂，从简单需求走向复杂需求，社会结构更加复杂，物质财富更加丰富。衣食住行四事，便引导了纺织、气象、栽培、冶炼、铸造、水利、数学、医学、建筑、装饰、饲养、舟船等科技的发展。人类的文化艺术也趋向成熟，更加丰富灿烂。农业和手工业分离，商业也逐渐得到发展。人类的许多斗争集中于争夺土地，因为只有土地才是最为重要的。

蒸汽机、电动机等科学技术的发现，加快了科学技术的进步，使人类的生产、生活方式再一次得到根本性的改变，机器的使用，工厂的建立，煤炭、石油、电力等能源的开发，商业、金融业的进步，人群的集中，城市的发展，科学技术已成为导引国家经济，改变人民生产、生存环境的重要力量。人类的斗争多集中于对能源的争夺。

信息技术是以新能源技术、生物技术、新材料技术等一系列的新兴科学为基础发展起来的。科学技术的发展呈加速趋势，知识的爆炸式膨胀，日新月异，一日千里。它集中调动了人类的一切知识，一切智慧。人类的斗争（将由斗争逐步地转向竞争、将由对立逐步地转向协作）主要集中于尖端科技和市场。

人类即将进入21世纪，知识经济初见端倪。科学技术是第一生产力，是人类一切精神文化的基石，人类的每一步发展无不雄辩地证明这一点。文化发展离不开科技发展，科技发展又在推动新的文化发展；同样，文化会限制科技的发展，科技也会限制文化的发展。科学技术将会给人类带来无穷的财富，也会毁灭这些财富；科学技术将解放全人类，也会毁灭全人类。人类的未来将是科学技术和文化精神的统一，只有人成为全面的人、智慧的人、美好的人，才会驾驭人类世界，驾驭科学技术，使之成为人类的从物。倘若人类没有美好的文化精神作指导，人将会成为“冷血动物”，成为残酷的机器，成为自己的掘墓人。藏文化精神中那些优秀的成分，具有其未来性，它将有大益于我们明天的事业。这也是我研究这一课题的主要目的之一。

断断续续，这本书的写作已经过十年的历程。书写完了，许多遗憾便随之而来。因为这十年，恰恰是我最为繁忙的十年。从1982年元月起，我在中央民族学院（现更名为中央民族大学）的少数民族文学艺术研究所经过了整整九年的藏学研究之后，于1990年被任命为藏学研究所主持工作的副所长。从此开始，挑着行政、教学、科研三副担子又奔波了八年，精力的分散，使本来三年可以完成的科研任务拖到了今天。对于广大读者来说，这是一部新作，对于我的研究生来说，这已是一部“旧作”（已有三届藏学专业藏族文化史方向的硕士研究生听了此课），其中的一些观点已对学生讲过，其中的一些章节也在报纸杂志上发表过。对于博大精深的藏族文化来说，要对它进行科学而周到的描述不那么容易，许多的问题、许多的内容还没有涉及，许多的理论总结也不一定那样科学、严整。敬请读者批评指正。

在此，我要真诚地感谢两位母亲，一位是我的母亲东苯·拉姆嘎（1925～1994）。从我记事起，她言传身教，给了我朴实、坚强、刻苦、惜时、上进、不屈不挠的奋斗精神，给了我作为母亲最珍贵的爱，使我在离乡背井过着漂泊生活的最为艰苦的日子里，仍能勤奋学习，保持善良、正直、公正的品格。没有她无私的爱给我的滋养，我也不会取得今天的这一点点成绩；没有她的影响，我也不会有如此的对社会、民族的责任感、使命感和紧迫感，不会有对那些贫苦的人们的由衷的同情和关怀；没有她的激励，我不会如此地倾心于事业：在北京长达20年的岁月里，除了免不了的应酬，没有节假日、星期天，每天只睡五小时，忘我地贡献自己的心力。她是一个终身虔诚信佛的人，怜悯弱小，扶助贫苦，重视区别善恶忠奸，明辨是非曲直，奉行诸善，鞭笞邪恶——这一切对我的一生有巨大的影响。另一位是我的孩子的母亲王京琼副研究员，在这十多年的时间里，她肩挑着家庭、孩子的教育和自身繁重的业务工作几副担子，辛勤奔波。没有她的支持、帮助、督促，我的许多科研项目，或许还会拖更多的时日。

在此，我还要特别地感谢责任编辑黄强先生，没有他和甘肃教育出版社的真诚帮助，这本书同样也不会走出抽屉。

丹珠昂奔

1998 年 7 月 18 日于北京

后　　记

中央民大是我的母校。我对母校充满了留恋和感激之情。

我是留在母校工作的学生。在这里，我学习工作了 22 年，居住了 31 年。

我的美好年华都留在了民大。本“文存”所收录的绝大多数作品写于民大，还有许多未收入其中。记得离开民大时，曾写过一首小诗：

在我流泪的地方，
爱的阳光将驱散寒冷，
欢乐将迎接每个善良、无助的人。

在我流汗的地方，
文明的绿茵将遮盖荒芜，
鲜花将赞美每一次辛苦和劳动。

不怕苦难——我的背景——慈悲、真诚，
不怕失败——我的态度——踏实、勤奋，
不怕毁损——我的情志——纯洁、公正。

楚楚的怜悯，使我放不下那些艰辛中的弟兄，
深深的感恩，使我忘不了那些曾有的国恩、师恩。
沉沉的责任，也让我顾不得山高水险、路远担重。

可知的今天的风雨，
难料的明天的阴晴，
我只有迈开的脚步：前行！

疼爱我的人们哪，
我疼爱的人们哪，

我实难辜负生命给我的宝贵年华、神圣心灵。

——在这里，我从一个穷学生，成为一名光荣的教学、研究工作者，出版了我的第一部专著《佛教与藏族文学》（1987）……这里集中了我30年的生活历程！离开民大十四年，思念年年。

感谢云峰社长、福山总编对此书的关心支持，感谢黄修义、杨爱新、白立元、满福玺、当增扎西、南加才让、严永山等同志为此书付出的辛劳。

丹珠昂奔

2012年3月28日

丹珠文存

丹珠昂奔 著

卷一上

藏族文化发展史

中央民族大学出版社
China Minzu University Press

目　录

藏族文化发展史卷一（上）

第二编　苯教文化时期

（约公元前10世纪~公元8世纪）

藏族文化发展史卷一（下）

第三编 藏传佛教文化时期

（8世纪下半叶~20世纪中叶）

第四编　社会主义藏族新文化
(1949 年至今)

丹 珠 文 存

（第一卷）

丹珠昂奔 著

中央民族大学出版社

藏族文化发展史

卷一（上）

导　　论

如喜马拉雅，如雅鲁藏布，随着世界“藏学热”的兴起，越来越多的人们在关注藏族文化，关注它的形态，关注它的特质，关注它成长、发展的历史；随着藏族文化走向世界，越来越多的人们对这一从“香格里拉”走出的文化的独特内涵和独有风采感到惊奇！惊喜！

博大的青藏高原养育了博大的藏民族，博大的藏民族创造了博大的藏族文化。藏族文化是古老的，从五千年前的西藏新石器时代的遗址中我们找到它的源头和根须；藏族文化是丰富的，无论在衣食住行、风俗习惯，还是在哲学、宗教、伦理道德、语言文字、典章制度、文学艺术、天文历算、文化教育等诸多领域，在长期的文化积淀中它都取得了极为丰硕而灿烂的成果。

一、藏族文化史研究的对象和任务

涉及文化学（史、志等自然就在其中）的许多书籍中，都在解释“文化”这一概念，企图得到对“文化”的准确解释。据美国人类学家克鲁伯统计，世界各国的学者对文化的定义就有164种之多。藏语中使用现在意义的“文化”概念，大约经过了这样一个过程：英文、法文的culture，德文的kultur，俄文的культура，都由拉丁文cultura演化而来，演化过程中都基本保留了种植、耕作、修养等含义。如culture history（文化史）。19世纪随着欧洲人类学等学科的兴起，渐次传布世界各国。据一些研究者探讨，中国汉文中的“文化”一词是19世纪末由日文转译而来。而古时汉文资料中，此类提法已存在。如：

《周易·贲卦》：“观乎人文，以化成天下。”

孔颖达《周易正义》：“言圣人观察人文，则《诗》、《书》、《礼》、《乐》之谓，当法此教而化成天下也。”

迄之汉代刘向的《说苑·指武》，则更为明了：“圣人之治天下也，先文德而后武力。凡武之兴，为不服也；文化不改，然后加诛。”文化便有“教化”之含义。

藏文中的“文化”（རིག་གནས）一词使用同样很早，大约源之于对印度十明文化的藏译。汉译为“明处”。如：

十明 རིག་གནས་བཅུ།

大五明 རིག་གནས་ཆེ་བ་ལྔ།

小五明 རིག་གནས་ཆུང་བ་ལྔ།

有时“རིག་གནས།”一词就是“明处”（大五明）之对译。如：

医方明 རིག་གནས་གཉིས་པ།（大五明之第二）。

吐蕃王朝赤热巴巾（814～841年在位）时，为了译经的需要，曾集中一批翻译大德对所译佛教经典进行讨论、研究、厘定藏文，产生了两部对后世卓有影响的书，一部叫《声明要领二卷》（སྒྲ་སྦྱོར་བམ་གཉིས།），一部是梵藏对照的词典，叫《翻译名义集》（སྒྲ་བྱེ་བྲག་རྟོགས་བྱེད་ཆེན་མོ།），后世历代文人墨客均将此奉为金科玉律，并收入《大藏经·丹珠尔》①。此书有“五明处”（རིག་གནས་ལྔའི་མིང་།）款，记有大五明：

医方明 གསོ་བ་རིག་པ།

因明 གཏན་ཚིགས་རིག་པ།

工巧明 བཟོ་རིག་པ།

内明 ནང་དོན་རིག་པ།

声明 སྒྲ་རིག་པ།

后世文字，逐渐将此演化，将“文化”译为“རིག་གནས”。一些新词亦沿袭此法：

文化教育 རིག་གནས་སློབ་གསོ།

文化大革命 རིག་གནས་གསར་བརྗེ་ཆེན་མོ།

随着20世纪80年代文化学热的兴起，对其中的一些专用术语，学者们也采取了同样的译法。如：

文化人类学（cultural anthropology）（མིའི་རིགས་ཀྱི་རིག་གནས་རིགས་པ།）

文化生态学（cultural ecology）（རིག་གནས་སྐྱེས་དངོས་རིག་པ།）

而“རིག་པ།”、“ཤེས་རིག”两词常译为“学”（如藏学）或“文明”（civilization）。

在通常的理解中，尤其是在一些受藏传佛教寺院教育较深的学者中，其理解藏族文化（甚至是藏学）的内涵为“十明之学”，即来之于历史以

---

① 此书1992年由民族出版社出版发行，名《藏汉对照·丹珠尔·佛学分类词典》（བསྟན་འགྱུར་ལས་སྒྲ་བྱེ་བྲག་རྟོགས་བྱེད་ཆེན་མོ་བོད་རྒྱ་ཤར་སྦྱར།）。全书共分285类，收词9000余条。1932年曾由青海省藏文研究社组织藏、汉学者，删去原书梵文部分，增加汉译文石印出版，称《汉藏合璧分解名义大集》（སྒྲ་བྱེ་བྲག་རྟོགས་བྱེད་ཆེན་མོའི་རྒྱ་གར་གྱི་སྐད་དོར་ནས་བོད་ཡིག་དང་རྒྱ་ནག་གི་ཡི་གེ་གཉིས་གསར་སྒྲུན་པ།）。

来的这种几乎是固定的“十明教育”形式。显然，我们理解的藏族文化并不限于“十明之学”，而依据于文化学的一般理论。

每个民族的文化都是有一定结构的，即一种文化无论从形式看是何等的纷繁、错综，实际都有内在的联系，构成有系统的统一的有机整体。一种文化既是一个有机的整体，其中便存在着有层次、有秩序依据逻辑规律的排列，形成其相对稳定的结构。

对于文化结构（系统）的认识学术界有多种观点。有主张分为物质文化和精神文化两类的，有主张分为物质文化、制度文化、风俗（或行为文化）、精神（或思想价值观念）文化四类的，也有分为世界模式、习惯心理、思维方式、情感方法、价值尺度或物质生产和生产力状态、由生产力状态所决定的经济关系（即生产关系）、在生产方式基础上形成的社会制度、由生产方式和社会制度而形成的社会心理、反映各种社会心理的思想体系五类。显然，这样的分类根据不同的角度还可以列出若干种。而我在考察藏族文化时，一般分为三层：即表层的物质文化，里层的制度文化，深层的精神文化。它基本代表了在一文化系统中，人与自然、人与社会、人与自身的内在作用关系，也体现了一定的层次性，因为不注意层次性，就看不清各种文化类型、系统在一大文化系统中的地位、作用和它们彼此间的联系性。一种文化是一个整体，是立体结构，既有其稳定的一面，又有变异的一面；稳定是相对的，因而其内部有动态的平衡系统，而其结构处于非平衡状态，不断运动，不断发展（扬弃和吸收），不断完善，不断丰富，不断进步。一种文化的历史，则是一个民族的历史——外在的、内在的、光明的、黑暗的、伟大的、渺小的……——是这个民族的全部——袒裸着的肢体、灵魂、智慧、五脏六腑、骤致的伤痕或岁月侵蚀的斑纹。

（一）藏族文化史研究的对象

倘若我们用简略的语言概括，藏族文化史所研究的对象，主要应该是藏民族历史上发生的藏族社会意识形态的文化（如哲学、宗教、文学、艺术、教育等）及其演变、发展、变异的历史，从而从总体上探索其运行的轨迹，把握其内在规律，准确地认识其价值观念、思维方式、文化内涵、文化精神，为现实服务。分类看，主要有以下几方面：

1. 物质文化。

藏族物质文化的范围主要有：（1）衣、食、住、行；（2）生产，包括农业、牧业、林业、渔业等；（3）科学技术，主要包括天文、历算、藏医等。物质文化有很强的民族性、时代性，同时又是基本的民族经济基础的反映，此既体现着精神文化的诸多方面，又凝聚着制度文化的诸多成分，在文化结构中它是最活跃的部分。由于诸多原因，在以前藏族文化的研究中，对于藏族物质文化的某些表象的展示还是比较充分的，比如服饰等，而整体看，这部分文化的研究仍然薄弱，尤其是对于藏族科技文化这一重要领域的发掘、整理、研究仍处于初期阶段。而从历史发展的角度总结这一文化，显得更为不足。一定的文化必然地要依存于一定的物质基础、经济基础之上，作为社会历史范畴的文化，其发展是与物质、经济的发展相一致的。换言之，无论属于何种层面的文化，归根到底是由经济基础决定的，物质文化（或称物质文明）是某一经济状态的直接反映。没有深入地对藏族经济进行分析研究，就不能准确地把握藏族物质文化的基本特点。同样，要想深入地研究藏族精神层面的文化，就必须要对藏族物质文化及经济基础有透彻的了解。因而，这一研究也是最基础的研究。

物质文化是一大类，其中的分支也包含着极为丰富的内容，如农业、牧业，同样又是一庞大的多层次、多系统的领域。

2. 制度文化。

制度文化是可规定文化性质的一种文化。在文化系统中占有重要地位。它既受到社会生产力发展水平的制约，也受到精神层面文化的深刻影响。藏族制度文化的研究范围大致是：（1）礼制。此一文化尚未有成系统的研究成果，且所涉类型较多。（2）法制。藏人的法律制度十分完备，从吐蕃王朝时期至十四世达赖喇嘛，有完整的法律条文，也有具体的执法机构。（3）职官制度。（4）兵制。（5）地理沿革制度。（6）教育制度。（7）赋税货币制度。（8）度量衡制度。（9）岁时历法制度。（10）活佛转世制度。（11）政教合一的封建农奴制度。等等。此部分内容所涉十分广泛。

3. 精神文化。

精神文化是建立于一定物质文化基础之上的上层建筑，也是社会文化学所研究的重点对象。藏民族有着光辉灿烂的精神文化，这一文化是藏族文化的高级层次，也深深为世界所注目。主要有如下研究范围：（1）哲学。有史前时期的朴素的哲学观念，有苯教的哲学思想，也有以佛教哲学为核心的藏传佛教庞大的哲学系统。（2）宗教。宗教哲学是藏族哲学的核心，但哲学不能完全代表宗教；哲学也不能代表所有的宗教形式。以民间宗教（史前）、苯教、藏传佛教系统为主体的宗教思想仍然各自具有其独特的精神内涵。（3）文学。（4）艺术。（5）伦理道德。（6）美学。等等。精神文化的研究，在藏族文化的研究中成就颇丰。但从目前的状态看，还没有将精神文化系统中在佛教基础上藏人的哲学思想等成就发掘出来。

（二）藏族文化史研究的主要任务

1. 从藏族文化发展、演变的历史，考察其内部规律。

文化发展有其自身的规律，它与社会发展有关系又有区别，大多有产生、发展、分裂、衰败的历史过程。自然，藏族文化作为人类文化中的一种形式，也必然要遵循、顺应这一基本的规律。

文化发展可以是量与形式的增长，并从而达到质的根本提高。文化质量的状态如何，往往决定着这个民族的进步和发展，决定着这个民族发展进步的后劲。迄今为止，凡想发达的民族，除了致力于生产力的提高，经济、军事等的强力发展外，无不将提高文化质量作为最为重要的“软件”去抓。任何先进的硬件，必须辅之以丰富质高的软件，才能发挥其最为全面而持久的效力。

文化的演变是指文化特质与文化模式的更移、变化。文化发展的历史也是文化演变的历史。同时，文化特质和文化模式的移变，自然地要引起文化结构的变化。一般有两种情形：一是异质文化对某一特定的文化的强力侵入（文化战线虽不如战争残酷，但其力量和作用并不亚于战争）；二是通过革新、发明创造等，使一文化从内涵上产生根本改变，使这一文化系统产生整体的全面的更易。比如新疆一些民族，早期曾为信仰佛教之民族，后成为信仰伊斯兰教之民族，信仰的改变使之从文化上也得到根本变化。

从许许多多的实地调查、历史典籍、统计资料、个案研究、抽样调查、比较研究资料看，藏民族在其漫长的历史进程中，从社会环境到文化环境都曾有过深刻的变化，社会发展了，社会群体和社会关系、社会生活产生变化，原有的文化自身也从特质、模式、风格等方面产生更移——从社会变迁引起文化变迁。当然，从文化变迁中也可以看出当时社会的变迁。只是有些具有渐变性质，有些具有突变性质罢了。

藏族文化的发展既有其文化发展的一般性规律，也有其作为高海拔地区文化的特殊规律。认识和把握这些规律对今日文化战略的制定和推动藏族文化的发展具有重要的指导作用。

2. 考察各个历史阶段藏族文化的时代风貌——文化精神、文化思想、价值观念、情感形式、思维模式和这一阶段所特有的文化成果。

每一个具体历史阶段的文化具有其自身的文化特点、文化内涵和文化成就。考察、研究具体历史阶段的文化至少有两重收获是明显的：

其一，可以较为准确地把握此一阶段的文化演化和变迁过程。无论我们将文化分成几个层次，文化的变异，都要在这具体时代留下质和量的盈缩烙印，从活跃的物质层次，到制度层次，再到较为稳定的精神层次，或为正向，或为逆向，层层相连，层层相逼，使此一有机的系统在不断的运动中收缩、伸展、发展、变化，产生出新的形态、新的特色。但是，文化发展的每一阶段都有不变的基因（虽然这些因素在文化流变中是较难把握的），因为这些基因的存在，具备某一特征的文化才始终有不可取代的情采；由于这些基因的存在，也决定了这一文化的发展趋向；这些基因既决定对异质文化的吸收、改造、选择、融合的幅度，也决定着排斥、对抗的水准、层次和范围。

其二，可以较为准确地把握此一阶段的精神层面的文化。精神、心理层面的文化是文化的核心和灵魂，起着哲学的指导作用，它是稳定的，也是保守的。它的确立和突破（更多的时候是打破）都是不平凡的。而确立和突破的途径、方法却多带有一般性原则。

3. 各类文化形式的系统特点及内涵。

人是文化的载体。藏族文化的根本载体仍然是藏民族，他们是藏族文化的创造者、生产者、运用者，又是各种类型文化的整合者和推动发展者。文化是以立体的综合的形式存在的，而在其内部，又有若干若干个系统，系统之中又有系统。比如饮食文化可分若干大类（系统），大类之中又有若干小类，如茶文化、酒文化，茶、酒文化中又可分若干类，诚可谓重重叠叠、系统庞杂。实际上，作为社会体系中的文化系统越丰富，越具有独立性，说明其发展的状态越好，人类文明的层次就越高。换言之，一文化系统积累越多，越发达，它的文化功能就越强，给承载这个系统的民众的恩惠就越多。没有高度发达的文化就不可能有高度发达的社会。而一个民族整体的文化水准恰恰是由各个层次各个大大小小的系统组成的，同时各个系统既与文化整体密切相关，又相对独立。不考察、研究各个系统文化的特点、内涵，以及它们发展变异的历史进程，我们也就很难对整体的文化作出透彻的分析。

二、藏族文化史研究的基本理论与方法

（一）以科学的唯物史观和辩证法作指导

以科学的唯物史观和辩证法研究藏族文化及其发展的历史是一条非常重要的理论原则。承认这一原则就要坚持物质是第一性的，精神是第二性的，是人们的社会存在决定人们的社会意识而不是人们的社会意识决定社会存在；就要坚持世界万事万物都是运动的发展的，而不是静止不变的；就要坚持世界万事万物都是可以认识的基本思想。不以这一基本思想作指导，我们的文化史研究就会误入歧途。具体到研究本身，有三点非常

重要：

其一，人类社会发展的历史是由低级向高级发展，通常用波浪式的发展，螺旋式的上升来形容。作为一定历史范畴的民族和民族文化的产生发展也是基本遵循着这一规律。生产力的发展是社会发展的最为重要的最根本的因素，每个民族文化的产生、发展都依存于特定时空，特定的生产力发展水平（社会的经济基础），而不能超越。作为人类征服自然、改造自然，认识、把握自然产物的文化，实际上其根须并不产生于举起特定民族旗号的那个时代，而往往更为久远。因为民族是特定历史阶段的产物，在民族产生前人类还有着漫长的发展历史。

其二，文化之于经济，如同上层建筑之于经济基础，其发展具有不平衡性。经济的发展、繁荣并不意味着文化的发展、繁荣；物质财富的丰富，并不标志着精神财富的丰富。反之，经济相对落后的民族，也有可能创造丰富的精神文化；经济相对先进的民族不一定在文化上也保持先进地位。但归根结底，文化是受经济基础制约的。

其三，从文化角度看，人类的发展实际也是文化的发展；文化的终止和死亡大概也就是人类的终止和死亡。人自脱离动物界以后，便与文化融为一体，推动着自身的不断进步，而文化当形成自己的独立系统以后，便不完全是消极地受制于经济基础，而是积极地反作用于经济基础，用强大的思想观念，特定的行为方式，通过这一文化的载体自身，推动或阻碍社会生产力的发展。因而，任何科学而客观的文化史的研究既是对历史的文化的必要总结，也具有重要的现实价值，可以直接地为现实服务。

（二）宏观把握与微观解剖相结合

由于文化涉及的门类多，因而范围广，情况也十分复杂。倘若我们将藏族文化置于这样一个背景之中，我们的研究思路就会更加开阔一些：

1. 藏族文化是世界文化的一部分。

2. 藏族文化是东方文化的一部分。

3. 藏族文化是中国文化的一部分。

因而，我们可以从世界—东方—中国—藏族，从一个宏大的背景逐一缩小到研究对象自身。这样四个层次的思考是有道理的。不了解世界的文化，就不会懂得文化的广泛性、多样性、同一性、时空性，也就不可能认识到某一具体文化在其中的作用和位置。以同样的方法逐一将层次和范围归结到中国文化和藏族文化本身。同样，这一方法可以反向运作，从藏族文化到中国文化、东方文化、世界文化逐一放射开去。

对于一个社会发展相对滞后的民族，这一方法十分重要。因而，我们这里所说的宏观把握就是从全局出发——广而言之是世界文化发展的这一全局，东方乃至中国文化发展的这一全局，小而言之则为藏族文化发展这一全局，从整体看问题，而不是就藏族文化论藏族文化，不是从局部出发，不是片面地简单地看问题。让世界文化面向藏族文化，让藏族文化面向世界文化，让它们看到彼此之同，彼此之异，彼此的先进与落后，彼此的价值与发展。

自然，通过框架的对照显然是难以解决上述问题的，作为意识形态层面的文化是由特定的材料、结构、模式建造的，因而还需要进行微观的解剖，即我们通常所说掰开揉碎，知其精微。而以往的文化研究恰恰在这两方面显得比较薄弱。

（三）系统归类与比较研究相结合

虽然我们面对的只是一个民族的文化发展的历史，但是，这也是一个极为复杂的系统，它势必涉及纷繁的内容。要从中找出带有规律性的特点来，必须进行系统归类或归纳。不如此，我们的文化史展示的仍然是一些纷乱的或者说是没有序列的文化实像。而从这些文化实像我们却难清晰地道明我们研究对象和学习对象的真切面貌来。

系统归类的手段就是系统科学的哲学方法。我以为用这一方法研究文化，尤其是文化史是非常必要的。因为：

1. 系统是由具有相互联系、相互制约的若干组成部分结合在一起，并具有特定功能的整体，文化恰恰有这种特点，它可分为子系统、母系统，甚至一些更小、更大的系统。如：倘若我们将整体的文化分为精神、物质、制度文化三大系统，其下便可分解出若干小系统来，如制度文化，可分为礼制、官制、婚姻制度、丧葬制度、教育制度、兵制、赋税货币制度等等，而以其中一项如教育制度又可分为寺院教育制度、社会教育制度等等。只有划分系统，并通过对系统的分析，才有可能从各个大大小小的系统中或一系统和另一些系统的联系中判定出它的功能的大小，它自身所独有的规律性特点来。尤其是我们进行文化工程的建设时，系统工程的方法尤为首要。试看以下图示的比较①：

① 录自王雨田主编：《控制论、信息论、系统科学与哲学》，中国人民大学出版社，1986年，第412页。

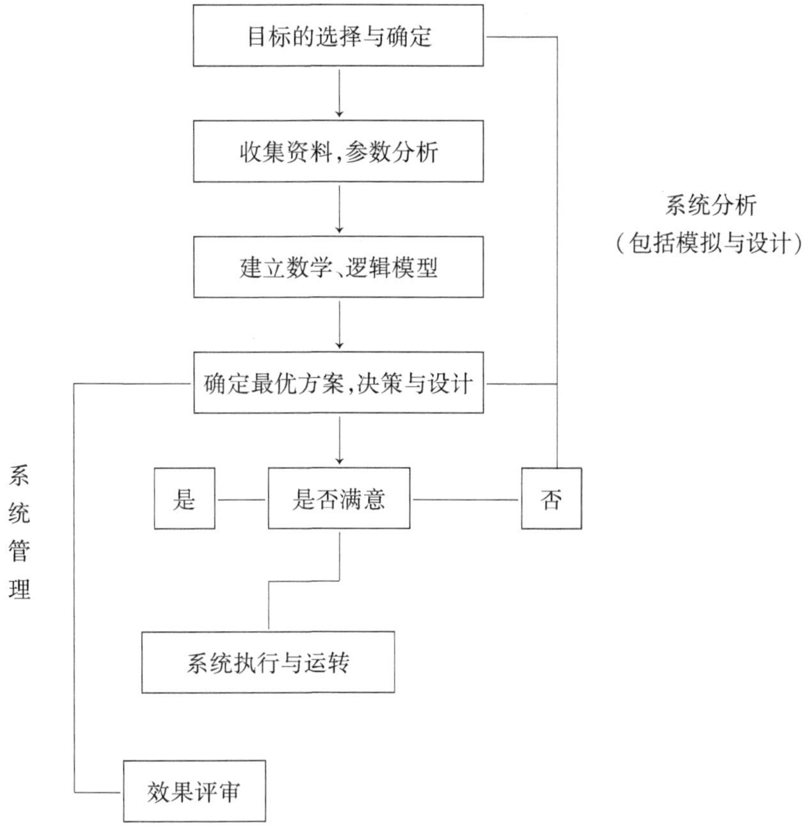

2. 系统的联系性和整体性，不但是整个文化通史研究的有效方法，也是断代史和现实文化设计所用的有效方法。

倘若我们要设计在现代化过程中市场经济条件下藏族文化的建设这个庞大的工程，我们就会自然地使用系统的原理和系统的法则，去进行设计，如此就要考虑各种文化形式间的内在联系，要涉及若干小的领域（系统）和纵横交错的关系，才有可能获得准确的布局和周到的设计。倘若我们就其中之某一系统，如教育文化建设进行设计，那具体的操作设计，完全与上图相似。用综合研究的方法，全面了解各种相关因素，周密地考虑各种相关问题，探索各种可能性方案，优化决策。

我们一般将方法论分为哲学方法论、一般科学方法论、具体科学方法论三个层次，这三个层次中，不论我们采取何种层次的方法论，系统的整体性、有机关联性、动态性、有序性对文化史的思考和研究具有非常重要的作用。

比较研究的方法是目前社会科学研究中常见的方法，甚至由此而产生一些新兴学科，如比较语言学、比较宗教学、比较文学等。文化作为一门独立的学科涉及多个学科领域，具有广泛性和综合性特点，如其下所可分之史前文化、文化哲学、文化心理学、文化现象学、文化史学等科目，与哲学、心理学、史学等紧密相关，要研究文化，必然地要涉及这些学科，不对这些具体的领域作较为深透的了解，就不可能获得文化研究的真谛，也不可能进行有效的比较。而我们这里所说的比较的方法，可分为三个层次：

一是与异质文化的比较。这样可以更清楚地看出藏族文化的特点。

二是本民族不同历史阶段的文化的比较。此可以将动态发展的文化放在特定的历史条件下去考察，可寻找出文化发展的轨迹，把握其规律性。

三是地域间的不同类型文化发展历史的比较。此可知文化的地域与文化产生、发展、分裂、衰败过程中，何者是最为活跃的部分，何者是稳定的部分，及其内在原因。

（四）文化的结构分析与功能分析相结合

文化的整体性、系统性和内在的相互联系性，使某一类型的文化系统内部以其基本要素组成有秩序的子系统，形成相对稳定的结构。进行文化结构分析的根本意图并不是讲述文化的某些理论，而是根据藏族文化自身特有的文化要素、文化的诸多子系统，确定这些具体部件的具体位置，从而从整体上、文化的层次性上，确定它们在具体时空的稳定和变异状态及其程度。

不进行文化结构的分析，我们就很难通过对藏族文化个案逐一反映的藏族文化系统中纵横交错、多级排列、多层交合的现象的分析，准确地判断它的性质、特色、价值。

进行功能分析的根本含义有二：其一，功能分析是研究具体文化实效的重要手段。无论从自然属性还是从社会属性考察，正常的人都有相似的基本需要，如马斯洛所说：有生理需要，要解决吃、喝，填充饥腹，要有性需要；安全需要，社会稳定，生活有秩序有保障等；归属需要；尊重需要；自我实现的需要等。文化之所以重要，就因有这些特殊功能。有学者将其归结为文化有满足需要、认识、规范、凝聚的功能，我以为基本是准确的。人类生活的要务是生存，生存就要解决最基本的需要。满足基本需要同样是社会稳定的基本条件。当然，人类的进步不仅仅局限于饮食男女，仍然有更多的要求，要进行文化教化，继承前人的文化成果，掌握前人的技能，继而在前人成就的基础上向更高的层次前进。其二，人是单个的人、具体的人，同时又是有思想的人，要进行社会活动，必然要有规范——为了集团、国家和整个社会的人更好地生存、发展的原则；通过行为准则、价值观念、道德标准形成完整的社会规范系统（约定俗成的一般原则、纪律、规章、法律制度等），再使每一个社会成员的行为以此为鉴照。尽管，社会规范有鲜明的时代性，但它起着极其重要的作用。这一切（有些是从部落社会开始）均在一定的区域、民族中进行，久而久之，这种文化便成为这部分社会群体的标志，而这一标志对这一社会群体便具有认同的作用，因为，语言、服饰、风俗、共同的经济生活、行为方式、心理素质使之自然地形成一整体（早期的部落、部落联盟和后期的民族）。除了经济的凝聚力、种族血缘的凝聚力和宗教信仰的凝聚力外，藏族文化是藏民族凝聚力的一个重要方面，凝聚力就是一笔丰厚的资源，一种强大的力量，它不停留在一般的价值认同上，引导得法，它会成为伟大的创造力，成为藏区两个文明建设的莫大动力。

三、藏族文化的分类及其基本特征

依据不同的角度，藏族文化可以有多种分类。

（一）以社会发展形态分

据此，可分为：1. 原始社会的藏族文化。这部分文化的开掘还比较薄弱；2. 奴隶制社会的藏族文化；3. 封建农奴制、封建社会的藏族文化；4. 社会主义社会的藏族文化。尽管学术界对各个历史上的社会形态的划分，还有争论，但由于许多历史书籍的固有提法和阶级分析原则的需要，以往的许多文字，一般都采取此一表述形式。

（二）以社会发展阶段分

根据藏族社会发展的阶段，可分为：1. 史前时期的藏族文化；2. 象雄时期的藏族文化；3. 吐蕃王朝时期的藏族文化；4. 分裂时期的藏族文化等。

这种划分还可以划分为若干更细的历史阶段，如后弘期的藏族文化、萨迦政权时期的藏族文化、帕竹政权时期的藏族文化等。显然，这种形式冲淡了阶级性，多以政权更迭为顺序。

（三）以地域划分

根据地域，可分为：1. 卫藏地区的藏族文化；2. 安多地区的藏族文化；3. 康巴地区的藏族文化等。当然还可细分为：象雄（阿里）地区的文化、后藏地区的文化、林芝地区的文化、果洛地区的文化、康巴地区的文化、华锐地区的文化、巴燕觉仓地区的文化、昌都迪庆地区的文化、擦瓦绒地区的文化、白马藏人的文化、拉卜楞地区的文化，等等。地域文化的研究是目前文化研究中的重要形式。藏族文化的研究中，此类作品仍很少。

（四）以生产形式分

可分为：1. 藏族牧业文化；2. 藏族农业文化；3. 藏族城镇文化等。

（五）以阶级、阶层分

可分为：1. 藏族贵族文化；2. 藏族贫民文化；3. 藏族僧侣文化等。

（六）以宗教信仰分

可分为：1. 史前信仰文化；2. 苯教文化；3. 藏传佛教文化等。

（七）以江河流域划分

从江河流域进行藏族文化的分类研究的文章十分之少，但此也不失为一种非常重要的划分方法。因此我以为应该考虑到一般性和特殊性的问题。一般性即尼罗河孕育了古埃及文明及民族，幼发拉底河和底格里斯河孕育了古巴比伦民族，恒河孕育了古印度民族，黄河孕育了华夏民族，顺而我们提出雅鲁藏布江孕育了藏族，作为一种表述也未尝不可。但要考虑到特殊性，一是我们要将文明的起源划于何处？史前，史后？若是史前，是旧石器时代，还是新石器时代？若是史后，是民族形成以后，还是建立国家以后？二是藏文明的特点及最初形成的历史因素及条件。

广义地看，不能丢弃史前文明而讨论一个民族的文明历程。现今青藏高原的藏民族是青藏高原先民的后裔，从新石器时代且延续到现在。据此，我们将文明以江河可分为两大区域：

1. 卫藏地区：A. 雅鲁藏布—雅砻河谷流域；B. 尼洋河流域；C. 吉曲河流域；D. 年楚河流域；E. 四河地区（孔雀河、狮泉河、马泉河、象泉河）流域；F. 藏北湖泊地区。

2. 多康地区：A. 澜沧江流域；B. 金沙江流域；C. 黄河流域（上段）；D. 长江流域（上段）；E. 湟水流域等。这些地区大多为所谓古羌人活动区。

文化是一复杂而庞大的整体，以上所举只是其中的一些基本分类方式，实际还可以有若干分类方式。从这些分类不难看出，藏族文化作为历史现象，既有其时代性，又有其地域（流域）性；既有其统一性，又有其多样性；既有其稳定性，又有其变异性。宗教文化的发展有着明显的时代标志、文化类型标志和哲学、价值观念标志，具有内在的统帅性。

从以上藏族文化的基本特点，也可看到藏族文化史的一些基本特点：

1. 文化历史的分期比较分明，原始信仰、苯教文化、藏传佛教文化、社会主义藏族新文化四个时期，如竹之节，内心贯通，节节分明。

2. 以固有文化为基础，以往所谓佛教传入前的藏族文化，统统归之于苯教（许多学者至今依然），而我以为从文化内涵及形式看，实际上多是以苯教为名，而以原始信仰为实的。而非佛教化的苯教的内蕴尚未得到比较充分的研究。

3. 外来文化的切割，成为新文化产生的始点。从史学的角度看，藏族文化在历史上大概有过三次大的切割（异质文化的撞击和浸入）：一次是祆教“二元论”的冲击，一次是以佛教为主体的印度文化的冲击，一次是马克思主义为主导的汉文化的冲击。这三次大的文化影响，前二者已是历史，第一次切割，使藏人吸收了异质文化，丰富了藏人的哲学系统；第二次根本地改变了藏族文化的走向，使藏族成为几乎是全民信仰藏传佛教的民族；第三次的影响同样是巨大的，1949 年以后的甘、青、川、滇藏区，1951 年以后的西藏，马克思主义得到了最为广泛的传播，较之以前思想意识形态领域、经济基础、政治制度等都有了根本性的改变。社会主义的藏族新文化正在形成。

4. 各文化期的文化特征突出。从原始信仰到苯教、藏传佛教文化，以及后来的藏族社会主义新兴思想理论到具体文化形式，其特征鲜明而突出。

藏族文化的基本形式决定着藏族文化的基本特征（或称基本性格）。撮其要，主要有：

1. 以佛教哲学为核心的观念文化。史前时期的信仰（图腾崇拜、动物崇拜、山神崇拜、祖先崇拜等）自苯教兴起后，多纳入了苯教的理论轨道，作为肇始藏人哲学思想系统的苯教仍然是粗浅的，虽然有天、地上、地下的“三界观念”，“卵生世界”、“王权神授”、“灵魂传继”观念，以及“二元论”思想等，但自公元七世纪佛教传入藏土，佛、苯两教进行殊死搏斗，佛教终于以其博大精深的思想理论体系，思辨逻辑方法取得了斗争的胜利，至藏传佛教诸教派的形成，可以说佛教较全面地占领了藏族社会的思想意识形态领域，五六百年而未有变异，一直到 1949 年以后这种局面才被打破。

藏传佛教虽然分宗分派，各宗派在戒、定、慧、见、修、行诸方面都有自己的一些特色，如宁玛派的“大圆满法”，萨迦派的“道果法”，噶举派的“大手印法”，觉囊派的“他空见”，格鲁派宗喀巴大师的“缘起性空”观等，但藏传佛教的主体思想仍然是佛教的主体思想。从哲学的异同看，藏人对佛教在哲学层面的发扬光大和创新是十分有意义的。但从文化影响这一角度观之，应绝对地重视和尊重社会事实，实事求是地对待这一问题，何者影响最深即应突出何者，而不仅仅是突出藏人对佛教的理论和修持方面的贡献。

藏人中作为观念流行最盛的是佛教的四圣谛、六道轮回、中观应成派的缘起性空等学说。但以格鲁派为代表，依据这些佛教的基本理论，形成一套完整的传播、普及系统和措施（这些有时比一种观念自身更为重要），如在修习方面在僧侣层制定了先显后密、显密双修的基本原则；在行持方面，强调严格遵守戒律，并通过林立的寺院，庞大的僧侣队伍（据有关资料反映，西藏自治区 1951 年总人口不足百万而僧人竟达 12 万人），法会、转经、朝佛、文学、艺术等形式，极大限度地宣传这些思想，致使藏人的宗教信仰社会化、生活化。

2. 以《大藏经》为代表的经籍文化。藏人大规模译经，起于 8 世纪，曾经组织过浩大的翻译队伍。早先以手抄本面世，萨迦王朝执政时期，产生雕版印刷（这一技术是直接从汉区引进藏土的），雕版印刷对图书的传播和普及起到了重要推动作用，产生了很好的效果。此后又出现了石刻藏文《大藏经》。当然，在刊行形式上木刻版占主要成分，像那塘版、蔡巴版、理塘版、卓尼版、北京版、德格版等都是木刻，石刻版不多，目前可见到的有四川省石渠县和青海省甘德县的石刻《大藏经》，如有 400 多年历史的东吉多卡寺，该寺 1958 年前有僧侣 500 多人，寺院的经籍、佛像等都用当地所产的青石板雕刻而成，据有关专家估计，此地堆放的石刻《大藏经》大小不一的石片有 10 万多片。

诵经、刻经、礼经是一项重要的尊佛内容，从文化层面许多先生对此没有引起足够的重视，即诵经至于僧人自不消说，关键在于刻经、礼经，同样成为崇佛的至上功德。当然，一些先生会说《大藏经》乃印度之译品，作为代表性作品，是否不具典型性。其实不然，当《大藏经》成为系统受到藏人崇拜，实际它已化为藏文化的一个重要组成部分而存在。其普及率之高，寺院为藏书自不必说，连一些村寨也买一部《大藏经》供奉起来。

3. 政教合一为特点的制度文化。藏族社会政教合一之滥觞可能很早，吐蕃时期就有僧人出任大相，掌管朝政之事。9 世纪中叶吐蕃王朝瓦解，小邦割据，为政教合一制度的发展提供了良好的社会条件，五世达赖成立甘丹颇章政权，标志着这一制度的正式确立。

政教合一既是西藏噶厦政府的基本形式，也是各个中小地区的基本形式。如噶厦政府首脑为达赖喇嘛，噶伦中僧官噶伦居于首位。在解决重大问题时，噶厦要召开僧侣官员代表大会，除译仓和仔康主要官员外，要请三大寺、四大林等寺院的堪布参加。实际由僧团左右政局。

4. 以活佛转世制度为特点的寺院僧侣文化。活佛转世制度起于噶举派僧人噶玛拔希，是一政治斗争和宗教斗争的产物。当格鲁派成为藏传佛教的导引教派，承用这一新生事物，建立达赖、班禅两大活佛系统，强化此组织并得到广泛普及。就文化现象而言，此有三点十分重要：其一为活佛转世制度的哲学基础为灵魂不灭观。其二，活佛的出现使神秘莫测的佛由“天界下入人世”，现实化。其三，寺院集团使活佛组织变得十分强大而统一，社会的统治权实际上仍然操纵在寺院和活佛手中。在这一文化特征中，僧人的数量也是一不可忽视的重要因素。民主改革前，只有 100 万人口的西藏自治区就有寺院 2674 座，僧人达 12 万众。

5. 以颂扬神佛阐释佛理为主体的文学艺术。寺院具有藏人的文化书院性质。一进入寺院，就可以看到，以佛、神、护法、度母等为主体的雕塑，以佛经故事为内容的绘画艺术，以阐释佛理为主体的诗歌、小说、文学理论和戏剧艺术。因为这些艺术的创造者基本上是僧人，因而不少先生也将藏族的文学称为“僧侣文学”，将美术、音乐、舞蹈等称为“寺院僧侣艺术”。然而，值得引起重视的是此作为一重要特征是存在的，但不能将藏族文学（或藏族艺术）称为“僧侣文学”（或寺院僧侣艺术）。因为除寺院僧侣艺术外，藏族也存在着十分丰富的非僧侣的文学艺术；再则，僧侣（或佛教）的出现，在整个的藏族历史中只是一个阶段（尽管这一阶段比较漫长），但它毕竟不是藏人历史的全部。

6. 以礼佛、转经为主体的民俗文化。在异彩纷呈的民俗文化中，礼佛和转经是一遍见的重要内容，也是藏传佛教生活化的一个重要特征，在广袤的雪域大地上，从南到北，倘若仔细观察老百姓的日常生活，礼佛和转经占据了相当多的时间，既有初一、十五及节日的礼佛，也有平时和专门的转经礼俗。

四、藏族文化的精华与糟粕

（一）藏族文化的健康机制与个性弊症

我曾写有两篇论文涉及此一问题。一篇是写于 1986 年的《藏族文化与现代化》[①]。文中以“藏族文化的健康机制”为题列了四款：1. 纯厚的群体意识；2. 悠久的证逻辑思维训练；3. 沉静的自我完善观念；4. 乐天吃苦的精神。着重探讨了现代化过程中藏族文化的适应和选择问题。又以“藏族文化的个性弊症”为题列了七款：1. 重来世，淡现实；2. 重宗教，轻凡人；3. 重忍让，少抗争；4. 重道德，轻权力；5. 重牧农，轻工商；6. 听命意识强，个性发展弱；7. 重宗教义理研究，轻科学技术探讨。着重探讨了藏族文化的诸多不足。另一篇是1991年发表的《藏族文学散论》[②]。在文中我提出了藏文化精神的核心内涵是和平主义、人性主义、利他主义、出世主义的观点，在一些热爱藏学的青年中均有传播，我曾就此接到20多封来信。虽然角度不同，实际上这两篇文章已经基本涉及了何为藏族文化的精华何为糟粕这一问题。

由于某些特殊的原因，这一问题在藏学界成了比较难以探讨的话题。其中一个非常重要的原因就是，这一话题的引出自然地要涉及宗教问题，即如何评价藏传佛教的问题，全盘肯定者大有人在，全盘否定者也不乏其人，而科学的分析，即吸收其精华，扬弃其糟粕，面对一具体的文化实体，并不那么容易，其中有学术见识、学术胆量、学术功底等个人素养问题，也有情感障碍问题，甚至有民族宗教政策问题，尤其是本民族的作者多缄言以对，免得得罪左右，引火烧身。同时，这也是个非探讨不可的问题，回避是没有出路的。

（二）藏族文化的精华

藉上进一步审之，藏族文化的精华（或称藏族文化中的积极因素）部分，尚有以下几点：

1. 反对邪恶，反对压迫，抗击侵略，保卫故土，前赴后继，不怕牺牲的英雄气概。如乾隆时之大小金川事件，1747年乾隆调遣兵将，强压大金川，土司莎罗奔率众奋起反抗，使用碉堡战法，使曾镇压苗族的云贵总督张广泗军败被斩，战争持续两年，后岳钟琪采用怀柔之策，才结束此一战事。1771年大小金川再度起事反抗清朝压迫。清总督阿尔泰、定边将军温福等均死于这场战争。清廷几乎倾全国之力，以五年时间，耗银7500万

① 原载中央民族大学藏学研究所学刊《藏学研究》（六），又载甘肃省藏学研究所主办刊物《安多研究》创刊号，选入丹珠昂奔著《藏族文化散论》（论文集，中国友谊出版公司1992年版），此稿发表后曾引起多方面的关注，有些学校和研究机构曾专题进行讨论。1991年该文获北京市哲学社会科学（青年）优秀论文奖。

② 原载《作品与争鸣》1991年第3期。修正后收入《藏族文化散论》，仍用原名《不灭的雪山——面对世界的藏族文学》。

两，才得以镇压这次反清斗争。再如发生在19世纪末20世纪初叶的反英帝国主义侵略的斗争，虽民众贫弱，武器落后，不谙战术，但仍以血肉之躯，奋力拼搏，以原始的弓箭刀枪对付洋枪洋炮。

2. 为实现理想，不恋金钱财物，不计荣辱得失，不畏艰难困苦，生死不移的奋斗精神。藏人十分信守信仰和誓言，认定理想之后，则终生不渝。如一般信徒多以到拉萨朝拜大昭寺的觉仁波且为终生大愿，像安多区（甘肃、青海、四川阿坝藏区）的有些僧徒和教民千里迢迢徒步叩头到拉萨，有些甚至是叩等身头（等于用自己的身体丈量那遥远的路途），用时经年；有的甚至去时变卖家产，尽其所有，来时忍饥挨饿，沿路乞讨，历风霜雨雪，披星戴月，仍不改初衷。

3. 坚韧不拔，锲而不舍，艰苦奋斗，废寝忘食的学习进取精神。像吐弥·桑布札不畏酷热疾病，为创造藏族新文字，广访高师，学成回到吐蕃；大译师仁钦桑布年届九十，还拜著名孟加拉高僧阿底峡为师，学习密宗教法；佛学泰斗宗喀巴大师17岁离开故乡宗喀去西藏求学，为完成学业，获得成就，几乎求教了当时各个宗派的高德大师（民间传说他曾为学九年衣不解带）。西藏土地贫瘠，食物匮乏，这些高僧为取得成就而体现的这种强韧精神，曾感动、激励过一代又一代的藏族青年。

4. 重哲学、重理念、重圣贤英雄的社会风尚。藏人在哲学上受到印度佛教的深刻影响。这种思辨哲学和在藏区寺院作为课程至少学习了六七百年的因明学理论及其方法，对藏人的思维进行了积极而有效的训练和推进。哲学和理念实际上已成为藏族文化中的一个重要特征。同时对圣贤和英雄的尊崇与膜拜可谓至诚。对神佛如此，对松赞干布、噶尔·东赞宇松如此，对后来的高僧大德也如此。

5. 朴实、正直、自尊、敬人，悯怜弱小，抑制豪强的道德观。朴实，正直，言而有信，不妄言等是藏人道德中最为深刻的内容，就整体而言藏族留给其他民族最明显的感受也在于此。实际上进一步观察，藏人的自尊心是十分强的，由于自己奉行正直，言语无欺，说到做到，一旦对方在此方面失信，他将永远不会再获得信任，认为自言自食的人如同畜生，不可交。礼貌待人，对弱小者给予充分的同情，一部《格萨尔王传》洋洋千万言充分地体现了打击强梁、扶助弱小这一道德思想。

6. 乐天知命的人生态度。灵魂可以流转，每个人都处在六道轮回之中，这些普及的观念对藏人的人生观、生死观等起着极为重要的作用。正由于灵魂可以流转，藏人对生命的认识或可说比较超脱，此生只不过是以往无数次流转中的一次，因而对来世的重视可以说大大超过了对今生的重视。换言之，藏人此生的许多行为都是为来世服务的。如今生戒恶、行善的目的或在于来世转世为人，或在于不要转世为畜生等。因而对此生痛苦和死亡的感受程度，似乎远远要比那些没有这种观念的民族淡漠。因为在这种观念指导下，对痛苦的认识是良好的，遭一些罪可以赎往世之罪，可获来世之功，苦则苦矣，苦有大益于己，因而也容易甚至乐意接受。灵魂既然是不灭的，此生即去来世当至，因而死亡也不是那么值得凄楚的事。

（三）藏族文化的糟粕

一种文化能得以生存、发展、繁盛，在于它具有许多优秀的文化形式和内容，这些优秀的形式和内容（即精华或精粹）不断积淀于藏民族的性格与心理深层，便成为藏族文化的基本面貌，和藏族文化发展的动力。自然，藏族文化也有许多消极的因素，除《藏族文化与现代化》中所反映的七条外，再补充几条：

1. 教派意识强，民族意识弱。佛教是不讲国界的（一些大的宗教都有这种特点），虽然每一个信徒都属于具体的民族，但他们对“教敌”的仇恨远远超出了对“族敌”的仇恨；对教友的热爱往往超出了对同族的热爱；当外族入侵时，“卫教”的心理往往是先于“卫族”的。由于实际生活的教与族的这种统一关系才使更多的情况下，“卫教”与“卫族”成为一事，从而使人们淡视了其中的层次感；教的凝聚力、号召力高于族的凝聚力和号召力。因而，在这一特殊问题上，一些青年学生曾忧心忡忡：他们不认为宗教是最先进的意识形态，但是，一旦“破教”——藏人失去藏传佛教这一统一的文化宗教形式，他们认为如此，藏人就会失去强有力的凝聚力和号召力，这个民族就会失去灵魂。实际上这是一种误见，从文化这一层面看，文化的发生、发展、衰亡、变异等是一个自然的逻辑规律，世界上不会也不曾有过一个民族在静止的文化中生活（实际上目前的藏族文化也在剧烈的变化之中，只是不少人感受不到，或者不愿承认罢了），不适应生产力发展的那部分文化迟早要退出历史舞台，这是不以人的意志为转移的；而旧文化的消亡、变异并不是连根拔起，一些文化（或文明）精华，自然地要积淀下来，成为新文化的重要基础和要素，而民族的文化基点、精神则不可能随着旧文化的消亡而消亡，代之而兴起的新文化仍然具有凝聚力和号召力。民族意识是历史积淀的在漫长的民族成长岁月里形成的特有的意识。民族有民族的认同感和向心力，民族间的斗争、冲突越激烈，民族意识便会越高涨。

2. 法王意识强，领袖意识弱。藏传佛教各教派形成后，尤其是政教合一确立以后，藏族地区实际逐步走上了一条政治宗教化，政治领袖法王

（称得上法王的领袖并不多，但此词有代表性，权且用之，可代表大大小小的具有宗教身份的政治领袖）化的道路，顺之宗教则政治化、宗教教主政治领袖化。从上到下，逐级效之。

3. 神佛意识强，民众意识弱。民为芸芸众生，佛有无量法力。树立了神佛的至上权威，而忽视了民众的创造力和艰辛生活，这是藏族文化中最令人痛心的一页。人民是社会发展的真正动力，忽视民众，造成三种缺陷：其一，民众的创造力受到抑制，加上出世主义思想的影响，标新立异敢于创造发明（尤其是在科学领域）者鲜见。因为靠宗教信仰调动起来的民众热情，几乎完全是为了自己的宗教理想，而不是也不可能是为了社会进步和发展生产力，丰富民众的物质生活。其二，最基本的民众由于神佛地位的上升而自身地位低下，一般享受不到民主、平等的权利，从而参与民族事务的管理。排山倒海的民众力量，浩浩荡荡的民众智慧，没有很好地得到发挥，而悄然耗失于茫茫历史之中。其三，由于民众地位低下，神佛至高无上，因而将一个民族的前途危亡寄托于神佛之上，寄托于活着的那些法王身上，甚至将一个民族的命运系于一人（佛）之手，其弊端之多，可想而知。没有最广大的民众的力量，没有最广大的群体的智慧和最先进的科学的导引，没有民主、自由、和谐、向上的社会氛围，一个民族的发展是没有希望的。将主宰民族命运、前途、发展的权力交给人民——每一个民族的个体，从而集中每一个个体的智慧、力量来发展自己的民族，才是符合历史发展原则的。

4. 部落意识强，全局意识弱。吐蕃王朝自南日松赞始逐步将分散的诸小国统一，在松赞干布时建立了强大的国家政权，拥有辽阔的国土。这是民族观念的确立时期，也是国家观念的确立时期，藏民族得到了蓬蓬勃勃的发展。然而经过200多年的强劲发展，至九世纪中叶，因佛苯斗争、王权之争导致王朝崩溃以后，藏族人民便进入漫长的分裂时期，原有的国家意识也重新为部落的区域的意识所取代，小邦割据，攻伐不已。

13世纪西藏进入蒙古帝国版图，中央王朝对西藏行使主权，藏人丧失殆尽的国家观念又重新回归，自然新的国家观念已不是单一民族，而具有多民族性质。元明清至国民政府诸朝对西藏和藏区的施政，并没有完全更移藏族社会的中下层组织形式。一直到1949年，广大藏区的中下层社会，主要由两种形式为主导，一是以牧区为主体的部落制，一是以农区为主体（主要是西藏）的庄园制。东部藏区的土司制大多带有部落联盟性质。并且在管理上比较松散，因而部落意识、区域意识得到了发展和巩固，比如在整个藏区则分安多、康巴、卫藏，再次一层区域内则分藏巴、卫巴、堆巴等，再次一层区域则以固有的部落，你是某某部落，我是某某部落，他是某某部落，往往部落利益高于一切，部落斗争十分惨烈，一直到20世纪90年代，甘青川等地区为草场而发生的部落纠纷仍时有出现，有时动刀动枪，旷日持久。由于这些以草场为中心的纠纷有些经过了几代人，甚至死了许多人，历史演迁，解决起来十分棘手。

1949年东部藏区先建立社会主义政权，1951年签订和平解放西藏的十七条协议。中央从省区、州（专署）、县、乡、村，建立了严密的政权组织，并且逐级设立党的机构，原有的部落组织形式才被彻底打破，统一的中华人民共和国这一国家观念也在不断的教育中得到提高，加之以民族内部的阶级划分和党团组织等建设，部落意识也逐步淡化。

传统的部落意识倘若置于部落内部，它可以牢固地团结部落成员，可以起到莫大的积极作用；若放置于民族整体，它便成了无视国家，不顾全局，不顾民族整体利益，损害团结，障碍协调统一的消极、有害思想。

5. 豁达、忍让与两极性格。这里主要说的是两极性格，由于此一问题相对豁达、忍让（这也是藏人性格中的重要成分）而言，故而统而观之。“两极性格”是指性格的两个端点，如爱与恨、谦虚与骄傲、憨厚与奸诈、躁烈与稳重等。这里我们多用性格来概括。实际上也多涉及对事理的处理方法，即藏人的思维程序中易走向两极（尤以牧区民众性格为多），缺少中间环节。比如一个藏人与你相善时可以割身上的肉给你，而当与你相仇时则可以割下你身上的肉；易自卑，也易骄傲；易冲动，也易灰心。容纳时，大江大河，兼包并容，不一而足；排斥时，狭隘、保守、悭吝，毫厘难存。这种性格的形成与后期藏人在自给自足的自然经济条件下，遭受大自然的摧残、统治民族的压迫有关，也与虽自身弱小而不断抗争图存，虽抗争却终多失败的民族大命运有关。

6. 自由、散漫，超缓慢节奏。藏区地广人稀，小生产的农、牧经济，生活俭朴，自然环境恶劣，却恬静无华，自由自在，尤其是那些偏远牧区确乎“除了父母不知他人，除了锅灶不知他地”，俨然“香格里拉”。由于多数人沉湎于礼佛，不怎么追求物质利益，因而那种为发家致富、为成为“百万富翁”的疯狂的经济追逐也少了许多。晨鸟既啼，诵经声即起；日出东山，挤奶后的牛、羊即放向草场；剪羊毛、储冬肉、接羔、搬迁冬夏草场均有特定的季节，平日里之劳作，远不如工业化大生产中的工人那样的严格和紧张，甚至不如手工作坊那样计时计量，有诸多任务，诸多要求，这里早一天两天无所谓，迟一天两天也不在乎。时间在这里显得无限的充足，有足够的时间聊天，有足够的时间听故事、猜谜语、讲笑话，有足够的时间唱歌、跳舞，也有足够的时间在闪烁的酥油灯下念诵长长的经文，叩十万八万个头，除了日暮而归的羊群的咩咩声之外不会有别的干扰。这种生活本身给人以悠闲之感，也养成了自由、散漫的习惯，甚至有些上过中小学的学生一遇到守时、守纪、计时、计量的工作，就感到拘束之甚，而不愿受此制约。有人以“慢半拍”来形容藏人的这种生活节奏，实际上与内地相比，藏人的这种生活节奏是一种超缓慢节奏，一音既起，行之灭寂，方续音再至，如此往复，如断如续。一些快节奏的社会向往藏区的这种超缓慢节奏（无节奏是不行的，因为任何人的生活都不能停止），也给予褒扬，于是有些从事藏学工作的先生，甚至一些本民族的朋友也以为“外国人肯定了这种生活”，应该完整地保留这种生活方式。这同样是一种误见。倘若藏人的这种超缓慢节奏的生活建立在发达的生产力和丰富的物质生活之上，我想未尝不可，因为我想未来社会的人们，当在物质财富高度丰富，社会管理高度科学化，人们无须每天为饮食而奔波，那时建立这样一种田园式的“神仙过的日子”的生活方式，就有了基础和生活保障。而在现今这种各个国家、各个民族都在奋力创造、生产、发展，图求繁荣昌盛的激烈竞争时代，倘用此种生活观念待之，“神仙”或许也可以做几日，未免衣不遮体，食不果腹，穷酸潦倒，那些颂扬这种生活的先生们是想有朝一日自己脱离闹市，拿着巨款，找一方净土，做几日神仙，而不会出巨资养活别人做“神仙”的。自己永远应该是自己的主人，要想赶上时代潮流必须得赶上时代节奏；只有时代节奏，才能创造世界一流。快节奏的实质是快工作、快生产、快发展、快进步、快富强、快发达、快繁荣。无论现今还是未来，相当长的一段时间内，藏人尚处在心志守一，争分夺秒，殊死拼搏，使民族彻底摆脱贫穷和落后，实现民族现代化，真正跻身于世界先进民族之列的特殊阶段。追尚不可及，闲逸更不可取。

五、研究学习藏族文化史的重要意义

藏族文化已是一种具有世界影响的文化，不少的仁人志士为这一文化的研究、翻译、诠释、教育、传播、发扬光大都做出过重要的贡献。许多人在讲21世纪将是藏学的世纪，这是有一定道理的。随着藏学的进一步升温，藏族文化的研究仍将继续成为热点（从广义的文化概念，藏学研究的主体就是藏族文化研究的主体），这些研究成果，由内而外，由外而内，将相互产生作用和影响。21世纪又是一个世界经济、文化蓬勃发展的世纪，藏族社会会因此而产生更为强烈的撞击。因而，认识研究、学习藏族文化史的重要意义十分必要。其意义主要有：

（一）有利于增进民族团结，维护祖国统一

我在《藏学概论》中讲到藏学的基本特点时曾讲到藏学的七种特性，即民族性、宗教性、政治性、时代性、学术性、国际性、斗争性，这七种特性既是独立的，又是融为一体的。民族性、宗教性、时代性大家都比较了解，研究藏学自然地要考虑到藏民族独特的民族特点和独特的宗教特点（藏传佛教为主体的宗教文化）和与之相应发展的时代特点。而提出政治性、学术性、国际性和斗争性，就不能为许多朋友所了解。其一，由于目前的时代特点，苏联、东欧事件以后，在国际大环境中西藏问题已被提高到相当位置，其核心问题是纯属政治性的，即所谓“西藏独立”问题，西方社会和噶厦流亡政府，与社会主义中国之间进行过旷日持久的多层次、多侧面、多形式的斗争，鉴于此种情况，本来藏学研究就是学术问题，其学术性又有了重点强调的必要，一是不少的学术研究成了政治研究，一是藏学的学术研究再也脱离不了政治问题。其二，藏学研究已不是个别地区的封闭式研究，目前有几十个国家设有藏学研究机构。藏学研究已具国际性，这种特点如同其他学科一样，就需要面向世界，与世界求齐，就要掌握各个国度所拥有的资料和研究的最新成果。这种研究就需要高层次、高投入、高信息，即研究人员素质要高，不仅需要扎实的知识理论基础，开阔的眼界，就是在语言上也需要懂得藏文、汉文、外文；研究的投入要高，因为国际性的研究也是国际性的竞争，研究手段要高度现代化（如电脑、摄像机的使用等），需要同国内外的同行交流、研讨；信息要高度畅通，信息量要大。因为，藏学不论从政治角度、学术角度看，都具有斗争性特点。我们的目的是将这种斗争性转为竞争性特点，让学术与政治分离，使藏学研究能沿着一条科学的光明的道路前进，而不是像西方一些脱离具体环境片面强调“人权”的先生那样将藏学拖上政治的战车。上述特点与藏族文化史的研究是统一的。因而，藏族文化史的研究与国家的统一与民族的团结息息相关，同时，藏族文化的发展过程中也吸收了周围相邻国家和民族的物质文明和精神文明成果，尤其是吸收印度和汉文化为多，从文化的角度认识民族间友好相处的历史，就会有利于增强爱国主义精神，搞好民族团结。

（二）有利于振奋民族精神，推动藏族社会的发展进步

藏民族是个伟大的民族，在漫长的历史发展中，在高海拔的青藏高原创造了独特的光辉灿烂的古代文化，这里有藏民族赖以自豪的自然景观——巍峨的喜马拉雅，神圣的冈底斯，神奇的唐古拉山，优美的阿尼玛卿雪山，滔滔的雅鲁藏布、象泉河、狮泉河、孔雀河、马泉河、玛曲、碌

曲，亚热带的墨脱，辽阔的藏北草原，藏东郁郁葱葱的原始森林，藏南肥沃秀美的农田。这里有藏民族视为血肉、生死相依、引以为荣的人文景观——民族的心脏布达拉，著名的圣地桑耶寺、甘丹寺、哲蚌寺、大昭寺、色拉寺、日喀则、萨迦寺、拉卜楞寺、塔尔寺、德格印经院、江孜抗英炮台、藏王墓、古格王朝遗址，有世界上最长的英雄史诗《格萨尔王传》，有当今世界保存最全的藏文《大藏经》，有丰富的文学艺术典籍，这里诞生过南日松赞、松赞干布、吐弥·桑布札、噶尔·东赞宇松、论钦陵、赤松德赞、恩兰·达札禄恭、宇妥·云丹贡布、仁钦桑布、萨迦班智达·贡嘎坚赞、八思巴、桑哥、绛曲坚赞、宗喀巴、五世达赖、四世班禅、桑吉嘉措、颇罗鼐、十三世达赖喇嘛、根敦群佩、喜饶嘉措，从古至今，思想家、政治家、文学艺术家等层出不穷。这洋洋大观的藏文化成就，可以丰富我们对藏文化的了解，加深对藏文化的认识，借以提高藏民族的民族自尊感、荣誉感、使命感、责任感、危机感、自豪感，承认自身的后进，以世界最先进的科学技术和社会发展水平为牵引力，以积极进取、蓬勃向上的民族精神为推动力，狠抓教育，狠抓人才培养，狠抓经济建设，狠抓管理水平，讲艰苦奋斗，讲科学精神，讲更新观念，讲质量效益，讲远大理想，讲全局意识，藏民族才有可能腾飞。否则，一切都是无聊的空话。

（三）有利于历史地全方位地了解藏族文化，促进藏族新文化的建设

藏族新文化的建设面临着四重矛盾：

1. 传统的自然经济与新兴的市场经济的矛盾。藏族传统文化的经济基础是自给自足的自然经济，这一经济形式给藏族文化的发展、巩固和统一，确乎起到了巨大的作用，它给人们的不但是劳动的目的只是为了生存问题上的够吃够用，而且让人们确立了够吃够用即可的观念，这种观念平淡无奇，却影响深远，形式上看这种观念有无不可，但它是一种低陋的活命主义，只图马马虎虎地能够维持生命的吃用，而不求获得丰富的物质财富，从而推动社会生产力的发展。没有工厂，没有社会化大生产，他们在安静的一隅，凭着几亩土地和数只（头）牛羊，就可以悠然自得地去诵经、煨桑、求神、拜佛，没有竞争，至少没有为了生存的惨烈的竞争。由于人少，欲望寡淡，人们间仍然以血缘、部落、友情凝聚着，无论相识或陌生，人们有着那种原始的亲切感。商品经济的激荡，使这一观念彻底破裂，土地都是公有的，牛羊等一切都是商品（钱），谁有钱，谁就越有钱，应有尽有；谁无钱，不懂得做生意，谁就越来越穷，“世道”变了，人们之间的那种甜蜜的友情正在和已经被虚伪的赤裸的血淋淋的利益关系所取

代。这一撞击是深刻的，足以使人心灵震颤，从城市而后到乡村，层层推动，无有不及，人们必须适应这种变化了的“世道”，但情感上绝难放弃那种旧有的观念，于是，他们感到矛盾，感到深深的痛苦。

2. 宗教观念和科学观念的矛盾。这实际是一老问题，但在藏区表现得十分突出。从实质看，唯心主义的宗教观念与唯物主义的科学观念在思想上是根本对立的。在藏区由于绝大多数民众的信仰藏传佛教，从而使这种宗教唯心主义观念既有广泛性、普及性，又有深刻性，同时也造成了一种强大浓重的宗教氛围，凡在其中，均有熏染。盲目的宗教信仰是存在的，但藏人之信仰藏传佛教远不能与那种盲目的迷信相比拟，迷信如五光十色的水泡，尽管诱人、醉人，一旦戳破，则荡然无存；宗教则不同，它是一个完整的思想系统，有其存在的深刻的社会根源和认识根源。一些干部，有的甚至是领导干部，在此问题的认识和操作上表现得糊涂而简单化，以对待迷信的眼光、思想和方法对待藏传佛教，既没有真正认识到藏传佛教的广泛性、普及性、系统性、深刻性和时代惯性，也没有真正认识到它的博大的思想哲学系统和体系完整、构造雄浑的宗教文化系统；既忽视了它的群众性，也忽视了它的长期性，总想打歼灭战，毕万世之功于一役。由于这样一些认识和操作（实质是一种“左”的简单化思想），反而对科学观念的树立增加障碍和难度。毋庸讳言，藏区的宗教观与科学观念同样存在着深刻的矛盾冲突，同样波及在一切方面。没有透辟的认识，就没有准确而全局的把握。没有准确而全面的把握，就不可能制定出科学而有效的文化战略。没有科学的广泛性、普及性代替宗教的广泛性、普及性，没有科学的系统性、深刻性代替宗教的系统性、深刻性，没有科学的群众性、长期性代替宗教的群众性、长期性，科学得不到最终的确立，宗教也得不到最终的消亡。同时，藏传佛教文化中的一些优秀的精华也就不可能得到科学的认识，从而得到继承和发扬。在文化上的“左”倾铁扫帚对传统文化不分良莠的全扫，比右倾“族粹主义”将传统文化奉为神明的全保更有害。在藏区，科学与宗教在文化战线上的斗争仍然是长期的，作为一名藏族文化工作者，树立科学的世界观是重要的，具备一双善辨优劣、贵贱、先进与落后、精华与糟粕、科学与谬误的文化慧眼更为重要。

3. 传统观念与现代开放思想的矛盾。科学的进步，破解了大千世界一个又一个的奥秘，也撞碎了人类一个又一个的远古神话，同样，科学的进步也使空间距离越来越近，昨日北京至拉萨需要数月乃至半年奔波，今日乘飞机四五个钟头就够了。世界的确变得越来越小，在“地球村”里人类的脚步已踏到村落的各个角落。为了政治、经济、军事、文化等利益，世界在不断开放，走南闯北，不再是英雄豪杰的专用词，男女老幼均有份。开放，开放！窗户打开了，新鲜空气和苍蝇、蚊子一起扑面而来，新鲜空气吸入肺中，健康了体魄，有些没打死的苍蝇、蚊子带着艾滋病和“白面”躲在居室的暗处，伺机而叮。社会发育滞后的藏族社会对这一切是缺少心理准备或者说应付抵抗能力的。一切都是崭新的，一切都是陌生的，想试不敢试，不试却想试，但传统是唯一的平衡器，当那些与传统格格不入的思想文化横行肆虐时，他们便抗争、斗争、愤懑，却又无可奈何，不得不躲避到更深的草原深处。但当他们勒马回首，那些摩托和带着雷达的汽车携着烟尘，已尾随他们而来。更深处的草原已不是一块宁静的土地。

4. 地广人稀高文盲率与社会新型人才需求的矛盾。教育，是传播文化的最主要的渠道，藏区教育从纵向看进步不小，横向看，其发展仍然赶不上形势需要。主要原因有：(1) 基础薄弱。1949 年以前寺院教育起主导作用，新兴教育起步过晚。(2) 资金投入不足。(3) 师资匮乏。(4) 学生居住分散，集中教学等困难重重。进入 20 世纪 80 年代时，有些乡尚无一名小学毕业生，有些乡根本没有学校。(5) 群众对教育的重要性缺乏认识。(6) 一些地区对“双语”教学理论认识有偏颇（以“文革”为甚），走了弯路。“双语”教学虽称为“双学”，必须以一语为核心，必须有先后、主次，而在实际工作中，有人将“双语”理解为两种语言齐头并进，甚至抛弃母语藏语而以汉语为主，结果得不偿失。双语教学是个比较复杂的问题，从实践中出现的问题看，既存在着大民族主义的干扰，也存在着狭隘民族主义的干扰；既有思想认识问题，也有方法和技巧问题。倘若不从思想上取得共识，从组织上得以保证，并从措施上得到落实，就很难培养出基础扎实，知识面宽，思想修养好，专业理论硬，有适应性，动手能力强的合格的“四化”人才。而从适用性看，未来的藏族人才“双语”仍显不足，应以藏、汉、外语三语为好，达到一通（藏）一懂（汉）一能用（外语），方能进入人才市场适应藏区两个文明的建设。

人类的每一个进步，均须依赖于昨天。因而昨天就是基础。昨天会给我们以推动，也会给我们以数不清的苦恼和障碍，但是要建设社会主义藏族新文化，藏族文化发展的历史进程本身将会给我们许多启示。

（四）有利于世界更准确地了解藏族，弘扬藏族文化

自 17 世纪以后，藏学研究逐步在国外兴起，首先是那些探险家和传教士们将藏族文化介绍到世界，世界文化之坛又多了一枝奇葩。进入 19 世纪下半叶 20 世纪初，随着西方帝国主义瓜分世界的步骤，神奇、地域广阔的藏区再次成为列强蚕食的对象，英帝国主义入侵西藏就是最为突出的实

例。进入20世纪50年代，随着和平解放西藏十七条协议的签订和1959年达赖喇嘛流亡印度，国际社会再次掀起对西藏的关注，以藏族文化为主体的藏学研究也随之风靡世界。看上去这是因政治问题引起的偶然性事件，而对藏族文化的传播和发展来说却具有必然性的效果。任何事物都由正反两方面构成，藏族文化走向世界这显然是好事，但是，其一，由于诸多的政治因素和诸多的不准确的宣传，一些国外友人甚至藏学工作者获得的信息有不少虚妄不实，甚至扭曲颠倒，此既歪曲了藏族文化的正面形象，也丑化了藏族人民。其二，不少的研究者站在本民族的文化立场上，对藏族文化进行了非藏文化特性的解释，致使谬种流传，混淆视听。其三，猎奇和片面宣传是在藏族文化传播中常见之事，其中有的纯粹出于好奇心，有的则以赢利为目的满足他人好奇心。以真理为先导，以事实为依据，以科学而辩证的方法为手段的藏族文化发展历史的研究，将会对上述问题以准确据实的解释，让世界了解、认识藏族文化的本来面貌，借以更加有力有效地弘扬藏文化。

以上只是撮要而言，作为一种客观的文化史的研究，其意义是多方面的，此只能智者见智，仁者见仁了。

六、藏族文化史研究的资料对象

藏族文化史的研究和学习必然地要涉及资料问题。资料的类型和范畴，将直接影响到藏族文化史研究的成败得失。同时，资料的准确度、广泛度同样关乎藏族文化史本身的科学表述和结论。本书所涉及的资料主要有以下一些类型：

（一）以西藏考古为主要内容的西藏史前文化

基本形式：1. 史前遗址、遗物、遗存；2. 岩画；3. 残存的口碑资料。

所涉主要内容：1. 史前社会；2. 史前信仰；3. 史前生产；4. 史前文学；5. 史前艺术。

出处：1. 各种类型的史前考古和口碑文学；2. 自本世纪以来，随着一些专业人员的科学考察，尤其是近几十年以来中国在青藏高原的考古工作，在此方面有较丰富的成果。

（二）以敦煌文献为代表的金石、钟铭、简牍、写卷资料

基本形式：1. 金石；2. 钟铭；3. 简牍；4. 写卷。

所涉主要内容：1. 政治；2. 经济；3. 制度；4. 伦理；5. 哲学；6. 宗教；7. 科技；8. 文化民俗；9. 天文历算；10. 民族关系；11. 文化交流；12. 语言文字；13. 文学艺术等。

出处：敦煌古藏文写卷以及散见于藏区的金石、钟铭、简牍等。

（三）以藏文《大藏经》为代表的佛典文化（佛教教义为主）

基本形式：1. 经籍（印刷品、手抄本、石刻）；2. 绘画；3. 雕塑。

所涉主要内容：佛教教义为主的“十明”文化，即工巧、医方、声明、因明、内明、修辞、辞藻、韵律、戏剧、历算。

出处：1. 各种类型的《大藏经》版本；2. 大小“五明”；3. 藏传佛教寺院中奉为必修经典的《般若》、《因明》、《俱舍》、《中观》、《戒律》五部大论。

（四）以教派史、志为主体的藏传佛教文化典籍

教派史：《德乌教法史》、《雅砻教法史》、《布敦佛教史》、《吐观宗教源流》等。

寺院志：《桑耶寺志》、《塔尔寺志》、《拉卜楞寺志》等。

（五）以《吐蕃王统世系明鉴》为代表的政史著作

王统世系：《吐蕃王统世系明鉴》、《吐蕃王臣记》、《青史》、《红史》、《新红史》、《贤者喜宴》、《国王遗教》、《汉藏史集》、《拉达克王统记》、《安多政教史》、《青海史》等。

家族史：《朗氏家族史》、《萨迦世系史》等。

传记：1. 政治家传记：《颇罗鼐传》、《噶伦传》等。2. 高僧传记：（1）他传：《莲花生大师传》、《宗喀巴大师传》、《米拉日巴传》、《柏东传》；历辈达赖喇嘛传、历辈班禅大师传等。（2）自传：《云裳——五世达赖喇嘛自传》、《五世班禅自传》等。（3）秘传：《仓央嘉措秘传》等。

（六）以《四部医典》为代表的科学著作

医学：《四部医典》、《月王药诊》、《蓝琉璃》、《晶珠本草》等。

天文历算：《时轮历》、《时轮历精要》等。

（七）以《萨迦格言》、《格萨尔王传》为代表的文学著作

以《萨迦格言》为代表的作家文学：1. 诗歌。格言诗：《萨迦格言》、《水树格言》等；道歌：《米拉日巴道歌》等。2. 小说。《旋努达美》、《郑宛达娃》等。

以《格萨尔王传》为代表的民间文学：1. 早期神话传说。《猕猴变人》、《创世纪》、《大鹏与乌龟》、《青稞种子的来历》、《什巴问答歌》等。2. 《格萨尔王传》。《格萨尔王传》的手抄本、艺人唱本，以及以《格萨尔王传》为主体的文化。3. 民歌、民间故事等。

理论著作：《诗镜论》等。

（八）以《文成公主》为代表的藏戏艺术

八大藏戏：《文成公主》、《朗萨姑娘》、《白玛文巴》、《卓娃桑姆》、《顿月顿珠》、《诺桑王子》等。

藏戏团：1. 各地藏戏；2. 藏戏文化。

（九）以《三十颂》为代表的语言文字著作

《三十颂》、《音势论》等。

（十）以《绘画度量经》为代表的艺术著作

美术；音乐；舞蹈。

（十一）以《旧唐书・吐蕃传》为代表的汉文藏学典籍

史类：《旧唐书・吐蕃传》、《新唐书・吐蕃传》、《五代史・吐蕃传》、《宋史・吐蕃传》、《明史・乌斯藏传》、《明实录》、《清实录》等。

类书：《册府元龟》、《古今图书集成》、《唐会要》、《大清会要》等。

奏稿、档案：《清代藏事辑要》、《民元藏事电稿》、《联豫奏稿》、《有泰驻藏日记》等。

其他：《东华录》、《东华续录》、《圣武记》、《笔记小说大观》、《全唐诗》、《全唐文》、《松筠咏藏诗》、《中国丛书综录》、《小方壶斋丛钞》等，以及游记（近代文献）等。

（十二）外文文献

杜齐的《西藏画卷》、山口瑞凤的《吐蕃朝形成史》等。

（十三）当代汉藏文重要著作

（十四）重要杂志

《西藏研究》、《中国藏学》（藏、汉、英）、《藏学研究》等。

从资料角度看，藏族文化史的研究，涉及藏、汉、英三种文字，尤以藏汉文资料为多，精品列陈，色彩斑斓，汗牛充栋。

第一编

史前文化时期

（约 10 万年前～约公元前 10 世纪）

第一章　西藏高原的古气候、古环境与古人类

一个非常重要的也是为社会学家们容易疏忽的课题摆在我们的面前：倘若最初人类在西藏高原诞生，他们在什么样的环境气候中生活？以现代的生产、生活技能尚举步维艰的荒僻、气候恶劣的高原上，处于旧石器时代的人类先祖是如何生存的？假如我们不了解那些遥远的时代的气候、环境，就永远难以解释这一问题。

显然，要探索这些专业性很强的问题，我们必须得请教于专家——因为这些材料倘若没有科学的权威性，我们由此而得出的结论就会漏洞百出。我主要参阅的书刊材料有：《西藏气候》①、《西藏第四纪地质》②、《西藏吉隆盆地上新世的自然环境》③、《西藏吉隆、布隆盆地的上新世地层》④ 等。

第一节　上新世时期的古气候、古环境

（距今约 500 万年）

以西藏地区为主体的青藏高原，在漫长的地质历史中是古地中海的一部分。从晚二叠世开始，海侵不断向南退缩，到始新世（距今 1000 万年）晚期，海水全部退去，从此西藏地区成为陆地，开始了它新的生活历程。

青藏高原的新的生命是以它的上升为代表的，尤其是世界最高峰喜马拉雅的崛起，被专家们称为是地质历史中最为壮观的事件之一。喜马拉雅的崛起始于新生代，其形成的时间可追溯到中生代，乃至古生代。印度板块向北漂移中至始新世方与欧亚大陆相撞连接起来。致使古特提斯海分东

---

① 中国科学院自然资源综合考察委员会编：《西藏气候》，科学出版社，1984 年。

② 中国科学院地理研究所编：《西藏第四纪地质》，科学出版社，1983 年。

③ 陈万勇：《西藏吉隆盆地上新世的自然环境》，《西藏古生物》（第一分册），科学出版社，1980 年，第 83－96 页。

④ 黄万波、计宏祥、陈万勇、徐钦琦、郑绍华：《西藏吉隆布隆盆地的上新世地层》，《西藏古生物》（第一分册），科学出版社，1980 年，第 4－17 页。

西两路退出现青藏高原地区，使原为海底的这一地区成为大陆。到始新世中期，藏南及喜马拉雅山区仍有残余海伸入。

根据一些植物化石材料可知，西藏高原最早的植物群出现于早石炭时期，藏南及藏东南地区都发现了二叠纪、三叠纪、侏罗纪时代的植物化石，侏罗纪及早白垩纪时期虽有部分陆地出现，但西藏高原大部分地区还都是海洋，那时的西藏处于热带、亚热带气候环境之中，植物多叶小质厚种类说明，当时的气候比较干热，有水有陆的青藏高原受纬度影响具有热带、亚热带暖热潮湿气候特点。

海域的消失，使西藏的气候产生相当大的变化，如南木林地区晚第三纪乌龙组的下段与上段，下段以落叶、阔叶乔木、灌木为主，上段多单子叶植物且有叶较小的柳属化石，差异较大。

进入晚第三纪，宁静的构造环境和湿热的气候，促进了青藏高原的剥蚀、夷平，至上新世末再次处于夷平状态，根据古岩溶地貌和古岩溶遗迹以及聂聂雄拉的孢粉分析和吉隆、布隆盆地三趾马群的分布高度估计，其海拔约为1000米，喜马拉雅山为2000～3000米。

一、上新世早期

1966～1968年，中国科学院科学考察队对珠穆朗玛地区进行了多学科性科学考察，认为珠穆朗玛地区的第三系仅在南部有海相第三纪——古新世、始新世的宗甫群中晚始新世的遮甫惹组，分布很窄，为残留的海盆沉积；陆相第三系，经对希夏邦玛峰科学考察队在海拔5700～5900米的野博康加勒群砂岩中发现的迄今世界上最高的植物化石层的研究，定为上新世晚期。1975年6～9月，考察队在吉隆及布隆盆地找到上新世三趾马动物群化石十多种，对含化石的地层进行了剖面实测。黄万波等在《西藏吉隆、布隆盆地的上新世地层》一文中对吉隆盆地的三趾马动物群（吉隆三趾马、西藏大唇犀、狍鹿、小古长颈鹿、葛氏羚羊、吉隆短耳兔、鬣狗等）的层位进行了对比研究，认为出土的十多种化石中，具有中国北方三趾马动物群（相当于欧洲蓬蒂期）性质，如小古颈鹿、葛氏羚羊及狍鹿等为华北三趾马动物群中常见种属，其他如吉隆三趾马、吉隆短耳兔等新种也接近华北的属种，可与华北各地的三趾马进行对比：

陕西蓝田	山西霍县地区	华　北		西藏吉隆
灞河组上部	南坛组下部	下榆社组	保德组	沃马组下段

位于西藏西南中尼边境处的吉隆盆地之北侧为希夏邦玛峰，南麓为马拉山，面积约为200平方公里，北窄南宽。由于喜马拉雅山脉的不断隆起，上新世时原为湖泊的吉隆盆地南端被切开，古湖泊遭到破坏。河流的强烈切割，使湖相地层同时遭到剥蚀，形成今天的地貌。但地层剖面的出露完整，给研究和寻找新生代地层的化石提供了有利条件。

布隆盆地位于藏北比如县，地处怒江上游，地势平缓，是一狭长的东西向盆地，全被高山草甸植被所覆盖，地层很少出露，仅在盆地边缘或有露头。三趾马化石点属比如县下秋卡区布隆公社北东向约0.5公里处的小丘上，海拔4500米，化石发掘处为灰白色带绿色及褐黄色砂岩层，疏松，厚约1.4米，下部多灰白色泥岩，化石则保存于褐黄色砂岩中。主要有：

黑河低冠竹鼠 Brachyhizomys nagquensis Zheng

巨斑鬣狗西藏变种 Crocuta gigantea（Schlosser）var. thibetensis Zheng

古猫 Mctailurus sp.

猫 Felis sp.

唐古拉大唇犀 Chilotherium tanggulaensis Zheng

萨莫兽 Samotherium sp.

羚羊 Cazella sp.

西藏三趾马 Hipparion xizangensis Zheng.

布隆盆地的西藏三趾马（H. thibetensis）有欧洲早上新世（Vallesian）原始三趾马（H. primigenius）的性质。唐古拉大唇犀又接近南亚西瓦利克群庆吉组（Chinji）中的中间大唇犀（C. intermedius），黑河低冠竹鼠也接近西瓦利克群庆吉组中旁遮低冠竹鼠（Rhizomyoides punjabiensis），西藏巨斑鬣狗变种显示相当原始性质，其时代早于华北三趾马动物群，与欧洲的Vallesian及西瓦利克群庆吉组的时代相当，约为上新世早期。上新世早期华北保德红土下面的芦子沟系的三趾马，江苏南京附近六合组内的猪化石，大致也与Vallesian相当，和布隆组处于同一层位。

上新世早期的西藏气候属热带亚热带气候，温暖潮湿。藏北高原东部唐古拉山南麓布隆盆地的三趾马、大唇犀、黑河低冠竹鼠等与南亚西瓦利克同时期的动物群较为接近，说明当时的喜马拉雅山脉，还没有上升到足够的高度，成为两处动物群来往的屏障，而是畅通的坦道。华北三趾马动物群分布的海拔高度，一般为500~1000米，南亚西瓦利克群庆吉组的海拔高度约为500米，布隆盆地为海拔4560米，以此推论，从上新世早期以来，青藏高原唐古拉东段海拔上升高度约为4000米。

二、上新世中期

吉隆盆地上新世中期沃马组下段的孢粉，据吴玉书等的分析，其组合出现常绿小灌木、槛木，这种植物现今分布于中国热带、亚热带地区海拔约1000米的土地上，最高不超过1300米。采样于海拔4100米的高山草甸植被说明，吉隆盆地从上新世中期以来，上升约3000米。比如县布隆盆地孢粉组合出现山核桃属，此类植物而今主要分布于浙江、安徽、贵州、四川等海拔约2000米的山区；采样于海拔4560米的地带，也同样说明布隆盆地自上新世以来至少上升了2500米。聂拉木的亚汝雄拉含三趾马孢粉组合以常绿阔叶林为主，林带分布于现珠穆朗玛峰南坡海拔2500米以下，采样点海拔为4950米，同样说明自上新世以来该地区上升高度达2500米左右。

上新世中期的吉隆三趾马动物群与中国北方三趾马动物群相近，而与喜马拉雅山脉相隔的西瓦利克群同时期的印度动物群有所不同，说明当时的喜马拉雅山脉已有屏障作用，隔开了两地动物群的交流，顺之，被隔于喜马拉雅两端的动物群便向着各自的方向发展。吉隆化石点海拔为4100～4300米，其上升幅度与华北三趾马动物群的海拔高度500～1000米比，相差3000米左右，同样，亚汝雄拉化石海拔4950米，相差约4000米，说明自上新世中期以来，青藏高原的上升幅度约4000米。

上新世中期的西藏高原属亚热带森林草原气候，干而暖，孢粉组合分析反映，此时有油杉、栎、雪松、罗汉松等亚热带气候常见的乔木；同时有大量藜科和麻黄花粉出现，说明当时曾出现过比较干燥的草原气候，成群的三趾马、犀牛、小古长颈鹿、葛氏羚羊等，活跃在亚热带的森林草原和沼泽湖边。

三、上新世晚期

上新世晚期，青藏高原海拔约1000米左右，喜马拉雅山脉也只有2000～3000米，冈底斯山、唐古拉山、昆仑山等当今著名的大山，其山体也在2000～2500米高度，当时的青藏高原海拔不高，地势平缓，对西风带气流的阻塞和绕流作用不及现今明显。同样，高原的热力作用也小，不会使环流形势发生巨大的变化。也就是说，当高原面海拔高程约1000米时，它的平均环流形势与计算不存在青藏高原时的状况类同。而当高原继续隆升到海拔3000米时，许多高大的山脉均已达到4000～5000米的高度，冰川、积雪面积已大为增加，这无论对近地面气流或高空气流，都将产生巨大的影响。随着高原不断隆升，高原北部冬季西伯利亚高压日益加强，高原南部夏季印度低压加深，西南季风爆发，此时平均环流型已逐步接近现代的大气环流形势。

上新世晚期，青藏高原地区海拔高度约1000米，其气候也不像现代复杂、分明，同样也未形成影响欧亚大气流的重要因素。因为，在所发现的西藏动物化石中，尚未见大象和石炭兽之类的动物；在孢粉反映的古植被中，也没有找到喜酷热、潮湿的植物类型。因此可以认为，上新世晚期西藏气候是十分温暖而较湿润的亚热带气候。简而言之，青藏高原从由海洋变为陆地的过程，海陆交叉存在时，区域性气候是湿热的；陆面多于海面时，开始变暖热，略湿润；都为陆面时，热且较干，当高原隆起约1000米时，气候暖而略湿；当海拔高度继续升高时，则气候先变凉变湿，然后变冷变干。在这种总的气候变化趋势中，还有过较大的冷暖、干湿交替。此时，三趾马等喜热动物尚未灭绝，高原土地照样生长着松、云杉、冷杉等乔木。

《西藏气候》依据从聂聂雄拉不同层位采集的湖盆沉积物的样品孢粉分析，将古植被的发展分为雪松林、栎和雪松混交林、栎树林、森林草原四个阶段，从古植被的角度，推论青藏高原上新世时期的气候及环境：

雪松林层位最低，为第一阶段。从孢粉组成反映出古植被是以生长在潮湿的亚热带和高山的雪松为主。有喜热的油杉、罗汉松、山核桃，以及喜湿热的蕨类植物凤尾蕨等，说明当时的气候为又热又潮湿的亚热带山地气候。

第二阶段为栎和雪松针阔交林，栎属最多，雪松属次之，喜热的罗汉松大为减少，在灌木和草本植物中，仍以蔷薇科、蓼科为主，蕨类植物孢子除喜湿热的凤尾蕨、原始座莲蕨等外，仍以水龙骨科孢子占优势，说明当时气候与第一阶段略有差异，属较湿热的亚热带山地气候。

第三阶段为栎树林，古植被的组成以栎属为主，松属、柳属等次之，喜湿热的热带、亚热带植物或消失或减少变化较大，灌木和草本植物中，草本的蓼科和蒿属花粉较多。蕨类植物只有水龙骨科。这一阶段孢粉组合单调，说明当时气候已不如前两个阶段湿热，为温暖湿润气候。

第四阶段为森林草原，乔木花粉大大减少，降至次要地位，灌木和草本植物上升为首位，其中以蒿属花粉为多，蕨类孢子为水龙骨科。从植被组成来看，当时气候已较前偏凉偏干，此层位发现三趾马下颌骨化石。鉴定认为：这四个阶段的地质时代为上新世。上新世古植被变化的类型，是从雪松林向森林草原过渡，由热变为温暖，由潮湿向较湿润的方向发展，随着海拔上升到1500米，降水增多，气候又变得更湿润些。

根据对喜马拉雅中段、希夏邦玛峰北坡吉隆、亚汝雄拉、野博康加勒等上新世盆地的沉积岩相、矿物组合、河湖演变、古气候和古植物化石、孢子花粉、古脊椎动物化石等综合分析，并结合与上新世吉隆等盆地相类似的现代自然环境比较，陈万勇论述了上新世时期吉隆盆地的自然环境，这对我们认识人类出现前青藏高原的基本自然状况，具有重要意义。陈文说：

1. 从沉积物标志方面看，吉隆盆地是湖相为主的河湖相沉积。湖相沉积物中的重矿物多为白钛矿、锆英石、金红石、电气石、独居石、尖晶石、重晶石等和大量次生的褐铁矿，轻矿物有大量的石英。在20个岩石薄片中也有大量的碳酸钙矿物（方解石）和石英等，说明当时气候湿热，使大量的不稳定矿物风化而流失。只保留了稳定的矿物组合。黏土矿物组合方面，反映的第一套河湖相沉积湖泊—沼泽相时期，是高岭石—水云母矿物组合；第二套河湖相沉积是由高岭石—蒙脱石—水云母矿物组合；蒙脱石—水云母矿物组合，均反映出由温热而湿润的气候环境向干燥而炎热的气候环境变化的趋势。

在希夏邦玛峰北坡的上新世亚汝雄拉盆地，红土风化壳的重矿物中，次生的褐铁矿含量较高，最高者可达90%以上；黏土矿物（<0.001毫米）主要为多水高岭石（变叙永石）和蒙脱石组合。红土的化学成分为：$SiO_2$47.73%、$AL_2O_3$19.69%、$Fe_2O_3$16.75%；FeO：Fe_2O_3和Fe_2O_3：SiO_2之值，分别为0.04和0.014，这些特征均表明红土风化壳在上新世时期曾受到比较强烈的氧化和淋滤作用，是一种温热气候条件下的产物。目前，这种红土分布在喜马拉雅山南麓海拔低于3000米的樟木以南亚热带和热带地区。

2. 在古植物和孢子花粉方面，吉隆盆地有云杉、松属、雪松、柳属、胡桃、栎属、桤木、棕榈、唇形科、藜科等。在上新世地层中亚汝雄拉盆地含有栎和木兰，在野博康加勒地区含有以雪松为主的铁杉、栎。在野博康加勒上新世地层中发现的含有高山栎等植物化石和植物孢子花粉，属于亚热带标准植物（表1－1－1－1）。这种植物，如高山栎、木兰、雪松、樟科等，现在分布喜马拉雅山南坡的樟木、曲乡、聂拉木、小叶隆河谷热索桥、芒木地区，海拔为1600～2500米的山地常绿阔叶地和常绿针叶—阔叶混交林带之中。年平均温度为10℃～12℃，降雨量为2000～2500毫米，属温暖而湿润的亚热带地区。

3. 在古脊椎动物化石方面，有亚汝雄拉的三趾马、吉隆盆地的吉隆三趾马、西藏大唇犀、小古长颈鹿等，这些森林草原型喜热动物群的存在说明，这一时期仍然是潮湿炎热的亚热带气候。

表 1-1-1-1　喜马拉雅山中段北坡上新世盆地自然环境

时代	地区	自然地理环境				古生物标志			沉积岩相与矿物标志		气候特征
		自然带	高程（米）	年平均温度（℃）	年降水量（毫米）	哺乳动物化石	植物化石	孢子花粉组合	沉积岩相	矿物组合	
上新世	亚汝雄拉	山地亚热带 山地常绿阔叶林 山地针阔混交林（以栎为主）	1500—2000 2500	12~15 7~10	2000—3000 2000—2500	三趾马（未定种）		含栎和木兰等植物孢粉	湖泊黏土相和湖滨砂岩相	湖滨红土风化壳，褐铁矿含70%以上，黏土矿物为多水高岭石、蒙脱石	温暖而湿润
	野博康加勒	山地亚热带 山地针阔叶混交林	2500	10	2000—2500		高山栎似黄背栎似灰背栎	以雪松为主，其次有铁杉、栎等	山麓堆积相、砂砾岩		温暖而湿润
	吉隆盆地（仲喀）	山地亚热带 山地常绿阔叶林 山地针阔混交林	1000—2500	10~12	2000—2500	吉隆三趾马、西藏大唇犀、小古长颈鹿、葛氏羚羊、鬣狗		桤木、棕、桐、栎、藜科、雪松等	河流湖泊-沼泽相沉积 湖滨相沉积	重矿物：褐铁矿含量50%，白钛矿锆英石、金红石、电气石；黏土矿物：下部高岭石、水云母；上部蒙脱石水云母	温暖而湿润

目前的喜马拉雅山南坡，海拔1600~2500米处，年平均温度为10℃~20℃，年降雨量为2000~2500毫米，为山地亚热带（樟木和小吉隆河谷地区）的常绿阔叶林。山地森林中栖息有长属叶猴、熊猴、水鹿、小熊猫和独角犀。现今云南西双版纳地区，海拔1000~1600米的山地亚热带常绿阔叶林中也发现了现代犀牛群，这些现代自然景观，与上新世时期吉隆盆

地、亚汝雄拉、野博康加勒等地区的自然环境相似。因此，可认为吉隆盆地在上新世时期，是温暖而湿润的亚热带自然环境。

表1-1-1-2 喜马拉雅山中段（南坡）与上新世吉隆盆地相类似的现代自然环境

地区	自然地理环境				动植物标志				气候特征
	自然带	高程（米）	年平均温度（℃）	年降雨量（毫米）	哺乳动物	鸟类	植物	我国亚热带标准植物	
喜马拉雅山南坡（我国樟木、曲乡、聂拉木、小吉隆河谷、芒木）	山地亚热带山地常绿阔叶林山地常绿针阔混交林	1600 | 2500	10—12	2000 | 2500	长尾叶猴、熊猴、水鹿、独角犀、小熊猫	蛇鸟科、黑腹蛇鸟，蟆鸱口科、蟆口鸱	1000—1500米高程以栲、柯、栎等常绿栎类为主，并含有一定的樟科、茶科和木兰科。1600米以上地区以木印栲、木荷为主的山地常绿阔叶林逐渐稀少，在2000米以上即消失	樟科、茶科、冬青科、杜鹃科等常绿阔叶树。马尾松、柏、杉等针叶树，以及油茶、棕榈等	温暖而湿润的亚热带

陈文认为，古今自然环境的变迁与喜马拉雅山的隆升密切相关。由于上新世之后，喜马拉雅山脉大幅度上升，形成今日高大的喜马拉雅山山体，构成显著的屏障作用，使印度洋暖湿季风无法通过，强烈地改变着山体南北坡的自然环境，使动物、植物、气候等方面都产生了巨大的变化。这种影响不仅涉及青藏高原而且扩大到东亚大陆。这一时间远在一千万年以前的上新世时期，当时喜马拉雅山脉一般高度均在2000～2500米，少数山峰可达3000米左右。

第二节 更新世时期的古气候、古环境

（距今约300万年）

冰期和间冰期气候的频繁交替是西藏地区更新世气候变化的总特点。同时高原不断隆起又促使气候向干冷方向发展。因而冰期气候的干冷一次比一次增强。

更新世（第四纪）的伟大震撼是人类的出现。当然，人类不是突然在

更新世蹦出的，在上新世，甚至更早的中新世、渐新世、始新世时期，作为人类所属的灵长目在不断发展、进化。如表 1－1－2－1：

表 1－1－2－1　新生代年代和人类进化图　　　（单位：万年）

<table>
<tr><th>代</th><th colspan="3">纪　世（统）</th><th>距今年龄</th><th>人的进化</th></tr>
<tr><td rowspan="7">新生代</td><td colspan="2" rowspan="2">第四纪</td><td>全新世</td><td>1</td><td>现代人</td></tr>
<tr><td>更新世</td><td>300</td><td>智人、直立人</td></tr>
<tr><td rowspan="5">第三纪</td><td rowspan="2">新第三纪</td><td>上新世</td><td>1200</td><td>南方古猿</td></tr>
<tr><td>中新世</td><td>2500</td><td>腊玛古猿</td></tr>
<tr><td rowspan="3">老第三纪</td><td>渐新世</td><td>4000</td><td>埃及猿、原上猿</td></tr>
<tr><td>始新世</td><td>6000</td><td>近猿古猴</td></tr>
<tr><td>古新世</td><td>7000</td><td>哺乳动物</td></tr>
</table>

人类在某一地区的繁衍必须要有相应的生存条件。当然，我们所说的生存条件是生存极限——赖以维持生命的最低限度，失去了它，也就失去了生命，诚如恩格斯所说："劳动创造了人"，人类首先在与大自然的斗争中得到发展，这个自然虽然不只是指古气候、古环境，但是谁也难以否认古气候古环境对人类的生存、繁衍、发展何等重要。

对于第四纪冰期的划分，专家们的意见不尽相同。《西藏第四纪地质》等书认为：早更新世（距今 300 万～100 万年）为第一间冰期、希夏邦玛冰期，此时喜马拉雅有规模不大的冰川发育，藏北草原湖泊星布，温湿的气候中生长着以云杉、松为主的乔木，桦、榆诸树遍及高原。中更新世（距今 100 万～50 万年）为大间冰期、聂拉木冰期，有长而温暖的间冰期气候，以唐古拉山、冈底斯山为界，南为海洋性冰川，北为大陆性冰川。晚更新世（5 万年前）为末次间冰期，绒布寺、基龙寺冰期，随着高原的大幅度隆起，喜马拉雅堵住了印度洋季风和西风的气旋，西藏高原的气候转向干燥。

而一些学者认为将冰期分为四期较合适：

1. 早更新世为希夏邦玛冰期，其遗迹长期受切割分化，形态不甚明显，现存的该时代冰川遗迹有希夏邦玛北坡 6000 米的高冰渍平台、阿里地区扎纳河东岸最高的老冰渍平台以及念青唐古拉山南麓冰川遗迹等。

2. 中更新世为聂聂雄拉冰期（以希夏邦玛东北坡的聂聂雄拉冰渍而得名），该时代的冰川遗迹有，地形上可与聂聂雄拉平台连接的那克多拉河冰槽谷两侧海拔5200～6100米的冰渍平台，阿里地区受到深层风化且有红土发育的高渍平台，藏东南和藏北等地也见到该时代的冰渍物。

3. 晚更新世为珠穆朗玛冰期，以珠穆朗玛峰北坡绒布河下游左岸的高侧渍和海拔4700米的吉隆寺残破渍和东绒布终渍为代表。由于这两处冰渍分布有明显差别，如像聂拉木、定日、亚东和念青唐古拉南坡等，主U形谷两侧高和不同的两列侧渍垅十分清晰，两次冰川作用遗留的高低侧渍及终渍也很明显，代表晚更新世两次冰期作用的古雪线的冰斗形态完好，且早一次冰期冰渍上有黄土状堆积物，与晚一次冰渍物截然分开。是故可划分为两次冰期。又，从波密县的帕隆藏布看，早期冰川延伸到古乡附近，晚期至白玉一带，因此晚更新世的珠穆朗玛冰期可分别称为古乡冰期和白玉冰期，或称为珠穆朗玛冰期和绒布寺冰期。

至于各冰期所处的绝对年龄及相对长短，《西藏气候》等书也认为很难断定，几次冰期和间冰期对更新世时期的古气候有着莫大作用。从藏南发现的贡巴砾石看，希夏邦玛冰期内岩石所含孢粉较少，以草本植物为主。定结、定日等地的砾岩中夹薄层硅藻土，说明当时气候不很湿润，部分地区属草原型气候。从早更新世湖相层中有明显的冰缘现象（融冻褶皱）看，当时较为寒冷。该冰期雪线大体上位于5100～6200米附近，与现代平均雪线位置相比，高600米左右。

此后的间冰期，藏南等许多地方较为干热，这可从普遍发育的“阿嘎土”得到引证。“阿嘎土”土体化学成分中的Fe_2O_3和Al_2O_3的含量都较高，风化作用强烈，且常夹有钙质层。从青海境内昆仑山垭口和清水河的孢粉资料可知①，当时藏北森林遍布，山地多长云杉、冷杉暗针叶林，高原面多暖温带的落叶阔叶林和针阔叶混交林，藏南为针阔叶混交林，从海拔4400米的帕里孢粉分析看，此处阔叶树种占木本花粉总数的68.6%，针叶树种占31.4%。与其相当的现代植被针阔叶混交林在临近的亚东地区分布在海拔2500～3400米的地方，估计当时的年平均气温约为6℃～10℃，降水量在1000毫米左右，比现在约多600毫米。

聂聂雄拉冰期是高原上冰川作用最大的时期。在整个青藏高原地质史中占有很重要的地位，像希夏邦玛峰北坡那克多拉河流域冰川面积，估计比现今大15倍之多，古雪线遗迹略高于现代雪线位置，但雪线当时降低值达1300～2000米。如此估计，温度降低值为10℃左右。喜马拉雅山南坡，

① 唐领余等：《青海昆仑山垭口盆地第四纪湖相沉积孢粉组合及其意义》，中国科学院兰州冻土沙漠研究所集刊，第一号，科学出版社，1976年，第106页。

该冰期形成规模巨大的树枝状山谷冰川，长达30～40公里，冰川下限在海拔3750米的聂拉木附近，在亚东地区伸至3200米以下。在喜马拉雅山北坡曾形成宽广的山麓冰川，并留下许多面积很大的冰渍平台。如东西长达40公里，南北宽约为7～20公里，冰渍物厚达数十米的聂聂雄拉平台。在唐古拉山口形成面积达2000平方公里的半覆盖式冰川，冰渍最厚超过200米，藏东南为海洋型冰川。总之，此次冰期冰川在西藏境内分布十分广泛。

此后有时间长、温度较高、湿度较大的温暖的间冰期，因由卓奥友峰北坡加布拉地区沉积而得名，也称加布拉间冰期。从八宿县然乌区等处采集的古土壤孢粉分析可知，该时期以木本植物为主，有柳杉、铁杉、松科、栎属等，草本植物有瑞香科、石竹、紫苋科、蓼科、藜科和菊科等，属于亚热带植被类型，估计此时高原降水量在1000毫米内，干燥度值略少于1，高原面海拔上升至3000米，喜马拉雅等大山体已达到4500～5000米，整个环流形势较第三纪有很大变化，耸立的西藏高原已使北面的西伯利亚高压、蒙古高压与南面的印度高压在冬、夏两季形成，导致爆发西南季风。这时西藏的温度分布已接近现代状况，南北温差不大，温度值较现在高，高原面年均值在8℃～10℃，阿里地区约低2℃～3℃，各地均比现代高2℃～10℃。

到古乡冰期时，各地温度降低值不一，如喜马拉雅北坡较南坡下降4℃～6℃。

白玉冰期时，随着高原的强烈隆升，气候变干。如表1－1－2－2所示：

表1－1－2－2　第四纪西藏气候简况

名　称	气　候　特　征
希夏邦玛冰期	较为寒冷，不很湿润
间冰期	藏北遍布森林，藏南多森林，有些地方较干热；年气温高于今6℃～10℃
聂聂雄拉冰期	冰川作用规模甚大，温度降低可达10℃左右
间冰期	比今气温高2℃～10℃，温度分布近于现代；年降水量约1000毫米
古乡冰期	气温降低值4℃～6℃
间冰期	在高原内部多为稀疏森林草原，气候偏干；高原边缘较暖湿
白玉冰期	气温较现今低3℃～5℃

冰后期气候特征为：气候适宜期比现今气温高3℃～5℃，高原内部温

凉，边缘温湿；新冰川期温度下降，年平均气温比现低2℃以下；现代小冰期气温较现在低，盛期可低1℃～2℃，后期有所回升。

第三节 全新世早、中期的古气候、古环境

全新世是指距今10000年以来的历史，也称冰后期，这一时期的气候基本可概括为转暖期，各个阶段的情况也不相同。全新世早期（距今10000～7500年）气候转暖，凉而中湿，许多植物得到发展。全新世中期（距今7500～3000年），尤其距今5000～6000年时，气候十分温暖，在聂拉木东北海拔4300米、年平均气温0℃近亚里的波曲的第一阶地上部的石灰华堆积中发现了忍冬属、杜鹃属等植物遗迹，这些植物目前生长在海拔3400～3700米、年平均气温3℃～5℃的地方，两者温差3℃～5℃，这一时期也称“亚里期”。

温暖的气候给古人类的活动提供了条件，如今人口较少的藏北、日土、双湖诸地发现中石器和细石器时代的遗物，亚里石灰华表层发现石核、石片和圆头刮削器都说明这一点，估计当时高原气候比现在高3℃～5℃，因而也被称为“气候适宜期”。

专家们认为，全新世中期是人类活动的全盛时期，其踪迹遍及西藏高原；西藏发现的大量细石器主要是新石器早期的遗物，也正属于此一时期。

从西藏冰川的活动情况看，进入全新世晚期（距今3000年以来），温暖潮湿的西藏高原的气候出现降温，冰川的强烈后退终止，出现新冰期，即新冰川期和现代冰期两个阶段，气候变干变冷，人类活动南移，藏北成“无人区”。

全新世早、中期的历史对研究西藏原始文化显得十分重要，众多的石器文化遗址和遗物也证明这一点。同样，这些石器文化自身也叙说着当时的气候和自然环境：

藏北申扎县多格则和阿里日土县扎布采集到的石器，大多分散在高出河床或湖面几米至几十米的湖岸阶地、阶地斜坡或坡麓洪积扇上。这种环境说明，古代人类是生活在草丛、近水的地域，同时也是飞禽走兽较多的地方，属高原亚寒带半干旱、干旱气候，年平均气温零下2℃，年降水量100～300毫米，接近高原永久冻土的南界，以目前的气候条件古人类是难以生存的。如此广泛的石器发现说明古人类当时非常活跃，活动范围也相当之大，没有一个适宜的气候条件是绝对不可能的。而且从多格则、扎布

和马法木错等地的石器看，有再次打击现象，说明这里人类有过较长时期的活动。再如，在聂拉木县亚里海拔4300米处发现中石器时代或稍晚的石器，通过对冰后期石灰华植物化石和孢粉分析可知，这一时期亚里地区气候温暖湿润，灌木丛生，有利于人类生活。推测当时温度较现在高3℃～5℃，这一气候与仰韶文化时期以及整个北半球如欧洲的气候适宜期相一致。

西藏高原的气候适宜期（即高温期）之后，气候寒冷，进入冰后期的新冰川期，冰川推进，冻土发展，气候趋于干冷。虽然，此后之气候也有多次转暖，但未能达到高温期的温暖程度和持续时间，寒冷的气候，使人类的活动范围缩小，发展受到限制。

从一些材料看，随着气候等的变化，自然景观也在变化，有些是令人吃惊的。如冰川和湖泊的退缩，使一些地方消失了一种景观同时也可能增添了另一种景观，沧海桑田，变迁更迭。以绒布冰川为例，在二十多年前，东绒布冰川5800米处是冰塔群，后已大多消融，剩下几个零星冰柱；中绒布冰川原本冰湖位置较海拔低，现5400米以下接近干涸，5500米以上却出现新冰湖，其位置比原来高100米左右；海洋性冰川近几十年来退缩更为突出，如近易贡的若嘎冰川等。一些完全依靠冰川融水和天然降水补给的内陆湖泊，如像冈底斯山、念青唐古拉山以北的湖泊，水位下降、湖泊退缩尤甚。这一切说明冰川融水量的大量减少，入不敷出。

西藏湖泊的退缩源于第四纪，像藏北的纳木措、达则措，藏南的哲古措、嘎拉措、沉措、拿日雍措等，有的由外流湖变为内陆湖，有的由常年有水变为时令湖，旱则无水。像浪卡子县境内的沉措，过去是与羊卓雍措、空母措等几个大大小小的湖泊连成一片的外流湖，随着湖水减少，渐次分割为几个内陆湖泊。从阶地层次看，过去宽阔的沉措，水位曾多次下降，以后甚至有干涸的危险。再如帕里以北的嘎拉措，据1876年的材料记载，宽3.2公里，沿湖居民可打鱼为生；1966年，湖面宽不过1500米，退缩一半①，至1975年已成为时令湖，即使雨季，水面宽度不过数百米。这些与高原气候的变化有根本关系。

近两千年来的气候变化看上去与本书关系不大，因后文中将涉及这些问题，在此作简要介绍。

专家们对拉萨大昭寺中心院一横梁的柏木等的气温变化考察认为，从

① 王明业：《藏南地区湖泊的成因与演变》，载《珠穆朗玛地区科学考察报告》，科学出版社，1975年，第168页。

公元初至今有如下变化（图 1－1－3－1）。图中曲线为 50 年滑动平均值，横坐标为滑动终止年代，纵坐标为 3.0 表示正常，高于 3.0 为偏暖，低则偏冷。可知公元初较寒冷，2 世纪很暖和，3～5 世纪（东汉后期，经三国、西晋、东晋到南北朝前期）长期寒冷，气温比现在低 1℃左右。6 世纪中叶起，限于资料，专家们虽未给出约 500 年的历史确切的温度变化曲线，但认为这一阶段是气候温暖时期。

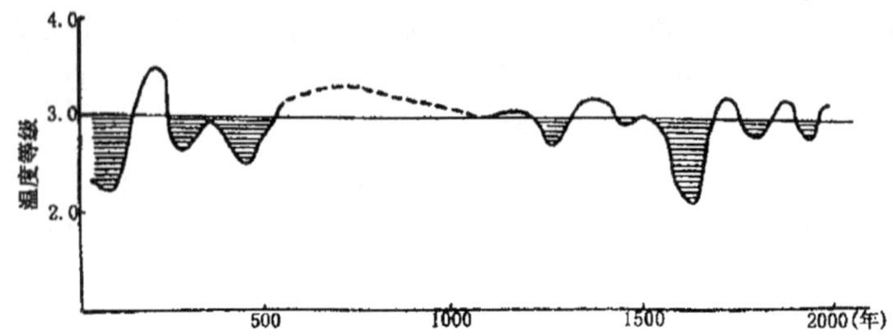

图 1－1－3－1 青藏高原近 2000 年来温度等级变化图

12 世纪末叶后，高原温度逐渐下降，14 世纪、15 世纪后半期较前半期暖和。近 500 年由于资料数据较多，研究古气象的学者们将 10 个年轮序列换算成温度距平序列，求得近 500 年西藏年平均气温距平（图 1－1－3－2）。近 500 年中 17 世纪最为寒冷，年均气温在平均值 0.5℃以下；18 世纪中期比 17 世纪中期气温要高，但在平均值以下；19 世纪初气候开始变暖，一直至今。两次较冷时期为 17 世纪、18 世纪末，其中最冷的是 17 世纪中期，温度普遍比现在低 0.5℃以下。

从降水状况看，各地差异较大，但大体可认为 18 世纪中后期为多雨期，19 世纪后半期为少雨期；20 世纪 20 年代前后雨水较多，目前为少雨期。

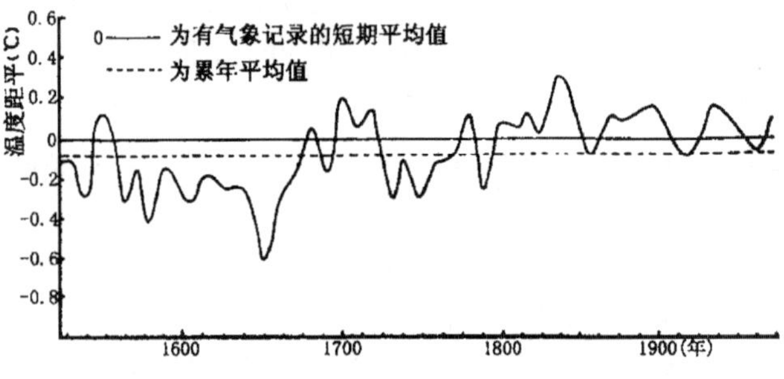

图 1－1－3－2 西藏各地温度距平序列十年滑动平均曲线

根据最新的一些材料看，青藏高原还在运动之中。可以提供 10 米范围详细地貌的法国地球观测卫星“斯波特”号绕地球飞行 4 年，得出的观测资料表明：“表面上看来似乎永恒不变的西藏高原实际上是很好动的；它不仅在增高，而且还以每年好几厘米的速度向东北方向移动。”位于阿尔金断层“以南的土地向太平洋方向的推移速度为每年 4 ~5 厘米。这种单向移动使人考虑到西藏地区有朝一日会停止隆起。”[①] 当然，这只是很远的将来的事，那时候的环境、气候如何，只能由将来的人去研究了。

① 让一保罗 · 克鲁瓦塞：《西藏高原在向东北移动》，载《参考消息》，1989 年 4 月 10 日。

第二章　旧石器文化

第一节　藏南的旧石器

定日县属今西藏自治区日喀则公署管辖，位于雅鲁藏布江南。发现石器的具体地点是定日县南约10公里的苏热地方。自苏热山南坡有一小河向西流入热久藏布，石器便采自这条小河的阶地上。阶地高出河面20米，海拔约4500米。由于苏热遗址被后来的冲沟切割，分成两个地点，即沟东、沟西，大多数石器采自沟东，沟西只采得6件标本，石器标本总数为40件。

石器的主要原料为片麻岩，共26件；石英砂岩10件。从地理位置看，片麻岩产于邻近比苏热山更高的山坡上，苏热山上部地层由三叠系石英砂岩等构成，因而石英岩石随地可以采到。由于长时间的暴露地表，石器材料受到风化影响，暴露面的打击棱脊变得圆钝，用片麻岩为原料的石器形成了风化面，其中一标本有风蚀痕迹。然而整个石器都没有因水搬运冲击而磨圆的现象。

从地域看，定日石器的发现填补了藏南旧石器文化的空白，由此可以看到，在广阔的西藏高原上，旧石器文明不仅出现于申扎县的多格则、珠洛勒，阿里日土县的扎布和普兰县的霍尔区——被人们视为神秘的藏北“无人区”，也出现于藏南的土地上。

一、主要石器材料①

《西藏定日新发现的旧石器》一文较全面地介绍了定日发现的石器。定日发现的石器中6件有打击痕迹，5件打击点明显，另有2件打击点紧挨，台面破坏。无石核。兹以石器类型分述如下：

---

① 本节资料及图片，均引自张森水：《西藏定日新发现的旧石器》，载《珠穆朗玛峰地区科学考察报告》（第四纪地质），科学出版社，1976年，第105－109页。

（一）刮削器

1. 单刃刮削器　共6件，用片麻岩和石英岩制成，均为由破裂面向背面打击，第二步加工比较一致，如图1－2－1－1 A用双锥体似矩形石片做成，将左侧边加以修理，成一不齐微凹的刃口，锐刃角为50°；图1－2

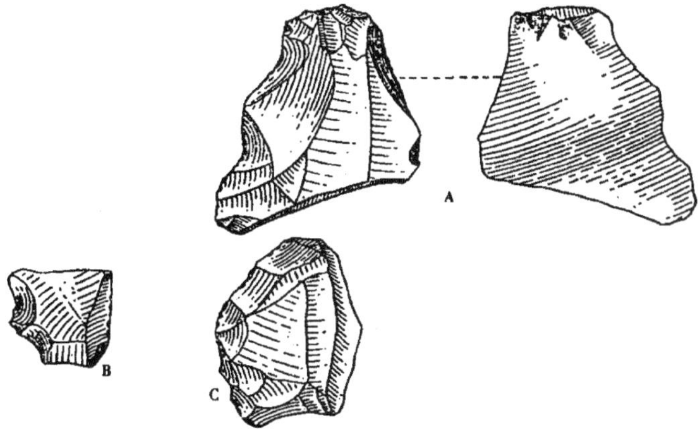

图1－2－1－1　单刃刮削器（1×2/3）A，B，C

－1－1 B左侧有几个粗大的石片疤，生成一个不规则的凸刃，右侧无加工痕迹，但有明显的使用痕迹；图1－2－1－1 C左侧加工成凸刃，小石片疤浅平，刃缘比较匀称，修理时打击的痕迹不明显，然半锥体阴面仍能辨认，左侧刃口和右侧下部边缘，可看到使用过的痕迹。

2. 复刃刮削器　共7件，可分为两类。

（1）单向加工刮削器2件，一件原料为石英岩，向破裂面打击而成，左侧和右侧一部分加工成直刃；另一件左侧被加工成凹刃，小片疤浅平，修理细致，右侧被修理成浅凹刃，刃缘匀称，刃口较锐利。

（2）错向加工刮削器计5件，以相邻的边方向相反进行错向加工，这与中国猿人文化和东南亚旧石器文化中的石器的错向加工不同。如图1－2－1－2 A，其底边系向背面打击，制成浅凹刃，小石片疤短宽，修理较粗，刃缘不匀，其左下角有两个平圆的小石疤。图1－2－1－2 B底边系向破裂面加工，小石片疤浅平，制成

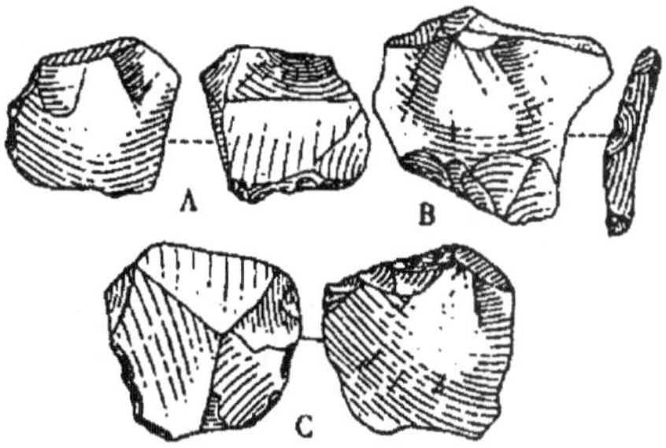

图1－2－1－2　复刃刮削器（1×2/3）A，B，C

一较平直的刃口，右侧为0.6厘米的面，由破裂面垂直向背面打击，成凹刃，左下角（由背面观）也有两个平远的石片疤。上述两件标本由石英砂岩制成，左下角处均有两个细长的石片疤，引人注目，此或许表明，石器相邻的尖角起着与尖状器相当的作用。图1－2－1－2 C石器的背面的两侧都有局部的加工痕迹，小石片疤细而长，在破裂面上，将左侧上部和台面的一部分加以较细致的修理，小石片疤浅平，成平直较锐的刃口，刃角约为60°。

（二）尖状器

尖状器共2件，一用一小石块的突出部分稍事加工而成，有短粗的尖；另一件用石英砂岩三角形石片制成，制作精细，背面遗满石片疤，由破裂面向背面打击，精心修琢所致，刃缘呈多缺口状，边缘较匀称，左右两刃相交，即生成一尖刃，尖刃中间有一短脊，断面呈三角形，尖角约75°。如图1－2－1－3所示。

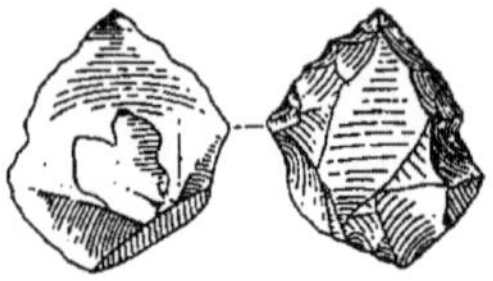

图1－2－1－3
尖状器（1×2/3）

（三）石片

定日的石片多为三角形和矩形，体积较小，石片多长大于宽，最大比率为2∶1，石片台面较小，呈三角形或月牙形，台面平者占73%，台面有脊者占26.9%，可以测量石片角的标本26件，最大角为134°，最小角为100°，平均为116°，可知石片角是偏大的。石片多为不作第二次加工即行使用，如图1－2－1－4 A为平台面长三角形石片，两侧边缘有明显的使用痕迹；图1－2－1－4 B为石英砂三角形石片，台面上有一纵脊，将台面分割成两部分，石片上的打击点落在纵脊的前端，左侧有修理痕迹，加工粗糙。由上特点大体可说明，这些石片是用锤击法产生的，石片角特别大可能为用台面角较锐的石核进行打击所致。

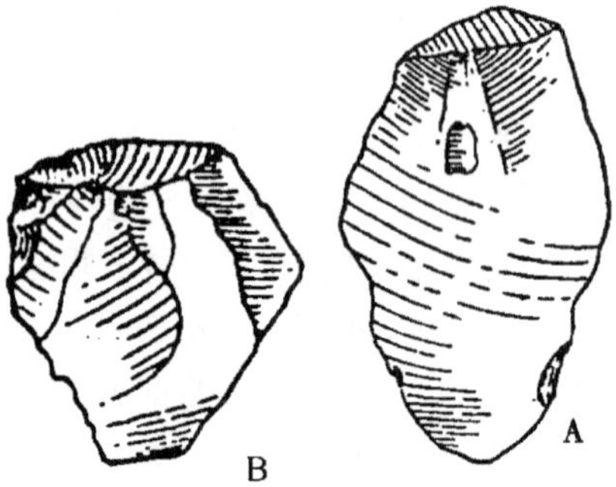

图1－2－1－4
B. 有台面脊的石片（1×2/3）　A. 打击台面石片（1×2/3）

二、文化分期与年代

在缺少参照物的前提下，要确定这些石器的文化分期和年代是非常困难的。但这些采自地表，无地理层，无古生物化石的石器材料并不是孤立地存在着，它们有在漫长的岁月里栖息的土地。在离发现石器的阶地不远的热久桑布左岸贡达甫村西侧的希夏邦玛冰迹冰水沉积—贡巴砂砾岩，高出河面约200米，时代为更新世早期；此后的聂聂雄拉冰期造就了广阔的冰碛平谷，其前缘高出河面50～30米，时代为更新世中期；更新世中期之末或者更新世晚期进入了间冰期，形成侵蚀阶地，发现石器的阶地大约是这一时期形成的。其后便为珠穆朗玛冰期。因此，古人类可能就在这块土地上生存，用他们的劳动工具——石器，获取食物。

石器与阶地的年庚相依关系的一个理由是上文已经谈及的这些石器材料没有被流水搬运冲击再沉积的痕迹，石器是原生于阶地的。其二，在其附近相同高度上或比它低一级的阶地（或超河漫滩）未发现新石器时代的遗物。其三，在其南面的聂拉木县亚里村，在高出河面2米的阶地地层和地表上找到细石器材料。因此，从石器分布的地貌关系看，20多米高的阶地上采集到的石器可能是更新世的人类使用的工具（图1－2－1－5）。

图1－2－1－5　定日县苏热发现的旧石器

1. 尖状器　2. 复刃刮削器　3. 单刃刮削器　4. 石片

从石器加工方法和石器类型也不难看出这一特点。旧石器时代中晚期石片石器占很大优势，定日采集的石器材料恰以石片石器为主；以刮削器、尖状器为主要类型，单向的加工方法等都是旧石器时代最为常见的。此外，从打击石器也可得到引证：“打击石器的历史相当长，从旧石器时代初期到金石并用时期，因此有必要将各个时期的打击石器加以比较，从中探索它们产生的年代。从旧石器早期看，在东南亚，虽然或多或少都有石片石器，但有相当多的砾石（石核）石器，砍砸器占显著地位。在定日发现的石器中，没有粗大的砾石做的砍砸器，因之，从类型上看，定日的石器不像是旧石器时代早期的遗物。新石器时代虽然有相当多的打击石器，但打击石器并不孤立存在，多与磨光石器共存，且有较多的石斧‘毛坯’和数量较多的砍砸器；有些区域则存在大量的‘细石器’。在20米阶地发现的遗物中，只有石片石器，无新石器时代常见的石器尖型，也未发现新石器时代或更晚的遗物，因此，可以排除是新石器时代人的制品。”①我以为张森水的分析是在理的、可信的。

第二节 藏北的旧石器

藏北被称为“无人区”，被称为神秘莫测的地方，吸引着无数的探险家和文人墨客。然而，藏北“无人区”旧石器的发现震撼了学术界，也更给它增添了扑朔迷离的色彩。这儿曾有古人类生活，他们是如何生活的？为何后来成了“无人区”，那些曾在这块荒原生活的古人类后来哪去了？他们是哪个民族的祖先？总而言之，这块广袤的土地本身就是一个谜，有着无数的问号。

彼得·霍普柯克在《闯入世界屋脊的人》一书中如此说：

> 北部巨大高原的气候十分恶劣。温度可以降低到零下44℃，一年之中有8个月是冰冻期。在夏季，冰雪融化之时，这块渺无人迹的地区又变成了一片沼泽，羌塘地区的高度都在15000英尺以上。骤然刮起的狂风是令人最为惊恐的特点之一。狂风大作之时，它能够把骑在马上的人掀下马背，然而，使人不可思议的是，这里的空气格外清新、透亮，远在10英里以外的人影物景都清晰可辨。星罗棋布的湖泊是世界上这块海拔最高的贫瘠土地的奇观异景，其中一些湖泊有50英里或更长，但是湖面上常常有横扫而过的猛烈暴风，因此要对它们进行勘察或测量则危险异常。大部分的湖泊是咸水湖，所以对于口干舌燥的游客来说是无济于事的。这个地区的条件即便对于游牧民也算得上险恶异常。一名西方旅游者穿过这一地区时，连续行走了81天，竟连一个人影也未见到。②

① 本节资料及图片，均引自张森水：《西藏定日新发现的旧石器》，载《珠穆朗玛峰地区科学考察报告》（第四纪地质），科学出版社，1976年，第105－109页。

② 彼得·霍普柯克：《闯入世界屋脊的人》，向红笳译，西藏人民出版社，1985年，第5页。

真是令人望而却步的地方！在有文字记载的早期历史中，藏北仍然不同寻常。

藏人称羌塘（བྱང་ཐང།，意为北方平地）的藏北草原，几乎囊括了现在的那曲、阿里两地区，计60多万平方公里，其实它的面积还伸入青海省境内。这儿有主峰（当拉山）海拔7117米，终年银装素裹的念青唐古拉山（གཉན་ཆེན་ཐང་ལྷ།）；有1920平方公里，湖水光亮透明的纳木措（གནམ་མཚོ། 意为天湖），它们分别是西藏的四大神山之一和四大神湖之一，据说是一对夫妻，有许多美妙动人的传说。

藏北早期是象雄古国之地，实际上它与藏人的早期国家建设中的历史有着密切关系。许多学者的研究成果说明，在第一世藏王聂赤赞普之前，就有象雄王国和苯教存在，认为那时候的藏人已有了自己的文字——象雄文，苯教徒就用这种文字记载他们的经典。象雄的历史至今是个谜，由于资料匮乏，我们很难准确地把握其古老程度和远古文明的层次。

平均海拔5000米以上的藏北高原被称为“无人区”、“第三极地”，这些名称确有诱惑力，它吸引了不少中国人，也吸引了不少金发碧眼的西方探险家。像《闯入世界屋脊的人》、《亚洲腹地旅行记》等书就记载了这一地区的蛮荒、凶险和探险者们九死一生的惊险故事。瑞典探险者斯文赫定以130多头（匹）牲畜，费时数月，穿越“大片白地”，至日喀则时只剩两马一骡。他如此描述他的亲身经历：“每走一步对于我们关于地球上的知识都是一种发现，每个名字都是一种新的占领。直到1907年1月为止，我们对行星面上的这部分与对月球背面同样的一无所知。”从而他以作为第一个“征服者”而荣耀自豪。实际上藏北并不是“无人区”，今天不是，过去也不是，藏北旧石器和新石器的发现就雄辩地证明了这一点。假如藏北有“征服者”的话，那第一批征服者从人类开始运用工具的那个时代就有了。此后的历史属于那个与自然融为一体的民族——藏族的先民了。这些可以从吐蕃王朝以后的史料中找到无数实例，无须在此一一赘述。

当然，年平均气温在0℃以下、降水量不过100毫米至300毫米、存在深厚的永久冻土层的藏北地区，气候仍然十分严酷，在这种条件下生存，确非易事；尤其是适应这一环境，从而创造自己的文化系统，实在是件了不起的事情。1986年8月，当我在藏北望着周围没有一棵树的无垠草原，悲喜参半。我悲者，那些赶着牛羊穿着皮袍，吃着糌粑的我的祖先们，在这恶劣的环境中吃尽了人间的寒苦，且不说风雪尘沙、饥寒交迫，就高原缺氧一项如何得了！我喜者，我的往古的同胞们和现在的同胞们是伟大的，他们是真正的世界屋脊的征服者，有山河为证，有黑牛毛帐篷为证，有他们创造的光辉灿烂的文化为证。他们之所以没有从高原消失、灭绝，是因为他们用自己的血肉肌肤战胜了风雪尘沙，战胜了饥饿寒冷，战胜了高原缺氧，也战胜了他们自己。他们雄强，坚韧，勇敢，无所畏惧，百折不挠。——也只有这样他们才能够从远古走来，向未来奔去。否则，藏北或许会成为真正的“无人区”。

一、发现石器的时间、地点

（一）申扎、双湖的石器采集

1976 年，中国科学院青藏高原考察队在藏北高原进行多学科综合考察时，在申扎境内的珠洛勒、卢令和双湖境内的玛尼、绥绍拉等地点采集石片石器 14 件和细石器 156 件，并从当地干部和牧民中收集到在申扎境内色林错和格仁错一带的 11 处地点和双湖境内的两处地点所采集的细石器 19 件。其分布情况如表 1－2－2－1 所示。

申扎、双湖位于藏北高原腹地，山地、丘陵、谷地、盆地相间，如申扎周围有湖泊密集、面积为 1865 平方公里的色林错，面积为 340 平方公里的吴如错，面积 504 平方公里的格仁错。这些湖泊大部分形成于第三纪、第四纪的冰期与间冰期，曾使湖泊多次扩大或收缩。尤其是青藏高原的整体隆起，气候变冷，湖水也由淡转咸，像杜加里错、班戈里错便成为藏北著名的盐湖，晚今便有了驮盐的生意和辛酸。

表 1－2－2－1　藏北石器地点分布概况

编　号	地　　点	东　经	北　纬	海拔（米）	周　围　环　境
1	双湖玛尼	87°09′	34°47′	4920	石器分布于毛穷宗山东侧火山岩组成的丘陵洼地中，东侧有一股泉水汇入一条小河。
4	双湖绥绍拉西侧	88°31′	33°14′	约 5200	石器分布于阿木岗与西雅尔岗之间，垭口西侧小沟边。
5	双湖绥绍拉西北	88°30′	33°15′		石器分布于阿木岗西侧洪积扇表面。
8（14）*	申扎县雄梅区奇林公社珠洛勒	88°30′	21°23′	4800	石器分布于错鄂湖盆东南，沿珠洛河口附近的河谷中。细器分布在珠洛河右岸二级河流阶地上；石片石器分布在附近山麓洪积扇前沿地表。谷地宽 1～2 公里，谷岸石灰岩陡壁上有多层天然岩洞。

续表

编　号	地　　点	东　经	北　纬	海拔（米）	周　围　环　境
9（13）*	申扎县雄梅区卢令	89°04′	31°24′	4700	色林错湖盆东南许弄谷地南坡浅沟中，有泉称那马鲁马，石器散见于泉口周围的平缓坡上。许弄谷地宽浅，谷底有沼泽地。
10*(20)*	双湖色乌岗东北				
11*	申扎县雄梅区多江公社罗马松	88°33′	31°34′	4580	石器约分布于错鄂盆地西部山麓普种藏布左岸。附近有普种错小湖退缩后遗留下来的大片沼泽。
12*	申扎县申扎区嘎尔错公社加虾日阿嘎	88°01′	31°19′	4660	石器约分布于格仁错与孜桂错之间的通道加虾藏布右岸，山麓洪积扇上。
15*(18)*	申扎县申扎区嘎尔错公社捧康	88°27′	31°09′	4750	石器分布于格仁错北岸洪积扇表面，有小河通过，沿湖有小片平地。
16*	申扎县巴扎公社改扎	88°42′	30°32′	4820	石器约分布于越恰错盆地边沿，盆地中有大片沼泽，地面平坦。
17*(22)*	申扎县雄梅区雄梅公社雄梅	98°01′	31°24′	4630	石器约分布于色林错盆地南端申中山麓，有河流沙卓雄曲注入盆地，地面平坦有大片沼泽。
19*	申扎县申扎区嘎尔错公社扎不金雄	87°58′	31°19′	4680	石器分布于格仁错北岸洪积扇表面，地面较平缓，冲沟密集，较大沟谷中有季节性流水。
21*	申扎县他尔马公社亚司	89°04′	30°33′	4800	石器约分布于山间谷地，地面平缓，水流分散，有很多的池塘和沼泽。
23*	申扎县巴扎区木地公社查勒多	88°32′	30°36′	4940	石器分布于木地达拉书错西岸湖滨阶地上，海谷中有温泉，湖滨有大面积洪积平原，沿湖常有沼泽。

续表

编号	地点	东经	北纬	海拔（米）	周围环境
24*	申扎县巴扎区加隆公社洛扎	88°41′	30°32′	4810	石器约分布于越恰错盆地东北巴扎朗牛宽谷中，谷地宽平，有大片沼泽。
25* 26* 27*	申扎县恰公社巴家（25）、东乡（26）、尼隆(27)	88°20′	30°43′	4860	石器约分布于小湖多错南岸山麓洪积扇表面及缓坡地上，湖泊东北岸有大片沼泽。

附注：带＊号的石器地点资料由当地群众提供，查对了1∶10万航测图，表中所列各项供参考。（ ）号为合并的地点。

有一首班戈县的《驮盐歌》如此唱道：

嘎洛耶嗳——
驮红冰糖一样的晶盐，
去换曲水地方的青稞；
沉思的龙女留下的宝物，
去换曲水地方的糌粑。

藏北布满了大大小小的盐湖。其实盐湖对古人类的存在非常重要。没盐，人畜都无法生活。因而人类（尤其为牧人）必须选择近盐地方或疏通运盐的渠道。《格萨尔王传》中就有保卫盐池的战争。

申扎、双湖石器地点分布于海拔4500－5200米的湖滨河流阶地山麓洪积扇上，近水有盐和天然岩洞。如此便于人类采集、狩猎、居住，繁衍生息。

（二）多格则、扎布的石器采集

多格则石器采集点位于那曲（黑河）地区申扎县多格则公社，大致在北纬31°20′，东经81°3′，海拔约4830米。这一地点的基本情况与上文所讲申扎县其他石器的采集情况及条件基本相同，为叙述方便，另行分类。

扎布石器采集点位于阿里地区日土县扎布公社，大致在北纬33°20′，东经81°，海拔约4400米。石器采自高出附近古班公湖相沉积面3～5米的冲积、洪积砾石层组成的阶地斜坡上，两地共获石器102件。

二、主要石器材料

（一）多格则地点的旧石器

多格则地点的石器分布在多热藏布河左岸高出河床约15米的由砾石层组

成的二级阶地面上，其中靠近阶地前缘得到数件，比较多的集中在阶地后缘近泉水出露处。所得石器原料，燧石54件，火山岩10件，碧玉岩5件，玛瑙和石英岩各1件，共76件。从石器的类型看，计有：

1. 由砾石打制的石核7件，其中有由灰色砾石磨圆的砾石石核1件，利用砾石平面作台面，锤击剥离石片，具有刃缘，可以砍伐，也可能是一件砍砸器。形如三角形的船底形燧石石核1件，台面平，底为弧刃，呈船底形，体高3.3厘米，台面长3.6厘米，宽2.2厘米，向底边收狭成楔形。打制方式为先在石核的劈裂面横向打剥成平面，再从周围向中间修制；另一面中部隆起，而后纵向截去一半，即成为船底形。乳白色玛瑙砾石扁锥状石核1件，高1.9厘米，台面为自然面，向下端收细，在石核上剥落过几块很小的叶片。

有两件也有打剥痕迹的小砾石。

2. 石片15件。有条形、长方形、三角形、扇形和梯形等，平均长度4.5厘米、宽30.8厘米、厚1.13厘米。最大的一件长9.8厘米、宽5.4厘米；最小的只有2.1厘米长、宽1.4厘米、重149克。有10件有使用痕迹，其中单边刃3件，双边刃6件，端刃一件，可能是从大砾石上用碰击法打剥的石片。

3. 石器54件。经过二步加工，大多用石片单面修理而成，占50%以上，单面反向修琢的20件，正向修琢的有5件，不同边或同一边上存在一定错向加工。

（1）长刮器27件，其中刮削器10件，其方法多将矩形石片一边修制成如刀的刃缘，另一边如刀背稍厚，或使刮器中部增厚，以便抓握。部分有使用痕迹，凹刃刮刮削器6件，制作方法为在石片一个边或两边修出一段弧形凹刃，可用作辐刀。用石片相邻两边加工连成弧形凸刃的凸刃刮削器4件，形状有菱形、半圆和不规则形等。有长条形、矩形等双边刮器7件，一般为加工两边，形成对称的刃缘，只是一边为主，一边为次，均有使用痕迹。用不规则形石片等加工的多边刮削器11件，多有两个刃缘或将其周边都进行加工。

（2）利用石片的一端或两个端部修制成短的刃口，用以刮削的短利器7件。其中平端刮器3件，圆端刮器3件，加工方式，前者刃缘平直，后者刃缘为弧形，乳黄色石英小石片制成的半锥体双端刮器1件，加工方法是将石片的两端修出端刃，并在石片的台面端和远端着意进行加工。

（3）尖状器，多用长石片将远端或宽石片的一个侧角加工成两边夹一尖。有一件加工精细的长三角形尖状器由青灰色燧石厚石片周身打击而成，石片背面中部有隆起脊，劈裂面有横向打击的片疤，右侧边平直加工不多，左侧边微弯为主要加工边，从两边向后面加工形成一厚的夹尖。一菱形尖状器由石片左右两边略加修理，远近错向打琢形成夹尖，在尖的顶部又向劈裂面打击，修成凿形刃口。

还有一兼有刮削器作用的尖状器，是由呈扇形的宽石片加工而成，在石片左侧角向背面修琢成吻状弧形端刃，在相对一端错向加工成短尖。

（4）砍砸器3件，有两件由砾石加工，一件由比较厚的石片打制而成。一长方形砾石，沿砾石一长边和短边锤击，形成凹入疤痕，而后在刃部片疤中细琢，修成锐刃，是故，在加工方向一致的大片疤内叠复有与其方向一致的细小浅平的片疤，在大片疤之间的缘上有少许反向打击痕迹。从器形和重量看，砍砸器也可以作辐刀使用。

（二）扎布地点的旧石器

扎布地点的石器绝大部分用接近硅质岩或页岩的黑色燧石打制而成。石器平均长4厘米，宽2.9厘米，厚1.2厘米。最大的一件长10.2厘米、宽6厘米，最小的一件长1.5厘米、宽1.9厘米，石片角平均106°，最小93°。以单面加工为主，石器中15件有错向处理。

1. 一件石核，原为厚燧石石片，劈面灰色，背面黑色，中脊高隆，打击痕迹明显，一端浑圆，有小块岩面，底为弧形锐刃，且有破裂痕迹，可能使用过；另一端较细，呈右偏的尖，可作尖状器作用（图1－2－2－1：4）。

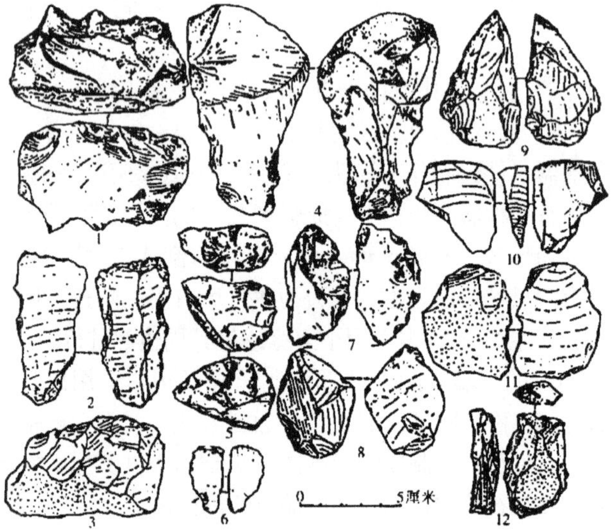

图1－2－2－1

1. 砍砸器　2. 平端刮器　3、4、12. 石核　6. 双端刮器

7、8、9. 尖状器　10. 石片　11. 刮削器

2. 灰黑色辉岩石片一件，背面灰色，棱脊稍钝化，劈裂面呈黑色，较

新鲜，背面两块小片疤等，在打剥之前石核可能已受风化（图1－2－2－1：3）。

3. 石器，以刮削器为主，有少量尖状器，均经过第二步加工，器形较规整。

（1）长刮器15件，其中矩形刮削器10件，大的一件长7.6厘米、宽4.5厘米，小的一件长3.5厘米、宽2.1厘米，是将石片打制成矩形或接近矩形，再细琢刃缘而成。其修琢的刃缘有单边、双边和多边，多数有两个以上刃缘。由斜三角形石片加工的半圆形刮器一件，将石片的远端和一个侧边修理成半圆形弧刃。由扇形石片加工的卵圆形刮削器2件。由长石片加工的长条形刮削器3件，一为直刃刮削器，石片远端被截断后其长度仍是宽度的两倍多，台面小，背面有平行脊，断面呈梯形，为左侧边向背面加工而成，有使用痕迹。琢成的刮削工具为黑色燧石断片，一面为自然岩面，右边厚，左边薄，器背平整，向劈裂面加工成刃缘（图1－2－2－2：12）。由扇形和圆三角形小石片制成的圆盘形刮器2件，一石片角105°，有反方向加工，刃缘不整齐，一圆三角形小石片，边缘经过修整，有使用痕迹。

（2）短刮器2件，端刃微呈弧形，一将石片一边打制成陡刃，刃坡约70°，有使用痕迹；一将石片远端修理成吻状弧刃，由劈裂向背面加工，刃坡60°～70°（图1－2－2－2：4、8）。

（3）尖状器3件，一簇形尖状器，为白色半透明碧玉小石片，背面隆起，半锥本和同心波清楚，由石片两边向台面端修理，形成夹尖。小石片的边微呈弧形，向背面细琢，片疤细小而浅平；右边直，反向修理；底端向背面有修整（图1－2－2－2：7）。一件三角形尖状器，由两端向顶端错向加工修成夹尖，右边弧形修理较多；左边直，多在近尖端处修理；底边厚，略向背面修整（图1－2－2－2：11）。一心形尖状器，是将宽石片一边截平成为尖状器的底边，右边微呈弧形，向劈裂修理，左边较直，向背面加工，形成夹尖，底端向两面都有修理（图1－2－2－2：2）。

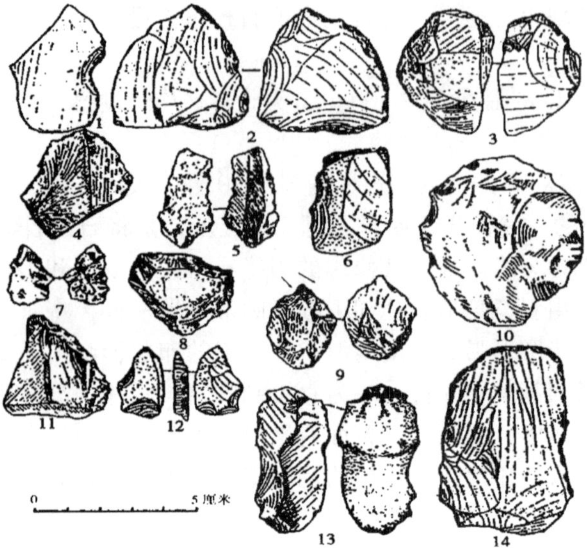

图 1－2－2－2

1. 凹刃刮削器　2、9. 尖状器　4、8. 短刮器　5. 长条形刮削器　6. 双边刮削器　7. 镞形尖状器　10. 卵圆形刮削器　11. 三角形尖状器　12. 刮削器　13. 石片　14. 矩形刮削器

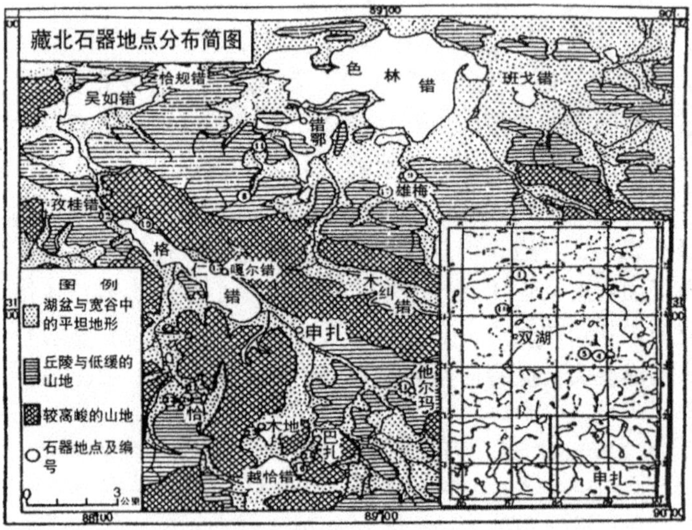

图 1－2－2－3

尚有一件似具有雕刻打法的石器，台面为岩面，远端被截后在其顶端左边向面打击，再在顶端向右斜击，形成刃口（图 1－2－2－2：9）。

三、申扎、双湖地区的旧石器

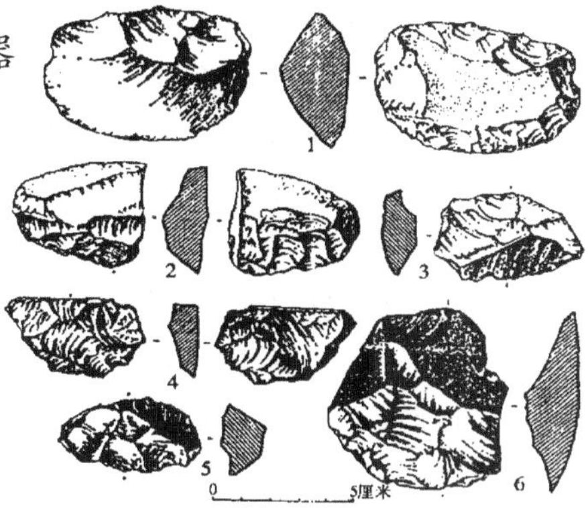

图1－2－2－4　石片石器

1、2、3、5. Ⅰ式长刮器　4、6. Ⅱ式长刮器

申扎、双湖地区采集的石器，主要有石片石器和细石器两大类。细石器我们将在后文中专门介绍，先介绍石片石器。

申扎、双湖共采得厚而大质料为角岩的石片石器14件。主要有四种类型：

1. 长刮器6件。可分为两式：(1) 器形呈椭圆，较规整，如图1－2－2－4：1，由石片周缘劈裂加工而成，背面中间有部分砾石面，锋刃一边修整细致，同时还由片背面向劈裂面背部略有加工，便于手握。图1－2－2－4：2，器身隆起成脊，背部保留局部砾石面，刃缘由两侧交互加工。图1－2－2－4：3、5均为有隆脊的厚背石片，其长边锋刃略有加工，或遗有使用过的痕迹。(2) 器形不规则。如图1－2－2－4：6，背面隆脊，仅保留适用于手握的局部砾石面，在一长缘上由劈裂面向背面加工成弧刃。图1－2－2－4：4，直背，加工粗糙，交互修整成弧刃。这些石片均由厚背或厚脊的石片制成，在一长边加工成锋刃或遗有使用的痕迹。

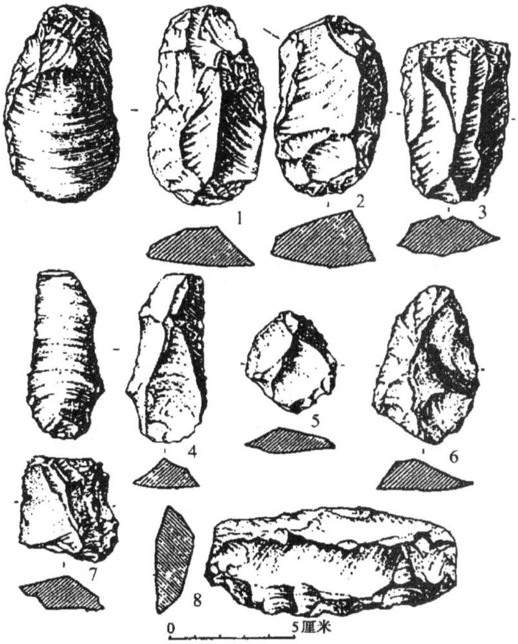

图1－2－2－5　石片石器

1－4、7. 圆头刮器　5、6. 尖状器　8. 双边刮器

2. 圆头刮器5件。用厚脊的长条形或方形石片，沿两缘加工，将一端修成弧形的刃缘，可分两式：(1) 长条形，以图1－2－2－5：1、2为典型，器形加工细致，图1－2－2－5：1的背

面右缘有使用痕迹，同时还从石片的背面进行加工，修去台面成锋刃。图1-2-2-5：3、4，制作较粗糙，两缘未加工，但有使用痕迹；图1-2-2-5：4从石片背面加工，修去打击点形成锋刃。（2）如图1-2-2-5：7所示，呈方形，背面隆起并保留局部砾石面，沿一角修成凸出的圆弧形刃缘。

3. 长条形双边刮器一件，在两缘加工成刃缘（图1-2-2-5：8）。

4. 不典型的尖状器两件，一尖端交互修整，两缘加工较细致；一两端及尖端未加工，遗有明显使用痕迹（图1-2-2-5：5、6）。

四、文化分期与年代

（一）多格则与扎布地点的旧石器文化的分期与年代

多格则与扎布地点的石器基本上是用石片加工而成的，用砾石、石核打制的石器工具较少。加工方法以锤击法单面反向修理为主，有错面加工，极少用碰砧法。石器类型以刮削为主，以类似楔状石核的扁锥和船底形刮削器为突出，有一定数量的端刮器和尖状器，雕刻器少。从用压制法剥取细长而薄的石叶、砍砸器数量较少看，其加工技术已至旧石器文化中后期。

与采自地表，以刮削器和尖状器为主的定日苏热的旧石器比较，由于长时期暴露和风化，定日石器的打击棱脊有些已变钝，片麻岩已生风化面，不见近细石器或归属于细石器的细小石器；以火成岩为原料的多格则和扎布地点的石器中，没有明显的风化现象，有楔形石核、柱状石核、小型尖状器和琢背刮削器等较进步的石器类型出现。在石器制作上二者都用石片加工和有相同类似的工具，“定日的石器中错向加工是以相邻的两边进行相反方向的处理，而不同于北京周口店猿人文化和东南旧石器文化中以相对的两边或两端作错向加工”①，而这两个地点（多格则与扎布）的石器这两种情况都有。即它们虽然以单面反向修理为主，然而错向加工（尤其在相邻边上）也有一定比例。同时，在定日的石器中有两件标本在左下角处有两个细长的片疤，可能表明起着与尖状器相当的作用。“而这两个地点的石器也有类似现象，即在少数刮削器的边角具有加工和使用痕迹，好像兼有尖状器的作用。”② 可以说两者的文化年代基本一致。

---

① 本节资料及图片，均引自张森水：《西藏定日新发现的旧石器》，载《珠穆朗玛峰地区科学考察报告》（第四纪地质），科学出版社，1976年，第105-109页。

② 刘泽纯等：《西藏多格则和扎布地点的旧石器》，载《考古》，1986年第4期。

（二）申扎、双湖旧石器的文化分期与年代

安志敏、尹泽生、李炳元等的文章认为，测定藏北申扎、双湖的旧石器的文化年代和性质，存在着一定的困难，因为石器全部采自地面，缺乏原生层的对比。但是学者们通过对石器地理分布、器形特征的分析，基本上有明确的倾向性。申扎、双湖的石器分布于地势稍高的山麓洪积扇前沿表面，附近有山洞和古人类居处，尽管采集标本不多，“从形器上观察，像椭圆形长刮器、长条形圆头刮器等，都具有固定的类型，说明在用途上已有了明确的分化。它同苏热所发现的旧石器相比，在制作工艺上有共同之处。”① 只是器形和加工更为进步。又，苏热石器因石料原因，显粗糙原始，时代并不一定早。

先民早已逝去，石头还在说话。西藏高原发现的石器文明基本属于旧石器时代的晚期形式。这一阶段是人类发展史上一个重要的阶段——那些其貌不扬的石头的内涵是十分丰富的。它告诉我们：

其一，许多研究成果表明，旧石器晚期业已产生氏族制度，母系氏族公社逐渐形成，实行氏族外婚制，其婚姻在两个通婚集团间进行。这是古人类在婚姻上的第一次革命，革命的结果使人类逐步摆脱了群婚乱婚局面，兄弟姐妹开始禁止通婚。

其二，早期的氏族有自己的语言。倘若我们确认今日的藏人就是昔日创造西藏旧石器文明的那部分古人类的后裔，那么，我们不难推测藏人最早语言的产生时期和存在区域，因为此时人类基本的居住区域已初见轮廓。就西藏发现旧石器的地域看，藏北、藏南均有分布，而以藏北为多。

其三，物质生活的急剧进步是这一时期的又一重要特点，尽管那些笨拙的石头为今人不屑一顾，而在当时作为一种发现——它不亚于今日播种机、收割机的发明，因为人类有了劳动工具，开始使用劳动工具。劳动创造了人。劳动工具的使用，使往日靠摘野果和偶然获得食物为生的古人类有了多一点的生活财富。同时，我们之所以重视研究这些石块，是因为它代表这一时期人类的最高物质文明成就，是人类最早的物质文化财富。不以这些可贵的物质文化为基点，我们对史前文化的研究也就失去了依托。

其四，经济基础决定上层建筑，以天然石块为工具的旧石器时代的古人类的精神文化也与之相适应。由于同一氏族有共同的血缘联系，因而崇拜共同的祖先，有共同的图腾崇拜物，从而产生原始的艺术活动（如洞穴

① 安志敏、尹泽生、李炳元：《申扎、双湖的旧石器和细石器》，载《考古》，1979 年第 6 期。

壁画、岩画等），我们在下文中涉及的许多精神文化形态与这种经济基础有着密切的关系。换言之，原始的经济基础是原始的精神文化赖以产生、发展的基础，没有这个基础或者说根，我们所说的西藏史前文化也就成了无源之水、无本之木，失去了时间和空间坐标。

第三章　中石器文化

第一节　藏北的细石器

一、发现石器的时间、地点

1956年，在青藏高原进行地质普查时，在那曲（黑河）西约2公里的山谷河岸上采到两件石器，其中之一是锥形小石核，属细石器工具中常见的类型，从而给世人提供了原始人类曾在世界屋脊生活的信息。1976年6月至7月间，中国科学院青藏高原综合考察队专门组织藏北分队，对这一地区进行了多学科的综合考察，下面介绍的细石器材料，基本上是在这次考察中采集到的。分四个采集点。

1. 才多卡。才多卡是一盐湖，石器发现于开阔的南岸，海拔4800米，东经88°58′，北纬33°05′。采得8件标本。从现在仍有许多小的冲沟和砾石看，古人类在此活动，有充足的石器原料。张森水同志在《西藏细石器新资料》[①] 一文中说，据当时参加考察的李勃生同志回忆，当地石器材料比较丰富，可能是制造石器的工厂，但由于时间、条件诸原因，未能进行全面考察。

2. 蒂让碧措。蒂让碧措位于才多卡东南约30公里，东经89°06′，北纬33°03′。发现石器的湖东南岸，海拔约4900米。采到3件石器。从地貌判断，在第四纪时，才多卡和蒂让碧措两湖是连在一起的。后来随着喜马拉雅山的隆起，湖水变干，逐渐被分割成若干小湖，成为古人类生息之地。

3. 雅曲雅土东南。雅曲雅土东南地点位于蒂让碧措东边约40公里，海拔约4900米，东经89°21′，北纬33°。采得4件标本。此地基岩为页岩和砂岩，附近没有制造石器的原料，石器可能从他方而来。

4. 申扎、双湖（措尼）。双湖（མཚོ་གཉིས།）由东西两湖组成，石器发现

---

① 张森水：《西藏细石器新资料》，载《西藏古生物》（第一分册），科学出版社，1980年，第70页。

于湖之东北角，海拔约 4900 米，东经 87°20′，北纬 34°40′。采得石核一件。另外，第二章中我们已经介绍了这一地区的旧石器，细石器发现的时间、地点与之相同。

二、主要石器材料①

（一）才多卡、蒂让碧措、雅曲雅土东南的细石器

1. 才多卡

据《西藏细石器新资料》② 介绍，才多卡采集的 8 件标本中，标本 1（编号为 S. N. 7）是一件由大石片做成的复刃刮削器，其三边有修琢痕迹，刃口在左侧边上，刃缘呈波纹状，加工细致；左侧刃向背面加工，左上角微呈喙形，刃口稍外凸而锐利，刃角为 40°～50°；左侧刃加工粗糙，其前端有打击痕迹，刃缘呈锯齿状，下缘凹入，有使用后残留的细疤。标本 2（编号为 S. N. 6）也是一件用较大石片制成的复刃刮削器，为错向修理。石片左侧由破裂面向背面近垂直加工，刃钝，刃角约 80°，较陡，刃缘曲折，小石片疤浅平；左侧刃的加工方向与前者相反，沿边缘轻琢，成刃口锐利的凸刃，刃角为 40°～50°，刃缘不匀称。尖端部位由左面向两面打击，故前端薄，刃尖，左侧刃有明显的使用痕迹。这两件石片石器在形态上有旧石器时代风格，因与其他细石器采自同一地点，因而归入细石器之中。

标本 3（编号为 S. N. 6）是一砍砸器石核，周边有打击痕迹，遗有石片疤，制作方法可能是先打去一个大石片，以一微凹的平面作台面，后而沿其周边进行打击终成龟盖形，前有龟头状凸出部分，周边有小石片疤，侧边有微细的落碎屑，刃缘有使用痕迹，标本 4（编号为 S. N. 13）是一尖状器，用石片做成，修理特点模糊。

2. 蒂让碧措

标本 6（编号为 S. N. 2）是用一残厚石片加工而成的圆端刮器，台面不存，石器毛坯呈扇形，主要刃口在前端，呈圆弧形，刃口钝，刃角 81°，像船底形刮削器，加工精致。标本 7 和 8（编号为 S. N. 3、S. N. 4）是两块宽大于长的不定型的小石片，台面打击大而倾斜，半锥体大而凸，放射线稀疏，一有疤痕和同心波，边缘都有微细的剥落痕迹；背面一为自然面，

---

① 本小节图表引自《藏北申扎、双湖的旧石器和新石器》、《西藏细石器新资料》。

② 张森水：《西藏细石器新资料》，载《西藏古生物》（第一分册），科学出版社，1980 年，第 70 页。

一有几块石片疤，可能是古人类粗修石核时的废片。

3. 雅曲雅土东南

标本9（编号为S. N. 9）是件楔形石核，从台面呈椭圆形，面上小石片疤稍有重叠，台面角为94°看，在打片前可能有过修琢。石核后脊作交互打击，加工较细，故后脊缘稍曲折；工作面呈半圆形，最宽石片疤6毫米，最窄石片疤3.5毫米，石叶疤有重叠，但基本相互平行。石核尾端两侧有自下而上的崩裂痕迹。

标本10（编号为S. N. 8）是锥形石核，台面呈扇形，角为81°，前缘呈弧形，为116°。台面后脊交互打击后，脊缘呈锯齿状，近缘处有细疤，或为与嵌物摩擦而成；工作面石叶疤多为长三角形，细且平，最宽4毫米，最窄2毫米，石叶疤均汇于石核尖端，尾端有左侧面反向细疤。

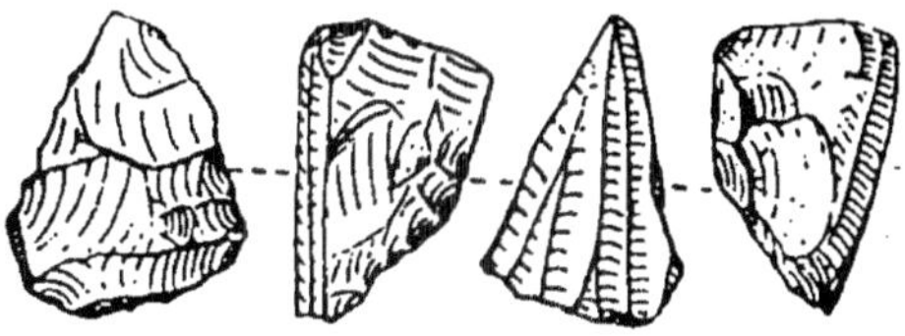

图1－3－1－1　有转向打法的锥面形石核

标本11（编号为S. N. 11）仍为一锥面石核（图1－3－1－1），工作面石叶疤与标本10相似，台面为一斜面，一直到石核尾端，上有浅平而左右对称的石叶疤、石片疤，两侧有过陡向加工，因而从四面看均为三角形。细石器中这种转向打法十分鲜见。

标本12（编号为S. N. 10）为长方形薄石片，厚3毫米，存很小一点一线状台面，石片角为94°，半锥体，两侧长边有明显使用痕迹。

（二）申扎、双湖的细石器

在申扎、双湖的18个石器点采集到以火石、燧石、凝灰岩、碧玉、玉髓等原料制成的细石器156件。据采集者报道，这些石器属于时代相当的同一文化系统，它们同中国北部以及亚洲、美洲广泛分布的细石器遗存有着一定联系。器形可分为三类（表1－3－1－1）：

表1－3－1－1　申扎、双湖细石器统计表

类别和式别／地点	细石核										石片			刮削器								总计
	楔形		锥形					柱形			细石核石片	石叶	石片	长刮器		短刮器		圆刮器		双边刮器	复刃刮器	
	I	II	I	II	III	IV	V	I	II	III						I	II	I	II			
1	5		1		2				1		1	2	9		3	2	1	1		2	3	33
4	1				2					1	1	3	26				1					34
5													3	1								4
8（14）	15		8	2	11	2	1	4	1	1												45

续表

类别和式别 / 地点	细石核										石片			刮削器								总计
	楔形		锥形					柱形			细石核石片	石叶	石片	长刮器		短刮器		圆刮器		双边刮器	复刃刮器	
	Ⅰ	Ⅱ	Ⅰ	Ⅱ	Ⅲ	Ⅳ	Ⅴ	Ⅰ	Ⅱ	Ⅲ						Ⅰ	Ⅱ	Ⅰ	Ⅱ			
9（13）	9		4	2		6							2									23
10（20）			1		1																	2
11		1																				1
12	1																					1
15（18）	2																					2
16	1																					1
17（22）	1				1																	2
19		1																				1
21				1																		1
23			1																			1
24	1																					1
25					1																	1
26					1																	1
27		1																				1
总计	36	3	15	5	19	8	1	4	2	1	2	5	40	1	4	2	2	1		2	3	156

注：（ ）为合并的地点。

1. 石核94件

(1) 楔形石核，39件。扁块状的36件，选用砾石直接打成扁平块状的楔形石坯，而后沿较厚一侧用压制法剥片制作而成，呈长方扁平的楔形，台面平坦或呈斜坡状，遗有并排的条状疤痕。石核中有的仅为石坯，尚未剥片（图1－3－1－2：1）；或从一侧陆续剥片，有时剥片至相邻一边，使横剖面形成半月形（图1－3－1－2：10、11）；片状的3件，选用石片修成坯体，台面中有的呈平坦斜坡状（图1－3－1－2：3）；

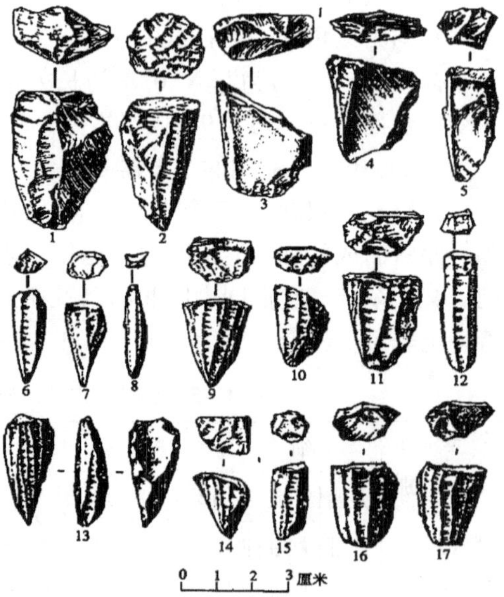

图1－3－1－2 细石核

1、3、4、10、11. 楔形石核 2、5、6、7、12、13、14. 锥形石核 15、16、17. 柱形石核

有的仅单面修成陡坡状，然后沿一侧向下剥片（图1－3－1－2：4）。

（2）锥形石块，48 件。核体基本为圆锥形，其中带侧翼的圆锥形 15 件，与扁块楔形石核相似，侧翼为有意识制成，即先将砾石直接打成扁平的楔形石坯，连续剥片后形成圆锥体，并保留侧翼（图 1－3－1－2：5、6）。圆锥形 5 件，与上例相似，没有侧翼，核体周壁遗有剥片疤痕（图 1－3－1－2：7、12）。半圆锥形 19 件，核体一壁平坦，横剖面呈半圆锥形（图 1－3－1－2：9），有的形成窄条状（图 1－3－1－2：8）。斜面圆锥形 8 件，核体圆锥形，台面作陡状（图 1－3－1－2：13）。三角锥形一件，为带砾石面三角石片坯体，台面经过修整，沿弧形的长边剥片（图 1－3－1－2：14）。

（3）柱形石核 7 件，为圆形半圆形棱柱状，其中棱柱形 4 件，周壁有剥片疤痕，底端作刃缘（图 1－3－1－2：15）。带侧翼的棱柱形 2 件，一带侧翼如楔形石核，底端平坦，过半的壁面留有剥片疤痕（图 1－3－1－2：16）。半柱形一件，呈平坦的半圆柱状，底端平齐（图 1－3－1－2：17）。

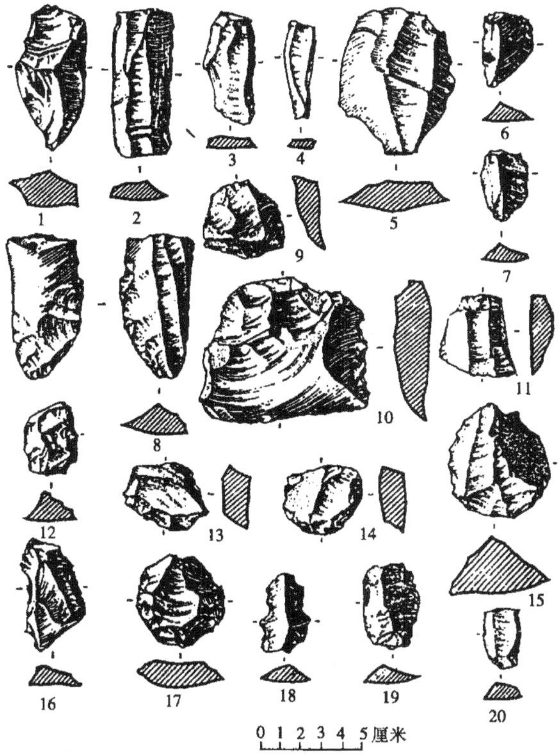

图 1－3－1－3　细石器

1. 细石核石片　2、3、4. 石叶　5、6、7. 石片　8. 长刮器　9、10、11、12、13、14. 短刮器　12、15、17. 圆刮器　16、18. 双边刮器　19、20. 复刃刮器

2. 石片共 47 件

（1）细石核石片 2 件，或为剥片过程中，因台面边缘崩落不便继续剥片，则从石核一侧横截打击，当作废片扔掉，而后在新的台面上继续剥片，多从楔形石核剥离而来，有些有使用痕迹（图 1－3－1－3：1）

（2）石叶 5 件，一般用直接打法剥落而来，较规整。有些或从细石核上用直接打法剥离而来，不

甚规整，多有使用痕迹（图1－3－1－3：5）。

（3）石片40件，片身宽短稍厚，形状不甚规整，打击前大部分台面经过修整，大石片不见使用痕迹，小石片中有的刃缘有使用痕迹（图1－3－1－3：5、6、7）。

3. 刮削器共15件。其中：

（1）长刮器一件，为一从厚石核上直接剥来的厚长石片，沿一侧缘两面交互修整，遗有使用痕迹。

（2）短刮器，直刃4件，器身呈方形，石片远端略有加工（或为使用痕迹），多数刃缘稍长于两边（图1－3－1－3：9、10、11）。孤刃的两件，与上式相似，然形状不规整，刃缘弧形凸出（图1－3－1－3：13、14）。

（3）圆刮器、双边刮器、复刃刮器8件，器身多不甚规整。

另外，在日土县帕也布也峰南麓帕也曲真沟北岸地点也采得典型的细石器3件。

三、文化分期与年代

才多卡、蒂让碧措、雅曲雅土东南采集的石器原料，主要是蛋白石、燧石，仅有一件角页岩。一件长方形薄石片和两件锥面形石核都是西藏境内以前未曾发现过的，楔状石核、船底形刮削器与亚里发现的楔状石核及圆形刮削器相仿和接近，石器或用锤击法打片，或用间接打法生产石叶，基本为直接打击修理而成，有石核后脊的楔状和锥面形石核，均为两面加工，且石核后脊和工作面在一条线处，此与亚里石核形制相同；底面加工成锐角，与工作面成直角或钝角，此为楔形石核特点。因石器采集点未发现如同新石器遗址的陶片材料诸原因，这些石器可能属于中石器时代。我认为安志敏等对申扎、双湖细石器材料的分析推论是合理的，且具有代表性。安文认为：

其一，细石核为石器工艺的典型标本之一，采集数量最多，包括扁体和圆体两类，扁体石核中只有楔形一种，基本特点是先修成带侧翼的石坯，然后沿一侧向下剥片，在选用石料上有块状和片状之分，除了平坦的台面外，有的还修成陡坡状，这种旧石器在中国分布较广泛，且具有比较原始的性质，从旧石器晚期到新石器时代都有遗存，在此占细石器总数的45.74%，可见为最有特征的遗物。此处不见更原始的船底形石核，亦为标志之一。圆体石核有锥形和柱形两种，形制比较复杂，其带侧翼的圆锥形和棱锥形，半圆的锥形和柱形，以及斜面圆锥形均为其他地区所罕见。细石核片、石叶和石片不多，均用直接条法剥下，缺少压制的典型细石叶，可能受采集工作限制。

其二，藏北细石器材料分布较广，未见原生层位，除 8 地点发现 5 片近代陶 6 片外，其他地点未见陶器，此与黑河、聂拉木发现的石器都没有陶器共存相同，说明这些石器属于较早的文化遗存，其时代应属于中石器时代或新石器时代早期，不会更晚①。

第二节　藏南的细石器

一、发现石器的时间、地点

阿里地区的日土、普兰县和日喀则地区的吉隆县的石器材料是王富葆先后在不同的三个地点采集到的，具体采集时间不甚清楚。这三个细石器的具体采集点是：

1. 普兰县霍尔区马法木湖东北岸，海拔 4630 米，北纬约 35°50′，东经约 81°55′。

2. 日土县帕也布也峰南麓帕也曲真沟北岸，海拔 5200 米，北纬约 30°51′，东经约 81°55′。

3. 吉隆县戳措龙湖西北岸，海拔 4600 米，北纬约 29°，东经约 85°5′。

普兰与吉隆基本处于雅鲁藏布南岸，故将其归入“藏南”范畴之内。又，阿里之日土县偏西北，归于藏北。日土的细石器材料已在上节中介绍，不在此赘述。

4. 聂拉木石器点。1966 年 7－8 月，珠穆朗玛峰地区综合考察队在西藏自治区聂拉木县发现两个石器地点：一位于喜马拉雅山南坡亚里村南约 1.5 公里处，在中尼公路和波曲河的东侧，海拔约 4300 米。此处有石灰华覆盖在波曲河阶地上，南北长约一公里，东西宽约 0.5 公里。一位于聂聂雄拉冰碛平台北侧，羊圈（现第九道班）东南约 1 公里，在郎弄曲河左侧阶地上，海拔约 4900 米。

聂拉木位于现今藏南山地范围内，山地基本形势于全新世以前业已形成。亚里地点石灰华中植物化石的研究结果告诉我们，在全新世时这一地区气候温暖，灌木丛生，湿润的自然环境条件适于植物的成长和人类等动物的生存。其自然景观可与今珠穆朗玛峰南坡地区海拔 3400 米的曲乡相类似。

① 安志敏等：《藏北申扎、双湖的旧石器和新石器》，载《考古》，1979 年第 6 期。

二、主要石器材料

（一）普兰县

《西藏高原马法木湖东北岸等三个地点的细石器》一文对普兰县的细石器进行了详细介绍。

普兰县的石器发现地点位于马法木湖东岸由砾石层组成的阶地，阶地相对高约30米，比其低的两级阶地高度约在10米以下。石器采自在高阶地前缘数十米的地面上，没有层位。共60件，其中黑色和少量棕色燧石36件，包括熔结凝灰岩、棕灰色硅化火山岩、流纹岩和辉长岩等的火成岩21件，石英岩2件，砂岩1件。

1. 石叶4件，其中编号T_{16}为一细长的小石叶，尾端已打剥，长1.9厘米、宽1.25厘米、厚0.7厘米，背面有细长的石叶疤痕；另一件，编号H_{21}为较短的小石叶，长1.3厘米、宽0.8厘米、厚0.3厘米，劈裂面遗有小石疤，同心波清楚。两片石叶的侧缘有轻微的使用痕迹。

2. 小石片12件，是些小而薄的石片，厚度0.3～1.0厘米之间，以0.5厘米左右为多；宽大于长或者接近，细长石片较少；形状有梯形（H_{14}）、扇形（T_{20}）等，不甚规则，个别石片背面有棱脊隆起（T_{18}），小石片的台面很小，大部分经过打击，少数为岩面，劈裂有小而圆突的半锥体和锥疤，背面有细长的叶疤。使用的痕迹以双边为多，其次为尖刃和端刃。

3. 细小石器17件，由小石片经第二步加工而成，其中：

（1）直刃刮削器7件，由小石片一边打琢，修成直刃口，对边较厚，器身中部和背面有隆起，以便手握。T_{15}由近方形小石片加工，长1.9厘米、宽1.7厘米、厚0.5厘米，台面经过打击，打击点紧挨台面脊，半锥体小而明显，在一侧边上段向背面修理，刃缘有小缺口，对边及远端有修理痕迹。H_6为燧石断片加工，一边向背面修成锋利直刃，对边则较厚适于手握。H_{12}则在相邻两边错向修制成刃，刃缘分布有修琢疤痕。

（2）凹刃刮削器两件，H_{11}为在一侧缘中段错向打击，剥去的片痕成为两个凹入的刃口，内有使用痕迹。H_9为在火成岩断片边缘向劈裂面修琢，形成两个小凹刃，凹刃内有细小的修理使用痕迹，两凹刃间的缘上未见修琢痕迹，背面保留一块岩面，对边稍厚，便于握持。

（3）凸刃刮削器3件，T_{12}小石片，长2.6厘米、宽2.1厘米、厚0.8厘米，打击点和半锥体明显，在其相邻两边的下端向背面修理，中段则反向打击，形成较长的弧形凸刃，对边及远端有使用痕迹。T_{19}与T_{12}相似，相邻两边向破裂面加工成弧形刃口，一边有使用痕迹。

（4）尖状器3件，T_{25}长3.2厘米、宽1.4厘米、厚0.7厘米，半锥体明显，左边剥离过石片，留下细长叶疤，右边剥去过几块小片，左侧缘尤其上段向劈裂面进行精细修琢成向右偏的尖，加工处为微呈弧弯的斜刃。T_{11}半锥体明显，石器左边向背面进行加工，右边上段有反向修琢，形成夹尖。

（5）雕刻器两件，H_{23}长2.1厘米、宽0.7厘米、厚0.4厘米，两面为光平的修理面，于上端向右打击，而后向右斜击，形成刃口像屋脊形的雕刻工具；下端两边微有加工，遗小疤痕，夹一短尖，故可作为尖状器用来穿刺。T_{28}在远端左半向背面剥去一石片，远端尖突，背面有垂直打击，剥去两块细长石片，成短锥形的锐尖，状如鸟喙，尖端有使用痕迹。

4. 石核和石片石器

石核一件（H_{25}）为灰黑色熔结凝灰岩，长6.8厘米，宽5.8厘米，厚4.3厘米，重187.8克，表面有多处打剥石片疤痕，形如石球，较平的岩面边缘留有一列打击痕迹，剥落的石片小而不规则。石片石器11件，其中：

（1）直刃刮削器3件，H_4为一燧石砾石上剥下的石片，经过数次剥片，背面为岩面，左侧缘厚边上经过二次加工，成直刃，顶端面留一小刻痕，或为间接打击所致。

（2）曲刃刮器一件，背面因横向剥片而隆起，左半保留岩面，右侧缘较薄，因重打击，片疤深凹，呈S形弯曲边，其上错向修理成刃。

（3）凹刃刮削器两件，一呈矩形，石片打击点紧靠台面脊，一边为岩面，一边被截断，石片远端向劈裂面打制成凹入的刃；一为三角形厚石片，台面不存，顶端向背面打击，成一深凹片疤，并修成凹刃，两侧缘有使用痕迹，左侧下端向背面略有加工。

（4）复刃刮削器两件，一为灰色硅化火山碎屑岩，石片长，台面为自然面，半锥体和锥疤明显，背面有多次打击痕迹，二次加工亦为向背面修理，一边为弧形凸刃，一边为直刃，远端打去两块石片，留下凹入的深疤两个，成为多边刮削器，具直刃、凸刃、凹刃于一体，有使用痕迹。另一为在石片两侧缘略作错向修理，远端被截成两个短边，一边有使用痕迹。

（5）尖状器一件，为一石英岩厚石片，远端被截，背面隆起，劈裂面微凹，其加工方法为从两侧向台面端打制，近顶略有反向修理，左边上端从背面隆脊向边缘打击，片疤折断，顶端成尖刃。

另一宽而厚的石片，其上端向两边斜击成尖刃，有使用痕迹，似为尖状器。

（二）吉隆县

吉隆县戳措龙湖西北，海拔4600米的湖岸高阶地的地面上，采得一件细长石片加工的石器，原料为翠绿色碧玉，尾端截断后其长宽厚分别为3.6厘米、1.5厘米、0.6厘米，石片角为90°，半锥体小而圆突，背面脊形隆起，断面略呈三角形，石片左右两边有错向修琢，成双边刮削器，片疤细而浅远，平齐匀称，二步加工十分精细。

（三）聂拉木县

在聂拉木县第一地点的石灰华顶层中，发现石器一件（图1－3－2－1），在比石器层位低的石灰华层中，还发现了不少植物化石，在地表捡到26件，合27件，其中石核6件，小石叶12件，石片8件，石器一件，原料为燧石、玉髓、水晶等。

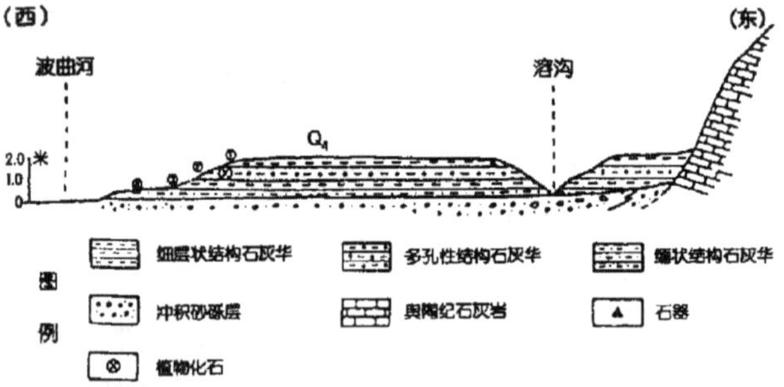

图1－3－2－1　西藏聂拉木县亚里村石器地点地质剖面图

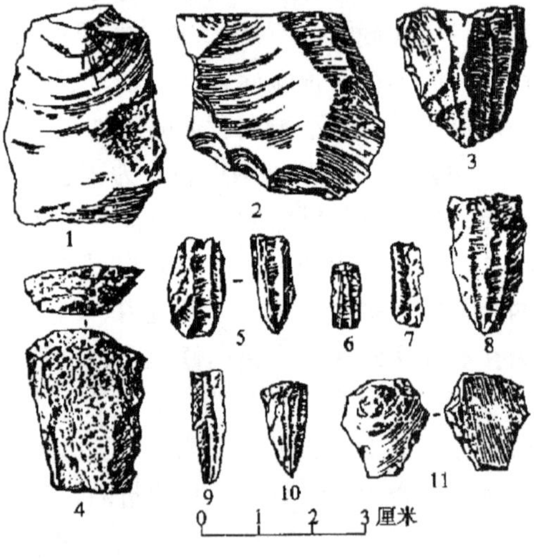

图1－3－2－2　西藏聂拉木县的石器
（2、11为羊圈出土，余皆亚里出土）

石核多呈锥形，从地层中采得的一件，呈半锥形（图1－3－2－2：3），右侧有几条平行的小石叶疤痕，左侧有修理痕迹；另一扁锥形小而长，相邻两面有小石叶疤痕。有的小石叶疤痕细小，集中于一面（图1－3－2－2：10），有的细长而薄，两边接近平行（图1－3－2－2：6、7、8）。

石片大多较小，长形为多，台面一端比石片尾部窄

（图1－3－2－2：1），呈三角和不规则形。

石器中，一件圆头刮削器，前端成一陡弧形刃，右侧呈锯齿状，中间存有原岩面（图1－3－2－2：4）。

在第二地点采集到石器3件，原料为燧石，一件石核为一厚石片，其劈裂面上剥落石片，留一小石片疤痕（图1－3－2－2：2）；一件石片，小而薄，呈三角形叶片状；一件石器由一小石片制成，两侧边缘都有垂直错向加工痕迹（图1－3－2－2：11）。

三、文化分期与年代

其一，马法木湖等三个地点的石器材料，均有细石器传统，有细石器中典型的细小石叶和数量比较多的细小石片和石器，帕也曲真地点的锥形石核，是细石器传统中较进步的圆形细石核，这种石核在聂拉木、黑河、申扎、双湖等地点都有发现，并与中国以及北美等地细石器中的小石叶和锥形石核，具有一致的制作传统。从世界范围将细石器分为几何形和非几何形两大系统看，遍布于南亚次大陆的几何形细石器，可能受西藏细石器影响。非几何形细石器见于印度东北部。

其二，从以上石器地点未见到陶器推测，它们的文化年代应早于新石器时代，为西藏中石器时代产物，其年代约在6000年至30000年之间。

从具体地点看，帕也曲真地点的细石器有典型的圆体细石核，属进步型，戳龙措湖西北岸地点只有一件石器，从修制精致程度观之，亦属细石器进步型，唯马法木湖地点虽无细石器可供比较，但从小石叶看，与从典型石核上压制的细薄石叶有一定差别，所用石器不及前二地点，细小石器二步加工程度较低，有相当数量的石片石器存在，故较二者为早。

其三，聂拉木亚里地点的石器，基本属于细石器，有锥形石核、石核刮器和小石叶等细石器中常见的工具，如扁形石核，同黑河地点发现的石核[①]，在形制大小上相似。除有占很大比例的细石器外，还保持有旧石器外貌的石片石器，如聂拉木的圆头刮削器等，同样聂拉木也未发现磨制石器和陶器，因而可说聂拉木的石器属于中石器时代。

中石器（或称细石器）是介于旧石器和新石器之间的一种石器。缜密地研究中石器以及新石器是考古学家和文化史家关注的中心，因为中石器和新石器时代的石器文化关系到人类社会生产性经济的起源问题。我们接

---

① 邱中郎：《青藏高原旧石器的发现》，载《古脊椎动物学报》，1958年，第2卷第2期、第3期，第157－161页。

触到的这些较之旧石器时代的石器工具明显变小了的几何形石器，可以嵌入木器等，做刀、镰、矛等器物使用，可用来剥刮兽皮和树皮。这些复合工具，显然要比使用那些大型的打制石器方便得多。此时已发明了弓箭。

弓箭的发明无疑是一次重要的技术革命。恩格斯在《家庭、私有制和国家的起源》一书中如此评价道："弓箭对于蒙昧时代，正如铁剑对于野蛮时代和火器对文明时代一样，乃是决定性的武器。"使"打猎成了普通劳动部门之一"，从而促进了渔猎业的发展。我们在下文中要谈到的箭神，即藏人的箭神崇拜，大约始于这一时期。

中石器时期已开始驯养家畜——畜牧业以此为滥觞，狗已成为猎人的得力帮手，人类捕获猎物的范围和数量也进一步增大。

从以上中石器的介绍中可知，西藏地区这一时期的居民较旧石器时代有所扩大。虽然我们很难确定这一时期的具体年代（尤其是上限），中石器延续的时间是十分漫长的，但一些经过考定的中石器遗址古物的年限仍可进行参照。如山西峙峪遗址发现的属于细石器系统的箭头状石器，距今28000年，而最早在德国什列斯·霍尔斯坦发现的弓的年限为公元前8800～前8300年。通常认为中石器时代的下限大约距今10000年左右，西藏高原也大体相似。这些告诉我们，西藏的原始居民，并不是突然迁徙而来，而是有历史的继承性，从旧石器、中石器时代进入新石器时代，此间先民的精神文化也得到了进一步的丰富和发展。

第四章　新石器文化

第一节　卡若文化遗址

卡若文化遗址的发掘，是西藏考古的重要发现，对研究藏族先民的物质文化及精神文化具有十分重要的意义。

一、发现遗址的时间、地点

卡若文化遗址位于西藏自治区之昌都（ཆབ་མདོ།，意为“双岔口”）地区，昌都的汉文异名有“昌多”、“羌木多”、“察木多”、“昌都宗”等，位于自治区东部澜沧江支流扎曲河和昂曲河的汇合处，北纬31°1′，东经97°，海拔3232米。解放前为西藏地方政府昌都宗所在地，1950年设昌都解放委员会，现为昌都地区行署首府。

卡若文化遗址的具体地点为昌都镇东南约12公里的加卡村，1977年夏天昌都水泥厂工人施工时发现（图1－4－1－1）。西藏自治区文物管理委员会的仁青、索朗旺堆、欧朝贵三同志旋即赶赴现场，采集到石器、骨器、蚌器、陶片等多种，并且发现了红烧土堆积和灰烬层。

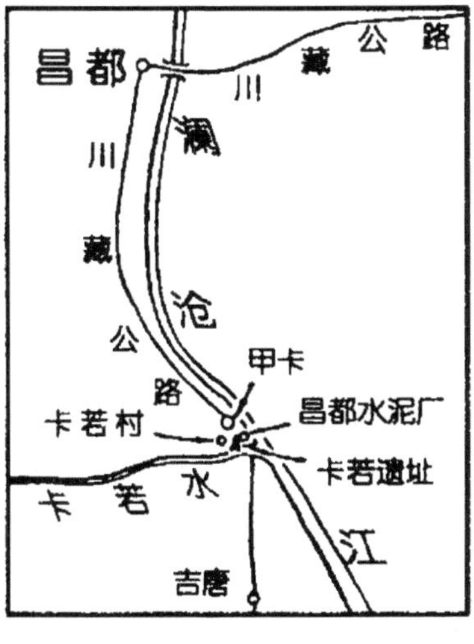

图1－4－1－1
卡若文化遗址位置简图

遗址地处澜沧江西岸第二、第三台地上，原始面积约1000平方米，东靠澜沧江，南临卡若水，北依土丘山，西面一片空地，其海拔约3100米，是我国发掘的海拔最高的一处新石器时代遗址。

1978年5月22日至8月23日，自治区文管会对遗址进行试掘，共揭露面积230平方米，发现五座房屋基址和一条面铺石块的路，并对遗址的总面积进行了钻探，发现一半被破坏，一半保存完好。1979年再次挖掘，发掘面积约1800平方米，获房屋遗址28座，石工具7968件，骨工具366件，陶片20000余片，装饰50件，以及粟米、动物骨骼等。据《西藏卡若遗址试掘简报》报道，卡若遗址地层堆积也不完全一样：

第一层厚0.2～0.95米，为质地坚硬的红褐色黏土，出土有近代黑陶片、青花瓷片、铁钉、兽骨等。

第二层厚0.25～0.70米，灰褐色土中夹杂零星红烧土块和炭渣，土质较硬，此层中发现石铺路一条，房基一座（F_5），以及石墙倒塌的堆积和成堆的内有较多穿孔石器的砾石堆积，出土陶器、石器、骨器、动物骨骼等遗物。

第三层厚0.1～0.4米，或为F_1、F_2、F_3倒塌后形成，红烧土中夹有木炭和灰烬，出土有陶器、石器、骨器等遗物。

第四层厚0.15～0.5米，黄褐色土，夹杂不少炭渣和灰烬，较松软，见半地穴式房子一座（F_4），出土部分破碎陶片。

四层以下是原生土。遗址地层堆积厚0.70～1.10米，除一层为后期覆盖层外，二、三、四层皆为新石器时期文化层。

其房屋建筑遗址在这些文化层中所处的位置是：

1. 半地穴式（F_4）出于第四层中，东西长3.4米、南北宽1.9米、穴深0.4米，门道为西南向，房内有踩踏后形成的一处路面，平整、坚硬。地面上保留一层厚0.3～0.5厘米的炭灰和白灰烬。出土陶片若干，石凿一件，磨制骨棒一件。

2. 地面建筑共发现5座，属于第三层（F_1、F_2、F_3）。如F_3，长宽各5米，因年代久远，居住面积大部分已不复存在，从残留部分考察，屋内地面高低不平，四周为高，中间较低，地面坚硬，上着一层不厚的炭灰。屋内烧土中夹杂有陶片，陶罐和陶盆可复原成器，尚有石斧、石锛等遗物出土。

3. 石墙建筑，如F_5为半地穴石砌长方形圆角房子，南北长4.8米、东西宽4.2米，开口在第二层，打破第三四层。屋内居住面四周高，中间低，地面坚硬而规整，屋内东北角发现一处较多灰烬，周围有几块小石头，并发现两个烧焦的陶盆，或为烧灶之用，整个居住面留有一层木炭灰。室内堆积为屋子坍塌后的黑色土、红烧土、大量木炭、灰烬等，出土有较多的碎陶片和兽骨，能复原的陶罐一件，陶盆2件，陶钵一件，石刀一件，磨刻石器一件。

所发现的石铺路在第一层之下，下压红烧土，与第二层共存，东西走向，两头均遭破坏，残长5.4米、宽0.6米、厚0.07米，路基建在红烧土上，用6～13厘米的小石块平铺而成。

二、主要文物

（一）石器

卡若遗址出土石器500多件，原料为燧石、石英、砂岩、板岩、角页岩、花岗岩、辉绿岩、火成岩等。器形种类较多：

1. 打制石器

（1）刮削器数量最多，计200多件，多为直接打下来的石片，不加修整，刃部遗有明显使用痕迹。可分三类：一为椭圆形刮削器，刃部和两侧都遗有刮削痕迹，大的长25厘米、宽14厘米，小的长9厘米、宽6厘米（图1－4－1－2：1）。一为长条形圆顶刮削器，弧刃，只用刃部刮削，刃部有二步加工痕迹（图1－4－1－2：2）。一为打击下来的石片再加修整而成（图1－4－1－2：3）。

（2）盘状器，圆形，四周遗有明显打制修理痕迹（图1－4－1－2：4）。

（3）砍砸器，多用打击过的石核，直接进行使用（图1－4－1－2：5）。

2. 细石器

（1）石核，共62件。以黑灰燧石、玛瑙、石英、水晶等为原料，采用间接打击剥片而成，形体很小，高度一般在2.5厘米左右，可分为三种类型。Ⅰ型，锥状，台面宽，下面成锥尖状，可分扁锥、圆锥两种，剥片一般为单凸脊形。扁锥状在核体一面保留原始岩面，其余面有明显剥片疤痕（图1－4－1－3：1、2）；圆锥状核体四周有明显剥片疤痕（图1－4－1－3：3）。Ⅱ型，柱状，上、下两端都是台面，石片由两端剥落，核体周缘有条状疤痕，石核剥片大多呈长条形，叶身两端均平直（图1－4－1－3：4、5）。Ⅲ型，扁体，形状不甚固定，大约为截去锥状石核的尖端而做成（图1－4－1－3：6、7）。另有类型为尖状，有锋利的尖端，质地坚硬，可作雕刻、箭镞使用（图1－4－1－3：8、9）。

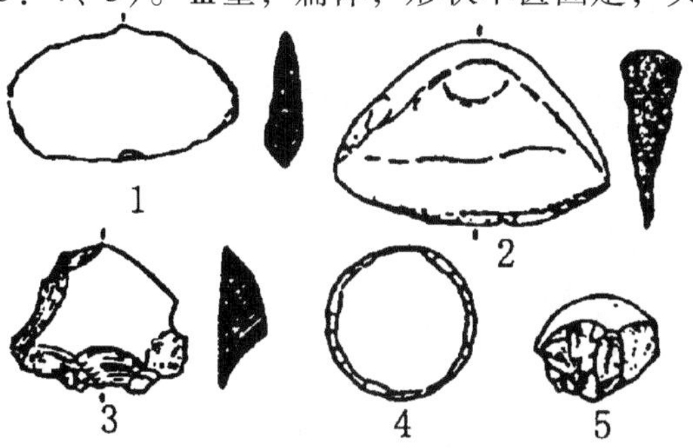

图1－4－1－2　打制石器

1. 椭圆形刮削器（1/12）　2. 长刮器（1/8）
3. 刮削器（1/8）　4. 盘状器（1/8）　5. 砍砸器（1/8）

（2）石叶，81件。分三型。单凸脊30件，横剖面呈三角形，一端尖部向里弯曲，用于穿刺（图1－4－1－3：10、11、12）。双凸平脊47

件，横部面成梯形，叶身两端平直，多作复合工具的刃部（图1－4－1－3：13、14、15）。另有四件形状不规整，为打片时的副产品（图1－4－1－3：16、17）。

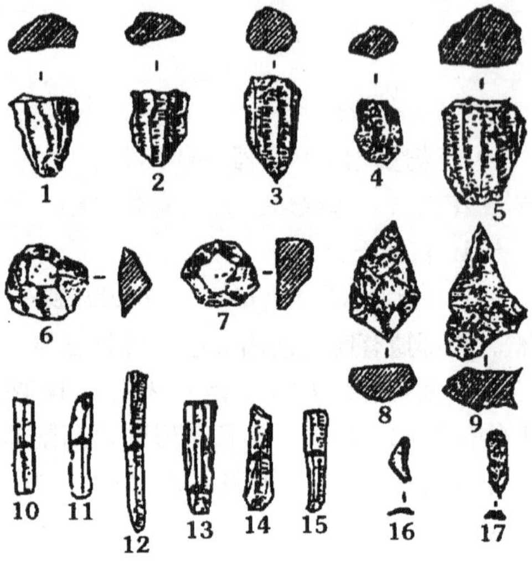

图1－4－1－3 细石器

1. 扁锥状石核 2. 扁锥状细石核 3. 圆锥状石核 4、5. 圆柱状石核 6、7. 扁体石核 8、9. 尖状石核 10、11、12. 单凸脊石叶 13、14、15. 双凸脊石叶 16、17. 不规则器（1～17皆约1/2）

3. 磨制石器

（1）石斧7件，根据用途形制可分二型：Ⅰ型为长条形，弧刃，断面呈椭圆形。一般为一面磨刃，通体磨光，石斧刃部大多宽于斧顶，可直接应用，如图1－4－1－4：1，长12厘米、刃宽5厘米、顶宽及厚为1厘米。Ⅱ型为直刃，平顶，略呈梯形，形制较小，通体磨光，装木柄作复合工具，如图1－4－1－4:2，长45厘米、刃宽3厘米、顶宽2厘米、厚0.4厘米。

（2）石刀20件，大部分为穿孔石刀，穿孔方法多为两面对穿。可分三型：Ⅰ型6件，长条形直刃，靠刀背上端两侧各有一缺口，只磨刃部（图1－4－1－4：3），其中一残长7.3厘米、宽4.2厘米、厚0.6厘米。Ⅱ型4件，爪镰形，从两面磨制刃部，靠刃背上端穿二孔（图1－4－1－4：5），其中一件长7.5厘米、宽3厘米、厚0.6厘米。Ⅲ型为圆刃，刃背上端带槽，利于柄槽内穿孔，其中一件长10厘米、宽4.5厘米、厚0.5厘米（图1－4－1－4：9）。Ⅳ型为一残件，双刃，均为两面磨制（图1－4－1－4：10）。

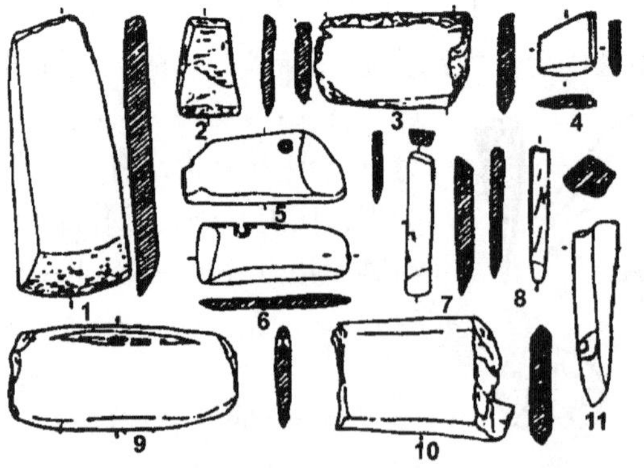

图1－4－1－4 磨制石器

1. Ⅰ型石斧 2. Ⅱ型石斧 3. Ⅰ型石刀 4. Ⅰ型石锛 5. Ⅱ型石刀 6. Ⅱ型石锛 7. Ⅰ型石凿 8. Ⅱ型石凿 9. Ⅲ型石刀 10. Ⅳ型石刀 11. Ⅲ型石凿（1～11皆1/4）

（3）石锛7件，皆残破，Ⅰ型为直接由两面磨制，弧刃，条形，通体光亮（图1－4－1－4：4），残长、宽均为2.5厘米、厚为0.5厘米。Ⅱ型由石刀更制而成，二次磨制痕迹明显，有刃，通体光滑（图1－4－1－4：6）。

（4）石凿5件，分三型：Ⅰ型凿身扁平，长条形单刃，一面平直，另一面开斜刃，通体磨光（图1－4－1－4：7）。残长7厘米、宽1.1厘米、厚0.3厘米。Ⅱ型下端刃部由两面磨成，通体磨光（图1－4－1－4：8）。Ⅲ型通体磨成五棱形，为棱形斜刃（图1－4－1－4：11）。

（5）穿孔石器数量不少，尤其以穿孔未透的半成品见多，质料有较软较易穿孔的火成岩和较硬不易穿孔的砂岩、花岗岩、辉绿岩，故前者成品多，后者半成品多（图1－4－1－5：上左）。穿孔方法有两面对穿（图1－4－1－5：上中），也有一面单穿的（图1－4－1－5：上右）。另有石磺3件（图1－4－1－5：下左）和石镞一件（图1－4－1－5：下右）。

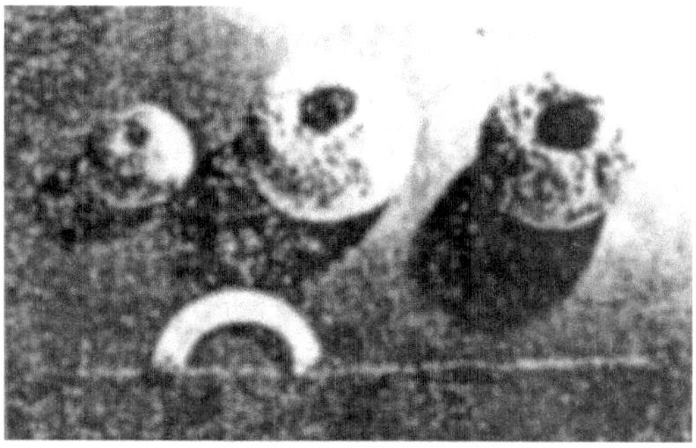

图1－4－1－5　穿孔石器、石磺、石镞

在其他一些研究卡若文化的论文中，石器的种类、多寡等均略有不同。如童恩正等说[①]：遗物中数量最多的是石制生产工具，即打制石器、细石器、磨制石器三类。打制石器为其主要成分，计6828件。石质以细砂岩、石英砂岩、石英岩为主。其种类为铲、斧、锄、切割器、钻、尖状器、敲砸器、砍斫器、刮削器、石砧、矛、镞等。石器工具基本以砾石打片制成，二次加工均采用锤击法；加工某些工具（如有肩的石斧、石铲等）时，先在核体上修理成所需外形，再进行打片，便可使用。细石器共629件，石质有石英、玛瑙、燧石等，用间接打击法打击而成，内中包括船底形石核、楔形石核、锥状石核、柱状石核和与之对应的由压剥法产生的细小石叶，以及经二步加工而成的石镞、尖状器、刻器、刮削器等。磨制石器共511件，石质为硬玉、火山岩、硅质蛇纹岩、板岩等，器形有斧、锛、凿、刀、镞、矛、研磨器等，磨制精美，形制以偏刃器（锛类）为多，斧锛以长条形为主。种类较多的石刀中，半月形石刀的刃

①　童恩正等：《西藏昌都卡若新石器时代遗址的发掘及其相关的问题》，载《民族研究》，1983年第1期。

开在弓背部，凹背直刃石刀（鸟翼形石刀）为中国西南地区首次发现。

（二）陶器（从略，参阅第五章）

（三）骨角器

骨角器105件，有锥、针、匕、饰品等，以锥针为多，制作非常精细，原料多为动物肢骨。

骨锥45件，完整的22件，其中有2件柄端留有明显肢骨关节，通体磨光，最大的长19.5厘米，最小的长7.5厘米。另外32件以骨片和骨条为原料，通体磨光或只在一端磨成锥尖，不甚规整，最大的长6.1厘米，最小的长4厘米，尚有一件兽角制成的锥。

骨针26件，完整的18件，长短粗细不一，通体磨光，有锋利的针尖，细小的针孔，光滑的针体，最长的6.5厘米，最短的仅1.3厘米，有上端有针孔和两端均有针尖两种。另有半成品骨针17件，大部分已磨制成形，只不见针孔。

骨簪一件，通体磨光，尖部圆锐，上端雕磨成三节蘑菇塔状，颈部细，中间较粗，横剖面呈圆形。

贝饰3件，完整的一件，腹部稍有磨光的痕迹，仍保留海贝的原貌。

遗址中还出土骨匕、四角穿孔骨饰、槽形骨饰、两端带缺口骨饰、穿孔骨饰、骨锛、骨管、爪子形骨器、刻道骨器、骨磺、锯齿形骨器等。

此外，遗址中出土骨镯、骨笄、石簧、石环、石珠等装饰品多件。

（四）动物遗骨

哺乳动物和其它动物的骨骼是1977年采集于卡若文化遗址的。后来西藏文管会考古队的同志将一部分标本送给黄万波先生。经黄鉴定，计有11种哺乳动物：鼠、鼠兔、狐、猪、獐、马鹿、狍、牛、藏原羊、青羊、鬣羚。可分为两大类：（1）饲养的动物——如猪。（2）猎获的动物——如狐、獐、马鹿、狍、藏羱羊、青羊和鬣羚等。这些动物，可作为食肉、骨料和毛皮原料。

两类动物中，以（2）类的比例最大，此可能与自然环境有关，即在4000～5000年前的西藏昌都地区，气候比现今湿暖，植被浓密，食物丰富，有利于动物的生存和发展，人类在狩猎活动中所获丰富，有较多的肉类供他们食用。

三、文化分期与年代

卡若遗址的文化分期和年代在大体相同的情况下略有差异。自治区文管会在试掘简报中说：卡若遗址文化可分为早晚两期，早期为第三四层文化堆积，即编号为 F_1、F_2、F_3、F_4 的建筑遗址，以木骨泥墙为代表；陶器以短颈罐、直口折腹盆、敛口钵为主要特征，石器、骨器数量种类都比较少，晚期为第二层文化堆积，遗址编号 F_5，以石墙建筑为代表，形制规整，较木骨泥墙进步；陶器以小口高领罐、敞口曲腹盆和直口钵为主要特征，石器、骨器的种类和样式也较多，基本区分了卡若文化的时代。

经中国科学院考古研究所、国家文物局文物保护科学技术研究所和北京大学考古专业碳-14 试验室的碳-14 测定，卡若遗址的绝对年代距今 4000 年以上。如文物保护科技研究所测定，属于第四层的早期标本 F_{14} 距今 4020 ± 130 年，年轮校正为 4435 ± 170 年，属于第二层的距今 3950 ± 80 年，年轮校正 4370 ± 135 年。都属于新石器文化时期，并有其地域性的文化特点。

卡若遗址的文化内涵：其一，有大型打制石器、细石器、磨制石器、骨器和陶器共存，且出土骨器磨制精细，未发现纺轮、捕鱼工具和鱼骨。其二，遗址 5 号房址为卵石砌墙，是目前藏区所发现的最原始的建筑形式。其三，遗址出土鼠兔、大鼠、狐、猪、獐、马鹿、狍、牛、黄羊、青羊、鬣羚等动物骨骼，从这些动物群可知，当时的卡若位于属于高原气候的山地丘陵地带，其间有小形沼泽，远处为茂密的原始森林；山地无霜期短，适于狍、鼠、兔等较为耐寒的动物生存。当时的气候可能比现在干燥凉爽。其四，根据上述情况分析，当时的卡若人已定居，经济生活以农业为主（农作物中发现了大量的粟米），兼营狩猎，并已饲养家畜。

值得说明的是，对于卡若遗址的距今年代，由于测试渠道不同，仍存在一些年代上的分歧：

中国社会科学院考古研究所碳-14 测定 F_3（属于第三层）距今 4690 ± 135 年，早期年代，文管会的简报中采用了这一说法，但数字略有不同，童恩正、冷健的文章中说，卡若遗址已有十余个放射性碳素鉴定结果，早期距今 4655 ± 100 年（树轮校正 5555 ± 125 年）～4280 ± 100（树轮校正 4750 ± 145 年），晚期距今 3930 ± 80 年（树轮校正 4315 ± 155 年）①。后者同样也引用了社科院考古所实验室载于《考古》杂志 1981 年第 4 期的《放射性碳素年代报告》（八）的结果。早期年代的另一说法是 4955 ± 100 年，也在许多同志的文章中引用。

黄万波同志在谈及卡若遗址年代时说，“据中国社会科学院考古研究

① 童恩正等：《西藏昌都卡若新石器时代遗址的发掘及其相关的问题》，载《民族研究》，1983 年第 1 期。

所同位素碳-14 测定，约为4690±135 年，从哺乳动物的研究看，遗址的全部种类都为现生种，而且绝大部分是迄今当地还生存的一些常见成员（如藏羱羊、青羊等），缺乏更新世的绝迹和绝灭种。从这个意义出发，卡若遗址的时代比西安半坡和广西甑皮岩都晚。"①（表1－4－1－1）

表1－4－1－1 新石器遗址对比表（部分地点）

地　　点	地质时代		距　今　年　代
江苏溧水神仙洞	全新世	早期	11200±1000
广西甑皮岩		早期	11310±180
江西仙人洞		中期	8825±240
浙江河姆渡		中期	6100
西安半坡		中期	6960
西藏昌都卡若		晚期	4690

黄文并通过动物组合等情况，对遗址的自然环境以及西藏高原的隆起提出推想：

其一，在一般情况下，獐、青羊等多出没于山间灌木丛地带，马鹿、鬣羚等常在混交林和森林的边沿活动，狍生活于较稀疏的针、阔叶混交林或山间多草的地面，有时也活动于潮湿的洼地。其二，遗址中有水鸟动物遗骨，说明附近有水域。其三，综观遗址，为多小气候有小型湖泊的山地丘陵，远处为植被茂密的原始森林，较高山地适宜于藏羱羊、狍、鼠兔等较耐寒动物生存。总而言之，新石器时期卡若遗址的自然环境接近于今天，只是气候较今日偏暖，山高处则偏凉偏干。从其他新石器遗址的情况也可以看到这一点。

据张森水1980年报道，在藏北奇林湖周围共发现12处细石器地点，"这些材料同我国北方广泛分布的细石器性质基本一致，说明当时这里有一定的水域，气候比较温暖，绝不像今天这里已成了终年寒冷的'无人区'。这种自然环境的变迁过程，与昌都卡若遗址的性质类同。由此可以设想，如果西藏高原上的已知的细石器在时代方面相差不大，那么我们可以这样认为：自全新世中晚期以来，西藏高原还在不断地隆起，原来适合

① 黄万波：《西藏昌都卡若新石器时期遗址动物群》，载《古脊椎动物与古人类》，第18卷，第2期，1980年。

于人类生息的地方，地势增高，自然环境变得寒冷干燥，湖泊干涸，草地收缩，迫使人类迁出，逐渐变成‘无人区’。就卡若遗址而言，这一带尽管也有人类活动，但是气候比起4690年前的情况要偏冷。”①

第二节 林芝文化遗址

林芝，原称“娘赤”（ཉང་ཁྲི།），意为娘氏宝座。娘氏是吐蕃时期一大家族，曾经出现过一些著名人物。在娘赤村至今有一台状大石头，相传为当时娘氏的宝座，大约娘赤也因此石而得名。藏文中有时也写作（ཉིང་ཁྲི།）。解放初期修筑康藏公路时，测量队的同志将娘赤译为“灵芝”。民主改革后建县时，西藏自治区批准建林芝县。因林芝地区多大森林，产灵芝，故许多人附会林芝是因产灵芝而得名。又，“灵芝”因何又成了“林芝”，不得而知。在西藏古文化的研究中，林芝占有重要地位。

从地理上看，林芝位于西藏高原东南，东经94°20′，北纬29°30′，海拔2950～3080米，为一狭长条状的山间盆地，东西长约15公里，南北宽约2公里，尼洋河自北向东南、林芝河自东向西流入盆地后汇入雅鲁藏布江。

从古气候情况看，大约在距今20000年前的白玉冰期时，林芝地区气候已变寒冷，并且一直延续到距今10000年左右的全新世初期。白玉冰期之后，气温回升。约在距今8000～5000年时，包括林芝地区的整个西藏东南地区出现温暖、湿润气候，降水量增大，年平均温度11℃～12℃，降雨量800～1000毫米，如同西藏波密之易贡和察隅之吉公地区，高山上是葱郁的云杉、冷杉、高山松，山脚、河畔有高山栎、罗汉松、穗花杉等针叶树和阔叶树种，成群的牛、马、羊等动物觅食其间。这适宜的自然环境，给古人类的生存、繁衍提供了方便条件。

一、发现遗址的时间、地点

1974年11月至1975年2月，中央民族学院教育革命小分队在林芝尼洋河边之台地上发现了云星、居木文化遗址和一批新石器时代古人类遗骨、墓葬。云星遗址位于林芝县红旗区云星公社一、二队西侧的崖坡边缘，下临公路约15米，西距尼洋河约30米（图1－4－2－1），坡上原被

① 林一璞、陈万勇、张森水：《林芝人及其文化遗物》，《西藏古生物》第一分册，科学出版社，1980年，第54－69页。

青㭎树林所覆盖，后因取土，用推土机在坡顶推出一条东西长约 14 米，南北宽 4 米，深 2.5 米左右的大沟，新石器文化遗物便出现于其中。如此可从沟北壁断面（图 1－4－2－2）看出，最上为腐殖层，厚 0.25 米，由草根落叶多年堆积而成，土质呈海绵状，次为砂土和卵石混合砂土的交叠层，多次堆积而成，土层厚在 0.2～0.6 米之间。东部距地表约 1 米，为层炭灰堆积，宽约 0.9 米，厚 1～3 厘米，西部距山崖 4～5 米处，距地表 1.1 米处有一宽约 1.1 米、厚 0～0.2 米的灰土层，该层中部发现大量陶器碎片、石器、火烧过的动物残骨、石块和炭屑等。从灰土露头处向内深约 0.35 米范围内，出土陶片 100 余片，石器 6 件。灰土两边为红烧土堆积，下为沙石层，再下为岩石层。

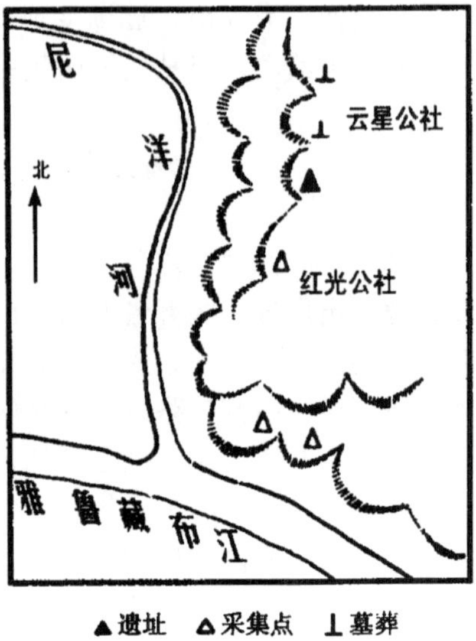

图 1－4－2－1 云星遗址位置示意图

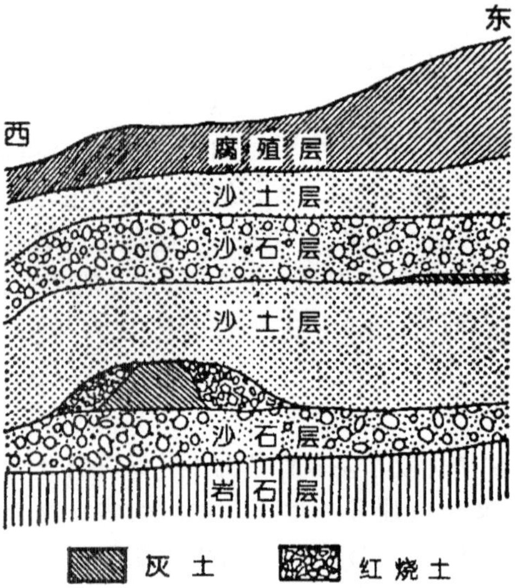

图 1－4－2－2 云星遗址地层堆积剖面示意图

居木遗址位于林芝县尼洋河西岸，居木公社一、二队的山坡上。据王恒杰的文章①介绍，在一、二队之间有一自西向东注入尼洋河的溪水，溪水之南为二队，之北为一队，一队的梯田、水沟、防牛土沟的断层中采得部分文化遗物。考察者们对二队作了重点调查：在一距地表 0.9～1.5 米的防牛土沟的断面中发现文化层，从中采集到陶器残片和残石器；村西南一条南北向宽 1.5 米、深 2 米的大沟边的堆土上，同样采集到若干陶器残片，在此沟另一处断面观察到，表土

① 主要参阅王恒杰：《西藏林芝地区的古人类骨骸和墓葬》，图亦引自该文。

为细灰质土，下厚0.9米许的腐殖层，再下为砂石土，中间夹有砂灰土层。在该队其他一些梯田、沟边等地表也捡到部分文化遗物。

1975年9月，中国科学院青藏高原综合科学考察队在林芝县城附近的西藏建筑工程公司林芝砖瓦厂，发现了古湖相沉积物和尼洋河阶地堆积物。残存的古湖相沉积物面积虽不大，但含有哺乳动物化石和植物化石，采集到的人类遗骨、石器、陶片、哺乳动物骨骼等就发现于尼洋河右岸一级阶地上。

这两次重要发现为考古学界所注意，大家将目光投向林芝，投向那些出土的人类遗骨，因为在此以前西藏众多的考古发现中尚没有人类遗骨。人类遗骨的考证，将使我们对藏人来源有更为科学而深入的了解。

二、主要文物

（一）云星遗址

采集到石器共6件。

1. 盘状器两件，利用砾石上打下的石片，加工周边而成，图1－4－2－3：7由单面向背面加工，局部保存岩面，刃部有使用崩落痕迹，直径6~6.8厘米、厚1.9厘米。图1－4－2－3：2中的石片厚端斜面保留原岩面，较薄部分由两面交互加工成圆形，遗有明显砍砸痕迹，为典型的盘状器，直径9.5厘米、厚3.7厘米。

2. 石刀一件，已残（图1－4－2－3：11），单面凹背弧刃，遗有半个由两面对钻的穿孔，长6.2厘米、背残宽4.3厘米，由板岩石片磨成，制作粗糙。

3. 石凿一件，长条形，剖面呈长方形，刃部稍残，器身由两面琢打，刃部由两面磨成，长12厘米、宽3.6厘米（图1－4－2－3：13）。

4. 穿孔石器一件（图1－4－2－3：5），扁平，呈椭圆形，顶端有一直穿的圆孔，磨制粗糙，疑为网坠之类的工具，长6.9厘米。此外尚有砍砸器残片一件。

（二）居木遗址①

采集到石器8件。

1. 敲砸器两件，利用砾石上打下的石块制成，呈半球形，由破裂面向背面加工而成。图1－4－2－3：1周缘局部保存岩面，直径7厘米、厚

① 林一璞、陈万勇、张森水：《林芝人及其文化遗物》，《西藏古生物》第一分册，科学出版社，1980年，第54－69页。

4.5 厘米；图 1－4－2－3：4 台面大部分边缘经过细致加工，核体遗有清晰的石片疤，直径 7.9～8.4 厘米、厚 5.7 厘米。

2. 石刀两件，皆残，单面刃，用板岩磨成。如图 1－4－2－3：9，长方形，平面凹刃近背端有一对钻的穿孔，残宽 6.4 厘米、长 3.8 厘米；图 1－4－2－3：10 似为凸刃，残宽 4 厘米。

3. 石小凿一件，如图 1－4－2－3：12，上端残断，为宽背窄刃扁薄的磨制小凿，残长 3.1 厘米、刃宽 1.5 厘米。

4. 网坠 3 件，利用扁平砾石将两侧打制成缺口。其一长 8 厘米；一长 5 厘米（图 1－4－2－3：6）；一长 9.5 厘米，形制较大，周边打出四个缺口（图 1－4－2－3：3）。

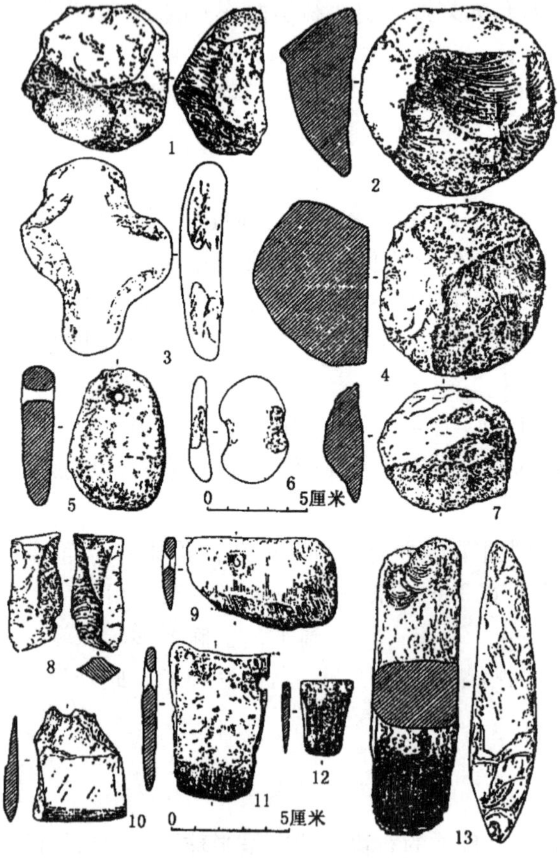

图 1－4－2－3 石器

1、4. 敲砸器 2、7. 盘状器 3、6. 网坠 5. 穿孔石器 8. 小石片 9、10、11. 刀 12. 小凿 13. 凿

（三）砖瓦厂遗址

中国科学院青藏高原综合科学考察队在西藏建筑工程公司林芝砖瓦厂遗址，与中央民族学院教育革命小分队发现的云星、居木遗址在同一区域内，即地点在尼洋河注入雅鲁藏布江不远的河湾内。在这一带尼洋河有两级阶地，第一阶地高出尼洋河水面约 10 米，堆积物为缓流沉积，估计当时水流时断时续，乃至河床干涸，故而人类在堆积物上活动时，遗留有石器工具等遗物，未见因水流搬运而被磨圆的现象。换言之，古人类的遗骨和其他遗物都是原地保存着的。第二阶地高出当地河水面 135～140 米，

为湖相、河流相沉积，后期受河流切割，露出剖面。依阶地和沉积物岩性的对比，第二阶地下部之湖相堆积属于更新世晚期，中上部堆积和第一阶地属于全新世。林一璞等在《林芝人及其文化遗物》① 一文中对尼洋河阶地剖面地层作了较详细的介绍（图 1－4－2－4），这对探讨自第四纪后期该地区自然环境的变迁、人类的生活环境、生产的客观条件等问题将大有裨益。

全新统

9. 黄色砂土，分布于尼洋河一级阶地上，堆积物系浅黄色黄土和细砂组成。砂中含石英粒和云母片，局部有因铁锈的污染而呈黄褐色。此层上部为耕土，厚约 50 厘米，往下为黄色砂土，新石器时代文化遗物埋于此层偏上的地层中。

8. 黄砂土，为地表风化面，黄褐色，含有现代腐殖质层。厚 2～3 米。7. 黄色砂砾层，为尼洋河第二级阶地上的河相沉积。砾石成分以花岗岩为

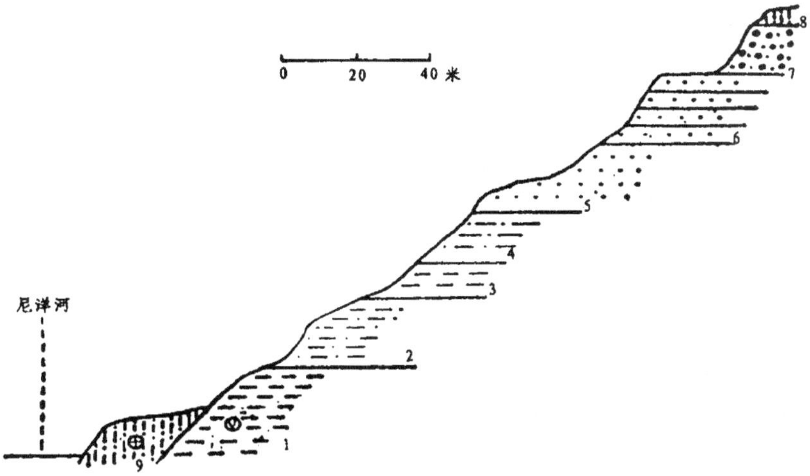

图 1－4－2－4　林芝砖瓦厂附近地层剖面图

1. 灰色黏土　2. 黄色粉砂夹黏土　3. 深灰色黏土

4. 黄灰相间粉砂　5. 黄色中粗砂　6. 黄色细砂岩

7. 砂砾石层　8. 风化黄砂土　9. 阶地上黄色砂土

⊕含人头、石器、陶片层　Ⓥ含脊椎动物化石及植物化石

① 林一璞、陈万勇、张森水：《林芝人及其文化遗物》，《西藏古生物》第一分册，科学出版社，1980 年，第 54 页。

主，含有少量的石英岩，径最大者为20厘米，一般为7～10厘米，最小者仅0.5厘米。砾石磨圆度良好，具有层状结构。厚5～10米。

上更新统

6. 黄色细砂，为湖相沉积，具有明显的水平层理，沿层面含有同心圆状的铁质结构。厚约30米。

5. 黄色中粗砂层，以黄色中粗砂为主，中夹有粉砂，交错层理发育，为典型的湖相沉积。厚20米。

4. 黄灰色粉砂层，具有明显的水平层理。厚15米。

3. 深灰色黏土层，为质地很细的湖泥，向上含砂量渐增，并有灰白色的微层理。厚10米。

2. 黄色粉砂夹黏土，以黄灰色粉砂为主，中夹薄层状的黄色黏土（每层厚10～15厘米），含有石英和云母等矿物，具有明显的微层理结构。厚20米。

1. 灰色黏土层，具水平层理，受铁质污染而呈黄色，厚15～20米，在此层内曾发现少量的哺乳动物化石，经初步鉴定，可能是“牦犏”（Bibos sp?）和古藤本植物化石（?）。[①]

这一遗址出土的文物，除王恒杰等发现的人类遗骨（将在下文中叙述）外，尚有原料为石英岩的石器：石片共3件，局部有修理的砾石1件，石锤1件，盘状器1件，磨光石斧1件。

三、林芝人[②]

在林芝遗址中，最重要最令人兴奋的是林芝古人类遗骸——林芝人的发现，林一璞、陈万勇、张森水等依据同一个体的颅骨、下颌骨、寰椎、枢椎和股骨，和分别属于另一个体的额骨、下颌骨进行了科学的观测。其情况如下：

（一）对属于同一个体的颅骨、下颌骨、寰椎、枢椎、股骨的测量、观察。

从颅骨保存欠完整，然仍可了知全貌，即颅容积小，颅壁较薄，骨质表面较光滑，骨表面的肌腱附着处欠粗涩，乳突部较小，颧弓较纤细，枕

① 林一璞、陈万勇、张森水：《林芝人及其文化遗物》，《西藏古生物》第一分册，科学出版社，1980年，第54－69页。

② 林一璞、陈万勇、张森水：《林芝人及其文化遗物》，《西藏古生物》第一分册，科学出版社，1980年，第54－69页。本题中所引图表均出自该文。

部较圆钝，尤其眉弓不发育，眉间凸度较小，齿细，下颌角微呈外翻等特征看，可能属于女性。又，（1）基底缝已愈合；（2）颅外骨缝—矢状缝中段、冠状缝下段愈合；（3）腭中缝后部未愈合；（4）上颌齿磨耗中等观察，估计死者年龄为 30 ~ 40 岁。

1. 颅骨的形态特征

顶面观，前囟区顶骨缝深波型，顶结节欠明显，在顶孔间区，头枕无凹陷，两个顶骨孔孔径较小，颞线亦不明显。

前面观，无矢状嵴存在，矢状缝两侧，顶骨前内壁较扁平，头盖形如屋脊，眶外缘圆钝，无额中缝存在，额结节不明显，眉弓部发育较弱，虽不及一般男性，但较一般女性显著，眉间凸度较高，鼻额缝呈倒 U 字形，鼻骨在鼻根位置无凹陷，上部鼻宽 8 毫米，中部鼻骨宽 10 毫米，鼻骨侧面观为单凹形，最小额宽较小，颧骨外凸，呈较高的眶型。

侧面观，顶结节不明显，星点位置较低，顶骨发育好，骨壁稍薄，在前下角接近颞鳞上缘处厚 3. 5 厘米。

从不完整的头骨正中切面外廓图测知，顶骨弧长 120 毫米，弦长 110 毫米，弦弧指数为 90. 1。这一指数现代人为 89. 7。在旧石器时代人类中，如丽江人为 90. 8，资阳人为 90. 9，显然，林芝人的指数接近现代人。

林芝人枕骨弧长 120 毫米，弦长 93 毫米，弦弧指数为 93 × 100/120 = 77. 5。这一指数现代人平均值为 82. 8，旧石器时代晚期来宾麒麟山人为 83. 5，中石器时代札赉诺尔人 Ⅰ 号为 86. 7，旧石器时代晚期丽江人为 80. 6。林芝人较接近于丽江人。

林芝人头骨的枕平面正中矢状弧长为 70 毫米，项平面正中矢状弧为 50 毫米，弦弧指数为 50 × 100/70 = 71. 4。这一指数现代人的变异范围为 52. 4 ~ 71. 2，可见此一指数林芝人已达到现代人的最大值。

林芝人头骨的枕部的宽度（在枕部的两星点之间的距离）为 110 毫米，距顶颞缝的最短距离为 45 毫米。从颞线的位置看，林芝人比较接近现代华北人和资阳人。

林芝人的乳突，根据人体骨骼测量的有关分类方法，可定为特小一级：Z—Z′值为 21 毫米，RP 值为 5. 5 毫米，乳突指数为 26. 2 毫米。尤其是 RP 值和乳突指数，现代人为 12. 6 毫米、64. 9 毫米；波斯人 Ⅰ 号为 7 毫米、25. 7 毫米；拉沙拜尔人为 10 毫米、35. 7 毫米，林芝人的乳突尚保留了一种比较原始的性质。

头骨上较宽的二腹肌沟是一种较原始的特征。林芝人头骨上的二腹沟肌为 4. 5 毫米，较现代人（2. 8 毫米）为宽。

林芝人的颅壁向外侧膨胀，表现近乎弧形，头骨的人字缝纹较复杂，而其他各缝的锯纹较简单，无缝间骨的存在，但明显有角圆枕和枕圆枕表现①。

林芝人的头骨上，无枕外隆突存在，而现代人最为明显的特征之一就是头骨枕部有隆突。

从后观察，林芝人头骨最宽部的位置比较靠下，与现代人在两顶结附近较靠上的情形有所不同，不如北京人头宽位置那么靠下，但有近似之处。林芝人头宽位置在两侧颞顶缝附近。

从底面观察，其枕大孔的测量数据以及与岛五郎、莫兰德等对蒙古人、奥伯卡沙尔人的比较如表1－4－2－1所示：

表1－4－2－1　枕大孔测量与比较　（单位：毫米）

枕大孔	林芝人	蒙古人甲	蒙古人乙	华北人	奥伯卡沙尔	柯姆卡拜
长	35	35.8	37.2	33.4	37.4	40.3
宽	28	29.2	31.4	28.9	30.0	28.8
指数	80	81.7	84.6	86.6	80.2	71.5

由上表可以看出，在长、宽、指数三方面，林芝人的枕大孔较接近蒙古人（甲），仅以指数观之，较接近奥伯卡沙尔人，现代华北人在长、指数方面与林芝人差值较大。

林芝人的鼓板较厚，尤其是围绕外耳孔边缘的部分，这与一般新人鼓板轻薄者有所不同。

林芝人头骨有较深的下颌窝，关节结节发达，没有盂后突，此与现代人头骨下颌窝较浅、关节结节不发达、有盂后突且盂后突有越来越大的趋势，形成鲜明对比，此或为原始性质之遗留。

林芝人头骨不存在小脑蚓部小窝②，现代人多是有此小窝的。

2. 下颌骨的形态特征

林芝人的下颌骨表面光滑纤细，下颌联合区较低，下颌角外翻程度不大，下颌角倾斜程度较大，下颌关节突较小，女性特征较明显。左右侧第

① 角圆枕是指在顶骨乳突角上骨质的小隆起，枕圆枕是指在枕骨的最上项线和上项线之间骨质的隆起。

② 小脑蚓部小窝：在枕内嵴下端接近终止于枕大孔后缘之前，分成左右两股，在两股骨嵴之间造成一小凹，此小凹称小脑蚓部小窝。

一、第二前臼齿和右外侧门齿、右犬齿六个下颌齿，在下颌骨齿槽突上嵌立着，磨损程度远大于下颌齿。从下颌体下缘看，林芝人颏部属于尖型，颏隆突明显（此为现代人重要特征）。像北京人、蓝田人的下颌有多颏孔特征，林芝人的每侧下颌体，在第一、第二前臼齿之间各有一个颏孔。林芝人无下颏圆枕。其下颏枝较高、较窄，左右侧下颌枝宽分别为 31 毫米、33 毫米。

林芝人下门齿槽突有萎缩，此或因生前下门齿脱落之故，其他各齿齿槽突的萎缩与此有别。据一些考古材料介绍，新石器时代人类牙周病和齿槽脓肿较常见，林芝人或许也患这种牙病，不得而知。

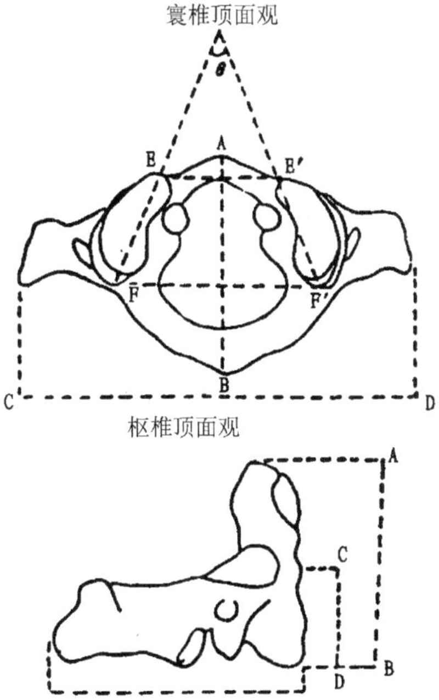

图 1－4－2－5　林芝人颈椎

3. 寰椎和枢椎的形态特征

由于林芝人的椎骨，即第一（寰椎）和第二（枢椎）椎骨保存较完整，林一璞等的文章对测量结果进行了比较（图 1－4－2－5、表 1－4－2－2）。

由图 1－4－2－5 可知，林芝人的寰椎上关节面的前端距 EE′为 23.0 毫米[①]，后端间距 FF′为 39.5 毫米，其角度 θ 为 55°。

① 林芝人此值偏大，但在容许变异范围 10～20 毫米之内（依玛卡里斯特）。见林一璞等《林芝人及其文化遗物》。

表 1－4－2－2 寰椎的测量和比较 （单位：毫米）

	例数	EE′	FF′	θ
林芝人	1	23.0	39.5	55°
中国人（殷代安阳侯家庄）	41	18.85	41.28	54°5
中国人（隋唐安阳小屯）	9	17.24	39.22	60°2
中国人（现代昆明）	108	18.34	40.04	60°4

表 1－4－2－3 寰椎长高指数的比较

	例数	变异范围	指数
林芝人	1	－	41.3
黑种人	81	37～59	48
白种人	102	38～64	49
中国人（殷代安阳侯家庄）	39	40.22～57.31	49.76
中国人（隋唐安阳小屯）	9	40.14～54.12	49.30
中国人（现代昆明）	110	40.14～64.41	50.26

从表 1－4－2－2 和表 1－4－2－3 的比较中可以看到，林芝人较接近殷代中国人。

林芝人的第二椎骨（枢椎）最大高 AB＝35.5 毫米，椎体高 CD＝18 毫米，齿突高 AB－CD＝35.5－18.0＝17.5 毫米，此指数也比较近殷代中国人。

4. 股骨的形态特征

保存的林芝人股骨以右侧较为完整。股骨的中段横径为 23.5 毫米，干中部指数为 112.0（＝26.4×100/23.5），扁平指数为 73.7（＝21.5×100/30.5）。

表 1－4－2－4　股骨的测量和比较

	干中部指数	嵴指数	扁平指数
林芝人	112.0	89.0	70.4
半坡人	111.1	90.3	72.0
华北人	101.6	98.5	75.4
非亚洲人	92.5	109.1	85.3

半坡人和林芝人，两者股骨接近，有共同特征，只是前后径小于横径，嵴指数低于 100，扁平指数低于 74。（参阅表 1－4－2－4）

根据步达生对仰韶人股骨的研究，从新石器时代开始，人类的股粗线发育的程度有逐渐“弱化”的趋势。林芝人的股曲线发育较弱。

林芝人无第三转子，也无转子下窝，却有明显的转子下窝嵴。

在林芝人股骨的内侧关节面之上部还存在一个附加的小关节面。一些同志推论，此可能为长期蹲踞所造成。倘或果真如此，现代藏族蹲踞的风俗习惯可追溯到林芝人时代。

（二）对另外个体额骨、下颌骨的观察、测量

此一额骨只保存鳞部的左半侧，其长 107 毫米，宽 77 毫米，厚 8 毫米。眉弓部发育较好，额窦较小，由经复原后作出的正中矢状切面外廓图可知，其额弧长 115 毫米，长 102 毫米，弦弧指数为 88.7（＝102×100/115），与资阳人的 86.5 和现代人的 85.7 这一指数相比，三者彼此接近，林芝人则稍大。此一额骨有一特征，有额中缝存在。据韩康信对闽侯昙石山新石器时代人骨的研究，额中缝的出现率高达 33.3％。而现代云南人为 13.7％，缅甸人为 1.4％。林芝人的额骨及额中缝的出现率因可参考资料太少，尚不能作出确切的计算，进行比较。

下颌骨属于一幼年个体，齿槽突上留有乳齿 8 颗，另有 2 颗恒齿尚处萌发状态中，估计其年龄在 2 周岁至 5 岁之间，恒齿尺寸长×宽为 12.3×11 毫米，达到了成年人该齿的平均长度，显偏大。

从上面的观察可知，从形态特征看，林芝人跟现代人基本相同，只是前者多少保留了部分较现代人为原始的性质，诸如头部靠下，出现角圆枕，枕圆枕，有发育的关节结节及乳突上嵴，较小的乳突，没有盂后突，寰椎 θ 角度较小，有和半坡人股骨相似的一些特征等。从族源关系看，林芝人属蒙古人种，鼻颧角在三大人种中有明显区别，黑种人为 140°～142°，白种人为 135°～137°，蒙古人种为 145°～149°，林芝人鼻颧角为

149°，即属蒙古人种。又，从鼻根区高度及指数看，同样属于蒙古人种。如表 1－4－2－5。

通过诸数值的对比，林一璞等认为：根据下颌枝宽度，林芝人较接近汉族和藏族；根据寰椎和枢椎，较接近殷代中国人；根据股骨，较接近半坡人。总之较接近南亚人种，与北亚人种有较大距离。从人种地理学的角度看，这也是符合逻辑的。

表 1－4－2－5 鼻根区高度、指数

	高度	指数
宝鸡人	－	28.1
半坡人	2.4	29.7
林芝人（1962）	3.5	36.0
林芝人（本文）	2.5	35.7
蒙古人	2.8	35.8
贝加尔湖附近人	3.2	41.2
印第安人	3.7	41.9
欧洲人	5.0	50.9

四、文化分期与年代

林芝遗址出土的石器、陶器、人类遗骸和出土的层位等，给我们提供了确定其文化分期与年代的基本条件。作为工具和用具，毫无疑问，林芝遗址出土的石器、陶器等都是林芝人制造使用的，其年代在新石器时期。因为：

1. 从石器和陶器看，其做法和类型，林芝红旗区星光公社出土的与林芝县建筑公司砖瓦厂内地层发现的属同一时期。磨光的石斧、打击石器，褐色夹砂绳纹陶，陶残片的质料、花纹，细口平底罐，等等，说明都属于新石器时代。

2. 从林芝人的遗骨的观察、测量、分析中看出，这些遗骸同样属于新石器时代。

3. 林芝遗址中尚未发现金属器皿、瓷片等后期遗物。

王恒杰说，从出土的石刀、石凿、石斧以及陶器，“表明这种文化的主人已从事刀耕火种的农业和过着相对定居的生活，而网坠、箭头，还说明这种文化的主人不仅在古代的尼洋河、雅鲁藏布江，而且还在已被这些河流所袭夺了的古湖泊水滨从事农业也兼从事渔猎。其生活地域包括了今天林芝盆地周围地区及穿插于盆地的河流两岸。在古代这种文化的主人应属于一个大的部落以至部落联盟和族体。林芝人及林芝文化在西藏的东南具有相当的代表性，其范围可涉及南边的墨脱县。墨脱县背崩村所出土的石凿形制及大小皆与林芝地区所出土的相同。他们应属于同一文化。从墨脱出土石器加工技术的发达，石器类型的复杂，如石凿形式多样，石斧有直刃和斜刃等不同类型，都表明其时代略晚于林芝地区，应是林芝文化的南部延伸。”① 我以为这一推论比较准确。

第三节　墨脱文化遗存

一、发现遗存的时间、地点

1973 年 4 月，在距墨脱县马尼翁卫生所约 300 米的小溪旁修路时，发现了一件磨制石锛。

1976 年 7～8 月，中国社科院在西藏进行民族考察的同志们分别在墨脱县的达木公社卡布村、墨脱公社墨脱村、背崩公社背崩村、背崩公社格林村、地东公社地东村等地收集到部分石器，并发现了手制绳纹陶片。

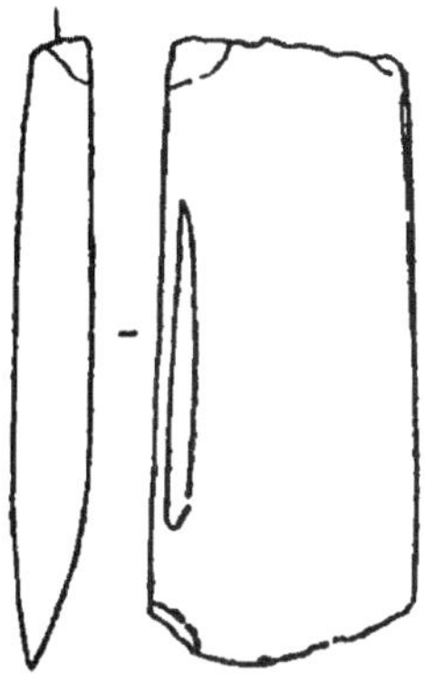

图 1－4－3－1　石锛

墨脱县位于喜马拉雅山南坡，雅鲁藏布江下游的河谷地区，西藏自治区南部，雅鲁藏布江从这里由北向南转向西南，贯穿墨脱全境，海拔 400～700 米，而附近山峰却达 1000～5000 米，山高谷深，属亚热带气候，温暖而湿润，河谷地带有肥沃的土壤，山上有茂密的原始森林，风景优美，气候宜人。

二、主要文物

1. 马尼翁的石锛。锛身扁平略呈梯形，弧形凸出的刃部较锋利，石质为杂有淡绿斑点的墨绿色，质料坚硬，磨制精细。锛顶及锛刃因使用留有崩落痕迹。其长为 8.5 厘米、宽为 3.9 厘米、厚为

① 主要参阅王恒杰：《西藏林芝地区的古人类骨骸和墓葬》，图亦引自该文。

1.1 厘米（图 1 -4 -3 -1）。

2. 卡布村的石纺轮。卡布村位于雅鲁藏布江东岸一河谷台地上，村北有卡布河流入雅鲁藏布江。台地面积不大，石纺轮为开水田时所发现，中间有两面钻的小孔，黑色，直径 3.3 厘米、厚 1.1 厘米。

3. 墨脱村的石锛。墨脱村位于近雅鲁藏布江东南岸的河谷台地，顺江走向，台地长 1 公里，宽不到 0.5 公里。发现 9 件石器，其中有石锛 6 件，通体磨光。其一长 11.7 厘米、宽 6.4 厘米、厚 1.8 厘米，顶部有长期敲砸痕迹；其二刃部及侧角已残，长 11.7 厘米、宽 6.2 厘米、厚 1.9 厘米；其三长条形，黑色，长 7 厘米、宽 0.8 厘米、厚 1.6 厘米，已残；其四近似长方形，刃残，长 10.4 厘米、宽 1.8 厘米、厚 1.9 厘米；其五呈梯形，弧形刃，长 7.1 厘米、宽 1.2 厘米、厚 1.8 厘米；其六纵剖面呈梯形，弧形刃，长 7.2 厘米、宽 2 厘米、厚 1.1 厘米。后 4 件经过磨制，磨光。石斧二件，已残，一长 7.9 厘米、宽 1.2 厘米、厚 2 厘米。尚采集有一石凿和部分饰有绳纹、刻纹的夹砂红陶和夹砂灰陶陶片。

4. 背崩村的石斧。背崩村位于雅鲁藏布南岸的台地上，台地高出河面约 150 米。该村发现石斧两件，一件已残，长 8.5 厘米、宽 2.1 厘米、厚 1.9 厘米，呈黑色；另一残件呈灰黑色，长 6.7 厘米、宽 2.3 厘米、厚 1.9 厘米。

5. 格林村的墨绿色石斧。格林村在背崩村东南约 8 公里，社员在山坡上捡得通体磨光的石斧一件，长 8.1 厘米、宽 4.1 厘米、厚 2.6 厘米，器身为中缀翠绿花纹的墨绿色。

6. 地东村的磨光石斧。地东村位于雅鲁藏布江北岸的河面台地上，海拔约 500 米，发现器身扁平、通体磨光、呈梯形的石斧一件，长宽厚各为 6.8 厘米、4.2 厘米、1.4 厘米。

7. 西让村的石斧和石凿。西让村位于地东村西南约 20 公里处的雅鲁藏布江边的坡地上，发现磨光石斧一件，长宽厚各为 10.8 厘米、3 厘米、2.5 厘米，长条形石凿一件，纵剖面呈长方形，长 17.7 厘米、宽 2.9 厘米、厚 1.2 厘米。

三、文化分期与年代

墨脱和林芝同属雅鲁藏布流域，这种地理环境在原始文化的传播中，同样有着等同位置。从墨脱采集的打制、磨制石器和陶片看，跟林芝遗址出土的同类石器一样，都属于同一文化时期，即新石器时代。

第四节　曲贡文化遗址

一、发现遗址的时间、地点

曲贡村遗址是1984年11月，西藏自治区文管会文物普查队在拉萨市北郊曲贡村附近发现的。遗址南距拉萨市约5公里，东经90°07′，北纬29°42′，海拔3700米。主要分布在曲贡村和军区总医院北面的山坡下端，东西约150米，南北约30米。试掘者估计曲贡村民居和军区总医院北部建筑下也压有部分遗址，总面积约5000平方米。因被水切割冲刷、有公路从中穿过，遗址遭到严重破坏。

拉萨（ལྷ་ས།）是西藏自治区首府，位于雅鲁藏布江支流拉萨河北岸，北纬29°36′，东经91°06′，海拔3650米。拉萨原为苏毗旧地，松赞干布之父朗日松赞时吞并。在此前，据说吐蕃第二十八代王拉脱脱日年赞在红山上修过行。松赞干布时定都拉萨，传说当时的拉萨是一片荒草野滩，中间有卧措湖，松赞干布同意文成公主的天象五星观察和五行算说，用白山羊驮土填湖，填平卧措，修建了著名的大昭寺。山羊，藏语音为“惹”（ར།）；土，藏语音为“萨”（ས།），“惹萨”（ར་ས།）即为“山羊和土”之意。后演变为“拉萨”，即“神地”之意。拉萨在汉文史书中有“逻娑”、“逻些”、“拉撒”等异称。

在试掘中考古工作者先探掘4米×5米、2米×1.7米的坑各一个，面积为23.4平方米，从T_2北壁剖面看（图1－4－4－1），遗址的地层关系为：

一层为沉积砂砾，厚约0.25～0.75米，疏松；二层为砂土层，厚约0.4～0.65米，在灰黄色的砂土中有少量从山坡上冲下的陶片；三层为灰土层，在厚约0.25米的灰色砂土中发现陶片、打制石器、骨片等；四层为砂土层，在厚约0.4米的黄色砂土中含有少量石块。如图1－4－4－1所示，H_3在第四层之下，出土的磨制石斧、打制石器和大量兽骨等，就发现于这些夹杂砂砾的黑灰色土中。

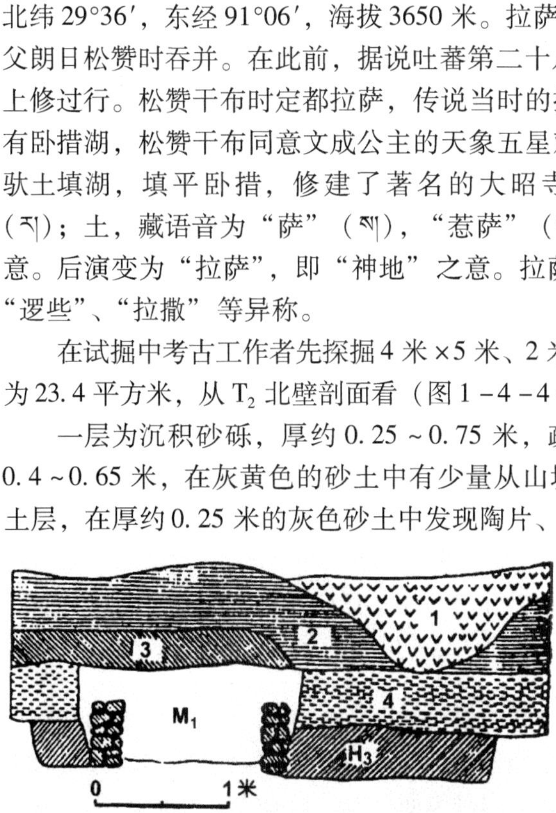

图1－4－4－1　T_2北壁剖面图

1. 砂砾层　2. 砂土层　3. 次生土层　4. 黄色砂土层

试掘中发现两座灰坑

（T_1H_1、T_2H_3），大部分已被破坏，H_3 残存面积约 18 平方米。灰坑出土磨制玉锛、骨针、骨锥、打制石器、磨光黑陶片、泥制黑陶片、平夹砂灰陶片和兽骨等。

一座窖穴（T_1H_2），平面呈圆形，直径 0.56 米、深 0.24 米，底小于口，南侧有一 0.36 米宽的小台阶，底部一层踩踏面（图 1－4－4－2），窖内灰色砂土中发现打制石器、骨锥、骨匕、陶罐、陶豆残片、红色颜料及兽骨。

一座石棺墓（T_2M_1），开口线在三层之下，打破四层及 H_3，棺呈梯形，内有人体残骨，无随葬品。

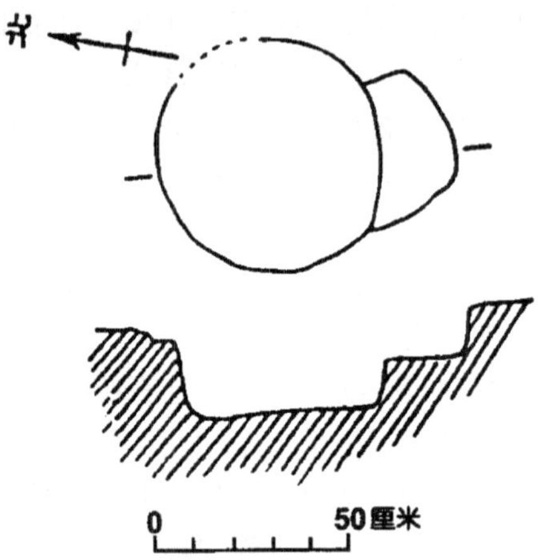

图 1－4－4－2 T_1H_2 平、剖面图

二、主要文物

（一）石器

曲贡村遗址共获得石器 74 件，多为深灰色角岩，打制石器占绝大多数。可分类为：

1. 双肩石铲 3 件。用石片打制而成，其中两件，在石片一端的两侧向内打制形成双肩、直柄，一面存局部岩面，铲刃呈弧尖状，有使用痕迹（图 1－4－4－3：1、2）。另一件铲身较前者宽短，刃呈斜弧状，局部有修理痕迹，体长 14.4 厘米、柄长 5.6 厘米、肩部通宽 11 厘米、厚 1.7 厘米（图 1－4－4－3：3）。

2. 刮削器

长刮削器 4 件。分二类型，一类呈长方形，劈裂面和背面各有一凹半锥体，双面打击形成长边刃部，上侧存有岩面，器身一面涂有红色颜料，长宽厚各为 9 厘米、6.6 厘米、1.5 厘米（图 1－4－4－3：4）。一类为呈长条形，共 3 件，一上端及一侧存有岩面，背面一凸半锥体，劈裂面一凹半锥体，下端长刃未经二次加工；一长 6.9 厘米、宽 2.6 厘米、背厚 0.7 厘米（图 1－4－4－3：5）。

双边刮削器 1 件，长、宽、背厚分别为 5.5 厘米、4.2 厘米、1 厘米，为一不规则四边形，上端保留经修整的台面，背面一凸半锥体，劈裂面一凹半锥体，利用两侧薄边从背面向劈裂面打击，形成两边刃部（图 1－4－4－3：6）。

三边刮削器 1 件，长 6.6 厘米、顶端宽 6.7 厘米、背厚 1.6 厘米（图

1－4－4－3：7、图1－4－4－4），为不规则形，顶端保留岩面，形成平直的背部，其余三边交互打击出刃部。

弧刃刮削器4件，其中2件，呈三角形，上端保留台面，劈裂面有半锥体，两侧由背面向劈裂面加工，形成双弧刃。另外2件为不规则形，上端存有岩面，两侧从背面向劈裂面有加工，保留下端原弧刃的中段。

尖状器4件，一长宽厚各为7.3厘米、5.1厘米、2厘米（图1－4－4－3：11、图1－4－4－5），略呈三角形，为剥取石片后的石核，两面有脊，在两侧边由背面向劈裂面打击出刃部，下端稍尖。一亦呈三角形，长宽厚各为9.8厘米、7.5厘米、2.5厘米，背部保留岩面，一侧由劈裂面向背面打击，形成两侧刃，下端尖。

3. 敲砸器有盘状、柱状、球状三种，都有明显使用痕迹。

盘状敲砸器3件，一略呈椭圆形，两面均有原岩面，一周交互打击出较齐整的破裂面，两长端有明显的使用痕迹，一面之砾石面涂有红色颜料，长短径及厚分别为10厘米、7.5厘米、3.8厘米（图1－4－4－3：13）。

柱状敲砸器2件，一长12.5厘米、宽5.4～6.7厘米、厚6.4厘米，四棱柱体，两端及一棱有加工，两端有明显的敲砸使用痕迹（图1－4－4－3：12）。

球状敲砸器两件，一长径6.4厘米、短径5.5厘米，存部分原岩面，略呈球状，打制或琢制，有明显的使用痕迹（图1－4－4－3：14）。

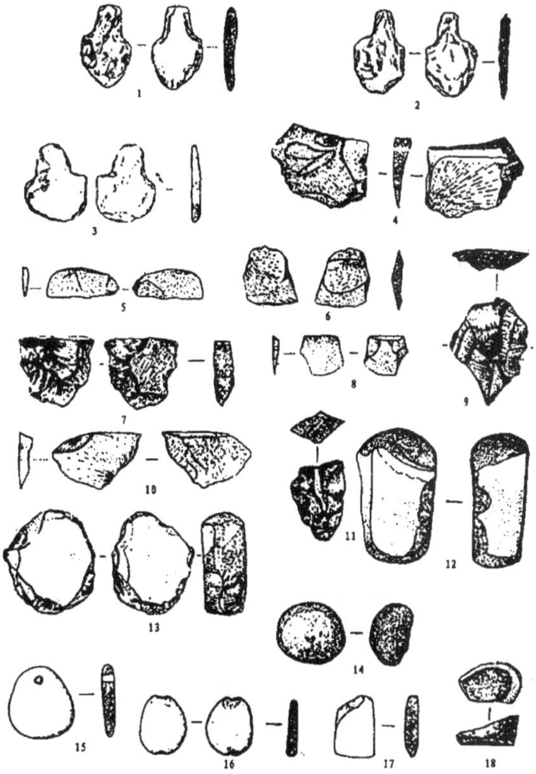

图1－4－4－3　曲贡村遗址石器

1、2、3. 双肩石铲　4、5. 长刮削器　6. 双边刮削器
7. 三边刮削器　8、10. 弧刃刮削器　9、11. 尖状刮削器
12. 柱状敲砸器　13. 盘状敲砸器　14. 球状敲砸器
15. 穿孔饰物　16. 网坠　17. 磨光玉锛　18. 磨盘

4. 网坠2件，形制相同，由椭圆形扁卵石在两端打制缺口而成，长短径及厚分别为5.6厘米、4.2厘米、0.8厘米（图1-4-4-3：16、图1-4-4-6）。

5. 盘器3件，形制相同，皆残，在呈平面椭圆的砂岩块上凿出凹槽，因使用较久，凹槽较光滑，一端较厚，残长30厘米、上端宽26厘米、厚16厘米、下端厚7厘米（图1-4-4-3：18）。

6. 磨光玉锛一件，长5.5厘米、刃宽3.6厘米、上端宽3.1厘米、厚1厘米，墨绿色玉质，通体磨光，略呈梯形，两面刃，刃锐利，有使用痕迹（图1-4-4-3：17）。

图1-4-4-4　三边刮削器

图1-4-4-5　尖状刮削器

7. 穿孔饰物一件，长6.5厘米、厚1.1厘米，孔径0.8厘米，三角形椭圆扁卵石，上端穿一小孔，孔上及器身有红颜料（图1-4-4-3：15；图1-4-4-7）。

（二）陶器（从略）

（三）骨器

骨器有15件，计有：

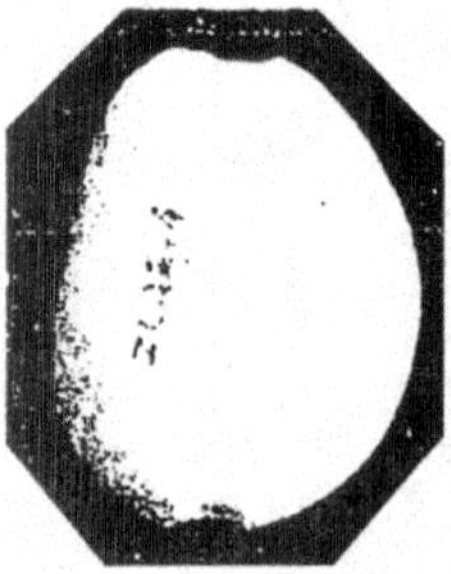

图1-4-4-6　网坠

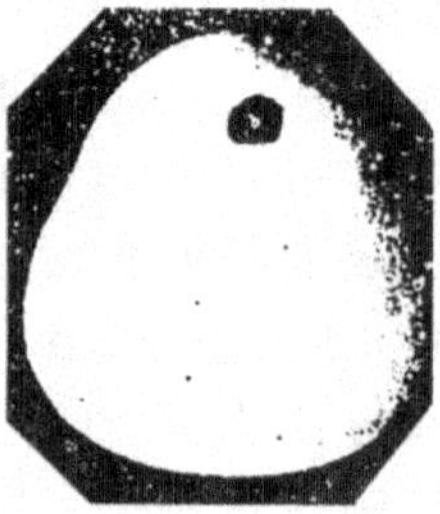

图1-4-4-7　穿孔饰物

1. 骨针一件，长7.5厘米、直径0.25厘米、针孔直径0.12厘米，通体光洁，针孔直，里外等径。

2. 骨锥8件，Ⅰ型锥一件，长11.2厘米、上端宽1.4厘米、厚0.9厘米，兽肢骨剖裂后制成，通体光滑，锥尖锐利（图1-4-4-8：2）。Ⅱ型锥一件，锥身长9.9厘米、小孔内径0.1厘米（图1-4-4-8：3），兽肢骨剖裂后制成，上端保留原部分骨节，锥身近上端处钻一小孔。Ⅲ型锥一件，长8厘米，方棱骨条制成，上端未加修磨，下端磨出圆锐的尖（图1-4-4-8：4、图1-4-4-9：4）。Ⅳ型锥两件，一残长6厘米、厚0.2厘米，薄骨片磨出偏尖，锥身光滑（图1-4-4-8：7、图1-4-4-9：3）。Ⅴ型锥两件，一残长9.3厘米（图1-4-4-8：5、图1-4-4-9：1），兽肢骨破裂片制成，上端未加磨修，下端磨成锐尖。Ⅵ型锥一件，长4.7厘米，兽下颌骨一侧骨片制成，一端保存破裂面，一端成尖，较短（图1-4-4-8：8、图1-4-4-9：2）。

3. 骨匕一件，残长11.7厘米、下端宽2.1厘米、厚0.15厘米，由牛肋骨剖裂成片制成，上端窄，下端宽，器身光滑（图1-4-4-8：6、图1-4-4-10）。

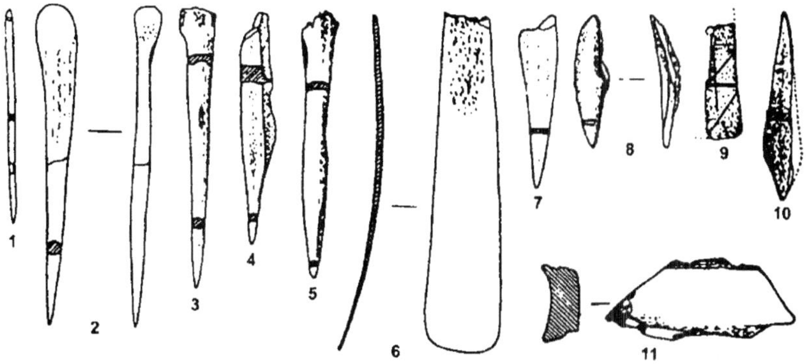

图1-4-4-8　曲贡村遗址骨器

1、2、3、4、5、7、8. 骨锥　6. 骨匕　9. 穿孔骨片　10. 骨镞　11. 刮削器

4. 骨镞一件，长6.6厘米、厚0.3厘米，用破裂骨片将一端磨制成长尖，一端磨成短尖而成（图1-4-4-8：10）。

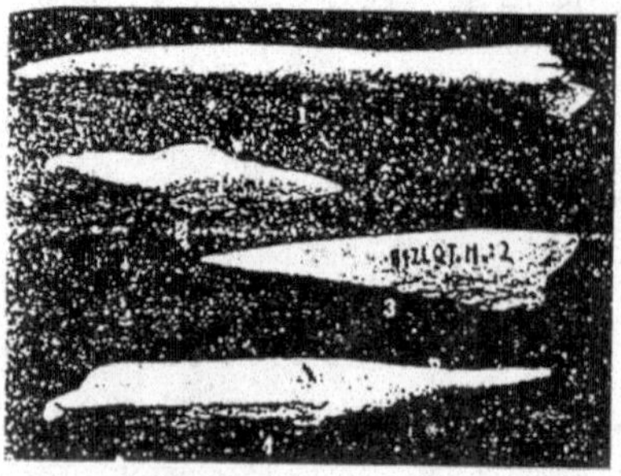

图1-4-4-9

1. Ⅴ型骨锥 2. Ⅵ型骨锥

3. Ⅳ型骨锥 4. Ⅲ型骨锥

图1-4-4-10 骨匕

5. 骨刮削器一件，长6.2厘米、宽2.6厘米、厚0.9厘米，用破裂骨片尖端两侧磨制成双弧刃，有明显使用痕迹，可能是制造陶器的工具（图1-4-4-8：11）。

6. 穿孔骨片一件，残长4厘米、残宽0.6~1.1厘米、厚0.1厘米、小孔直径为0.3厘米，或为残匕的刃端，一面刻画斜交叉纹，上端钻一孔，并涂有红色（图1-4-4-8：9）。

三、文化分期与年代

曲贡遗址遭破坏严重，但从发现的窖穴、灰坑和文化层的堆积厚度及石器、骨器形质看，证明属于新石器时代，是继卡若遗址之后拉萨地区的重要发现。

第五节 乃东文化遗址

乃东县属西藏自治区山南公署管辖，地处雅鲁藏布及支流雅砻河、温河的河谷地区，著名的藏族神话“猕猴变人”故事就发生在这里，至今尚有传说当时猕猴住过的洞——“猕猴洞”等遗迹。藏人认为这里是藏民族和藏族文化的发祥地，史籍记载，最早的“六牦牛部”和悉勃野王族就产生在这里。吐蕃第一世王聂赤赞普至第三十二代王南日松赞基本上以乃东、穷结（即雅砻河谷地区）为中心，逐步发展壮大起来。公元14世纪，绛曲坚赞建立第巴帕木竹巴政权，立都乃东，史称乃东王。乃东在藏族历史上占有重要地位。

一、发现遗址的时间、地点

1984年7月，西藏自治区文管会文物普查队先后在乃东县亚堆区曲德公社四队、温区门中公社钦巴村征集到磨制石器3件、磨制玉器1件，并在钦巴村找到一处新石器时代遗址。钦巴村遗址位于温河谷地，南距乃东10公里，温河经村东1公里处，南行8公里汇入雅鲁藏布江（图1－4－5－1）。遗址分布在村北山坡上，东西约60米，南北约30米，面积约1800平方米。散见遭破坏的灰坑五处，从其中一灰坑看，其文化层大致可分四层：厚0.5～0.75米的地表砂石层；厚1.4米的灰白色细砂土层；厚0.9米的红色土层；灰砂原生土层（图1－4－5－2）。从坑壁曾经火烧，壁下有0.25米×0.12米的木炭堆看，此处或为灶之类，且坑内堆积有小块料礓石、烧骨、泥质和夹砂红褐陶片分析，此地很可能是一半地穴居住遗址。

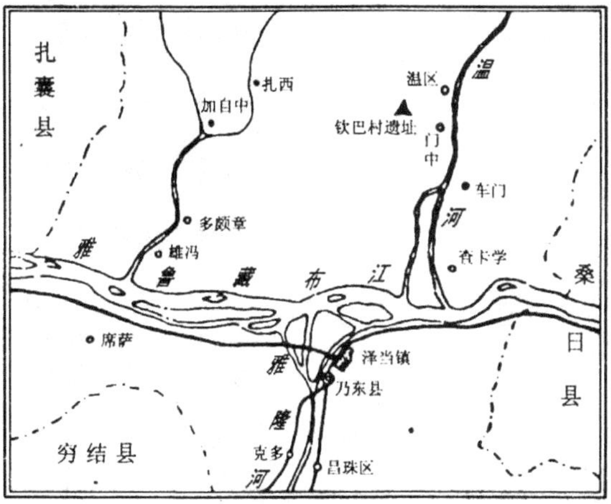

图1－4－5－1　钦巴村遗址位置示意图

二、主要文物

乃东县征集到的文物虽然不多，但很有价值，因为作为藏族文化的发祥地，人们可以从早期的六牦牛部、鹘提悉勃野王族联想到更早的藏族社会，将纵的横的断裂破碎的历史再衔接起来。征集到的主要文物有：

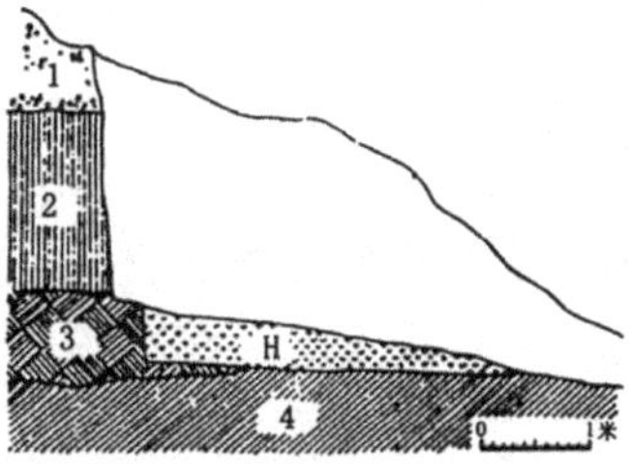

图1－4－5－2
钦巴村遗址地层堆积剖面图
1. 砂石层　2. 细砂土层
3. 红色土层　4. 原生层

1. 石锛两件。形制相同，钦巴村遗址灰坑旁侧出土，长方形灰绿色，通体磨光，两面磨出偏刃，刃锐利而呈弧形，石质不硬，有使用痕迹。一件长11.9厘米、宽4.1厘米、厚1.2厘米，顶端稍残，仍较完整（图1－4－5－3、图1－4－5－5：1）；一残长11.3厘米、宽

4.6 厘米、厚 1.3 厘米（图 1－4－5－5：2）。

2. 玉锛一件，雅堆区曲德贡四队征集，长 8.5 厘米、刃宽 3.1 厘米、厚 1 厘米，孔外径 0.5 厘米（图 1－4－5－4、图 1－4－5－5：3）。墨绿色玉质，长方形，通体磨光，顶端稍窄，一侧有双面钻的穿孔，双面刃，稍偏。

3. 石斧一件，温区征集，残长 8.5 厘米、顶宽 2.8 厘米、厚 1.1 厘米（图 1－4－5－5：4），灰绿色，平面略呈梯形，刃部呈弧形，双面刃，顶端稍残，通体磨光。

图 1－4－5－3　石锛

图 1－4－5－4　玉锛

三、文化分期与年代

从乃东县钦巴村遗址发现和征集的几件磨制石器、玉器看，它们属于新石器时代藏族先民的遗物。征集者说，在乃东县几乎没有发育良好的台地，加上自然破坏和人为破坏，寻找新石器遗址困难很大。

代表新石器时代的新石器文化是原始文化研究的一个中心，许多民族文化的根因多上溯到这一时期。

新石器时期出现了定居的氏族部落村落，而且这种聚居村落已有相当规模，这些我们可以从卡若文化遗址中得到证实，从这些遗址（村落）的分布情况也可以窥得当时社会的一些结构形式和文明层次。

新石器时期，母系社会进入繁荣时期，女性在社会及经济领域中处于领导地位，同时也承担着繁重的劳动并操持家务；世系从母系，以母系的图腾作为世系的标志；婚姻仍为氏族外婚制（对偶婚），禁止氏族内部通婚，像解放前西藏的个别地方还残留的一妻多夫婚姻的原始形态甚至早于对偶婚，可能是氏族群婚制的一种反映，它有着朋友共妻和兄弟共妻现象。由于生产力不发达，处于氏族社会的人的生产关系较为简单：大家共同劳动，共同分配劳动所得，这种遗风同样可在藏史中觅到印迹。

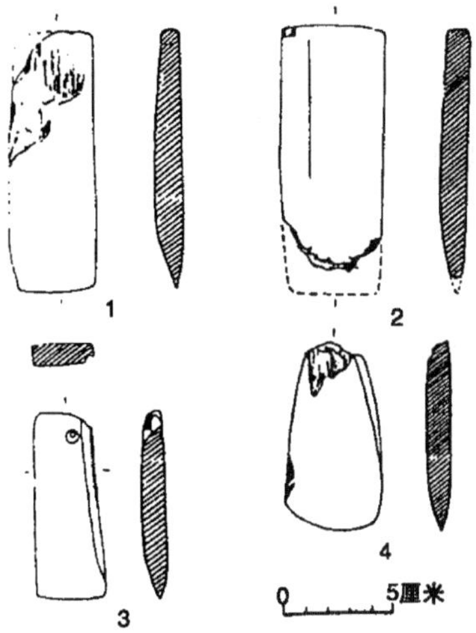

图1－4－5－5　征集的石、玉器
1、2. 石锛　3. 玉锛　4. 石锛

当然，较之旧石器时代和中石器时代，新石器时代的生产力可以说得到了空前的发展。（1）此时有了磨制石器，在西藏的卡若、林芝、墨脱、曲贡遗址均有发现，尤以磨制的石斧、石锛为多，同时有了磨制的骨器，骨针、骨匕、骨锥等，在人们的生产和生活中发挥着重要作用。（2）此时已广泛地使用陶器，陶器的制造是人类在物质文化发展史上的一个重要创造，这一创造也推动了艺术的向前发展——雕塑、雕刻、绘画在同一陶器上出现，也通过造型、线条、色彩诸形式反映了先民的原始信仰。（3）此时有了农业文明，出现了畜牧业，人类开始由靠自然界获得天然食物和产品，转向利用自然界，通过劳动获得食品和产品，在卡若遗址中就发现了粟种。人类文明终于登上了一个新的台阶。

这一时期原始人的文学活动也得到进一步繁荣，创造了灿烂的神话传说，进入父系部落社会的军事民主制时期后，产生了著名的长篇英雄史诗《格萨尔王传》。同时原始信仰及其形式也得到进一步发展，在丧葬、婚姻诸方面已携带浓重的宗教色彩。

第五章 陶器文化

陶器的发明是原始人类在与自然界斗争中取得的重大创造性成果。虽然这一成果只是将黏土调和成泥，做成器皿烧制而得，但在日常生活中起着非常重要的作用。人们可以用它煮熟食物，贮存粮食和水等，有些陶器产品能直接运用于生产。定居和农耕是陶器产生的必要条件。土耳其沙塔尔·休于遗址发现了公元前6500年的陶器，可见人类使用陶器的历史十分漫长。

藏族先民制造陶器的时间很难估计，在前文介绍的诸多新石器时代遗址中基本都有陶器发现。

第一节 昌都陶器

一、卡若遗址陶器

卡若遗址出土的陶器基本都已破碎，能看出器形的主要有罐、钵、盆三种。

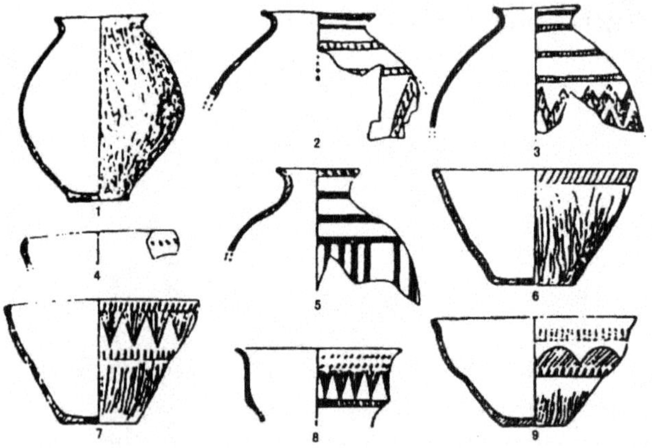

图1－5－1－1 陶器

1. Ⅰ式Ⅰ型陶罐 2. Ⅰ式Ⅱ型陶罐 3. Ⅰ式Ⅲ型陶罐 4. Ⅰ式陶钵
5. Ⅱ式陶罐 6. Ⅱ式陶钵 7. Ⅰ式Ⅰ型陶盆 8. Ⅰ式Ⅱ型陶盆 9. Ⅱ式陶盆

图 1－5－1－2　Ⅱ式陶罐

1. 罐　Ⅰ式有三型，Ⅰ型 1 件，侈口尖唇，短颈深腹，平底，口径 11.6 厘米、底径 7.8 厘米、高 23.8 厘米、胎厚 0.6 厘米，器身绘有粗绳纹，用夹砂红陶制作，近口沿处有穿孔两个（图 1－5－1－1：1）；Ⅱ型 1 件，侈口卷沿，短颈鼓腹，底部不存，口径 20 厘米，胎厚 0.6 厘米，器身饰有压印纹、附加堆纹、刻划纹及几何纹，陶器质地为夹砂红陶（图 1－5－1－1：2）；Ⅲ型 1 件，侈口卷沿，颈短，深鼓腹，口径 10.9 厘米、胎厚 0.6 厘米，器身饰有附加堆纹、刻划纹、竖几何纹和夹砂红陶（图 1－5－1－1：3）。Ⅱ式两件，侈口卷沿，长颈，深鼓腹（图 1－5－1－1：5、图 1－5－1－2），口径 11.2 厘米、胎厚 0.6 厘米，器身饰附加堆纹、刻划纹、平行几何纹，质地为夹砂红陶。

图 1－5－1－3　Ⅱ式陶钵

2. 钵　有二式，Ⅰ式一件，敛口，口径 26.6 厘米、胎厚 0.6 厘米，直口沿与器身相接处饰有一周压印纹，泥质黑陶，表面磨光（图 1－5－1－1：4）。Ⅱ式一件，敞口，口径 17.4 厘米、底径 7 厘米、高 9.8 厘米、胎厚 0.5 厘米。平沿，腹部斜直向下，小平底，器身饰有篮纹，泥质红陶（图 1－5－1－3）。

3. 盆　有二式，Ⅰ式Ⅰ型一件，敛口平沿，腹下部斜直到底，上部向内稍敛，小平底，口径 25.6 厘米、底径 10 厘米、高 15.5 厘米、胎厚 0.7 厘米，盆有刻划纹、附加堆纹、几何形竖折纹、粗绳纹（图 1－5－1－1：7）；Ⅱ型一件，敞口折腹，底已不存，口径 29 厘米、胎厚 0.6 厘米，器身饰有压印纹、几何形竖折纹、锥刺纹等（图 1－5－1－1：8）。Ⅱ式两件，敞口，口径 29 厘米、胎厚 0.6 厘米、底径 8.4 厘米、高 14.3 厘米，卷沿，腹上部略凸，下部内收，斜弧到底，小平底，器身饰有锥刺纹、刻划窠心纹、粗绳纹等（图 1－5－1－1：9）。

从陶片内部留下的痕迹可以看出，卡若遗址的陶器都是徒手制作，多用泥条盘筑法、手捏法或模制法。陶器质地主要为夹砂陶，可分夹粗砂和夹细砂两种，泥质较少。陶色有红、黑、灰三种。从遗址开掘的层次看，第二层以灰陶为多，第三层以红陶为多。红陶火候较高，片硬度大。“陶器的纹饰丰富多样，各文化层均以刻划纹为主，图案多为几何形、三角形、圆形或带形，刻划纹多分布在器物的腹部，附加堆纹多分布在器物的肩部和口径部，一般为条状，粗、细绳纹多在器物的底腹部，其次还有锥刺纹、圆点纹、圆圈纹（图 1－5－1－4）。陶器的器形简单，制作粗糙，均为小平底。”①

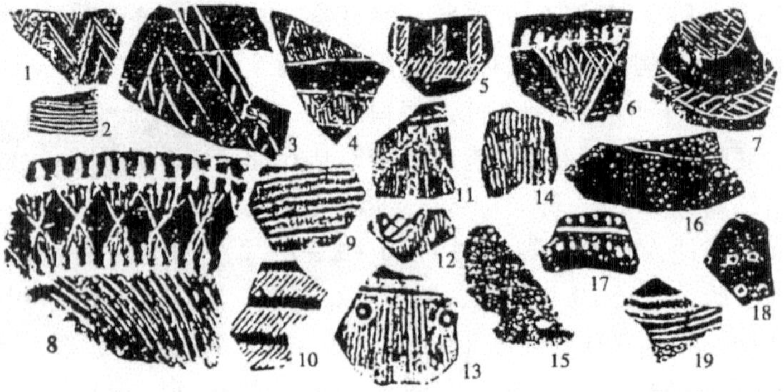

图 1－5－1－4
1—7. 几何形刻划纹 8—12. 附加堆纹 13、14. 粗绳纹
15. 细纹 16、17. 锥刺纹 18、19. 圆圈纹

陶器制品中还发现几件陶纺轮，在一个罐的底部还有织物的印痕，每平方厘米范围内各有经纬线 8 根，推测当时可能有简陋的织物存在。奇怪的是处于澜沧江边上的卡若遗址中却没有渔网坠、鱼钩等捕鱼用具出现，而林芝等处的遗址中却有渔网坠出现，是否可判定分居两地的先民一禁鱼一吃鱼？而这些禁忌与今日许多藏区仍不吃鱼的风俗有何联系，尚待我们进一步考证。

卡若出土的这些手制夹砂陶器，均为小平底器，其纹饰比较丰富，无论刻划纹、绳纹、附加堆纹、剔刺纹，还是压印纹、篦纹等均反映了当时陶器文化的发展进程，尤其是先在夹砂红陶上饰以刻划纹，然后加填黑彩，成折线三角纹和菱形纹的彩陶的发现，给我们提供了研究石器时代的明珠——彩陶文化的必要条件。因为原始人类的生产力发展水平、生产方式、思想意识，才是产生原始彩陶艺术的基本文化土壤。

二、小恩达遗址陶器

昌都县俄洛区小恩达遗址的发现进一步丰富了昌都地区的陶器文化。遗址共出土陶片 259 片，以灰陶为主，有相当数量的褐陶、磨光黑皮陶、红褐陶。其纹饰以刻划纹为主，有三角纹、平行直线纹、交叉直线纹、波

① 西藏自治区文物管理委员会：《西藏昌都卡若遗址试掘简报》，载《文物》，1979 年第 9 期。

折纹、弦纹，还有附加堆纹、锯齿纹、指甲纹、剔刺纹、压印纹、绳纹，纹样繁多。刻划纹一般在器物腹部和颈耳部，线条清晰；附加堆纹多饰于罐颈及罐颈肩交接处；锯齿纹多饰于器物的外唇口沿；指甲纹和压印纹多饰于盆的折腹部；剔刺纹多饰于罐颈、腹部；绳纹很少。

小恩达的陶器和卡若陶器一样，多为手制，个别经过慢轮修整，陶质细密，火候较高，可知当时制陶工艺已发展到较高水平。陶器中还发现了麦穗形剔刺纹、鸟纹、圈足碗、磨光黑皮陶等，别具特色。①

尤其是鸟纹的发现，很有价值。自从苏联藏学家罗列赫、意大利藏学家杜齐等对西藏饰物的研究提出有鹿、熊、鸟、马、猴等动物纹饰的饰物是伊朗（stagfzi）文化直接由贸易交流引进吐蕃的结果以来，不少研究者认为，藏民族中流布的动物装饰是中亚伊朗文化的辐射。一些同志也提出了不同的看法，很重要的一个方面就是传播的年代问题。

无疑，伊朗的一些艺术形式曾在藏区流传过，根敦群佩曾在《白史》中写道："彼时其他国家与西藏关系最多者，厥为'波斯'（ta-zig，即伊朗）等国。尔时波斯国中，非但盛行佛教，即哲理等学德，亦无能比较彼国者。故西藏之王臣，似皆学波斯之风俗。传说松赞干布以红绢缠头，披彩缎斗篷，著钩尖之革履等，亦皆同波斯之风俗。"② 松赞生活于公元7世纪上半叶，此时正是伊朗萨珊王朝（公元226～651年）统治时期，此时藏族与唐、伊朗（波斯）等贸易非常频繁，在衣饰上受伊朗影响，购进一些饰物、用具、刀剑等都是情理之中的事，就像丝绸之路源源不断地将中国的丝绸运向波斯、罗马等地一样。

然而动物纹饰的出现和使用对伊朗、对吐蕃来说都不是公元7世纪的事，在公元前550～前330年伊朗曾建立波斯帝国，此时藏区正是苯教活跃的时期。

著名苯教史学家噶尔梅·散旦博士说："把巨卵作为神和恶魔最初的起源，这是西藏苯教的一种相当独特的想法。"但他认为藏区的苯教受了祆教二元论思想的影响，"我不敢妄称对古代波斯的宗教有十分透彻的了解，从而能使我做出一个详细的对比性质的论述，但是可以肯定苯教是受伊朗宗教的二元论的影响，光明与黑暗，白与黑、善与恶，神与恶魔，世界的存在与不存在，创造与毁灭的二重性构成了苯教教义的基本内容之一，苯教为其他教派和自己的利益而举行的宗教仪式和典礼都是从二重性

① 根敦群佩：《白史》，西北民族学院研究所1981年铅印本，第10页。

② 参见本编第九章。

的角度考虑的。神能够战胜恶魔，善能战胜恶。”① 噶尔梅所说的袄教二元论对苯教的影响显然是佛教浸入藏族社会以前的事，那么，这个界该划在哪？袄教又称琐罗亚斯德教，是约生活于公元前7世纪至前6世纪的古波斯宗教的改革者琐罗亚斯德所创，萨珊王朝时奉为国教广为流传，7世纪中叶阿拉伯人征服波斯，推行伊斯兰教，袄教逐渐衰亡。是故袄教倘若对苯教有影响，也是在公元6世纪以前。6世纪时西域安西、焉耆、疏勒、于阗等地已信仰该教，同时也传入汉地，北魏、北齐、北周均有信奉，隋唐时已设袄祠，有袄教之火崇拜、日月星辰崇拜等风俗存在。汉地与波斯在公元2世纪就有贸易来往，从地理环境去考察，被认为是苯教发祥地的象雄，近克什米尔、波斯诸地，在袄教（伊朗文化的传播）的高潮期渐次浸染也在情理之中，但这一时间较早，其上限可能在公元前6世纪左右。令人惊奇的是这一时间与三个重大事件产生的时间大致相似：

甲、苯教徒认为的苯教始祖辛饶米沃且驻世的时间——公元前五百多年前，即许多苯教史书所谓辛饶与汉之孔子、印度之释迦牟尼为同一时期人，生活于公元前6世纪左右。

乙、藏区石棺葬的早期流传时间——“1. 墓上有用石板围绕的圆圈，其时代约为公元前7世纪至5世纪。2. 墓上有锥形石堆，其时代晚于前者。3. 墓周围有石圆圈，墓冢顶端有石堆，其时代为公元7世纪至8世纪，西藏的石丘墓相当于蒙古人民共和国及苏联阿尔泰区石丘墓中形制最原始的一种，这是我们推测其时代较早的唯一依据。”②

丙、铜器在藏区出土的最早时间。

即便这样，我们也不能就此推论，苯教、石棺葬和铜器是同时产生的或者同时由伊朗引进的。有一点可以证明，伊朗文化即便对藏民族有影响也只是公元前6世纪以后的事，那么古波斯的动物纹饰对藏人的影响也是公元前6世纪以后的事，距今2500年，为何小恩达遗址也会出现动物纹饰？小恩达遗址据碳-14测定为距今3775±80年，树轮校正为4125±100年，有4000年历史，那公元前6世纪以上的这1500年该如何认识？

艺术源于生活，任何时代、任何民族的审美活动都脱离不了这朴素的真理，当最初的画师们作画时，其表现对象离不开他们身边熟悉的事物——飞禽走兽，鸟虫花鱼，即他们也会不自觉地反映他们所处的时代的

① 噶尔梅著，向红笳译：《概述苯教的历史及教义》，《国外藏学研究译文集》（第十一辑），西藏人民出版社，1994年，第92页。

② 童恩正：《西藏考古综述》，载《文物》，1985年第3期。

生活。最初的藏人每天见到的无非是马、牛、羊这些动物，卡若遗址中有多种动物遗骨就是例证，那时的藏人已开始驯养这些动物。日土、藏北、都兰、刚察等地发现的岩画中同样多以牦牛、羊、狗、马、鹿等动物形象为主的狩猎牧放内容。源于生活的艺术，同样受生活约制，可以说藏人自古以来的生活有着产生动物纹饰的天然土壤。从艺术的继承性也是如此，多为牛羊等形象的原始岩画等艺术形式和内容对后期的艺术没有影响或者说后期的动物纹饰不汲取、继承前人的艺术成果和传统是不可能的，何况至今仍伴马牛羊为生的藏人，让他们从自己的艺术中（即生活中）抹去这些动物就如同从渔民的生活中抹掉鱼一样困难。

第二节　林芝陶器

一、林芝建司砖瓦厂陶器

林芝建司砖瓦厂（通常称林芝遗址）陶器无一件是可以复原成器的，原样如何，只能通过这些破碎的陶片拼凑联想。据林一璞等在《林芝人及其文化遗物》中介绍说，收集的18块陶片，都较破碎，难能复原成器。有1基本完好的口沿。残破的口沿有7块。残器耳1个。其余均为器体碎片。没有找到器底。个别器物呈褐色。有7块夹砂陶片原为灶器，表面被烟熏黑，内壁仍呈灰黄色。也有几块标本内外壁均呈黑色。陶片为泥制陶和夹砂粗陶两类，泥制陶中可见云母和蚌壳粉末等杂物；夹砂陶的羼和料主要是粗砂，其中石英粒最大直径为2厘米，一般在1毫米以下。陶器都是手制，器壁凹凸不平，厚薄不匀，唇部最厚为1.2厘米，腹部最薄仅0.28厘米，有些陶器可能经过慢轮修整（图1-5-2-1：4）。

从这些陶残片、残口沿推测，器物可能是两种罐：一为小口，一为敞口。

1. 以两件小口罐为例，一口径9厘米（图1-5-2-1：5），一复原口径为11厘米（图1-5-2-1：8），泥制、夹砂陶各一件，口沿外侈，外唇平无纹饰，小直径，由于肩部已残，难知原貌，小口径的标本仅存部分素面，另一件口沿外壁原有纹饰，后被抹平，存有残迹，纹饰或为绳纹或为篮纹，较难辨认。

2. 敞口广肩罐复原后口径为26~36厘米（图1-5-2-1：4、6、7），口沿厚平而外侈，饰有绳纹，部分绳纹为斜向拍印其上，亦有垂直的；一件口沿有垂直和斜的绳纹陶器的肩部和腹部的交接处有明显折角，折角为

120°～128°，肩宽而斜，并作特殊加工，即先在折角处拍印上篮纹，后于其上加泥条，旋向颈腹两边抹平，使颈腹交接处成三角形的突棱，失去纹饰。其举或为加固颈肩接合部，因为器壁厚 2.8～3.0 毫米，为口沿的 1/3 或 1/4，加厚的凸棱为 6 毫米（图 1－5－2－1：1），此类陶片外壁饰有篮纹和绳纹，有些有印纹后又抹去的现象。还有几块陶片，里外都有绳纹，器耳为灰色泥制陶，内部下部有细绳纹，曾被抹平。①

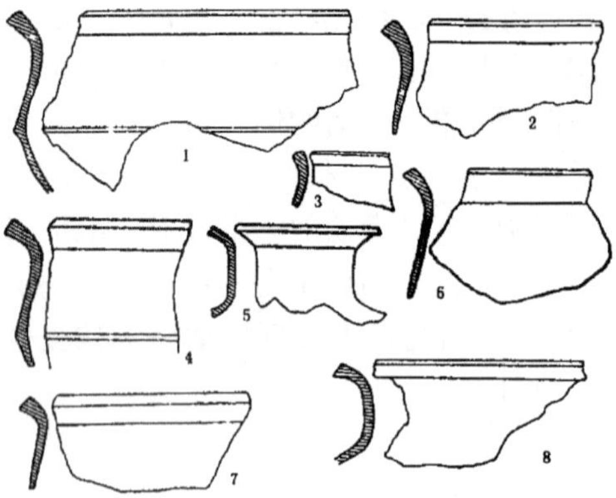

图 1－5－2－1 林芝人同层出土的陶片

林一璞等认为：林芝建司砖瓦厂采集的陶片，与林芝县红旗区云星公社一、二队西侧南坡等地新石器时期遗址出土的陶片基本一致，前者未曾报道的篮纹陶片，在西藏属首次发现。

二、林芝云星遗址陶器

云星遗址采集到的陶片，大致有泥制陶和夹砂陶两类。

1. 泥制陶的陶土或未经淘洗，内含细砂和云母屑，陶片数量少，质地亦稍粗，以褐色为主，红、黑陶少，黑陶表面磨光呈黑色，胎为褐色，与典型的黑陶颇一致，陶色较均匀，然不精细，为手制，纹饰仅见刻划纹一种，多数陶片为夹砂陶，羼有细

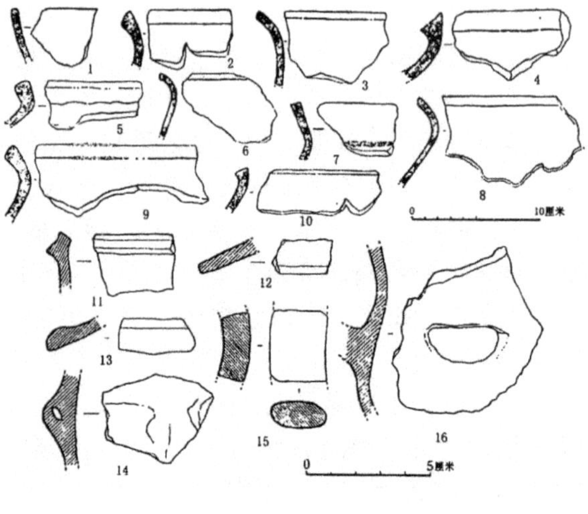

图 1－5－2－2 陶器

1－6、8—10、14、16. 为云星采集

7、11、13、15. 为居木采集 12. 为加拉马采集

① 林一璞、陈万勇、张森水：《林芝人及其文化遗物》，载《西藏古生物》第一分册，科学出版社，1980 年，第 66 页。

砂粒和云母屑，质地粗硬，器表闪闪有光。

2. 夹砂陶中绝大部分为褐陶，灰、红陶很少，褐陶多间杂红、灰色，为手制，器表皆经抹平，压印绳纹于器物颈部多为横向拍印，肩至腹部有竖、斜、交错拍印，个别尚有内壁拍印，另外有环绕器身一周或平行数周的附加尖脊宽带纹，由于出土陶片很碎，无法复原器形，就口沿残片判断，主要有碗（钵）、罐（瓮）、盖（盘）三类，碗为泥制陶，有圆唇和方唇两式（图1－5－2－2：1）；罐有直口、大口、外折或外卷沿、小口矮领和带耳罐五式（图1－5－2－2：2－6、6－10）；盖有圆、方唇两式，还有宽带拱形耳和钮式小器耳（图1－5－2－2：14、16）的陶残片，器底仅见平底。①

三、林芝居木遗址陶器

居木出土的陶片破碎严重，连口沿残片也较少，从器形、质料和纹饰看，和云星遗址的陶片特点大致相似，夹砂褐陶多，夹砂红、灰陶较少，泥制最少，为手制，可辨认的器形有罐（图1－5－2－2：7、11）、盖（图1－5－2－2：13）和器耳（图1－5－2－2：15）等，另外还采集到一件由夹砂褐陶片打制的圆陶片，直径5.3厘米。除绳纹、划纹和附加宽带纹与云星陶片相同外，居木还发现三角形镂孔。

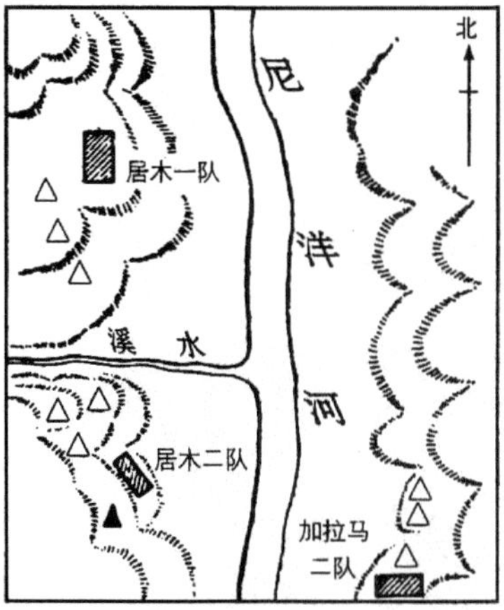

图1－5－2－3
居木遗址位置示意图

在邻近居木的加拉马地点采集到一些陶片。加拉马位于尼洋河东岸约2.5公里的山顶上，采集点在加拉马公社二队西南侧的山坡台地上（图1－5－2－3）。在地表采到夹砂褐陶罐、瓮、器盖口沿若干（图1－5－2－2：12）和宽带拱形器耳等。纹饰除云星、居木常见的绳纹外，在一直口罐的口部上缘见有压成的锯齿纹。

① 王恒杰：《西藏自治区林芝县发现的新石器时代遗址》，载《考古》，1975年第5期。

第三节 曲贡陶器①

曲贡村遗址出土、采集了大量陶片，其中夹砂灰褐陶最多，占48%；泥质灰褐陶次之，占18%；泥质磨光黑皮陶、夹砂磨光黑皮陶、夹细砂红褐陶、泥质褐陶分别占16%、5.4%、7.6%、5%。所见陶片多素面，表面磨光以泥质黑皮陶最为精细，光亮如黑釉。陶器纹饰以刻划纹为主，即有重菱纹、三角纹、波折纹、直线几何纹、平行直线纹、交叉直线纹等，饰于器腹者为多，少数刻划于领、耳部，如锥刺点纹多饰于罐、壶颈、腹交接处，或填入双色线刻划纹中；锯齿纹多饰于罐、壶口沿，弦纹则多见于高领壶之领部和罐的领腹交接处，三角形镂孔饰于豆柄者见多，个别则饰于器耳；附加堆纹很少，一见于罐的领腹交接处所饰之绳索状泥条弦纹，一见于器腹贴泥饼、泥条，从而修出浮雕效果的几何纹饰（图1－5－3－1）。

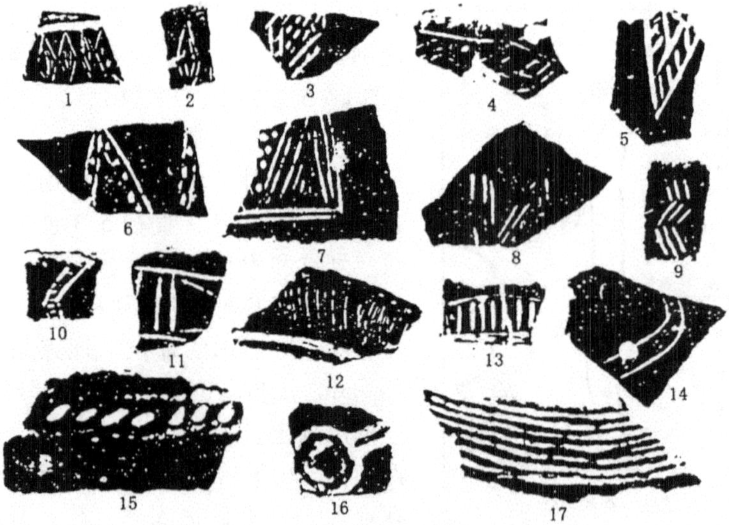

图1－5－3－1 曲贡村遗址陶器纹饰拓片

1－4. 重菱纹 5－8. 三角纹 9、10. 波折纹 11. 直线几何纹 12. 平行直线纹 13. 直线交叉纹 14. 蛇纹（?） 15. 绳索状附加堆纹 16. 几何形附加堆纹 17. 弦纹

曲贡器形以罐为主，有钵、碗、豆、壶等，均为手制，多见圜底

① 主要参考《拉萨曲贡村遗址调查试掘简报》，见《文物》，1985年第9期，图亦引自该文。

和圈足，器耳发达，火候高，坚实，个别器物有慢轮修整。

1. 罐　各种陶质、陶色均有，可分7种类型：

A型1件，口径29厘米，灰皮夹砂褐陶，斜直领，圆尖唇，圆肩，宽带耳，领部有斜线交叉纹，肩以下已残。

B型2件，高领圆唇侈沿，斜圆肩，领有不规则竖行划纹，一口径39.6厘米、腹部最大径51.1厘米，残高3.36厘米（图1－5－3－2：3），夹砂灰褐陶，领肩相交处饰数道刻划弦纹。一夹细砂磨光黑皮陶，残片，领肩相交处饰锥刺窝纹，唇饰锯齿纹（图1－5－3－2：2）。

C型2件，高直领，宽带耳，斜圆肩，鼓腹，圜底，一为夹细砂磨光黑皮陶，手制，外表磨光，有明显的竖向刮磨痕，唇残，口径16.2厘米、腹最大径22.8厘米、通高19厘米（图1－5－3－2：4）。一为泥质黄褐陶，残片，器表磨光，饰锯齿纹，宽带耳上刻三道波纹（图1－5－3－2：6）。

D型1件，口径14厘米、腹部最大径14.4厘米、通高12.6厘米（图

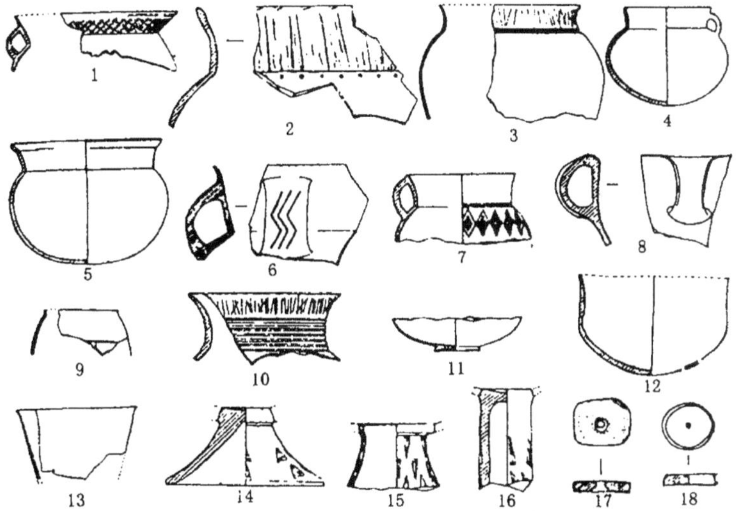

图1－5－3－2　曲贡村遗址陶器

1. A型罐　2、3. B型罐　4、6. C型罐　5. D型罐　7. E型罐　8. F型罐　9. G型罐　10. 壶　11. 碗　12. A型钵　13. B型钵　14、15. A型豆　16. B型豆　17、18. 穿孔陶片

1－5－3－2：5），泥质褐陶，陶色不均，外表磨光，斜领侈口方唇，鼓腹圜底。

E型1件，口径8.7厘米、残高7厘米（图1－5－3－2：7），泥质磨光黑皮陶，高领敞口圆尖唇，鼓腹，领腹交接处饰有两道凹弦纹，腹饰一

周连续重菱纹，有耳，耳上端与唇接，接处突出一小泥钉，下端连于腹上部，腹下残。

F型1件，泥质磨光黑皮陶，敞口侈沿，圆唇，耳上端与唇相连，下端连于腹部，腹壁厚3厘米（图1-5-3-2：8）。

G型1件，口径7厘米、残高4.4厘米、壁厚0.3厘米（图1-5-3-2：9），泥质磨光黑陶，敛口无领，直沿圆唇，腹微鼓，腹上部饰有暗弦纹加竖线纹，腹下部残。

2. 壶4件，皆残，侈口方唇，细高领，唇饰锯齿纹，领下部饰弦纹，领下部饰刻划竖线纹。有一口径14.4厘米、领高5.4厘米，领下残（图1-5-3-2：10）。

3. 碗1件，残高3.2厘米、圈足直径4.2厘米、器壁厚0.2厘米（图1-5-3-2：11），泥制磨光黑皮陶，上部残，腹下部圜弧，接矮圈足，器物外表打磨光亮。

4. 钵，A型3件，直腹圜底，沿微侈，口径14.4厘米、通高8.3厘米（图1-5-3-2：12），泥质磨光黑皮陶，手制加慢轮修整。B型1件，口径11.6厘米、高6.8厘米（图1-5-3-2：13），泥质磨光黑陶，尖唇沿微侈，斜直腹，圜底，底部残。

5. 豆，A型3件，豆盘残缺，豆柄呈喇叭口状，饰有三角形假镂孔，泥质磨光黑陶，豆柄底径7.5厘米、高3.8厘米（图1-5-3-2：14）。B型2件，豆盘及豆柄下端皆残，豆柄为细高圆筒状，外饰三角形假镂孔，有一柄外径为2.3厘米、残高5.4厘米（图1-5-3-2：16），手制泥质磨光黑陶。

6. 穿孔陶片2件，用陶器残片做成，一长2.4厘米、宽2厘米、孔外径0.7厘米（图1-5-3-2：17），泥质黑陶，呈长方形，周缘磨光，中有一孔，双面穿钻而成；一为圆形泥质灰陶，周边磨光，陶片直径2~2.2厘米，一面有未透之钻孔（图1-5-3-2：18）。

1. Ⅲ型陶罐

2. Ⅰ型豆柄

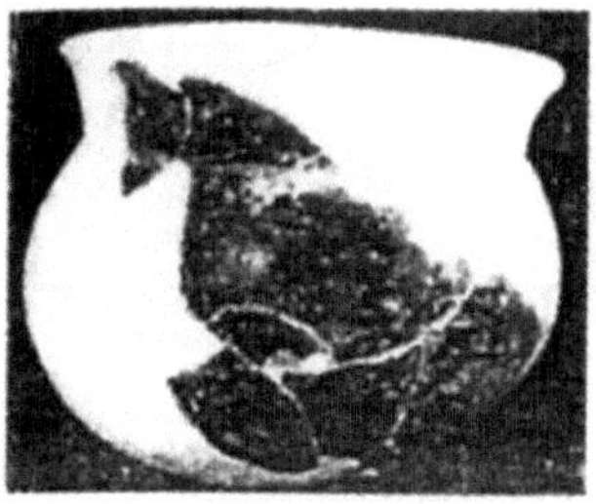

3. Ⅳ型陶罐

4. Ⅰ型陶钵

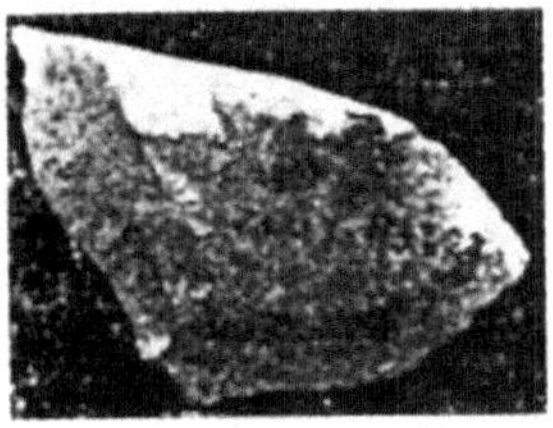

5. Ⅱ型弧刀刮器

6. （1）骨料　（2）骨针
（3）Ⅱ型骨锥　（4）Ⅰ型骨锥

图1－5－3－3　曲贡村遗址出土器物

第四节　石棺葬陶器

石棺葬陶器是指伴石棺葬出土的陶器。这种划分主要是想将这部分陶器与新石器时代的陶器从文化序列上予以区别。由于石棺文化的上限某些已超过3000年，当时的藏族社会仍处于原始氏族部落阶段，因而可归于原始文化范畴之内。诚然石棺文化经过了漫长的历史阶段，有些已进入奴隶社会，甚至封建社会，给我们的整体论述和介绍增加了许多甄别文化年代上的困难和内容。然而，扼要涉及石棺葬陶器，即便是一些后期的石棺陶器，对我们来说也是很古的事了，它们仍然贴近原始文化，从这些陶器上，也可见到西藏原始陶器的流传变异情况。关于石棺文化的具体内容，将在第八章“墓葬文化”中进行介绍。

一、澎波陶器

西藏澎波农场石棺墓中出土陶器7件（图1－5－4－1），均为夹砂粗红陶，火候很低。

四联罐1件，上叠一罐已残，下面3罐呈三角形，圆腹圜底卷口，每罐

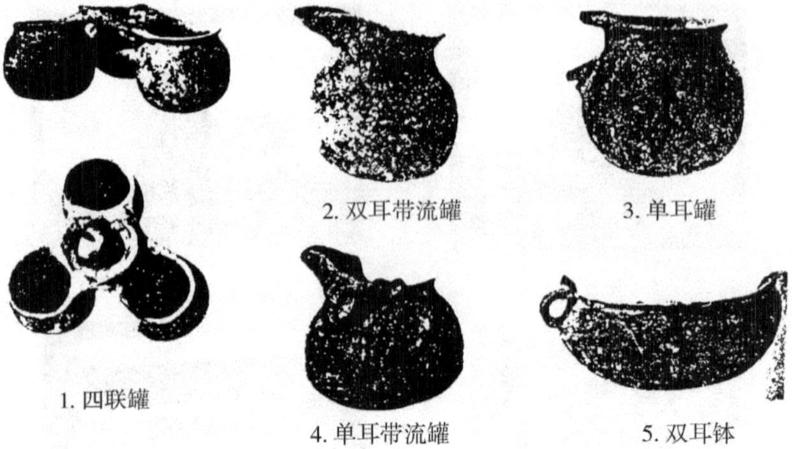

图 1－5－4－1　拉萨澎波农场出土的陶器

高 7.8 厘米、口径 8.5 厘米、腹径 10.3 厘米。

单耳带流罐 1 件，流口残，耳残缺，高 18 厘米、口径 10 厘米、腹径 13 厘米。

双耳带流罐 1 件，圜底，腹与一耳残缺，高 10.5 厘米、口径 8.5 厘米、腹径 12.5 厘米。

单耳罐 1 件，圜底，高 12.5 厘米、口径 8.7 厘米、腹径 11.5 厘米。

双耳钵 1 件，已残，圜底，口微外卷，口径 18 厘米。

盆 1 件，圜底，口径 19.1 厘米。①

澎波陶器的类型和制造形式（如四联罐等）比上述新石器文化遗址中的陶器类型要繁难，显然其文化时期和年代要较前者为近。

二、贡觉陶器

据《西藏贡觉县香贝石棺墓葬清理简报》报道，在贡觉已掘的五座墓葬中，共出土随葬陶器十数件，均出于墓 M_1、M_2、M_3 之中。器形有双耳、单耳、长颈罐及陶簋等四种类型。其质地分夹砂、泥质灰陶两种，手制，少数有慢轮修整，表面见陶衣，经磨光处理，颈腹部有刻划纹，少数涂有朱红色彩绘图案。

1. 双耳罐 6 件，分三种类型：

---

① 西藏自治区文物管理委员会：《西藏拉萨澎波农场洞坑清理简报》，载《考古》，1964 年第 5 期。

Ⅰ型3件，俯视口沿呈核桃形，鼓腹小平底，罐体略呈圆球状，一口径7厘米、高12.6厘米、短径4.5厘米、腹径12.3厘米、底径6厘米，双耳宽扁，自口沿接至腹部，耳外表纵向起脊，腹部刻有波折纹，底外及耳内可见毛织物印纹，器饰朱红色彩绘，图案漫漶不清（图1－5－4－2：4）。

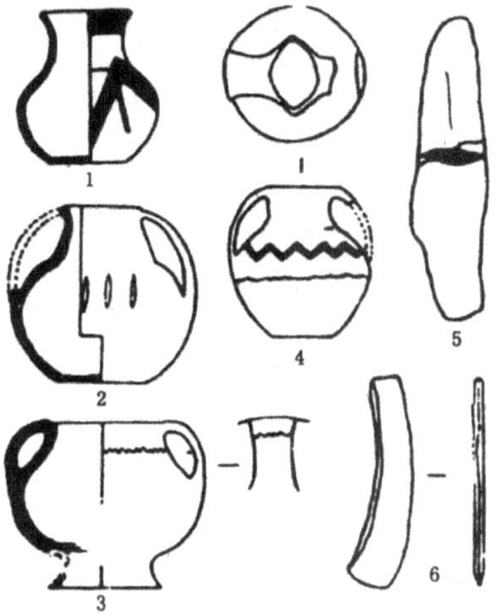

图1－5－4－2

1. 长颈罐　2. Ⅲ型双耳罐　3. 陶簋　4. Ⅰ型双耳罐　5、6. 铜刀

Ⅱ型2件，鼓腹侈唇小平底，罐体扁宽，M_1：1，口、腹、底径及高分别为7.3厘米、11.2厘米、6.3厘米、9.5厘米，双耳小且稍高于口沿，腹最大径近底部，肩饰刻划纹（图1－5－4－3：5）。

Ⅲ型1件，椭圆形口，斜颈广肩扁双耳，鼓腹小平底，腹部有两组竖向凸棱前后相对，每组三道，一耳残后经磨光处理，M_2：2，高、口沿长径、短、腹、底径分别为15厘米、6.5厘米、5.5厘米、15.5厘米、8.2厘米（图1－5－4－2：2）。

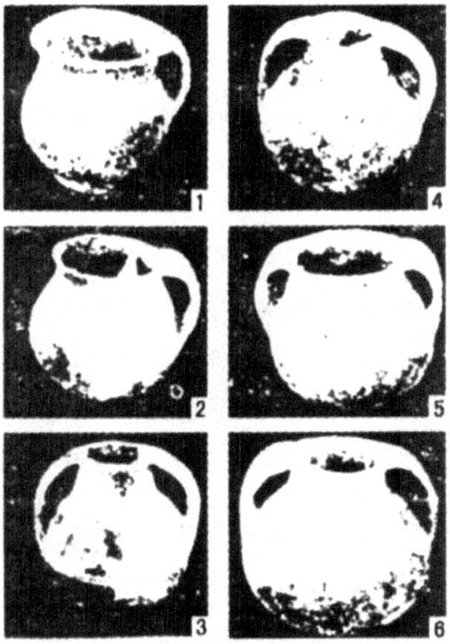

图1－5－4－3

1. Ⅰ型单耳罐　2. Ⅱ型单耳罐　3. Ⅰ型双耳罐　4. Ⅰ型双耳罐　5. Ⅱ型双耳罐　6. Ⅱ型双耳罐

2. 单耳罐3件，分二型：

Ⅰ型两件，侈口束颈小扁耳，鼓腹平底，标本M_4：2高及口、腹、底径分别为10厘米、7.8厘米、10厘米、5.4厘米，肩部饰两道平行刻划纹，内加三角刻划纹（图1－5－4－3：1）。

Ⅱ型一件，高及口、腹、底径分别为9.7厘米、7厘米、11.5厘米，小平底，鼓腹下坠，口沿微侈（图1－5－4－3：2）。

3. 长颈罐一件，喇叭口，长颈斜肩圆腹，小平底，口沿外和腹部有朱红色彩绘，为简单的宽线和波折纹图案，高、口、腹、底径分别为13厘米、7.2厘米、12.3厘米、6.5厘米（图1－5－4－2：1）。

4. 陶簋一件，高及口、腹、足径分别为 12 厘米、7 厘米、12.2 厘米、7.6 厘米，小双耳自口沿接于肩部，耳和颈部饰刻划纹，足圈腹圆，口沿略外侈（图 1－5－4－2：3）。

贡觉香贝石棺葬中出现了两件铜器，一为柄部、尾部为红铜，顶部为青铜，中间有焊接缝的双面刀，小刀总长 6.4 厘米，柄长 1.7 厘米、刃长 4.7 厘米、刃宽 1.5 厘米；一为尾部较窄，体呈圆弧形，刃在端的铜刻刀，长 4.5 厘米，刃、尾宽分别为 1 厘米、0.5 厘米。据此而论，香贝石棺葬出土的陶器不会太早，当然也不会太晚。我们在介绍新石器文化时已经谈到，那时的遗址中没有铜器，“香贝石棺墓中出土的I型双耳陶罐陶簋等与四川巴塘雅江石板墓中出土的I型双耳陶罐、陶簋①，及甘孜县吉里古龙墓葬所出土的Ⅲ型双耳陶罐、I型陶簋②基本一样，石棺的型制及单耳陶罐与吉里古龙墓葬的型制及单耳陶罐也基本相似。所以香贝区石棺墓葬的时代也与四川岷江上游石棺墓葬的时代相当，即在战国秦汉时期。”③ 尽管国家地震局地壳引力研究所的碳－14 测定结果与此不相符合④，但从石棺葬流布的整体情况看，我以为此说是有一定道理的。

三、德钦永芝、纳古的陶器

1. 永芝陶器

云南迪庆藏族自治州德钦县永芝石棺墓出土的陶器全为陶罐，完整的有 9 件，器形小，多附有单耳，也有无耳、三耳等型，为夹砂灰陶，手制，制作较粗糙。

（1）单耳罐 5 件，附耳多为扁平宽带形，一端附在罐口沿，另一端及腹部、肩腹部或有一带、两带花纹，标本 M_2：4 高 12 厘米、口径 7 厘米；M_2：5 高 9 厘米、口径 5 厘米。（图 1－5－4－4：1－3、7；图 1－5－4－5：4）

（2）三耳陶罐一件，三耳间距相等，颈部一带刻有花纹，高 12 厘米、口径 8 厘米（图 1－5－4－4：5）。制作方法与单耳罐相似。（3）单耳带流罐一件，钵形，耳带宽，短流，高 7 厘米、口径 8 厘米（图 1－5－4－4：4）。

---

① 童恩正、曾文琼：《四川巴塘、雅江的石板墓》，载《考古》，1981 年第 3 期。

② 陈德安、扎西次仁、张康林：《四川甘孜吉里古龙古墓葬》，载《考古》，1986 年第 1 期。

③ 西藏文管会文物普查队：《西藏贡觉县香贝石棺墓清理简报》，载《考古与文物》，1989 年第 6 期。

④ 国家地震局地壳引力研究所碳-14 实验室对石棺 M_2 人骨测定，T_1 为 1222 ± 42 年，T_2 为 1258 ± 42 年。

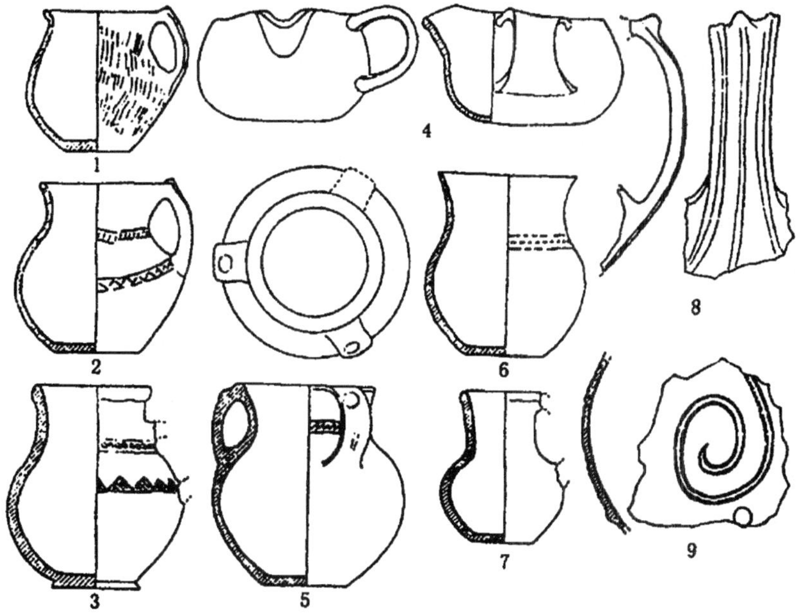

图 1－5－4－4

1-3、7. 单耳罐　4. 带流罐　5. 三耳罐　6. 无耳罐　8、9. 陶片

（4）无耳罐两件，高 10 厘米、口径 8 厘米（图 1－5－4－4：6），形状及制作方法与带耳罐相似。

2. 纳古陶器

德钦纳古石棺墓出土陶器 23 件，基本为泥质灰陶，也有部分黑衣，因火候不匀，杂橙红色。其中：

（1）双耳罐 20 件，器物有对称宽耳，部分耳与肩部饰划纹、剔点纹，图案有平行线、菱形等。可分三型：

Ⅰ型 4 件，其一圈足，高 12 厘米、口径 7.6 厘米、腹径 11.6 厘米，肩部饰平行线夹点纹组成的旋纹一周（图 1－5－4－5：2）。一腹部下垂，最大圈近底部，肩部和耳带饰菱形和点纹。

Ⅱ型 3 件，高领长鼓腹，可分二式：一式 2 件，高 27 厘米、口径 10 厘米、腹径 20 厘米，橙色，通体拍绳纹（图 1－5－4－5：8）。二式一件，高 13 厘米、口径 6.4 厘米、腹径 10 厘米，侈口束颈（图 1－5－4－5：6）。Ⅲ型 13 件，呈椭圆形，口小，颈部有由口至肩对称的两条突棱，皆为黑衣，

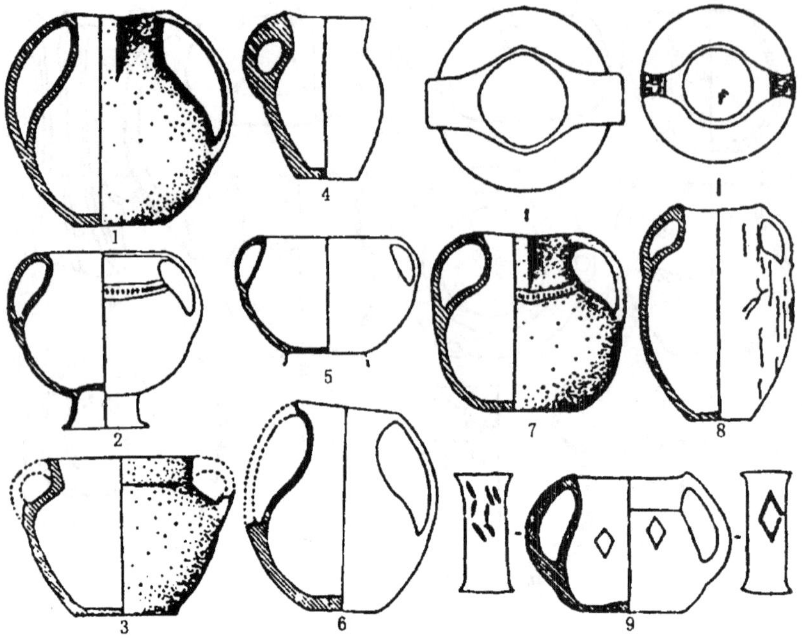

图 1－5－4－5 随葬陶器

1、7. Ⅲ型双耳罐 2、5. Ⅰ型 1 式双耳罐 3. Ⅰ型 2 式双耳罐 4. 单耳罐
6. Ⅱ型 2 式双耳罐 8. Ⅱ型 1 式双耳罐 9. Ⅰ型 3 式双耳罐

光滑，如图 1－5－4－5：7，肩部饰有平行线间夹点纹一周，高 11.2 厘米、口径 5.6 厘米、腹径 11.6 厘米。

（2）单耳罐两件，夹砂灰褐陶，厚胎，大口深腹平底，火候低，制造粗糙，一通体拍绳纹，高 10.2 厘米、口径 6.6 厘米、腹径 8.1 厘米（图 1－5－4－5：4）；一通高 9.9 厘米、口径 7.4 厘米、腹径 8.4 厘米。

（3）钵一件，高 7 厘米、口径 10.8 厘米、腹径 10.6 厘米，平底，侈口，曲腹。

除云南境内的石棺墓外，四川诸地也发现了不少，基本类型大体相当，故其陶器文化虽各具特点，亦多相近处，不在此赘述。

第六章　原始部落、婚姻

从旧石器、细石器到新石器，在漫长的流动的历史中，我们看到的只是古人类为了生存而研制的石器。在人类历史的长河中，石器文明并不亚于工业文明，它奠定了人类向更高的文明层次迈进的基础。

与石器文明相并足，人类在婚姻、家庭、部落制度诸方面也呈现出同层次状态。在四川省阿坝藏族羌族自治州流传的一则神话说，古时候洪水泛滥，淹没了田地、山川和人类，只有姐弟二人钻进牛皮筒中漂了七天七夜，水退了，他们活下来，结为夫妻，繁衍了人类。此类故事在其他民族中较常见，它反映了原始社会的“血缘内婚制”。

西藏高原“血缘内婚制”的绝对年代已很难考证。同样，我们要探索原始部落、原始婚姻形态是困难的，只能借助于以后的一些零零星星的材料，探微钩沉，甄别真伪，研究理论。

第一节　原始部落

洪水神话中所说的姐弟婚配的氏族内婚制，所见的资料十分有限，现代藏人的婚姻形式中已看不到这种遗迹了，而这一民族母系氏族部落的情状，却在历史的卷册上留下了投影。

汉籍中所谓东女国，是藏人的一支，隋（581 ~618 年）时生活于今昌都一带，从地域上看，可能与卡若文化有联系。他们以女人为王（君长），外官全是男性，内官全是女性，有数百人，号令全由女内官传达男官接受执行，每五天女王召集一次会议。女王死，请大小女王二人继位，或是姑死妇继，不篡权越位。从女国的疆域看并不算小，东西九日路程。南北二十日路程，可能这是一个由母系氏族部落为主发展起来的部落联盟，在生活及婚姻形式上仍然沿袭古习，轻男重女——女官有侍男，男官无侍女，一般女子均为家长，有几个丈夫，子女从母姓，男子的职责是耕种和战争。类似的风俗在藏区甚至延续到解放以前，加以女性为中心，女性当家，男人没有实际权力，主要责任是放牧、耕种田地、部落间发生战争（械斗等）时参加战斗。

《隋书》对苏毗的记载也相类似。

在进入历史时期以后，这种以女性为中心的母系氏族部落残余，仍偶尔见于史籍。如《敦煌本吐蕃历史文书》中说，吐蕃第七世王止贡赞普时，就如何上王名号，请教于老祖婆婆。以礼法在男性王权时代，给王上名号并不是小事，不抉择于王廷会议，却让老祖婆婆裁定，足以说明女性在朝纲中的地位，“老祖婆婆问：‘几地方之扎玛岩坍塌了没有？当地方之母牦牛草场被火焚烧了没有？登列维尔湖水干涸了没有？’人们回答：‘岩未坍，湖未干，草场亦未被焚。’当时老祖婆婆年事高迈，耳患重听，错听成‘岩已坍塌，草场焚毁，湖水干涸’，于是说‘将死于刀下水中，就取名为止贡赞普吧！’”上了王的名号。①

整体而言，母系氏族部落是一种社会形态而不仅仅是一种婚姻形态。从上述情况可知，藏族先民曾经过的这种母系氏族社会，在部分地区可能保留到隋唐时期，发展成为以女性为主体的部落政权系统，女国之以女性为王，以男性为外官以女性为内官，号令实施，正是这种女性政权的基本结构，而这种政权生存的基础《隋书·西域·女国》称“贵妇人，轻丈夫”。整个社会以女性为中心，议事则通过部落联盟，如“其女王死，国中厚敛金钱，求死者族中之贤女二人，一为女王，次为小王”，实际上是一种民间的民主的推选过程，而由一正一副二人共掌国事，这与易洛魁人的氏族相仿佛，易洛魁人的氏族联盟有两个具有平等职能和平等权力的最高军事首领。

隋唐时尚有母系社会遗迹，这完全是由藏族社会发展的不平衡性决定的。俟之公元7世纪吐蕃王朝逐渐强盛，兼并青藏高原诸部落，一些母系氏族部落政权相继消亡，不复存在，但这不意味着这种观念和风习的彻底消失。一直到解放前，许多偏远牧区的家庭和家族中仍然以女人为中心。

父系氏族社会遗风在藏区保留较多，集中体现在藏人所说的“骨系”（རུས་པ།）上。有三种形式：一是属于父系氏族性质的纯粹的血缘关系；二是一种远缘亲属关系为主的部落联盟关系；三是以某一部落（父系氏族结合体）为中心的部落联盟。这三种形式也可以说是藏族部落社会的基本特点。

生活于部落社会的成员，基本都知道每个氏族的“骨系”情况，不仅是政治和经济上联系的需要，更重要的是婚姻上的联系需要，因为每个

---

① 王尧、陈践译注：《敦煌本吐蕃历史文书》，民族出版社，1980年，第122页。

“骨系”所继承的“骨头”的高低贵贱是不同的。尤其藏民族进入封建社会以后，除一些小部落外，属于纯粹的血缘关系的部落已不多见，但在婚姻关系上其表现却十分严格而顽强。只要属于同一骨系，绝对禁止通婚和两性行为。倘若同一骨系的人发生婚姻关系或两性关系，都被认为是天下最大的丑恶。认为这种人踏过的草会干枯；跨过的水脏，不能喝；生出的孩子会长尾巴，发生这种事就会遭雪灾，天就会降下灾难。社会上最低贱的人是打猎的人，吃雪猪的人，而与同一骨系的人发生两性关系的人，比那些吃雪猪的人还脏、还贱，他们吃过的碗别人不端，别人吃饭的碗禁止他们去动。这些主要是舆论惩罚，一些强硬的部落对发生这种事的人会活活打死，或者在额头上盖一“狗”（ཁྱི།）字火印，赶出部落。

汉族讲五服（斩衰、齐衰、大功、小功、缌麻），五服以内的亲属是同族中最亲的亲属；五服以外，虽为亲属，可以有婚姻关系。而藏区部落中只要属于同一骨系，不管十代八代二十代，绝对禁止通婚和发生两性关系，婚姻往往是在两个不同骨系的部落间进行。即便是姑表、舅表、姨表也限制极严，说九代或七代之后方可亲上加亲，理由是过了七代或者九代，亲属血缘由于换来换去已经十分淡薄了，不如父系血亲骨系那样绝对严格。如七代的算法：第一代从心算，心同，第二代肩关节相同，第三代退到肘关节相同，第四代手腕关节相同，第五代手指和掌相连的关节相同，第六代手指第二道关节相同，第七代退到手指最后一关节，到了第八代失去相同处，即可以进行婚姻和两性关系。

这一点跟《后汉书·西羌传》中所记载的一段资料十分接近：

> 河关之西南羌地是也，滨于赐支，至乎河首，绵地千里，所居无常，依随水草，地少五谷，以产牧为业。其俗氏族无定，或以父名母姓为种号。十二世后相与婚姻，父没则妻后母，兄亡则纳嫠嫂，故国无鳏寡，种类繁炽，不立君臣，无相长一，强则分种为酋豪，弱则为人附落。更相抄暴，以力为雄，杀人偿死，无他禁令。①

羌人与藏人究竟有何关系，我们将在下文介绍。而这段话告诉我们，当时居住于今甘肃一带的羌人部落以游牧为主，“其俗氏族无定”是讲没有确立父系氏族，“以父名母姓为种号”则是说当时的羌人处于母系氏族

① 范晔：《后汉书》卷八十七，中华书局，1965年，第10册，第2869页。

向父系氏族过渡阶段，既用父名又用母姓，尚无规正。“十二世后相与婚姻”是说相隔十二代后（不知是从母算还是从父算）就可以互通婚姻，这与藏族所谓九代、七代后可以通婚的观念是一致的。这也进一步说明父系氏族尚未确立，而母系氏族已在解体的这种变革过程的特点，氏族外婚，禁止内婚的这一本质特点遭到根本撞击。“父没则妻后母，兄亡则纳釐嫂”，说明当时群婚残余形式仍然存在。“强则分种为豪酋”说明当时部落和部落联盟的形式已经出现，不过十分脆弱。“杀人偿死，无他禁令”或说当时仍有血亲复仇。

敦煌文献亦载有此种血亲复仇情形：

> 及至牛年（公元653年）……于多思麻，甘·墀桑介达为仇敌所杀，从而复仇也。

又如敦煌文献《狩猎伤人赔偿律》载：

> “大藏”本人和红铜告身者子孙外，父系家族以内无告身诸人和继母、儿媳、亲媵、未婚之妹及王室家臣之一武士，尚论和百姓之耕奴、岸本之助手等男女，被狩猎者射中，赔命价相同。这些命价相同之人，被大尚论或与之命价相同者以下，红铜告身及命价相同者以上之人狩猎射中，无论身亡与否，放箭人起誓非因挟仇有意伤害，可由十二名担保人连同本人十三人共同起誓。若誓词属实，其处置与《对仇敌之律》同，查明实情，中箭人身亡，则赔三百两，由受害人和告密人平分，若无告密人，一百五十两全归受害人，命价若缺一两，哪怕伤人者是尚论也要处死。①

我想吐蕃法制文献中记载的这些律例是具有实际效果的，它反映的是原始血亲复仇观念，只是上升到成文的法律罢了。“命价若缺一两，哪怕伤人者是尚论也要处死。”我以为这是可信的。直至1949年以前，偏远牧区仍采用这种民间习惯法，杀人偿命；若不能偿命，就偿相应命价。部落间的血亲复仇的命价由整个部落偿还，其价码动辄就是上百头牛、数百两银，一个命价若摊在一个小部落头上，甚至会使整个部落倾家荡产。

---

① 王尧、陈践译注：《敦煌吐蕃文献选》，四川民族出版社，1983年版，第21－23页。

随着时代的发展，纯属一个骨系的地域越来越少，那种同骨系青年相恋的故事也越来越少，但传统的这种观念是难以马上消失的，抑或在今天有一双同骨系的青年男女相恋，也同样会受到社会舆论的强烈谴责。

在远缘亲属关系为主的部落联盟中，往往夹杂了其他骨系、其他部落成员，形成较大一点的部落联盟。实质上这种部落在藏区占相当比重，联盟的一个主要骨系是其核心和纽带。如川西北的麦洼部落，其主体骨系是阿虚骨系，从第一位男性祖先阿虚加开始下传：阿虚加——阿虚普巴加——阿虚更勒——阿虚喇嘛加——阿虚匣甲塔——阿虚丹珍亚——阿虚然灯——阿虚更罗——阿虚翁庆——阿虚葛多——阿虚呷桑根——阿虚仁真邓珠，据说有六七百年历史，而从系谱看，最多不过五百年。阿虚骨系为主的麦洼部落经过数百年的繁衍发展，具有一定势力，故称为阿虚色达。

根据后期的部落形态看，由多个骨系组成的部落联盟也是不少的，他们有合有分，已由血缘骨系演变为地缘组织，在维护本部落的利益（部落械斗等）方面发挥着重要作用。

无论何种形式的部落，从我们在藏区调查中所了解到的情况和阅读到的一些资料看，它们仍然保留着原始部落的一些特点；有部落会议和部落联盟会议，行使选举头人的职权，即便是有世袭名号的头人，也要在部落会议上选举通过，取得合法地位；决定草场和人畜安全的重大械斗事件，部落的利益高于一切，只要有非常事件发生，部落的男女老少都要为本部落的利益英勇奋斗，不惜牺牲自己的一切；主持安排举行一些重大的（如赛马会、祭祀神山）活动。

作为国家出现后一种残留的社会结构，藏区的部落制度带有特殊性。就部落头人而言，大的头人有可能是委派的，如1951年前的西藏地区有些头人是受噶厦政府管辖的有世系权力的贵族，甘、青、川、滇藏区自明以来许多大头人被政府封为土司等，霸持一方。而中小部落的头人往往通过选举或由更大的头人委派，因为头人在部落中有举足重轻的位置，在“和平时期”他要处理部落的日常政教事务，调解各种民事纠纷和更小部落之间的草山纠纷、冲突等；一旦发生战争——主要是部落间的械斗，他便主持军务，带领部众冲锋陷阵，以保卫本部落的草场牛羊和人民的生命财产。部落械斗在1949年以前的漫长岁月中是十分频繁的，因此也就突出了部落头人的军事才能的重要性，集中于两点：一为智慧，要机智多谋；二要勇敢，不怕牺牲。一些地区还残留着一种考验头人的古老手段，即部落会议物色好头人以后，这位即将升任的新头人要组织一次对外部落的抢劫

（其原则一般是“只伤物不伤人”——抢物不杀人）。抢劫中的策略如何，新头人的勇敢程度如何，决定着他能不能当选。假如他畏敌怯懦，无勇无谋，就会被取消资格。甚至一些比较显眼的世袭土司，也采用这种方法，当新土司上任前，也要进行一次类似的抢劫活动，意思是不如此难以服众，一些部落会议的代表就会质问他：“雪山是靠它的高大明亮屹立于众人面前，你用什么？把你的本事拿出来让大家看看！”部落会议的代表发难，或头人或土司就会在部众中失去威信，甚至失去地位。

就整体而言，藏区部落，牧区较农区为重，原始的纯血缘纽带已被打破，成为一种具有远缘亲属关系的地缘组织，从形态和性质看，是原始氏族公社向阶级社会过渡的产物。自此，我们也可以看到史前时期藏族部落社会的一些基本状态。

第二节　原始婚姻

关于原始婚姻，我们可以从藏区遗存很晚的部分婚姻古俗中获得一些材料，尽管这些材料是有限的，但却十分珍贵，它给我们提供了原始藏人的婚姻形式。值得强调的是，今天的藏人主要是一夫一妻制——这种婚姻制度至迟在松赞干布时代就开始了，现在某些介绍西藏婚姻的文章以偏概全，大讲特讲藏人的“一妻多夫”婚姻现象，致使许多不明真相的读者以为藏区至今还普遍存在“一妻多夫”等奇特婚姻，这是大错特错的。

现在藏族婚姻中最典型的原始婚姻是一妻多夫现象。主要遗存于个别偏远地方的这种婚姻，主要有两种类型：一是朋友共妻，藏语称“朋加”，即原为朋友的两位男性，成为一个妻子的丈夫；一是兄弟共妻。

朋友共妻现象大多是主人早有妻子，又来一个人与主妇发生关系，但又与主人关系很好，造成事实上的共妻现象。造成这种现象的主要原因是该家庭缺乏劳动力，或后者人好、有财产，可以共同治理家庭。“朋加”的意思就是原来有一人骑马上，后面又骑了一个人，对这种既成事实的婚姻，家庭和社会并不赞扬，只是一般默认，认为如此可以缓解该家庭在经济方面的困难，后面来的男人不举行婚礼。

兄弟共妻是兄弟二人共娶一个妻子，婚礼一般由年长者参加，在同一家庭劳动生活，久而久之，造成事实的兄弟共妻现象。这种家庭生的孩子，一般称兄长为父，弟弟为叔。兄弟共妻，社会舆论认为有好处，如此，不分家，财产不分散；劳动力不分散，若兄经商，弟务牧务农，妻主家务，干什么的都有，可以发家致富。再则认为兄弟一母所生，生一起长一起，是好事。兄弟共妻的关键是妻子，妻子对诸夫公正无偏，就可和睦相处。

结合极个别的姐妹共夫现象考察，一妻多夫现象可能是藏人对偶婚时期的残余。它与云南永宁纳西族的阿注婚姻不同。阿注婚姻以母系家庭为主体，只要女阿注情愿，男阿注可以到女阿注家去过夜，第二天再返回自己家里干自己的营生。阿注关系可以是长期的也可以是短期的，有的是“一夜夫妻”，有的是“几夜夫妻”，旧去新补，生了孩子均在女阿注家，男阿注一般没有抚养义务，而藏区的一妻多夫婚姻与同样在藏区存在的一夫多妻婚姻一样是固定的，合与离均受到一定限制，不那么自由。大约那种较自由的婚姻，至今残留在藏区的要数戴天头的风俗。戴天头的风俗从现今来看主要有两个含义：一是一个到了十五岁的姑娘要戴头——换头面，将原来姑娘的头面换成妇人的头面，意思是姑娘长大了，可以嫁人了，如同汉族所谓及笄；二是戴天头具有婚配意义，即无偶单婚，指天为婚，或以一器物（如木桶、马鞭子）为婚配对象。自此以后姑娘可以交男朋友，性生活较为自由。在这期间生养孩子，归母亲抚养，姓母姓，男子不负任何养育义务，社会舆论对戴天头后生养孩子的女性并不谴责，对其子女也不加歧视。由于不知生父或知其生父而不相认，戴天头后生养的子女就不存在父系支系问题，无叔、伯、父之族亲称呼，而对自己舅父的称呼如同明媒正娶的女性的子女一样；仍取母姓，实际上仍然属于母系家庭成员，其经济形式仍然是“共产制的家庭经济”，假如这个已生有子女的女性的母亲也同女儿一样以戴天头的方式生活，那么，这家的一切劳动、生活安排均由老太婆支配、指派，劳动所得按份子的形式分给每个家庭成员；每个家庭成员，无论是能劳动的还是不能劳动的都享有等同的继承权，假如这个生有孩子的女性的母亲是明媒正娶而来，依附于丈夫，那么在观念上其女及其孩子，其子及其孩子均为一家人，无有厚薄，享受同等继承权。但这种家庭中生有孩子的女性大多难以久留，总要让其自立门户，其所得的财产一般和她的兄弟们是一样的，许多有这种经历的女性大多在以后的婚姻生活中找到适当的伴侣而自撑家门，不依赖于父母。

从对偶婚家庭向一夫一妻制家庭、从母权制向父权制、从妻居向从夫居的过渡，仍然经过了漫长的历史过程。藏区的较一般民族多见的赘婿，可能就是母系氏族实行氏族外婚，一氏族的男人必须到另一氏族选择配偶的反映。现在一些藏区仍然采取这样一种方式，即某家有三男一女，这三男都让他们去其他部落赘婿，其他部落的男子再来这家赘婿。这与男方由于生活窘迫，无力娶妻，而去当上门女婿的情况截然不同。前者是一种原始婚姻遗风，后者就不能归入其中了；前者被认为是好事，后者对男方而言是件无奈何的不光彩的事。根据婚后的情况看，藏区的上门女婿与女方家的兄弟姐妹在经济上享有同等权力，并不歧视偏看，而当作自己家庭的当然成员看待。据《四川阿坝藏族羌族自治州社会历史调查》记载，一叫唐克的牧区 63 户人家，入赘 9 户，占总户数的 14.3%；松潘下尼巴寨 21 户人家，入赘 8 户，占总户数的 38%，由此可见入赘在藏区的实行程度。

不知早期藏族的氏族外婚中，“入赘”男性在新一氏族中的地位如何，而今天的这种入赘有两种情况值得一提：一是男方入赘后，要更名换姓，即整体地成为这新一部落（家庭）的人，对这家庭来说他“姓亲人不亲”，最终于第二三代，姓与人都“亲”了；入赘男子对自己的家庭、部落已为“人亲姓不亲”，即以血缘关系论很亲，以姓氏论他已不是这个家庭（部落、家族）的成员，甚至说与这个家庭、部落已毫无关系。凡有更名换姓的必须换口，称妻的父母为“阿爸”、“阿妈”，不能以“叔”、“婶”相称。第二种情况是入赘不换姓，女婿可以称岳父母为“叔叔”、“婶婶”。其家庭地位、经济地位等与第一种情况完全一样。

即便是较早进入封建社会的安多一些藏区，在婚姻礼俗中仍然保留着从妻居痕迹。比如，在我的家乡，出嫁姑娘第一次回娘家的时间越早越好，倘若男方婚礼要举行三天，最好是第三天姑娘就回娘家。回头回娘家时，新郎和新娘可以从容地在娘家住上几天，拜认女方的亲戚。许多男女的新婚之夜也可能始于这个时候，因为在男方婚宴期间新郎和新娘并不同住一室，度新婚之夜，而此一时候新郎有时是回避的，新娘由一送亲的女人（一般是姑娘的姑或姨）陪睡。

随着生产力水平的不断提高，驯养动物成为家畜，最初的牧业在发展，农业在发展，男性越来越多地承担着繁重的生产劳动，从创造、积累财富，逐渐掌握财富，他们在经济生活中的地位不断上升。同时随着剩余财富的出现，以掠夺为目的的部落战争便产生了。而打仗依旧是男人的事，打仗所得收获——财物和俘虏（最初的奴隶）也归男人所有。男性地位的变化，自然地要反映在婚姻形式上，即作为子女，在确知自己的生身母亲之外，确立了自己真正的父亲，继承父亲遗产的不再是父亲之母系系统，而是父亲之父系系统了。婚姻居住的男嫁女、从妻居也演变为女嫁男，从夫居。抢婚的出现可能就在此一时期。

藏区的抢婚，据我在青海藏区工作时所见所闻，可概称为“古法新意”。所谓“古法”就是从手段采取“抢”；所谓“新意”就是这种“古法”所运载的目的与“古意”大相径庭，而含新的意义了。如一对男女相爱，或女方家长已将姑娘许配另一家人，或女方家长根本看不上姑娘的恋人和他的家庭，如此进入僵局。此种情况姑娘若软弱无主见，也便就此罢休；若姑娘铁心与小伙子结合，白头偕老，在草原上常见有两种方法解决：一是男女相约逃往他乡；一是抢婚。显然，在无抢婚为犯法的律令（民间俗法）下，抢婚自然为上策。抢婚之举一般在晚上进行，姑娘亲自充当“内奸”，白日不露声色地将消息透露于男方，自己简单准备好所要带走的衣物首饰。到了夜晚，埋伏好的小伙子部落的一二十个精壮汉子，将悄悄溜出门的姑娘接回家中。临行时，姑娘的被子和睡处要搭一条哈达，一见到这条哈达，女方家长马上明白发生了什么事。那一二十个精壮小伙子就是准备对付女方家若及时得知姑娘被抢，组织“反抢婚”。有时会发生严重的械斗事件，但礼俗规定女方的人不允许闯入男方家中抢人。过了一夜，生米作成熟饭。第二天，男方家一面请人携重礼到女方家中谈如何妥善处理此事，一面设婚宴（大多事先有准备）招待宾客。女方家若可以顺势下台阶，则可言归于好；若执拗不睬，就此中断与姑娘的关系。抢婚中起重要作用的是男女双方部落和家族的（家庭）的实力。若女方势力雄厚，强于男方，男方则不敢轻易造次。

我在云南迪庆藏区搞社会调查时发现，这儿1949年前有一种可称得上真正抢婚的风俗，即在一部落对其他部落或地区的掠夺中，同时抢劫女人。这种抢劫的引起，有些是新头人继位后，部落里要他率领一支队伍，组织一次抢劫，以考验他的勇武谋略。所获越多，说明他的本领越大，会受到部落属民的拥戴；反之，在抢劫活动中，新头人懦弱贪生，不能身先士卒，指挥无方，部落里的人就会鄙视他以致更换他。如上文所说，这种抢劫一般“伤物不伤人”——只抢财物、女人，不杀人。像对抢劫来的财物的分配一样，抢劫来的女人也分配给那些没有配偶的男人，有些则是抢劫者自身。由于山大沟深，道路不便，那些被抢劫来的妇女，有不少是外族女性，即便想逃，也很难逃回家中。

从以上我们所捕捉、检索到的材料可以看出，从神话传说到历史典籍，从古代到现代，藏族的原始社会所经历的母系、父系氏族社会和在婚姻形态上的血缘内婚、血缘外婚制，以不同的形式在不同的历史阶段留下了它的残迹。尽管这些残迹曾作为这个民族的“丑恶”为人们评头论足，尽情诬蔑，但这并不有碍于藏民族历史文明的古老和民族文化的光辉灿烂，人民的伟大，种族的优秀，反而为我们认识人类原始文化提供了非常有价值的死的和活的资料。在此角度观之，这些资料不但对认识这个民族有具体价值，而且对认识整个世界民族同样不无裨益。

第三节　原始巫与巫术

原始信仰的存在并不是孤立的，它涉及一系列围绕这些信仰而存在的文化形态，诸如巫士、巫术等，卜卦则是原始文化中的一个重要方面。诚然，要廓清原始藏人的巫与巫术内容及范畴并不是一件容易的事。由于资料匮乏，难能达及我们所预想的目的。就是现有的一些材料，也需要研究辨析，因为它们是人类文明超越原始社会以后的记录，难免带上后期文明的思想、方法和形式。

巫、巫术、卦术等在藏区经历了漫长的历史阶段，直到今天仍有很大市场。

一、巫与巫术

原始巫的产生对于今人来说是十分遥远的事，敦煌文献等间或有这方面的片言只语，那也是往古的事，作为今人的我们谁也不可能退回到那个已经消失了的时代去寻访古人——那些最早的贤者们。然而人类文化的继承性有意无意地将那些本该彻底泯灭了的历史、人物和事件又重新展示出来，其中除了有文字记载的材料外，则借重于后世活的巫与巫术材料。

跟许多民族一样，藏族早期的巫也是一些预言前兆（སྔ་ལྟས།）的人，他们的主要企图是与自然和人的斗争中晓知吉（བཀྲ་ཤིས་པ། བཟང་།）区（ལྟས་ངན། ངན།）、避免失败，避免遭到厄运和灭顶之灾。自然天象、事物因果等经常出现、发生的事，往往有先兆，分析研究掌握了它，就等于掌握了一门这方面的知识，从而加深对事物判断的准确性。当然，先兆的另一面则是迷信。国外一些学者认为巫教等产生于旧石器时代，这个年代是非常久远的。因此，藏族巫的最早历史可能与青藏高原的石器文化相并足。旧石器时代晚期，至少从那时开始，藏人的年、赞、龙、山神等自然崇拜，猕猴等图腾崇拜，牦牛、羱羝、雄狮等动物崇拜，以及祖先、灵物崇拜等已经产生了（见第七章），原始巫便伴随着这些原始信仰进入古藏人的生活之中。到新石器时代后，巫的活动更带有普遍性、权威性，对人类的日常生活产生重要影响。卡若等遗址出土的涂有红色的石器或许就是这些巫术的用物，再如在死者嘴里放野猪牙，墓穴中放鸡骨等都与巫有关。

巫师的出现较晚，他们充任的角色却特别重要。他们是鬼神世界与人间的沟通者。无论是母系氏族社会的女巫师，还是父权制出现以后的男巫师，最初可能由氏族酋长兼任，充当占卜、祭祀、送葬、行医等角色，对天文学、历算、医学、文学、文字、历史、音乐、舞蹈、美术等的传播、保存、整理作出了杰出贡献。口耳相传的象雄苯教早期形式“上祀天神，下镇鬼怪，中兴人宅”，就是较为典型的巫的性质。

《吐蕃王统世系明鉴》等书记载，从聂赤赞普到拉脱脱日年赞二十七代间由苯教护持国政，当时苯教的巫师在朝廷中起着非同小可的作用，为王左右。这种巫师参政的制度延续很晚，出兵、征战等大的国事活动都经过巫师等的占卜。

（1）据说在止贡赞普时，有凶煞为祟，吐蕃本土的苯教师无法超荐，便从克什米尔、勃律、羊同等地请来三大苯教法师，其中一人行使除灾巫术，修火神法，骑于鼓上游行虚空，开取密藏，以鸟羽截铁；一人以色线、神言、活血等占卜，以决祸福休咎；一人则善为死者除煞，镇压严厉，精通各种超荐亡灵之术①。当时的巫师享有崇高的地位。

（2）在敦煌古藏文写卷 P. T. 104 号中记有时任吐蕃大相的穹波邦色苏孜（སྤུང་ཟད་ཟུ་ཙེ།）卜出征象雄的吉凶：“邦色苏孜与当聂闷（སྟང་རྗེ་སྤུན།）忠心耿耿于赞普驾前，卜问：如向李迷夏（ལིག་མི་རྒྱ།）征讨，能否获胜？得此卦：以后，属地将扩增一倍，途中遇大财运，大吉。问个人、亲属生命安危，敌是否来犯？均吉，唯求事缓成。”②《敦煌本吐蕃历史文书》中说，吐蕃于公元 644 年兼并象雄部落，灭李迷夏。根据现在仍流行的占卜形式看，约有两种：一为法师占卜，一为自行占卜。邦色苏孜的问卜为重大国事，无疑占卜者为苯教巫师。如此说来，巫师也参与了军事行动。别有记载，吐蕃时期的军旅就有这种专门进行卜算的苯教巫师随军。

（3）松赞干布以后的王朝中仍设有苯教巫师，参与国政。然而由于佛教的传入，此时的苯教巫师不仅仅是出于王朝的整体利益，而带着自身宗教的思想文化与佛教抗衡。如赤松德赞时，发生水淹旁塘，雷殛红山宫，人畜得瘟疫等事件，苯教的巫师们即解释说，这是由于赞普延请静命等佛学大德入境播布佛法，引起了念青唐拉、雅拉香波、十二丹玛的不悦，因此导致出现这些灾祸，给赞普和信佛大臣施加压力。

（4）吐蕃时期王室与各部小王要进行盟誓，三年一大盟，一年一小盟，甚至一年夏秋两次会盟。这些活动对巩固吐蕃王权起着非常重要的作用。主持这项活动的仍然是苯教巫师，称“敦那敦”（མདུན་ན་འདོན།），有时也称“天苯波”（གནམ་བོན་པོ།）、“地苯波”（ས་བོན་པོ།）、“大苯波”（བོན་ཆེན་

① 土观善惠法日：《土观宗教源流》，西藏人民出版社，1984 年，第 194 页。

② 王尧、陈践编著《敦煌吐蕃文书论文集》，四川民族出版社，1988 年，第 80 页。

པོ།)、“神苯波”（ལྷ་བོན་པོ།)、“孤苯”（སྐུ་བོན།)，《旧唐书·吐蕃传》言“刑羊、狗、猕猴，先折其足而杀之，继裂其肠而屠之，令巫者告于天地、山川、日月星辰之神。”巫师的政治作用非同一般。

（5）赤热巴巾时，崇苯的大臣们一面造谣说王后昂楚玛与大相贝吉云丹私通，一面买通主占卜的苯教巫师，蛊惑人心，说不发配藏玛，将会对吐蕃社稷有危害，除掉了贝吉云丹和藏玛，缢死热巴巾，扶植朗达玛登上王位。

（6）后期达赖、班禅两大活佛系统形成，建立噶丹颇章（དགའ་ལྡན་ཕོ་བྲང།）政权，主占卜降神的巫师仍然在保留，不过活佛的占卜已高于这些没有佛位的占卜者了。而在民间，那些非活佛的占卜者（尤其是崇苯地区）仍然非常活跃。

从巫术所涉及的内容看，藏区的巫术十分丰富：

1. 祈求　苏联学者沙利·安德林说：“巫术这是许多行为的总和，它起源于世界的同样的重复，并表明对联想或模拟的能动性的信仰。”① 信仰是巫术的基础，没有信仰巫术也就不存在了。但是无论何种具体的巫术都是有目的的，没有目的的巫术也是不存在的。祈求便是其中之一。祈求的内容很多，如求雨、求生子女、求消灾免难等。祈求的对象主要有山神等众多自然神祇，体系庞大的佛教神群，苯教神群，形形色色的鬼怪等。

显然，现在民间的祈求对象是混杂的，有佛有苯，有自然崇拜，有自然宗教，有人为宗教。从巫术的形式看，却大多保存着原始形态，“现代化”的成分并不很多。这与 1949 年以前藏族社会所处的发展阶段和其生产力的不发达有直接关系。尤其是那些偏远封闭的地域，几乎千年一式地信守着往古的风俗和信仰，虽然佛教禁止杀生，但在一些信仰苯教、藏传佛教宁玛派（རྙིང་མ་པ།），甚至格鲁派（དགེ་ལུགས་པ།，即汉籍所谓“黄教”）的地区，在一些重要的部落活动中，仍然有衅牲的习惯，这大约与藏人的基本生活条件相并足，藏人的食物中最好的不外是肉和酥油之类，要祈求众神降福，用于献祭的也无非是这些东西了。因此，现在到大昭寺、布达拉宫参观的旅游者们便可在不少墙壁上看到“这里不要抹酥油”的告示。据笔者观察，来这里祈愿的人所带敬献之物主要是酥油（用于点灯）。当然，此中点灯的含义有所不同罢了。一到偏远牧区你便可发现扔进泉水、河湖中的是整坨整坨的酥油，这也是一种献祭。我曾询问一位老人：“为什么

---

① 沙利·安德林：《宗教的起源》，生活·读书·新知三联书店，1964 年，第 66 页。

要把酥油扔进水里?”老人沉默良久，说：“神不能没有酥油吃呀!”我又问：“那为什么不献一些别的东西?”老人惨涩地笑了：“神保祐我们，给我们吉祥、幸福，咱不给他敬一点什么，说不过去。可咱能给他们什么呢，除了酥油和牛羊肉？酥油和牛羊肉是最好的。”显然，除了这些基本的献祭物外，因献祭对象不同祭物也有差异：

> 求雨的巫师必须穿蓝色的服装，手拿蓝色的幢，腿也要染成蓝色。然后献上各种蓝色的供品，因为龙生活在蓝色的江河与大海之中，喜欢蓝色。开始求雨时，巫师从龙所居的泉中取九勺水，分别装入九个蓝色的瓶中，放在泉水四周，而后手拿龙最喜欢吃的黑白两种芥子，呼叫龙神之名。这里呼叫的龙神，据称都是分管雨水的龙神，所以它们的名称都与降雨有关。如“朱扎”，“雷鸣”之义；“罗几”，“闪电”之义；“曲吉”，“涨水”之义；“恰柏”，“降雨”之义。叫完了这些神名后，巫师站起来分别向东、南、西、北四个方向磕头，吹气，接着把黑白芥子撒入泉中。据称此仪式能立即召来大量雨水。①

龙喜食芥子诸物，因而世人们也便投其所好。实质上藏人的许多献祭活动中不可或缺的另一样东西是松枝和柏枝——用来煨桑，燃烧的桑烟也是给神的最好献祭之物。实际生活中的祈求主要有两种类型，一是作为公众的祈求，如一个部落，一个部落联盟，一个地区的公众利益；一是作为一个家族，一个家庭，一个人的利益、幸福的祈求。一般来说较为隆重的“专业性”很强的祈求活动都需要有专门的巫师，因为一般的人有可能对通常的程序也不甚清楚。最为一般性的祈求活动有可能是祈求者自已完成的，但它必须懂得一点巫术，否则就很难完成一整套祈求的语言、程式化了的动作、严整的程序。

2. 招魂与驱鬼　藏区的招魂术可归为两类。其一为招亡魂，对象为各种类型的客死他乡、凶死暴亡者的灵魂，方法有念经、给死者起坟冢（实行土葬地区）等，因为这些人的灵魂没有归宿，整日四处游荡，十分可怜，若不及时招魂安顿，它们就会危害亲人和乡人。但它不同于凶死暴亡后成为一个地区的“赞”的情形（详见第七章），它们只是一些普普通通的亡魂。有些招魂的祈文（超度文）是印在布幡上，挂于天葬场和一些神

① 格勒：《论苯教众神》，《藏族学术讨论会论文集》，西藏人民出版社，1984年，第350－351页。

山圣地，有些则将死者的遗物埋葬或焚毁，让死者的灵魂早日转世（无论是人是牛是马）。藏族民间的这种观念，有时与中阴超度的思想是杂陈的，有的则表现得与此无染，纯粹是一种原始形态的观念。其二为招失魂——因病而失的魂和因惊吓而失的魂。民间认为病人的魂是常常离开患者的身体的，病情越重，此种现象越明显，魂失则人亡，因而要把那些离体远去的灵魂重新找回来，即为招魂。受惊吓而失魂的往往是小孩，各地区都有大体相似的招魂仪式（见第七章第三节）。

藏人可说有专门的驱鬼节，卫藏、安多都一样，规模盛大的拉萨“默朗钦茂”（祈愿大法会，通常汉译“传大召”）期间有一重要内容便是驱鬼，有二人一穿白一穿黑，扮成鬼模样，被驱赶出市。现甘肃省甘南藏族自治州拉卜楞寺的这一节日在正月初七，先用钱买一穷苦人，装扮成魔鬼模样，穿身半黑半白的翻毛皮袍，脸也涂成半黑半白，头上插羽毛，这个人可以到市场上向任何人敛钱。“没有人拒绝给他东西，可是最大数量来自活佛公馆，有六百银元之多。收集了这些以后，他由寺里拿着三棱供，再到活佛公馆，由四名和尚抬着轿子，轿子里是赎活佛的化装身，轿子跟着他直到大夏河的岸上。在轿子后面跟着两名戴面具的人，右手掌着刀，意思是驱走恶神。在这些形象后面群众叫喊着：‘打倒作恶者！’”① 有意思的是这个将被驱逐的角色还要进行一些类似谈判式的活动，“这时高级喇嘛由夏薄丝丹拉康到这里，与半黑半白的角色讨价还价，掷骰子以示幸运。假定化装的人不满赎价便摇黑尾，满意则摇白尾。但此时的讨价还价只是形式，因为假定不满意，则该角色便不会到这里来，他永远是满意的。”② 双方都满意了，驱鬼的仪式也到高峰，化装的假人和三棱供被焚毁，在群众的呼喊咒骂声中被赶往大夏河对岸，在河对岸的山上隐藏七日。如果七日内露面，他有可能被虐待致死。这是些较为隆重的地区性的驱鬼活动。民间的一般性驱鬼活动，主要采取震慑和“请出去”的办法，许多内容已带有后期佛教的印迹。比如家庭中若有鬼作祟，则多请僧人、活佛念经画符驱鬼，所用震慑物基本属于佛教系统——佛像、法器、佛物（活佛的用物、赏赐物等）。有些用巫师驱鬼的方法，或较为原始，在笔者家乡至今屡见不鲜。具体事因可为两类，一为家中有鬼作祟，百事不顺；一为家有病人，病者为鬼魅纠缠。首先煨桑祈祷，而后由“拉娃”（ལྷ་པ།，可译为巫师或神汉）降神，“扑！扑！”吹着，浑身颤抖，当神附体后，他

① 李安宅：《西藏宗教史之实地研究》，中国藏学出版社，1989 年，第 202 页。
② 李安宅：《西藏宗教史之实地研究》，中国藏学出版社，1989 年，第 202 页。

便通报自己是何神祇，会代神语言，说长论短。所用主要有法器、青稞、松柏枝（用来煨烧烟熏）和净水。巫师形象似乎很凶，有时其步态雄健，状如武士，有时其面孔狰狞，如同恶神。降神后则呼唤拿青稞、净水、法器（刀、矛、铁链之类）诸物，若呼“拿青稞来!”家人便把青稞递去，“拉娃”一面口中“扑！扑!”吹着念着咒语，一面有力地将青稞粒向室内的各个角落或病人打去，据说如此可以将鬼从屋内或病人身上赶走。耳闻一些“拉娃”使用刀矛的做法十分邪乎，听说他可以将刀剑插入患者的身体而不流血，不见伤口。经过这种巫术处理之后，室内和病人身上所附着的鬼魅、邪气等就会被清除掉，是家庭便可得到安宁幸福，是病人便可得以康复。

3. 发誓与诅咒　藏族有句谚语，可直译为：“汉族的信语在纸上，藏族的信语在嘴上。”这句谚语对生活现象的揭示并不一定是全面的准确的，但是，它反映了一个比较普遍的现象：汉族多以纸上写的为准，所谓“口说无凭，有字据为证”，“人无笼头用纸拴”之类，都强调字据的重要性，因而嘴上说的可以“不算数”，要以“正式文件”为准。藏人非常重视口头语言的重要性，而且非常爱发誓，一旦发了誓，便信守始终。发誓的语言可分以下五方面。第一，以天地日月山川等为誓。这可能与大自然崇拜有关系，但那种“神”的意味不足。第二，以特定的部落山神等为誓。是较为地道的自然崇拜观念。第三，以父母的血肉为誓。也是重誓。第四，以死亡为誓。如两个人因事发生口角，发誓吃咒（吃咒和发誓是密不可分的）时会如此说：“倘若此事我有罪于您，让我活不到明天早上”，“明天骑马摔死在地上”，等等。第五，以佛为誓（包括以佛祖、佛教经典等）。在目前藏区以佛为誓的现象十分普遍，即便各个地区和不同佛教教派的人们都有区别，如有些地方发誓时习惯地用《甘珠尔》，有些地方则习惯地用“觉仁波且”（ཇོ་བོ་རིན་པོ་ཆེ། 释尊，释迦牟尼报身像名)。

作为一种巫术手段，藏人的这种发誓缘起很早。这些我们可以从敦煌文献中得到许多事例，赞普与诸小邦三年一大盟，一年一小盟，都是借助这种发誓——一经起誓，至死不二。

诅咒和发誓是有联系的。时常思虑此类问题，觉得藏区至今如此重视盛行发誓和诅咒，或与藏人早期有过语言崇拜相关。本来语言是看不见的，而一个人对另一个人的诅咒又为何能那般神奇地实现了呢？尤其传说中的苯教黑咒非同小可，竟可以以语言置人于死地。“我有一个名叫红面黑面凶曜法——说‘哞’字人就要死，说‘呸”字人就要倒的咒术。这个法传授给了藏绒鲁库隆地方一个名叫库隆巴云登嘉错的喇嘛了。那人懂医药也懂法术。他会一种手一指就可召来冰雹的法术，他传给了我，于是，我们成了非常要好的朋友。”① 这是米拉日巴的咒师的一段话，“呸”一声人要倒，“哞”一声人要死，何等了得！后来米拉日巴学到了咒术，在坚固的静室中连修十四天，其咒力已及遥远的他的家乡，守誓诸护法已提着三十五颗血淋淋的他仇人的头和心肝五脏来了。他还可以用咒术降雹：

> 我们在一山谷中作降雹的祭祀，念咒，可是，空中连鸟儿的尸体那样大的云都聚合不起来。于是，我喊着守誓护法们的名字，讲了乡邻们迫害我家的情况，祈求善恶报应要分明，还抖着衲衣，大哭一番。忽然，在天空中大团乌云出乎意料地聚合拢来，笼罩于一处。刹那之间，降下了三层墙厚的大冰雹，把地里的粮食打落得一粒不留；所有的山岭都变成涧谷；所有人户颗粒无收。②

对于诅咒的威力，藏人至今深信不疑，每到牧区考察，这种感觉日渐深重。据说藏人伸舌头以示敬畏官长的风俗也来自于此——元时蒙古军队侵入西藏，遭到藏人的殊死抵抗，其中也包括一些或为苯教或为宁玛的咒师。他们的诅咒引起了蒙古人的恐慌。因为有一些蒙古贵族被咒死，因此为了搜捕那些法术高深的咒师，蒙古军队每到一村一寨，就让人们伸出舌头观察，据说咒师的舌头由于长期修炼呈黑色，很容易辨认，一旦发现舌头呈黑色便就地处死，滥杀无数无辜百姓，致使惜命的人们一见蒙古贵族便伸出舌头，久而久之，相沿成习。

4. 避邪与禁忌　避邪求福和一系列禁忌是巫术的一个重要内容。它们有时各自独立，更多的时候融为一体，避邪是为了求福，求福必须避邪；禁忌是为了福运，要想有福运，必须遵守禁忌。画雍仲（གཡུང་དྲུང་ 卐，固定、永存、常在之意）号，修镇慑塔，建拉则（ལབ་ཙེ།），室内悬挂避邪吉祥之物等，都是为了此一目的。从此角度观之，禁忌等同样也是前面所谈的诸巫术形式的最现实最必要的补充，尽管其内容庞杂、形式繁多——如以禁忌而言，就有门类宽泛多样的生产禁忌，细小入微、层次交错、内容杂陈的信仰禁忌，但它在日常生活中起到的作用是非常之大的。而这一类巫术也得到很大发展。据《藏密气功》一书介绍，王寿民在西藏见到了其他藏区都普遍流行的巫术形式，有头有尾，兹介绍如下。

---

① 桑杰坚赞著，刘立千译：《米拉日巴传》，四川民族出版社，1985 年，第 37 页。
② 桑杰坚赞著，刘立千译：《米拉日巴传》，四川民族出版社，1985 年，第 46 页。

两壮汉在海拔4200米的地方，用两个多小时烧开一大铜锅（口径80公分）水，其沸点为90℃。巫士为一身披绛紫色袈裟的三十多岁的喇嘛，他走近铜锅，将双手伸进沸水中片刻，竟无烫伤。接着他将用酥油捏成的神鸟、鸟蛋、神牛投入沸水中煮三分多钟，亦用手一一捞出。（神鸟、鸟蛋、神牛都是吉祥之物，此为祈福而做）接着喇嘛用一又长又大的公牦牛尾，满蘸沸水洒向四周裸着上身的牧民身上，洒到身上的牧人非但不见烫伤，而且都很高兴，说清清凉凉，非常舒服。此为降神。避邪之举，以后所为更为神奇：

> 喇嘛放下牛尾，旋用一只手从熊熊烈焰中取出一把早已烧得通红的斧头（无柄），将食指穿入安置斧柄的孔内，在支锅的石头上敲净火灰，另一手掏出一根羊毛绳，穿入斧头孔内，羊毛绳竟不怕火，完好无损。然后双手拉住绳头，吊着红通通的斧头，像摩顶一般，将斧头在四周低头俯首的人们头上转了一圈，再将斧头抛入铜锅中，顿时听到一阵“滋滋”的淬火声。
>
> 这时，喇嘛又从火堆里摸出几块烧得赤红的卵石，置于左手掌上，右手抓起一把糌粑撒在石头上，顿时卷起一股红焰和焦味，然后以手托石，在人群头上转圈。石头渐渐由红变暗，被他投入水中，又从火中摸出几块通红的再撒上糌粑，燃起火焰，接着再到人群头上转圈，如此共作四次。
>
> 仪式完毕，喇嘛将酥油做的鸟、牛分成碎块，连同烧过的石头、沸水，分给等候四周的牧民（水被人们装入各式的小瓶），他们说这些都可以治病。①

在这一较为完整的求福避邪的仪式中，我们可以看到巫师的另外一些方面的功用和意义。其一，巫师的巫术不一定都是荒诞的唯心主义的，他们的有些实践是属于气功这一范畴。对此藏史记载十分丰富，随着藏学热的兴起，为世人所注目，国内外科学界已作了一些开掘和实验，获得了有

① 中国气功科学研究会藏密气功研究会编：《藏密气功》，求实出版社，1989年，第45页。

益的成果，如对藏密气功“拙火定”①、虹化②现象以及“大圆满”、“大手印”功法的研究等。其二为巫师的医生职责。医疗是与人类社会同步行进的，从敦煌古藏文写卷（编号 P. T. 1057、P. T. 127 等），那时已有成形的藏医系统，产生了像《四部医典》等不朽的医学著作。③

二、占卜

从敦煌文献等资料看，藏人的占卜形式十分丰富，计有鸟卜、骰子卜、羊骨卜、牛骨卜、虎骨卜、牛蹄卜、梦卜、水卜等，这些卜术大多为原始文化之遗存，有些是进入阶级社会后，依据原始思想发展、创造、变通而来。

1. 鸟卜

吐蕃鸟卜的形式在汉文史籍《旧唐书·女国》卷一九七中就有记载：

> 其俗每至十月，令巫者赍楮诣山中，散糟麦于空，大咒呼鸟。俄尔有鸟如鸡，飞入巫者之怀。因剖而视之，每有一谷，来岁必登；若有霜雪，必多灾异，其俗信之，名为鸟卜。

不知这种“如鸡”的鸟是何种类，既然如鸡，可能体形较大，不是鸽雀之类，结合后期以鸦为卜的情况看，也可能是乌鸦。这种鸟卜形式与下文所叙述的以乌鸦声音确定祸福休咎的做法略有不同，前者有点对比性质，后者反映的完全是先兆先验。对比和类比形式藏区至今使用颇为普遍。记得笔者小时候逮鸽子玩，在年前的某个日子，老人们要打开鸽子的嗉子，看看鸽子吃饱了没有，若鸽子没吃饱，是半肚儿，他们认为来年人畜吃不饱肚子；若鸽子嗉子里填满了食物，则认为来年会是好年景，人畜会有吃有喝；最好的是鸽子嗉子里都是粮食，如此意味着来年的大收成；最不好的是鸽子嗉子里全是草根（鸽子饿急时会啄草根充饥）和沙粒，如

---

① “拙火定”是藏密气功的重要组成部分之一，藏史多有记载，据说此种功法在其高深阶段会生特殊功能“火光三昧”，身体不但能抵御严寒，而且其热能可融身体周围之冰雪。

② 藏史有载，最初数王均为虹化而逝，可能为传说。今人研究此为藏密功法，练此功而成者，多高寿，且身体轻捷，或寿终时自行发功，五尺之躯发光缩小至一二尺甚至更小，据说有虹化后仅剩头发和指甲的。

③ 《四部医典》，记载藏医藏药的大型古代文献典籍，为宇妥·云丹贡布等编著，成书于8世纪，全书共分四部分，包括基础理论、生理解剖、疾病诊断治疗的原则、预防、药物等内容，集前人医学成果之大成，后世多有注疏。

此意味着将有灾荒降临，人畜会饿得吃草根和“石头”。

作为趋吉避凶的办法，以鸟嗉中的食物作卜，显然是一种较为古老的手段。现在藏区的老人们仍然认为，对待灾祸动物要比人类敏感，上苍给这些不会说话的畜生们赋予这种本领。事实本身也告诉我们无数这方面的先例，如地震前的预感，无数的动物（鼠、犬、蛇、马等）都比人先有感觉，并做出相应反映，这是具有科学性的。

实质上鸟卜没有这种科学性，尤其是以乌鸦啼叫的声音来判别吉凶。它曲折表达了在强大的自然界面前，原始人类为了及时躲避灾难，从而获得平安、幸福的希望。

咙咙（之声）表吉祥，
嗒嗒（之声）表无恙，
咂咂（之声）表事急，
啄啄（之声）表财旺，
依乌依乌（之声）危难降。①

这里乌鸦被奉为人的“怙主”，是八面、上方（共九方）翱翔奔忙、传递仙人旨意的神鸟。这种尊乌鸦为神鸟的痕迹在藏族长篇英雄史诗《格萨尔王传》中也有反映。霍尔黄帐王想找一位美丽的王妃，就派红嘴鸦等去四处寻访，其中就有乌鸦。它的本领最大，物色了格萨尔的爱妃珠牡，为了通一点信息，让黄帐王杀了白嘴巴神羊、长毛神牛、雁黄色神马给它吃，最后导致了霍尔发动以抢婚为目的的大规模战争。由王尧先生等翻译的鸦鸣占卜表，虽然是吐蕃时期的占卜术，其中有许多是后期文明的占卜形式，诸如“来陌生婆罗门”等，但可从这些系统化了的占卜表中，大致可以掌握原始鸟卜的一些形式，兹转摘于此。

---

① 中央民族学院藏学研究所编：《藏学研究文集》，民族出版社，1985年版，第252页。

表1-6-3-1 鸦鸣占卜表

施多玛仪轨	东方凶施牛奶	东南方凶施芥子	南方凶施净水	西南方凶施白芥子	西方凶施鲜肉	西北方凶施鲜花	北方凶施黑白安息香	东北方凶施大米	天空凶施粟米
方位／时间	东	东南	南	西南	西	西北	北	东北	天空
鸡鸣	大德光临	需远行	有请	来贼	去而事不成	吃官司	事能成	杀野牛	敌诈
平旦（破晓）	死人	遭谗言	觅坐骑	狩猎	来尚论	来使者	可以去山顶	来文牍	事急
日出	遇急事	降王诏	尚论传令	战神、福禄齐临	来猛兽	使圣者喜悦	来贼	来野人	父方捎口信来
食时	吉祥如意	敌诈	凶神伤害男人	起风	有雨雪	有可怕之事	斗殴	病逝	来陌生婆罗门
隅中	遇雨	狩猎	为女人斗殴	能成亲	遭王随从之害	大雨大雪不能出门	来坏人	需警惕	敌降
正南（日中）	自财遭损	对他人保密	有风雨	来贼与暴风雨	为女人斗殴	与尊者家人结亲	来众人喜讯	来白皙女人	闻不悦之言
日映	王侯衰颓	闻丧报	遇恐惧	降大雪	有人送来食品	发大财	发生未觉察之事	庆幸仇敌丧命	觅得食物
甫时	恐惧	病愈	出远门	东方来人	有人领女人来	觅得食物	使圣者喜悦	使众人喜悦	有众人欢庆之酒宴
日入	鬼魔来	觅失财	发大财	时刻警惕	过河需谨慎	寻宿处	兄、子同来	闻喜讯	交好运
黄昏	妹婿来	东方来人	野兽伤人	南方来人	任尚论之职	西方来人	得帮手	遭绝嗣	来催债

2. 骰子卜

以骰子求点作卦，近代藏区仍然盛行。据专家们研究，敦煌文献中的卜辞，“可能是以四面的卜具来提取卦相（不像通常的六面骰子）”[1]，因为在每一卜辞前都有卦点，分别为0、00、000、0000等形式，可能分别代表骰子四面的点数，而每一个具体的卦相只有三种点数，0000－00－0（4－2－1）估计为卜三次成卦。如卜辞：

啊雪山三棱角上，
野牛傲然挺立，
永是雪山之王。
青蛙昂首远望，
永是青苔之饰。
松鸟鹧鸪母子，
“色立”婉鸣悦耳。
一只小兽羚羊，
犹如化身一样，
毛泽闪闪发亮。
此乃吾之财宝，
永远关进圈里，
不让去山遨游。

解卦词说：“此乃福泽少女之卦。问家人与寿数，因有母族善神来护佑，有庇护人与降神人。祈祷，即有如母子相遇之佳音，成亲得子。问财，进大财。诉讼，能胜。行商，盈利。问出行人，归。问何事皆吉。”[2]卦点为2－2－1，吐蕃时期的这些卦辞，比较集中地反映了当时社会的生活。（1）问家人寿数，可以说当时已很重视人们的寿年，以长寿为佳，这些与求魔祭神相一致，不受鬼魅侵害，得到神的护佑，人就可以长寿；（2）常见“母族善神护佑”、“母族大神赐予”、“战神、祖神护佑”之词，可说当时还存在不少“母系”社会残迹；（3）有敌、无敌、诉讼胜负，也是卜辞中的一个重要内容，想此时氏族间的血亲复仇大量存在，这些我们可以从吐蕃时期的法制文献中得到启示；（4）经商盈利、招财进宝等语的

① 王尧、陈践《三探吐蕃卜辞》，《藏学研究文集》，中央民族学院藏学所内部铅印，1986年，第293页。

② 王尧、陈践《三探吐蕃卜辞》，《藏学研究文集》，中央民族学院藏学所内部铅印，1986年，第302页。

频繁出现说明，当时的贸易经济较为繁荣；（5）婚娶与子息也是当时社会普遍关心的问题。卜辞中这种杂拌现象的出现，与当时的社会有着直接关系。部落联盟的普遍存在，甚至一些母系氏族的存在，都使蓬勃兴起的吐蕃社会色彩斑斓，五光十色。骰子点为卦的原始形式可能是至今在许多藏区流传的木片卦。即截取小圆木一节，剖为两半，投卦时不外二面、二背、面背三种卦式。不过这种简易的卦，不是约定俗成有何高下之分，二面、二背、面背都有同等效益，关键是投卦者的心意，投卦者发愿以为“某事可成，便出二面卦”，这便是上上卦，若投中，为吉利；若不中，则为不吉利。

3. 其他卜算

敦煌文献中还记载了一些羊骨卜辞和金钱判课词，涉及卜算门类十分广泛。如 P. T. 1055 卷和 P. T. 1047 卷所记载，有求国王社稷安危的，有兆示本命神和女神怡乐和百事皆吉的。铜钱卜算则以 12 枚铜钱为卜具，从“字”、“幂” 的多少来测吉凶祸福。此种卜术相沿至今，据说有时用 21 枚铜钱测卜。这些巫术显然受到了后期社会的改造。藏族的巫术中也有其他民族的巫术形式，如汉族的五星算法等。

三、巫与自然科学

古老的占卜术，虽然重于原始人类的精神领域，但也在其他科学领域出了丰硕的果实。譬如鸟卜、骰子卜中就有早期的数学概念和方位概念。其他一些自然科学的发展，也与巫和巫术有直接联系。

1. 数历和星算

一二三四五，个十百千万，加减乘除，一日一月四季一年，这在今人来说平淡无奇，对原始人来说，却是一件了不起的事情。在原始社会中，无论血亲复仇，部落集会，或者祭祀祷告，乞求上苍，都需要有相应的数学概念。而这些数学概念的使用，从有了较为固定的巫师之后，便成了巫师的事业——出猎、复仇时间的吉利与否，部落集会的时日，丈量、测算等都由巫师来完成。比如藏族时刻的划分：

最初藏人将一日划分为日升、日落、当顶、夜半四个阶段，后加天黑、天亮二时共六个时段：

（1）白天

a. 日升时（ཉི་ཤར།）

b. 日当顶（ཉི་ཕྱེད།）

（2）黑夜

a. 天黑时（ས་སྲོས།）

b. 半夜时（ནམ་ཕྱེད།）

c. 日落时（ཉི་ནུབ།）　　　　　　　　c. 天亮时（ནམ་ལངས།）

从天亮能看清手心纹路作为一日之始，或说以鸡鸣作为一天之始。自唐以后方将一日分为十二时辰，并配以十二生肖：

（1）白日六时辰

a. 日出（ཉི་ཤར།）—龙（འབྲུག）

b. 半上午（ཉི་རྫེད།）—蛇（སྦྲུལ།）

c. 正午（ཉི་ཕྱེད།）—马（རྟ།）

d. 半下午（ཕྱེད་ཡོལ།）—羊（ལུག）

e. 日西（ཉི་མཇུར།）—猴（སྤྲེལ།）

f. 日落（ཉི་ནུབ།）—鸡（བྱ།）

（2）黑夜六时辰

a. 天黑（ས་སྲོད།）—狗（ཁྱི།）

b. 上半夜（སྲོད་འཁོར།）—猪（ཕག）

c. 半夜（ནམ་ཕྱེད།）—鼠（བྱི་བ།）

d. 下半夜（ཕྱེད་ཡོལ།）—牛（གླང་།）

e. 黎明（ཐོ་རེངས།）—虎（སྟག）

f. 天亮（ནམ་ལངས།）—兔（ཡོས་བུ།）

这种配以十二生肖的算法是受了后期传入藏土的汉文化的影响，但是一些古老的测时法仍然保存于历史的记忆里，有些甚至沿用至今。

一些民间传说也保存了一些藏人早期的天文知识。如《七兄弟星》的故事中记载了七星的由来，并解释说七星的不断变换位置是由于善于建造宫殿的七兄弟在天上不断地在给天神盖房子，盖了一座又一座，故而“星转斗移”，位置更易。

藏人对宇宙天体的最古老的认识资料，流传在白马藏区的《太阳的歌》如此写道：

太阳有父亲也有母亲和儿子，
太阳的父亲是谁？
太阳的父亲是早上的晨晖；
太阳的母亲是谁？
太阳的母亲是黄昏的夕照；
太阳的儿子是谁？
太阳的儿子是中午的烈日。
太阳是从哪里出来的？

太阳是从“杰兀”的大门顶出来的。
太阳是在哪睡的？
太阳是在棉花般的云层里头睡。
太阳走路要经过几道关？
太阳经过的关像珠子一样多。
太阳早晨吃的是什么？
太阳早晨吃的是高山上的花草。
太阳中午吃的是什么？
太阳中午吃的是普通的所有的东西。
太阳黄昏吃的是什么？
太阳黄昏吃的是重重的青山。
太阳冬天走的什么路？
太阳冬天走的是向阳山那面的路。
太阳夏天走的什么路？
太阳夏天走遍了阴山、阳山、树林、河流。
太阳冬天到哪儿去？
太阳冬天落在阳坡里。①

这和我们将要在第九章讲到的《什巴问答歌》一样，以拟人的手法解释太阳的生活，可说惟妙惟肖，它真正反映的是原始人的思维观念。

2. 医学

我们很难知道最早的医师在那个遥远的巫医合一的时代如何诊病治病，但是我们可以肯定，在原始观念统治的那个时代，人们对生病的根源的认识大概是一样的，即原始人认为人之所以患病，是由于鬼魅作祟。基于这一点，原始的医师们永远难以摆脱巫术，占卜曾经也是诊病的重要手段之一，同时巫术也是治病的重要手段之一，诸如招魂、送鬼等均在此一范畴之内。据《西藏志》记载，藏人“小疾则以清油酥油遍体擦之，暴于日中；若阴天以绒单覆盖，用柏叶烧烟熏之，重者始诊脉服药或刺血”。这种方法可能较为古老。而从敦煌文献中可以看到，那时的藏医学已达到相当层次。如据史记载，在聂赤赞普时已用药物治疗病毒；在布德贡杰时，苯教徒已在求神乞药；在拉脱脱日年赞时，可经酥油涂伤口结扎脉位

① 平武县白马人族属研究会编：《白马人族属研究文集》，1987年，（内部铅印），第99页。

止血，用酒糟吸收法治疗外伤。根据敦煌文献等记载，吐蕃王朝兴盛时期藏医学已成体系，有一整套的医学理论，有了著名的医学大家宇妥·云丹贡布（708～833年），有了著名的医学经典《四部医典》。

原始性质的巫医合一现象至今在一些偏远地区仍可见到，形式很多，不在此一一赘述。

第七章　原始信仰

原始信仰是西藏原始文化的一个很重要的方面。然而在迄今为止的藏文史籍中对此问题专门记载笼统、模糊，就是目前的藏学研究中，对原始信仰的探索仍着力甚少，可资引用的资料不多。笔者所述，材料来源有三：一仍求索于典籍；二为自己身为藏人的切身感受；三为在藏区的多次调查材料。

第一节　大自然崇拜

一、龙神（ཀླུ）

龙是一种生活在地下的神，有精灵性质。有人认为藏文中的龙“ཀླུ”便是汉文的“龙”，我以为不然。汉文中的龙是具形体的，有鳞及须、五爪，可以兴云致雨，而藏籍中的龙所指较为模糊，仿佛泛指地下的，尤其是水中的动物，诸如鱼、蛙、蝌蚪、蛇等。

如同其他原始神灵一样，在历史的发展中，龙神有其演化过程。

1. 早期的龙神

早期的龙神不但形象模糊，而且居住地也纷纷繁繁。霍夫曼在论述西藏的宗教时写道，这些龙的最初的住所是河和湖，甚至是些井；它们在水底有家，守卫着秘密的财富，“有一本苯教著作上说，龙住在一种奇怪的山尖上，在黑岩石上，它的峰顶像乌鸦的头一样，也住在像猪鼻子似的坟堆上，像卧牛的山上，也住在柏树桦树和云杉上，也住在双山、双石和双冰川上”①。显然，这里的龙神不但是住在江河湖海溪井水泊，而且超出了与水有联系的处所，仿佛是一种精怪的角色，自然地模糊了自己的个性形象。霍氏还引用了“赎罪诗”：

---

① 霍夫曼：《西藏的宗教》，中国科学院民族研究所编（内部资料），1965 年铅印本，第 5 页。

龙王住在所有河流中，
年王住在所有的树上和岩石上，
土主住在五种土中，
人们说，那里就是土主、龙和年。
它们有什么眷属？
带有长刺的蝎子，
细腰的蚂蚁，
金色的青蛙，
松蕊石色的蝌蚪，
贻贝一样白的蝴蝶，
这些就是他们的眷属。

这段诗中，又肯定“龙王住在所有的河流中”，与上文大相径庭。因此，此时的龙神的形象，既不仅仅是蛇、蛙、螃蟹，也不仅仅是鱼、蝌蚪诸物，它实际上是一种可以随时附身或者变为蛇、蛙、鱼、蟹的精灵，并且无时无处不在。它在威胁着人类的生命，因此它是人间四百二十四种疾病之源，瘟疫、梅毒、伤寒、天花、麻风病，无不与之有关系，实际上它是一种人在世时谨慎敬奉的疾病灾难的象征，与年神有等量齐观的作用。

2. 中期的龙神

中期的龙神是以明确的分工的形式出现的，是已经归入系统体系中的神。马克思说：“分工只是从物质劳动和精神劳动分离的时候才开始成为真正的分工。”① 龙神之所以有清楚的分工，与社会的这种进步紧密相关。居住于东、南、西、北、中的龙神可分为嘉让、解让、莽让、章赛让、得巴让五类。这五类龙神又分为左、中、右三种势力，嘉让是善的龙神，它可以保护人类，给人类带来幸福；莽让是恶的龙神，它可以给人间带来灾难祸害，诸如瘟疫、疾病、干旱，均为彼之所为；解让、章赛让、得巴让基本属于不好不坏、兼善兼恶的龙神，它们可能给人类带来祸乱，也可能给人类带来幸福。基于此种特性，同为龙神的它们，分别藉根性于神界、人界、非神非人界。当然，社会分工不是以本质的善恶美丑划分的，藏区的龙神们，也有自己的劳动分工。如恰布等龙神主司下雨、降雪、打闪，若天遇久旱不雨，当求它降雨；僧波等龙神主司各种龙病，若生癞子、疮

① 《马克思恩格斯选集》第一卷，人民出版社，1995年，第36页。

疱、水痘等龙病，当求它免去灾病沉疴。也不能得罪、冒犯、触怒那些主司跌打摔伤、腿断骨折的汤哇等主司一些意外事端的龙神。却热等龙神主司人间饮食饥饿和战争冲突，人们吃不饱或遇战争，是因这些龙神不高兴，等等。除了这些与人类的生活息息相关的职司外，也有主管精神领域的龙神，如嘎波、宁嘎等就是让人们存心善正直，不要生贪嗔、嫉妒之心的龙神。

龙神对人类的强大的威慑，也决定了人类对其崇拜的形式。对龙神的供祀活动，一般都在近河、井、池、江、渠、湖泊处进行，供祀食物主要也是鱼类家族所喜欢的藏红花、芝麻、畜肉、酥油、奶、芫荽等。其供养的形式亦据情而定，隆重的由巫士主持；一般的，在煨桑时将所用祭品烧入桑中，或将其直接投入泉、湖、江、河、池水中。笔者曾在青海、甘肃藏区调查中，屡见此种现象。

3. 晚期的龙神

藏文典籍中，有一些龙王、龙女的故事，如吐蕃第二十九代王没卢若娶龙族女为王后。此类说法与早期、中期的龙神的形象有悖，它已将泛化的龙神形体单一化，抹去了早期龙神不断害人的精怪性，使它成了善神。这可能是藏汉、藏印民族文化交流的结果。

甲、汉族的神话传说中，龙源于蛇，后成为神，同样是与水有联系的神灵。如《山海经·大荒北经》云：“应龙已杀蚩尤，又杀夸父，乃去南方处之，故南方多雨。”至于汉族地区所说的四海龙王，为地道的水神形象，天之旱，天之涝，都与之有关。至今在一些农区，倘遇久旱不雨，便请龙王降雨，在许许多多的文学作品中都有反映。后期藏区绘画、雕塑中的龙的形象与汉地无二。

乙、随着佛教的传入，印度的广财、莲花、力游、安止、大莲、护贝、具种、无边等八大龙王，梵音为“那伽”（ནཱ་ག），也步入藏土，这些龙同样是一种居住在水中的人头蛇身的动物。这与藏文典籍《十万龙经》所说的龙神大多是牛羊虎豹熊狮头，人身，有的还带鱼尾巴或蛇尾巴情况相似。

印度和汉族的交往据有关专家考证，至少已有3000多年历史。龙源于印、源于汉尚不得知。季羡林教授说：“在文学方面，从公元5世纪到7世纪，中国文学中产生了一类特殊的作品——鬼神志怪的书籍。这些书里面的故事有很多是从佛经抄来的。唐代（公元618～907年）传奇小说盛极一时，在这一类的小说里，印度故事的影响也很显著，譬如里面常常出现的‘龙王’和‘龙女’就都起源于印度。”① 藏区有关“龙王”、“龙女”的传说是否也起源于印度佛经故事？我想这种可能性很大。因为：

其一，倘与藏族原始的龙相比较，龙王龙女的形象与之迥然不同，前者是给人带来麻风、疥疮等疾病的精怪，或有形或无形，有形时多为蟹、虾、蝌蚪等水中动物；后者有固定的形体，可变化，常变化成人到大地上，大多是善良美丽的，是具备人性的。

其二，苯教神灵中的龙，虽然由原始灵怪归入了苯教神灵之系统，有了分工、职责，然而其体其性依旧没有摆脱原有的特点，同样与高度人格化的龙王龙女等有严格区别。

总之，龙王龙女在藏人中的生存大多不依赖于泛神论之精灵观念和崇拜，而是依赖于一两个优美动人的神话故事；不依赖于固有观念，而依赖于形象和个性的力量。

从佛教传入藏土的具体情形分析，龙王龙女等神话传说在藏人中的传播，大约始于吐蕃王朝兴盛时期，尤其是自桑耶寺修成后建立大规模的译经场，大规模的译经给此类神话传播提供了良好的条件，当然我们也不能忽视从汉地传进此类神话传说的可能性，就此比重来看，印度佛经直接进入藏土的可能性更大。

或许读者要问，如此看来，印度传入藏地和汉地有关“龙”的故事、神话传说后就没有对于“龙”的崇拜了？不是。如前所述，佛教典籍中就有广财、莲花、力游、安止等八大龙王，它们是属于神灵崇拜这个范畴内的，著名的印度早期的经典著作《摩奴法典》中写道：“他们创造了夜叉、罗刹、吸血鬼、天界乐师、天界舞女、阿修罗、龙王（ནཱ་ག ཀླུ་རྒྱལ།）、蛇神、神鸟以及祖灵的各氏族。”这里的龙王是人面、蛇尾、蛇长颈的半神，以跋修甚为王，住在地狱里，显然这不能与后来的龙王龙女的形象同日而语。在印度古代，水族诸物也同藏土之龙神，地位十分低下：“植物、虫豸、鱼类、蛇、龟、家畜、野兽，是属于暗德的最低贱的等级。”② 甚至低于象、马、虎、狮、野猪等动物。苯教在后期的系统化中显然接受了印度“龙王”的某些特点，诸如玛庞雍措、央卓雍措、朗措波莫、雍措赤秀嘉莫四大神湖有四大龙王，分工后的数百龙王等，都可以找到与印度早期的龙王有联系的一些特点。

① 季羡林：《中印文化关系史论丛·序》，人民出版社，1957 年，第 3 页。
② 摩奴著，［法］迭朗善、马香雪译：《摩奴法典》，商务印书馆，1982 年，第 13 页。

二、年神（གཉན།）

与龙神和后文要谈到的赞神等一样，年神的存在同样是十分古老的，它是一种在山岭沟谷中游荡，在石缝、森林中安家的神。假如说龙神的变体形象主要是水中的活物的话，年神所附身的多是人世间的死物。它很容易为人类所触犯，从而降下灾难。如龙神有龙病一样，年神也有年病，诸如鼠疫等，它也会威胁人类的生存，其可怕程度胜于龙病。

据《敦煌本吐蕃历史文书》记载，雅拉香波山便是一尊年神：

前年早于去年，
冈底斯雪山脚下，
麋鹿野马在游荡，
游荡到香波拉山前。
如今再来观赏，
在香波拉“年神”跟前，
麋鹿、野马如果狂妄，
冈底斯雪会把你吞没。

又：

在众多树木之中，以松树最为高大，在大江大河之中，以雅鲁藏布江碧水最为流长，而雅拉香波（神山）乃最高之神也。

从中可以看到，年神在藏族先民心中的崇高位置，也可以发现年神与山神的血肉关系。许许多多的情况下，年神、山神、土主是混淆的，有时甚至难以区别他们与龙神乃至天神的区别。

按照年神的分类，可分为黑年神和白年神两大类，这种划分显然是一种后期的社会需要，将居于天者称为白，居于地者称为黑，于是便有了日、月、星、云、虹等白年神和山、崖岩、林、海、水等黑年神，几乎囊括了所有的自然崇拜物。其实，据笔者对藏区生活的切身感受，年神的对人的态度、作用，也是多方面的：

1. 精怪性。由于藏区多山多水，故而神灵精怪比比皆是，稍不如意，就会降下灾难。因此到一山一水，尤其是山口和水头，人们要谨慎小心，一不能高声喧哗，二不能随便吐唾沫，擤鼻涕、拉屎撒尿等都得有所选择，否则就会得病。一些深谷沉涧，崇山峻岭，同样有危险。年神的这种精怪式的形象，会使人精神紧张，心情压抑，有时夜间走路，真有些诚惶诚恐的感觉，我亲自听说过，因走路随便擤鼻涕歪了脖子的，在山口撒尿，阴茎肿胀如大腿粗的。年神走过，遇着森林，树木就一溜枯死；遇草则草一溜枯死；遇石则石上留下烧成褐色的印迹。总而言之，年神是十分可怕凶恶的，故而藏区将一些强蛮、残忍无情的人称“年”人，将那些经常死人的地方称“年”地。

从吐蕃王朝始，被称为“年”的灾异非常之多，如《青史》记载了《巴协》、《吐蕃王统世系明鉴》记载的发生于藏王赤松德赞时的一则事：

> ……于是阿阇黎为王宣说“十善法”和“十八界”许多法门，以此惹起西藏诸大鬼神的嗔恨，而发生雷殛红山宫和洪水冲刷了澎塘宫殿的灾难。意乐恶法的大臣们振振有词地说：“这是信佛法的报应，必须将印度僧人赶走。”于是藏王在阿阇黎座前供上许多黄金，而详陈发生了的事由。阿阇黎说：“我到尼泊尔去，这是西藏诸非人不喜之故，乍扎岭寺有一名叫白玛桑坝哇（即莲花生）的大密师，我当派人前去请他，藏王你也遣使去迎请他来藏。”于是阿阇黎去尼泊尔，莲花生大师也应请前来，与藏王的迎使相遇而来西藏，首先和西藏的十二女神较量，运用威力慑伏众女神，令受灌顶而许誓守正法；渐次前来北道，使塘拉等神立誓护法，大师来到桑耶为使藏王生信，使四大天王中一天王降入孩童身中而说：“是塘拉神雷殛了红山宫；是香波神引水冲毁澎塘殿。”其余诸神兴何种灾害都作了详细说明。

这里所说的“塘拉”神和香波神，便是念青唐古拉和雅拉香波大年神。念青唐古拉山在今西藏羊八井和纳木措湖之间，雅拉香波山在西藏雅砻沟的南端，接近不丹边界。又说“十二丹玛”也对人畜施放瘟疫，后被莲花生收服，成为佛教的护法神。这“十二丹玛”是指四夜叉四魔女四神女：

（1）多杰根知玛（རྡོ་རྗེ་ཀུན་གྲགས་མ།），北方纳木措。
（2）多杰雅玛江（རྡོ་རྗེ་གཡའ་མ་སྐྱོང་།），在南部藏地拉日山。
（3）多杰根桑（རྡོ་རྗེ་ཀུན་བཟང་མོ།），在定日拉齐雪山。
（4）多杰盖吉皂（རྡོ་རྗེ་བགགས་ཀྱི་གཙོ།），在羊卓雪山湖。
（5）多杰尖结玛（རྡོ་རྗེ་སྤྱན་གཅིག་མ།），在拉甫。
（6）多杰华吉涌（རྡོ་རྗེ་དཔལ་གྱི་ཡུམ།），在卫藏交界的文穆卡拉。
（7）多杰勒茂（རྡོ་རྗེ་ཀླུ་མོ་དཀར་མོ།），在羌兑色钦当玛湖。

（8）多杰智茂（རྡོ་རྗེ་དྲག་མོ་རྒྱལ།），在大积石山。

（9）多杰华茂清（རྡོ་རྗེ་དཔལ་མོ་ཆེན།），在工布。

（10）多杰麦结玛（རྡོ་རྗེ་སྨན་གཅིག་མ།），在颞地洛若区。

（11）多杰耶茂塞（རྡོ་རྗེ་གཡར་མོ་སིལ།），在藏兑文莫纳杰。

（12）多杰也真玛（རྡོ་རྗེ་གཡུ་སྒྲོལ་མ།），在多康悠日山。

而从上可以看到，作为十二丹玛的年神，都是女性。据《莲花生祖师传》介绍，莲花生在藏境降服的年神尚有“项保”等。项保变化为一头白色的巨大的牦牛，口鼻吞吐风雪，结果让莲花生用金刚杵钩住嘴，收为佛的护法神。

女性、精怪性这可能是早期年神的一种特点。或许，一方面它的成因起于泛神论的原始宗教，另一方面可能还带一些母系社会的印迹，这需要我们进一步探讨。

2. 山神性。有的先生会认为，年神就是一种山神，还有何山神性呢?其实当我们仔细地考察年神的发展脉络和具体作用，就可以发现稍后起的年神当其增强了善的山神性质，较前期的年神大有不同。诚然，我们讨论年神的山神性同年神的精怪性一样，是在年神这个具体的概念下进行的，是对一问题的不同侧面、不同角度的分析，并不是割裂概念，另立名目。

在藏区无论在农区还是在牧区，遍见的是“拉则”（ལབ་ཙེ།，意为山尖），也称“俄博”（蒙古语），形式很多，有石块垒起来的，也有用嘛呢旗杆插成的，其上有经幡、三色或五色彩线、布条、哈达、白羊毛等吉祥祛邪饰物。与“拉则”有关的活动很多，统而言之，可称为祭“拉则”，或祭俄博。有些地区有具体的时间，如正月初一、七月十五等，有些地区没有具体的时间。因为具体的山神有具体的地点、具体的山，因而居住在这座山附近的百姓们，就自然地将它们奉为部落的保护神，它减少了那种精怪的凶狠残酷。如《年保页什则神山的传说》所讲：

> 年轻的藏族猎人搭救了化身为小白蛇的山神年保页什则的独生儿子，后山神又求他消灭企图霸占年保页什则的地方的恶魔。山神化身为白牦牛，恶魔化身为黑牦牛，二人相斗，猎人射死了恶魔。山神为了报答他的恩德，让其在三个女儿中选一为妻。大女化身小金龙，二女化身金狮，猎人选中了化身白色花斑小蛇的三女儿。以后，猎人有了三个孙子：昂欠本、阿欠羌本、班玛本，以此三人为基础，逐渐形成了上、中、下三果洛。至今，果洛人将年保页什则神山当做自己的祖先，倍加供奉。

显然，作为部落祖先的山神，自然地有了保护子孙的责任，不再是那种凶神恶煞的样子。这种年神形象的改变，与莲花生降伏十二丹玛等藏地的年神，有直接间接的关系，与佛教在藏区的空前发展，有内在联系。祭“拉则”主要的有三项活动：

甲、放风马。风马，藏语称“朗达”（རླུང་རྟ།），“朗”是风的意思，“达”是马的意思，这是直译，有的同志也译为“禄马”、“祭马”等。风马是先刻了印，而后印在纸上的，印有木印、铜印、铁印，中间是奔走的马，大多是一匹，也有两匹、四匹的，四角写着：

右上：龙（འབྲུག）

右下：马（རྟ།）

左上：大鹏（ཁྱུང་ཆེན།）

左下：虎（སྟག）

马身上驮着“闹乌”（ནོར་བུ，宝贝），呈圆锥形，边饰烟火，有些还在马腹下写上“六字真言”的第一个字：“嗡”。所用的纸一般是白纸和黄、红、粉蓝等彩纸，印版上涂料基本为红黑二色。

放风马时，必先煨桑，在滚滚腾起的桑烟上，抛以风马，伴以祝词：

今日风马升起来，
袅袅升向空中。
没有升起的风马，
请连连升起。
天地满是吉祥，
风马哟，愿你都升入高空。

为什么是献风马？据笔者在甘青藏区的了解，有如下几种含义：一是山神需要骏马，一般认为山神也是一种战神，他很辛苦，经常骑着良马巡视自己的土地，以保护部落的安宁，抵御魔鬼和邪恶的侵入；二是放风马也是给天神（这里的天神概念非常模糊）作贡，乞求天神保佑，只有风马可以跃入高空，见得天神，告以民众的心愿；三是放风马代表着自己的命运和部落的命运。这种命运和运气大多是按年计算的。倘若你在正月放风马，所放的风马冉冉飘入空中，说明山神喜欢，接受了你的马，这一年你就会交好运；倘若你放的风马，不飘入空中，一放到桑烟上马上落在地上，这说明山神不喜欢，不愿接受你放的马，你这一年就会交厄运。风马的升与不升，还有一个讲究就是：所用的纸、印版要干净，前次用过这次要用时，就要重新在桑烟上熏过——桑烟是可以净化一切的，所用的纸不能让人踩过，尤其不允许女人们从上面经过，等等。

风马也有印在布上的，插在屋顶高处，象征运气、气数。说确切一点是一种祈求增长运气的小旗，有些也贴在门首，通常说“朗达得巴”（རླུང་རྟ་དར་བ།），就是“时运亨通”之意。还有的人拿了刻有风马的印版在桑烟上印，其作用一样。

乙、放箭杆。在一个方形的或圆形的框架上插上无数的红黑色染成的箭杆，有短有长，有大有小，在这些旗杆中间立一粗高的杆子，上面垂下经幡，称九节长箭。这些也被称为嘛呢箭杆的棍子，是山神所用的箭，有些地区的箭杆还做成箭样插在里面，人们说山神是需要箭的，他要守卫土地，就需要武器。有些“拉则”中还插有部落的信民们奉献的真刀、真箭，甚至后期的火枪、土炮等。添箭杆的时间，一般是节日，放单数，三、五、七、九、十一、十三。不放白杆儿，一定要涂上颜色，缠了羊毛，才能放在里面。自然，山神需要的箭很多，放得越多越好。

箭一插进“拉则”中就成了神物，很少有人再去动它，动它就意味着亵渎神灵。我在甘青藏区见到不少至少有两三百年历史的这种“拉则”。一些地区，部落里的大事便在这“拉则”下商量，在“拉则”下信誓盟志；要举行赛马会等大型活动，还要在“拉则”下煨桑（བསང་མཆོད། བསང་འབུད་པ།），乞求山神保佑。

诚然，当佛教传入藏境后，这个古老的习俗，也受到浸染。现在在“拉则”中间的箭杆上挂着的是佛教的经文，有些小的箭杆上也飘扬着“六字真言”。

丙、放生。放生是一个活祭形式。一些有大的“拉则”的地方，都有这种因放生而赶到山上的活着的祭牛、祭羊，身上用三色、五色的布条、丝线等装饰，一年四季都生活在山上，不剪毛，更不能乘骑使用，间或进入村子，人们也不任意鞭挞，鞭挞是有罪过的，更不用说宰杀以充肚腹了。如此，这些祭牛、祭羊自生自灭，它们是山神用的牛羊。后期的这种放生活动，也为佛教所用，因而，尽管有些神牛神羊徘徊山头、草场、村落，而实际的被献者的心理不一定是献给山神，而是转献给佛了。是故，至今我们照样可以在一些古刹圣地，如拉萨、塔尔寺、拉卜楞寺等地见到被放生的祭牛、祭羊。放生的人包括两种，一是俗人，做官为宦的与平头百姓都一样，以家庭为单位放生；或者以整个寺院和某个扎仓（学院）的名义，有些寺院有专门的放生节日。俗人的放生，通常找一节日，也有因疾病、灾厄等原因，先给山神或佛许愿，然后择日放生的。

另外，让人感兴趣的是被称为“阿年”的防雹喇嘛。尤其农区，防雹喇嘛的存在很普遍。他们有固定的供奉：山神和佛。每当雹雨将要来临，首先煨桑祀祝，或以仪式、定型动作，舞棍指挥雹雨趋向；或用“吾朵”（放牛羊用的抛石绳）装了“擦擦”（ཚ་ཚ།，一种用红胶泥等做的小佛像）或一些圆锥体法物，击向空中。

“阿年”早期是苯教巫士，安多区的一些宁玛派僧人也有充任“阿年”的，其职责主要是侍奉年神，主管防雹，要避免以白云为帐幕的年神用雹雨来毁坏庄稼、牛羊、草场，就要敬奉它，取得它的谅解——人是很容易得罪、冲撞神的，神的胸怀仿佛也不那么开阔，下雹雨就意味着“年神”在发怒，意味着这块土地上的人类得罪了他。供奉周到，年神才会给人类以平安、幸福。“阿年”这一角色有时则充任神的代言人。据说“阿年”一燃起桑烟，年神便知道了。神也给“阿年”一点“权力”，他可以指挥雹子打向某一地方，或者乞求雹子打向某一地方。

年神降雹兆示着一种惩罚，因此，对一些作恶者会有选择地去打。笔者在家乡时，经常听到某家某家的青稞被雹雨打了，而与此家人一埂之隔的别家的田地却秋毫无犯，此所谓“雨打隔埂”，也是一种奇怪的自然现象。在老百姓心目中，雹雨打了那家，说明那家作孽或处事不公，得罪年神而受惩罚；若雹雨打了整个部落，说明整个部落得罪了年神。得罪神的机会很多：祭品少，祭品不洁，破坏山场，猎人乱捕乱杀猎物，无故咒骂年神等，都可能得罪年神。

三、赞神

赞神是苯教神灵中地位较高的神，它们住在天空中。霍夫曼在《西藏的宗教》一书中说：“日巴赫描写它们像野蛮的猎人，红色，穿着盔甲，骑着淡红色的马，在它们的王子率领下巡游，谁要是不幸在山里碰上了它们，将被它们的乱箭射穿，得一重病而死。”其实，赞神的作用并没有给我们以清晰的印象，因为，它和年神的界限不好区分。从后期的一些材料分析，赞神是一种以天空为基地的更为凶悍的神，形体如牛、马、猪等。自然，它们是一种被神化了的形象，是一种以猛兽为基本特征的三头六臂的恶魔（或者说鬼怪精灵）。莲花生在藏地降服的所谓恶魔中，除了年神，也有赞神，如长着猪头的“多杰帕木”和长着马头的“达则”等，至今仍然作为佛教的护法神供在寺院里。

赞神以野兽和三头六臂的恶魔为形象，其实际含义，也有庄严可怖、威力无穷的意思。早期的典籍中也留下了这种意向，根敦群佩在《白史》中写道：

藏语“赞普”（བཙན་པོ།）、“杰”（རྗེ།）、“贾普”（རྒྱལ་པོ།）、“俄达”（མངའ་བདག）、“喇”（ལྷ།）等，皆是古名。如“莎迥”（ས་སྐྱོང་།）等，乃从梵语“补跋拉”（བྷཱུ་པཱ་ལ།）、“拿任札”（ནྲ་རན་ཏ།）等翻译而来，仅是论典中之雅名。

西藏赞普（བཙན་པོ།）号曰“松赞”，亦称为“天”（ལྷ།），《新唐书·吐蕃传》载：

其俗谓雄强曰普，丈夫曰赞，故号其君长曰赞普，赞普妻曰末蒙。

其中涉及的“赞普”（བཙན་པོ། 或 བཙན་ཕོ།）、“赞摩”（བཙུན་མོ། 或 བཙན་མོ།），即“王”与“妃”的称谓、意义，汉藏史书同。我们是否可以进行这样一种推测——在远古，在以力为崇拜的时日中，藏族的先民看见了虎、马、猪、牛，将这些动物的力量与人的力量进行比较，寻找动物与人的力量差别，认为动物身上这种大于人的力量的存在，是神赋予的，从而称那些雄强者（动物）为赞，以为它们是天神赐予大地的，继而引申至人中的雄强者呢？

因为这种崇尚力与勇的记载也见于敦煌文献《敦煌本吐蕃历史文书》中：

墀都松赞普，年虽幼冲，曾刀砍野猪，以脚绊拴扣野牛，抓捏虎耳等异行，除深沉谋虑之外，加以武艺精湛，圣明远超他人，天下一切君王、庶民黔首齐上尊号曰“神变之王”，记载于诏令册之中。

就人类社会发展的基本规律而言，王与雄强、勇敢、力量等相联系，也是自然的事，因为氏族部落的成员们，为了狩猎，为了部落的安全，往往选择那些有力、勇猛的人做自己的首领。“赞”一词，乃至赞神的由来，与原始人类的这种思维活动不无关联。这些我们可以从现在供养的一些赞神身上找到线索：

载末尔是西藏著名的赞神，他最初是人——一位藏族妇女生了七个蛋，孵出了七兄弟，载末尔为长兄，后为仇人所杀，成为厉鬼，随时寻找机会报仇，令人畏惧。相传莲花生入藏后收服了他，他遂成为佛教的护法神。现在我们见到的载末尔的像是红色的，三只眼，咬着下嘴唇，骑在红马上在血海中行走，将军装束，双手端一长枪，左手持一套索，套索另一端持一恶人，恶人被长枪刺透，流着血；披挂箭囊、弓，背景为风，周围火焰。不难看出，载末尔经过了由人而魔，由魔而神的变化过程（神的塑造过程），基本神性仍取雄强、悍勇。

有些赞神显得过“实”，如赞神东丹班觉，据说生前是拉萨曲水地方的一名天葬师和远近闻名的大盗，后来死于去桑耶寺的途中，凶煞异常，人人惧怖，后为拉萨丹吉林寺收服其灵魂，并将其头皮及面剥下，楦以干草，挂于载末尔神旁。我在西藏调查时曾发现一种地区性的赞，它们似乎很难以“神”相称。因为那是些冤死、凶死的灵魂，或者是些恶人的灵魂，有固定的活动区域，自然它们也不住在天界。

龙神、年神、赞神都是原始神灵，而在苯教产生之后，又都归入苯教之神灵家族，有些甚至再次归入佛教神灵系统。《十万龙经》（ཀླུ་འབུམ།）[①] 等典籍记载有这方面的内容。

龙神、年神、赞神分别住于地下、地上、天界，这种将世界分为三界的观念也见于土耳其、波斯，以及中国赫哲族、满族等北方民族所信仰的原始萨满教中。只是藏人信仰中的这三界在早期也可能不是绝对的，或者说生存于某一界别的神灵也可能突破一界别进入另一界别。如赞神，它可居住于虚空、雪山、石崖、水中，魔鬼中也有赞神，日月星曜中也有赞神（参阅第九章第三节）。

四、土主

前文业已提及，土主（土地神）与山神（年神）、龙神等在苯教的一些著作中是很难区分的。说它与山神相混，是因为它同样主管着山和山上的花草树木、飞禽走兽；说它与龙神相混，是因为苯教的一些典籍上将它归入龙族，它照样守护着地下的一切宝藏。因此，实质上的土主具有龙神和年神（山神）在土地问题上的双重特点。它既是地上的财富，如树木、花草、飞禽、人的主人，又是地下的财富，如金银铜铁，各种珠宝玉器的

① 《十万龙经》，通常称《白、黑、花十万龙经》，分上、中、下三部。传说为苯教祖师辛饶米沃且亲口所传。《藏汉大辞典》将其译为《济龙经》，分为三部：上部《太白济龙经》（ཀླུ་འབུམ་དཀར་པོ།）；中部《斑斓济龙经》（ཀླུ་འབུམ་ཁྲ་བོ།）；下部《玄青济龙经》（ཀླུ་འབུམ་ནག་པོ།）。

主人。庄稼的收成好坏，人们的生活劣佳，都与它有关系。据苯典《十万龙经》记载，当辛饶米沃且登上须弥山宫和最高神山的山峰时，土主献上了大地上的奇花异草及各种宝物，叩见辛饶米沃且。这里的土主是以大地之主的身份出现的，而且有名字：丹玛。这种大地之主的角色，在现实生活中并不多见，或许为有意加工塑造的主宰一切的神。实际不然，在民间我们常见到的仍然是分散的各管一段地面的土主。如：

1. 假如某家要打桩盖房，首先要在开土动工的地方，铲上几锹，煨上桑烟，摆上祭食，其意义是告知土主，请求土主保佑。倘若没有这些仪式，土主发怒，就会将打起的墙推倒，盖起的房会倾斜，甚至倒塌。笔者在家时亲眼见到这样一件事：一日我到邻居家串门，邻居家正在打围墙，在撬一块石头时，窜出一条蛇，几个年轻人不由分说，挥着铁锹就打，被他们的长辈断然制止道，“不能打，这是土主！”于是，他煨了桑，用一松枝蘸着净水，慢慢赶往房子后边的森林里去了。至于土主是否还能化身其他什么动物，尚且不知，这却也是特例。

2. 许多家庭，在打桩盖房时还要埋宝瓶，宝瓶中主要装有金银（当然只是意思而已，不会太多）、五色线等物。择一吉祥日子，由僧人或神汉行过仪式后埋入庄廓地下，或于正屋中间，或于院子中央，一般不埋于院子之边缘和下方。这种埋宝瓶的含义有二：一是敬献，二是起震慑作用。这“敬献”自然是讨取土主的欢心，因为你要居住的土地是土主的，土主有权力管你，里面也含有感恩的色彩。无论是取得土主的欢心，还是感恩土主，都是为了居住者自己，其中有价值因素。这震慑的主要对象是鬼怪恶魔，又因为疾病、灾祸是由鬼怪恶魔（诸如年神、龙神等）带来的，因此埋宝瓶的内涵尚有祛除疾病、灾祸，保佑居住者人丁兴旺，吉祥安宁等意思。

据地下挖掘出来的一些材料分析，宝瓶中的装物种类繁多（当然其仪式目的不光是打桩盖房一项），有牛羊头角，有牛骨羊骨孩童骨等。我在青海调查时听说也用活狗、死人头发、死人头颅，有用五色线、各种粮食的，反而很少用金银玉器。

3. 在夏天时，安多、卫藏部分地区有折杨柳插在麦田里的习惯，这也是一种敬土主仪式，有的人还在杨柳枝上缠上羊毛或五彩线、三色布条等。

4. 霍夫曼在《西藏的宗教》一书中说：“在土地上有土主和可怕的瑟鬼，这是一种和吸血鬼一样的动物，专喜欢吃小孩子。”我不知这种说法出自何处，然而有一点很清楚，在一些藏人心中，确有婴儿是土主赐予的观念。在青海藏区较为常见。既有赐予就有“收回”的权力，因此森林深处，阴暗处，危险处，当孩子不幸离世时，家人就会说：“土主把我的孩子收走了。”于是挖一地穴将其埋掉，没有任何祭祀仪式。另一种说法是，土主喜欢和孩子们玩，让孩子们进入森林迷路或引入水沟峭壁，并不伤害，只是将孩子魂玩“昏”了，附不到自己身上。大概这是同一问题的另一说法，因为孩子丢失某地，有时并不会死去，神灵观念也得为那些活下来的孩子留下适当的解释。

五、家神

家神是与人关系最为密切的“朝夕相处”的神。有的同志认为家神就是灶神，其实不完全是。家神和灶神尽管许多场合下形同一体，然而在另一场合下却各有区别。灶神有固定的神位，有固定的活动场所，有固定的职责；家神仿佛没有固定的神位，没有固定的活动场所，职责范围也较灶神广。

每个家庭都有自己的家神，观其实质，有些家神具有“家族神”特点，倘若某一家族有二十户人家，尽管每家都有家神神龛，他们的家神却只有一个，因为他们是由一个家庭逐渐分离出来的。家神的主要职责是保护家庭平安，发财致富，在有些场合下还充当战神和财神的角色，家神和家神可以发生战争——先决条件自然是两个家庭为仇家，这两个仇家互相放咒，动枪动刀，家神作为某一家庭的保护神，也参与这种争斗。我听说过一些某家神收拾了仇家人的故事，被描绘得神乎其神。然而家神参与仇杀诸事，并不在家神之间进行，而是家神和人之间，各为其主。我了解调查的材料中，至今尚未见到描绘家神与家神争斗的。而某家某家的家神厉害，仇家某人被某家的家神推下山或使了绊子而导致死伤的故事屡有耳闻。家神的这种斗争神秘莫测，仿佛作为一种灵怪，使活人在他的摆布下，陷入一种似醒非醒、似梦非梦的境地，自我戕害，有的会用自己的手刺瞎自己的眼睛；有的清清楚楚看见前面是坦途，一脚踩去，却是陷坑；有的神鬼附体般胡言乱语，让别人揍他伤他，处于一种“迷魂”状态。

家神的另一种职责是守卫自家的财富。好的家神可以帮助主人找来财富，有些地方描绘家神帮助主人找来财富的方式，仿佛是一种不正当的行为，而有一种去偷去抢去夺的意味。比如某家的某件物品，莫名其妙地到了另一家，这便是家神拿来的。有些地方的百姓说，家神能拿的一般都是无字的不是十分珍贵的东西，家神拿不动金银，但可以推倒另一家神的神龛、神位。家神也是一种十分贪小的神——它可能去偷针头线脑、糌粑、米面、油、奶汁、酥油、扫帚、簸箕、背篼等物品。

家神也是一种心眼很小的神。它可以兢兢业业帮助你，但需要你点点滴滴侍候周到，稍有差错闪失，就会发怒。家神犯怒，不但不守护这个家，而且还会把此家的东西任意糟蹋或送给别人。比如某家人得罪了家神，家神则变法儿整治他们。家里做了一锅饭，每人只吃了一碗，第二次去盛，锅中空空如洗。当家人看见泼洒在马粪堆里的面条时，始知此为家神所为。因此，为了侍候好家神，主人要使家中保持清洁，污垢之物不能随便乱扔。好吃好喝的，先要请家神尝尝。

六、灶神

灶神的主要职责都与厨房里的事有关，与做饭有关，与火有关。灶神同家神一样，没有具体的形象，因此其神位也依照各个家庭厨房里灶神不同的位置来确定：

1. 有的以锅台上面的墙为意向中灶神的神龛，倍加供敬。若烧奶、茶等，先要向墙上泼洒一些，然后再给人吃喝。其他做出的食物在人享用以前，也先要献一点放在墙下的锅台上，让灶神享用。

2. 有的以厨房里的某一根柱子为灶神的神舍，抹点酥油（有的每打出一次新的酥油，都要先抹在柱子上一点，意思仍然是让灶神先享用），或者挂一些麦秆，或一点羊毛，或拴一节牛皮绳等。一般在这个特殊的柱子上不挂其他东西，更不能挂脏东西。这种柱子，以云南藏区显得特别突出，称“中柱”，常为两人合抱的粗木，姑娘出嫁时，要绕着中柱唱歌、舞蹈，以感谢神的护佑和父母恩德。据我观察，许多家庭还在中柱上包裹层席一类东西加以保护。当然，中柱或兼有家神的含义。

3. 有的并不设定象征灶神的柱子和墙，而是以灶火本身为灶神依托处。

灶神很爱洁净，要是不慎把头发、狗屎、指甲、禽毛、兽毛、人粪等脏物放在灶火中焚烧，灶神就会发脾气，就会动怒。或者灶膛里的火猛爆，伤人的眼睛、手，或者烧溢了锅，或者无缘无故使之没了水；或者煮食物夹生。这时候家庭的主人就应该往灶膛里燃松枝、柏叶、桑面（称“擦苏”），献供灶神，请求原谅。因此藏区对厨房的要求很多：要干净，女人梳头不能把头发等物丢在要烧的柴草上，冬天天冷时不能抬着臭脚丫烤火，等等。

帐篷神的基本特点与家神相仿，但由于帐篷的特殊限制，帐篷神和灶神更为接近。灶神在苯教著作中被认为是现实世界的国王什巴桑波奔赤与后曲坚木杰莫所生的第七女恰则杰莫，它是财神和母牛女神，又是马神、牦牛神、羊神、山羊神、门神等神之母。

第二节　动物崇拜

一、雄狮崇拜

藏人对狮子的崇拜同样十分久远，且经久而不衰。见于史籍的是吐蕃的军旗上绘有狮子，足见狮子在当时藏人心目中的地位。我在西藏、安多地区考察时了解到，解放前一些部落械斗中也使用狮子旗帜。藏族所谓狮，大多前加一“雪”字，称“雪狮”（གངས་སེང་，音“岗桑”），在绘画中的形象通体洁白，着有绿鬃。有人认为雪狮并非狮是指雪豹，实际不然。稍有阅历的同志都知道，1949 年以前以西藏为主体的整个藏区所使用的旗帜上绘制的狮子确为狮形而非豹形，尤其是自 1631 年至 1953 年西藏发行的几十种有狮图案的货币均用狮形。如 1913 年印制的纸币五章噶（ཏམ་ཀ），正面图案为阳光普照的群山中，卧一雄狮；十章噶，正面图案为日光普照下卧一雄狮；十五章噶，正面图案日照群山，上有行云，下有流水，一雄狮头顶一装满供物的宝盘；二十五章噶，正面图案为阳光普照的群山下，一大一小二狮相戏，等等。这些具体的图案中，并没有用雪豹形象来代替狮的形象，可知狮形象与豹形象并未曾混同使用。至于说狮不曾生活于藏区，是夸张加工的产物，同样难能立论：

第一，狮的存在与汉族所谓龙、凤的存在有所不同，龙、凤形象在动物中不曾有，是不断加工而成，在今天我们难能找到与之对应的动物；狮不同，狮子是实有的动物，它不需要任何加工。

第二，关于狮，藏人有一则古老的传说，“很早很早以前，雪域西藏有很多动物，由于经受不住冰雪严寒的袭击，纷纷迁徙，连大象也迁到温暖的南方去了，只有雄狮经受住了寒冷的考验，仍然在雪山生活、繁衍。”① 据我在其他地方的调查和对一些学者的请教的结果，其说法大体一致。据竺可桢先生研究，在距今三千至五千年间，中国的气候属于温和气候时代，当时的青海地区和新疆南部属亚热带气候。显然与青海和新疆南部毗连的西藏地区的气候至少与之相同，甚至还要温暖，狮类生存同样具

① 肖怀远编著：《西藏货币史》，民族出版社，1987 年版，第 42 页。

备条件。从上文新石器文化的介绍中可知，这一时期也是藏族社会发展的重要时期，藏人由牧业社会进入农业社会，由于语言的发展，生产生活经验的积累，思维水平的提高，此时的藏族原始先民的物质及精神文明处于一高峰期，原始崇拜已成系统。因此，倘若此时有雄狮以至雄狮崇拜，即便以后随着寒冷的气候狮类远走他乡，狮子的形象仍以动物崇拜的形式流传下来。否则我们对这一则远古神话就永远无法理解。

对于雄狮藏人有极为广泛的尊崇心理，在脍炙人口的《格萨尔王传》中格萨尔的另一尊号便是“雄狮大王”，因为雄狮这一形象代表着勤劳、勇敢、威严、凶猛、无坚不摧、无往不胜，是藏族民族精神的重要组成部分。在民间，它是绝望中的希望，孱弱者的力量，是气节，是冲锋，是牺牲，是蒸蒸向上的正气。“像雄狮那样活着”，这是无数人的信念和座右铭，也是老一代人对青年们最好的教导和期望。冠格萨尔以“雄狮大王”，正反映了史诗的作者在这一英雄形象身上集中、凝聚了民族的精神和民族的期望。

二、牦牛崇拜

不少同志视牦牛为藏人图腾，主要理由是：其一，以藏族发祥地的部落名称说当初天神之子聂赤赞普自天而降，“遂来作吐蕃六牦牛部之主宰”。[①] 汉文的一些文书也记载，目前的藏族人种是牦牛羌系一部落，既以牦牛冠之，则以牦牛为图腾。这种演绎过于简单。从前文所述的西藏旧石器、细石器、新石器文明可知，西藏高原在三万至五万年以前就有人类居住，在四五千年前已进入新石器时代。显然，汉籍所载在秦厉公（前477～前444年）时曾为秦国俘虏，后在青海等地开疆拓土、发展势力的无弋爰剑和在南凉（414年亡国）“率众西奔，济黄河，逾积石，于羌中建国，开地千里”《旧唐书·吐蕃传》的秃发樊尼，都不能成为藏人的远祖。前者不过2500年，后者不过1500年。青藏高原空前的兼并战争，才使居住在甘、青、川等地部分原为藏人的部落再回到藏民族之中。所谓羌人风习，实际为藏人风习（见第十二章）；所谓羌人崇拜，实际为藏人崇拜，而藏人之崇拜牦牛与羌人之崇拜牦牛并无二致。

其二，藏族民间传说、神话传说中有许多尊崇牦牛的记载，一些古籍中也涉及了此方面的内容。如：

---

① 王尧、陈践译注：《敦煌本吐蕃历史文书》，民族出版社，1980年，第162页。

冈底斯山神、雅拉香波山神多次化身为白牦牛。

茹来孜的母亲（吐蕃第七世王止贡赞普的妃子）梦中与一白牦牛交媾，醒后一白牦牛从她身边走开了，以后就生了茹来孜。等等。

牦牛是青藏高原的特产，成为藏人崇拜的图腾也仿佛顺理成章。然而从这些牦牛的出现中，并不能让我们觉得它们是图腾本身或为图腾制度的印迹。其实其中涉及的牦牛并不在牛身上，而是那个“白”字。藏人尚白，而尚白的国度和民族除藏族外，有印度、波斯等。这些有关白牦牛的传说很有可能受了印度佛教文化的影响。众所周知，传说中的佛祖入胎时，就有一只白象进入他母亲的梦中，而后生佛祖。随着佛教的广为传播，佛祖形象的日益完美高大，白色更为神圣、崇高。接受了印度佛教文化的藏人，是不是借这个故事的神圣白色，而以牦牛替换了象呢？除了藏人本身从远古以来就有的白色崇拜，也有受此种文化影响的可能性，或者说在色彩崇拜上的相同，加深加重了藏人的尚白观念。藏区少白牦牛，大多是黑牦牛，而牦牛在一些故事中又成了恶魔的象征。比如那则关于朗达玛的传说说，有兄弟三人与一牦牛修塔，牛因劳动生疮，浸入肌髓，托兄弟三人作法时替它祈祷，结果兄弟三人在祈祷时只为自己而忘了替牛，后牛知此事，发誓来生毁灭佛法，即转生为达玛赞普，头上长俩骨突，状如牛角。此故事对达玛赞普是怀有仇恨的。但是透过故事中运用牛这一点看，牛本身并不那么神圣，否则绝不会借牛去喻丑恶的形象。如象，尤其是白象，在藏人中是吉祥善良的象征，就很少见到以此形象去喻丑恶的人物。

然而牦牛作为崇拜也留下了它的印迹，《格萨尔王传》中出现了命根子牛一说，恶魔切巴拉让的命根子就是一头野牛，这是一种个人图腾的表现。类似的一些观念在今天的一些牧区也存在。笔者在青海省海西藏区工作时，与一位老人闲聊，我问他为什么经常病恹恹的，他说他的命神不好。我问他的命神是什么，他说是一棵树，他去看了，那棵树夏天的叶子一半是黄的。这同样是一种以植物为个人图腾的观念。

甘青部分藏区还流传着《什巴达义》（创世歌），说什巴宰牛时，将牛头放高处，就有了山峰；牛皮铺地下，就有了大地；牛尾放山阴，就有了森林，等等。故而，综合上述材料和这首长歌考察，牦牛作为藏人的动物崇拜较为合适，尚没有上升到图腾崇拜。

三、羱羝崇拜

羱羝为大角牡羊。《新唐书·吐蕃传》记载，“其俗重鬼右巫，事羱羝为大神。”这种以羱羝为大神的岁月同样十分悠久。《水经注·河水》载：梁晖之祖父被羌人推为“渠帅”，梁晖“将移居枹罕，出顿此山，为群羌围迫，无水，晖以所执榆鞭竖地，以青羊祭山神，泉出，榆木成林。”这则近乎神话的传说告诉我们，古代羌人有以青羊祭山神的历史。当然，我们尚不能确认衅牲的青羊就有动物崇拜的尊位。

羊确实是羌族先民的崇拜物。早期羌人活动的中心地带，三危山、积石山、玉山一带，土民所供祀的神就有羊的某些特征——“状皆羊身人面”（《山海经·西山经》）。马长寿先生在其遗著《氐与羌》中写道：“今四川羌民……唯以两角羊象征羊神供于壁上。又端公（羌民巫师）所戴羊皮帽有两角，亦由羊皮做成。”这是近代的事，与古书之记载不谋而合。

藏人对羊的感情非常深厚，这也是羱羝崇拜在近代的一些反映。在过藏历年时，除了“切玛”（一种长方体五谷斗，上插青稞穗或麦穗、彩花板等饰物）外，还要摆一个羊头。这羊头一般是用酥油等物塑成，饰以彩绘，或青面黑角，或白面黑角，伴之以黄色羊眼，形象逼真有神，额中央塑一日、月、星、焰火等吉祥物。“切玛”、羊头等现有两层含义：一是祝贺去年的丰收，二是瑞兆来年的农牧收成。羊头饰物，有些地区也渐渐为陶器和泥塑所代替，如此，不需要年年更换。这种风俗有可能是从原始社会的祭祀形式演变而来，人类对其的尊崇心理不言而喻。

藏人的动物崇拜尚有犬、虎、鸟（鹏）等。

如虎崇拜，在唐刘元鼎《使吐蕃经见记略》中就载有：“山多柏坡，皆丘墓，旁作屋，赭涂之，绘白虎，皆虏贵人有功者，生衣其衣，死以旌勇。”崇拜虎，且贵白虎。崇虎也是藏系民族的共同特点。如彝族的一些支系中就有专门的虎图腾舞、虎图腾节。

第三节 鬼魂和祖先崇拜

一、阳神和战神

塞赤赞普的儿子是止贡赞普，他有三个儿子，夏赤、聂赤、甲赤。止贡赞普心为魔鬼迷惑，对一个叫罗阿达孜的大臣说：“你当我比武的对手。”罗阿达孜回答说：“王上怎么啦？我是当臣子的，不宜当王上的比武对手。”止贡赞普逼他当，于是决定比武，选择四月的亢宿日为交战日期。止贡赞普有变化身的母狗，名叫年几那桑玛。赞普派它到罗阿那里去侦察，罗阿发觉了，故意扬言说：“后天国王来杀我，如果他不领侍卫，头上缠黑绸布，额头上挂面镜子，右肩上挂只狐狸的尸体，左肩上挂只狗的尸体，绕着头顶挥舞宝剑，并且用红牛驮着装灰的口袋前来，我就不能取胜了。”母狗回去把这话报告止贡赞普，止贡赞普说：“就按他说的去做。”到了后日，止贡赞普果然照此行事，去杀罗阿。战场上一声呐喊，红牛受惊，装灰的口袋破裂，灰尘迷住眼睛，狐狸的尸体魇退战神，狗的尸体魇退阳神，止贡赞普绕着头顶挥舞宝剑，砍断了登天绳，大臣罗阿对准赞普额头上的镜子射箭，射死了赞普。

阳神（ཕོ་ལྷ།）和战神（དགྲ་ལྷ།）是同时存在于一人体内的两个神。《吐蕃王统世系明鉴》记载这段止贡赞普错误使用狐狸和狗的尸体，使战神和阳神脱离自己的身体，结果上了当，被罗阿所杀的故事，是目前所见最早最完整的有关阳神和战神的史料（这一故事也记载于敦煌文献中）。这种人体中的阳神的存在，在甘肃、青海的藏人中，甚至邻近藏区的土族、蒙古族、汉族中也有类似说法：

男人的右肩有盏灯，女人的左肩有盏灯，假如弄熄了这盏灯，人就会得病。土族和蒙古族的说法与此相同，汉族的不同，认为人体上的这盏灯，男的在左，女的在右。一般来说，越是健康的人，这盏灯就越亮；越是身体虚弱的人，这盏灯就越趋于昏暗，甚至奄奄欲熄。因此，老百姓将此称为命灯。命灯旺的人，白天血气旺盛，神鬼不问，就是到了晚上，鬼也不敢侵犯。据说鬼怕亮光，它想害人，首先得弄熄人的命灯。命灯旺的人，身上带着光亮，所以鬼怪不敢近前。这仿佛与人体自身可以放光的现代科学理论有点接近。那些命灯不旺的人就得小心，鬼怪专欺负这些人，因此身体羸弱的人走夜路，就很容易得病。

奇怪的是命灯不是一次性的用物，它若遇到不测可熄灭，照样可以通过一定的仪式去点燃。这可能与灵魂不灭观念有一定联系。

实际上，这种阳神的存在，和人自身灵魂的存在很不好区分。平时，就像藏人忌讳拍自己的肩膀，尤其忌讳女人拍男人的右肩一样，也忌讳别人拍摸自己的头，认为人的灵魂平时就待在天灵盖地方。在民间的习俗法中也有禁止伤头和肩的规矩。1977 年，笔者在青海海西工作时发现，这儿的藏人与我的家乡（青海海东）的藏人一样，即便是父母揍自己的孩子，也禁止拍脑袋、扇嘴巴。如某家的父母打孩子时打了脑袋，就会受到社会舆论的谴责，说揍孩子都不会揍，是疯子、蠢货，这样会把孩子的魂吓飞，弄傻。因此一般教员在处罚小学生时，如果揍屁股，家长不闻不问，甚至会夸奖老师，假如揍上了头脸，那家长就会兴师问罪。民间认为打了甚至拍了孩子的脑袋，孩子的魂就会吓飞，从而导致死亡或傻呆疾病。

正如古代藏人对鬼与神的区别不甚明显一样，魂与神（即我们所说的灵魂和阳神）也是难分的，实质上是不同阶段的不同称谓罢了，灵魂就是藏人前期所说的阳神，至今藏区还保留有招神（招魂）仪式。某家的孩子受了惊吓，昏迷不醒，或者呓语乱言，即被认为是吓散了神（魂），藏语称“拉谦”（བླ་འཁྱམས།）。招神的人便做了孩子喜欢吃的食物，如核桃、糖果、油圈圈，叫着“某某回来吧！某某回来吧！”从规定的地点——一般是孩子出事的地方和出事的方向，叫着回到家里，回到家后还要问家里人：“某某回来了吗？”家里人回答：“回来了。”接着招神的人把那些食物放在孩子的枕边。等孩子醒来，吃了这些食物，就意味着阳神已经招回来了。如果孩子照样昏迷呓语，则认为阳神（魂）还没有招回来，还要用同样的仪式继续去招。有时候招神的人用过同样的仪式，到晚间还在锅里放两颗（或三颗）红枣，加水，搅搅，盖上锅盖，翌日清晨揭开锅盖，若看到锅里的两颗（或三颗）红枣在一起，证明这个孩子的神招回来了，反之则为没招来，还要继续去招。

招神（魂）仪式一般是对孩子们，很少给成年人或老人们进行。大约是因为孩子很容易受到鬼神的威胁吧。从中我们也不难看出一些科学的成分，孩子们受不了惊吓，孩子们也受不了在脑袋上猛击一掌，如此，孩子们会吓病吓傻，拍呆拍痴的。战神仿佛有两种类型。一种是依附于人体的战神，它是保护具体个人的，作为保护神，每个人都有自己的战神。止贡赞普之所以被罗阿所杀，是由于他的战神离开了它，失去了战神的保护。和阳神一样，战神也依附在人的肩上。在打仗时，它一方面帮助自己的主人打击敌人，另一方面它在竭尽忠诚保护自己的主人。从《格萨尔王传》中看到，战神的种类也很多，如“十三战神威尔玛”（དགྲ་ལྷ་ཝེར་མ་བཅུ་གསུམ།）、“战神之主宁达神”等。这些战神，有些是人的保护神，有些是部落的保护神。部落的保护神实质上就是山神。马身上也有战神：

我的马童白雪神，
快快前来听我话。
你去东方宗喀叉毛山，
赶回我的神智赤兔马。
它的尾巴鬃毛像云彩，
附着十三战神威尔玛。

马的身上也附着战神，这说明什么呢？一则壮马威，说明马的神奇勇猛；二则自然是为了烘托人的神威。然而这更突出了依附于一个个体（人与马等）阳神和战神的思维程式。一个个体上不但附着一个或者两个神，也可能附着多个神：

它右腹的坛城里，
有快速风战神。
它左腹的坛城里，
有快速火战神。
它的脊背法轮上，
有红色马头金刚变化身。
它的肺部白雪山，
有自现护螺老龙神。
它的肝部花石山，
有自现格卓宁保神。
它的上半身，
附着不同种类五男神。
上身下身分界处，
一道红光耀彩云。
整整齐齐白牙齿，
附着三百六天神。

这多个神，保护着不同的部位。奇怪的是格萨尔的保护神格卓宁保也在其中。所谓上半身的五男神，也可译为五阳神；下半身的五女神，也可译为五阴神。这与民间的一些说法也是切合的。民间认为人的上部为阳，下部为阴，上部珍贵，下部低贱。位于肩头的神，《格萨尔王传》中也有反映：

在我的右肩上，
有水晶白额男神（亦可译为“阳神”“ཕོ་ལྷ།”）。
在我的左肩上，
有绿色度母女神（亦可译为“阴神”“མོ་ལྷ།”）。
（ངའི་ཕྲག་པ་གཡས་པའི་སྟེང་ཞིག་ན། །

ཕོ་ལྷ་ཞལ་དཀར་ལ་སྤྲོད་ཡོད། །
ཕྱག་པ་གཡོན་པའི་སྟེང་ཞིག་ན། །
མོ་ལྷ་སྒྲོལ་མ་སྔོན་མོ་ཡོད། །)

这与现在青海地区牧民中的说法完全一样。王沂暖先生在译这段文字时加上了“天”这个字，便成为“男天神”、“女天神”，实际上不加更好，更接近于藏俗人身附有神祇的观念。即便是用了“卓玛安保”（绿度母），并不碍事，因为这段文字产生的基础是藏人早期的思维方式，是在古老的习俗观念上构想的。“卓玛安保”也是借来为这种观念服务的。

诚然，有没有“阴神”，我们应该进一步研究探讨。

这种人身依附多神的观念，苯教的一些其他著作中也可以见到。如旅居法国的噶尔梅·散木旦博士在所著《苯教历史及其教义概述》中说：“由于有了三姐米堪玛莫和她的丈夫孜巴东虚才使得人类能生存下来。这对夫妇共有八个后代，他们成为人类最早的祖先。五姐谢萨那玛是生命女神，她有十三个后代，在他们中间我们可以找到颇拉米孜（父神）、玛拉布孜（母神）、尚拉郑钦（舅神）、格拉达玛（家神），再加上索拉年钦（生命神）、称为五尊守护神（索拉是七姐的一个儿子）。每个人从出生就有这些神附在身上。索拉在头上，颇拉米孜在右肩，玛拉布孜在左肩，格拉在头前，尚拉在头后。”实际上，这里的在右肩的颇拉米孜（父神）和在左肩的玛拉布孜（母神），与整个藏族的民间说法相一致，同时它们也可以阳神和阴神的身份出现。由此看来，神之对应关系，在藏民族早期的神祇中也是存在的。值得注意的是索拉年钦（生命神），它与父神、母神同在人体之内。它是否是藏人所说的“魂”（神）呢？我觉得它的形体感受也是比较清楚的。看来，我在上文所说的魂的对应神祇不能完全确定在阳神身上，用以生命神似乎更为确切。

二、寄魂物

寄魂物，藏语称“索拉”（སྲོག་བླ），是指一活着的生命（主要指人）在另一物体上的反映。藏族长篇英雄史诗《格萨尔王传》中出现了许多命根子牛（བླ་འབྲོང་）、命根子鸟（བླ་བྱ），或者寄魂湖（བླ་མཚོ）之类的词，实际是一个意思。粗观之寄魂物有两类型：其一是个人的寄魂物，有一个或多个。《格萨尔王传·降伏妖魔》中写道：“老魔（路赞）说：‘妃子，不要这样小心！在我的仓库里，有一满人头碗的癞子血，这个碗打翻了，我的命根子海（བླ་མཚོ）才能干，旁的什么也弄不干它，即使干了也不会被毁坏。在我的仓库里有一个金斧子，用这个金斧子砍三次，我的命根子树（བླ་ཤིང་།）才能砍断，用别的什么东西也砍不断。在我的仓库里有一个玉羽金箭，用这个箭来射，才能射死我的命根子牛（བླ་འབྲོང་།），用别的什么东西也打不死它。我的姐姐卓玛，她的命根子是一只玉蜂，在珊瑚瓶里把这个玉蜂杀死。她才能死，我的妹妹阿达拉毛的命根子是一个蛙头玉蛇，砸烂了它，她才能死。我的弟弟刺雏的命根子是一支箭，砸坏了它，它才能死。”命根子的多少与具体人、神、魔的高低贵贱有关系，魔王路赞的命根子有海、树、野牛、鱼（བླ་ཉ།）等多个，他的姐、妹、弟各一个。要消灭他们首先得消灭、毁坏他们的命根子。格萨尔在消灭魔王路赞时，就是先砍倒老魔的命根子树，弄干命根子海，引诱路赞打死了自己的命根子牛，用箭射死了命根子鱼，这才消灭老魔。至于消灭只有一个命根子的魔王的姐、妹、弟就容易多了。

魔和神、好人与坏人拥有命根子的形式是一样的，珠牡的命根子是札陵湖，辛巴的命根子是一头红野牛，格萨尔的命根子是阿尼玛卿雪山。命根子越是坚固不易摧毁，这个人的威力就越大。

其二是部落（集体）的寄魂物，亦有一个或多个，所依托物仍然是树、牛、山、水等，与个人无异，只是有些类型的数量有所增加：

你问岭国三个命根子鸟，
——白仙鹤是岭国鸟，
——黑乌鸦是岭国鸟，
——花喜鹊是岭国鸟，
这就是白岭国三个命根子鸟①。

此外，灵魂观念在西藏原始文化中占有一定地位，《巴协》等书已有记载，但由于后期佛教的传播和佛教轮回转世思想的强烈影响，使我们很难找到较为典型的早期的灵魂观念资料，或者说现今的佛教化了的灵魂思想资料使我们很难区分何者自印度而来，何者为本土之物，何者为先，何者为后。这不能不说是本书的一大缺憾。

---

① 王沂暖译：《格萨尔王传·降伏妖魔》，甘肃人民出版社，1980年，第164页。

第四节　图腾崇拜

岑家梧在《图腾艺术史》中列举了图腾制度最突出的四大特点，其中第一款为："原始民族的社会集团，采取某种动物为名称，又相似其为集团的祖先，或与之有血缘关系。"以此理考量，称得上藏人图腾的当属猕猴。猕猴演变为人的传说，不但在藏族民间广泛流传，也见诸史籍。藏人公认不讳是猕猴和罗刹女的后代，西藏山南地区至今留有贡保山上的猕猴洞、泽当（猴子玩耍坝）、由猕猴向人转变时下种青稞的第一块土地。有一则以猕猴为中心，牵扯到藏族族源的传说，受到藏族僧俗官民的广泛喜爱，因而也出现在布达拉宫和罗布林卡等处的壁画上。对之记载较为详尽的是《吐蕃王统世系明鉴》：

> 有一受观音点化的猕猴在山岩上修行，为一罗刹女纠缠，要求成为夫妇。猕猴不允，罗刹女苦苦哀求。猕猴征得观世音的同意，与之结为夫妻，生了六只猴崽，将它们送到水果丰盛的地方。三年之后父猴前去看视，猴崽已增至五百，树上的果实吃完，群猴饥饿呼号。父猴再往普陀山向观音求救，观音从须弥山的缝隙中取来青稞、小麦、豆子、荞麦、大麦芽，撒到地上，大地便长出不种自收的五谷。猴崽们饱食五谷，身毛与尾渐短，会操人语，便成为人，以树叶为衣。

这则故事与人类发展的进程有惊人的相同处。然而能不能将猕猴视为藏人之图腾崇拜？可，亦不可。可是因为从地域、动物图腾产生的时代、背景看，猕猴确实为藏人之图腾，否则藏族民间或史籍中如何如此重视且公认为藏人的祖先呢？不可是因为这则神话本身有许多漏洞：其一，猕猴为观世音菩萨之居士等语，有后世佛教徒伪造之嫌，尤其贯穿着佛教之教义：

> 猕猴与罗刹女结为眷属后，生下六只猴崽，它们分别由轮回六道的生灵投胎而来，因而性情不同：由地狱投生的猴崽，面色暗黑，能耐苦；由饿鬼处投生的猴崽，面貌丑陋，贪吃饮食；由畜生处投生的猴崽，粗笨懒惰，性情顽固；由人间投生的猴崽，见多识广，细心小气；由非天处投生的猴崽，身体强壮，容易嫉妒；由天神处投生的猴崽，深谋远虑，性情善良。

> 如此，由于藏族之人种，是猕猴菩萨和罗刹女传出的缘故，分成两类。父猴菩萨传出的一类，性情宽和，信仰虔诚，心地慈悲，勤奋努力，爱做善业，出语柔和，长于辞令，这是父猴的遗种也。罗刹女传出的一类，贪欲好怒，经商谋利，好盘算，喜争执，嬉笑无度，身强勇敢，行无恒毅，动作敏捷，五毒炽盛，喜闻人过，愤怒暴急，这是罗刹女的遗种也。

这种对佛教教义的阐释仿佛与文章的构思是同步的。其二，文中的罗刹女（有些文章译为岩魔女或魔女）这一角色带后世虚构色彩过重。其三，倘若猕猴是藏人之图腾，一般是备施崇敬，不加伤害的，然而它也出现在祭祀场合。《新唐书·吐蕃传》云："赞普与其臣岁一小盟，用羊、犬、猴为牲。"是否《新唐书》记载有误？在众多的探讨图腾崇拜的文献中，我们可以看到，食用形图腾在举行一定仪式后便可宰杀，而非食用形图腾大多是不宰杀的。猕猴是藏人食用形图腾还是非食用形图腾？假如是食用形图腾，用来祭祀盟誓有一层含义；假如是非食用形图腾，将它伤害是要受到惩罚的。当然也不尽然。《新唐书》所记载的是藏民族在公元7世纪至9世纪中叶（相当于唐代）时的风俗，而在藏族的古代文献和后来的风俗中尚未见到以猕猴为牲或食用的例子。赖以参照的材料实在太少。

我们说猕猴可以是藏人的图腾崇拜，也是借于一定的科学分析。我们知道一则古人的传说是随着历史的演变而演变的，不带有后人加工的神话传说是没有的。假如有也许不可能流传。显然，猕猴变人的传说也有历史的痕迹，像菩萨、罗刹之类词语很可能是佛教传入藏土后附加的，而人由猕猴变来才是这则传说的内核、根。值得令人高兴的是，在对拉萨曲贡村遗址的进一步发掘中，在一灰坑中意外地发现一件浮雕猴头像。这说明至少在距今4000年以前藏人就有猕猴图腾崇拜，而佛教传入藏土只不过是公元7世纪的事。

猕猴变人的传说，在其他一些藏系民族中也有流传。

第五节　灵物、偶像崇拜

像雄狮等动物崇拜、寄魂物崇拜一样，前辈学者几乎没有涉及此类项目的研究。寻常我们可以见到的灵物和偶像崇拜主要有以下一些材料。

一、护身符

护身符，藏语称嘎乌（ག་ཝུ།）。一般都戴在胸前，有银制、铜制，甚至金制的，里面绘有小佛像，或者写有佛教经文、咒语，民间以为戴在身上可以避灾消难凡事皆吉。因此在藏区几乎每个人都有一嘎乌戴在胸前，只是质地不同罢了。穷困的戴次一点的；一些富有人家的太太、小姐、公子，在银制的嘎乌上还镶有宝石珍珠，华贵精美；有些甚至做得很大，超过了戴的分量（据说有十来斤重的），在平日便斜背在背上。极精致的嘎乌也是一件极精致的工艺品，作为装饰只能在较隆重的场合才佩戴。

尽管现在的嘎乌归入了藏传佛教文化范畴，但是我以为嘎乌的最早形态不属于佛教，而属于原始的灵物崇拜。最早的嘎乌有可能是戴在脖子上的一种草，一种树枝或者一种野兽的皮子、骨器等。那时候的人类也相信戴上这些东西可以消灾免难，大吉大利。直到今天，我们还可以找到一些以往人类的信仰印迹。一些牧区的老人在圣地撮来一点土，或者在地上拾得一块与众不同的石头，便以布袋等戴在项上，以为可以保佑自己，走夜路避邪；有一些有明显的自救作用。如藏区著名的“珍珠七十”药丸据说有奇效，可治百病。有的人便常年戴在颈项上，一遇大病，又难以求医时，即取一粒吞服，便可缓解病情，转危为安。据言有的人一两丸“珍珠七十”可戴十来年。“珍珠七十”是药，但在许多牧人的观念中已成了灵物，即便不服用，带在身上，即有宝贝灵气护佑自己。

这一现象的另一反映形式是大量地佩戴活佛赐予的“红布条”（护身结），以为此物是佛之所赐，戴在身上即有消灾避灾、保护自身的作用。

当然，作为灵物和神物必须谨慎精心“供养”，不能让邪污之物、不洁之气玷污或熏染，倘若不洁或有意不洁，就会受到惩罚，给自己带来灾殃。

二、央（གཡང་།）

央是个很难对译的词。可译为“福”，或者“宝气”，但这是一种活的东西，是一种灵气。如一只羊，说其有央，既说明它健壮机敏，又指它能不断繁殖，给这家人带来好运。因此藏族地区在卖羊时要拔下一撮毛，是怕这只羊把家里的央带走。一些地区在姑娘出嫁时，当姑娘一出家门，就有人站在房顶上呼叫：“别把我家的央带走啊！别把我家的央带走啊！”家庭人丁、牲畜兴旺，说明这家有央，反之则无央。因此家家户户都有九节福箭“央达”（གཡང་མདའ།）供在家神之旁。央，看不见，摸不着，有的是活物，死物也有，尤其是那些珍宝，如寺院里供养的象牙、海螺、翡翠、珊瑚等都有央。有央的就是宝物，它可佑人避邪。

有时候一个家庭的央，仿佛还与“风水”有点关系。有一年我在一农区搞调查，有一个1948年破落了的地主子弟指着他的旧庄院上方左侧的一处白土崖说，不解放，我家也得倒霉，那段白土崖是1947年坍塌的，连我家煨桑的香炉都埋在里边。当时一位卜算很准的阿卡洪（宁玛派僧人）说：我每次经过你们的庄院，你们的庄院像一盆火，烧得旺旺的，像“闹乌埋巴”（ནོར་བུ་མེ་འབར།，意为“喷焰末尼”，是藏族象征财运昌隆的一种图形，藏画中较为常见），可是自从白土崖坍塌后，我看到的是灰烬，我知道你家早晚要倒霉，央没了。那白土崖像堵墙堵着外边的邪风，火才着得旺；墙倒了，邪风扑了进来，火被邪风吹灭了。果然1948年一场大火把整个庄院烧个精光，只剩下离得稍远一点的三间马棚。

这一现象与解释都荒诞不经，但对央这一观念从实例上有了进一步说明。

三、偶像

偶像崇拜主要是佛教传入之后兴起的，这是目前之公论。请教一些老学者，说佛教传入前藏人已有偶像崇拜，只是限于材料，难以详述。

四、箭神

箭神或许归入大自然崇拜中更为合理，但有时有灵物的意味，是故我们暂归于此。实际上，藏族的原始崇拜是很多的，有些专家们已做了有益的探讨，大致可以确定其归属，有些则因史料有限，很难一一论定。据苯教典籍《符音释难》记载，所谓穆叶十八神中的许多神祇就没有在本书中详加阐述，其中的一些神祇甚至很少为人们注意，如除公牦牛神、绵羊神外，像马神、奶牛神、山羊神、虎神、豹神、棕熊神、人熊神、豺神、狼神、猞猁神、狐狸神等很少有研究者述及。

箭神的来源有三。其一，据说很早很早以前，在天上的一条峡谷里，恰冈央扎和什贝东桑玛结合在一起，生了三个卵，金卵的裂口处带一支青绿色箭翼的金箭，青绿色卵的裂口处带一支金色箭翼的青绿色箭，白色卵的裂口处出现了纺锤，自此便产生新郎新娘的箭和穆绳、吉祥绳。“穆”绳是用羊毛捻成的线，在婚礼的祈神仪式上贴在新郎前额；吉祥绳是一条蓝线，祈神仪式上贴在新娘的前额。结婚仪式上供三支箭，一白翼神箭，为五位神主依托处，婚使带来聘礼的一个组成部分；一双重环纹生命箭，是男子的象征，新郎的箭；另一金箭代表父亲送给女儿的礼物。

这种箭的使用一直沿袭到现在。在西藏或者在康区（ཁམས།，指四川省甘孜藏族自治州、青海省玉树地区等）、安多(ཨ་མདོ།,除玉树藏族自治州以外的青海省藏区、甘肃省甘南藏族自治州和天祝藏族自治县、四川省阿坝藏族自治州)，婚礼上还可以见到它，或者送新娘到新郎家去时衣襟上挂一支箭；或是系有哈达、小镜、绿松石等物的彩箭——它不但用在婚礼上，也用在祝寿仪式上；或是一个男孩降生，做舅舅的送他一支箭，供在神龛里；藏戏的道具中也有一种五股彩箭。婚礼上的箭有着凝重的含义：

新郎的拉色尔（神金），
新娘的拉玉（神玉石），
当他们最初降生的时候，
他们是单独的，
而后他们各自成长起来，
最后结为一体。
让我们把他们托付给神，
让我们使他们依附于众神。
新郎的“穆”绳和新娘的吉祥绳，
当他们最初降生的时候，
他们是单独降生的，
而后他们各自成长起来，
最后他们结合成一体。
让我们把他们托付给众神，
让我们和他们依附于众神。
新郎的镶嵌宝石的生命箭，
新娘的带有玉叶的金纺锤，
当他们最初降生的时候，
他们是单独降生的，
而后他们各自生长起来，
让我们把他们托付给众神，
让我们使他们依附于众神。
男子的生命依赖于箭，
女子的生命依赖于纺锤，
我们把他们托付给众神，

让箭和纺锤永不分开。
让我们把“穆”绳和吉祥绳托付给神，
让他们永远不被切断，
我们两个——男人和女人，
已经成了湖和湖中女神。
让人和神永不分开，
让太阳和月亮永远在天上，
让人和神永不分开，
让雪狮威武地生活在雪山之中，
让人和神永不分开，
像老虎生活在森林中，
祝愿男人生命的金柱永不坍塌，
祝愿女人生命的绿松石大梁永不折断。[①]

从这段颂词中，我们可以看到象征男人生命的箭，在婚姻仪式中起着何等重要的作用，这是作为男人的生命神存在的。

《兄妹分财与祈神》所载人与女神的第一次婚姻，也寄托了藏族先民企图得到人和神和谐的愿望：

女神什坚木楚莫且是索琼（桑波奔赤）和妻子朗赞玛（曲尖木杰莫）所生的女儿，十分漂亮，所有的神和人都想娶她为妻。嘉地的领主林噶向主神求婚，主神说：“我女儿是神女，你是黑头凡人，不能结婚。”林噶说：“我是大地的主人，有了我人类才可以发展，假如人和神结婚，人类才可以崇拜神，神也可以保护人类。”主神应允了这门婚事，要求用黄金、绿松石、服饰、一支箭和牛、马、羊等物为聘礼。这些聘礼由七位骑着白马的婚使（新郎的男亲属）带到神的国土。女神出嫁时，父亲送给她一支箭作纪念，母亲送给她一支纺锤作纪念，兄弟送一块绿松石作纪念。

其二，显然，箭神的产生并不源于婚礼，而是源于生产和生活实践。与其他民族一样，早期的箭，藏族的先民们仍然用于狩猎，再往后有了部

① 噶尔梅著，向红笳译：《概述苯教的历史及教义》，《国外藏学研究译文集》（第十一辑），西藏人民出版社，1994年，第116－117页。

落间的战争，箭也就用于战争了。苯教的著作和稍早的一些故事中涉及了这一内容。有一故事写道，在“叶”与“岸”的分界线上长了一棵既不是植物又不是水果树的树，树叶如丝绸，水果如金子，树皮如布，荆棘如兵器，花朵也长得奇特。一天，拿着白翼神箭的恰马羊喀骑一只山羊爬上德喀山山顶看见这棵树，意识到“叶”与“岸”的战争即将来临。这次战争是现实与虚幻之间的斗争，战争开始后，“叶”的军队驻扎德喀山顶，“岸”的军队宿营索日（炭山）脚下。古杰仲喀进行调解，现实与虚幻两方互不相让。代表“叶”方的山羊拉蔡噶巴——白色斑点的羊，众神之侄，岗准楼楼大师和一位女神的后代，和代表“岸”方的山羊森蔡居塞克那——黑背的灰羊，恶魔之侄，一位大师与女妖的后代，两只山羊被领到了调解人所在的两军中间地带。两只羊都被旋转了九次，然后拉开。拉蔡走上了德喀山顶，森蔡转向了索日山脚。现实的神胜利了。若两只羊走错了地点，就意味着神的失败。接着，“岸”的领主卓波一方打造了各种兵器，“叶”的领主被暴风雨淋湿了，用拉娃巴钦神羊的毛制了一顶帽子。这支系着白绸和银镜的箭被看成是法器，逐渐象征着象雄苯教占卜预言中的 360 位神。

其三，箭神也出现在苯教关于宇宙起源的故事中。传说很早以前，南喀东丹却松国王有五种本原物质，法师赤杰曲巴把它们收集起来，放入他的体内，轻轻说声“哈”，风就以光轮的形式吹动旋转起来，于是产生了火。火借风势，风助火威，火的热气和风的凉气相遇产生了露珠，露珠再生微粒，微粒被风吹落，渐渐堆积成山，顺而形成世界。从五种本原物质中又生出一发亮呈方形如牦牛的卵和一发黑呈锥形如公牛大小的卵。赤杰曲巴用光轮来敲发亮的卵，当卵与光轮相撞时，产生了火光，向上射去的在空中散开成为托塞神（散射神），向下射去的形成了达塞神（箭神）。——这里的箭神在传说中仿佛是最古老的，然而它没有具体的作用。发亮的卵产生的是现实世界，倘与发黑的卵所产生的虚幻世界相比较，散射神与箭神的对应面是，黑卵在黑暗世界里爆炸时黑光上射形成的愚昧和迷惑，下射形成的迟钝和疯狂，那么，箭神所代表象征的或者说它的内在形象应该是睿智和善良。

有人以为藏人立于院子中央和屋顶的旗杆可能是藏人早期有箭神，我以为不然。无论寺院还是民宅，藏人都喜欢在屋顶立神垛，插上五彩风幡，或者饰以图案。五色分别表示天（蓝）、云（白）、火（红）、水（绿）、土（黄），多用羊毛制成。这与五行中的色彩象征略有不同，五行中蓝为水，绿为木，红为火，黄为土，白为铁。这些风幡大多一年一换，有些因有喜庆吉日，一年中也有多次更换的。根敦群佩在《白史》中如此解释此一风俗：“百姓以部落形式聚居，户户门上立一旗杆。这是藏区的独特风俗。这种风俗最初是由军旅中以旗为帜的做法演变而来的，最后成为宗教标志。不论是与印度人杂居的藏人，还是生活在汉地的藏民，至今仍保留着屋顶立旗杆的风俗。”它与藏区家家门框上方放一羊头，上缠五色羊毛，和在大门上部放牦牛角及鹅卵石有所不同。后者是为了祭门神，前者是为了祭顶神。

第八章　墓葬文化

要探讨原始藏人的墓葬文化，重要的障碍是资料很少，考古发现中还不能给我们一个比较完整的墓葬文化形态，我们只好借助于一些保存于后世的原始墓葬文化形式和那些见诸于史籍的材料。

第一节　天葬与土葬

现在被定论为佛教传入后才有的天葬葬俗很可能是藏民族最为原始的一种葬俗制度。现在的天葬被许多外民族的朋友视为离奇、残忍，而在本民族中有一种比较崇高的解释。为什么要天葬？天葬的根本含义是利他，利于芸芸众生。显然这是佛教意识，依据佛教灵魂永不谢灭的观念，肉体只是灵魂的寄宿地。因而，当一个生命在他活着的时候，将自己的劳动、才华、智慧（自己所具备的一切）献给了社会，生命终止时，即灵魂脱离此一肉体时，他将是非常满意的，而脱离灵魂的肉体是他的最后一份奉献，让秃鹫等食肉动物将尸体餐食干净，这些动物就不会去伤害别的幼小的生命，实质上也就保护、拯救了这些生命。尽管这是间接的善事，但作为人类的一种精神境界并没有什么不妥当处。难怪我在向别的民族的一些朋友宣讲这一天葬的原理时，有人竟感奋起来，甚至号啕大哭，声言天葬是最高尚的葬俗之一。关于天葬，汉藏史籍均有记载，如《西藏志》载：

> 西藏凡人死，不论老少男女，用绳系成一块，膝嘴相连，两手交插腿中，以平日所著旧衣裹之，盛以毛袋，男女罗哭，用绳吊于梁，延喇嘛念经，以酥油送大小召点灯，或数十斤或百斤，量其贫富，将死者所有之物，尽出一半布施布达拉，以一半变卖，作延请喇嘛念经并熬茶及一应施舍之需，即父子夫妇亦不肯存留一物。其尸放二三日或五七日，背送剐人场，缚于柱上，碎割喂犬，骨于石臼内杵碎，和炒面搓团喂狗。剐人之人，亦有牒巴管束，每割一尸，必得银钱一二枚。富者以哈达慰问，并送茶酒，其孝服男女，百日不穿华服，不梳不沐，妇人不带耳坠，素珠而已，他无禁忌，富者时常请喇嘛念经，以荐亡魂。

这段文字虽不甚确切（如称天葬场为“剐人场”等），但基本上概括了天葬的内容，有数处值得注意：

（1）不论男女老少，死后“用绳系成一块，膝嘴相连，两手交插腿中”，这种处理方法，西藏、康、安多基本相同，一直延续到今，在我的家乡尚讲究合十于前，不用绳子而用哈达系双手于胸前。以前总认为此为与佛教同来的风俗，石棺葬和一些早期墓葬的发掘告诉我们，它在藏区的存在要比佛教的传入早得多，至少在3000多年前就有了，是原始文化的一种遗留形式。就此问题我曾请教过许多人。学者们（尤其是受寺院文化影响较深的学者们）均主张此为佛教礼俗。问一些老百姓，他们的解释与前者迥然不同：因为人出生时是嘴膝相连、两手抱于胸前的，上天送人到人间是这样。因此人死后必须按原样儿送给上天，这种古朴的观念，结合此种风俗的以后程序考察，也是一种灵魂观念的反映。上天如何送人来，人又如何返回天界去，必有一种神秘的东西存在，这便是灵魂，只是表述上更为直陋罢了。我以为藏人早期有过这种“上天何样送人来，人当原样送人回到天界去”的观念，因为尽管藏区有天、水、火、土多种葬式，而停灵时这种“上天给的样子”基本都一样。

（2）“用绳吊尸于梁”的做法，安多区我未曾听闻，藏文典籍中也未曾接触到这方面的内容，但从藏文化形态看，这种做法的存在在藏区有合理因素。早期藏人有较丰富的天梯神话，认为当人的生命结束时，天上降下天梯，人可攀援而上进入天界。天梯的存在在原始社会中或有普遍的意义，即每个人都从天界来，都可登天梯回到天界去。而后期的天梯则成为一些王的专利，只有王才能乘天梯进入天界，百姓便丧失这一“特权”。如吐蕃早期的赞普们都可虹化而逝，进入天界，普通百姓谁个虹化而进天界？史无记载。显然，史无记载并不意味着这种观念的不存在，实质上，老百姓曾享有这份权利，并留有遗迹。

其一，藏族是个有众多山神的民族，有四大山神、世界形成九神、十三念神①等说法，实指都是山神，山神是依托于山的，故此，山神就是山自身。无论是属羊的念青唐拉还是属马的岗仁波且，只不过他们“具备”

① 四大山神为：1. 雅拉香波，居于东方；2. 格拉卡日，居于南方；3. 诺坚康桑，居于西方；4. 念青唐拉，居于北方。

世界形成九神：1. 沃德贡甲；2. 雅拉香波；3. 念青唐拉；4. 觉娃交钦；5. 玛沁邦日；6. 交娃域嘉；7. 谢敖卡日；8. 杰雪笑拉；9. 诺坚康桑。

十三念神是：世间九神加交敖轻拉、交敖那松、交敖雅邦、交敖拉吉组成。

人的形象、神的威力罢了。民间多认为大山都可以伸向天庭或山顶有穆绳（དམུ་ཐག）可进入天界。后期藏人选择天葬场要选在稍高一点的山冈上，就有此含义在内。离天界越近，灵魂进入天界就越快。有些地区有象征性的天梯存在。在雅鲁藏布江北岸，林芝县城东，"神山的转经路上，我们发现沿途路边放有约一米长、直径一厘米粗的树干，每个树干上都刻有槽口，以代阶梯。据当地人和转经人解释，这些小梯子是他们在家刻好后带来的，人们祈求在自己死后能通过这个梯子走捷径直接进入天堂"。[①] 这便是极好的说明。

其二，反复琢磨此理，仿佛山之高与天神的存在、人灵魂的升腾的联系似有似无。本质上看，在灵魂问题上民俗文化中更多地使用"虚空"这一概念，只要离开大地，或半尺，或二尺，均可视为进入虚空，灵魂失去依托（土地），就会很快地进入天界。秃鹫吃人即有此意。停尸床的设置也有此层含义。如安多一些地区入殓后必须将死者停放在木器上，而不能直接放在土地上，所谓"悬尸于梁"就是这种观念的具体体现。无独有偶，林芝地区也有悬尸于树的风俗："在贬锐神山的山腰，我们还发现一棵巨大的原始松树，长有很多枝丫，我们看到每个枝丫都吊有很多木箱，树上挂有红、白、黄三种经幡，树干上涂有酥油和糌粑，树近处还有人的头发及衣服之类物品……树枝上所挂的箱子，里面装的全是尸体，尤以小孩为多，藏族人认为把尸体挂在神树上，死者就可以通过这棵树进入天界，而把自己今生的灾难、痛苦留在人间。"[②] 从葬式类型看，此可归入悬棺葬类。从藏人传统观念考察，它仍然体现了"先入虚空，后进天界"的思想，与后期"中阴"（བར་དོ།）度亡观念有一定距离。度亡经（བར་དོ་ཐོས་གྲོལ།）说，肉体死亡后，灵魂经过中阴阶段而后慢慢离去，这一时间大约需要49天。因而重要的问题之一就是让灵魂迅速离去，灵魂速去的障碍是肉身，因此处理尸体越快越好，像安多一些地方很少有超过三天的，让尸体长期悬挂于树，就失去了这种意义。

（3）死者遗物，尽数布施、变卖，"父子夫妇亦不肯存一物"，这仍然是一种较原始的观念，它的实际意义主要是躲避防止死者的鬼魂的纠缠。传统认为死者的鬼魂是认得他生前用过的物品的，只要这些物品存在，它就会依附于它，给生者带来邪污之气和不吉利，甚至害人。因此安多有些地方更为彻底，只要是凶死暴亡的，他的贴身衣物等要尽数烧掉；至于其

① 林继富：《藏族天梯神话》，载《民族文学研究》1989年第4期，第93页。
② 林继富：《藏族天梯神话》，载《民族文学研究》1989年第4期，第93页。

他用物则不一定，用松柏烟熏熏照样可以使用。我在藏区考察时听说过这样一件事：牧民扎顶帐篷并不像一些小说写的那样随便，要择地势，还要念经加持，祭帐篷神，一旦这顶帐篷中死了人，必须挪动地方。有一家人先是爷爷死了，生病的父亲另选新址，不到半年，父亲又死了，儿子便烧了这顶旧帐篷，认为爷爷和父亲的灵魂会永远伴着这顶他们住了一生的帐篷，会给家人和牛羊带来危害。烧了，亡人的鬼魂失去了凭依，就不便来了，来了也待不住。这种死人后迁址避居的做法，在现代的原始部落中仍屡见不鲜。

（4）死者的家属“不梳不沐”，“不穿华服”，带有浓重的感情色彩，不知其早期意义。安多部分实行天葬的地区与卫藏有所不同，不设天葬台，没有天葬师，人死后由自己的亲人护送，只是衣着有花样——反穿皮袍，反戴帽。其意大致有二：一是说他们身上有孝，使任何人见之都一目了然（有孝的人被认为是不洁的，本人一般不到人群中去，别人怕惹了邪气，亦多回避）；二是说这种做法仍然是为了防止死者鬼魂的纠缠——作为孤独无靠的死者的鬼魂据说每时每刻都在寻找自己的亲人，追寻自己的过去，当看到这些反穿皮袍反戴帽的人，即便是朝夕相处的至亲也认不出来。

从历史文化的角度看，天葬这种葬俗是人类野蛮时代的基本葬俗，史籍中所说的风葬、野葬——人死之后，弃尸于野，就是藏人至今还奉行的天葬的最初形式，只是现在的天葬除特定的文化内涵外，有固定的地点，一般是离村子或寨子稍远一点的山顶上，野蛮时期的天葬没有固定的天葬场，而随便扔尸于荒山野岭，让飞禽走兽吃掉了事。据《敦煌本吐蕃历史文书》、《吐蕃王统世系明鉴》、《贤者喜宴》等文献史料记载，在吐蕃第八代王止贡赞普以前，每代王都将陵墓建于“虚空界，天神之身，如虹散失，无有遗骸”。虚空何以建陵墓？只不过是一种优美的描述而已，实质上那时候是实行“天葬”的，无法留下陵墓。自止贡赞普后，返回天界的天绳被砍断，因此将尸体留在了人间。显然，止贡赞普（གྲི་གུམ་བཙན་པོ།）的时代早有了藏人天界、地上、地下的三界观念。

止贡赞普是与臣下罗阿达孜（ལོ་ངམ་རྟ་རྫི།）比武时被害的，他的遗骸被装在一个铜箧中，投入大江（据说是尼洋河）之中，这是不是一种水葬形式，现在很难定论。但止贡赞普的遗骸后来被夺得王位的他的孩子们赎回，在央道拉吾（གཡང་ཏོ་བླ་འབུབས།）修建了陵墓。

根据这些史料推断藏族的土葬仿佛始于止贡赞普，实际不是，新石器时代的墓葬发掘说明，至少在四五千年以前，藏人已开始土葬。

1974年至1975年春，中央民族学院赴藏工作的部分同志在林芝县东南，从云星公社到红光公社沿尼洋河的一级台地上，发现了林芝古人类遗骸和墓葬，主要有五个地点：

第一出土点在云星公社山脚，西藏建筑工程公司林芝砖瓦厂东南，公路上侧约20米的山坡上。可惜的是骨骸全部被推土机碾碎，仅可辨头骨碎片，墓的坑位无法分辨，墓内出土有大量夹砂红褐陶和泥质灰陶陶器及石凿。

第二出土点在西藏建筑工程公司林芝砖瓦厂砖窑南侧上方约10余米的崖坡上，东南距第一出点约150米处。出土有人头骨残片多片，胫骨、股骨、肋骨、腓骨、桡骨、椎骨残骨多段，部分可以对合，属于一个人的身体各部分。王恒杰报道了当时的真实情况："据砖瓦厂的水管工人同志讲，他们1月3日在靠窑东侧崖上开挖水管的巢道时，先刨出了人骨及一个陶罐，这时崖壁的凹面本已足够铺架管道之用了，但有人好奇，又深铲出一个人头骨，人头骨随即被锹打碎，而崖东壁尚保有头项部留下的土窝，此后无人再动土，陶罐出土时，上面有烟熏痕迹，大家传看了一下就丢在土坡下摔碎了。我们1月5日晨到出土现场时，头骨遗位及土窝依然保存，据出土时在场的工人叙述和我们对全部坑位的调查及方位测定，死者是头西脚东，葬式为仰身直肢，罐位于体右侧的腰部。"① 这种葬式值得重视，在现代藏族和吐蕃时期的墓葬中也有"头西脚东"的葬法，后来的人多解释为信佛的标志，因为佛在西方，故头朝西，看来这种解释是附会之词。否则，新石器时代的藏人为何用这种头西脚东的葬式？佛教传入藏土在公元7世纪，真正影响到百姓的婚丧嫁娶可能是佛教诸教派的形成时期，或者更后的事，那么新石器时代的藏人采取头西脚东的葬法又取何意？是否与灵魂、鬼魂观念有关系，或者与日崇拜有关系？旭日东升，取意生长；日落西山，取意谢灭？仰身直肢陶罐放在腰部又如何解释？这些都需要我们进一步探讨。王文接着说，从这一形式可以看出，新石器时代的葬仪中或许有部分无木棺椁墓葬；墓呈长方形大概是出于尸体平躺的需要。在藏人后期的土葬中，这种葬法只适应于穷困潦倒，无依无靠者，亡故则随便挖一墓穴埋掉了事，不设棺木。墓穴的长方形与石棺葬的方形和梯形，可能有某些内在含义上的联系，只是限于材料，很难进行对比研究。处于同一范畴内的第三、第四、第五出土点的情况大致相同，在第四出土点的成

① 王恒杰：《西藏林芝地区古人类骨骸和墓葬》，载《西藏研究》1983年第2期。

年男性墓中发现动物髋骨残段，仍然没有石块、石板诸物，然而每座墓都距地表两米许，都有陶片出土，这些陶片都是夹砂黑陶，从这一情形看，男性的随葬或许有动物。

第二出土点的墓坑距地表约2.5米，从坡土中的残碎陶片可知，原器物为一小口细颈平底罐，为灰色泥质陶面，有绳纹，上留一层烟灰，与文化层中出土的泥质陶片相一致，从陶罐的陈旧程度和表面上的烟熏情况推测，应为死者日常用具。同第一出土点一样，被破坏的堆土附近采到一残石凿。原始人把死者生前的生活用品，用于死后的随葬，这在同一时期的墓葬文化中是较为遍见的现象，这是一女性的墓葬，男性的墓葬随葬品或许就不一定是被烟熏过的陶罐了[①]。

在人类遗骨出土点的崖下，距地表10米至30米以下的胶泥质土层中还采集到许多动物骨化石和呈灰红色、纹理清晰的化石木。

第二节　石　棺　葬

汉文史籍中记载了有关早期吐蕃墓葬的情况。刘元鼎在其收入《全唐文》之《使吐蕃经见纪略》中说："赤岭距长安三千里赢，盖陇右故地也。日闷惧庐川，直逻娑川之南百里，臧河之所流也，河之西南地如砥，原野秀沃，夹河多柽柳，山多柏坡，皆丘墓，旁作屋，赭涂之，绘白虎，皆虏贵人有战功者，生衣其衣，死以旌勇，殉死者瘗其旁。"可知吐蕃时期藏人普遍实行土葬，而且较隆重，"赭涂之，绘白虎"说明此时还保留着藏人早期的白色崇拜，"白虎"即藏人的动物崇拜或图腾崇拜。《册府元龟·外臣部·土风三·吐蕃国》又说："人死，杀牛马以殉，取牛马头周垒于墓上，其墓正方，累石为之，状若平头屋焉。"这里述及的用石垒起，像平头屋一样的墓丘，可能就是指石棺葬。

石棺葬文化分布很广，它的族属、来源在考古学界多有歧义。由于世界其他地区（如东南亚各国）也发现了石棺文化，在探求其来源时，不少人甚至考虑此一文化由外境而入。实际上就我接触到的一些材料归类分析，中国境内属于同范畴的石棺文化的流布较多地集中于藏系民族文化圈内，即现在的甘、青、川、藏、滇藏区，尤其以四川、云南、西藏藏区为多。它与藏人第一、第二次东南迁徙有很大关系。

① 王恒杰：《西藏林芝地区古人类骨骸和墓葬》，载《西藏研究》1983年第2期。

从石棺葬的类形看，西藏地区与四川、云南藏区有较大区别。

一、澎波石棺葬

1961 年 2 月，拉萨澎波农场在离澎波农场东北 3 公里的“录不佳”山腰挖水渠时，发现了洞穴坑八座。这八座洞穴坑形制相同，坐北朝南，是在山腰的斜坡上向里挖不规则的椭圆形——就此看这些墓穴有崖葬的性质。据《西藏拉萨澎波农场洞穴坑清理简报》报道：这些椭圆形洞穴，“底部用乱石砌成较规则的长方形坑，坑口小于洞穴腹部，形成二层台，穴口用乱石堵封，穴内填满乱石黄土。”由于除第二洞穴内有一完整头骨外，其余骸骨零散，不像整具遗骸；又由于当地有一风俗，在下冰雹的季节（4 ~ 8 月），在半山腰挖些土洞，拣些十五岁左右的孩子的骨头和牛马骨埋在洞里，请喇嘛念经，以避冰雹之灾，一些同志对这些洞穴是否为石棺葬产生怀疑。其实，这种防雹的手段在安多一些地区现在仍然使用，主要挖穴于雹雨常经的道口，有点类似于汉族的下宝瓶，取悦神灵，有震慑、吓唬、“臭”等作用：以为震慑的，以多方神灵和佛加持，冰雹经过此处时就须回避；以为吓唬的多有具体物件，如据说有些地方埋活狗，让其叫喊至死，雹雨听到这种疯狂的死命的叫声，畏惧而不敢前来；以为“臭”的，多埋以脏物，如死驴烂马，雹雨见了这些，怕臭、脏了自己便退避三舍，但未听说有修成墓穴的。因而我以为澎波洞穴应该是石棺葬的一种形式，其中人骨的不统一，有可能是二次葬、迁徙远葬或者别的类似的葬法所致。从出土的夹砂粗红陶四联罐、单耳带流罐、双耳带流罐、单耳罐、双耳钵、剑、马嚼、铜马饰、铜针等铜器铁器的情况看，它的年代并不遥远，可能是吐蕃王朝兴盛时期（公元 7 世纪初至 9 世纪中叶）以前的先民遗物，此后的藏族诸文化形态多受佛教浸染，澎波墓葬中没有这种迹象；铜器、铁器的出现，藏史记载约在吐蕃第七世王止贡赞普时候，若以此计算，墓葬的上限大约在纪元前 1 世纪。

二、乃东县的石棺葬

据 1984 年 6 月、7 月分别在西藏乃东县普努沟和结桑村发掘的古墓看，早期藏人是使用石棺葬的，并不是先有氐羌石棺，后有在藏区的传播，也不是有人所谓西藏原来没有石棺文化，在藏人腹地、发祥地出现的这些墓葬，给石棺文化的研究开拓了新的领域。

（1）普努沟北离乃东县 10 公里，位于雅砻河中游东岸的一个洪积扇沟，东高西低，南北宽约 1 公里，东西深约 2 公里，沟口东南有被称为藏族历史上第一座宫殿的古建筑雍布拉康，沟外便是雅砻河谷，雅砻河由南向北约流12公里，汇入雅鲁藏布江。

据《西藏乃东普努沟古墓群清理简报》介绍，普努沟现存的是一个墓葬群，分12组，共323座，所有墓葬都有石砌边框封土堆，最高达2米，其规律是：都是石砌边框，里填土石；平面呈等腰梯形，封土高度跟平面面积成正比，平面面积大，则封土高度增高；封土方向根据山坡地势而定，梯形宽边通常在下。如图1－8－2－1所示。

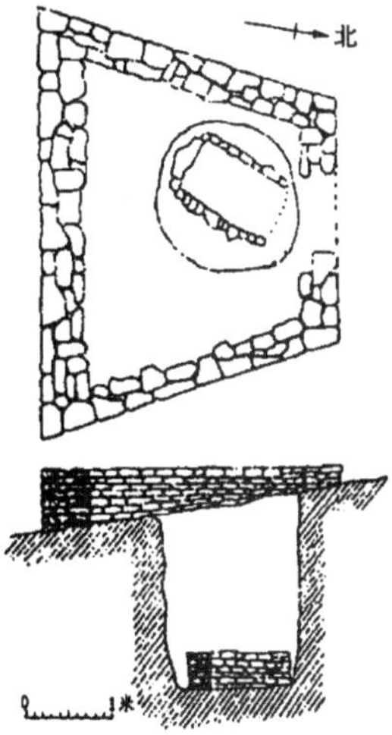

图1－8－2－1

ⅡM_7 墓葬结构图

普努沟的墓葬规模较大，整个墓群中，封土的宽边在10米以上的大型古墓就有10座，其中编号为ⅣM_1 古墓最大，宽边长20米、两等腰9米、窄边长12.5米、残高0.5～2.5米。小型古墓，如ⅠM_{11}，宽边长4.1米、两等腰长3米、窄边长1.75米、残高0.2～0.4米，墓葬形制约有三种：

甲、竖穴单棺，四座，编号分别为ⅠM_{14}、ⅡM_7、ⅦM_4、ⅨM_7，均为小型墓，封土为石砌等腰梯形边框内填土石形式，圆形竖穴墓圹，石块垒砌长方形石棺，“ⅡM封土宽端长6.25米、两等腰长4.7米、窄端长3.5米、残高0.4～0.9米；竖穴平面略呈圆形，直径2.2米，深2.5米，墓圹填松散黄砂土，夹杂较多石块、砾石，墓圹底部的石棺是用经选择的天然砾石块砌成，平面为长方形，长1.4米、宽0.7～0.88米、残高0.3～0.5米，北端砌石块经扰乱破坏”，① 墓圹底部用石块砌成，酷似澎波石棺墓，从石棺内的人体骨架的摆法看，有双人屈肢合葬，有单人屈肢葬，人骨间夹杂少量牛羊骨。参见图1－8－2－2。

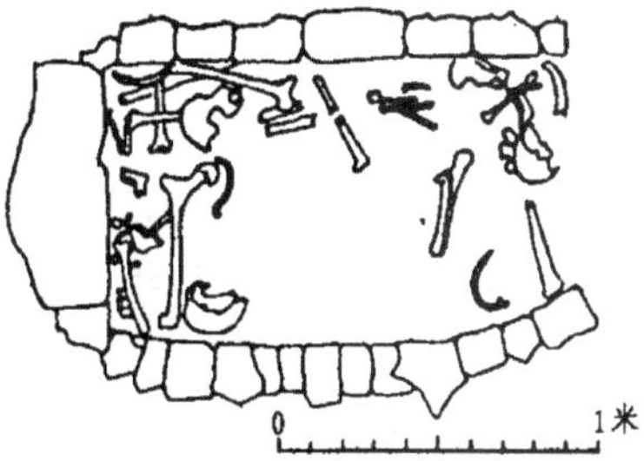

图1－8－2－2

ⅡM_7 石棺骨架图

乙、竖穴多棺，只一座。编号为ⅩM_{15}，封土由石砌等腰梯形边框和一附加石砌半圆形边框组成，梯形封土宽端长3.9米、两等腰长4米、窄端长2.9米；半圆形封土直径2.3米，紧靠梯形南侧等腰的石砌边，梯形封

① 张建林、更堆：《西藏乃东普努沟古墓群清理简报》，载《文物》1985年第9期。

土下为两具石棺，编号 G_1、G_2；半圆形封土下有一具石棺，编号 G_3。G_1 残长 1.4 米、宽 0.85 米、高 0.7 米，棺底距地表深 3.1 米；G_2 长 1.2 米、宽 0.45 ~0.8 米、高 0.5 米，棺底距地表深 2.5 米；G_3 长 0.75 米、宽 0.4 ~0.6、高 0.5 米，棺底距地表深 2.1 米。

这种一墓多棺现象说明什么？它们属于同一时代，埋葬有先后，G_1 为先，位置在梯形封土下的中部；G_2 为中，在 G_1 西南侧，打破 G_1 竖穴，位置较 G_1 高；G_3 为后，因封土下不能再容石棺，因而在原封土南侧再挖一小穴，砌成半圆形封土。令人费解的是三个棺内除少量零乱的人骨外，都没有完整骨架，这些是不是二次葬？藏人的早期二次葬是不是有过捡取逝者部分尸骨代替全身而葬的风俗？抑或是些阵亡者，将它们的一部分尸骨运回家乡，从而也将他们的灵魂招回家乡？总而言之，棺内人骨的这种现象，毕竟有其内在含义，并非随意为之，否则为何会出现澎波石棺所葬人骨和普努沟石棺所葬人骨相类似的情况呢？

丙、竖穴石片棺，一座，编号为ⅤM_{11}，石砌封土虽然遭到破坏，但可测知梯形窄端长约 3.02 米，等腰残长 3.04 米，竖穴平面呈椭圆形，短径 1.4 米，长径残，不知其数，石棺由四块石片四面竖拼而成，棺平面亦呈等腰三角形，宽端、窄端分别长 0.52 米、0.44 米，等腰长 0.61 米、棺高 0.4 米。石棺宽端外侧有小石片拼成的长方形匣，可能是头箱，宽 0.3 米、长 0.58 米，棺底没有铺石，棺顶原盖有石片，棺内没有随葬品，只有少量经火化的骨片和骨渣，可知遗骨为火化后葬入。

ⅤM_{11} 石棺可以说是上述两种类型所示问题的补充，石棺中占有相当比重的残肢葬和火化二次葬，在藏区火葬的历史可能要比石棺葬早。

（2）结桑村的石棺葬

1984 年 7 月 24 日，西藏自治区文物普查队在乃东县温区格桑公社结桑村北约 100 米处的东山麓发现了 15 座古墓葬，清理了其中一中型、两小型墓（编号为 M_3、M_1、M_2）。

M_1 位于墓群最南端，封土堆已被破坏，墓坑为长方形，残长 1.75 米、宽 1.20 米、深 4.10 米，墓内填土坚硬，夹带少量石块，接近石棺处，有五块大石和密集的小石子，“石棺东宽西窄，底大口小，采用大石块砌成，棺内壁十分整齐，在西部的石棺上盖有一大块石块，其他部分则原无棺盖。棺室底部由碎石子羼和砂土铺成一个坚硬的平面，厚 10 厘米，现存石椁北壁残长 1.46 米、西壁下宽 0.76 米、上宽 0.62 米、高 0.60 米。”① 其中“西部的石棺上盖一大块石板”值得注意，根据石棺葬的一般情况看，盖一大块石板的地方就是墓主的头的位置，有些石棺葬中则是头箱所在的位置。可以说这种石块石板本身就意味着向头箱的过渡。M_1 的残骨中发现了一个保存完好制作精致的骨质手镯，白色，上有密集的营养孔，手镯外圈直径 6.40 厘米，内圈直径 4.80 厘米，内圈表面稍凹，外圈表面微凸并磨光，墓主约在中年以上，但从手镯判断不出墓主的性别来，因为藏族有“自噶布伦下至番民，手俱带骨笙”② 的风习。从残骨、随葬品的分布位置来看，墓主的头向西（320°）。此与石棺葬的常例同。

M_2 在 M_1 北 2.50 米处，墓坑为长方形，长 1.3 米、宽 3.8 米，与 M_1 基本形制相同。首先坑内填土也是比较纯净的黄沙土；其次，墓室正中所置石棺窄小简陋，但在头部用四块大石头构成一个简单的棺室，其中有一块大石位于头顶部作为棺盖，别处无棺盖；再次，人骨架保存比较好，盆骨、部分下肢骨缺，头朝西，方向 320°。与 M_1 所不同的是，由于 M_2 有骨架存在，可知墓主为侧身屈肢葬，双手举于面部，下肢弯曲至胸。这种葬式到目前一些使用土葬的藏区还在保留，可知它不是佛教传进后的产物，佛教传入以前的那个遥远的时代里已经存在，即所谓“西藏凡人死，均用绳缚，令嘴膝相连，两手交插腿中”。③ 在笔者家乡亦行此种葬式，且为立棺土葬。奇怪的是此墓无随葬品，是由于我们传统的解释，由于阶级的原因富者随葬品多，贫者少，还是有别的什么文化原因？

M_3 在 M_2 北 50 米处的土崖上，是墓葬中最大的一座，现存封土东西长 9 米、南北宽 7 米、高 0.32 米，封土之下经过夯打，夯层里夹有乱石块。距地表 2 米处发现整齐的长方形石砌框，石壁东西残长 8 米，南北长 6 米，高 0.80 米，西、南两边石壁厚 1 米，北边石壁厚 1.80 米，石壁砌垒比较讲究，下面由石块垒砌而成，顶层用石板铺成整齐的平面，在外缘有一个二层台，宽 15 厘米、高 10 厘米。像 M_2 一样，墓穴内没有发现其他遗迹和遗物。④

结桑村古墓的文化年代由于没有相应的鉴照物，很难定论，从石棺文化的其他类型看，其上限可溯至新石器时代晚期。如墓中出土的夹砂橘红

---

① 何周德、索朗旺堆：《西藏乃东结桑村发现古墓葬》，载《考古》1985 年第 12 期。

② 黄沛翘：《西招图考》，《西招图略·西招图考》，西藏人民出版社，1982 年，第 192 页。

③ 黄沛翘：《西招图考》，《西招图略·西招图考》，西藏人民出版社，1982 年，第 194 页。

④ 主要参考《西藏贡觉县香贝石棺墓清理简报》，所引图亦引自该文。

陶陶片上的二周阴弦纹所夹水波纹、阳弦纹、锥刺纹；器壁较薄的泥质灰陶，侈口鼓腹小罐等，在卡若遗址中也有发现。又，石棺平面呈长方形或梯形，随葬品少，封土堆经过夯打等特点又与朗县列山墓接近，列山墓经碳-14 测定距今 1250 ±70 年，因而其下限也不迟于吐蕃王朝兴盛时期。

三、贡觉县石棺葬[①]

1975 年，贡觉县香贝区兴建区公所时发现石棺墓葬多座，但都已被破坏。1979 年，西藏自治区文管会文物普查队派专人去实地调查，采集到陶器一件。1986 年 8 月，文物普查队再赴该县进行文物普查，并对香贝区石棺墓葬进行了清理。

贡觉县位于西藏高原东部金沙江流域，归昌都地区管辖，东与四川省白玉县隔江相望，早期可能是藏人的腹心地区。发现石棺葬的香贝区，南距贡觉县城 20 公里，墓地分布在比嘎雄瑞山南坡，热曲河第一级台地上，背风向阳，金沙江的支流香贝小溪和热曲河相夹形成一扇形台地，东西约 400 米，南北约 30 米，墓葬排列规律不甚明显，但墓的方向大致为北偏西，头枕比嘎雄瑞山，足登热曲河。

从发掘的五座墓葬（分别代号为 M_1、M_2、M_3、M_4、M_5）的型制和结构看，可分为两类：

（1）石板墓，有 4 座，构造法为：先在原黄黏土中挖一长方形或似长方形竖穴土坑，长与宽大于石棺 20 ~30 厘米，棺与土坑间填有礓石及鹅卵石。其中：

无头箱（M_1）一座，墓葬方向为北偏西 60°，竖穴平面为长方形圆角状，长 1. 23 米，宽 0. 96 米，竖穴内围四块 4 ~6 厘米的石板，呈长形石棺，棺长 1. 16 米、宽 0. 6 米、高 0. 86 米，棺上用一整块石板做盖，盖上铺有鹅卵石块、礓石及小石子，再上铺一层细土，细土层上为扰土层，内含礓石，棺底为稍加平整的原生土基础，不铺石板。这种葬式与澎波、乃东的石棺葬略显不同，据《西藏贡觉县香贝石棺葬清理简报》介绍：“棺内有细砂土，顶端随葬有双耳陶罐 3 件，单耳陶罐 1 件，长颈罐 1 件，棺内仅见人齿和人肢骨一段。据当地群众讲：1975 年兴建区公所时，由于在此取土，曾揭开此墓，发现有许多陶器。”其中情况有二：一是 1975 年兴建区公所时有可能将墓中人骨连同陶器拿走；二是原来的人骨就这么多。

① 主要参考《西藏贡觉县香贝石棺墓清理简报》，所引图亦引自该文。

倘若后者成立，它又与乃东、澎波的石棺葬相同，即古代藏人有可能有过肢体不全的葬法。清理该墓时，还在石棺与石棺的夹缝中发现有意放置的鸡骨，这在乃东等处的墓葬中是不曾有的（图 1－8－2－3，右）。

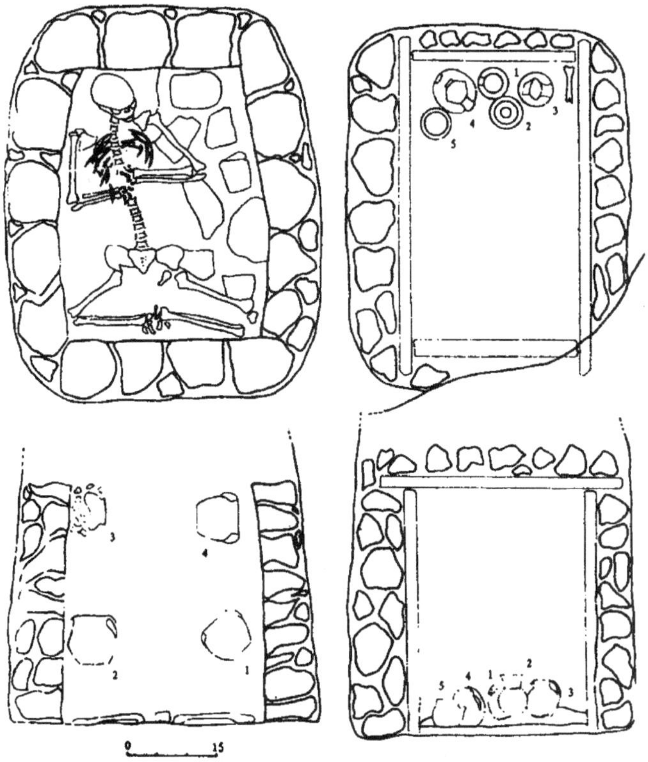

图 1－8－2－3　M_1、M_2 平剖面图

左（M_2）：1、2、4. 双耳罐　3. 陶簋
右（M_1）：1、3、4. 双耳陶罐　2. 长颈罐　5. 单耳陶罐

有头箱（M_3、M_4、M_5）三座，均为土圹竖穴，口小底大，平面呈长方形圆角状，立石板构成主室和头箱，头箱朝北，主室和头箱外都用石块和礓石填塞，并用细土灌缝，加固。M_3 特点有二：一是主室前后挡板的上部中央均有半圆形人工凿成的豁口；二是头箱内放一天然石块，石块下铺有一层小鹅卵石，不知何意（图 1－8－2－4）。在发掘 M_4 时发现，石棺盖板上有马牙和少量马骨，石板上部有石块围成小圈，均为有意放置。主室内有一婴孩头盖骨及少量肢骨，这一现象又与乃东、澎波墓葬相同。在头骨的侧旁随葬有小铜刀一把，可能是小主人的用物。主室北头以石板相隔

作为头箱，头箱长 0.17 米，宽 0.43 米，放单耳罐两件，底铺一层小鹅卵石。

（2）石块墓

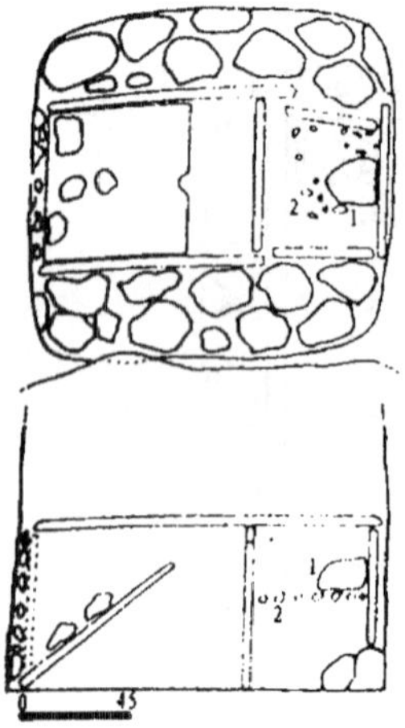

图 1－8－2－4

M_3 平剖面图

1. 石块 2. 石子

石块墓只 M_2 一座，构造方法为，先挖一长方形土坑，长 1.32 米，宽 1.08 米，再用扁平石块砌筑成室，墓室平面为椭圆形，上砌墓壁上部内收，使墓室显袋状。所不同的是，墓内人骨架保存完好，为仰身屈肢葬，十指交叉于胸前，面向左稍偏，下肢向里弯曲，双脚并拢成弥勒状。经测定，墓主为一年龄在 25～30 岁的成年女性。这与其他地方骨架完好的墓葬相同。

从贡觉香贝石棺墓出土的铜刀等文物看，其年代要比列山墓早。

四、朗县列山墓

列山墓是 1982 年 3 月，由山南地区文管会的同志发现的。

列山墓位于西藏山南朗县东嘎区列村东北约 1.5 公里的列山南山坡上，北纬 29°4′，东经 93°6′，海拔 3200 米，东北约 2 公里为朗县金东区政府所在地，南有金东曲河向西流入雅鲁藏布江。

在迄今发现的古墓中，除穷结藏王墓外，就数列山墓规模宏大，气势雄伟。墓地分东西两区，中间有深沟和山梁隔断，相距约 1.5 公里。东区东西长 1200 米，南北宽 650 米，面积约 78 万平方米，共有封土墓 163 座，呈扇形分布，并在坟场发现房屋、祭祀场所和石碑座等遗迹。西区约 35000 平方米，有封土墓 21 座，呈曲尺形分布。（图 1－8－2－5）

1982 年 6 月和 9 月，西藏自治区文化局、西藏自治区文管会、山南地区文管会和朗县文教科的同志对墓地进行了两次调查和试掘。

经碳-14 对列山墓地 M_{130} 木炭标本测定，其年代为公元 700 ±70 年。这一时间非常重要，若减 70 年，即为公元 630 年，是松赞干布（公元？～650 年）生活的年代；若加 70 年，则为公元 770 年，是被尊奉为三大法王之一的赤松德赞（公元 742～797 年在位）执政的年代；若取其中，不计正负值，则为松赞干布之孙都松芒布结（公元 679～704 年在位）执政年代。从整个墓地的位置看，M_{130} 显然不是下葬最早的墓，它偏离一些主要

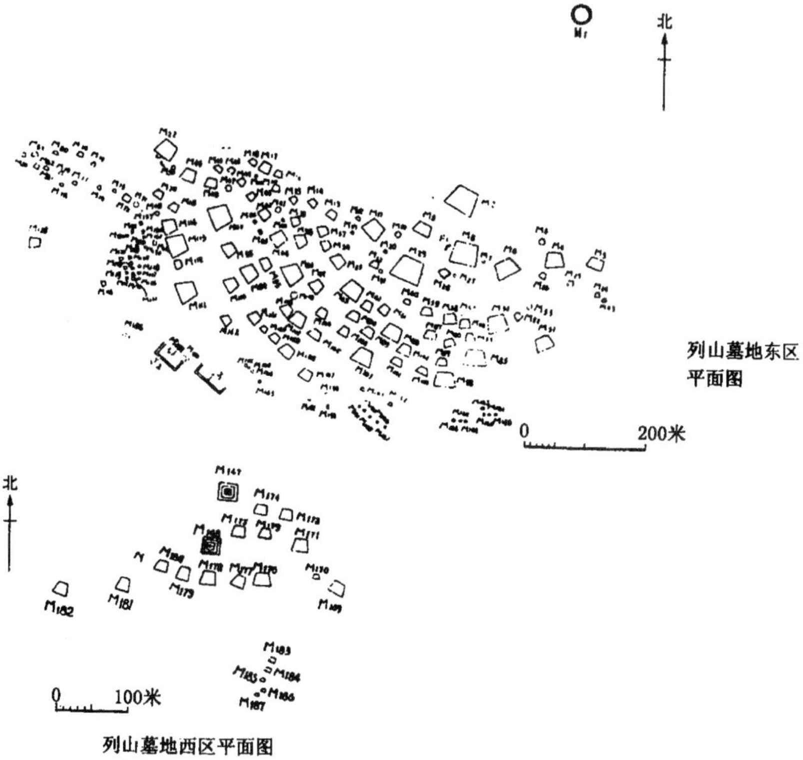

图 1－8－2－5　列山墓群东区、西区平面图

的大型墓（如 M_1、M_2、M_{29}）较远，且是一座小墓。倘若列山墓是一个家族的墓地，那么这中间可能有几个世纪的历史间隙。倘若这些大墓周围的小墓（即 M_{130}型）为殉葬墓，这中间存在的历史间隙即便没有前者之大，但也不小。这些有待于对墓地的全面挖掘测定，才能定论。但是，列山墓给我们提供了一个可靠而全面的参照体系，可使我们更加准确地了解石棺葬及藏人葬俗文化的分布及特点。

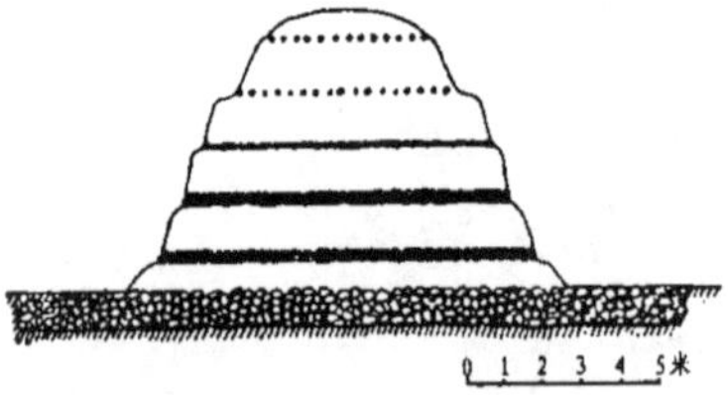

图 1-8-2-6　列山墓圆形封土（M_{168}）剖面图

图 1-8-2-7　列山墓梯形封土夯筑围墙一角

列山墓分布情况（局部）

方形封土（M_{168}）

梯形封土（M_{2}）

Ⅰ型圆形封土（M_{57}）

ⅡB 型圆形封土（M_{98}）

亚字形封土（M_{28}）

图 1-8-2-8　列山墓地

列山墓的封土类型：

甲、梯形封土，东区133座，西区20座，计153座，是墓地最多的一种封土形式。最大的高14米，面积2725平方米；最小的刚露出地面，面积11平方米。占地700平方米以上的大型封土23座，占地90平方米至700平方米的中型封土74座，占地90平方米以下的小型封土56座。由于坟冢都是依山而建，梯形封土的大边都在下，小边都在上。有两种筑法：一是夯筑，多用于大、中型封土；二是石土混合堆筑，用于小型封土。

乙、方形封土，只M_{167}、M_{168}两座，在西区中部，结构、方向、大小相似，属大型封土，其做法是在正方形的封土平面上（基础为石砌）用土、石、木材逐层夯筑，构成塔形。如M_{168}可分为塔基、塔身、塔顶三部分。塔基为石，厚0.13米，在地表以下；塔身分四段：一级高0.7米，边长11.6米；二、三级高1.5米；四级高1.4米。各级中间垫有0.35米的石块层，圆柱形塔顶可分两级，一级高1.4米，最大直径6米；二级高0.75米，最大直径4.6米。

丙、圆形封土，大型2座，中型4座，小型22座，计28座。有两种类型，一种呈馒头形，底为石，封土为土石夯筑而成；一种呈圆锥形，用石块、土混堆成或夯筑而成，基层为石。（图1－8－2－6）

丁、亚字形封土，仅M_{28}一座，立体形状似方形城堡，四墙各有一"马面"，高3米，每边长6米（不含"马面"，"马面"凸出呈梯形，长度不等，最大的长3.1米、宽0.25米），面积40平方米。

列山墓封土类型请参见图1－8－2－7，图1－8－2－8。

外观的形式多样与整个社会经济生活和文明层次是相一致的，没有吐蕃自聂赤赞普以来几个世纪的稳定发展，墓冢的这种壮观景象是难以形成的。

《西藏朗县列山墓地的调查和试掘》一文对列山墓地的试掘情况进行了较详细的报道，证明外观多样的列山墓同样是藏属民族传统的石棺葬。

试掘的共有三座小墓，编号为M_{121}、M_{130}、M_{27}、M_{121}，墓向270°，揭开封土，地表露出高1.1米、东西长5.8米、南北宽5.5米的长方形石台，石台中间是长方形竖穴，南边长2.6米，东西长1.8米；穴口到穴底深2.8米，穴壁全部用石块砌成，南北两壁有二层台；墓穴底部筑有10厘米厚的阿嘎土①，葬具是用石板拼成的石棺，呈长方形，长1.3米、宽0.55

① 藏区特有的建筑原料，用时浇水砸实，平整，坚固光滑，如同水泥，藏人一般用来筑住所地面和房顶（一般用来晒粮食），阿嘎土的主要成分是$CaCO_2$。

米、高0.15米；石板厚5厘米，棺内有零星木炭和两块人骨外，没有遗物。

M_{130}的基本形制与M_{121}同，只是墓穴棺室西北偏南处有一耳室，与棺室相通，平面呈长方形，东西长0.95米、南北宽0.75米、深2.4米，要比棺室小（棺室长2.02米、宽1.75米、深2.4米）。耳室与棺室连接处，挡一长50厘米、宽20厘米、厚5厘米的石板。可能作为门槛用。耳室无任何遗物，棺室内有几颗人牙和零散的人骨，底部有层木炭。

M_{27}的底部墙基用石块垒砌，上部用土夯筑而成，围墙的西北方向有一象征门的凹陷，宽1.1米，凹进墙壁0.6米，高1.4米，凹陷正对着墓地中最大的墓M_{29}。试掘者认为这可能表示两者的从属关系。墓穴围墙基本上是封闭的，但在墓顶部东西方向的边缘有圆形小孔与围墙相通，孔径5厘米，孔上盖一小石片，大约是让灵魂出入的通道。藏人至今认为，人活着的时候在家，死了以后也应该有家；实行土葬的藏人中这种观念更甚，以为坟冢就是死者的家，他们也可以走出“家”来串门游玩，只是肉体消失了，灵魂如影如烟，可大可小，只要有条缝，就能自由来去。从这个意义上讲，石棺葬的存在与藏人的木石结构房屋（以石砌墙，以木搭顶）的出现可能是一致的。对死者的安排是活人进行的，活人以活人的居室形式为参照来安排死者，这便是现实生活对墓葬文化的影响。任何社会任何民族的墓葬都不可能脱离属于它们的那个社会环境、自然环境和时代，社会、时代和自然环境的改变会改变墓葬文化的基本形态。藏民族本身的发展也正好说明这一点。普遍的石棺葬在藏传佛教文化系统形成前它可能有过鼎盛时期，然而随着佛教的广泛传播，藏族社会的文化环境有了很大改变，于是石棺葬也就销声匿迹了。

言至此，我们有必要对临近西藏地区的云南、四川等藏区的石棺葬加以扼要叙述。

其一，1974年3月，云南德钦县永芝西北太子雪山峡谷的坡地上发现古墓，零零散散约占40余亩坡地，此处海拔3000米左右。据《云南德钦永芝发现的古墓葬》一文介绍，由于没有清理过较完整的墓葬，墓室结构不十分清楚，从残存墓葬观察，墓室多选择在天然的石缝隙中，顺石缝形状砌成墓坑，因而不太规则。墓室多用未加工的石板和石块砌成，石片立于墓室壁部，亦不甚规整，有的用石块围成一长方形石圹，抑或立一两块石板当作墓壁，石棺砌造简陋，像无顶盖石板，墓室内的填土和一般竖穴墓接近，清查的两座石棺墓中人的骨架已成碎片，没有随葬品。同时清理的一座土坑墓却留有仰身直肢骨和陶罐、铜剑等随葬品。

1977年8月，在德钦县城西北约70公里处的白茫雪山西麓、澜沧江东南的纳古，云南省文物队在实地调查时发现一处石棺葬群，清理石棺葬23座。这23座墓都由石块砌成，较南距此100多公里的永芝石棺墓规整，石棺长1.5~1.95米、宽0.44~0.7米、深0.5~0.65米，棺内只能容纳一人。石棺的构筑法为，先在山坡上挖一长方形浅坑，坑四壁用天然石块堆砌成棺壁，顶部大体与坑口相平，下用大石，上用小石，而后用五六块厚3~8厘米的大块薄石板覆盖棺口，再用相应石块填塞缝隙。棺上有0.3~2厘米的堆土，因冲蚀较重，难能确定就是封土。保存较好的九座墓葬都是一次葬，有侧身屈肢葬（6座）、直肢葬（3座）两种形式，随葬的矛放在身侧，陶器放在脚下或前头，剑和装饰品放在生前佩戴的部位。“如M_2，骨架作左侧卧，下肢向前微弯曲，上肢上臂下垂，小臂前伸，双手在身侧持矛之残柄，脚下放一陶罐，罐内和附近放有兽腿骨；M_6，骨架右侧卧，下肢向前微曲，矛置脸前，胸后置一铜饰牌，颈部放绿松石珠，踝部戴一铜环脚饰，脚下放二陶罐；M_{22}，为直肢葬，矛置头侧，颈部放绿松石串珠，短剑佩于腰间，脚下置一陶罐。”① 曲肢、颈项戴绿松石等文化特点与藏人的风习吻合。在敦煌文献中就有嫁于象雄王李迷夏的松赞干布之妹赛玛噶给松赞送来松耳石三十颗，“其意谓，若敢于攻打李迷夏则佩戴此松耳石，若不敢进击则怯懦与妇人相似，着女帽可也。”② 当时的松耳石或为男子佩戴（英雄标志），或为男女双方佩戴，因而从佩戴的松耳石很难区分墓主性别。

文物工作者估计，纳古石棺葬的年代可能在春秋早中期，或西周晚期，是有一定道理的。

其二，四川藏区的石棺葬十分丰富，巴塘县金扎顶、茂汶县别离寨、雅江县团结公社、甘孜县果仁公社、雅安宝兴县、汶川县大布瓦寨、理县薛城区达寨和龙袍寨等，除随葬器物的类型有所增补外，石棺本身的形制并无多少改变。冯汉骥在《岷江上游的石棺葬文化》一文中指出：“石棺葬文化在岷江上游区域内是一种突入文化，是西北文化南下的一种余波，所以我想我们要追求这一文化的来源必须在西北区域内求之。”③ 我想这一观点是成立的。从地域上看，云南藏区及毗连地区同为整个西藏的边缘，位置偏南；从时间上看，石棺葬文化的传播显然与藏人周初东南之行有直

① 张新宁：《云南德钦纳古石棺墓》，载《考古》1983年第3期。

② 王尧、陈践译注：《敦煌本吐蕃历史文书》，民族出版社，1980年，第148页。

③ 冯汉骥：《岷江上游的石棺葬文化》，成都《工商导报》，1951年5月20日。

接联系。无论石棺出土器物的类型增减多寡，基本没有超出这一上限。认为最早的巴塘金扎顶 B_2M_4 号墓，放射性碳素测定年代为距今 3060 ± 100 年①，晚一点的至西汉中期武帝（前 140 ~ 前 87 年）时代②和东汉时代（公元 25 ~ 220 年）③。

五、西藏石棺葬的来源和特征

从历史的演进过程看，西藏山南的藏王墓可能保存有石棺葬的一些晚期形式。但是由于陵墓尚未开掘，不知其内涵如何。从一些文字记叙的情况看，其陵墓建设仍承袭了旧时的观念：

（1）上二陵建于乱石坡和块石坡会接处。

（2）六善陵建于块石坡与青草坡会接处，低于上二陵。

（3）八德陵建于中流。

（4）五赞以下葬于青玉，以土为丘。

陵墓的建造基本上为由上而下，由高到低，此或表达了从赞普为天神，死则虹化入天境后而葬于人间的风俗沿革过程。史载天赤七王可越海穿山，日在人间，夜归天界，到王子嗣立时，便执天绳（有说是一种常人见不到的光绳，系于头顶）如彩虹灭寂于苍天。止贡赞普始方有陵墓，想此时仍有王死入天界的思想，尽量葬于高处，后而逐渐降低，墓之外观也有所不同：

（1）六善陵如彩霞，八德陵如飞雪飘于湖面。

（2）五赞陵为土丘，无其他冠饰。

（3）第 29 代王赤年松赞（ཁྲི་སྙན་གཟུངས་བཙན།）陵在顿卡尔沟鏊口，上面没有装饰，形状如摊开的土堆。

（4）第 30 代王仲宁德乌赞（འབྲོང་སྙན་ལྡེའུ་བཙན།）患麻风病病逝，陵筑于向达沟口，因父王母后健在，称生离陵，其形如球。

（5）第 32 代王，松赞干布的父亲南日松赞（གནམ་རི་སྲོང་བཙན།）陵为正方形。

（6）松赞干布之陵建于钦浦沟口，外形为四方形，内分九格，五室为佛殿，中央立一切长的珊瑚作长明灯，四角殿堂藏珍宝，墓壁以方形石块

---

① 张增祺：《略论滇西地区的青铜剑》，载《考古》1983 年第 7 期。

② 李绍明、李复华：《论岷江上游石棺葬文化的分布与族属》，1983 年藏学讨论会论文（打印稿）。

③ 杨文成：《四川宝兴县汉代石棺墓》，载《考古》1982 年第 4 期。

砌成，外面筑土墙，墓门向西。墓外用褐土碎石铺盖成土丘，每边长百余步，高六丈多，上建小庙。

从上述文字可知，早期的陵墓可能起坟冢很低，或不起坟冢，只留某些痕迹。所谓状如彩霞、飞雪只不过概述而已。此后有了无装饰的土堆和土丘，有了球形坟堆，有了正方形坟冢和内分九格的正方形坟冢，这些记载或许与实际情况有出入，但可为我们在后文提到的墓葬形式起参照作用。从文字叙述看，松赞干布陵仍属石棺葬一类。

根据青藏高原藏系民族的原始文化特征推论，石棺文化的来源大致有二：

第一，先民早期的巨石、白石崇拜，石头的内在含义，除象征神灵外，本身就有神气、灵气，还可能有永存、永固、永安、吉祥之类意思，取石为墓，可能与此类信仰有关。

1925 年至 1928 年，中亚考察队的罗赫列（Y. N. Roerich）在藏北和西藏中部考察时发现了大量石丘墓和多种大石遗迹。他在《西藏的游牧部落》一书中指出：

> 在外喜马拉雅山北部的西藏高原上到处散布着大石建筑和库尔干（Kurgan），这些都说明牧民文化的古老性，这些遗存都是两三个墓葬在一起的小墓丛和大石块围起来的石建墓。在喜马拉雅山北的广大地区到处有这种石建筑遗址（石柱、石台和成排的石柱）。①

国内对大石文化的反映不多，亦不知罗赫列在萨噶（ས་དགའ་རྫོང་）以东 2 公里通往拉萨的大道旁发现的高约 4 米的独石现可否存在，不言而喻，藏人对大石的崇拜心理是可想而知的。在家乡时曾见到用三块巨石垒起的石柱，大家称格萨尔石，以为神奇——这三块巨石是反排列，最上最大，中间次之，最下最小，有人说当刮大风时，上面的石头在晃动，但倒不了。有些虔信神灵的人路过石下时，脱帽、弯腰，以示敬奉，有的还煨桑祭祀，此为一。其二，我在海西藏区工作时，一日清晨早起活动，见我熟识的一位老牧民匆匆走向一块两间房子大小的自然形成的巨石。我叫他数声，他不答应。我觉得蹊跷，站在后边看。见他到巨石下，叩三个头，便嘟嘟哝哝说了片刻，然后回转身来，笑嘻嘻招呼我。我问他干什么，他说

---

① ［苏］罗赫列（Y. N. Roerich）：《西藏的游牧部落》，中国社会科学院民族研究所编印：载《民族社会历史译文集》1977 年第 1 期。

他昨夜做了个很坏的梦，需要巨石化解一下。在告诉巨石以前不能跟任何人开口说话，否则就会失去作用。我这才恍然大悟，记得小时候做了不好的梦，老人们说去悄悄告诉土崖或老牦牛便可以化解，要求仍然是早晨不能跟任何人说话。

西藏的大石遗迹，据童恩正《西藏考古综述》载有三种形式：“独石（menhins）、石圈（cromlechs）和列石（alinements）。如藏南大盐湖以南30英里处的多宁（རྡོ་རྙིང།）即曾发现十八行石柱，方向东西，在列石西端，有两个同心圆的石圈；石圈中央另有三块巨石，中央一块高2.75米；巨石前有一祭坛；在列石东端，还有一用石块列成的箭头。类似的遗迹，亦见于附近恩则错（ངན་ཙེ་མཚོ།）的拉蒂（ར་ཏི།）、喜马拉雅山区的勒布琼（རབ་ཆུང།）和粗琼（ཚོག་ཆུང།）。另有一类大石遗迹仅有石圈和中央巨石，而无列石及箭头。”①

巨石崇拜的年代可能是很遥远的，可惜我们没有足够的材料来论述它。

顺便须提及的是罗赫列在藏北的石棺葬发现。这是一个令人兴奋的材料，它将说明石棺葬（或另一类型的石棺葬）在整个西藏的地位，告诉我们探讨此文化的流布情况。“西藏高原的石丘墓发现于霍尔（ཧོར།）、南茹（ནམ་རུ།）和那仓（ནག་ཚང།）等地。墓葬均位于山的南坡，每处两三座，不见大的墓地，特点是在墓上以石块或石板环绕成一椭圆形，墓均为东西向，一般长3米、宽2.75米，东端（可能是头向一端）树立一大石板，出土器物有青铜三棱镞、叶形铁镞等。发现的头骨均属长头型。”② 从引文看，石棺的藏族属性（头骨的长头型等）可说无疑，只是从出土青铜三棱镞、叶形铁镞观之，这个年代并不十分“古老”。需要对藏北草原的石棺葬进行较普遍的考察，才可以完善我们的结论。

第二，石棺葬的出现是木石结构房屋的另一表现形式，地下石棺的历史紧随着藏人木石结构房屋的建造而来。因而石棺文化的出现并不十分久远。早期的石棺葬可能是人死后在地面自然洞穴的垒石为墓，后有头箱（附棺）、耳室；先有一般性封土，后有高十几米的大型封土。

藏族石棺葬有其自身的一些特征：

（1）大多数石棺葬都以墓葬群的形式出现，少的几座，多的过百，像列山墓有180多座。

① 童恩正：《西藏考古综述》，载《文物》1985年第9期。

② 童恩正：《西藏考古综述》，载《文物》1985年第9期。

（2）许多石棺葬中有铜器出现，部分有铁器出现。藏人使用铜器见于史书记载的是止贡赞普时期（约公元前 2 世纪），《汉藏史籍》载，达日宁塞（松赞干布之祖父，约生活于公元 6 世纪中叶）时，有贤臣叫赤多日朗察，用木炭烧炼矿石，得到金、银、铜、铁。显然，金属的出现要比这早。从石棺葬的历史看，其仿佛与铜器的发展历史相并足。铁器的普遍使用（即铁器代替铜器）也使石棺葬失去地位，大约这时候已经有了相当漂亮的房屋建筑（主要材料是木头）和漂亮的箱、柜、桌等木器家具，生者对逝者的葬仪随之有了很大改变，于是进入“木棺阶段”（葬仪的新的形式出现）。

当然也不能一概而论，由于各个地区自然环境不同，有些多石——西藏、川、滇藏区为多石地区；有些是少石地区，如甘、青一些藏区——属“黄土高原”。自然条件必然要限制石棺葬的流布，故而周初藏人东南迁徙中，进入甘、青地区的藏人并没有较多地留下这种葬仪。

（3）石棺葬中出土的陶器以单耳、双耳罐居多，无耳、三耳罐较少，有些还有松耳石等装饰品，陶器以手制夹粗陶为主。

（4）葬式以尸骨残缺葬（或为二次葬，具体文化内涵不详）和屈肢合手葬为主，将残缺的人骨葬入墓内或留立空墓，是值得注意的葬俗现象。

（5）基本为人头向北葬法。以前在解释川、滇石棺葬时有的同志推测“羌氏”的这种葬式可能表示祖先从北边（甘、青一带）来，死后再回到祖先故地去。以此思路推论，本身就在北边的墓葬仍头骨向北，该说明什么？倘从乃东、贡觉、澎波继续向北，到藏北那块分布着丰富旧石器、细石器遗址的广阔土地，使人蓦然感到藏系民族所称的北方之根有可能指斯。这只是一种推测，北方还可能有别的含义。

由于受汉文化的遏制和强烈影响，石棺葬的消亡，与汉民族接壤处的藏系民族要比藏人腹地的要早，大约在三国时就完结了，藏区的完结稍晚，大约至中唐左右。倘若未来对穷结的藏王墓进行开掘，便可知道石棺葬在当时的盛衰情况，藏区的石棺葬可能与苯教有很大关系，它的消亡与佛教的传入及苯教的衰落似乎有某种吻合。

统而言之，藏族墓葬文化的发展大约经历了四个阶段：

第一创段为从自然葬——所谓“弃尸于野”的“天葬”等进入土葬、火葬时期。此年代十分久远。

第二阶段为石棺葬时期，年代约为公元前 11 世纪便开始盛行，大约至公元 7 世纪以后逐渐消亡。这一时期以普遍而丰富的石棺葬为主，晚期可能产生了崖葬、瓮葬诸形式，并有火葬（二次葬的主要手段）存在。如

《册府元龟》卷九六一《外臣部·土风》，云：

> 有死者，无服制，置尸高床之上，沐浴衣服，被以牟甲，覆以兽皮。子孙不哭，带甲舞剑而呼云："我父为鬼所取，我欲报冤杀鬼！"自余亲戚哭三声而止。妇人哭，必以双手掩面。死家杀牛，亲属必以猪酒相遗，共饮啖而瘗之。死后十年而火葬，其葬必集亲宾，杀马动至数十匹，立其祖父神而事之。

当然，早期的火葬不一定是死后十年而行火葬。

第三阶段为多种葬俗共存时期，其年代为公元7世纪至14世纪左右，火葬、水葬、崖葬、瓮葬、土塔葬、天葬，甚至部分石棺葬与木棺葬并存。

第四阶段为藏传佛教葬仪时期，年代为公元15世纪至今。宗教意义的天葬、水葬、火葬、多种形式的塔葬（高僧、活佛所用的骨灰塔、肉身塔）通行，贱土葬，不难看出，佛教文化对藏人的冲击，使藏人的意识流向转了弯，墓葬文化也起了内在的变化。

第三节　石棺墓中的铜器文化

石棺墓中出现了铜器，考古学界尚未对此进行全面的研究，从而得出一个比较令人满意的结论性意见，这些铜器的具体年代还不十分清楚。

根据别国别地区金石文化的研究成果观之，人类在生产上使用铜的年代比较早，首先是自然铜甚至是金——那时候的金还没有变成货币，古人可能用这些天然的铜、金块，石块一般袭击野兽，亚洲西南部和中亚细亚地区大约在公元前6000~前5000年时开始使用天然铜。当然，使用天然铜并不意味着金属时代的开始，对金属的冶炼、铸造才标志着金属时代的真正开始。

亚洲西南部从铜矿中提炼铜的历史大约在公元前5000年，中亚细亚、印度和中国不迟于公元前2000年，可以说藏区周围的一些地区至少在距今4000年时使用铜器。华夏民族在殷商时青铜器（用铜和锡按一定比例冶炼而成）已高度发展。

铜器的生产大大提高了社会生产力的发展。随之使用铁器的年代也接踵而来。亚洲西南部、埃及、东亚，炼铁的历史一般不超出公元前1300年，商代时华夏民族已使用铁器。在藏区，我们在前面介绍的石器文化主要遗址——卡若、林芝、墨脱、曲贡、乃东遗址中没有铜器，这些新石器遗址大多距今4000年以上，是否可以说在距今4000年以上，藏土尚无铜器？可以，也不可以。可以是说，截至目前发掘的新石器遗址没有铜器发现，目前的结论是新石器时期藏人尚不用铜器；不可以是说，目前对新石器遗址的开掘还不是最后的开掘，这种遗址在广阔的雪域土地上还会出现，因为在藏区周围这一时期有许多国家和民族早已使用铜器了。①

铜器和铁器的出现，基本上都在石棺墓中：

（1）拉萨澎波农场石棺墓出土铜器7件，计已锈的马头套饰片6片，9厘米长的铜针1根；铁器5件，计残长47.5厘米的剑1柄，似为马嚼的朽蚀环1件，锈圆铁扣1件，锈方铁扣2件。

（2）贡觉香贝石棺墓出土铜刀1把，铜刻刀1把，刀的端部是青铜，柄部和属部是红铜，中间有焊接缝，两面刃，刃部锋利，刀长6.4厘米、柄长1.7厘米、刃长4.7厘米、刃宽1.5厘米；刻刀体呈圆弧形，尾部较窄，刃在端部。

（3）乃东普努沟石棺墓中出土铜器9件，铁器10件。铜器有：

铜片饰一件（图1－8－3－1），长7.6厘米，上部宽4.8厘米、足部宽1.9厘米、厚0.2厘米，四角各一圆孔，孔径4～5毫米。黄铜铸造，呈“冂”字形，一侧足残。周边饰连续方块纹，上部中间填大、小三角纹和波折纹，两足饰角纹（图1－8－3－1、1－8－3－3：1）。

图1－8－3－1
铜片饰

铜铆接片1件，铜片残长5.6厘米、铁泡钉帽直径0.9厘米，两端及中间为椭圆形，两端各铆一铁泡钉。

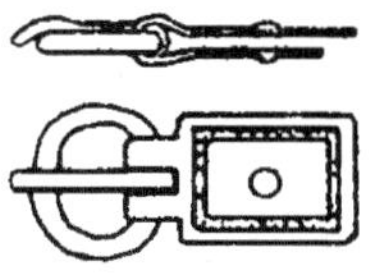
图1－8－3－2
铜带扣

铜带扣一件，由黄铜锻制，长方形夹带片长2.9厘米、宽2.1厘米，正面饰一周夹于双线之间的联珠纹，中一长孔，前后片之间有0.2厘米厚的空隙，以铁钉贯穿相铆。圆锥形环，搭钩呈S形。（图1－8－3－2、1－8－3－3：2）

形质相同的黄铜圆饰片5件，直径1.8厘米、厚0.1厘米，正面有阴同心圆纹，中间铆一铁泡钉。由于跟铜带扣一起出土，可能为皮带饰片。

① 敦煌文献载：止贡赞普遇害后，“尸骸置于能启的铜箧之中，抛于藏布大江之中央”。实际铜器的出现要比这早。

1

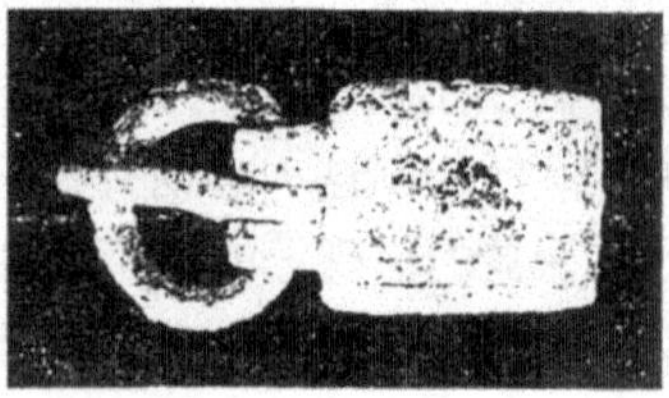

2

3

4

图 1-8-3-3 乃东普努沟出土器物

1. 铜片饰 2. 铜带扣 3. VM_{11}石棺 4. I型陶罐

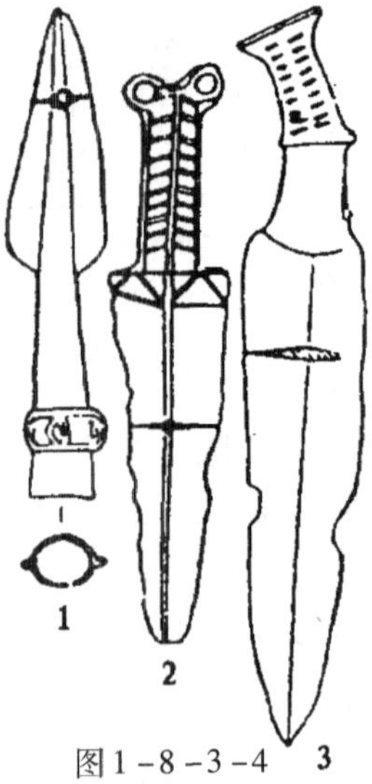

图 1-8-3-4

1. 铜矛 2. 铜剑 3. 铜剑

铜钵1件，浅斜腹，底稍圆，敞口，口径8.4厘米、底径4厘米、通高2厘米、壁厚0.1厘米，黄铜锻打，较粗糙。

铁器有1件，长9.5厘米，四棱扁尖，后部锻扁成筒状，直径1.2厘米，熟铁锻打，锈蚀。

尚有熟铁锻打的带扣1件，长方形铁铠甲片8件。

德钦纳古石棺葬中出土的铜器有：

矛3件，柳叶形刀，圆筒形鲛直贯刺尖，鲛上有对称半环耳，长19.2~24厘米、刃宽3.3~3.7厘米、鲛径2.4~3.2厘米，双耳间有平行线夹菱形纹饰（图1-8-3-4：1）。

曲颈短剑一件，通长33.4厘米、剑身长24厘米、宽4.6厘米（图1-8-3-4：3），长叶形，中起脊，断面呈菱形，后锋圆钝，前段扁平，后段中空，中间微束，是有线条形镂孔，断面呈枣形。另一剑通长26.7厘米、剑身长17厘米、宽5厘米（图1-8-3-4：2），长三角形，中起圆柱状脊，下端饰三角形纹，无格，颈扁平，再下饰羽状纹，颈首作双圆饼形。

德钦永芝石棺墓中出土的青铜器有：

青铜剑5件，可分三式：Ⅰ式3件，剑身中部起脊，剑格呈隆起的三叉形，柄部饰螺旋形凸纹。一通长38.5厘米、柄长8厘米、宽5厘米（图1-8-3-5：1~3）；Ⅱ式1件，通长24厘米、柄长7厘米、宽4.5厘米（图1-8-3-5：4），剑身起脊，格部同样为三叉形，柄部有三四处镂孔；Ⅲ式1件，通长25厘米、柄长9厘米、宽4.3厘米（图1-8-3-5：5），无格及三叉形纹，大小与Ⅱ式剑相同。

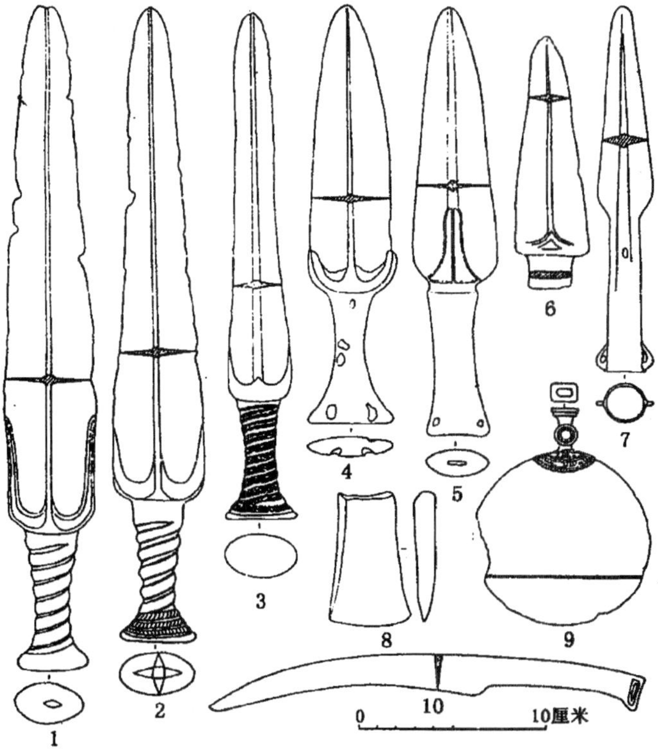

图1-8-3-5　铜器

1~3. Ⅰ式剑　4. Ⅱ式剑　5. Ⅲ式剑　6. 戈（?）

7. 矛　8. 斧　9. 饰牌　10. 刀

青铜刀 1 件，通长 23 厘米（图 1－8－3－5：10），弧背，凹刃，柄扁平，柄端有长方形穿孔。

青铜斧 1 件，长 8 厘米、刃宽 4.5 厘米（图 1－8－3－5：8），扁平，实心，无銎。

青铜戈 1 件，通长 14 厘米、柄长 2 厘米（图 1－8－3－5：6），刃部起脊，内为扁平状。

山字形三叉形短剑是西南地区石棺葬中最为典型的器物之一。

第九章　原始口头文学

语言的创造是很久很久以前的事，这个年代已使人感到十分茫然。大约在旧石器时代后期人类已经通过手势、眼睛传递信息发展到用语言传递信息。语言的发展与人类的发展一样，经历了漫长的历史过程。早期的舞蹈、浅陋的雕刻、绘画，使人们在蒙昧中发现了另一交流信息的工具——文字（图画文字）。从某种意义上讲，图画（尤其是岩画）也是一种原始文字。创造文字的年代离现代人毕竟还算贴近（尤其是那些完善、成熟的文字），在原始文化研究中尽管它们发挥着十分重要的作用，但远不如原始人质朴的口头文学（多为神话创作）那样更具有魅力。在那里我们了解到的是另一个世界，尽管这一世界在天文学、地质学、气象学、人种学等现代科学面前显得那样幼稚、可笑，但它奇迹般地保留了那些本该彻底消失的原始人的思想、道德、思维形式和认识、揭示世界的能力。

诚然，我们已经无从知道全部的原始人的口头创作，由于没有文字，没有成体系的完整的文字记录，许许多多的神话像那些曾经也是活龙活现的原始人群一样，在历史的长河里永远地消逝了。只有极少数的一部分通过世世代代的人的口耳相传，留传到后世。这些神话、传说、童话、故事，往往掺杂了阶级社会的许多内容，有些已面目全非了，不过，倘若仔细研究、甄别，仍然可以见到它原来的面目。

偏爱和感情往往使我们的眼睛蒙雾，偏离科学，障碍我们工作的顺利进行。可是，作为一个藏人，我如此热爱这些早期的神话传说，让自已也吃惊。

第一节　创世神话

藏族的早期神话，如同最新的科学结论一般，惊人地弥合于科学。比如《喜马拉雅的传说》：

> 据说很久很久以前，喜马拉雅所处的地方是无际的海洋。海水拍击着岸上的松柏、棕榈，森林里有无数的羚羊、斑鹿、犀牛。可是这

安适的生活突然被从海中而来的一只五头毒龙搅乱了。毒龙兴风作浪，残害生灵，毁坏森林。正在这花草树木、飞禽走兽遭受危难的时候，天空飘来五朵祥云，变成五位慧空行母，施展法力，降伏了毒龙，而且喝令大海退水。海水退去，东边有了森林，西边有了良田，南边、北边有了草原。五位仙女应众生的要求留在了人间，变成了祥寿仙女峰、翠颜仙女峰、贞慧仙女峰、冠咏仙女峰、施仁仙女峰五座喜马拉雅主峰，守卫着这里的大地。据说山南错那县有一湖就是当时海水退走时留下的，称为最早的湖。又说这五位仙女中，翠颜仙女是珠穆朗玛的主神，掌管人间的“先知”神通；祥寿仙女掌管人间的吉祥福寿；贞慧仙女掌管农田耕作；冠咏仙女掌管人间财宝；施仁仙女掌管畜牧生产，各司其职，各尽所能。

在本书第一章中业已叙述，印度板块向北移动致使大陆碰撞，使古特提斯海分东西两路退出青藏地区，随之喜马拉雅进入它的崛起时代。这一事件发生在始新世（距今约6000万年），而始新世以前的茫茫岁月则属于茫茫的喜马拉雅古海。原始人类为何晓得以前“喜马拉雅所处的地方是无际的海洋”？并且知道有羚羊、斑鹿、犀牛和棕榈，乍一看令人难以置信，恍若痴人说梦，而细一品味，却令人感奋。原始社会的人不可能用碳-14测定古物年代，就是现代人，除了专业人员，谁晓得碳-14是什么玩意？可是原始人“知道”了，大约他们是用肉眼看到的，综合的，在西藏高原那么多的河流湖泊中，在镶嵌在岩石土砂层中的海底动物的遗骨和卵石中。或许我这种推测太具现代意识，但是我相信，原始藏人在创造这些故事时，肯定受到了某种启示，否则他们怎么能编出如此不同凡响的神话！

《喜马拉雅的传说》只是一个引子，藏族的创世神话十分丰富，我们从较有代表性的《创世歌》① 逐一归类介绍。

《创世歌》的基本内容讲的是世界的形成，可分三方面：

1. 第一问到十七问，主要讲世界的起源和天地的形成，歌中写道：

恩情最大的是慈爱的父母，
发生最早的是世界的形成。
问：形成早？还是毁灭早？

① 《创世歌》，载《达赛尔》（藏文），（甘南藏族自治州文联主办），1984年第1期，全文436行。

若形成早就讲形成早的原因，
若毁灭早就讲毁灭早的原因。
形成不早毁灭早，
请讲第一次是怎样毁灭的？
第一次毁灭的造成，
是火、水、风这三者。
这三者的根因没有灭，
灭了的火是怎样形成的？
没了的水是怎样形成的？
息了的风是怎样形成的？

歌中逐一回答，火、水、风“死而复生”的时间，认为水、土、火、风是构成世界的最初物质。并认为：

土的形状是四方形，
土的颜色是金黄，
它的因子是“蓝木佑”。
水的形状是椭圆，
水的颜色是白色，
它的因子是“坎木佑”，
火的形状是三角，
火的颜色是红色，
它的因子是“染木佑”，
风的形状是扇形，
风的颜色是青色，
它的因子是“烟木佑”。

“蓝木佑”、“坎木佑”、“染木佑”、“烟木佑”，分别是土、水、火、风物质的最小微粒。

歌中体现了朴素的唯物主义思想。

2. 第十八问到二十四问，主要讲生命的产生形态和种姓的由来。歌中认为生命的诞生有四种形式——卵生、胎生、暖生和化生。最初众生是化生的，在此后的演变过程中人和神才定为胎生。

歌中表述了对生命的起源的认识之后，又说人类产生后度过了一段共同享用果实，不分等级贵贱的生活。后来便有了无数苦难，苦难使众生分为好多种，主要的种族有婆罗门、贵族、百姓和贱民四种。

3. 第二十五问到三十一问，主要讲日月星辰的特点，“六十五天”、“十八界”、“二十八宿”的方位及历算。显然，它受到了佛教的浸染。比如歌中写道：

人生也有四生境，
化生阿阇黎莲花生，
卵生君王和头领，
人、神都是胎生的。

其中提到莲花生，莲花生是乌仗那（今巴基斯坦）人，生活于公元8世纪，曾在藏区传授佛法，对后世影响很大。

《创世歌》的内容与藏人之“猕猴变人”的传说，苯教文献中的宇宙起源和人类由来的神话，以及《什巴问答歌》等记述的创世观点都有所不同。那么，这种观点自何而来呢?

藏族传统文化的许多思想形态，往往要追溯到印度佛教和古印度的思想成就。

约在公元6世纪，印度恒河流域建立了以城市为中心的十六大国，由于商业、手工业的发展，对族姓制度、婆罗门特权的逆反诸原因，先后形成了六个哲学派别。其中一些哲学家提出了世界是由水、火、土、风等物质构成的观点。

顺世派先驱阿耆多认为，世界是由地、水、火、风四大元素构成，人亦如此。人依四大种所成，若命终者，地还归地身，水还归水身，火还归火身，风还归风身，诸根归入空虚。否认灵魂的存在，认为人死命终，灵魂散失，无所谓婆罗门教所倡之轮回业报，主张平等。

耆那教分支“生活派”的代表人物末伽黎认为，宇宙万物是由灵魂、地、水、风、火、虚空、得、失、苦、乐、生、死十二元素构成，地、水、风、火中存在灵魂，人没有轮回业报，人的一切是由命支配着的。

波浮陀的“七元素说”也以地、水、风、火为基础，认为人是由地、水、火、风、苦、乐和灵魂七种元素构成，七种元素相聚则形成生命，相失则生命完结。

可见佛陀前的印度六个哲学派别中有三派的宇宙观与《创世歌》相似。

佛祖释迦牟尼吸收了前人的思想成果，认为构成物质和精神世界的是地、水、火、风、空、识六种元素，地是骨肉，水是血液，火是热气，风是呼吸，空是耳鼻等感觉器官中间的空腔，识是精神元素，是各种精神活动。这便是佛祖著名的"六地说"，也是"五蕴说"的理论基础。佛典通常将地、水、火、风称为"四大"，"四大"组成感觉器官眼、耳、鼻、舌、身及感觉对象色、声、香、味、触，即为五蕴之一之色蕴。佛教借此说，人身无常、不实、受苦，归结于一个"空"字，"四大"和合，人即为人，"四大"失离，人身即逝。

至此，我们似不难看出《创世歌》的思想发展脉络，这是地道的外来品，它随佛教而步入藏土。然而，藏史资料及一些藏族学者不这样认为。

苯教史书认为，吐蕃第一世王聂赤赞普与释迦牟尼是同时代人，第一世象雄王赤维色吉希日坚比聂赤赞普早500年左右，距今约3000年，赤维王时代苯教始祖辛饶米沃且已到卫地，居住在贡城的苯日山上传授苯教。这个时间基本上比佛陀同一时代的"六师"创立"七元素说"等哲学流派的时间早500年左右，苯教的著作也有地、水、火、风"四大"和卵生观念。

苯教文献《斯巴卓浦》记载：三方天界之王南喀东丹却松有五种本原物质，法师赤杰曲巴将这五种本原物质收集起来放入他的体内，"哈"了一口气，产生了风，风如轮迅速旋转就产生了火，火的热气和风的凉气相碰产生了露珠，露珠上产生了微粒元素，被风吹落后，久积成山。如此，赤杰曲巴创造了世界。这里的风、火、露珠、微粒和山被称为五种本原物质，实际上就是苯教所说的土、水、火、风、虚空"五大"，这"五大"中包含了《创世歌》中所涉及的土、水、火、风四种最初物质。

《斯巴卓浦》接着说，五种本原物质中又生出了一白一黑两个卵，由此产生了人类。又有一本苯教史书中说，远古时代，在土、水、火、风、虚空等五大尚未形成生物时，先有一巨卵，后此巨卵渐次分裂为十八个小卵，藏人源于其中一卵。当然，我们难以相信这样的人类起源说和与之相关的藏人来源说。然而早在3000多年前，藏族的先民已有这样的民族起源的说法，也说明藏族不仅是一个古老的民族，也是一个智慧的人种。著名苯教史家南喀诺布先生卓有成效的研究使藏人的历史上溯千年，那么，《创世歌》中提到的土、水、火、风宇宙诸要素，"十八界"、四生境中的卵生、胎生等理论，是否受了苯教理论的影响?

事物的发展都不是孤立的。从人类发展的轨迹看，公元前五六百年前，印度人和华夏民族已进入奴隶制社会时，夹在这两大文明古国中间的藏民族不可能还生活在茹毛饮血的蒙昧时期或者像藏族另一神话中所说的猕猴变人的时期。尽管我们还不能说2500年前，藏民族的文明已达到何种程度，但苯教的史书或真或伪地提供了研究这些问题的线索。

我们知道苯教祖师辛饶米沃且传播的是“大圆满法”，释迦牟尼也讲大圆满，何者为先？何者为后？抑或各自发展，所见略同？有人认为，大圆满法起源于乌仗那，非辛饶米沃且所创，大圆满法来自乌仗那的极喜金刚，并说佛教密宗的无上续部也产生于乌仗那。但是，人们难以确定乌仗那在何处，现在有不少国外学者正在考察研究，有的认为是巴基斯坦的萨德地方。在以前的史书中公认是在印度的西北部，它和香巴拉一样，仅在书中见到，很难确定其具体地域。事实上，我们考察一些史书就会发现香巴拉和乌仗那大体上在同一方位。以前，印度的大德学者历经艰险去乌仗那和香巴拉朝圣，其地可能在象雄境内，或者与象雄毗邻。圣地的方位改变，给我们提出了一连串的疑问：印度的乃至其他国家的大德学者们、信徒们为什么要到象雄境内和邻近象雄的地方朝圣？自辛饶米沃且下传十二代至象雄噶饶，有名的大圆满法导师共十二人，佛教的大圆满是否受了苯教大圆满法的影响？

南喀诺布先生说，辛饶米沃且创立的苯教不但在象雄盛行，而且远及伊朗、印度和汉地等广大地区，古老的象雄大圆满法就是如此传播开来的。倘若此论成立，《创世歌》所说之土、水、火、风“四大”及四生境中的卵生诸说，也不一定是印度早期哲学的“专利”了，换言之，它有可能是苯教的产物。

根据可以读到的零散材料，藏族的创世神话可分为以下几个类型：

1. 象雄型。除上文业已述及的苯教著作《斯巴卓浦》中保留的卵生世界的神话外，苯教著作中尚有《黑头矮子的起源》，认为世界最早是空的，后来有了两仪，凶险作母，明亮作父，此后从露珠中产生一湖，湖中的一个卵孵出一光亮一黑暗两只鸟，二鸟相配生了白、黑、花三个卵，从而繁衍出神和人，世间神桑波奔赤创造了有人类居住和无人类居住的世界。自然，这一故事中也夹杂了一些受佛教浸染的苯法思想。

《灵犀宝卷·朗氏家族史》记载，从金、木、水、火、土中产生一卵，后由卵壳卵清生成白岩石和海螺湖，蛋黄再分为十八个卵，从而产生人和动物等。

在收集到的民间故事中，我们还可以看到，马、牦牛、绵羊、山鹰、野鸡、狼等也产生于卵，卵的颜色有白、黑、蓝、黄诸色。著名长篇英雄史诗《格萨尔王传》中也有卵生人的记载。

象雄神话最早流传在象雄地区，后随着藏人的东南迁徙和苯教的传播遍及整个藏区。以卵生说为中心，佐以五种本原物质构造世界的观念，具有藏人特点。由于卵生说的广泛传播，象雄型创世神话在中外创世神话、藏族与其他民族创世神话的比较研究中具有重要地位。

象雄型主体神话的另一特点是故事构造本身充满二元论思想。如有光明之神，就有黑暗之神；有白则有黑；有现世界之主，就有虚幻世界之主；有神、人，就有魔、怪。

从象雄故地——阿里岩画中有鸟绘等综合分析，早期的藏族先民可能有过鸟崇拜，卵为鸟崇拜的另一表现形式。

2. 雅砻型。雅砻神话的代表篇目为脍炙人口的“猕猴变人”的神话（见第七章）。《贤者喜宴》载：“由猕猴变来的藏族祖先居住在今雅鲁藏布江南岸泽当宗一带的雅砻地区，后来分为斯、穆、桐、冬等四种血统。”将其跟藏族最古老的四姓结合起来考察。实质上古代藏人是不可能知道自己的祖先是猴子的。因为从古新世（距今7000万年）的哺乳动物到始新世（距今6000万年）的近猿古猿，再到渐新世（距今4000万年）的埃及猿、原上猿，中新世（距今2500万年）、上新世（距今1200万年）的猎玛古猿、南方古猿，最后发展演变为直立人（距今300万年），经过了六七万年，从直立人到现代人也经历了300万年，除了科学的考证，任何民族都无法知道自己的最原始形态。

恩格斯说：历史从哪里开始，思想进程也应该从哪里开始。尽管原始人是极端的唯心主义者，但是他们对自然和人自身的认识探索从未停止过，“猕猴变人”的故事同样是远古藏人通过猕猴而联想自身的认识思想的反映。

流传在云南省迪庆藏族自治州境内的创世神话《大地和人类的由来》也属于雅砻型创世神话系列，比“猕猴变人”的故事更为完整：

> 天地未形成时，什么也没有。后来逐渐出现了大海，但空荡荡的，只是在海面上飘浮着一层灰蒙蒙的雾气，四面八方刮着大风。慢慢地，大风和雾气才使大海中积起了许多硬块，这些硬块又聚集在一起成了大地。由于大地没有东西支撑，老是晃晃荡荡的。后来海中出现了一条巨大的鳌鱼，钻到海底将大地背在自己背上。可是鳌鱼老在动，它一动，大地又晃动起来。天神见了，便朝鳌鱼的背上射了一箭。鳌鱼中箭后翻了个身，大地就落在它的肚子上。从此，大地就稳稳当当的了。

有了大地，最先有了山，热妲梅俄是大山之王；接着出现了树，树中以巴桑树为王。有了东、南、西、北四大天神，四大天神之后才出现了人类：在一座大山上，住着梭舒绿格向蒙陀公猴，还住着玛霞森多姆女岩妖。

> 一天，岩妖见到了猴子，就朝他打了三个口哨，表示希望猴子搬来一块住。猴子听见了，也回了三声，表示同意岩妖的请求，在青香树的撮合下，公猴和女岩妖就住在了一块并生了六个孩子。当这六个孩子长大后，又结合生了许多孩子，并分别到各地去住。从此，大地上到处都有了人。

假如说象雄型神话多见于古籍（主要是苯教典籍），较文，雅砻型创世神话则较俗，多见于民间，不但有诸如“猕猴洞”、“猴子玩耍坝”（泽当）之类的“遗迹”，而且口口相传，广为人知。从内容看，象雄型创世神话“神”性较重，而雅砻型创世神话较为“现实”，如讲人的“神”传和人的“猴”传等。

至今还活在藏族传统文化系统中的藏族创世神话，对藏族原始文化层的开掘大有裨益，尤其对象雄神话系统的搜集、整理、研究。

3. 安多型。安多神话主要流传于现在的甘肃甘南藏族自治州境内。象雄、雅砻神话多以叙述为主，安多神话则是有问有答的诗歌形式。目前见到的主要作品有：

①《什巴问答歌》。

②《创世歌》。

③《大鹏和乌龟》。

在《什巴问答歌》中记载了藏族先民对世界起源的认识：

问：什巴宰杀小牛时，
砍下牛头放哪里？
我不知道问歌手；
什巴宰杀小牛时，
割下牛尾放哪里？
我不知道问歌手；
什巴宰杀小牛时，
剥下牛皮放哪里？

我不知道问歌手。
答：什巴宰杀小牛时，
砍下牛头放山上，
所以山峰高耸耸；
什巴宰杀小牛时，
割下牛尾放路上，
所以道路弯曲曲；
什巴宰杀小牛时，
剥下牛皮铺大地，
所以大地平坦坦。

人类对自然界的认识是最基本的认识，它既是人们对自然的探索解释，也是人们对自身的研究。在科学落后、生产力低下的远古，人类还没有能力对自然世界得出正确的结论。山川大地、飞禽走兽、鸟虫花鱼等的形成对他们来说都是个谜，他们不断追求，想揭开这些谜底，牛头——山峰，道路——牛尾，牛皮——大地，一切都是由牛的器官、肢体构成的，何等形象自然。这与藏人驯养牛有直接关系。藏人驯养牦牛据有关资料介绍，有5000年历史，或许这一神话也产生于那个时代，即卡若、林芝、曲贡等遗址的先民生活的时代，或更早。

《什巴问答歌》中藏族先民对世界的认识，仍然经历了这样的阶段：

最初什巴形成时，
天地混合在一起，
分开天地是大鹏，
……
最初天地形成时，
阴阳混合在一起，
分开阴阳是太阳，
……

最初天地浑沌相连，后而分为天地的说法，见于世界许多民族的远古神话传说中，而由大鹏、太阳分开天地便是原始藏人独到的观念，独具的想象。这与上文所述的原始藏人有日、月、星崇拜和大鹏崇拜相一致。这一观念一直保存在现代藏人的观念中。

收集在《四川白马藏族民间文学资料集》中的创世古歌，也属于安多型创世神话，其中的问答形式和内容同样出现在《创世歌》和《大鹏和乌龟》中。如：

问：祖先要是从天来，
天的父亲是哪个？
祖先要是从地来，
地的父亲是哪个？
儿子要是从中间来，
中间来的儿子是哪个？
答：要说天的父亲，
天的父亲是权力，
母亲是地上众生，
儿子是地上乌龟。

《大鹏和乌龟》中的这段问答形式，从藏文构词成意方面与白马藏人中流传的古歌完全一样。

和象雄神话一样，安多创世神话在众生起源问题上，除了承认四生境的存在外，突出了卵生说。

4. 其他。由于民族间文化的相互交流，其他民族的一些创世神话也汇入藏族创世神话这一大河中来。如流传在迪庆藏区的女娲补天的故事就来自汉族。另有一些神话我们一时还不知其归属。

第二节　生产神话

一、关于家畜来源

上古史研究的成果告诉我们，人类的农牧业生产大多是牧业在前，农业在后。当然上古时候的所谓牧业、农业与现在无法比拟，或许那时的农业只是用木棍在地上戳一个小洞丢进粮食种子，不知翻耕锄草施肥，从而得到一些数量很少的粮食；那时的牧业或许也只是把那些驯养好了的和尚未驯养好的牲畜围在栏里，在缺吃时宰杀食用。人类基本上遵循了这样一个规律：先牧后农，原先的狩猎居民点也往往变为后期的农村村落。

藏族传说中也保留了藏人从事牧业（驯养牧畜）的印迹：

有一则《马和野马》的神话说，很早以前，在九重天有一公一母两匹马，生下了一匹小马。天上缺水草，它们降落到人间。接着，小马到吉隆当哇地方和那儿的马王结合，生下了小马三兄弟。又由于缺少水草，三兄弟分别到他方谋生。

马大哥意吉当江碰到了雄悍的野公牛，野公牛霸占了草场，马大哥求情说：马和野牛不需要争斗，马吃草，牛喝水；牛喝水，马吃草，井水不犯河水。蛮横的野公牛不听，用它锐利的犄角挑死了马大哥。

马小弟听到马大哥遇难的消息，决心为他复仇。去找二哥商量，二哥怯阵说马大哥的本领在我们中最大，它敌不过野公牛，我们俩根本不是对手，弄不好还要送命。哥俩意见不合，分道扬镳。马小弟找到了“人”，在“人”的帮助下报了哥哥的仇，杀死了野公牛。为了报恩，终生跟“人”在一起。马二哥四处游荡，成了野马。

这一神话生动地描述了马之所以成为家畜的原因——与人类结为朋友，相守终生；野马之所以成为野马是它四处游荡，远离人类。不难想象，在原始社会驯养马这样的大家畜不那么容易。据有关资料介绍，跟驯养牦牛一样，马在青藏高原成为家畜的历史大约5000年。

在原始文化和上古史的研究中，许多专家都得到一个几乎统一的结论，认为人类最先驯养的家畜是狗——在狩猎中，狗慢慢作为人类的亲密伙伴来到古人的生活里。最初的家狗可能是失去父母的小狗崽，或者是受了伤的小狗，由狩猎的人作为肉食活养在离部落很近的圈栏或地穴里。狗得到了驯养，作为狩猎时的助手，走出圈栏或地穴，并有很高的身价，可以和主人一样享受到吃喝，在一些民族的原始墓葬中就有以狗殉葬的。藏族的《狗是怎样变成家畜的》故事，虽然反映了狗为家畜的过程，像《马和野马》一样颂扬了人的伟大，以现代的文学分析方法看，狗的成为家畜毋宁说是为了投靠一个本领很大的主子，它有天生的臣子心理和岗位责任性。

在还没有成为家畜时，它便以“找一个靠得住的朋友，永远在一起过日子”的想法去遍访大贤：

头一回，它碰见一只狼。狼问狗：“喂，你到哪儿去呀?”狗说：“想去找个伙伴，跟它过一辈子!”狼说：“那好，你就跟我一块走吧。”

它们一道走了，晚间在山洞里，狗“汪！汪!”地叫了起来，狼赶忙说：“别叫，别叫，看豺来吃掉我们!”狗想：这样看来，豺一定比狼强。

第二天，狗去找豺交朋友。晚间和豺住一块，狗又“汪！汪！”叫了起来，豺不让叫：“别叫，别叫，看熊来吃掉我们！”狗想：这样看来熊比豺强。

第二天，狗去找熊交朋友。晚间它们住一块，狗又“汪！汪！”叫起来，熊也不让它叫：“别叫，别叫，看人来捉住我们！”狗想：这样看来，人一定比熊强。

第二天，狗去找人交朋友。晚上，狗在人家里，也“汪！汪！”地叫起来，人没有让它不叫，还对它说：“太好了，你晚上叫叫，可以帮我看家，这下我能好好睡一会儿了。”

狗觉得人的本领大，又很看重它，心里有说不出的高兴，就在人的家里住下，再也不走了。人每天管它几顿吃的，它给人好好地看家。从此以后，狗就变成家畜了。

令人遗憾的是当我查寻此类材料时，没有发现关于牦牛如何成为家畜的故事，它是青藏高原最有特色的畜种，然而我们的祖先没有把它的故事流传下来。或许，它成为家畜的历史要比上述两种动物都晚。

二、关于粮种的来历

我们讨论粮食种子的起源的主要目的是，藏人农业的产生的时间和种植手段。这类神话传说也有数例。

上文已介绍过的《大地和人类的由来》一文的末一段写道：大地上的人一天天多起来，缺吃的，人们就想学天神种庄稼，可谷种在天神那里取不来，大家商量后决定让小谷雀去取。小谷雀悄悄从女神家里找到了谷种，但它身弱力单无法送给大地上的人们，就托大雁代行此事。大雁带上谷种飞往人间时，天神对它说：“谷种送到后，你不能停留，得快飞回来。”大雁将谷种送到人间后就飞走了，所以迪庆藏族自治州的藏族人说，直到现在，大雁每到冬天才返回中甸（州府所在地）。

人类得到谷种后，最先种到高山上，让马鹿去耕地，马鹿耕不了地，高山上种不出庄稼；人们又将谷种种到海边，让两条鱼去耕地，鱼耕不了地，海边也长不出庄稼。后来人们到坝子里种庄稼，让两条犏牛耕地，这才种出了粮食。

与此相似的故事还有两个，一是著名的《青稞种子的来历》，一是《种子的起源》。《青稞种子的来历》是讲，很早以前有一拉布国，地域辽阔，人口也不少。可是这儿没有粮食，人们吃的是牛羊肉，喝的是牛羊奶，只有王宫里才有一棵果树，也只有国王和大臣们才能吃上一点水果，王子阿初决心去山神日乌达那里找粮食种子，让全国的人都吃上粮食。

去日乌达的路有九千里，有九十九座山，九十九条河，阿初王子赶到日乌达时，随行的二十名武士有的被野人杀死，有的被毒蛇猛兽咬死，只剩下王子一个人。胡子像瀑布一样从山顶垂到河水中的山神日乌达并没有粮食种子，种子在凶狠、吝啬的蛇王那里，许多人去它那里讨粮食都被罚成狗被吃掉了。山神劝王子不要去。可阿初王子决心已定，不容改悔。

蛇王的洞府里很难进去，有卫士把守。阿初王子多次行动，均遭失败，后来他用自己身上穿的氆衫拧成绳，爬到蛇王洞对面的大树上，顺着绳子荡到洞里，他终于看到了黄澄澄的青稞。可是蛇王的卫士发现了他，双方展开搏斗。阿初用腰刀砍死了几个卫士，拔腿就跑，却不料撞上了从海里回来的蛇王。蛇王哈哈一笑，伸手指向阿初，天空突然闪电雷鸣，雷电击在阿初身上，阿初王子在雷电交加中变成了黄毛狗。阿初顾不上这些，他遵照山神日乌达的嘱咐，口含“风珠”，拼命奔逃。尽管蛇王的雷电还在响还在闪，但没有追上他，因为口含“风珠”，跑起来像风一样快。

阿初王子盗来了青稞，并得到了善良的俄美姑娘的爱情，恢复了人身。于是从娄若到布拉国的几千里的地面上都长满了青稞，几千里地面上的人都吃上了青稞磨的糌粑。由于许多人看见是一只黄毛狗撒下青稞种子，长出了黄金一样的粮食，以为是神派狗送来了青稞种子，因而每年收完青稞，吃新青稞面做的糌粑时，总要先捏一团喂狗，这一风俗一直流传到今天。

藏人进行农耕的时间是很长的，这从我们前面介绍的卡若文化遗址中可以看到，遗址中有粟米出现。如此推算，也至少有5000年历史。在后期的一些著作中也说，在吐蕃第九世赞普布德贡杰时，穷结已建造了青瓦达孜宫，开始用牛力木犁耕作，引水灌田，那时的农业已发展到相当水平。许多同志说藏族是马背上的民族，这并不准确、全面。实际上从早期的历史看，藏族从吐蕃王朝兴起之时起，主要是经营农业，雅砻河谷、年楚河流域，以及东藏的河谷中有着大量的农田。一直到松赞干布时代，这种格局才逐渐变化，牧业的领域随着青藏高原的兼并战争逐渐扩大。

这两个故事也隐晦地告诉我们早期的粮食种子并不是人类在有意识的寻找中发现得到的，而是在无意识之中，或许这些粮食种子早野生于深山荒野里，由大雁无意识衔来或出猎的狗身上无意中带来，撒在了过着定居和半定居生活的原始人住宅周围。第二年长出粮食来，继而逐年培植，种田面积日益扩大，便有了原始的农业。换句话说，原始人先驯养了狗，先过着狩猎的生活，此后才有了农业。西藏高原的农业可能出现于新石器时代，或者更早一些的细石器时代。

青稞种子来历的故事又给我们这样的想象，故事传地马尔康（嘉绒）早期可能生活着一个氏族部落，或者这一部落在别的地方生活的时候，还是以狩猎维持生计，后来它们发现了比它们先进入农业社会生产的部落，便派人去盗种子，从而和那个部落的成员发生了争斗。值得重视的是青稞种子的拥有者却是蛇，这个蛇是不是指一个信仰蛇图腾的氏族？蛇与汉族的龙是否有某种联系？当然，印度也有类似的故事。

另外一则《种子的起源》所载仿佛更全面地反映了人类早期的生活：

从前当天地开辟后，地上还没有种子的时候，人们都住在岩洞里，靠着天天出外打猎为生。有九弟兄也和邻人一样，每天磨好戈矛箭镞去深山打猎。弟兄中的老九还没有到挥舞戈矛和射箭的年龄，但他能听懂鸟语，兄长们也常常带他到山里打猎。

这天兄长们在带着鹰和狗追赶野兽，忽然一只喜鹊飞到面前要肉吃，老九在鹿身上割下一块肉给他，喜鹊告诉他一个十分重要的消息："明天天要变，天上要出九个太阳，地上各处都要冒出烈火，地上的生物除了能飞的都要被烧死。"并告诉他活命的办法。老九立刻将消息告诉哥哥们，哥哥们根本不信：平白无故，天上怎么会出九个太阳？没有办法，老九便按喜鹊说的办法，杀了奶牛，挖了坑，堆了荆棘石板，还带了四样东西藏了进去。

藏了一天，他觉得坑里炽热起来，就用椎子在左边牛肚子上捶了一个洞，叫獐子出去看。獐子看了一眼就跑进来说："好热呀，好热呀，天上已经出三个太阳了！"这时它身上已经着了火，烧去一身长毛，只留下胯下一点没有烧着，从此獐子只剩下一身短毛。

又藏了一天，他觉得又热了，又用椎子在右边牛肚子上捶了一个洞，叫马出去看。马看了一眼跑进来说："好热呀，天上出了五个太阳，所有的大海和江河都沸腾了！"这时它身上着了火，长毛烧去了，只剩下鬃毛和蹠毛，因为它又摇头又踢脚没烧着，从那时起马就成了现在这个样子。

藏到第三天，热得更难承受，于是他在牛背上捶个洞，让蚂蚁去看，蚂蚁看了一眼跑进来说："好热呀，好热呀，天上出了九个太阳，所有的大海和江河都已经煮干了！"所以至今蚂蚁就有一个细腰。

从此他们谁也不敢出去了。一直过了七天，直到地上慢慢冷下来，才走出来。大地变了样，到处草木枯焦，滴水不见，哥哥和邻人都烧死了，四周只剩下一片片血一样红的山岩和红土。

可以说这一故事与藏人早期的历史是吻合的。上文业已谈及，藏族先民曾在热带、亚热带的气候条件下生存，有过极为炎热的年代，可能出现过“草木枯焦，滴水不见”的大旱年。远且不论，从早全新世、中全新世时期的气候看出，西藏高原年均气温也比现在高。

有趣的是这一故事中所说的“出九日”① 与《后羿射日》的传说颇接近：“尧之时，十日并出，焦禾稼，杀草木，而民无所食。猰貐、凿齿、九婴、大风、封豨、修蛇皆为民害，尧乃使羿诛凿齿于畴华之野，杀九婴于凶水之上，缴大风于青丘之泽，上射十日而下杀猰貐，断修蛇于洞庭，擒封豨于桑林。”《淮南子》中载的这一故事说是“十日并出”，而《种子的起源》中所说是“九日续出”——第一天出三，第二天见五，第三天出九，即基本为日出三日，三日见九出齐，尽管传说不是实录，我们仍可以作一番比较：

汉史有载，推考黄帝生活于公元前 2700 年左右，距今约 5000 年。五帝时代，距今不过 4500 年。这一时期是个非常重要的时期，从古气候的情况看，具备“焦禾稼、杀草木”的条件。藏人的“九日续出”和汉人的“十日并出”时间上有无联系？或者说地域毗邻的汉藏民族是否同时遭受了酷热的威胁？我想这个可能性是存在的。同样的苦难，造就了同样的神话传说。

茅盾以为“羿射十日”，“大概与日神无关，而是解释弓箭起源，说创造了箭的羿——自然亦是神——是怎样的善射罢了。”② 同样，《种子的起源》中也涉及了箭与射猎的内容。

侥幸保存生命的老九为了活命去找泉水，获得了天神三女儿的爱情，可是天神有意刁难，设置了重重障碍，相爱的一对夫妻用智慧闯过了一道道难关。那时人间没有粮食吃，发怒的天神不让他们带走粮食种子，姑娘只好“选一颗青稞含在嘴里，选了两颗胡豆当耳环悬在耳朵上，选了一颗豌豆藏在鼻孔里，选了一颗荞子藏在指甲里”来到人间。从此人类种植五谷，有粮食吃了。

---

① “九”在藏人生活中是个特殊的数字，尤其在苯教的礼仪中见多用。

② 茅盾：《神话研究》，百花文艺出版社，1981 年，第 82 页。

《青稞种子的来历》和《种子的来历》曲折地反映了同一个思想，那就是藏区的粮食种子是从外引进的，只是前者采取盗用的办法得来；后者用婚嫁的形式得来。值得说明的一点是《种子的来历》中所讲的故事，明显受了佛教思想的影响。

从目前接触到的考古材料看，藏人从事种植的时间大约距今5000年（卡若文化粟米）。农业起源于何时还很难定论，我想藏人从事农业种植的时间肯定要比此长。因为中国是最早栽培水稻的地区之一，中原地区至迟在公元前5000年就开始栽培稻子了，这与中美洲从事玉米、豆类、南瓜种植的年代相仿佛，比西亚种植大麦小麦的时代（公元前8000～前7000年）要晚。广大的西藏地区就夹在数个“农业国”之中，如东部有华夏中原，西部有土耳其和伊朗，土、伊在公元前8000年就有粮食生产（小麦、大麦），南亚的农业文明要晚一点，但至迟在公元前4000年就有了。因此，生活于青藏高原的藏人即便自身未能培植粮食，或山河阻隔保守封闭，也不会不受到周围地区的影响，而从事农业生产。这一年代或许在新石器时代早期。

第三节　英雄史诗

和古希腊盲诗人荷马的《伊利亚特》和《奥德赛》一样，藏族的长篇英雄史诗《格萨尔王传》所叙述的故事也发生在父系氏族社会末期，原始民主制逐步为军事首领的权力替代的那个英雄时代，主人公格萨尔也是一位被称为“战神”的军事统帅。诚如别林斯基所说：“史诗是在民族意识刚刚觉醒时，诗领域中的第一颗成熟的果实。史诗只能在一个民族的幼年期出现。”① 在《格萨尔王传》中反映的藏民族“幼年”的生活是丰富多彩的。试举“赛马称王”为例。

从阶级社会出现后，王位（即权力）想靠赛马来取得实可谓开国际玩笑。格萨尔小时候受到叔叔晁同的算计，被赶出家门，和母亲过着饥寒交迫的生活，“身上穿一件难看的黑山羊皮破皮袄，脚上穿一双难看的红勒子破马靴，腰上扎一条难看的结六个疙瘩的麻绳腰带，头上戴一顶难看的像鹰翅膀一样的尖尖帽，背后插了一个小旗儿，骑上小马驹，跑遍上沟下沟一切地方，去寻找吃的东西。找来找去，什么东西也没有找到，妈妈已

① 别列金娜选辑，梁真译：《别林斯基论文学》，新文艺出版社，1958年，第179页。

经饿得起不来了”，他会有什么社会地位？没有，他只是个流鼻涕的穷苦孩子。然而机遇来了，岭国以花花岭国王位和嘉洛部落的美女珠牡姑娘作彩注，举行赛马大会，获得头名的就可以纳珠牡为妃并称王。竞争者有岭国众英雄和常加害格萨尔的晁同。

赛马的日期定为孟夏上弦13日，大证人为梅拉达尔，里程为犏牛行程18站，徒步要走13天，即以阿玉底山为始点，古热扎石山为终点；有18个部落900名骑手参加，声势浩大。飞驰的马群“上山时候像黄羊跳跃，平坝里似黑雕翻飞，下坡时犹如礌石翻滚”，格萨尔在神的协助下，骑着赤兔马率先到达终点，获得胜利，纳妃称王。刹那间，格萨尔抛弃了丑陋的外表，成为人和神的甘露，水晶岩宝藏的大门自然开启，地神玛邦日、年神格卓、龙神朱拉仁青前来献茶迎接。并将水晶岩宝藏中最好的胜利白头盔、最上乘的青铜滴露铠甲、红藤盾牌、依附女妖灵魂的石头护颈、依附战神的虎皮箭囊、依附威尔玛的豹皮弓袋、不朽长寿衣、战神长寿结腰带、威镇八部鬼神的藏靴等，都献给了格萨尔，还得到神赐予的能懂人语的十三神箭为主的九十九支神箭，以及神弓、无敌宝箭、征服三界的长矛、九庹神变仙绳、依附护法神能运转千块磐石的投石索、霹雳水晶利刃、劈山斧等，格萨尔获得王位的同时，摇身一变，成为一位神通广大、威力无比的军王。

这种以赛马取得王位的事，只有在原始社会末叶或奴隶社会初期的氏族部落和部落社会中才有可能。

一、《格萨尔王传》的主要内容

战争是《格萨尔王传》的主要内容。据不完全统计的150多万行，1500多万字的鸿篇巨制中主要反映的是部落之间的战争。这些战争到底属于什么性质，我们试以格萨尔艺人才让旺堆能演唱的148部史诗的部名为例。其基本内容主要可分为：

（一）以获取财宝为目的的战争（编号用原作，下同）①

10. 分大食财宝宗；11. 达迈财宝宗；15. 歇日珊瑚宗；22. 嘉察水晶宗；24. 总管王水晶宗；32. 托日宝藏宗；34. 俄斯宝藏宗；35. 俄罗宝藏宗；37. 祝古宝藏宗；38. 阿札珍珠宗；39. 楠铁宝藏宗；40. 象雄玛瑙宗；43. 米努绸缎宗；46. 贡坝珍珠宗；61. 叶托宝藏宗；75. 姜国翡翠宗；76.

① 中国社会科学院少数民族文学研究所：《格萨尔研究》（四），内蒙古大学出版社，1989年，第262－281页。

汉地宝藏宗；77. 大鹏国珍珠宗；79. 森曲沙宝藏宗；100. 尼罗玛瑙宗；103. 白玛珊瑚宗；108. 印度玛瑙宗；118. 北罗刹女松石宗；120. 柏玛珍珠宗；121. 贝拙水晶宫三宝宗；140. 达玛水晶宗；143. 保日珍珠宗；144. 玛康珊瑚宗。

这 28 部都是以财宝为中心内容，其中涉及珍珠的 5 部，玛瑙的 4 部，水晶的 4 部，珊瑚的 3 部，这些珍宝是藏人认为最珍贵的。

（二）以获取兵器为目的的战争

19. 察哇箭宗；20. 丹玛取箭宗；26. 阿察热铠甲宗；36. 祝孤铠甲宗；55. 索弱火药宗；56. 犀岭套索宗；57. 森达刀宗；60. 达尺铠甲宗；67. 达潘铠甲宗；68. 嘉案铠甲宗；70. 梅央武器宗；73. 扎拉铠甲宗；80. 美扭铠甲宗；92. 绒察铠甲宗；97. 罗日铠甲宗；98. 锅卡铠甲宗；106. 嘉尺箭宗；124. 犀日水晶铠甲宗；132. 尼罗铠甲宗；146. 嘉察刀宗。

在 20 部中涉及铠甲的最多，为 12 部，箭 3 部，刀 2 部。

（三）以获取牲畜和食物为目的的战争

13. 上蒙古马宗；14. 外蒙古马宗；16. 汉地茶宗；18. 贝拙绵羊宗；31. 勾古犬宗；32. 阿赛国山羊宗；41. 木古骡宗；42. 绒巴米宗；48. 梨尺马宗；49. 阿达鹿宗；62. 琼尺犏牛宗；72. 南江玛绒粮食宗；74. 丹玛青稞宗；81. 美扭马宗；89. 夏尺茶宗；102. 达赛小麦宗；104. 犀罗骡宗；105. 阿赛粮食宗；123. 贝哈热绵羊宗；139. 索哈拉马宗。

在 21 部中，涉及马、牛、羊的 10 部，这是藏人最喜欢也是生活所需的畜类。

（四）以获取金属为目的的战争

12. 取阿里金宗；21. 尕德生铁宗；45. 晁同取铜宗；82. 哈只金宗；83. 西宁银宗；90. 晁同铁宗；91. 森达金宗；125. 哈拉金宗；127. 大鹏国金宗；128. 嘉察银宗；130. 尼本金宗。

金、银、铜、铁四者中的金银可归入财宝之内，这些金属都可用来制造器皿、兵器等。

封建国家的侵略战争大多以“开疆拓土”、占有土地为目的，而《格萨尔王传》中的战争行为仿佛不大关心夺取土地，而注重于掠取财宝、兵器、牲畜、食物、金属几个方面。格萨尔的军事行为原因不少，大多是当别国侵犯岭国时，去别国降妖除魔，安定百姓，把所得的财宝运回本土，成为本国的财富或分给他的将士和百姓们。事实上，早期部落间的战争很难说正义非正义，基本上都以掠夺财物牛羊为目的。当然，这仅仅是一个重要方面，《格萨尔王传》中也存在着以“抢婚”为目的的战争，如同帕里斯拐走海伦而引起特洛伊战争，在史诗中占重要地位的《霍岭大战》在汉译文70多万言的篇幅中所写的就是：格萨尔去北地降妖未回，霍尔黄帐王想找一位美丽绝伦的王妃，就派使者满世界寻找，最后黑老鸦在花花岭国找到了格萨尔聪明、贤惠的妃子珠牡，认为她是世界上最漂亮的人，符合黄帐王的择妃条件："我的宫殿是黄金筑成的，要配头戴红珊瑚的好妃子；我的门槛是绿玉修成的，要配足登四色花靴的好妃子；我的大门是白木白螺做成的，要配十指雪白开门闭门的好妃子；我的库房里紫黑色茶砖堆个满，要有一个会烧茶打茶的好妃子；我的上沟下沟牛羊遍地走，要有一个能挤奶的好妃子；我南征北战凯旋回来时，要有一个牵马拽镫的好妃子。"① 于是黄帐王调集18万大军，倾全国兵力，发动了这场旨在抢婚的战争。战争进行了三年，岭国的英雄战死疆场，男人被杀光，横尸四野，血流成河，妇女、牛羊被霍尔国抢走，珠牡被俘，抢入霍尔国。

容颜如夏天的花朵，遍体芳香赛超天仙的珠牡是格萨尔的爱妃，格萨尔自北地降魔回到岭国，知爱妃被劫，便进行反抢婚的斗争。其斗争十分残酷，最后格萨尔灭了霍尔国，将黄帐王砍头剥皮掏五脏，"用他的心祭山神，用他的血祭外鬼。"② 委托辛巴王梅如孜管理霍尔国，自己杀了珠牡与黄帐王生的孩子，接珠牡返回岭国。

显然，倘若将格萨尔这样一部世界名著的内容归结为一部抢劫史，不光藏族人民不答应，受它感染的广大读者的心理也难以通过。而这样一部卷帙浩繁的著作有一鲜明的主题就是：降妖伏魔，抑强制豪，扶助弱小，抗击外敌，保家卫国，使善良百姓过上太平安宁的生活。这一思想具有世界性意义，也是格萨尔能为不同民族、国度的人民所喜爱的根本原因。如此，部落的战争便有了正义与非正义的明显界限，有了道义的感召力。

二、格萨尔其人

假如说本章第一、第二节所讲的创世、生产神话属于藏人的神话时代的优秀成果的话，那么，"格萨尔"便标志着藏人的英雄时代的不朽佳作。神话时代的先民为了解释自然和摆脱自然的束缚，将自然力神化，从而一往情深地崇拜自然力，歌颂自然力，成为自然的奴隶。英雄时代的到来，使先民的目光投向人，投向他们自身，投向沸腾的部落的战争生活，战争

---

① 王沂暖、华甲译：《格萨尔王传》（贵德分章本），甘肃人民出版社，1981年，第101－102页。

② 《格萨尔王传》（贵德分章本），甘肃人民出版社，1981年，第306－307页。

中的英雄便享有神的地位和具备神性，人们歌颂神的同时歌颂人，发现人的本质力量。不朽的形象格萨尔就是这样一个半神半人的形象，他依托神的威力和神通，却具有人的禀赋和气质。他借神的旨意办事，实现的生活理想却是打击强梁，扶助弱小，降妖伏魔，让老百姓过上没有兵燹和灾难的太平日子。——这也是格萨尔性格的核心。

半人半神是格萨尔形象的一个重要特征①。在数年前，我参加一次格萨尔的审片会议时曾言，这个特点不仅仅是后人的加工，也不仅仅是文学手段，它体现的是原始藏人的思想观念。这种观念在现在的藏区仍然可以找到无数的例子。即以为杰出的人才都是由神佛转世和下凡的，像宗喀巴大师，历世达赖、班禅都是这样。倘若是文学手段，一旦它用这种手段完成形象塑造后便不可全盘否定，如《西游记》中的孙悟空，也是“半人半神”人物，如果取消了他的七十二变，他不过是只猴子罢了，这个形象也就不存在了；同样，将格萨尔写成纯粹的人（不少同志常用的一个口号是：“格萨尔是人不是神，要将格萨尔写成人而不能写成神。”），取消了他的神性和神通，那么，格萨尔也就不存在了。

作为神，格萨尔来自天界，他是白梵天王的第三子顿珠尕尔保。他也受命于神，当时的人间妖魔鬼怪猖獗——他们吃人肉、喝人血、剥人皮、夺人钱财、淫人妻女，无所不为，雪域藏地，血雨腥风，老百姓备受蹂躏。为降伏妖魔，救护生灵，顿珠尕尔保自愿到人间做黑头人的君长，降世人间。从天界到人，从天神到人杰，这几乎是一切伟人通用的公式。

作为人，他出生于王族（部落酋长），他的祖先叫屈潘那布，屈潘纳赛萨、朗萨、姜萨三妃，分别生拉亚达尕、赤江巴杰、札甲绷梅三王子，从这三王子始分长支、中支、幼支三大部族。幼支首领札甲绷梅生子托拉绷，托拉绷生子屈拉绷，屈拉绷纳容萨、嘎萨、木萨三妃，木萨生僧伦，僧伦纳拉尕卓玛、葛拉茂、容谢仲三妃，葛拉茂生格萨尔。出自幼系，格萨尔在部落中并没有受到特别的优待，而屡屡受到晁同的陷害，先是在酥油等食物中放毒，接着用黑咒咒他，驱逐格萨尔母子去玛域。他们生活无着落，只好靠挖蕨麻，猎地鼠过活，尝尽了人间的辛酸。上文已述，格萨尔的崛起借于赛马这样一个特殊事件，纳妃称王，神通得以发挥，他四处降妖，利益百姓的伟大事业才得以顺利进行。因而，在无数个世纪，无数藏人的加工中，格萨尔享受到无数美丽、庄严的称号：

① 见拙文《格萨尔其人》，载《格萨尔研究文集》，四川民族出版社，1986年，第124页。

1. 世界军王。
2. 雄狮宝珠王。
3. 上界天神的儿子。
4. 拯救世界的救星。
5. 征服魔怪的英雄。
6. 众英雄臣服的君主。
7. 黑魔国的镇压者。
8. 黄霍尔的颈上轭。
9. 森珠达孜城财宝的主人。
10. 岭国六部的长官。
11. 二百万大军的统帅。
12. 玛（玛域）、康、岭八大部落的首领。
13. 荡平四魔的刽子手。
14. 妖魔罗刹的压制者。

等等。

这种赞美之词的一个基本内涵是：格萨尔是一切假、恶、丑的反对者和镇压者（所谓妖、魔、鬼、怪，实际上也是指人，是那些魔化的人的邪恶），一切善良（真、善、美）的维护者和实现者。他最突出的成就就是荡平四魔，攻取十八大宗。这些成就实现的过程便是格萨尔这一形象臻于完善的过程。

由于受后期传入藏土的佛教文化的影响，格萨尔的尊号中也有了佛教内容：

1. 白梵天王的儿子。
2. 三大怙主①的化身。
3. 莲花生的化身。
4. 五方佛祖②最优秀的心爱子。
5. 佛祖释迦牟尼的高徒。
6. 佛教的维护者。
7. 千位佛祖的使者。

一些先生在研究格萨尔时，认为佛教内容是史诗中的糟粕，应该完全剔除。实际上任何民间文学在它的流传过程中都要打上那个时代的烙印，

① 指观世音、文殊、普贤菩萨。

② 两说：一指金刚、宝生、莲花、事业、佛陀五部；另一指东、南、西、北、中五佛。

史诗也不例外。因此自公元7世纪佛教传入藏土，佛教文化渐次浸透藏文化的一切领域，作为民间口头说唱文学的史诗，自然地要受到佛教的浸染，故此可说史诗有大量的佛教内容这才是正常的，若一点不见佛教印迹那才是不正常的。所以说史诗中的糟粕是必要的糟粕，非有不可的糟粕，尤其当出现专门以《格萨尔王传》来宣扬佛教教义的“曲仲”（ཆོས་སྒྲུང་།）后，佛教思想和佛教思想改造加工的人物已成为部分《格萨尔王传》的血肉存在。

当然，除了这些与格萨尔的形象直接相关的尊号外，格萨尔有自己另外的几个名字：他在天国时的名字叫顿珠尕尔保（དོན་གྲུབ་དཀར་པོ།），另外尚有推巴噶瓦（ཐོས་པ་དགའ་བ།）、波多噶布（བུ་ཏོག་དཀར་པོ།）、觉如（ཇོ་རུ།）等称呼。“格萨尔”一词是格萨尔获得王位后的尊号，通常理解为“花蕊”，盖言格萨尔英武、聪慧。

格萨尔的生活原型问题，学术界多有争论，有格萨尔为关公、恺撒、赤松德赞、唃厮啰、林葱土司祖先诸说。格萨尔的早期形象已为原始历史所淹埋没，后期的传播、加工中取名人业绩，尤以摄取吐蕃王朝兼并高原的战争背景为多。然主人公的原型和史诗的产生年代仍是那个藏民族的英雄时代和部落战争这个孕育这部不朽史诗的土壤。

三、《格萨尔王传》所反映的社会

上文的叙述尚不能完全展示出格萨尔所处的社会的基本轮廓来，文学形象的产生不能脱离具体的时代、社会、自然环境和文化环境。不明了《格萨尔王传》中反映的社会文化也就无法从根本上认识格萨尔这一史诗中的英雄。

（一）宗教

格萨尔处于部落社会，这一点仿佛许多人都可认同。格萨尔所处的社会究竟信仰何种宗教，就没有那么简单了。① 说它信苯教、信佛教——理论上专家们只有承认前者或后者的区别，极少不同观点。我以为《格萨尔王传》中所反映的宗教，就是我们在第七章中所介绍的基本宗教（严格地说是不应该使用“宗教”这一词的，这只是信仰和崇拜），只不过有所取舍罢了。年、赞、龙等主要神祇都有，有些种类似乎还要多一点。如赞神：

---

① 拙文《格萨尔王传的神灵系统》，1989年国际格萨尔学术会议论文，铅印。

1. 年得玛布（གཉན་སྟག་དམར་པོ།），常在虚空中，住在电光火焰炽盛的宫殿之中，是威猛赞神中的大赞神。

2. 红赞（གཉན་བཙན་དམར།），与其他书籍对整个赞神的介绍相似，它们巡游在山野之间，红马红甲红身。

3. 岗赞（གངས་བཙན། ），是住在雪山上的赞神。

4. 咱赞（རྫ་བཙན།），是住在荒石崖上的赞神。

5. 让赞（རོང་བཙན།），让（རོང་）本多是指生活于河谷平川地带的农人或农区，与朱（འབྲོག，牧人、牧区）相对应。此处所指意为河谷平川中的赞神。

6. 鲁赞（ཀླུ་བཙན།），住在水中的赞。

7. 赞堆（བཙན་བདུད།），魔鬼中的赞神。

8. 萨赞（གཟའ་བཙན།），日月星曜中的赞神。

史诗中赞神的这些类型给我们的研究带来了新的课题，通常被认为苯教的宇宙观将人世分为天、地上、地下三界，分别住着赞、年、龙三神的理论受到冲击，因为赞神不仅住在天上，也住在地上（岗赞、让赞、咱赞便是），甚至住在水中（鲁赞）；不仅日月星曜中有赞，魔鬼中也有赞。换言之，如此不规则的赞神的存在，恰恰说明史诗年代的久远。

《格萨尔王传》中的其他一些神祇也不像理论书籍中那样规整，有与赞神类似的情况：

1. 特让（ཐེའུ་རང་།），一种能飞行的独足饿鬼。分三种：白色住天独脚鬼，花色住空独脚鬼。黑色住地独脚鬼。在笔者家乡所说的特让是一种害人的饿鬼，而史诗中却以战神的面貌出现，如米努人请特让日嘎且（ཐེའུ་རང་ར་དཀར་ཆེབས།）做他们的战神。

2. 年神一般是住在山上的神，史诗中说它们黄马黄甲黄身，喜欢掷骰子玩，故称游戏神，岭国大年神格卓年保（གེར་འཛོ་གཉན་པོ།）住在半空中的风刃世界里，萨年（ས་གཉན།）住在地上，曲年（ཆུ་གཉན།）住在水中，道年（རྡོ་གཉན།）住在石头中，香年（ཤིང་གཉན།）住在森林里。

3. 魔鬼（བདུད།）也入“三界”，拉堆（ལྷ་བདུད།），意为天魔，住虚空中；年堆（གཉན་བདུད།），意为年魔；鲁堆（ལུའུ་བདུད།），意为龙魔。

4. 特（ཐེལ།），也分天特（གནམ་ཐེལ།）、中特（བར་ཐེལ།）、地特（ས་ཐེལ།）。

《格萨尔王传》所反映的宗教基本上都是大自然崇拜，尽管后期苯教、佛教的浸染不可低估，但它仍然保存了丰富的原始文化特点。

（二）社会组织和经济生活

从岭国的社会组织看，它是由氏族部落发展起来的。

其一，传说中的岭国是藏族最早的六氏族之一的冬族。至屈潘那布已历49代，这时的岭国处于氏族部落阶段。屈潘那布以后他的子孙们各自发展，才分为长、中、幼或称上、中、下三个部族，形成以这三个血缘亲属部落为中心的部落联盟。《霍岭大战》中如此描绘岭国的军事势力和部落间的关系：

1. 上岭赛巴八兄弟，
   居住在八个山沟里，
   拥有金缨武士九百骑。
2. 中岭文布六部落，
   居住在六条大沟里，
   拥有银缨武士七百骑。
3. 下岭木江四部落，
   居住在四大山沟里，
   拥有螺缨武士五百骑。

岭国长、中、幼三支内部也发展为若干部落。他们有自己的本部将军，同时与别的部落建立婚姻关系：

4. 噶部一万二千户，
   它与长系是甥舅，
   拥有鹫缨武士九千骑。
5. 纳部一万一千户，
   它与仲系是甥舅，
   拥有铁缨武士七千骑。
6. 旦卡热、曲热、色热三部落，
   它与幼系是甥舅，
   拥有绸缨武士九百骑。

从中可以看到，当时的部落中仍然实行着氏族外婚制，部落间有固定的甥舅关系。藏人至今非常重视这种甥舅关系，称舅氏为“骨头之主”，史诗中在自己名前冠以舅氏部落的名称便是这一观念的集中反映：

a. 果察（འགོག་བཟའ།），指格萨尔，他母亲是果部落的人。

b. 让察（རོང་ཚ།），指总管让察查干，他母亲是让部落的人。

c. 甲察（རྒྱ་ཚ།），指格萨尔之兄甲察协噶尔，母亲是汉人。

这种部落与部落之间的固定的婚姻关系现象，在一些偏远地区一直延续到现代社会，无论相隔多少代，只要属于同一部落，就不能互相通婚，否则便为大逆不道。这六大部落，被称为“白岭六大部落”（གླིང་དཀར་ཚོ་ཆེན་དྲུག），实际上，在这些血缘、姻亲部落外，还有一些作为外围组织的部落：

7. 强盛的达让九部落，
拥有尾缨武士一千骑。
8. 红色达吾木措部，
尕巴仁庆六部落，
嘉洛青年三部落，
共有松石武士七百骑。

随着战争的进行不断有新的部落加入岭国，有些还收留在自己的部落里。一些战败国加入了强大的以岭国为主体的部落联盟。

岭部落的社会结构基本是以果（སྐོར།）、措（ཚོ།）、第（སྡེ།）、雪（ཤོག）为主，有万、千、百户和十夫长、五十户长等，职衔基本以本保（དཔོན་པོ།）、高娃（འགོ་བ།）等现代部落中常有的称号，用“赤奔”（ཁྲི་དཔོན།，万户长）、东本（སྟོང་དཔོན།，千户长）等称呼，但不多见，一般称大英雄，岭国有三十位大英雄。

岭部落联盟也实行部落议会制，一些重大问题要经过部落议会讨论通过。如格萨尔母子被放逐玛域，就是经过部落会议讨论通过的。同时作为一个军事部落联盟，岭国的兵民是不分的，他们上马是军人，下马为牧民；闲时为牧民，战时为军人：

早上丢下牧羊帽，
戴上了银白的头盔；
早上才脱下破皮袄，
穿上了雪白的甲衣；
早上才解下抛石索，
挂上了腰刀和长矛；
早上才离开放牧场，
跨上了银色的战骑。

部落武装都是自备鞍马、弓箭、草料，或者部落里给那些购置不了武器装备的牧户给予准备。因此“政府”并不需要大量的军费开支，又由于游牧生活的习性，这样的部队大多时候是和自己的部落整体出征的。吐蕃王朝最始就是靠这样的军队进行高原的兼并战争的。①

尽管《格萨尔王传》中曾夸饰过国王的宫殿的富丽堂皇和不计其数的金银财宝，但是部落的经济生活是单调的。公有制的部落牧地，谁在何处放牧由头人统一调配。只有牛马羊是属于各自的家庭、家族的。牧人主要的食品是牛羊肉，有一定的农业经济和狩猎活动。部落经济中存在着一定的以物易物的交换，许多刀、枪、箭、弓都是由交换得来的，这是战争的必需品。集体的缺少财富的生活，使得掠夺成为部落的一项重要活动，部落成员的最高义务也是为部落的利益奋斗牺牲。一方面他们用这种精神捍卫自己的部落，另一方面与敌对部落进行殊死的搏斗，以维护自己的财富。战争获得的“战利品”（财宝、牛羊、俘虏等）都将公平地分给部落里的每一个成员。

（三）英雄崇拜

史诗产生于英雄时代，英雄崇拜是史诗的重要内容之一。从《格萨尔王传》中可以看出英雄崇拜的一些层次性和发展脉络，主要有两方面的支撑点：

其一，人发现人自身的力量和对自然力量的畏惧感，是人的一大进步。而这一进步的最初表现可能是勇敢和力，它是人在与自然为主要对象的搏斗中，为了活命而积累财富的过程中逐步培植起来的。能勇斗野牛就是英雄，敦煌文献中就说都松芒保杰曾缚野牛，作为英雄业绩来歌颂，史诗在赞美甲察等英雄时也用他们如何逮住野牛，而后将野牛撕成几段来夸奖他们的英武。“能降服野牛”、“能抓捏虎耳”是一个英雄最重要的标志。这一壮举的基本含义仍然有二：一为勇敢。对付野牛有生命危险，胆小怕死，就难以与凶猛的野牛较量。二为力。没有超人的膂力，就很难斗得赢野牛。只有具备此二者，才能遇之能战，战之能胜。

其二，勇敢与力固然是英雄的基本条件，但它过“实”，光凭人间的大力士和勇敢者形成的英雄并不那么高大，实际上赤手斗野牛，能胜者寥寥无几。这就需要借助于过去的人们熟悉的并没有抛弃的材料——神话——从神化自然界转为神化人（英雄）自身。如此人们崇拜的英雄不再

① 拙文《部落战争与格萨尔王传》，载《格萨尔研究集刊》（一）。

是一般层次上的英雄了，他们具有呼风唤雨、上天入地等无与伦比的威力。像格萨尔的称号再不是大英雄之类，而是“军王”、“战神”，他们参加的不再是一个斗野牛事件，而是率领千军万马进行规模宏大的战争。因此战神的完善离不开神话时代创造的无数的神话对那个时代的人们心灵的熏陶，使他们具备接受这种神化的军王（战神）的心理、观念。

当然，对于一个社会和一个时代的把握并不那么容易，这里仅仅涉及一些具有标志性的特点，略加分析而已。而对体系庞大的史诗进行全面分析，则是需另花气力所作的文章了。史诗还在发展着。以上只是形成期的《格萨尔王传》所呈现的一般状态。

第十章　原始艺术

第一节　原始歌舞

藏族被称为能歌善舞的民族，西藏被称为“歌舞的海洋”，有丰富的歌舞艺术。但前推几千年，要说原始社会的歌舞艺术，却令人无从下手。然而历史总是那样有意识无意识地将自己的形象投影在现实里，或者东鳞西爪，留下一星半点供人们认识往古历史的材料。

有一则关于藏族歌舞的传说说，很久很久以前，有个藏王要在格桑湖边建王宫，招募来许多藏族男女，让他们去伐木、砌墙、雕刻、背水、和泥。那时候没有歌唱也没有舞蹈，沉重的劳动压得大家喘不过气来。可是他们也有乐趣，美丽的格桑湖水映照着他们的身影，小伙子们看到了雄健的自己，姑娘们看到了秀美的自己，便对着湖水欣赏，有的甩袖，有的踢腿，全身的劳累顿时消失。更令人高兴的是，格桑湖水发出美妙悦耳的声音。大家便模仿水的声音，一边劳动，一边哼唱，湖水千变万化，每人学的也各不相同，这声音变得十分丰富，十分动听。当夜幕降临后，经过一天紧张劳动的人们，便在雪山下点燃篝火，回顾白天在湖边甩袖、踢腿的动作，重新哼起在劳动中模仿水编唱的调音，久而久之，就有了优美的舞蹈和动听的歌曲。

歌舞起源于模仿和劳动，这一点是共同的，藏民族也不例外。虽然我们很难从传统的果谐、堆谐、朗玛谐、锅庄、热巴卓等歌舞表式获得对歌舞起源的透彻启示，但是在另一些形式的舞蹈中保留了一些原始形式：

藏族有名的孔雀舞的基本动作都属于模仿，有孔雀漫步、孔雀喝水等动作；牦牛舞的直观模仿更重，其动作是牦牛的摇头、甩尾等基本动作的照搬；还有仙鹤舞、鹿舞，动作形式都比较古老。

至今仍在使用的劳动号子式的歌和伴着歌的舞仍给现实提供着舞蹈的基本语汇，如打夯、铲土、挤奶、捻毛线、打酥油时成型的和不成型的脚腿动作和手臂动作，尽管我们不能考证其古老程度，而它们成为舞蹈语汇的经历仍然是漫长的。

从舞蹈的基本语汇和内容看，现在许多寺院所演的藏戏中的一些舞蹈动作具有一定的原始性。吐蕃时期的一些著作和著名的《吐蕃王统世系明鉴》、《贤者喜宴》等史籍中也记载了这一舞蹈。它与后期的任何民间舞蹈都有区别，一为它是“哑舞”（藏族的舞蹈一般都带歌），是纯舞蹈；二是它有面具，这在藏戏艺术中表现得更为集中突出。

见于史料的这种舞，据说是在8世纪藏族第一座寺院桑耶寺的落成庆典上，由莲花生大师根据民间舞蹈编成，作为镇魔酬神的仪式舞蹈：

黑头庶民满天地，
铙钹鼓乐如雷霆，
骏马亦无奔驰处。
衣着美丽手击鼓，
童男少女歌且舞；
又扮牛虎狮子形，
头戴面具舞吉祥。①

请教一些舞蹈界人士和藏族老学者，他们认为这种舞蹈（即现在所称之“羌姆”，འཆམས།）来源有二，一为猎狩劳动——有些动作与围猎时的举手呼喊、手持弓箭刀矛的堵截动作十分相像。有些现代的“羌姆”舞，舞者中还拿一牛尾，或许那时狩猎宰杀牦牛，要举着牛尾欢呼庆祝一番。一是早期苯教的巫士法舞——苯教巫士在驱鬼降神时的仪式动作。我以为这两种可能性都有。而从意识形态类型看，狩猎舞先于巫士仪式动作。换言之，苯教的巫士继承发展了这种舞蹈，为我所用。迄今为止藏区的一些苯教徒、宁玛派信徒作法时还保留着摇头晃脑，大声吹气等原始做法和一些规定的较为原始的动作。大概早期的苯教巫士，甚至他们以前的原始巫士们，为了吓唬鬼怪和警诫世人，已经使用凶狠狰狞的面具了。

可以补充这种舞蹈的原始性的是关于塔城热巴舞的来历。故事讲，善于舞蹈的阿拉果觉和魔王达墉昂把斗法，杀死了魔王，用魔王的皮做了“宝冬龙”（拨浪鼓），用它的肋骨做了“撵张”（女性跳舞者用来做鼓棒）。这魔王的形象很像是动物，宰杀之后用其骨皮制作乐器——早期驱鬼祛邪的法器。由于斗法时人类藏在牦牛角和犏牛角里未被伤害，鸟雀藏

① 《吐蕃王统世系明鉴》（藏文），民族出版社，1981年，（汉文）辽宁出版社，1985年，第215页。

在牦牛大尾巴下获得生存，阿拉果觉让人们把这两种忠厚的动物留在家里驯养，让人们在跳舞之前吹牛角号，男人们的右手拿上牦牛尾巴。透过变形的历史，我们仍可以隐约见得，拿着牛角号、牦牛尾巴、肋条（可能也是牛的）举手欢呼、舞蹈（戏闹），这正是地道的狩猎者得到收获时的场景。

尽管原始歌舞艺术材料如凤毛麟角，贵而稀少，但在别的艺术形式中也留有印迹。1973年，在青海省大通县上孙家寨新石器时代早期的古墓（约公元前3800年）中发现了一件五人连臂舞蹈彩陶盆，一时为研究界所注目，众说迭起。我以为这一艺术珍品反映的是藏族先民的生活。其一，从服饰看，头为包头，这可在下文将要述及的阿里任姆栋的岩画中看到，它是藏族先民的常见服饰，并不来自外族，至今青海觉仓的一些藏族仍然打包头；包头上的突出部分，或为禽毛，或为兽尾；其服饰有尾饰，此可能是一种摹兽与动物图腾崇拜有关的装束；而这种装束本身抑或具有宗教意义，以为此是男性生殖器的看法我觉得是牵强的；服装的细腿，一些同志认为此可能是打裹腿，其实不然，这与服饰的原始和当时温热的气候有直接关系——许多同志往往忽视这一点，因为当时的气候还没有使藏族先民穿上厚重的皮袍，因为衣饰的选择与气候有着直接关系，即便是距今近6000年的过去，动物本身的生理特点也不允许藏族先民在40℃的温度下，穿上皮袍，戴上狐帽，蹬上长筒靴子，他们的服饰也必须适应炎热的袭击。其二，从舞蹈的样式看，酷似现在仍在藏区盛行的锅庄舞，多人牵手，翩翩而舞，伴之以歌，动作潇洒优美，只是我们已经无从知道他们在唱些什么了。使人羡奇的是画面上那个踢腿动作，与现代的锅庄舞可谓无二，而这一舞蹈形式在别的一些藏系民族中至今仍有流传，这有待于我们进一步挖掘。

第二节　原始绘画（岩画）

在文字形成之前，史前人类开始用图画来表达自己的思想、欲望和感情，岩画的发现给我们了解先民们的经济生活、宗教信仰、社会活动提供了无比珍贵的资料。岩画的创作年代时间跨度较大，据有关资料反映，最古的有40000年之久，“是世界性的现象，包括150多个国家，从用石头和矛头武装起来的原始人，到使用弓箭的狩猎人，到游牧人和农业生产者，以至金属的使用者，一直到文字文明的出现，岩画以形象的洞察力展示着人类历史各时期的面貌。”①

由于尚未进行足够的科学考察，西藏岩画的分布情况目前难知全貌。从一些零星的材料看，西藏高原的岩画仍然是十分丰富的。

一、藏北加林山岩画

加林山属于双湖的绒马区。《藏北羌塘之行》一文如此介绍：

> 眼前一块粗糙的灰色大石上刻着一头两只角、四条腿、一条尾巴的动物，分明是一头牦牛。再往前走，又发现石头上的人、马、羊、狗各种形象凹雕。另一座山上，岩画更美更清晰，其中有人拉着与人等高的弓箭正在瞄准，旁边的狗奔跑向前，前面的牦牛已四脚朝天的生动狩猎图，还有不少游牧图、耕耘图。

假如作者的记录是准确的话，我们可以如此认为：

（1）牦牛、羊、马、狗四种动物是青藏高原的先民驯养的最基本的家畜。由此推论，这四种动物也是先民驯养之前的主要狩猎对象，其中的狗由于它的看家和放牧的佐助作用留了下来，由先民的食物变成非食用性动物（藏人至今不吃狗肉）；牦牛、羊、马三者中，马因脚力甚佳而驮负重物，供人骑乘，也改变了地位，后来的藏人也不吃马肉；只有牦牛、羊一直充当牧人的主要口粮，人、牦牛、马、羊、狗共同生活的历史可以说是从人的驯养活动开始的，一直延续到今天。因此这些画可能是青藏高原的古人对野兽的驯养已有了一定成绩时的产物。

（2）人拉弓箭瞄准，牦牛四脚朝天的狩猎图，可能较前者古老。

（3）有趣的是耕耘图。前文已述藏北地区的古人类、古环境和古人类的活动情况，后期的藏北绝少农业，若有农作物出现，也在周初寒冷期以前。倘若藏北真有早期农耕出现，这个年代可能与西亚的农作时间大体一致。就整体分析，这些岩画可能是中石器至新石器初的产物，岩画呈淡淡的土黄颜色，由许多颗粒状的麻点组成，大约是古人凿成之后，漫长的岁月中风霜雨雪不断侵蚀的结果。

除上述动物外，还发现有羚羊的图形，有用东西套住牦牛角的图画等等。近日看到我所陈兆复、蒋振明先生编的《中国岩画》中有加林山的图

① ［意］E．阿纳蒂：《写在中国岩画展览之前》，载《中央民族学院学报》1987年第3期。

片，反复展读，获益匪浅。如饶有风趣的步猎图：画在同一块岩石上的是两头牛和一条狗，被猎射的两头牦牛都较人物大，一头牛角粗大，一头牛角锐利；两头牛的角均呈圆形，即民间所谓“月亮角”——双角构成月亮般一个圆，射猎者一站于左上，弓箭要比人高长；一站于下方中间，弓箭较前者见短；两人中间是一翘尾吠叫前行的猎狗，狗稍有一点后坐，大约是怕右下方转头向它的牦牛，两头牦牛都像狗一般将尾巴翘起。其画法与青海省刚察县舍布齐沟的牦牛画法完全一样，尤其是牦牛尾的造型宛如同出一人之手，只是右上方的牦牛肩头直插一物，是箭还是别物，不得而知。

整个岩刻也不是完全贯通的。有些动物和人在岩画中有身腰，显得粗壮，有些则脚、身、头同等粗细；有一幅图在三匹马上各有一直槌，大约为人，正在行路或放牧，这种画法与青海刚察县哈龙沟的岩刻如出一辙。

我以为这些岩画都是细石器时代的产物，从藏北的岩画与刚察岩画的相近程度推测，后者有可能是第一次迁徙后的古藏人所为。当时有一批古藏人从藏北出发，辗转至海西、海北，甚至进入嘉峪关一带。处于嘉峪关地区的黑山岩画有些也近似于哈龙、加林山岩画，如黑山岩画狩猎图中的那头牦牛尾巴的画法，与前两者何其相似！只是黑山岩画更为细腻而丰富。

加林山岩画中有几个符号，尚难详其意：

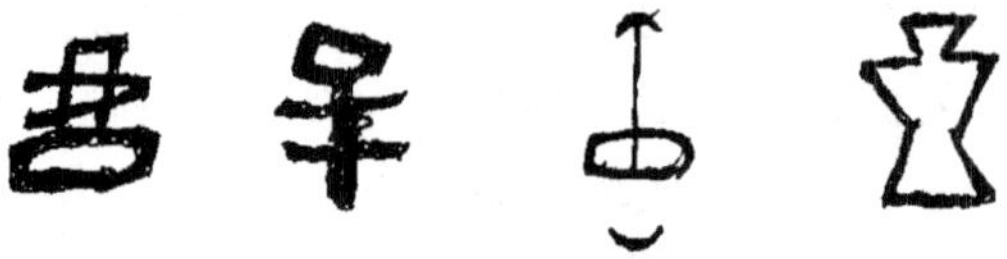

1　2　3　4

图 1 - 10 - 2 - 1

图 1 - 10 - 2 - 1：4 是人的上半身，还是别的什么，很难判断。说是人的上半身是因为日土县任姆栋 3 号岩面中有用同样的手法所绘的加双脚而未加双臂的人物形象；说别的什么符号是因为与之相似的形状在其他地方也出现过。如青海乐都柳湾出土的陶器就有“⧗”符号，倘若除去头上那个小三角，则跟乐都柳湾以及马厂类型彩陶中出现的符号完全一样。

尽管对藏北加林山众多的岩画没有足够的报道和采集，根据象雄的历史诸情况分析，这一发现无疑对我们认识象雄历史的起源和苯教的发展大有裨益。因为有些地方已经发现了“卍”纹和日月同辉图案“ ”。对于

“卍”现多有争论，有人认为来自佛教，是佛三十二相之一，也有人认为来自汉族。我曾请教已故的郭元兴居士，他说“卍”可能与汉文的“墉”字有联系。初为图画的城郭形状，后演变为“卍”。后期意义仍是“城”。何新则认为它来自日神崇拜，在中国距今六七千年前就有。它与西方百科全书中所说的“戈麦丁”（Gammadion）不同①。

“卍”，汉语称万字纹，藏语称雍仲（གཡུང་དྲུང།），意为吉祥永固。藏族中有两种画法，一为右转，一为左转，右（卐）为佛教使用，左（即卍）为苯教使用。根据区域和文化形态看，并不能排除“卍”号起源于青藏高原的可能性。因为：藏族的原始崇拜中有日崇拜，而日崇拜与月崇拜是关联的，通常画为，意为日月；有些是将日、月、星三者连起成形，出现在许多古代和现代的图案中。因此“卍”号并不代表日，在一般的观念中也少有人认为“卍”就是太阳。因而我以为“卍”可能与藏系民族早期的火崇拜有关。

二、阿里日土县的岩画

根据目前接触到的材料，平均海拔为4600米的日土县共有三个岩画点，发现于1985年9月。

1. 任姆栋岩画点

任姆栋岩画点位于日土县日松区1.5公里处，岩画分布于距地表0.5～12米的高低不一的岩面上，岩面面积约在0.3至12平方米之间。据《西藏日土县古代岩画调查简报》报道：

1号岩面位于任姆栋南端西侧，高2.7米、宽1.4米，距地表12米。上面右侧最高处为一马，马之左下方为一牦牛，脊及腹下有长毛，尾上卷；左侧线刻二人，一人着袍，右手叉腰站立，左手握一长杆，背负一物；另一人骑在羊上，右手叉腰，左手握一长杆；其稍下，自左到右刻有残月、太阳、男女生殖器。男性生殖器，通体敲凿，龟头硕大，中茎稍细；女性生殖器，细线刻画，外饰阴毛。其下右方刻有人、鱼、罐等物。有一大鱼首尾相接呈椭圆形，内圈身上刻有十条小鱼，大鱼左下方有四个戴鸟首面具的人在舞蹈，其左上有两鱼，右下有一鱼，中有一“卐”符号。舞蹈者之左下方有十个陶罐，一字排列；罐为高领、圆腹、圜底的侈口罐，腹部饰有竖线绳纹。罐左有两人张开双臂分别骑在羊上，手中直拿

① 何新：《诸神的起源》，生活·读书·新知三联书店，1986年，第5页。

树枝（或羽毛），左一人戴一大圆帽（或为包头），另一人头尖，不知所戴为何物。人像之下列有九排125个羊头——第一排为羚羊，其余绵羊（图1－10－2－2）。

这一岩画具有代表性，我以为可以从三方面理解。其一，总体上看画面反映的是一个祭祀场面。九列125只羊头（其中第一排为10只羚羊头），可能是写实之作。藏文典籍有载，苯教徒每年秋天要将1000只公鹿杀死，取鹿血献祭；冬天要将牦牛、绵羊、山羊等母畜各1000头（只）活活肢解，以血肉献祭祀；春天要举行“肢解无角母鹿”的祭祀，将四只无角母鹿四肢折断，以血肉献；夏天要举行“苯教祖师祭”，以各种树木和粮食“煨桑”祭祀。我们知道苯教是集合原始信仰而形成的宗教，因而画面反映的是原始信仰，是一种“血肉祭”形式，羚头、羊头可能代表整只羚和羊，也可能是一种实际祭祀中的简化形式，即献头祭祀（这种方式其他民族中亦多见，如献猪头等）。有意思的是畜头排列的行数“九”——这个数字在藏族民间和苯教信仰中被认为是一个神圣的数字。苯教的宇宙观认为天有九重，地有九重，苯教的雍仲山有九叠，苯教的经论有九乘：卡辛、朗辛、楚辛、斯辛四因乘，格尼、阿迦、仗松、耶辛四果乘，再加最上乘，合为九乘；在现代祭“拉则”（ལབ་ཙེ།）时，要在里面插上九节长箭。当然，这个

图1－10－2－2 任姆栋1号岩面

数字并不是绝对的，今天藏人的数字中基本上是以单数为贵的，如一、三、七、九、十三等，安多区（像我的家乡）即使给人拿礼物，或拿一件，或凑够三件，一般不拿两件、四件，在十分隆重的场合则以十三件为数，如婚嫁、拜佛等。这种情况在我到过的迪庆藏区、西藏地区都可举无数实例。迪庆藏人普遍重家中佛殿的布置，大多将人居处和“佛居处”区分开来，我参观的一些人家的佛殿的基本格局是：墙上挂佛画“唐嘎”，或供佛塑像，下供四时净水，大多为五盏、七盏，点灯数也同，三盏、五盏、七盏、十三盏等。显然，任姆栋1号岩面的画不全是这种观念的反映。

其二，并排供着的十只陶罐，既说明十这个数字在最初人们观念中的地位（大鱼的腹内有十条小鱼），也可能表示着血祭，陶罐中盛的可能就是羊血或羚血。统观之，现代祭祀中常用的形式是烟祭，这里没有反映。可以推论，烟祭的出现或较肉祭、血祭为晚——血祭和肉祭可能是同时出现的，它最早的缘起可能是原始人的“茹毛饮血”，食生肉，喝生血，祭祀即是以自己所好取悦于神，因而人给神的食物便也是血与肉。我曾求教一位僧人，在净水中撒藏红花是何意思，他说这个意思难说清楚。红花珍贵，撒在水中同样为敬佛敬神，实际上大多数情况下撒红花让水变红，是代表血祭。看来即使到了未来社会，人类童年的“嗜好”总是通过曲折的形式表现出来。

其三，这幅画反映的是祭祀场面，那么到底祭什么？从画面看，可以有三种崇拜存在：一为龙神，一为日、月，一为生殖器。龙神作为崇拜，它产生的年代非常悠久。上文已作介绍，龙神并无确定的形象，而指鱼、蛙、螃蟹等凡生活于水中的动物。岩刻中的鱼：盘着的大鱼和另外三条鱼，便代表龙神。日、月的形象高挂于天，十分鲜明，月是弯月，日则光芒四射，按照苯教典籍中的记载，日、月同属年神范畴，即日年、月年，这种含义可能较晚，而早期的日、月，可能是纯的“日神”、“月神”，或代替天神而存在。男性生殖器与日、月、鱼等同处一位置——羊头和陶罐的上方，显然不是随意画的。藏人早期有无生殖崇拜，这是很少有人讨论的问题，可资参阅的材料不多。但线索仍然是有的，据《明正土司考察记》记载，在“泸定桥西岸原扎里千户地有石洞，洞中有高大的石祖与石女阴”。[①] 又据一些不愿透露姓名的知情者说，西藏的有些寺庙中至今有女性和男性的生殖器器物模型。

---

① 李绍明、童恩正主编：《雅砻江上游考察报告》，铅印本，第39页。

其四，给我们另外一些启示的是这幅岩画中四个戴鸟首面具的跳舞的人，大约这是目前发现的最原始的藏人舞蹈，是用于祭祀的，这对藏族舞蹈起源于祭祀的说法是一个补证。值得进一步探索的是四个跳舞的人（显然是巫士之类）所戴面具为何如鸟头？联系到象雄神话中卵生世界等说法和大鹏鸟的崇拜观念，岩画中的鸟首面具或表达了藏族先民的这种由卵而起的鸟崇拜。同时在9号岩面有展翅的飞鸟，12号岩面也绘有鸟展开双翅，同如鹰。与同一画面中的其他人形比较，其中有三人基本属短头型，唯一人头戴大圆帽（这一古服饰的发现可给我们多方面的思考，它给藏系民族早期的服饰文化刻了深深一笔，如上文谈到的青海大通县上孙家寨出土的五人连臂舞蹈之彩陶中的人像，其头饰也为此种类型）。紧挨其排列的羊头和骑于羊上手持树枝的两个人，以整体观之，也是在参与祭祀活动，手中所持之物，可能就是后期巫士所持之法器的前身。

3号岩面在1号岩面之下侧，呈梯形，高1.9米、宽1.5米。岩面左上方有两头牦牛，一未完成的动物身架。两幅一有地平线有光芒，一有地平线无光芒的太阳画面，可能以此来表现日出日息。岩面右上方，有一穿袍人像，其右下方为一未凿腿脚和双臂的人像，两画之间有一方框。岩面左下方有三人手持弓箭，两人穿袍，其右侧及下方有羚羊和牦牛等。整个画面表达的是一日的放牧和狩猎生活（图1－10－2－3）。

图1－10－2－3 任姆栋3号岩面

8 号岩面在3 号岩面西北侧8.5 米处，高1.3 米、宽1 米。上方刻有两头牦牛，体长瘦弱，与下面岩画的做法大有不同。其下画一羊三鹿一牦牛，腹部饰有横“S”纹，牛之右侧刻一难辨其类的动物，左侧刻一高腿长腹小头的虎，其尾劲然上卷，其下刻二羊（图1-10-2-4：1）。

这种在动物体腹绘横“S”的画面尚有10 号、13 号、31 号岩面等。10 号岩面高2.2 米、宽2.3 米，距地表4.5 米，所画动物有牦牛，昂首伫立的双峰骆驼，作奔跑状、短鬃直立的野猪，伫立的腹部有三个横“S”纹的牡鹿。

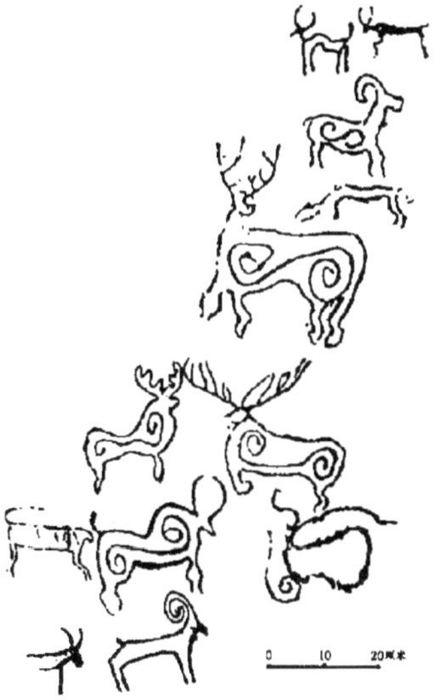

1.8 号岩面局部

2.12 号岩面局部

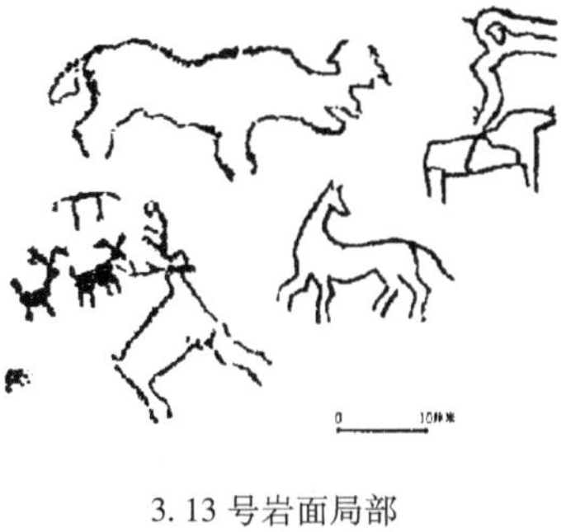

3.13 号岩面局部

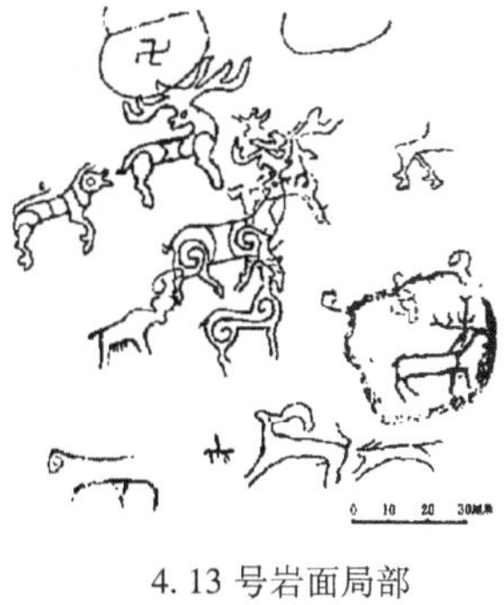

4.13 号岩面局部

图1-10-2-4　任姆栋岩画

张建林在《日土岩画的初步研究》一文中将任姆栋的岩画分为早、中、晚三期，我觉得是有道理的。这腹部绘有横“S”纹的岩画，动物四肢表现出关节的弯曲，但仍不见眼睛、蹄爪等细部；在刻画方法上不像早期岩画那样通体敲凿，而只敲凿轮廓线，也不像后期岩画那样躯体装饰以双勾线旋涡纹，如鹿，也明晰地以双勾线勾勒出犄角、尾巴、眼睛、蹄爪、关节，着笔较细，宛如当代剪纸一般。在岩画的内容上中期也较早期丰富，如早期题材有牦牛、鹿、羚羊、狼、狗、虎、豹、骆驼、人、树、太阳等，中期增加了鱼、鹰、雁、野猪及陶罐等；早期造型：通体敲凿一类，人物只是倩影似的轮廓，动物也大体相似；轮廓线条勾勒一类，人物不见脚手之形，动物不见蹄形，动物双腿双脚相连，古拙简洁。这与晚期装饰性很强的岩画形成鲜明对比。晚期岩画中出现的双勾线旋涡纹，鹿角、尾部的勾勒双线等，与早期岩画的通体敲凿形成风格及时间上的明显差异（图1－10－2－5）。

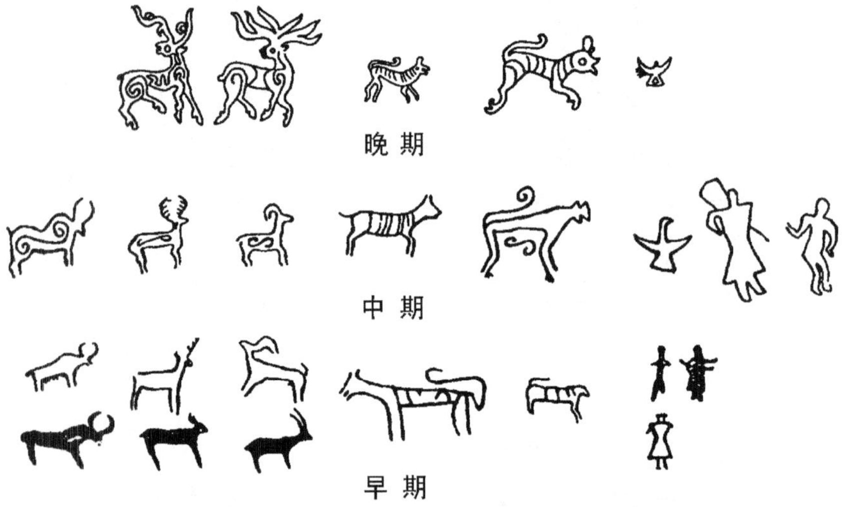

图1－10－2－5　日土任姆栋岩画分期

但是，无论从题材、技法、风格分析，日土任姆栋岩画的历史跨度都是较大的。它的下限不晚于吐蕃王朝兴盛时期之初——松赞干布时期。因为松赞干布以后，尤其是赤松德赞以后的藏族文化几乎都与佛教有染，岩画（后期的佛教岩刻有佛像、佛教经文以及石板刻等）自然不会例外。然而日土任姆栋岩画中没出现佛教内容，也没有古藏文出现，这说明它早于佛教浸染的年代。早到何时？即日土岩画的上限，其文化年代与时间该定在何时？假如我们将苯教和“卍”号的出现当作藏族的最早历史对待是很难准确地得到答案的。从苯教的发展史看，它晚于“卍”出现的年代，因而苯教很有可能不是统一的，“卍”作为苯教的徽号可能是后期的事。显然，将苯教与“卍”视同孪生姐妹，势必降低了“卍”在更广阔的领域和时空中的价值。是故，我以为，日土早期的岩画有可能是细石器时代的产物，中期可能是新石器时代的产物，是藏族先民的原始艺术创作。

2. 鲁日朗卡岩画点

鲁日朗卡岩画点东距日土区约12公里，海拔6222米。岩画分布在六个距地表不过4米的岩面上，基本制作方法与任姆栋相同，只是岩面较任姆栋粗糙。

1号岩面距地表1.9米，可分上下两块。上一块面积0.2米×0.3米，凿一人二羊，一羊站立，宁静瞩远，另一羊与之垂直，似在奔跑，人在其右与之平衡，张双臂，像是一步行的牧羊人吆喝羊群。下一块面积0.44米×0.35米，上有双羊，一立一奔跑，画法与上面相同，双羊下是一头牦牛，雄健壮实，与别处牛的神韵略有不同，犄角不甚圆。牛下双人一左手叉腰，着短衣，双腿弯曲，似在舞蹈；一穿长袍，双腿分离，右手下垂，左臂平举，人之左侧刻一牝鹿。（图1-10-2-6）整个画面与上一块迥然不同。不言而喻，这些画所反映的都是放牧生活，主要形象仍是人、羊、牛、鹿。

图1-10-2-6
鲁日朗卡1号岩面

3. 恰克桑岩画点

恰克桑岩画点在日土县多玛区北约25公里的恰克桑山，其峰高5881米。岩画分布在恰克桑山余脉侧岩面和一岩洞的岩壁上。

位于恰克桑山余脉一段突出断崖上的1号岩面内涵十分丰富。左上方绘有业已简化的日月图，日为圆点，月为残月，这在后期的藏族社会中十分常见，有时还在日点之上再加一圆点，称日、月、星合体图。其左上

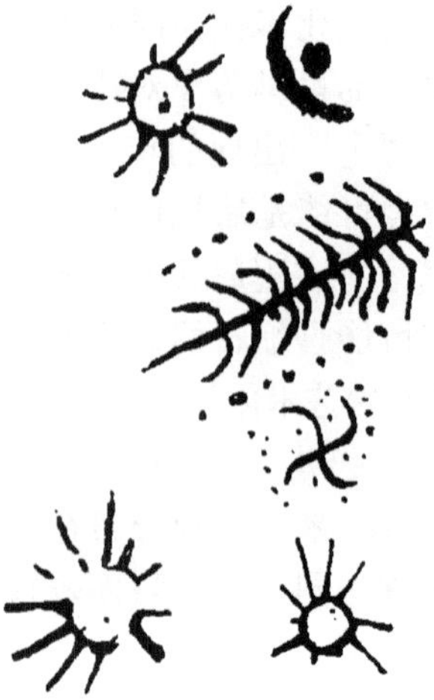

图 1－10－2－7
恰克桑 1 号岩面

一太阳，太阳内有小圆圈，外饰象征光芒的十条射线。太阳右侧绘一大树，其形象如松，枝叶枝干层层叠叠，分散两旁。有意思的是枝叶两旁的若干圆点，或代表果实，或为有宗教含义的一种符号。其右侧的“卍”号周围同样有许多这样的小圆点，可说两者的意义应该是一样的。右下方是两个光芒四射的太阳。（图 1－10－2－7）统而观之，这幅用暗红色矿物颜料粗线条绘制而成的岩画，反映的可能是太阳崇拜，或因寒冷而乞求“多出太阳”，或因炎热而祈祷“少出太阳”，大树和“卍”号周围的小点就代表着先民的这种心思，只是我们尚难定论罢了。

恰克桑 2 号、3 号岩画所绘多为佛塔、佛像、菩萨像、高僧像和经咒浮雕，造像或大或小，均用金属工具凿刻，为晚期作品。

三、都兰巴哈毛力沟的岩画

青海海西蒙古族藏族自治州是片特殊的地方，尤其是现今都兰县一带，无论从古人类生活的情况看，还是从有文字记载的历史看，在藏学研究中都占有一定地位。这里汉时为羌人住区，唐时为阿柴（འ་ཞ།）故地，近积石、黄河源头和多弥地。藏人的第一、二次东南迁徙都进入这一地区；藏人第三次东出，这里便成为吐蕃军旅休养生息的“腹心地区”。都兰县境内（热水乡）曾发现吐蕃墓葬、搭里塔里哈（诺木洪乡）遗址。考古工作者在这里发现了巴哈毛力沟岩画。

巴哈毛力是蒙古语“小马”之意，沟南口为香日德——塔妥乡，沟口到香加乡约 12 公里。由巴哈毛力沟南口北进有一大车道；距南口约 4 公里有一火成岩山嘴，藏语称牙玛嘴，岩画就刻在山嘴西面的石壁上。此处海拔为 3500 米，水草丰美，是片好牧场。

巴哈毛力沟的岩画较集中：

B_1 画面上方是三角形图案，长 0.05 米、高 0.06 米，下方是一骆驼，长 0.1 米、高 0.05 米。

B_2 似是山羊。

B_3 画面上方是骆驼，长高各 0.1 米，左下方是狗，长 0.2 米、高 0.25 米，右下方是一长方形图案，其意可能为狗守圈栏之类。

B_4　左边是长方形图案，长高各0.1米，右边是镰刀，长0.06米、宽0.1米。

B_5　右上方是一马负鞍，右下方不知为何物，下面是一匹高长鼻的大象，长0.2米、高0.25米。

B_6　画面较宽，有鹿、羊、骆驼等，其中最大的鹿长0.5米、高0.6米，最小的骆驼长、高各0.1米。

B_7　画面也较宽，有野羊、雄鹿、蛇、羊、马、太阳等，野牛俯首奔跑，蛇屈曲蠕行，马负鞍，系缰前奔。雄鹿最大，长0.3米、高0.35米，野牛和雄鹿之间有一菱形回纹几何图案。

B_8　上方是一蛇，中间是羊、獐、牛等，最大的长0.15米、高0.1米，最小的长、高各0.1米。

B_9　似为两个太阳，大的直径0.25米，小的直径近0.1米。①

同为一地区，巴哈毛力沟的动物类型与后文哈龙的略有不同。哈龙的岩画无蛇无象，巴哈毛力沟的岩画少虎少豹，后者要比前者丰富，呈黄褐色的线条活泼清晰，以平凿方式浅刻于黑紫色的石壁上，可能有近代的磨刻加深。值得重视的是该岩画出现了三角形、长方形、菱形回纹等几何图形。

四、海北刚察县的岩画

再往东行，青海湖附近的海北州刚察县吉尔孟乡黄龙村又发现哈龙岩画。

哈龙，藏语意为鹿沟，位于吉尔孟乡西北18公里处，为一块地势较平缓的山谷地段，东西宽1500米，南北长3500米，沟口有几处可辨的干涸的小湖，可知很早以前是一片沼泽地或湖泊。岩画在沟中段，被称为“扎西德本”（意为“十万吉祥部落”）的两座海拔3500米的花岗岩石山上，两山距离约200米，石山南面的较平整的岩壁上分布着岩画，岩面呈褐色。许新国、格桑本报道了这一岩画点，将其分为甲、乙两区。兹分述如下：

甲区

H_1　画面长1.2米、高0.9米，上层一只动物头部不清，似为牛，中层右边两鹿角犄，左边一牛，一大鹿长0.5米、高0.45米，一小鹿长0.14米、高0.1米，牛长0.27米、高0.16米，下层为一羊，长0.35米、

① 许新国、格桑本：《青海省哈龙沟、巴哈毛力沟的岩画》，载《文物》1984年第2期。

高 0. 18 米。

H_2 一虎，长 0. 32 米、高 0. 2 米。

H_3 一牛，长 0. 3 米、高 0. 22 米。

H_4 上层左边一鹿，长 0. 25 米、高 0. 2 米；中间一野猪；右边一牛，长 0. 3 米、高 0. 15 米；下层左边一牛，中间一獐，右边一牛，长 0. 38 米、高 0. 18 米。

H_5 一豹昂首咆哮，长 0. 54 米、高 0. 23 米。

H_6 一野猪长 0. 2 米、高 0. 1 米。

乙区

H_7 一骆驼，长 0. 3 米、高 0. 2 米。

H_8 一小鹿，长 0. 2 米、高 0. 17 米。①

可以看出，哈龙岩画中的动物较藏族其他地区的种类为多，除其他岩画常出现的牛、羊、鹿外，尚有虎、豹、野猪、骆驼等。当地的藏人附会此山有仙人显现的传说，至今有人祭祀。岩画是用钝器或花岗石块在岩壁上磨刻制作而成，画像线条没有明显凹陷，线条与岩壁表面都被氧化层覆盖，但线条比岩壁表面颜色要稍浅。青海省海北州刚察县泉吉乡黑山舍布齐沟的岩画是刻在一处平而光滑的石面上，牦牛形象较多，体肥角圆，牛尾较大，多扬起与屁股平。在草原上生活过的人都知道，牦牛在平静时，尾巴是垂着的，而当它犄架、奔跑，或遇到险情时，才翘起尾巴。从几处牦牛的画像动作看，显然不是牦牛静立时的形态，而颇具气势。人的造型却显平直，人在马上如一直槌，无头无手脚，旁有牛在行走，俨然一骑牧小景。有一处有马在奔跑，有人手持弓箭如立地上，或在骑射，别有情致。岩画中有藏文写的“a”字母，字母左下有“va”字，形较小，色汁为黄，明显是后人所为。

舍布齐沟大多是褐色岩石。有一处骑射牦牛图，骑在马上的人平端弓箭瞄准牦牛屁股，牦牛显得粗壮高大，马与人显得有些小，可见先民作画已考虑到视觉的影响。从直立的牛尾等可知，这些早期的画家，对生活的观察十分细腻，尾巴在与身平齐时是一个疙瘩，而翘起时成了一个很大的圆圈，以示牛尾之大。

舍布齐沟还刻有狼图，体态矫健机敏。

① 许新国、格桑本：《青海省哈龙沟、巴哈毛力沟的岩画》，载《文物》1984 年第 2 期。

第三节　原始装饰艺术

总体看，先民的装饰艺术主要有二，一是文身为代表的固定的艺术，如割痕，耳、鼻、唇饰等。藏族先民是否有这种装饰历史，已难考证。《新唐书·吐蕃传》中记载了藏人“以赭涂面为好”的习俗，大约这是原始风俗，结合后期涂面的一些宗教意义考察，有可能是为了避免鬼魅的侵害而让自己面目全非的。其中为何用红色涂面很少有人深究。我以为用红色的原始意蕴或为血，在“茹毛饮血”的生活中，血是食物，因而这食物的颜色也就有了特殊的意义。当然，我们也不能排除“以赭涂面”对面部的保护作用，或渐变为装饰形式时的美感作用。

从考古材料可知，藏人更多的是悬挂、穿戴在身上的不固定的装饰，这些我们可以从石器时代遗址出土的部分装饰物品中略知一二。

卡若遗址出土的骨角器有105件，有骨锥45件，骨针26件，主要骨器饰品有骨簪1件，尖部圆锐，上端磨成三节蘑菇塔状，颈部稍细，中间稍粗，横剖面呈圆形；有贝饰3件，完整的1件，仅海贝腹部有磨光的痕迹，其余海贝原貌。同时出土骨匕、四角穿孔骨饰、槽形骨饰、两端带缺口骨饰、穿孔骨珠等。这些都是4000年前的藏人所用的装饰品。

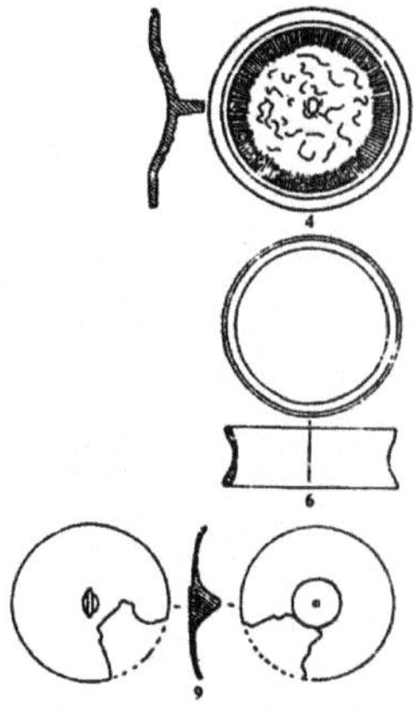

图1－10－3－1
德钦纳古出土铜圆形牌饰

拉萨曲贡村出土的饰物有2件：（1）穿孔石器。那是一枚近似三角形的椭圆扁卵石，上端小，穿有一孔，孔上及器身上涂有红色颜料，长6.5厘米、厚1.1厘米、孔径0.8厘米。（2）穿孔陶片，有两件，是利用陶器残片加工而成，一为泥质褐陶，平面略呈长方形，长2.4厘米、宽2厘米、孔外径0.7厘米；一为泥质灰褐陶，平面略呈圆形，周边磨光，一面钻孔未透，陶片直径2～2.2厘米。

乃东结桑石棺墓 M_1 中出土一完整的骨质手镯，白色，上有密集的营养孔，手镯制作较精细，外圈直径6.4厘米，表面微凸，磨光；内圈直径4.8厘米，表面微凹。乃东普努沟的石棺墓中出土有穿孔松耳石饰物一件，平面呈不规则四边形，长1.6厘米、宽1厘米、厚0.3厘米，孔径0.2厘米，磨制光滑。

德钦纳古石棺墓中出土的饰物有：

藁末铜饰两件，圆筒状，长4.1厘米、直径0.7厘米、孔径0.4厘米。

铜镯3件，扁平环状，环面内弧，直径6.5厘米、高2厘米。出土时重叠套在肢骨和桡骨上。

脚饰一件，扁平铜环，直径7.4厘米、高1.7厘米，出土时见于踝部。

铜圆形牌饰3件，中央圆锥状突出，有一横鼻，直径5.5~7.2厘米。其一面内凹（图1-10-3-1：9）；一面前凸，上有辐线纹（图1-10-3-1：4），出土时有的在头旁，有的在脑后，有的在腰际，可能是戴在头发上的饰物。

两面磨穿的海贝一枚。

绿松耳石716颗，都发现于颈部，孔径0.2~0.4厘米，其中管状珠32颗，长1~2.7厘米、直径0.4~0.6厘米；球状珠15颗，直径0.5厘米；算珠状珠2颗，长0.6~0.9厘米、直径0.9厘米；枣状珠1颗，长1.6厘米；细珠666颗，呈管状，长0.1~0.3厘米、直径0.1~0.3厘米、孔径小于0.1厘米。藏系民族的墓葬中，松耳石的出土较为普遍，如青海乐都柳湾就出土有很精致的松耳石。

德钦永芝石棺墓中出土的铜饰物有：

镯2件，直径5厘米，用长条形铜片弯曲而成，制作较粗糙。

饰牌1件，直径10厘米、柄长2.5厘米，扁平圆形，短柄，方銎，像铜镜（图1-10-3-2）。

永芝石棺墓还出土银饰4件，最大一片长10厘米、宽3厘米，最小一片长4厘米、宽2厘米。近长方形，两端有多个穿孔，发现于头骨处，或为头部饰品。

四川新龙县古日乡石棺墓M_1出土铜手镯12件，M_4出土松耳石三颗，管状珠72颗，铜手镯5件；M_6出土铜镜一个。这些饰品大都是死者生前所戴之物，在墓葬中的位置也跟生时一样，如松耳石还在颈部等。其年代当在战国至西汉时期。

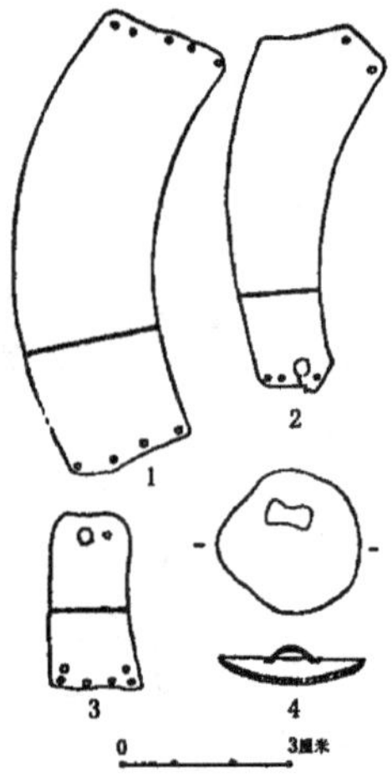

图1-10-3-2
德钦永芝出土银、铜饰
1-3. 银饰 4. 铜泡饰

四川甘孜县吉里龙石棺中出土的装饰品有：

骨珠27颗，直径1~2厘米，圆形，两面平，中间有一圆穿孔。

松耳石珠19颗，大的为果核形，直径1.7厘米，小的为圆片状，直径0.3厘米。

玛瑙珠 20 颗，有淡黄色和绛红色两种，其形或如橄榄，或如圆饼，中有圆孔。

另外，M_2 墓主口含 4 颗野猪牙，不知是何意思，或为装饰，或有一定宗教意义。

第十一章　原始建筑文化

关于藏人的建筑，在民间故事中也留下了宝贵的材料。《七兄弟星的故事》中说，格萨尔降服了四方妖魔，消灭了许多山里、林里的凶猛野兽，清除了江河湖海中的许多鬼怪，让老百姓过上了好日子。可是那些被格萨尔杀败的大大小小的妖魔鬼怪纠集在一起，变成风暴，夹杂着砂石横扫草原，不管牛羊庄稼，都像水洗过的一样，被卷得一干二净。老百姓住的帐篷无法阻挡这种风暴的袭击，牲畜一天天死去，人也一天天少下去。大家去求格萨尔。可狩猎是能手，战场上是英雄的格萨尔，对这种风暴没一点办法，只得到各部落去招募贤人。

应招而来的是长得一模一样的七兄弟，按现在的说法是七位建筑师。他们挖土刨石砍树忙了一夜，第二天便盖出高大的三层楼来。并教人们在底下一层圈牲口，中间一层住人、放粮食，顶上一层供神佛。格萨尔非常高兴，请他们按原样造了许多这样的房子，从此再也不怕风暴的袭击了。

这一故事告诉我们，随着古气候的变化，青藏高原风沙渐大，早期的藏人曾经历了风沙的祸害和寒冷的袭击，便形成了藏人独特的房屋建筑形式和使用方法。

七兄弟星的传说最后归入了星象系统——七星的来源说中，因为七兄弟的房子建得好，天神请他们到天上建房子，终年劳作，七星一年四季变化位置，被认为是七兄弟盖完了一幢房子又开始建造新的楼房。藏语称它们为“强嘎本顿”（北方七兄弟星）。

汪道元同志对卡若文化遗址第二次发掘的典型建筑遗构进行复原研究，通过对建筑平面、剖面形状和各种构造方法进行综合分析，试图恢复当时的建筑面貌。这一十分有益的探讨，对揭示人类社会早期文化，尤其是对藏族地区原始的建筑营造技术的演变、发展，具有十分重要的意义。

汪文认为卡若遗址是新石器时代藏族先民居住的原始聚落，布局有一定规模，在第二次考古发掘的1000多平方米的小范围内，就密集地分布着31座房屋遗址和窑穴一个，灰坑数个。此外尚有石墙二条和卵石堆积的石台及石板铺砌的道路迹象。从已掘的部分遗构形制看，在平面型式、结构构造、柱洞基础、墙身砌筑、地平防潮、遗址选择等方面，都反映了卡若原始文化具有较高的营建水平。其聚落规模之大，建筑遗构之完整，房屋种类之丰富，叠迭关系之清晰，为我国考古发现中所少见。

1. 现在的昌都地区是藏族先民在第一、第二次东南迁徙中要经过的一个重要地区，在这里出现规模较大的原始聚落是情理中的事，并具有代表性。其一，从原始氏族部落的规模看，在1000平方米的范围内就有房址31座之多，说明当时的建筑群非常稠密，这种密集的建筑群所曲折体现的是原始氏族部落的社会形态。房屋毗连，便于管理和传递信息，也便于防卫，这与今人大城市的房屋紧张引起的建筑密集有着本质区别。其中有两座较大的房屋：一为双屋的F_{22}和F_{29}，一为并连的F_5、F_{30}、F_{20}，虽然这些房屋的作用不甚明了，但是依据原始文化的一些基本特点看，这两处大房屋不外有三个用场：一为进行宗教活动的地点，二为氏族集会、议事的场所，三为日常分配食物和贮存食物的场所。尤其是前两者的可能性较大，在原始氏族社会中，宗教活动占有非常重要的地位，且多见有固定、具体的场所。也有可能是氏族部落会议厅和宗教活动兼用的地点，这儿有可能住着部落的巫士和首领，其附近的20余座方形、圆形小房屋和穴窑将其围在中央。聚居村落整体约占面积10000平方米。

其二，卡若遗址的集居群分布在河谷附近的二、三级台阶上，面阳、靠山、近水，说明当时已具备一定的自然、天象知识，这种选择便于过冬和度过雨季，也便于进行农、牧业生产和狩猎。

2. 为了下文叙述的方便，我们仍取卡若遗址早、中、晚三期分类中对房屋的编号：

(1) 早期7座：半地穴建筑F_4；环底建筑F_{13}、F_{24}、F_{25}、F_{27}、F_{28}、F_{31}。

(2) 中期19座，半地穴建筑为F_9、F_{18}、F_8；环底建筑为F_5、F_{14}、F_{17}、F_{19}、F_{21}、F_{22}、F_{28}；地面建筑为F_1、F_2、F_6、F_7、F_{10}、F_{15}、F_{16}、F_{20}、F_{28}。

(3) 晚期5座，半地穴与地面建筑组合：F_5、F_{30}、F_{12}、F_{11}、F_{23}。另有石墙建筑两条。

卡若遗址的居民在这片土地上繁衍生息近千年，因此建筑的类型也不尽相同。

第一节　半地穴建筑

人类从穴居（如北京猿人居住岩洞）到半穴居的过渡是一大进步。大约于6000年至7000年前，中国内地许多地区已进入氏族社会，此时的先民便过着半穴居的生活，黄河流域的商、周遗址中也曾出土大量这种半地穴建筑遗址。

卡若遗址早期的半地穴窝棚式建筑是在地表下或圆或方挖一坑穴，上面用木构架，搭成坡屋顶，成单室建筑。这种建筑由于形式简便，至今使用。牧人远足放牧，便择地挖一地穴，用草坯堵屋之四周，铺好树枝、草蒿，上掩土和草坯，即成一室。显然这种房子面积很小，出入不方便，有时需要“爬进爬出”，主要解决遮风挡雨、入夜睡觉问题。其建筑上的特点是将砍成的小木头相互交叉集中到一点，用草绳、藤茎等扎紧，成拱架形式，形如伞，其上再逐层扎上草木枝叶，涂以泥等，形成圆锥形小屋。如典型遗址复原想象之 F_{26}（图1－11－1－1）①。

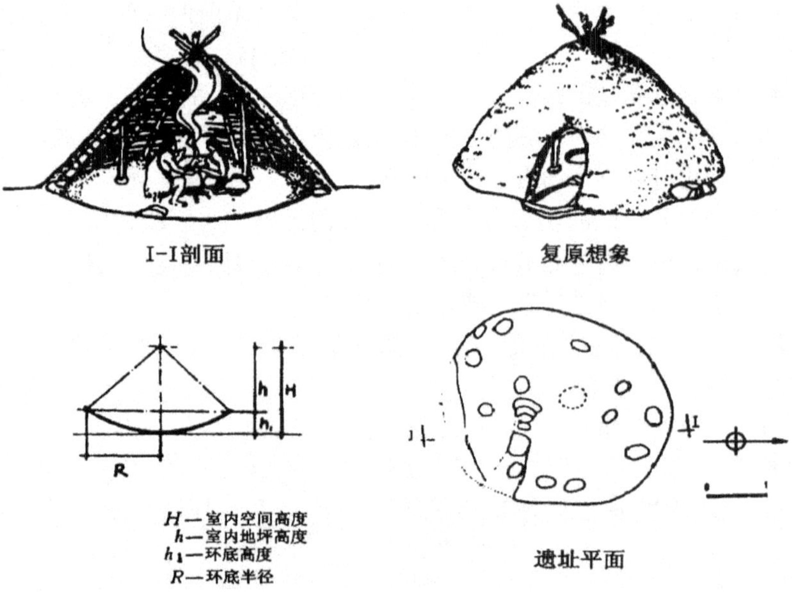

图1－11－1－1 早期建筑 F_{26} 复原图

这一平面近似圆形，直径3.5米，环底状深0.35米，门向东南的半地穴房屋中，居住面的红烧土堆积有30～50厘米，这些红烧土显然是屋内烧火后的遗物。有过放牧生活、住过窝棚的人都知道，牧人有一种习惯，在屋内烧火时，将土坯等放火边烤烧，待其烤干，便逐一砸在坐处，这样可保持屋内干燥、卫生。从扁平卵石作柱础看，窝棚建造还是“坚固”的，若为一般临

① 汪道元：《西藏卡若文化居住建筑初探》，载《西藏研究》1982年第3期。

时住处，大可不必放柱础。

同为早期建筑的 F_4，建筑形式较 F_{26} 先进。F_4 的遗址平面呈长方形，四角呈弧形，东西长 3.4 米，南北宽 1.9 米，半地穴深 0.40 米，门道西南向宽 60 厘米，有两级阶梯，高 0.15 米。为了防止雨水倒灌，可能设挡水土埂。与 F_{26} 相同，居住面平整、坚硬，有 0.3～0.5 厘米的炭灰和白灰烬，中央有卵石砌筑的锅底状灶坑，直径 46 厘米、深 26 厘米。这种建筑形式在今天的藏区仍然可以找到：（1）室内置火塘，用来做饭、取暖，夜间则睡于火塘边；（2）现在的这种窝棚搭设时，一般先用圆木造冂形方框立于地上，作为柱梁，而后两侧搭上小圆木、树枝，再上泥，坚固耐用。复原想象（图 1－11－1－2）[①] 认为，其中间平均高度 3 米，如此人在中间活动就方便了，上留缝排烟也可畅通。

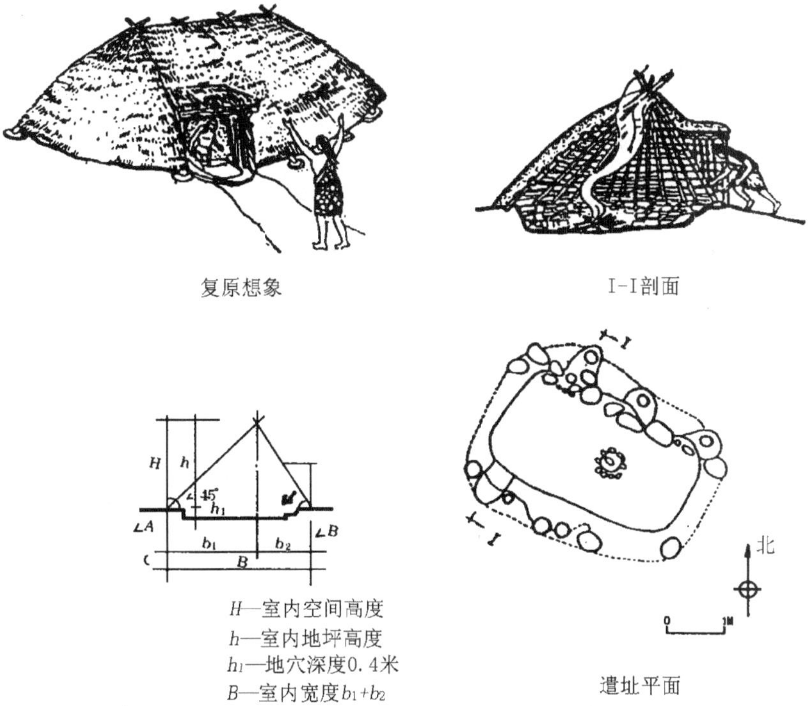

图 1－11－1－2　早期建筑 F_4 复原图

随着社会文明的进程，建筑艺术的进一步发展（也是人类的生活需

① 汪道元：《西藏卡若文化居住建筑初探》，载《西藏研究》1982 年第 3 期。

要），居住空间进一步扩大，立柱、梁以及笆篱墙也应时而生。如 F_{15}，平面呈长方形，南北长 5.6 米，东西宽 4.4 米，屋中央有石板铺成的方形灶址（1.1 米 ×1.2 米），北墙中部有 1.2 米宽的门道，且有卵石阶。居住面的红烧土火候很高，红烧土下有一排直径 4.5 ~7.5 厘米的圆木痕，下面黄土 3 厘米厚，再下为黑灰土层和原生土。这种做法颇近于现代的地板，且比地板更为干暖。记得家乡铺地板时一般板底置干土击碎，平整，或者先将土层平整，干透后再铺地板。F_{15} 中圆木的作用与之相似。若其上再铺坚硬的陶质红烧土，其防潮作用更佳，同时也说明当时制陶方面已取得经验。

从 F_{15} 的构造看，室内分有四根立柱，估计先有中心支架，而后向四周延伸，将其椽木斜捆其上，再由层外支柱架立，如此屋顶便显缓坡，既可上泥挡雨雪，也可免降暴雨时因斜坡过大冲走房土而漏雨，这种窝棚构架式房屋的营造技术已比 F_{26} 先进得多，已开始向地面建筑过渡，如图 1 – 11 – 1 – 3 所示：

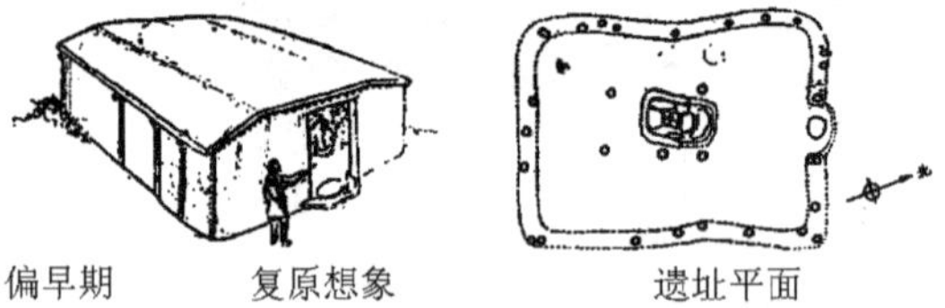

图 1 – 11 – 1 – 3　中期建筑 F_{15} 复原图

在中期建筑的半地穴建筑 F_8 及 F_9 中已使用木材作为周围的壁体，木料层层叠压，四角十字相交，互相衔咬，缝隙中涂以泥土，防风雨。（参图 1 – 11 – 1 – 4、图 1 – 11 –1 –5）这种建筑在今天的西藏昌都、林芝、波密、亚东、珞瑜地区都可见到。笔者 1988 年去云南迪庆藏区，也见到许多这种井干式的建筑。

作为一种流传至今的建筑形式，卡若井干式建筑的主要作用可能是用来贮存食物和存放工具、物品等，如在 F_8 中出土大量农作物粟粒和磨制石刀、石斧、石锛、陶器以及用来装饰的骨珠、海贝和动物的骨骼；F_9 出土陶器 25 件、陶盆 10 件，其中完整的 10 件，以及石刀、骨刀、珠饰和少量农物种籽。从今人的角度看，以一部落之众所建的这种仓库规模是小了些：

F_8：南北长 4.2 米，东西宽 3.8 米，半穴居深 0.64 米，约 16 平方米左右。

F_9：南北长 2.2 米，东西宽 2.3 米，半地穴深 0.93 米，约 5 平方米。

可能由于木料截取易规整，二者近似正方形，想其高度也不会超过普通房屋。但是二者都很结实：F_8 木板宽 15 ~18 厘米、长 60 ~80 厘米、厚 4 厘米左右，且每壁放两层木板，在 10 厘米左右的板间距中又填土抹泥涂缝；F_9 四壁砌以石块，且在每壁面上、下放两层圆木或木板，板宽 15～23 厘米，厚 5 厘米许，圆木直径 8～9 厘米。如 F_8，两层圆木和木板间填以粘土，且于面上抹层草泥——如此，可说固若金汤了。

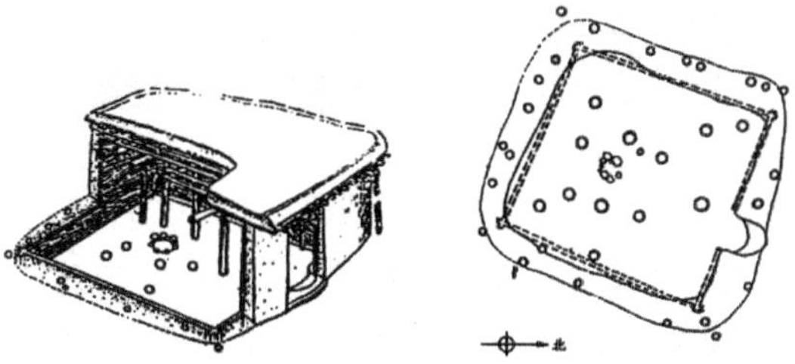

剖面透视　　遗址平面

图 1－11－1－4　中期建筑 F_8 复原图

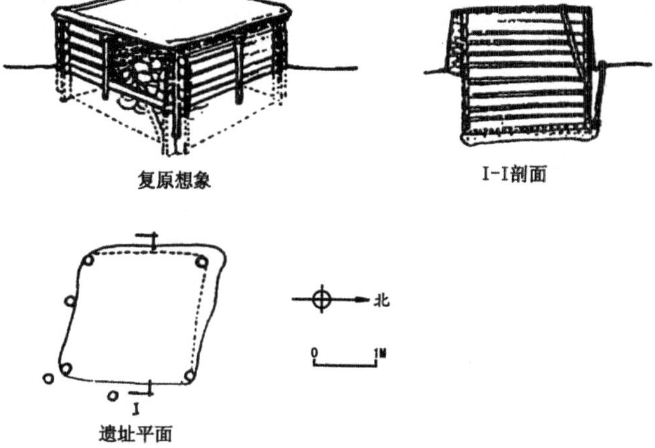

图 1－11－1－5　中期建筑 F_9 复原图

汪道元在论述这种四壁为木板墙的井干式建筑时说，这种建筑方法，需要掌握较高的木材加工、劈裂、开槽、咬接等技术，它有利于防潮保温，提高结构的整体性，同时可与室内的大木柱共同承托屋盖的支撑斜木，使斜木由平卧变成横梁，形成藏区最古老的梁柱结构体系；在横梁之上铺椽和树枝、树叶、山草，其上再铺筑泥土、碎石等，便出现至今风靡全藏的平缓坡的平顶建筑了。又由于早期居住面在地表以下，易受风雨冲刷，使墙基受潮受损，为了解决这一矛盾，导出屋檐和擎檐柱，成为昌都卡若区现今还在运用的构造方法。

在食物匮乏的原始社会，能装满如此两处仓库，可说是件不容易的事，尽管卡若居民们当时已开始农作、饲养，生存终究是他们最辉煌的事业，他们的聪明才智也充分荡漾于他们创造的这些物质财富上，像 F_9 为了防潮，竟用块石、黏土、木板、草拌泥四层设防，可谓细腻精致。

第二节 地面碉房式建筑

有了平顶的井干式建筑，梁框柱木式建筑，卡若居民的建筑技艺足可以应付当时高原的潮湿和多雨的气候了。然而，历史却在这里打了个弯，先民早期用来防潮防雨的动机可能为渐渐寒冷、干燥而转向的防冻、防风活动所代替，人们逐渐改半穴居建筑为平面建筑，石墙、平顶屋等便在这种环境下迅速成熟。

从卡若建筑看，在中期的建筑中就有平地营造，如 F_{22} ~ F_{29}（图 1－11－2－1）便为双室建筑，长 6 米，宽 5.5 ~ 5.8 厘米，平面呈□□形。同如早期建筑，这所平地营造的房屋的居住面仍铺以约 10 厘米厚的灰土和灰烬，双室的东半部铺红烧土，这与古藏人（今人依然）席地而坐的习惯有直接关系，倘若卡若居民用凳之类器具，对地面铺红烧土、灰烬诸物就不会如此精心了。

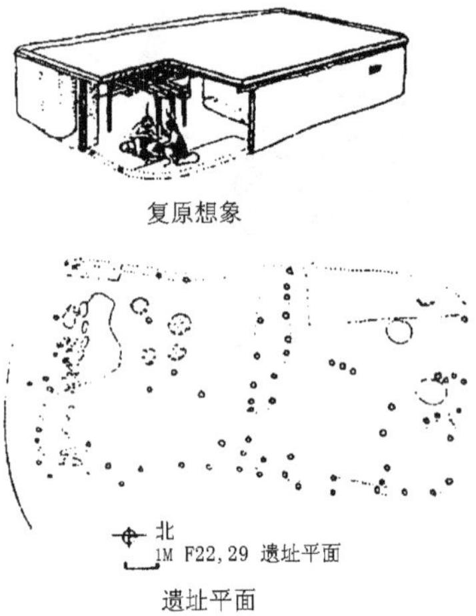

图 1－11－2－1 中期建筑 F_{22} ~ F_{29} 复原图

复原想象认为，这幢相连的房子，很可能是加工和贮存粮食的场所，因为在 F_{29} 室发现外围用小石块砌筑，直径 50 厘米左右，高 0.5 厘米的石圈八处，且有农作物出现，疑为粮食加工作坊；F_{22} 无石圈，亦发现颗粒分明，呈灰黑色的农作物，疑为粮食贮存处。

从 F_{22} ~ F_{29} 的墙体结构分析，当时还处于“木骨泥墙”阶段，两侧有木痕，一直径 20 厘米，一直径 4 ~ 5 厘米；一面木材有劈裂痕，另一面以草拌泥涂抹；一面有直径 4 厘米的小圆木，一面草拌泥抹面；一面为不成形的草、木碎块痕，另一面草拌泥抹面。墙体中有草、绳、木板痕迹，疑为固定之用；草拌泥的主要成分为砂土草水羼合；沿柱墙分有大块石。显然，这种建筑不怎么保暖，也不可能抵御劲风的袭击，但它作为地面建筑却具有十分重要的意义。

后期的建筑，首先从围墙上得到改革，采用卵石和毛石砌筑穴壁和外墙，从而代替了涂泥的笆篱墙，内部仍保留木构架体系，“累石为室”，由石墙受重房梁，石墙的砌筑再向坚固稳定方向发展，石头间用小石子、泥浆胶结，下大上小逐层收分，成为梁墙体系的碉堡式建筑。卡若晚期建筑中的 F_5、F_{30}、F_{12} 已向这方面发展：

F_5，平面呈长形，四周圆角半地穴石砌外墙，穴壁残墙高一米，宽 25 ~30 厘米，由下而上卵石、毛石砌筑，黄泥填缝，南北 4.8 米，东西 4.2 米；屋内地面规整、坚硬，中间低，四周高，仍然保留着掘穴而居的习惯。

F_{30}，平面呈长方形，地面有黄砂土 5 ~7 厘米厚，半地穴石砌外墙——先栽木桩，后砌石墙，草泥胶结，内柱大而浅，外柱小而密，石缝糊堵严密。其房有 16.4 平方米，密布着直径 25 ~ 27 厘米的 8 根柱子。

F_{12}，平面近长方形，地面由含红烧土粒、木炭屑、陶片、石块、石片、碎骨的黄灰土，含木炭屑、陶片等的黑灰土，含细石子、陶片等的黄灰土等组成。室内柱洞五个，圆径 22 厘米，木柱直接栽入老土、底垫木炭和碎石子，室外有 16 个柱洞，圆径 10 厘米左右，深 11 ~ 34 厘米。卵石砌外墙，并发现有早期的红烧土砌于墙体中。其复原想象图如 1 - 11 - 2 - 2 所示。

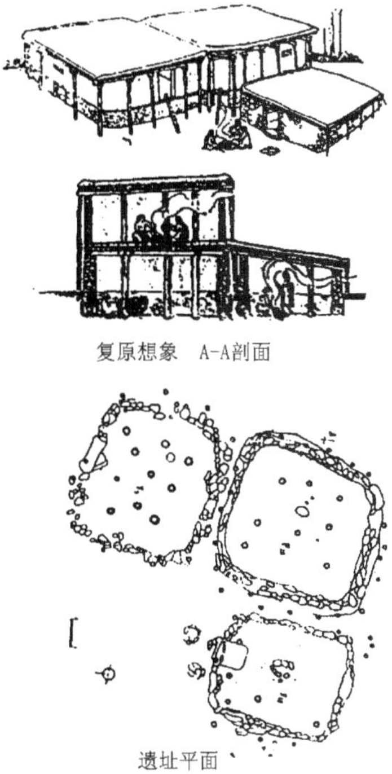

图 1 - 11 - 2 - 2　晚期建筑 F_5、F_{30}、F_{12}

汪道元在《卡若文化的居住建筑初探》中说：

藏族的木构架建筑和石墙建筑，在原始社会时代的卡若遗址发掘中已初具规模。特别值得注意的是在晚期建筑中，发现较复杂的 F_5、F_{30}、F_{12} 组合遗构，根据技术发展的情况，发现了密集而粗大的木桩，通过结构力学的分析和已发现井干式结构的运用，完全有“架木楼居”的可能，因为井干建筑常常与干栏式建筑共存。这种构筑营造方法和古代西南广大地区“依树积木，以居其上”的干栏建筑相同，它底层架室，利用下部空间圈养牲畜。楼层住人，仍保留碉房特色。外墙石砌，由于平顶出檐悬挑，出现擎檐柱（中原地区黄河流域的仰韶文化晚期洛阳王湾遗址亦有擎檐柱实例）。这种建筑具有木构架和碉房的梁墙结合新的特点，我们称它“擎檐碉房式”。它的出现意味着卡若文化在营建技术方面已经向“野蛮时期高级阶段”发展。

这种擎檐碉房式建筑和碉式建筑在史籍中也多有反映。《隋书·附国传》：

附国，南北八百里，东西千五百里，无城栅，近山谷，傍山险，俗好复仇，故垒石为巢，以避其患，其高十余丈下至五、六丈，每级以木隔之，基方三四步，巢上方二三步，状似浮图，于下致开小门，从内上通……

《北史·女国》：

王居九层之楼，侍女数百人……

《旧唐书·吐蕃传》：

其都城号为逻些城，屋皆平头，高者至数十尺。

《明史·冉駹夷》：

依山居止，累石为室，高者至十余丈为邛笼。

所谓“邛笼”可能是藏语“རྫོང་”（宗）的译音。这种建筑形式至今甘、青、川、滇、藏诸区基本一样，大多为三层，下养牲畜，中住人，上供佛像。曾在清末川滇边务大臣赵尔丰帐下任职的刘赞廷在其《三十年游藏记》中说，西藏住舍如高楼大厦，同西式房舍，凡土司世袭之住宅称官寨，高三层以至四五层，“金瓦宝顶，美丽庄严如寺院，仓廪圈栅常有数百间者，外置碉楼，其形六角或八角，周设枪眼，人由内中以梯上下。遇有匪徒由内外射，一敌千也。其百姓住舍无平房，皆以土筑楼，亦有用碎石垒之者，高至三四层，围墙四周，门建高楼，门外标杆，门内为栏，形势观瞻，乃土人不习卫生，从顶楼为牧禾之场，底楼为围畜养牛羊，人住其间，因避烈风，鲜设窗眼，一梯上下，入室如洞。凡器具刀枪，以及食料肉类挂四壁。无桌椅，中垒一灶，设铜锅数口，蓄水熬茶，终日不休。食时席地，夜眠灶前，不分翁婿。每逢春夏，或阴雨连绵，烟火满室，臭气一楼，处晏如也。”刘氏为现代人，我去许多藏区考察，始知建筑形式大同小异，火塘铜锅，多无窗户，鲜见烟囱，生火则烟雾弥漫。可见藏区住房建筑的稳定与久远。

卡若遗址还发现石砌的聚落围墙，残存高度 70～80 厘米，宽 120 厘米，平地叠砌，石块大小搭配，其技术同如今人。还发现不知作何用场的东西长 2.07 米、南北宽 1.95 米、厚 20 厘米的完整的卵石台一处，大小卵石，排列规律。同时遗址中还发现石铺路，路基建在垒叠压的红烧土上，用石块平铺 6～13 厘米而成。

汪文认为，卡若遗址的居住建筑经过了自己的演变序列：

（穴居）→半穴居（深、浅）→地面建筑（1. 木骨泥墙→木结构体系；2. 架空楼居〈干栏〉→碉房建筑体系）

1－11－2－3 为建筑复原比较图。

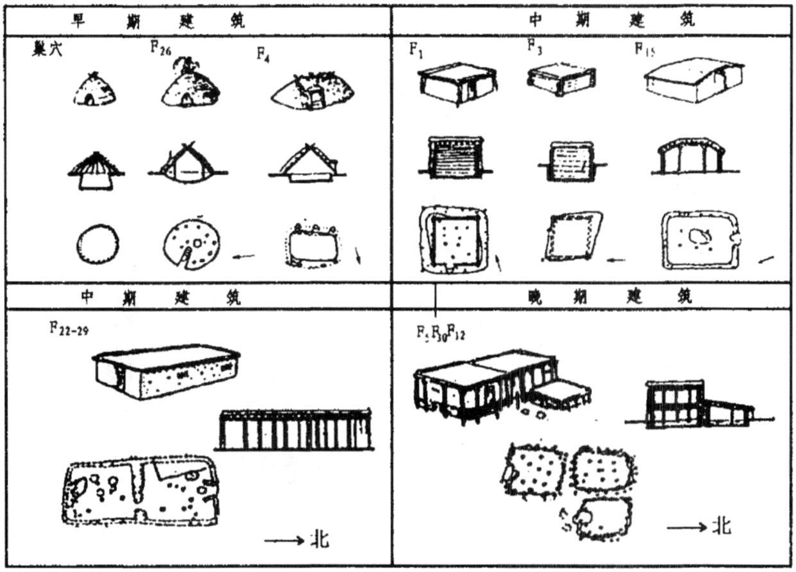

图 1－11－2－3　卡若文化遗址居住建筑发展简图

作为一种土著文化，藏族先民在自己长期的生活实践中，所创造的独具风格的居住建筑文化，如木构、井干和石墙建筑，防潮、夯筑技术，干栏式楼居和擎檐碉房等结构形式，对后期藏族建筑艺术的形成、发展、演变起着重大影响。卡若文化后期形成的独特的碉房建筑体系，一直为今日

图1－11－2－4 第二十七代藏王拉脱脱日年赞时的布达拉宫

藏人所承袭，一般住房还保持着这些特色，就是作为高级建筑的寺院也发扬了这种风格。当我们步入著名的甘丹寺、哲蚌寺等雄浑寺观，甚至举世闻名的布达拉宫时，无不感受到藏族原始建筑艺术在它们身上的印迹。

图1－11－2－5 第三十二代藏王松赞干布时的布达拉宫

第十二章　藏系民族与藏民族的形成

第一节　藏族先民的东南迁徙

青藏高原丰富的石器文明已经雄辩地向世界宣告，曾被许多人认为是亘古蛮荒的青藏高原至少在五万年前就有古人类在那里繁衍生息。但是，许多读者还会对西藏石器文明的族属问题怀有疑虑，因为讨论相隔我们几万年几千年的事，又企图得到实质性的结论，谈何容易！然而这终是个不可回避的问题。

一、摇篮与发祥地

青藏高原是不是人类的又一发祥地？这一问题在中古时代提出是可笑的，就是在20世纪二三十年代提出也会令人诧异，因为汉籍中自汉以后记载的历史多叙述了曾活跃于甘青地区的强大的羌人部落，对现在的西藏自治区这一大块地方几乎没有着笔；一直到隋唐，吐蕃王朝崛起青藏高原，汉籍《北史》卷九十六中才有如此记载：

> 附国者，蜀郡西北二千余里，即汉之西南夷也。有嘉良夷，即其东部，所居种姓自相率领，土俗与附国同，言语少殊，不统一，其人并无姓氏。

据藏史专家考证，汉籍中最早知道有藏族，是先知道有附国。附国疑为“吐蕃”异译，除《北史》外，《隋书》有同样记载。后晋刘昫等撰《旧唐书·吐蕃传》说：

> 吐蕃，在长安之西八千里，本汉西羌之地也。其种落莫知所出也，或云南凉秃发利鹿孤之后也。利鹿孤有子曰樊尼，及利鹿孤卒，樊尼尚幼，弟傉檀嗣位，以樊尼为安西将军，后魏神瑞元年，傉檀为西秦乞佛炽盘所灭，樊尼招集余众，以投沮渠蒙逊，蒙逊以为临松太守。及蒙逊灭，樊尼率众西奔，济黄河，逾积石，于羌中建国，开地千里。樊尼威惠夙著，为群羌所怀，皆抚以恩信，归之如市。遂改姓为窣勃野，以秃发为国号，语

讹谓之吐蕃。

南凉于公元414年亡国，秃发樊尼逃吐蕃时别的姑且不论，吐蕃王朝也至少传继二十多代。汉籍似认为在此之前，吐蕃地方无人居住。

地质学资料认为，松柏、银杏等裸子植物出现于古生代二叠纪，如在喜马拉雅山脉发现了距今一亿八千万年的“喜马拉雅鱼龙”，在昌都地区达马拉山脚发现了距今六七千万年前的恐龙化石，念青唐拉山区（比如县境内）发现三趾马化石；至中生代侏罗纪出现了鸟类。从喜马拉雅古海退尽之后的这些植物、动物的存在情况看，人类的前生古猿可否与之共生？人类的出现是新生代第四纪，第四纪时可否有古人类共生？即便现在我们还没有发现赖以佐证的古人类化石，我想可以说，古人类产生、生存、繁殖、发展的基本条件是具备的。

诚如《喜马拉雅的传说》中所说，那时候，“海风卷起波浪，搏击着长满松柏、铁杉和棕榈的海岸，发出哗哗的响声，岸边长满奇花异草，斑鹿、羚羊、犀牛、野象、兔子、画眉、百灵鸟等，应有尽有。”那么人类呢？前期的古猿，后来的直立人是否也生活在那优美的亚热带自然环境中？西藏高原强烈隆起的时代始于上新世（距今500万年）末，第四纪初，原始西藏高原的高度大致为1000米。一些邻近西藏的古猿和古人类化石可作为引证材料，一为云南省禄丰县石灰坝发现的距今800万年的腊玛古猿头盖骨，一为喜马拉雅以南的印度北部西瓦立克山区发现的1500万～1000万年前的古猿化石。同属于亚洲南部的西藏地区，说无古猿生存，似不合逻辑。

有些学者对此问题作了一些设想式的探索，“似乎可以认为：亚洲黄色人种的祖先，就是由在亚洲南部热带森林地区活动过的腊玛猿、南猿进化而来，如元谋人、爪哇人等。他们在几十万年间，经过迁徙、扩展，并在和大自然的搏斗中逐步进化为智人；再经过几十万年的演变才发展成为现代人；并在各个演变的特定环境的影响下，形成了各具特点的不同民族。”① 从任乃强的这段话可以看出，他没有将西藏设想为一个人类的发祥地，并认为周口店的北京猿人和蓝田、郧西的猿人，都可能在第四大冰期内被消灭。由缅甸等地沿横断山脉进入青藏高原的猿人，靠着几重横列的雪山挡住北来的寒潮，在许多南向的河谷内保存下来。他是主张藏源于羌说的，毫无疑问今日藏人之祖先也在其中了。

---

① 任乃强：《羌族源流考》，重庆出版社，1984年，第6页。

其实任先生承袭的基本上是中国学术界传统的观点，即认为黄河流域和华南地区是人类的发祥地。以此推论，则西藏的猿人毫无疑问是由此出发的迁徙者。事实不一定是这样，就中国全境而言，成为人类发祥地的地区除黄河流域外，尚有东北地区等。

从目前对西藏高原石器文化的有关评述看，主要有两种倾向。一是给古人类的历史留下一处空白，显然这一空白是历史本身遗留的，尚未发现古人类化石，缺少充分论据的情况下所作的任何结论都是一种推断，不能成为定论。事实上，推论甚至大胆设想对科学同样是不可或缺的手段，而许多定论和结论往往源于设想和精细的推论。反言之，假如由于目前未发现古猿化石，就肯定说往古的西藏高原就不可能有猿类生存，这同样不是科学态度。一是从西藏旧石器文化的一些特点，诸如椭圆形的长刮器，长条形圆头器和尖状器，认为同华北华南的旧石器晚期的风格相似，划分旧石器文化分期基本上也取这一特点，即西藏的石器与华北平原的旧石器的晚期文化相似，故而认为西藏的旧石器年代为旧石器晚期。那么，西藏有没有旧石器文化的中期、早期呢？这是第一个空白的当然延伸，实际上是肯定西藏无旧石器早期、中期文化的。因为西藏的旧石器时代晚期的文化已接在了华北平原旧石器时代早期、中期文化之后，无须再寻找西藏早期、中期的文化的痕迹了。

我们以为这种立论同样有欠缺处：（1）西藏境内旧石器晚期文明的出现具有一定的广泛性，藏北、藏南——藏北的申札、双湖，藏南的定日都有出现——它具有全藏性质，不是一条带和一块小面。何况目前尚未发现和尚未鉴定出早期、中期的旧石器文化，怎么能肯定西藏高原就没有旧石器的早期文化呢？进一步说我们怎么能否定古猿和古人类走出喜马拉雅向东南发展的可能性呢？（2）西藏的打制石片石器均用锤击法打片，从破裂面向背面加工，且器形以尖状器、砍砸器和边刮器为主。这与华北、华南的石器文化有相似处。但西藏石器同样有异于中原石器文明的相邻两片的错向加工形式，这是简单的地方性特点，还是属于另外的文化系统？

这一问题的彻底解决，尚有待于新的考古资料的发掘和有待于对中原石器文化、印度、巴基斯坦的石器文化进行比较系统的比较研究，因为它要牵扯藏族的种族归属等一系列重大问题。

西藏石器文明中的一个重要成果是古林芝人的发现，林芝遗址说明古林芝人生活的年代在新石器时期，要比距今一万五千年至八千年的细石器和距今至少五万年左右的旧石器晚期文化迟得多。古林芝人颅骨的研究表明，它属于蒙古人种现代人类型，而且与藏人 A 组的祖先有密切关系。一些藏族学者对古林芝人的典型性提出疑问：新石器晚期且居于“易感染”的南有印度、缅甸，东有汉族文化的包围地区，如何能保证古林芝人就是自旧石器时代延续下来的古藏人的后裔？

这种疑问不是没有道理，但整体来看，古林芝人还是有代表性的。假如此时期的藏人无典型性可言，那后期的藏人就更难论人种归属了。

1980 年，有关方面对中央民族学院藏族干部训练班学员和部分高年级的学生进行了体质人类学的调查，他们来自拉萨、山南、日喀则、那曲、昌都和青海省，共 145 人，其中男 105 人，女 40 人，年龄 20 ~ 50 岁。其非测量性特征为：

1. 发色与发型　男性发色多数为黑色（51.5%）和棕黑色（48.5%）。女性发色黑色为 50.7%，棕黑色为 49.3%。两性的发型多数为直型（80.5%），发质较硬。

2. 眼部特征　眼色大多数为褐色（男 92.7%，女 93.3%）。大多数人显示眦褶，男 85.9%，女 85.9%。眼裂方向大多数是外角高于内角（男 68.6%，女 66.7%），其次为水平型（即眼内、外角同一水平）。两性的眼裂开度多半为中等，狭窄型眼裂较少（两性约占 20%）。

3. 鼻部特征　鼻梁（包括硬骨部和软骨部）多数直型，凸型（即硬骨部凸，软骨部直）约占 20%。鼻尖和鼻底的方向多呈水平向前（男 52.1%，女 47.7%），其次为上翘型。鼻孔形状，两性多数为卵圆形，鼻孔最大径方向多数为倾斜形（男 60%，女 50.0%）。鼻翼突度不显，多数与鼻侧面平行。鼻翼宽多数小于两眼内宽（男 46.9%，女 46.8%）。

4. 口部特征　从上侧看，上唇皮肤部多数较直（正唇型），由测量值分析，上唇皮肤部为中等高度（在 12 ~ 19 毫米之间）。依上红唇厚度衡量整个红唇的厚薄程度，藏族人的红唇多数为中等厚，而且绝大多数人的下红唇比上红唇厚。

5. 耳部特征　藏族（男女两性）的耳壳上约 35% 显示达尔文结节，其余的均无达尔文结节，耳垂的形状多数为圆形，三角形甚少。

6. 面部特征　藏族人面部一个明显特点是颧骨突出，整个面部较扁平，高而宽。颏部略向前凸。故整个面形呈宽的卵圆形。

其头部的主要测量值为：

表 1－12－1－1 藏族各项测量值与汉族与少数民族之比较（单位：毫米）

项目	藏族	15 个省汉族		18 个少数民族	
		均值	变异范围*	均值	变异范围*
头长（g—op）	193.9	187.8	183.3～193.3	188.7	183.9～193.3
头宽（eu—eu）	156.1	154.1	150.3～157.7	156.8	150.2～163.2
额最小宽（ft—ft）	107.0	102.0	99～104.4	105.8	101.6～117.1
面宽（zy—zy）	147.5	144.5	142～147.6	146.2	142～148.3
容面面高（tr—gn）	192.2	188.6	185～192.4	188.3	183—192.2
形态面高（n—gn）	127.7	125.8	122.1～129.4	125.8	121.1～129.6
鼻高（n—ns）	59.1	57.9	54.4～59.9	58.4	53.6～60.1
鼻宽（a—al）	38.6	38.9	37.4～40.2	38.6	37.3～40.4
口裂宽（ch—ch）	50.5	50.4	49.1～52.7	50.5	49.4～52.7
下颌角间宽(go—go)	118.6	115.6	110.7～119.9	118.1	110.8～122.6

*即每个省汉族各项目平均值的变异范围。每个少数民族各项目平均值的变异范围。汉族数值由作者所测。18 个少数民族中 13 个为作者所测，其余从参考资料引用。

从上表可明显看到，藏族人的头长、额最小宽、面高和鼻高都比汉族和其他 18 个少数民族的平均值大，尤其是额最小宽已超过了汉族的变异范围。①

藏人能保存这么多种族特点，可说难能可贵。因为自唐以来，藏人种族的纯洁性已经受到数次大的冲击：自松赞干布（？～650 年）至朗达玛（842～846 年在位）的二百年间，可以说是一个大融合的时期，藏人曾与诸羌、吐谷浑、回鹘、汉等民族杂处，血缘上的交流是不言而喻的，大量的羌人，为数不少的吐谷浑、回鹘、汉人归入这个民族中，这些我们可以从敦煌文献、新旧《唐书》等藏汉史籍中获得大量证据，可以说这是一个大混血的时期。

自吐蕃王朝崩溃以后，藏族地区小邦割据，一些边远地区的藏人被其他民族所同化，藏族本土同化吸收其他民族的机会较少。至元朝蒙古人入

① 张振标：《藏族的体质特征》，载《人类学学报》1985 年第 3 期。

藏，藏族地区才归入中国版图，藏人与部分蒙古族人相聚杂处八百年，毫无疑问藏人同化了一部分蒙古人。

数量不小的藏人同化为汉人，此起于唐时，战将的反水投唐大多归附内地，至吐蕃王朝解体此种情况更甚。甘、青、川、滇与汉及其他少数民族杂居区的藏人千余年来，其混血情况是可想而知的。1949 年以后大批的汉族干部进入藏区，有不少的人同藏族通婚，而其子女仍冠以藏族。还有一部分是由于少数民族在上学、提拔、任用和多生子女等方面的优待政策而改变民族成分的。因此，80 年代的种族类型的考察，要选择其典型需要掌握一些这个民族的基本历史状况和受检查人的身世，才能比较客观准确。

因此，与其取信于后期的人种资料，还不如取其新石器时代的人种资料，那时的藏人至少是经过旧石器时代、细石器时代一脉沿袭下来的，是藏族最为原始的族源资料。

二、藏族先民的两次东南迁徙

1. 藏族先民的第一次东南之行

上文业已提及，汉人知道有吐蕃（藏族）是在隋唐之时，代表性的观点为“吐蕃本西羌属”，将藏人归于羌系统千三百年。而羌又来自何处呢？据《后汉书·西羌传》说：“西羌之本，出自三苗，姜性之别也。其国近南岳，及舜流四凶，徙之三危。”三苗为古族名，《战国策·魏策》载，三苗之地在彭蠡（鄱阳湖）、洞庭（洞庭湖）以及文山与衡山之间，传说在舜时迁到三危。三危有二说，一指甘肃敦煌一带，一指南方群山。以此推论，有人认为三苗为苗族、瑶族的祖先。既然西羌出自三苗，以姜姓为别，那么为“西羌属”的藏人也与三苗有染了，舜是为传说的尧舜禹三王的舜王时代，约公元前 23 世纪左右。

汉籍中对羌的记载很早，是与黄帝族并行的。《太平御览》卷七十八说：

> 神农氏姜姓，母曰任姒，有蛴氏之女，名女登，为少典妃。游于华阳，有神龙首感，女登于常年，生炎帝，人身牛首，长于姜水，以火德王，故谓之炎帝。

炎帝所出的姜姓，从事农耕很早。《易·系辞下》云，炎帝“斲木为耜，揉木为耒，耒耜之利，以教天下”。《淮南子·修务训·尝水草》说，炎帝

“乃始教民，播五谷”。看来，以炎帝为代表的这支羌人很早就从事农业生产，即以此时间推算，大约在公元前25世纪左右（此将在下文探讨）。

现在称华夏民族为炎黄子孙，盖由此而来。炎、黄二族经过斗争，也经过融合，《世本·作篇》说“蚩尤作五兵，戈、矛、戟、酋矛、夷矛，黄帝诛之涿鹿之野，”蚩尤，《路史》说，“阪泉氏蚩尤，姜姓炎帝之裔也。”尤其到了夏、商、周诸朝，其联系更为紧密，因而怀疑黄帝也有羌人血统自在情理之中。

我以为有一点很重要，也通常为史家所忽视，这就是黄帝和炎帝都是自西方迁来。假如说现在的汉族和藏族在人种上有何联系的话，较晚的分裂有可能是同自原始人类自喜马拉雅的东南迁徙过程中，这一时间大约在更新世晚期全新世早期。

古气象研究以为，晚更新世晚期发生的末次冰期（绒布寺冰期）中，喜马拉雅山对印度洋气流的屏障作用已接近现代状态，“喜马拉雅山北坡（除东段外）已十分干燥，所以当时冰川的长度仅为现代冰川的0.3～1倍左右。在高原内部更是如此，冰川规模更为短小。关于这次冰期的温度降低值，崔之久等曾利用冰缘地貌作过推算，指出高原北部为3℃，唐古拉山南麓的高原内部降低值为5.5～6.5℃，并出现过类似北极的气候环境。高原南部当时冻土下限达4200米左右的高处，较现代冻土低约800米。高原现代冻土南界的安多，年平均温度为－3℃；而藏南河谷中海拔4200米高处的年平均温度为2～3℃，因此，末次冰期中这里的温度降低值达5～6℃。”① 这一时期可能是西藏高原的古人类东南迁徙的第一时期。相比较而言，整个气候东南比西北为好。藏北高原的细石器，有可能就是这部分古人类躲避出现过的北极气候，逐暖而行的产物。毫无疑问，有些地区的古人类有可能在这种恶劣环境下灭绝了。

显然，无数的材料可以证明，华夏民族的兴起，来源还有别的渠道，在此从略。至少可以说，在晚更新世晚期的冰期中，有一部分（甚至一大部分）“古藏人”东南迁徙，并且进入现在的川、滇、甘、青，甚至更远一点的湖南、贵州境内都是有可能的。当然，我们不能排除有一支后来被称为“羌”的“古藏人”进入上述地区，进行了若干世纪的畜牧生产后，开始农业耕作。

2. 藏族先民的第二次东南之行

① 中国科学院青藏高原综合科学考察队编：《西藏气候》，科学出版社，1984年，第100页。

进入全新世，西藏高原经历了末次严寒气候之后，逐渐转暖，植物得到发展（这一时间大约距今 10000～7500 年①）；至全新世中期，气候温暖湿润，青藏高原草木较盛。“从曼冬错、措勤、拿日雍错等剖面的孢粉组合看，木本植物花粉成分显著增加，最高可达花粉总数的 50% 左右，其中主要有松属、桦属等，温带阔叶树成分（栎属等）和喜暖成分（铁杉等）增加，蔷薇、杜鹃等灌木种属较多；草本植物花粉仍占主要地位，而且种属也较丰富，如蒿属、莎草科、菊科、禾本科等中生、湿生草本。这个时期虽然气温较前温暖，但气温的绝对值不高，因而，高原上的低湿地有大量草本繁殖，有利于植物残体的积累，泥炭沼泽发育。根据已有的泥炭经碳-14 年代测定的数据知，西藏地区泥炭大都属于这个时期，如拿日雍错湖相层中的两层草炭分别为距今 6380±100 年和距今 3625±100 年，昂仁昂拉露草炭层距今 4525±120 年，邦达错（雅西尔错）北岸泥炭距今 7670±250 年，多庆错西岸泥炭距今 3930±250 年。羊八井七弄朵和当雄当乌马曲连续的厚层泥炭沉积结束的时间，据顶部泥炭的碳-14 年代测定分别为距今 3050±120 年和 3575±80 年，因而这两个地方中全新世都为泥炭堆积。”② 青藏高原的这种适宜的气候，给藏族先民的生存发展提供了良好条件，一些新石器的遗址，大约就是这一时期的藏族先民所为，这或许已是无可辩驳的事实，否则，公元六七世纪突然崛起西藏高原的吐蕃民族就无法解释。从卡若、墨脱、林芝、曲贡村、乃东等遗址看，这一时期的藏人已从事农牧生产，并营渔猎，仍以藏南为主，再次向他们往日的乐园广袤的藏北地区推进，一直到中全新世晚期，后期藏人所说的阿里三围，卫藏四茹，均有藏人居住。当时的朵康六岗③也可能有藏人与所谓“羌人”的一些部落杂处。

古气候的研究表明周朝（约公元前 13 世纪）早期仍有一段寒冷期

① 中国科学院青藏高原综合科学考察队编：《西藏气候》，科学出版社，1984 年，第 101 页。

② 中国科学院青藏高原综合科学考察队编：《西藏气候》，科学出版社，1984 年，第 103 页。

③ 藏族习惯将其居住地分为上、中、下三部，上部阿里（མངའ་རིས།）三围，是指普兰（སྤུ་ཧྲེང།）、芒域（མང་ཡུལ།）、松嘎（ཟངས་དཀར།）为一围，于阗（ལི་ཡུལ།）、勃律（བྲུ་ཤ།）、柏底（སྦལ་ཏི།）为一围，大小羊同（ཞང་ཞུང་ཁྲི་དེ་སྟོད་སྨད།）为一围，这是广义的阿里三围。狭义的阿里三围主要指普兰（雪山围）、芒域（湖泊围）、古格（གུ་གེ། 崖石围）。这里主要指狭义的阿里三围。中部卫藏（དབུས་གཙང།）四茹（རུ་བཞི།），指藏茹（གཙང་རུ།）、卫茹（དབུ་རུ།）、约茹（གཡོན་རུ།）、叶茹（དབུས་རུ།）。后加孙波茹（སུམ་པ་རུ།）为五茹。大体包括后期的卫藏地区。下部朵康（མདོ་ཁམས།）六岗（སྒང་དྲུག），是指色莫岗（ཟལ་མོ་སྒང།）、擦瓦岗（ཚ་བ་སྒང།）、满扎岗（དམར་ཛ་སྒང།）、木雅让瓦岗（མི་ཉག་རབ་སྒང།）、芒康岗（སྨར་ཁམས་སྒང།）、波播尔岗（སྤོ་འབོར་སྒང།），又称四水六岗（ཆུ་བཞི་སྒང་དྲུག），包括今日青、甘、川、滇、西藏藏区。朵康地区又分安多和康巴两个方言区。

（见表1－12－1－2）。这一寒冷期尽管为时不长，但对居住高原的藏族先民又是一次大威胁，有可能造成藏人祖先的第二次东南之行。这一迁徙反映在汉族史书中，便是《后汉书·西羌传》中的无弋爰剑：

表1－12－1－2　西藏全新世古环境和气候变化图式

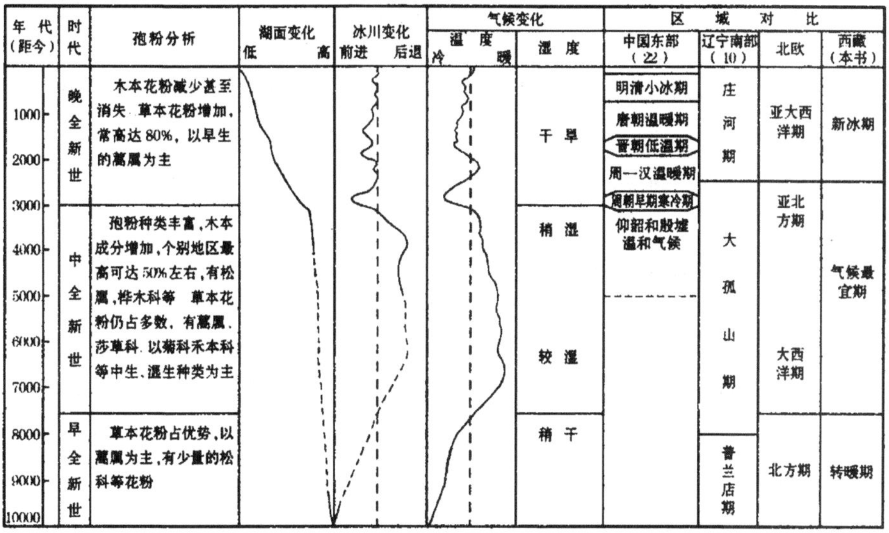

羌无弋爰剑者，秦厉公时为秦所拘执，以为奴隶。不知爰剑何戎之别也。后得亡归，而秦人追之急，藏入岩穴中得免。羌人云：“爰剑初藏穴中，秦人焚之，有景象如虎，为其蔽火，得以不死。既出，又与劓女遇于野，遂成夫妇。女耻其状，被发覆面，羌人因以为俗，遂俱亡入三河间。”诸羌见爰剑被焚不死，怪其神，共畏事之，推以为豪。河、湟间少五谷，多禽兽，以射猎为事，爰剑教之田畜，遂见敬信，庐落种人，依之者日益众。羌人谓奴为无弋，以爰剑尝为奴隶，故因名之，其后世世为豪。至爰剑曾孙忍时，秦献公初立，欲复穆公之迹，兵临渭首，灭狄豲戎。忍季父卬畏秦之威，将其种人附落而南，出赐支河曲西数千里，与众羌绝远，不复交通。

从以上引文可知：（1）秦人刚抓住爰剑时，不知他是何民族，这一点详究起来存有疑窦。黄帝所处的年代不可靠，若以范文澜《中国通史简编》的估计数字，约生活于公元前2700年左右。如此计算，黄帝至秦厉公约2200年。[1] 汉族史书多说与羌族交往、通婚、混血共同创造华夏文明，至历公凡2000多年，如何竟不知后世论定为羌的爰剑为羌属呢？可说咄咄怪事，究其根本，可有两种解释，其一为汉史所称羌历来是个笼统的概念，泛指休养生息于西北及部分西南地区的民族，因而一旦出现一些稍疏远的民族，则难定义。其二为他们发现的无弋爰剑可能就是第二次东南行中被秦人俘获成为奴隶的藏人，因为“羌人谓奴为无弋，”这与现代藏语“ཟུང་གྱོག”音意均同。倘将这两种解释比较，我想后者的可能性较大。(2) 所谓“被发覆面”，是羌藏民族共同的习俗，劓女可能是一女系氏族酋长（如同苏毗、东女国之女王），因爰剑火焚不死，识为神，才拥戴他为酋豪。从此后“世世为豪”的情况分析，河、湟间的这一女系氏族已受到父系氏族的影响，而爰剑曾生活的氏族部落可能早已成为父系氏族或父系部落。(3) 爰剑教“射猎为事”的河、湟羌人以“田畜”，又可有二解，一为爰剑以前所在部落从事农业，懂得耕作。若爰剑真为藏人，在距今2400多年前懂得农作是显而易见的。二为他在当奴隶时学会了种植庄稼。后汉书中的这段记载在用词上是有分寸的，说“河、湟间少五谷”并不是说没五谷，爰剑是教他们更好地耕作，而不是开始让他们耕作。(4) 汉籍记载的真正的羌人的始祖仿佛是爰剑，而不是炎帝和蚩尤。“出赐支河曲西数千里”，去了何方？成了藏族？彝族、纳西族、普米族？不得而知。但重要的是从这段文字看，自爰剑起并以其为中心河、湟诸羌等曾建立过部落联盟。

《后汉书·西羌传》又载：

> ……其后子孙分别，各自为种，任随所之，或为牦牛种，越巂羌是也；或为白马种，广汉羌是也；或为参狼种，武都羌是也。忍及弟舞独留湟中，并多娶妻妇。忍生九子为九种，舞生十七子为十七种，羌之兴盛从此起矣。

类的划分往往需要比较多的了解和反映对象的显示，同时为何羌大兴盛，为何出现那么多种类？以“忍生九子为九种、舞生十七子为十七种”解释显然是不通的。我以为这种种类的出现恰恰是藏人第二次东南迁徙的结果，而这次涌入的数量比较大，可能是一个氏族一个氏族的整体迁徙。

---

[1] 范文澜：《中国通史简编》，华东人民出版社，1952年，第13页。

而汉族则将这些西来的民族统统归于羌系列。当然，由于第一次迁徙之基础，原有的“羌人”部落，在文化形态上与西来的藏人大体相近，有些甚至是完全相同的。因此，此时汉籍中的羌可分为如下类型：

其一，黄帝时的羌人属后裔，即未被早期华夏民族所同化的羌人后裔，这部分又可分为二，一部分可能是第一次东南行中的藏后裔，一部分可能是如前所说是与藏人本无联系的所谓羌人部落。

其二，纯粹的藏人部落。

其三，前两者的混合部落。

如此推论，还必须回答的一个重要问题是，一些传统所谓羌属民族的来源问题。

第二节　藏、羌问题的再认识

一、从炎帝谈起

新的研究成果告诉我们，远古羌人崇拜火、太阳、白色、牛（牦牛）、鸟等物。这些崇拜物有可能是一个族团的图腾崇拜。我们今天所读到的“帝”之类名称，或许就是当时的神，是古羌人的崇拜物。

火崇拜何以有炎帝？这与古羌人崇火有直接关系，炎帝本身就是火神。所谓燧人氏、神农氏、烈山氏等，都与火有关，即古人“火种刀耕”的最原始形态的反映。换言之，早期的古羌人从渔猎生活——渔猎生活时期照样有信仰，到农业生活（或者半农半牧生活）的转变过程中的一个飞跃，大概为：其一为用火，懂得用火取暖、用火烧肉吃，作火烧茅林等方式进行耕作，获得粮食，有了最初的农业；其二为直接“钻木取火”。此二者在人类的蒙昧时代可以说是了不起的进步。从而发明火、使用火，还能取得火的族团受到尊重。而他们自己也十分崇火，由火神而称炎帝。王逸《楚辞章句·远游》云：“火神，帝也。”因而，可以说炎帝的活动是崇拜火神的那个地方族团的活动，并不一定实有其人。

当然，炎帝本身有许多值得探讨的问题，比如他与黄帝的关系。《国语·晋语》载：“昔少典氏娶于有蟜氏，生黄帝、炎帝。”如此看来炎、黄二帝同出一祖，是兄弟。又，据考“少典”实为“少昊”，黄帝与少昊有承袭关系，但不一定是父传子形式，而是族团的沿进阶段。太昊（这一名称又写作大昊、泰昊、太皞、太皡、大皓等）先于少昊。何新《诸神的起源》认为，太昊就是太阳神，是伏羲（又写作伏栖、伏戏、赫胥、庖羲、宓羲、虙牺、羲皇等）的另一名号。少昊为继太昊后崛起的又一族团。同伏羲、太昊、少昊一样，我认为黄帝仍有二特点：一为神，高诱注《淮南子·说林》云“黄帝，古天神也”，便是例证。二，与伏羲、少昊等一样，他的形体也是人面蛇身，属于同一类型，是崇拜日神的蛇龙族团的代表。

炎帝与黄帝不同，他的形体是“人身牛首”，姜姓。“姜”与“羌”本为一家，《说文解字·羊部》说：羌，“西戎牧羊人也。从人、从羊；羊亦声。”其中有两点符合藏人的图腾信仰，即一为牦牛图腾，一为羱羝图腾。与炎帝有关，羌系统由崇火而崇红色，如后岗文化，马厂文化较明显；由崇火而崇太阳，因火有热，太阳亦有热，此二者很容易归于一。如汉籍《白虎通义》中就有“炎帝者，太阳也”的记载。

假如我们将汉籍传说粗粗归类，可发现古羌文化系统包括了燧人、烈山、神农氏、夸父氏、祝融氏等。其文化传播范围在今西北地区、部分中原和西南地区。仰韶文化中有他们的贡献，像后岗、马家窑、半山、马厂、辛店文化当是他们的作品。经碳-14 测定，它们的文化年代为：

后岗，距今 5680 ± 100 年。

马家窑，距今 4525 ± 100 年。

半山，距今 3860 ± 100 年。

马厂，距今 3750 ± 100 年。

辛店，为青铜时代文化，距今 2640 年至 3185 年。

从距今 5680 ± 100 到 2640 年（经碳-14 年代测定，青海省大通县上孙家寨 979 号墓葬具木棺的年代距今 2640 ± 130 年，是年代最近的一个；1046 号墓为距今 3815 ± 150 年，年代较早）这漫长的历史时期，羌人先民们由牧渔业转入农业和半农半牧业，创造了丰富的陶器文化。

然而有三点我们应引起注意：

第一，从这些文化的绝对年代看都较黄河、长江下游地区和东南沿海地区的文化为晚，据测定：

河姆渡期为 6310 ± 100 年。

马家浜时期为 6040 ± 100 年。

松泽期为 4635 ± 105 年。

大汶口青岗期为 5785 ± 105 年，宁堡类型为 3910 ± 95 年。

其时间均较西北羌文化系统早数百年。但我认为这只是西北羌文化进入陶器社会的差距，并不是说羌文化就是早于此的河姆渡等文化的延伸物。

第二，无数的汉文资料和一些研究中华古文化的学者仿佛坚持河姆渡文化与经过了数千年的辛店文化的承袭性。我以为这种推论是牵强的。在部分先入中原地区的羌文化及羌人尚没有完全被同化以前，这两种文化是独立发展的。黄帝与炎帝的战争，是这两大族团斗争、融合（后期有许多羌人自然地加入了黄帝集团）的表现，但必须承认，这只是局部的联盟性质的融合，而不是整体的加入，因此那些未步入黄帝族团联盟的羌人应该说仍然有他们的独立性。

第三，这些已挖掘出土的陶器，并不是陶器文化的终结。从多方面的材料推断，整个西北，乃至西南地区还会有新的历史隐秘被后来的人们所揭示，而这一文化形态统而言之是属“羌”（即我所说的“藏系”）这一文化系统的。

从目前接触到的一些材料看，羌系统的文化是先于以黄帝族为代表的中原文明的。专家们认为若以部族（民族）强盛的宗主为序，可为：

炎帝→太昊→黄帝→少昊→颛顼→帝喾→帝尧→帝舜→夏禹。

这一时期正是中华民族早期的“多元一体”结构的形成期，多个部族、族团（以后的民族）以各自的文明力量争雄于这块广袤的土地。它们大体可分为三系：

一为以炎帝为代表的羌文化。

一为以黄帝为代表的中原文化。黄帝族原来是北方的游牧民族，后转为半农半牧。

一为以太昊、蚩尤、少昊等为代表的苗蛮东夷文化（这一系统有些争论，如有同志认为黄帝、太昊、少昊同为一人）。

炎帝族系，在炎帝之前，就有燧人、烈山、神农、夸父、祝融氏等，故而可推断此一族系早于其他族系。汉籍有载，炎帝后八帝凡五百年才有黄帝。当然，这一提法也不源于我，唐兰等学者也认为黄帝族的强盛要比炎帝晚千年左右。

诚如范文澜等主编的《中国通史简编》所说：“现在的中华民族，是吸收无数民族，在一定文化一定民族的基础上，经四五千年的长期斗争和融化，才逐渐形成起来。这里所谓民族基础，无疑地应该说是从黄帝传下的华族（周代称华族，汉以后称汉族）。古代传说，不论如何分歧荒诞，从没有认太昊、炎帝、蚩尤做自己的祖先的。太昊是人头蛇身，女娲是蛇身，炎帝是牛头，蚩尤更描写成大怪物。独黄帝系统的古帝，全是人形。

这显然含有民族偏见，但正是说明古史的基干，从黄帝一族流传下来。”①虽然说某人人头蛇身不一定含有“民族歧视”（许多反映了当时的图腾崇拜），但汉族起于轩辕氏黄帝这是为汉族同胞供认不讳的。过去的岁月（从人类有记忆至氏族、部族、民族出现始），是氏族、部族、民族间斗争、融合的岁月，也是各个氏族、部族、民族在斗争、融合中独立发展的岁月。如此，才有了五彩缤纷、色彩斑斓的民族文化。

二、禹问题思考

中国第一个国家政权的诞生与羌的关系非常密切。从史料看，中国第一位真正的国家“元首”可能出自羌系。

传说的炎帝羌系与黄帝族等经过了漫长的部落战争与融合，至夏禹时，私有制、阶级和阶级专政的工具——国家诞生了。私有制、阶级、国家赖以产生的前提条件是原始社会内部生产力的发展。尤其是金属工具的使用，对农业经济的发展可以说有划时代的推动作用。原始先民们扔掉了原始的笨拙的石器工具，拿起了锐利轻便的金属工具，生产力发展了，也孕育了一个新的时代。

有关资料证明，中国开采铜矿的年代（进入青铜器时代）不迟于公元前2000年以前的时代。殷商时期，中国的青铜器已得到高度发展，有了著名的中国青铜器时代与文化。又，据河北藁城出土的商代铁刀看，冶铁铸造铁器的年代也从那时开始了。金属用于生产，为先民征服自然、创造物质文明发挥着重要作用；用于战争，在以掠夺奴隶和财富为主旨的部落战争中起着非凡的作用；同时还推动手工业迅速发展起来，产品日益丰富，从而有了商人阶级。中国社会的这种进化在殷商时期已有相当水平。此时，羌民族和黄帝族实际上已有了地缘性质的部落联盟。传说中的尧、舜、禹三帝就是这种部落联盟的大酋长，所谓尧、舜、禹的“禅让”正是这种社会特点的反映。诚如郭沫若在《中国古代社会研究》一书中所说：“尧、舜、禹的传说，都是二头政长。在尧未退位以前，是舜、尧二头，在尧退位以后是禹、舜二头。尧时又有帝挚为头，均与西印度人之二头主相合。”② 这种风俗或与史籍所载“女国”的政体接近：“王居九层之楼，侍女数百人，五日一听朝，复有小女王共知国政……其女王死，国中厚敛

① 范文澜：《中国通史简编》，华东人民出版社，1952年，第53页。

② 郭沫若：《中国古代社会研究》，人民出版社，1954年，第9－10页。

金钱，求死者族中之贤女二人，一为女王，次为小王。”[①] 女国为藏属，男性之二头政长或来自于此种女性之二头政长。

每一个民族在各自的历史发展中，创造了各自独有的文化——物质文明和精神文明。西藏旧石器、新石器文化的发现，震惊了学术界，也震惊了藏人自身。传统的两种藏人来源说在震颤、在经受考验——藏人来源于印度？藏人源于羌？而藏人是土著的理论却在这些发现中，犹如抔土突然崛起成为难以超越的大山。可是，事情并不那么简单，除藏人源于印度说在新的考古发现面前由震颤而逐渐萎缩外，藏源于羌说却在这种震颤摇摆中拖着无数个问号慢慢稳正往日的身姿。这也是一座山，一座研究西藏史前文化必须翻越的大山。

大禹是汉族的圣人。且以“大禹治水”的故事为人称道，而大禹也是羌人后裔。

《史记·六国年表》：

> 禹兴于西羌。

《吴越春秋·越王无余外传》：

> 鲧（禹父）娶于有莘氏之女，名曰女嬉，年壮未孳，嬉于砥山，意为人所感，因而妊孕，到胁而产高密。家于西羌，地曰石纽。石纽，在蜀西川也。

石纽据说在今四川省茂汶羌族自治县的石鼓公社。又，《水经·沫水注》广柔县载：

> 县有石纽乡，禹所生也。今夷人共营之，地方百里，不敢居牧，有罪逃野，捕之者不逼，能藏三年不为人得，则共原之，言大禹之神所佑之也。

看来禹确乎有出自羌人之可能。

从以上可知，羌这一体系源远流长。据一般的估计黄帝在公元前2700

① （唐）李延寿：《北史》卷九十七列传第八十五，中华书局，1975年，第3235页。

年左右，羌的形成估计有可能早此2000年，而这一族团的形成或有上万年历史。

从远古的气候及先民居地看，羌当为最初生活于西藏高原的人类先民（也是藏系民族共同的先民），他们的祖先最初生活于藏北羌塘、定日、聂拉木等广阔的地带。随着西藏高原的隆起，高原气候逐渐变冷变干才东南迁徙，进入甘、青、陕及中原地区。仰韶文化中有古羌人的贡献。

中华文明的源头或许始于这些南迁的羌人先民，这些部落众多的羌人曾显赫一时，燧人氏、神农氏等都是他们进入新的文明层次的记录。

从文化角度看，禹作为中国的第一任国家“元首”，也留下了与藏族的某些文化内涵相近相似的东西。

其一为尚九。众所周知，夏与九有着密切联系，礼乐制度多以九为纪，故而九成为一神秘的数字。伏羲演八卦九宫，天地亦分九重，一月天，二星辰，三太白，四日，五荧惑，六岁星，七镇星，八恒星，九左旋天。这一观念的完全成熟或许稍晚一点，它的缘起是十分久远的。天圜分九层，九层有九门，天地之间有建木沟通，此建木位于昆仑山上，是天神出入天地之间的必要通道。

关于昆仑山主要地理位置古来有多种说法，总括起来可为两类，一为泰山说，一为西方昆仑。而今世所谓昆仑主要指河源之昆仑，当然也有人以冈底斯雪山为一昆仑山的。实际上从后期的史料看，昆仑一词所用地域较多，除河源昆仑外，尚有陇西昆仑，新疆漠南的昆仑等。我以为昆仑的地理位置在河源还是合乎情理的，任乃强先生在《羌族源流探索》一书中对“昆仑”二字的诠释是有道理的。任文以为昆仑是古羌语“雪山”之义，即藏文 གངས། 仑，即古囵囷字，古时无仓廪，谷物储入圆囷，顶作尖锋，为其象形字。汉籍又称昆仑为“昆山”、“昆冈”，其理也在于此。昆仑的又一特点是产玉。《风俗通》所谓：“舜之时，西王母来献白玉”，可说与此特点相合。这里所谓玉主要指白色石英石。

这种天有九重的观念并非凭空想象，它来自先民对天象的观测，即日、月、水（辰）、太白（金）、荧惑（火）、岁（木）、镇（土）、恒星、太岁（左旋）九星以九道而行（九星又作日、月、金、木、水、火、土、辰、彗）。九天之说与古希腊人托勒密（公元2世纪）的九重天宇宙体系基本相合。托勒密认为地球位于宇宙中心，月、水、金、日、火、木、土七星绕地球运行，于第七层土星之外尚有恒星天和最高天。

在崇九这一点上，苯教与禹的观念非常吻合。在苯教史书中“九”同样是个神秘的字眼。据苯典介绍苯教源于魏摩隆仁（འོད་མོ་ལུང་རིང་།），并以此为圣地，倍加尊崇。这一神化了的即便世界毁灭它也不会消亡的圣地，又称什巴叶桑（སྲིད་པ་ཡེ་སངས།）天国，位于世界之西部，形如八瓣莲花，其中间有九层雍仲（卍，གཡུང་དྲུང་，九个卍形的山峦）山。卍在藏语中是长存、永固之意，九层雍仲具有丰富、神妙的含义，因为苯教的教义被称为九乘经论，即卡辛（ཕྱྭ་གཤེན།）、朗辛（སྣང་གཤེན།）、楚辛（འཕྲུལ་གཤེན།）、斯辛（སྲིད་གཤེན།）四因乘，格尼（དགེ་བསྙེན།）、阿迦（ཨ་དཀར།）、仗松（དྲང་སྲོང་།）、耶辛（ཡེ་གཤེན།）四果乘，外有最上一乘（ཆེན་པོའི་ཐེག་པ་གཅིག），合九乘；苯教的修习要经过九个层次；苯教的宇宙观也是天国有九层（后来发展为十三层），大地从内到外也有九层。至于最初人类的由来更与此有联系，曲坚木杰莫先生下了九兄弟九姐妹，九兄弟分身出九个女人做自己的妻子，九姐妹分身出九个男人做自己的丈夫，自此才有了人类。

禹之崇九与苯教徒之崇九是偶合还是有某种文化联系？我以为是有文化联系的，这种文化联系并非后期所谓藏源羌，而是早期的藏属民族文化圈这一总的文化范围所左右的。禹生活的年代大约在公元前 22 世纪左右，从西藏丰富的新石器文化遗址推断，此时藏人先民与东南迁徙中先行与黄帝族接触的所谓羌人其文明程度大体一样。崇九之举就是象雄、羌塘古文化东南行移的结果。

其二为尚黑。夏尚黑，王大有在《龙凤文化源流》中说，此可能与禹父鲧有关，“鲧，是大鼋族，即玄鱼，古鼋、龟为鱼类，俗谓龟为大甲鱼”①，因而夏朝尚黑。此议不知可否，尚黑的原因可能不仅仅在于此，或更为深远。藏族是尚白民族，根据一些新石器遗址的色彩使用看，一度崇红，而苯教之崇黑却是尽人皆知的事，何因？我以为禹之尚黑，苯教之尚黑，以及彝族等藏系民族之尚黑，同属于一系统。从现象上看，白色崇拜较黑、红崇拜为古老；从禹代表的文化类型看，它与象雄、羌塘等古文化只有边缘地区与腹心地区的区别，其内涵并无二致。

从目前讨论诸羌源流的材料看，羌的出现与汉族的出现基本上是在同一时期，或早于汉族。我们可以看到汉族历史上（尤其是史前时期）一些颇具分量的人物，也与羌系有着不少的关系：

1. 共工氏

《史记·补三皇本记》载：

---

① 王大有：《龙凤文化源流》，北京工艺美术出版社，1987 年，第 105 页。

盖宓牺之后……已经数世……诸侯有共工氏，任智刑以强，霸而不王，以水乘木，乃与祝融战，不胜而怒，乃头触不周山崩，天柱折，地维缺。

共工怒触不周山的故事，在汉族地区具有广泛影响。而这一共工，据贾逵《周语》注文说："羌姓"，乃知为羌属。

又，《左传》杜注：

共工氏以诸侯霸九州者，在神农前，太昊后。

又，《国语》韦注：

共工氏在羲、农之间。

由此可知，在神农氏前就存在的共工氏是文献记载中最早的羌人首领。他所处的时代是洪水泛滥成灾的时代，《管子·揆度篇》中曾记，"水处什之七，陆处什之三"。共工氏子称后土，其子孙多任水官，为治理水业作出了贡献。

2. 神农氏

神农氏为早期的农业始祖。《史记·补三皇本纪》载：

……于是地平天成，不改旧物，女娲氏没，神农氏作。炎帝神农氏，姜姓，母曰女登，有蟜氏之女，为少典妃，感神龙而生炎帝，人身牛首，长于姜水，因以为姓。

汉文史料中对神农氏炎帝的记载也不完全一样。如《左传·昭公十七年》："炎帝氏以火纪，故为火师而火名。"《左传·昭公二十九年》贾逵注："烈山氏，炎帝之号也。"《白虎通义·五行》："炎帝者，太阳也。"或为一有太阳崇拜和火崇拜的氏族，以姜为姓，同样是羌属。这一氏族对农业的发展有杰出的贡献。

《易·系辞下》说，炎帝"斲木为耜，揉木为耒，耒耜之利，以教天下。"《淮南子·修务训·尝水草》又说，炎帝"乃始教民，播五谷"。看来，他有多重身份：（1）"发明"火。（2）发始种五谷。（3）制陶。《太平御览》引《周书佚文》："神农耕而作陶。"（4）发明药物。《淮南子·

修务训·尝水草》："神农尝百草之滋味，水泉之甘苦，令民知所避就，一日而遇七十毒。"（5）织衣。《山海经·海内经注》："神农之世，男耕而食，女织而衣。"

3. 黄帝

从史料记载看，黄帝也与羌属有关系。《国语·晋语》：

> 昔少典娶于有蛴氏，生黄帝、炎帝。黄帝以姬水成，炎帝以姜水成，成而以异德，故黄帝为姬，炎帝为姜。

史载黄帝之后与羌人通婚的确有不少，如黄帝曾孙帝喾的"元妃"称姜嫄，生子后稷。《左传·昭公二十二年》载："有妫（舜）之后，将育于姜。"

4. 蚩尤

《路史》说："阪泉氏蚩尤，姜姓炎帝之后也。"蚩尤被后世奉为"军神"，是最初金属武器的制造者。《世本·作篇》："蚩尤作五兵，戈、矛、戟、酋矛、夷矛。"蚩尤最先似与姜姓部落集团内部发生冲突。《路史·后纪》四："炎帝戮蚩尤于中冀，名其曰绝辔之野。"后再与黄帝族作战，《史记·五帝本纪》："蚩尤作乱，不用帝命，于是黄帝乃征师诸侯，与蚩尤战于涿鹿之野，遂禽杀尤。"蚩尤这支羌人族团作战失败后，即为黄帝族兼并。

——我们之所以提出羌与藏人族源的这种新论，是基于以下三个方面的认识：

之一，古无羌，今无羌。何谓"古无羌"？我以为历史上根本不存在"羌"这样一个民族，汉籍所谓"羌"是自旧石器时代以后，因西藏高原的不断隆升，高原气候由湿暖变冷变干，部分古藏人经受不了寒冷的袭击，逐渐东南迁徙，进入与华夏先民族接壤地区，汉籍才留有"羌"这一称呼（此在上文已述）。何谓"今无羌"？由于数千年的历史沿革，汉籍中所载的"羌人"，在各自的区域内独立发展，形成多个的民族群体，诸如彝、纳西、白族等，汉籍所称统一的"北方牧羊人"体系已不复存在，因而当时泛指的"羌"这一概念，也就失了依托。换句话说就是被汉族统称为"羌"的这部分人在历史的沿革、发展中，已有各自的族称，因而统一的"羌"这一名称也早随着历史化为乌有，现在何以有羌？那只不过是自称"日玛""日麦"的人群或者族群罢了。

之二，"羌"是东南迁徙的古藏人。"羌"一词的藏文释义，或为

“仓”（ཚང་།），意为“家”、“氏族”等。但藏文中的另一些记载也值得重视。据《汉藏史集》等史籍记载，早期的藏族按类别可为四类，即白叶桑（ཡེ་སངས་དཀར་པོ།）、黑叶门（ཡེ་སྨོན་ནག་པོ།）、江赤叶西（སྐྱང་ཁྲིག་ཡེ་ཤེས།）、黑孟藏（མོན་ཧྲང་ནག་པོ།），此后才有藏人最初四姓。其中被称为明亮慧灯氏族的江赤值得重视，因为这一氏族是活动于今阿里以北的冈底斯山附近的游牧部落，以聪慧著称，其氏族称号“江”（སྐྱང་།）与“羌”音十分接近。倘若有历史的偶合，汉籍所称“羌”就是东南迁徙中到达与华夏族接壤地带的冈底斯山北的江赤氏族部落的一部分居民。因此，历史的重大误会也在这里，不是藏源于羌，而是“羌”源于藏，是藏人的一部分；不是羌人西行而有藏，而是部分藏人东南行而有“羌”。

之三，从丰富的新旧石器文化可知，尽管我们在预测更早一些岁月里藏族先民的由来，但至少可以说从五万年前，西藏高原就有人类居住，从其活动范围看，数量也不会少，几乎遍及西藏全境；从众多的新石器时代遗址看，后期的藏人就是这些先民的苗裔。

以上这些基本的认识，给我们研究西藏原始文化划分了范围和空间。否则，我们的研究将会无的放矢，西藏许许多多的神秘的文化现象就难以得到解释。

第三节 关于藏系民族的来源问题

汉籍中“羌”之释义不甚统一，甲骨文中“羌”是缚跪的人，可能取作为奴隶或献祭、殉葬时的牺牲品之意；《说文解字》取“从人、从羊”，“西戎牧羊人”之意；《风俗通》等仿佛有兼顾，曰：“羌，本西戎卑贱者也，主牧羊，故‘羌’字从羊、人，因以为号。”由此观之，“羌”一词最早为他称，并非自称，而以《后汉书·西羌传》所说“西羌之本……姜姓之别也”看，似乎“羌”又有了自称成分，如章太炎在《检论·序种姓》中说：“羌者，姜也，晋世吐谷浑有先零，极乎白兰，其子吐延为羌酋姜聪所杀，以是知羌亦姜姓。”称羌为姜姓，上文已述，起于炎帝。炎帝史称“姜姓炎帝”，详究其里，有倒错现象，如，既然早有姜姓的羌人领袖炎帝，那么后来为何不用姜而用羌？可知羌、姜仍有区别，区别在于羌是族（民族）称还是姓（家族）称？若是族称，更易一般不易；若为姓称，那随着这一家族的兴败荣衰，会相应变化，此为一。其二为冠之以“姜”姓，有可能是对羌人的汉文化处理，汉、羌通婚、交易很多，无姓则不成体统，尤其是商周以后。其三，早期与汉族毗邻的一部分姜姓羌族，可能是一个特定的部落，随着历史演进，或为汉族同化成为汉人，史失其姓；或复归于羌，不知有姜。因而太炎先生所说“姜姓出于西羌，非西羌出于姜姓”同样是有道理的。

炎帝是传说中人物，同被称为他的后裔的热山氏、共工氏、四岳氏等的活动情况，也可以给我们提供诸羌生存发展的类型材料。热山氏会种谷物蔬菜，被奉为稷神，据今湖北部分地方；共工氏与蚩尤有过一次大战，曾在黄河中游地区活动过，“但他们长期活动的地方应是河南西部伊水和洛水流域。这地方，古代称为‘九州’，可能是来源于共工氏的九个氏族。后来，这里往西的山区中还有‘九州’、‘元戎’，大概是共工氏的余部延续下来的。”① 四岳是姜姓，后发展为齐、吕、申、许四支，活动于今河南许昌县，炎帝后裔中尚有一支在汾水流域，后来留有沈、姒、蓐、黄诸部。可见作为羌人姜姓炎帝的后裔，基本上都融合于华夏民族之中，古羌人有一部分曾进入今山东地区，殊途同归。

后期与羌族并称的有戎，有时则合称戎羌。有学者认为羌有可能是藏语“仓”（ཚང།）的译音，有“家”、“氏”、“部落”之意。东部藏族（如今青海民和、乐都、化隆等县的藏族）至今用词一样。如：

ལོ་བ་ཚང།——洛娃仓

ཨ་བན་ཚང།——阿万仓

སྒྱུ་རིངས་ཚང།——嘉让仓

དཔལ་འབར་ཚང།——巴娃尔仓

ཀྱོ་ཚང།——觉仓

这里的“仓”现在明显取“家”的意思。在汉文中反映，则或以藏文音译，或以意译，称“田家”、“阿家”、“黎家”、“巴家”、“梅家”。我以为这是很有道理的。它符合从氏族到部落、家庭的发展过程。因此，古时所谓某某羌某某羌，基本上就是某某氏族某某部落的意思。

汉史所谓戎可能是藏语“让”（རོང།），意为“农业区”和“农人”，是针对“朱”（འབྲོག，牧业区，牧人）而言。至今如故，称牧人为“朱巴”（འབྲོག་པ།），称农人为“让娃”（རོང་བ།）。最初的羌人主要从事牧业生产，后来逐渐有了从事农业的羌人，故而有“戎”之称，实际上仍然是羌，时而与羌并列，即区别从牧从农；有时则以戎羌称，可能戎为羌的修饰词，意为从事农业的羌人。②

① 郭沫若主编：《中国史稿》（1～4），人民出版社，1976年，第109－110页。

② 贡乔泽登：《略谈藏族族源问题》，《青海藏学会论文选辑》（一），1983年，第18页。

氐是与羌并提的又一名称，它与戎有很大区别，如《魏略·西戎传》载：

> 氐人有王，所以来久矣。自汉开益州，置武都郡，排其种人，分窜山谷间，或在禄福，或在汧、陇左右。其种非一，称盘瓠之后，或号白氐，或号蚺氐……即其服色而之也，其自相号曰“盍稚”。各有王侯，多受中国封拜。……其俗，语不与中国同，及羌、杂胡同；各自有姓，姓如中国之姓矣。

从以上引文可知，（1）氐人自称是盘瓠之后，这说明氐之祖先与羌人的祖先有别。盘瓠是古代神话中的犬名，是古代中国南方一些少数民族的图腾信仰。现在的畲族和部分瑶、黎、苗等民族中有远古高辛皇的女儿与盘瓠结婚，生六男六女，自相婚配的传说。由此而论，氐族可能与上述民族有血缘关系。（2）从氐族“多受中国封拜”，“姓如中国之姓”看，它与汉民族在政治经济上的联系十分密切，接受汉政权的领导，并受汉文化的熏陶，有与汉姓一样的姓氏。（3）既然氐族信奉盘瓠，起自南方，受汉政权领导，为何语不同于中国，也没说有自己的独立语言，却说与羌、杂胡同？令人费解。偶翻畲族史诗《高皇歌》才知其有因。《高皇歌》中说：上古时候，盘古王开天辟地，高辛皇帝掌管人间。高辛皇后患耳疾三年，医治无效，一天从耳中钻出一条虫，状似蚕，育盘中，过三天三夜竟变成一只浑身五彩斑纹的“龙犬”，身长丈二，“龙鳞闪艳”，高辛称为盘瓠（亦称“龙期”）。其时番王作乱，攻打高辛。高辛下诏求贤：斩番王头者，妻以三公主，并可得仓库、继皇位。盘瓠应诏前往番国，乘番王酒醉卧床，咬断其颈，携头归。高辛皇帝大喜，封其为“忠勇王”。后来盘瓠与三公主成亲，不愿为官，不贪财宝，往广东潮州凤凰山一带种田，不幸跌死山岩。高辛兵败战死疆场，番兵追杀，高辛皇帝、盘瓠后代及其三公主率全族子孙先到福建，再到浙江。① ——即便我们难以肯定史诗中所说的高辛皇帝就是属于汉族的某个王，番王就是羌族的某个部落酋长，但我想这个传说有可能是古时汉族政权征用异族前往与羌族作战，立功封王，后戍边与羌杂处，久而久之，语言即与羌同，既非旧族，亦非羌族，即成氐。而它们仍然保留了过去的文化风习，并吸取了其他民族的特点。《魏

① 中央民族学院少数民族文艺研究所编：《中国民族民间文学》（下册），中央民族学院出版社，1987年，第577－578页。

略·西戎传》载“其衣服尚青绛，俗能织布，善田种，畜养豕、牛、马、驴、骡。其妇人嫁时著衽露，其缘饰之制有似羌，衽露有似中国袍，皆编发。多知中国语，由与中国错落居故也；其自还种落间，则自氐语。”

“氐”名之由来，据说是氐人分布在秦陇巴蜀之间，“其地势险阻，峻阪相接，加以河流众多，溪谷回曲，故每至岩崩堕，其声随豁谷远布，闻数百里，氐人居住于这样的环境，故名曰‘氐’，即‘响若坻隤’之义。”①

羌、戎、氐在早期汉籍中经常联用，隋唐后氐族便少见于史书了。

戎、氐问题已知头绪，下面扼要讨论讨论羌属民族的来源问题。事实在上面的叙述中已兼及此一问题。

现在被认为是羌属民族的主要有：藏、羌、彝、纳西、傈僳、哈尼、白、拉祜、基诺、景颇、独龙、怒、阿昌、土家、普米共15个民族。可分为两种类型：

（1）羌、普米、白、土家等。

（2）彝、纳西、傈僳、哈尼等。

从目前接触到的材料看，第二类型的羌属民族大多以为自己是“牦牛种越嶲羌”的后裔；第一类型的羌属民族，除普米族也将自己归入越嶲羌外，其余所出模糊，难以定论。

传统的羌属民族的探讨大多是以羌为中心，以羌为这些民族的“母体”，将民族自立的历史起点定为公元前4世纪，即印出赐支河，其子孙分为牦牛、白马、参狼诸羌时。如说藏人起源，也归之于牦牛羌种，西藏新旧石器文明的发现已向这种理论提出挑战，而在藏人的起源问题上我以为已经突破了藏源于羌的传统说法。从藏人第一、第二次东南之行中，读者不难看到，历史将告诉我们的不再是藏源于羌，而是羌源于藏；不是羌属民族的问题，而是藏系民族的问题。下文所用藏系民族这一概念，便不再是唐突而难以理解的了。

在众多的藏系民族中，其原始文化的基本形态是一样的，如猕猴图腾的存在等。但就崇拜的白、黑二色的情况看，第一次东南之行中迁徙的民族可能与上述第一类型的藏属民族接近；第二次东南之行中迁去的氏族、部落与第二类型的藏系民族接近。（如表1－12－3－1所示）

众所周知，现代藏族中有三种色彩受宠爱，一是黄，一为白，一为

① 冉光荣：《羌族史》，四川民族出版社，1985年，第51页。

黑。对黄色的喜爱大约与佛教有直接关系，佛的衣服、佛的寝室、佛的用具等大多都是黄色。至于同样为佛教徒喜爱的白色，则不一定来自佛教，藏族先民的大自然崇拜时期就有。它的最初形态可能是日、月、星——藏族先民有日月星崇拜和光亮崇拜。白色崇拜有可能是日月星和光亮崇拜的延伸崇拜，因为日月星、光亮等大多都是白色的。后来引申为白旗、白色的羊毛、白牦牛、白巨石、白海螺等。许多人看《格萨尔王传》时，对格萨尔战胜某魔王，攻下它的城堡后，大多插上白旗很不理解。实际上胜利后插上白旗就是藏族“英雄时代”还保留的古代信仰。从敦煌文献到现代的一些有文字可查的资料均可表明，神圣的白羊毛，在祭山神时的箭杆上要拴，过年过节时的器物（如茶壶等）上也要拴，它标志和平、福运和吉祥。

表 1－12－3－1　藏系民族演变图

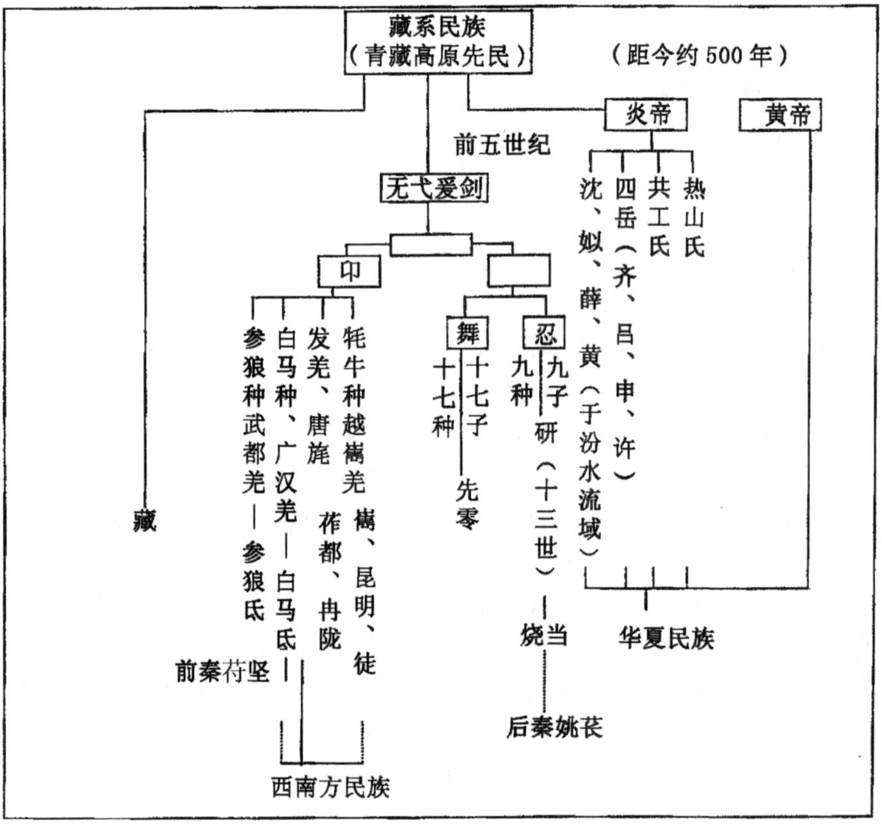

有些学者认为藏人的白色崇拜起于唐时，“印度佛教徒尚白衣，当印度佛教徒来吐蕃造字时，把白色字写作 དཀར，把黑色字写作 ནག……并把白色象征光明，黑色象征黑暗，含义亦与羌语掉转了。”① 我在藏区考察时发现，藏人对白色的原始意义并没有因佛教的传播而掉转。藏、甘、青、川、滇的藏族修房子时，几乎都有在院墙四角、房顶饰白石的习惯，有些则是垒三五块白石。有时候白色是复合性的，如阿坝州的嘉绒藏族，家中要供奉“牛首人身”的神像，称额尔冬，传说此神神通广大，是他战胜妖魔，嘉绒藏人才得以生存。1949 年前，每年土司、守备、头人都要做一个高二尺的牛首人身神像供在家中。墙上用白石嵌一牛头。凡杀牛时，牛头不吃，供在屋顶上。② 这里反映的是牛图腾崇拜……同是藏系民族的一大特点，而在墙上用白石嵌一牛头就有了复合意义，既表达了对牦牛图腾的崇拜，也表达了对白色的崇拜。

这种白色崇拜在古羌族中的含义，与现在藏人的观念完全一样，如称白兰、白狼、白马、白狗等，取其“白”字，同时也考虑到了氏族部落的动物或图腾崇拜，即所谓白狼、白马是狼、马图腾加以象征吉祥、和平、福运的“白”字，以此为完善。牦牛崇拜也一样，笔者故籍青海觉仓，现居华锐（དཔའ་རིས།），这块地方被称为“出产白牦牛的地方”而为世人知，老人向别人谈论自己的地方时，总忘不了这句话，并以此为荣耀。

羌族的白色崇拜不仅反映在他们所戴的白色头帕，穿的长过膝的白色麻衣和套的羊皮褂子上，也表现在他们的白色崇拜上……以一种乳白色的石英石作为一般神祇的象征，供在屋顶、山头、田间和石砌的塔中。这些白石被称为“阿渥尔”，“羌族信仰的各种神中地位最高最神圣的是天神。传说羌人由于天神的指点才得以战胜剽悍的劲敌‘戈基人’。所以羌族相信天神能主宰万物，祸福人畜，禳解灾难，为本民族最高的保护神，并以白石为象征供在每户的屋顶的正中最高处。”③ 羌族受藏传佛教影响并不深，《明武宗正德实录》卷三十说，“其俗以白为善，以黑为恶”，正好说明其风习的古老性、一贯性和藏族原始风俗的一致性。

羌族并非原居西北的民族，这在羌族史诗《羌戈大战》中可略知一斑。史诗中说，远古时羌人由西北地区来到岷江上游水草丰富的地方从事耕牧，这个西北地区是指汉籍常谈到的以河湟为中心的早期羌民居住地还

① 任乃强：《羌族源流考》，重庆出版社，1984 年，139 页－140 页。

② 邓延良：《嘉绒与牦牛羌》，载《社会科学战线》1981 年第 2 期。

③ 冉光荣：《羌族史》，四川民族出版社，1985 年，第 341 页。

是指西藏高原？至少说二者兼而有之。这次大迁徙中，受到白衣天神的指点，羌人用白石击败了用雪团作武器的戈基人。又一则与迁徙有关系的远古传说说，羌人为将来回去时不迷路，便在经过的每座山头和岔路口放上一块白石作路标。这说明当时的羌民不但已有白色崇拜，而且是迫不得已迁徙的，因为他们还希望有朝一日返回自己的故土。

白族之尚白，不仅表现在原始信仰上，而且表现在衣着穿戴上，他们以白色为贵，无论男女都喜欢穿白色上衣，披白羊皮，戴白包头。既崇白又崇虎，以白虎为图腾。有一则关于崇白虎由来的传说如此写道：

> 一位美丽的白族姑娘梦与虎交，惊醒后身怀有孕，生下一男孩。孩子生而无父，即以虎为姓，取名罗尚才（白语“罗”即虎）。罗尚才成年后，化为一只大白虎跑进山林。这只大白虎样子虽然可怕，却处处都在保祐白族，从不伤生害命。今祥云县大湖村、上赤村的罗、骆二姓，自称是罗尚才的直系后代，至今互不通婚。①

这一传说虽然与现实的家族结合起来，并且产生了直接的社会效果——罗、骆二姓互不通婚。但从整体上看，故事所表述的仍然是只知其母，不知其父的母系氏族社会，那个白族社会的遥远历史。这种反映母系氏族社会的故事在藏、羌、彝等民族中有较多出现。如凉山彝族的《都提经书》（“勒俄特衣”）中写道：

> 远古的时候，雪源之子施南，一代生子不见父；施南下传又七代，代代生子不见父；第八代名叫施尔俄特，俄特仍旧不见父。施尔俄特啊，要去找父亲，要去买父亲。他走了许多地方也没有找到、买到父亲。后来到了约木接列地方，遇见滋阿地都家的施色姑娘。施色教施尔俄特祭祀祖灵，又说：“这样做完后，回到大地上娶妻配成偶，只要如此照搬办，生子即可见父亲。”②

凉山彝族在解放前还处于奴隶社会，它脱离母系社会的历史并不很长。

---

① 菡芳：《白族的虎崇拜》，载《民族文化》1983年6期，第18页。

② 四川省民间文艺研究会编：《大凉山彝族民间长诗选》，四川人民出版社，1960年，第38页。

土家族是一个与白族有着相同经历的民族，前者为古代巴人后裔，后者为古代僰人后裔。春秋时白族曾在川东嘉陵江建立过僰侯国。当然，以往的学术界并没有完全解决土家族的来源问题。除巴人说外，尚有：（1）土家族来源于湘西土著，是楚、秦灭巴后进入该地区的巴人、汉人融合而成；（2）土家族是由唐代中叶的乌蛮的部分部落衍化而成。在民族的考辨中，倘若忘记了语言这个至关重要的因素，我们就会迷失方向。尽管我们尚且不知土家语与彝语的本质联系，但从历史的沿革、土家语与彝语接近等情况分析，土家族的早期历史与藏民族有着直接和间接的联系，它有可能是古藏人第一次东南迁徙中辗转进入川东、鄂西等地区的一支，周初立国，曾参与武王伐纣，封为子国，称巴子国，历史悠长。周慎靓王五年（前316年），秦灭巴国置巴郡，此后巴人族称或曰板楯蛮，或曰武陵蛮，东周时称江夏蛮，两晋、南北朝时称五水蛮，与周围其他民族杂处，从语言到风俗自然会有很大改变。

倘若仔细考察，每个民族都有一些远古的记忆。土家族的远祖廪君率五姓部落迁徙遇盐神女的传说，具有代表性。廪君碰到的盐神女部落，可能是远古土家人碰到的一母系氏族部落，可能把持一处产盐的地方。盐在古代是非常珍贵的，藏族长篇英雄史诗《格萨尔王传》中就有争夺盐湖的战争，尤其草原民族，总要寻找离盐区近的草场为牧地，否则人畜断盐，就会酿成大祸。盐神女请廪君的部落在那里定居，廪君没有答应，她便变成无数虫子飞来飞去，挡住阳光，顿时天昏地暗，廪君的部落看不清方向，无法前进。廪君射死了盐神女，天即晴朗，率部再行，后立国建郡。廪君死后他的鬼魂变成白虎。

鬼魂变成白虎，这是典型的图腾崇拜。结合上述故事看，白虎之“白”仍然有光明光亮的意思，即盐神女挡住了阳光，给五姓部落带来了黑暗，而廪君射死了她，使大家见到了光明，拯救了五姓部落。换句话说就是，廪君带来了光明和希望。显然，虎和白虎是五姓部落的最早动物崇拜。因虎食人，土家人早先还有过衅人祭祖的风习。①

白虎崇拜的进一步发展便有了坐堂白虎、行堂白虎、耗财白虎、梁山白虎、轻灾白虎、画神白虎等，这些大致都是进入阶级社会以后的划分。这种次生现象，有些已经失去了本义。从原始崇拜类型看，土家族与藏族也有共同处。如五月初五所敬五谷神的来历——传说“五谷神最早是狗从

① 刘孝瑜：《土家族》，民族出版社，1989年，第58页。

西天搬来的，那时候，这里没有五谷。狗到西天去取五谷，跋山涉水，身上湿透，到晒谷坪打了一个滚，满身沾满五谷，可是回来的路上又涉水，狗身上的五谷被水冲掉，唯独狗尾巴翘起来，五谷没有被水冲掉带回来，这里才有了五谷。所以敬五谷神时，就要给狗一坨肉吃。”① 这个故事与藏族《青稞种子的来历》类似，主人公是狗，是狗带来了粮食种子，敬五谷神时给狗一坨肉的习惯与藏族庄稼收获后，磨下的新糌粑粉，首先要给狗一坨吃的做法何其相似！尚有关于牛王的神话等。

无论历史渊源如何，当一个民族形成后，它便具有自己独立的个性，沿着自己的道路走下去。想从根本上梳理清楚藏系民族中第一次东南迁徙中的民族，以及它们在各个历史时期的情况是十分困难的。又由于限于篇幅和本书的主旨，不可能详尽论述，那些大多属于另书撰写的问题了。

值得一提的是古藏人东南之行所达及的区域并不仅仅是古代羌属民族居地——现青、甘、宁、陕、川、滇大部分地区，一部分可能进入缅甸地区。据说缅甸语中的“火”、“手”、“盐”、“眼”、“路”、“我”、“犬”、“耳”、“一”、“二”、“五”、“六”等词与藏语发音相似，缅甸民族本身有源于藏族的说法。② 我想古藏人的两次东南迁徙中都会有氏族部落进入东南亚地区，只是目前限于材料，难以评述。

白色和黑色是一对矛盾，是一个问题的两个方面，这是羌人对色彩赋予的哲学含义。这种含义的起源非常早，在藏族早期的历史中除白色崇拜外，尚有黑色崇拜。读者会问，因何崇白又崇黑，这不是矛盾了吗？实际上不矛盾，一、其中有历史纵向的分期；二、黑白的倒置、并存等本身意味着远古藏人哲学信仰的变异。

藏族的黑色崇拜与藏人早期信仰的苯教（བོན།）有直接关系。《苯教史》、《吐蕃王统世系明鉴》、《吐蕃王臣论》、《红史》等藏文史籍中说，从吐蕃第一世王聂赤赞普到拉脱脱日年赞，凡27代都是由苯教护持国政。聂赤赞普在世的时间虽有争议，大约在公元前3世纪，显然苯教的出现和初创阶段要比这早。

苯教发凡年代的难以定论还涉及苯教创始人辛饶米沃且（གཤེན་རབ་མི་བོ་ཆེ）在世的年代。对此史籍所载殊异：有说他生活于吐蕃第八世王止贡赞普时期（约公元1世纪）；有说聂赤赞普时传播苯教的不是始祖辛饶米沃且，而是一叫策米辛古莫嘉的人。旅居意大利的著名苯教史专家南喀诺布

① 刘孝瑜：《土家族》，民族出版社，1989年，第56页。

② 南喀诺布：《关于西藏古代史研究中的几个问题》，载《西藏研究》1985年第3期。

说，据苯教史料记载，从“辛饶米沃且到聂赤赞普，其间经历了七代人，辛氏家族的这些后裔们都是法术很高的苯教巫师，并且大都长寿。”① 倘以每代30岁计，则为210年，即辛饶米沃且生于公元前6世纪。苯教的其他著作中也有类似记载，认为辛饶米沃且与印度的释迦牟尼、汉族的孔子（前551～前479年）为同一时代人，生活于公元前500多年，即在周朝中期（西周约前1066～前771年，东周前770～前256年）。我以为无论教祖的产生年代或迟或晚，而这一教的产生是非常古老的，它的雏形至迟在周初就有了。教祖和教派的非共同迸发现象，在世界其他宗教中屡见不鲜。此在下文中将专题研究。

早期苯教被称为黑教，这并不是佛教对苯教的强加之词，而在于苯教自身。从衣饰、法器、用具等考察，它存在着黑色崇拜，而藏人的这种由白色崇拜向黑色崇拜的转变，我们一时还很难得到完满解答。基本原因大约有二：一是苯教的最初发祥地在象雄的魏摩隆仁，它与藏族其他氏族部落有着不同的色彩崇拜，他们崇拜黑色。在藏南的广大地区盛兴白色崇拜时，苯教首先在魏摩隆仁形成雏形，有了粗浅的教义，并将自己的黑色崇拜进行了较为广泛的推行和传播；二为吸收了别国别民族的宗教形式，并崇拜黑色，我想这种可能性不大。

周朝早期的寒冷期，迫使纬度较高的藏北、象雄故地的一部分古藏人赶着羊逐暖逐水草东南运动时，就带着自己的黑色崇拜，甚至早期的苯教巫师，从而产生了一系列崇黑的藏系民族，如彝族、纳西、傈僳等。

汉籍中称为乌蛮的彝族的黑色崇拜，不仅表现在崇拜的黑虎图腾上，而且表现在他们的生活习俗上：

彝族的传统服饰，男子全身皆着黑色；女子布料则以黑、青、蓝等深色为底，再镶以各种花边。滇北武定、禄劝等乌蒙山区自称“纳苏”的彝族妇女，凡已生育孩子的，其帽子（或包头）一律为黑色，“文革”后，年轻妇女或已改戴草绿色军帽或戴红线帽，但老妇女的黑帽或黑色包头仍未改变。彝语也将青、蓝、绿等深颜色称为“纳”（即黑色），对碧绿的（庄稼）、茂密的（森林）、青翠的（山野）、渊深的（河流）、深奥的（道理）等形容词，也一概称为“纳”（即概之为黑）。② 除了服饰等尚黑外，川滇大小凉山称“诺苏”黑彝甚至认为自己的骨头也是黑色的。只有骨头黑的人才可以当首领、战士，统治他人。又如彝族纳楼土司在作战时，用

① 南喀诺布：《关于西藏古代史研究中的几个问题》，载《西藏研究》1985年第3期。

② 杨和森：《图腾层次论》，云南人民出版社，1987年，第22页。

黑旗，祭祀用的三牲是黑牛、黑猪、黑羊，这说明黑色崇拜在彝族中几乎渗透于一切领域。这一做法与《新唐书·吐蕃传》所载藏人“居父母丧，断发、黛面、黑衣，既葬而吉”的风俗十分接近。在语言上，彝族的“纳（黑）”和藏族的“ནག”（黑）读音基本一样。

彝族是一大支，唐宋后与之接触较多的一些民族也在文化上受其影响，同样有黑色崇拜现象，如傈僳、哈尼、怒等。不在此一一举例。

纳西族的情况近似于藏民族。其语言中藏语比重较大。珞巴、普米，后之所谓夏尔巴等，在藏族的不少学者中从不认为它们是另一民族，连族称都是藏语，珞巴——藏语“ལྷོ་པ”，意为“南部人”，普米——藏语“བོད་མི”，意为“藏人”，夏尔巴——藏语“ཤར་པ”，意为“东部人”。当然，这些问题我们必须在尊重宪法的前提下，留下讨论的空间。并不损害现有民族的独立性。

纳西族基本也属尚白民族。这种现象可能有两方面原因，一是早期文化的遗留，二是以后与藏民族的直接接触。纳西族信仰东巴教与藏传佛教，或以为东巴教是藏族早期宗教苯教的一支。有一则传说讲，丁巴什巴在拉萨同苯教巫师一块学经，因斗法失败，便创立了东巴教。纳西族一直把中甸（迪庆藏族自治州州府所在地）的池北村视为东巴教的发祥圣地。民间流传着“北地东巴大”、“不到北地不算大东巴”的俗语。又说，纳西族十三岁的小东巴阿明去西藏投学一大经师，学成后，驮走经师七驮经书，藏在北地一大岩洞里，翻译成纳西文，传授弟子。至今有“阿明洞”（“藏经洞”）供人观瞻。1988 年我去丽江考察，并辗转中甸、德钦等地，顺便了解纳西情况，知纳西东巴教与藏族苯教十分相似。“东巴”即为藏语之“敦巴”（སྟོན་པ），意为“本师、导师、教师”，苯教祖师辛饶米沃且也称“敦巴辛饶”，11 世纪阿底峡进藏时尚称“敦巴”，自仲敦巴嘉哇穷乃之后，此词逐渐被“格西”等词代替。后到丽江东巴文研究室，见之所谓东巴经，并非古物，其年代不逾唐宋，而唐时，松赞干布下传三代至都松芒保杰（676～704 年在位）时吐蕃军旅在云南即建势力，此时吐蕃本土尚未形成藏传佛教系统，因而纳西族接受苯教文化的可能性很大。但这一文化形式既不是纯白色崇拜，也不是纯黑色崇拜，是以白色为主，黑白相间；又由于后期藏传佛教诸教派形成后，噶举派（俗称白教，尚白色）于明清时对纳西族的影响，白色占有绝对优势。如动物舞中的“白山羊舞”、“白鹿舞”、“白额犏牛舞”、“胜利的白孔雀舞”都突出白色；服装主要以黑白二色为主；叙事长诗《黑白战争》中的黑白二色已成二元格局，住在白天白地的东部落代表光明和正义，住在黑天黑地的术部落则代表黑暗和邪恶。最后光明获得胜利。

提出“藏系民族”这样一个概念来进行探讨，是研究本身对我的一种要求。而当我进行这概念的论述时，不得不对此做以下的界定：

第一，我说的“藏系”，在地域概念上是指青藏高原这一地域范畴，“藏”特指在地域意义上的西藏，即青藏高原；在民族来源上是指曾在青藏高原这块土地繁衍生息过的古代先民。我们如此界定，只是为了避免在这一词的使用上产生歧义。因为，以往的表述都将这些民族统辖于“羌”这一范畴之内，而我要说明的恰恰是有别于“羌”这个概念的，没有新的概念，我们的表述就会陷于混乱之中。用“高原民族”等概念同样难以说明问题。需要解释的是，一个民族当他形成之后就有其独立性、合法性和完整性，没有统属关系。因而，我所说的“藏系”，与后来的民族有涉也无涉。有涉是说，在先民这个意义上，一群先民会造就多个民族，多个民族可能源于同一先民。此类例子，古今中外，比比皆是。无涉是说，就现在的民族而言，只不过是在史前概念上的联系，并不论及今日的短长。

第二，我之所以用这样一个概念来探讨藏民族的形成问题，主要的视点在于研究方法。今天的藏族是历史的藏族的继续，历史上藏族在其尚未形成民族前，必然地要经过一个“先民”时期。青藏高原的先民在当时是个庞大的族团，不但是今日藏人的“祖先”，也是今日除了藏族之外的彝、纳西等 15 个民族的“祖先”。因为在当时的时代里，这个族团至少在共同的地域、共同的语言、共同的文化三个方面有一致性。而恰恰在这一方面我们的资料工作和研究工作都比较薄弱，因此有必要在这个 16 个民族的综合比较研究中（即在宏观研究中）得到突破，从而来推动对这一时期青藏高原先民的研究。改变这 16 个民族的研究互不搭接的状况，从具体的民族的研究（这一方面的成果是非常丰富的）过渡到对青藏高原的研究，对青藏高原的藏系民族的整体研究，取得成果后再返过头来研究具体的民族，我想如此必然会有举世瞩目的成果问世，也有利于我们从共性和个性、整体和局部两个方面更为深透地理解和研究自己的民族。我想这一方法的采用将是有意义的。

第四节　藏民族的形成

一、关于民族形成的若干理论问题

国内学术界对于民族的界定并不完全统一。但是，要探讨一个民族的形成，势必要涉及民族的定义以及相关理论问题。因为，作者的民族形成观，会直接影响本书的构成，因而有必要略作说明。

（一）关于民族

什么是民族？民族是人们在历史上形成的稳定的共同体。斯大林在《民族问题与列宁主义》一文中说："民族是人们在历史上形成的有共同语言、共同地域、共同经济生活以及表现于共同民族文化特点上的共同心理素质这四个基本特征的稳定的共同体。"共同的语言、共同的地域、共同的经济生活、共同的心理素质这四条相互依赖、相互制约，具有内在深刻联系的特征，是我们衡量、判定是否是一民族的基本条件，是一基本的理论原则，具有指导性意义。

（二）关于民族形成的时间和阶段

关于民族形成的年代问题，学术界有以下一些观点，即 1. 民族形成于国家产生以后；2. 民族与国家同时出现；3. 民族形成于蒙昧时代的高级阶段。

马克思主义认为民族是一个历史范畴，无论何种民族都有一发生、发展、消亡的过程。最初的人类是不分民族的，人类社会发展到一定阶段才逐渐形成民族。原始群时代没有民族，那时的人类过着群婚乱婚的生活，主要以采集和狩猎为主，数十人在一起过着游荡的生活。进入血族群婚时代，原始群为血缘家庭所取代，从而出现氏族制度的萌芽。从血缘内婚到血缘外婚，确立了氏族制度。人类在只知其母不知其父，世系由母系排列，财产由母系继承的母系氏族社会度过了漫长的时日。随着社会生产力的不断提高，男性在生产中日益发挥着重要作用，婚姻形式也逐步由对偶婚转为一夫一妻制，父系社会建立，继而出现了第一次社会大分工、第二次社会大分工，畜牧业、手工业从农业中分离。随着财富的不断增多，剩余产品的出现，产生了第三次社会大分工，物质劳动和精神劳动分离，出现了商贾这一行当。人类社会也由胞族发展为部落和部落联盟，使人们的经济、政治、文化联系日益密切，共同的地域、语言，共同的心理素质也逐步形成，民族也随之产生。马克思说："'部落'和'民族'严格地说来并不是等同的东西，在氏族制度下，只有当结合在一个政府之下的诸部落融合为一个整体时，这时民族方始产生。""氏族整个地加入胞族，胞族整个地加入部落，部落整个地加入民族。"① 杨堃先生在《民族学概论》中

① 马克思：《摩尔根〈古代社会〉一书摘要》，人民出版社，1965 年，第 96 页。

根据马克思的这一观点进行了进一步的阐述，他将民族的产生分为四个阶段[①]：

第一阶段：在约一二十万年至四五万年前——相当于旧石器时代中期。血缘外婚的出现，产生了氏族社会的萌芽；约在公元前四万年至一万年前进入母系氏族公社，民族的最初形式出现。

第二阶段：约在四五千年前——约在新石器时代晚期和金石并用时代，母系氏族至繁荣阶段。氏族联盟得到进一步发展，有了部落（或称部落公社），成为民族共同体发展的第二个阶段有类型。

第三阶段：由于交换的日益频繁，财富的进一步分化，部落的频繁战争和掠夺，个体家庭的出现，部落成员的出入流动性增加，由原来血缘关系组成的部落逐步演变为以地缘关系结成的部落。阶级社会出现，原始社会解体，部落得到进一步发展，形成大的联盟。恩格斯在《家庭、私有制和国家的起源》一文中说，部落联盟“朝民族的形成跨出了第一步”。

第四阶段：民族。分为两个阶段，一是资产阶级民族阶段，一是社会主义民族阶段。随着资本主义生产关系的出现，生产的社会化，民族市场和经济中心的逐渐形成和发展，形成有着明确的共同地域、共同文化、共同习俗、共同心理素质和强大的经济联系的民族集团，即资产阶级民族。资产阶级民族是建立在生产资料的私有制这一经济基础之上的。资产阶级民族是阶级社会最后一种民族形式。随着无产阶级掌握政权，建立公有制社会，资产阶级民族被改造为社会主义民族。民族的共同特征进一步完备，民族内部的阶级对抗也逐渐被消灭，其内部的政治、经济、文化也逐渐改造为社会主义。因而，社会主义民族是民族的最后一种形式。进入共产主义后，民族必然地要随着国家的消亡，全人类语言的统一，民族地域界线的消失，全人类经济文化生活的不可分割而逐渐形成一新的人类共同体，即共产主义社会，民族也便逐渐消亡。如下表（图 1－12－4－1）所示：

① 杨堃：《民族学概论》，中国社会科学出版社，1988 年，第 188 页。

图1－12－4－1 社会发展史与民族发展史比较表

		社会发展史		民族发展史
原始社会	原始群	原始群初期（自社会起源至北京猿人出现之前）		
		原始群中期（自北京猿人，至古人出现之前）		
		原始群晚期（自古人至新人出现之前）（向氏族社会过渡）		
原始社会	氏族社会	氏族社会初期（旧石器时代晚期）	氏族	氏族公社初期（母系氏族）
		氏族社会中期（中石器时代）		氏族公社中期
		氏族社会晚期（新石器时代）（向部落社会过渡阶段，部分质变）		氏族公社晚期（向部落公社过渡阶段）
	部落社会	部落社会初期（家族公社、宗族）	部落	部落公社初期（家庭公社）
		部落社会中期（比邻公社、农村公社）		部落公社中期（地缘部落）
		部落公社晚期（部落联盟、军事民主制）（比邻公社从原始形态向阶级形态过渡）		部落公社晚期（向部族过渡阶段）（部落联盟）
阶级社会	奴隶社会	奴隶制社会初期	部族	奴隶制部族初期
		奴隶制社会中期		奴隶制部族中期
		奴隶制社会晚期（向封建社会过渡阶段，部分质变）		奴隶制部族晚期（向封建主义部族过渡）
	封建社会	封建社会初期（或半封建半奴隶制社会）		封建主义部族初期
		封建社会中期		封建主义部族中期
		封建社会晚期（向资本主义社会过渡阶段，部分质变）		封建主义部族晚期（向资产阶级民族过渡阶段）
阶级社会	资本主义社会	资本主义发展阶段（自由资本主义）	资产阶级民族	资产阶级民族初期（形成阶段）
		资本主义垂死阶段（帝国主义） （无产阶级革命和殖民地半殖民地民族独立解放运动阶段）		资产阶级民族中期（发展阶段）
				资产阶级民族晚期（帝国主义民族）

续表

<table>
<tr><th colspan="2"></th><th>社 会 发 展 史</th><th colspan="2">民 族 发 展 史</th></tr>
<tr><td rowspan="5">共产主义社会</td><td rowspan="3">社会主义社会</td><td>向社会主义社会过渡阶段（早期社会主义）</td><td rowspan="3">社会主义民族</td><td>社会主义民族初期</td></tr>
<tr><td>社会主义社会发展阶段（发达社会主义）</td><td>社会主义民族中期</td></tr>
<tr><td>高度发展，向共产主义社会过渡阶段</td><td>社会主义民族晚期（向共产主义社会过渡阶段）</td></tr>
<tr><td>共产主义社会</td><td>共产主义社会初级阶段</td><td colspan="2" rowspan="2"></td></tr>
<tr><td>高级共产主义社会</td><td></td></tr>
</table>

（转引自杨堃《民族学概论》）

尽管关于民族还有许多的话题，但我以为杨先生的这一论述是合乎情理的。

在考察藏民族的来源、形成和发展过程时，我们仍然以这四个阶段作为基本的理论指导，既要看到形成的基本成分，也要看到它形成成分的来源和发展历史；既要看到阶级社会产生以后的藏民族，同时也要看到史前时期的藏民族。

二、藏人对自身形成历史的认识

1.《贤者喜宴》所说的几个时代

《贤者喜宴》中记述了藏人对自己早期历史的一些认识：

མཚོན་ཆ་མདའ་གཞུ་དེ་ཡི་དུས་སུ་བྱུང་། །
དེ་ནས་རེ་ཏེ་མགོ་གཙོ་བདུད་ཀྱིས་བྱས། །
མིང་ཡང་བདུད་ཡུལ་ཁ་རག་རོང་དགུར་བཏགས། །
སྐྱ་རེ་དགྲ་དེ་ཡི་དུས་སུ་བྱུང་། །
དེ་ནས་སྲིན་པོ་གཉའ་རེངས་ཁྲུག་སྲུས། །
ཡུལ་མིང་སྲིན་པོ་ནག་པོ་དགུ་ཡུལ་ཟེར། །
སྲིན་མོ་རྐང་དང་སྐྱོགས་གཉིས་ལག་ཆར་བྱུང་། །
བཞི་པ་དམར་འཛམ་ལྷ་ཡིས་དབང་བྱས་བྱས་ཏེ། །
ལྷ་ཡུལ་གུང་ཐང་ལག་ཆར་ཆུ་གྲི་བྱུང་། །
ལྷ་པར་རྨུ་རྒྱལ་བོ་རྗེ་ཞེས་བྱས་བཟུང་། །

ད་ཕྲང་ཅང་ཕྲང་ལག་ཆར་ཞགས་པ་འཕེན། །
དྲུག་པ་ཀྲོག་འདྲེ་ཡིས་དབ་བྱས་ཏེ། །
ལང་ཏང་ལུང་དང་བར་ཁའུར་རྡོ་འཕེན། །
བདུན་པ་མ་སངས་རུས་དགུས་དབང་བྱས་ཏེ། །
ཡུལ་གྱི་མིང་ནི་བོད་ཁ་ཉ་དྲུག་ཟེར། །
ལག་ཆར་རྡོང་རལ་གོ་ཆ་ཐུབ་ཚུང་བྱུང་། །
བརྒྱད་པ་ཀླུས་བཟུང་བོད་ཁམས་གླིང་དགུ་བཏགས་
དགུ་པ་རྒྱལ་པོས་དབང་བྱས་ངམ་པོ་ཅེ། །
བཅུ་པ་འགོང་པོ་དགུས་དགུས་དབང་བྱས་ཏེ། །
ཡུལ་གྱི་མིང་ཡང་སྟོང་སྡེ་བཅོ་བརྒྱད་ཟེར། །
最初黑夜叉握权，
地方名叫桑域尖麦，
弓箭出现在此时。
此后热待高雅堆掌政，
地方名叫堆域卡让格，
斧钺出现在此时。
此后罗刹聂让查梅统治，
地方名叫黑夜叉格域，
女魔脚和大炮出现在此时。
第四玛嘉神为王时，
神域贡塘有了匕首。
第五玛嘉库杰为王时，
产生锁链等武器。
第六周周魔鬼为王时，
出现摔动的抛石绳。
第七玛桑九族为王时，
地方名叫“蕃卡聂朱”，
出现了武器套铠甲和盾牌。
第八龙族统治时，
地方名叫“蕃卡朗朱”。
第九嘉保统治时，
地方名叫安保杰。
第十邪魔九兄弟为王时，
地方名叫东德十八部。

2.《吐蕃王臣记》所叙述的几个时代

一是岩魔和猕猴的时代。虽然我们所涉及的只是一些传说时代，而这一时代告诉我们或许并不仅仅是神化了的故事，故事的蕴意或许在于在那个古老的年代猕猴和岩魔本身是两个氏族，由这两个氏族通婚形成新的部落图腾。由此再产生出新的一些部落。

二是四氏族时代。这四氏族的产生是颇有意思的，它们有各自的特点：

一是攀登天绳的叶桑噶布族；

一是如熔铁磐石的叶门那布族；

一是明如神灯的江赤叶西族；

一是如狗尾草之孟藏那布。

三是十二小邦时代。

四是聂赤赞普时代。这一时期是否出现了国家？一些学者认为这一时期出现了吐蕃的国家政权。恩格斯在《家庭、私有制和国家的起源》一书中说："国家是在社会分成阶级的地方和时候、在剥削者和被剥削者出现的时候才出现的。"

3.《红史》中所说的几个时代

一是猕猴时代。

二是玛桑九兄弟时代。其九兄弟是：

夜叉，魔，怪，龙，赞，天神（ལྷ།），木神（དམུ།），鬼（འདྲེ།），妖（འགོང་པོ།）。看来玛桑九兄弟反映的是一种部落联盟，即拥有夜叉等九个氏族组成的部落联盟，其崇拜物为九。

三是12小邦，25小邦，40采邑（40小邦）等。此后便进入赞普统治时期。

史泰安先生在《川甘青藏走廊古部落》[①] 一书中，依据一些有关古代的传说的藏文资料，将早期的藏人历史划分为以下几个时代：

a. 由夜叉（གནོད་སྦྱིན།）或魔（བདུད།）所控制的时代。

b. 由怪（སྲིན་པོ།）所统治的时代。

c. 由龙神（ཀླུ།）所统治的时代。

d. 由玛桑（མ་སངས།）主宰的时代。

e. 由部落、氏族神（སྡེ།）所垄断的时代。

① P. A. 史泰安著，耿升译，王尧校：《川甘青藏走廊古部落》，四川民族出版社，1992年，第13页。

f. 由十二小邦（རྒྱལ་ཕྲན་སིལ་མ་བཅུ་གཉིས།）或国王（རྒྱལ་པོ།）统治的时代。

g. 由蕃（བོད།）的君主（རྗེ།），即聂赤赞普（གཉན་ཁྲི་བཙན་པོ།）所统治的时代。

在这些藏人对自身的历史的认识中，有些是离奇的，有些不大统一，有些前后矛盾。但是，我想对此应该有两个基本态度：其一，应该重视这些描写，不能因其有神话色彩而全面否定，因为这里面的神仙魔怪，大多是先民时期的图腾，这些图腾本身就代表着某些氏族部落，是当时的历史现实。其二，小邦国或小王国的出现是走向国家形态和走向民族形成的重要步骤，由小邦时代而进入国王时代，这是合乎人类社会发展的基本规律的。

三、藏民族的族称问题

1. “蕃”或“吐蕃”是藏人一贯的称呼，均是藏语“བོད།”的译音。但对其中“鹘提悉勃野”和“布德巩杰”重视不够。实质上这两个词与藏人的族称同样有着重要关系。

其一，藏族自身的民族自述中有从猕猴到塞（སེ།）、木（རྨུ།）、冬（ལྡོང་།）、东（སྟོང་།）四大氏族到六大氏族——以上四氏族加上扎（དབྲ།）、者（འབྲུ།）两个氏族——继而再分为塞氏四子、木氏果查儿子、冬氏十八氏族、东氏四王八奴，再后出现十二小邦和四十小邦，出现了统一的领袖“རྗེ”（首领），“杰”阶段大概是在小的部落联盟阶段，因而，聂赤赞普也被称作“六牦牛部的首领”（བོད་ཀ་གཡག་དྲུག་གི་རྗེ།），尊奉为赞普悉勃野（བཙན་པོ་སྤུར་རྒྱལ།）。此后有了国王“嘉保”（རྒྱལ་པོ།）即赞普（བཙན་པོ།）时期。悉勃野是一重要家族，从而登上王位。

据《柱间教史》、《嘛呢全集》等记载，聂赤赞普是被雅砻河谷“六牦牛部”的十二位牧人用肩膀当座把他扛到部落里的。这十二个牧人或许就是拥戴他为王的十二个氏族或部落的首领。

有趣的是聂赤赞普的出生地。据《德乌教史》（ལྡེའུ་ཆོས་འབྱུང་།）记载说：勃敖地方（སྤུ་བོའུ་ཡུལ།）有一叫茂增的妇女生了九个饿鬼（ཐེ་བྲང་།）儿子，最小的叫“特让玛业俄外惹”（ཐེ་རང་མ་སྣ་ཨུ་བེ་ར།），大舌遮面，指间有蹼，力大凶猛。被勃敖地方的苯教徒用法力赶出本土。他到了蕃地后，碰到了寻求王者的蕃人，便将他推举为王。此王就是聂赤赞普，因为聂赤赞普是从勃敖来的，故尊号为“悉勃野”（可译为“来自勃敖的胜利者”，或“波沃之王”）。

有趣的或者说值得注意的是止贡赞普的儿子布德巩杰和聂赤赞普在同一地域的联系。《娘氏宗教史》在叙述“天赤七王”后说：

གྲི་གུམ་བཙན་པོའི་སྲས་གསུམ་ལ། །
འབྲིང་པོ་ཉ་ཁྲི་སྤུ་བོར་སྤྱུགས། །
ཁ་ཅིག་འདི་ལ་སྟོད་སྟངས་ཟེར། །
རུ་ལ་སྐྱེས་ཀྱིས་དེ་སྤྱན་དྲངས། །
སྤུ་དེ་གུང་རྒྱལ་བྱ་བར་གྲགས། །
止贡赞普有三子，
次子放逐勃敖（娘赤）地，
有人说此为了上丁王，
茹拉杰请他回来，
尊他为“布德巩杰”。

聂赤赞普从勃敖地面来到蕃地做了吐蕃赞普，奇怪的是自他七世之后，第八世赞普布德巩杰也从勃敖地方被茹拉杰迎请回来做了吐蕃赞普。这完全是巧合，还是有别的什么原因？

从敦煌文献和别的一些史料看，由于罗阿篡权，止贡的三个王子都被流放。《敦煌本吐蕃历史文书》中说，“其二王子名为夏赤、聂赤，被流放到工布地方。”可见布德巩杰的事迹还是比较可信的，因为敦煌文献被学术界认为是较为可信的文献。因而上述现象给我们三种推想：

一是聂赤赞普和布德巩杰同为一人。由于当时历史的口头表述原因而成为同一世系的两位赞普。他们都有与其他赞普的不同的经历，即都曾到过勃敖地方，都曾在蕃地为王。

二是他们二人有同如史料表达的基本经历，或者可进一步推演之，由于聂赤赞普出自勃敖地方，因而他的子孙也在困境中前往勃敖地方，待羽翼丰满则重返青瓦达孜宫。

三是以上所说都是神话故事，不足凭信。一些书籍中说吐蕃的祖先是布德巩杰，这同样是一给人诸多联想的信息。它告诉我们在蕃（བོད།）这一小邦国立国之前，曾有一“悉勃野”王族的发展阶段。汉文中对此均有记载。《旧唐书·吐蕃传》：

及蒙逊灭，樊尼乃率众西奔，济黄河，逾积石，于羌中建国……遂改姓为窣勃野，以秃发为国号，语讹谓之吐蕃。

《通典》卷一九〇之《边防六·吐蕃》：

始祖赞普，自言天神所生，号鹘提悉补野，因以为姓。

《册府元龟》卷九六一之《边臣部·土风三》：

每十节度，置一上相统之，自号吐蕃为“宝髻”。

汉籍之“宝髻”、“弗夜”、“不夜”、“悉勃野”等为藏文“སྤུར།”或“སྤུ”、“ཕུ”、“ཕུར”、“རྒྱལ”等词的对译。公元823年（唐穆宗长庆三年）立于拉萨大昭寺前的“唐蕃会盟碑”就有如此记载：

> འཕྲུལ་ལྡེ་ལྷ་བཙན་པོའི་ལྡེ་སྤུ་རྒྱལ། ཡུལ་བྱུང་ས་དོད་ཚུན་ཅད་འུང་ནས་སྤྱིའི་རྗེར། བོད་སུ་རྒྱལ་པོ་ཆེན་པོ་མཛད་པ་ཡང་། གངས་རི་མཐོན་པོའི་ཡོད་དབུས། ཆུ་བོ་ཆེན་པོའི་ཡོ་མགོ། ཡུལ་མཐོ་ས་གཙང་བ་ལ་གནམ་ལྷུ་ལྷ་ལས། སྤྱིའི་རྒྱལ་པོར་གཤེགས་ཏེ། གཙུག་ལག་ཆེན་པོས་ཡོ་ཡུན་ད་སུ་སྲིད་བཙུགས། །（圣神赞普鹘提悉勃野自天地浑成，入主人间，为大蕃首领。于雪山高耸之中央，大河奔流之源头，高国洁地，以天神而为人主，伟烈丰功，建万世不拔之基业焉。）

这样一些叫法，见于藏史者不少，比如“赞普悉勃野”（བཙན་པོ་སྤུར་རྒྱལ）、悉勃野蕃（སྤུར་རྒྱལ་བོད།）等。

2. 有些研究者认为，吐蕃是“吐谷浑所属三蕃地”的缩语。由于在隋末唐初吐谷浑强盛而进行推测。

3. 有的学者从藏文词义上进行分析，主要有如下一些看法：

（1）吐蕃为“上蕃”（སྟོད་བོད།）之对译。

（2）吐蕃为“南蕃”（ལྷོ་བོད།）之对译。

（3）吐蕃之意，早先为“农”之意。因（བོད་པ།）（蕃人）和牧人（འབྲོག་པ།）相对音，同于（རོང་མ་འབྲོག“半农半牧”）。

（4）吐蕃之“蕃”（བོད།）就是འབོད།，是“呼喊”之意，藏人是呼唤的民族；藏史所谓“བོད་ཁ་ཞག་དྲུག”是“六个呼喊的山垭豁”。

（5）བོད།由“ཕོས།”（古词为བྲོས།，意为逃跑）演变而来。

（6）人们一般认同的是根敦群佩在《白史》中提出的观点：བོད།就是བོན།（苯）。根敦群佩说：“印度人称我们为‘播扎’，这是旧时的读法，读‘蕃’字时，将‘波’、‘达’二字读得很清楚。因此，‘蕃’、‘波’、‘播扎’的发音，实际上是把‘蕃’的读音变成了梵音，而不是把梵音变成藏语读音。”并说“其余雪域（ཁ་བའི་ལྗོངས།）、雪境（གངས་ཅན།）等由梵语‘喜马拉雅’及‘希玛邦达’等义译成。”雪域、雪境人（或译雪乡人）、蕃是藏人自称中最为常见的词汇。

四、有关藏族来源的几种观点

对于藏族族源的探讨，学术界有多种观点，主要的有如下三种。

观点一，源于释迦王族，即所谓南来说。这一观点所应用的主要参考的资料是：

1.《布敦佛教史》：

> 昔（佛末世前）贯参五子与十二国战斗之时，有一国王名茹巴者率二十士兵，女装逃至雪山中，此后发展遂成西藏之民族。

2.《贤者喜宴》：

> 关于所谓（赞普）出自释迦离遮毗种族……由神导引，首先成为西藏之王，无疑他是来自光明及释迦王系；此人首先降落在拉日江脱山巅，后至拉日瑞布赞塘果西。其时，被一些有福分的藏人所见，诸目睹人中，有严谨的洛及尼雅、公正的琼及努、友善的赛及波父民六族；尚有拉布拉塞、塞本、玛本、久拉本、香雄本、蔡米本等十二位智者……

3.《西藏王统记》。

这种观点在佛僧史著中频频出现，或完全是由于宗教因素，由尊佛、崇佛而将赞普世系与释迦王族挂上钩，借以提高身价。甚至放射至一些信仰藏传佛教的民族中。比如《蒙古源流》卷三中曾如此记载：

> 再谨案蒙古地方汗位之统，则：土伯特（藏族——译者注）之合罕（王。引者注）中，至共主尼雅特赞博（“特”可能为“持”之误，尼雅持即为吐蕃第一世王聂赤；“赞博”即汉籍多译之“赞普”——引者注）合罕七世之孙，色尔持赞博（吐蕃第七世王塞赤赞普——引者注）合罕时，其臣隆纳木（即今译之罗阿木——引者注）谋害而夺其合罕位，其三子博喇出，锡巴古齐、布尔特齐诺等，俱各出亡他方，季子布尔特齐诺往恭博（即今之工布——引者注）地方矣。因彼恭博国人不信，娶郭娃玛喇勒之女为妻，渡腾吉斯海，趋之东方，至拜噶勒江界之布尔罕·哈勒都纳山，而逢必塔国之众焉。彼等询其来由，则引古印度之众所拥戴之合罕及土伯特共主之后为对，

于是必塔国人共议之曰："此子乃有根基之人也，我等原无首领，立此为君可也。"遂推为诺延，遵其旨意而行焉。

这一王位传承顺序完全取材于《吐蕃王统世系明鉴》（索南坚赞著，成书于14世纪），其与后来发现的敦煌古藏文文献中的记载基本上是一致的。该书《吐蕃早期王统》一节中有两处十分相似的记载：

据《柱间史》，"印度释迦日扎巴王之后裔，从法王阿育王依次相传，有孪生兄弟甲丁王和百军王二人，后来因为国事不和，发生纷争。百军王的三个儿子中最小的一个，有伟人之相，但未能继承王位。依照神的预言，给他穿上女人衣服，把他流放到藏地。"布敦大师的《佛教史》中说，他是郭萨拉国萨甲王的五世孙，或者是苏金宁波王的五世孙，或者是代拉国王洽杰的儿子，是个有伟人之相的人。无论如何，说的都是涅赤赞普王，这是一致的。"

此外藏文史籍记载说，"聂赤赞普最初降落到若波神山的山巅，看见雅拉香波雪山高耸，雅砻地方土地肥沃，于是下到赞塘巩马山上，被放牧的牧人们看见。牧人们到他跟前问他从哪里来，他用手指着空中，牧人们说：'这个人是从天而降的天神之子，让我们推举他当我们的王吧。'遂以脖颈为座，抬他回去，因此，他被称为聂赤赞普。（原注：在释迦灭寂后两千年）他是西藏最早的国王。"

结论是十分清楚的，印释迦日扎巴王的后裔、百军王三个儿子中最小的一个成了西藏最早的国王聂赤赞普。再看另一段：

塞赤赞普的儿子是止贡赞普，他有三个儿子，夏赤、聂赤和甲赤……大臣罗阿篡夺了国政，让止贡赞普的王妃去放马。王妃前去牧马时，在睡梦中梦见与雅拉香波山神化身的一个白色人交合，醒来的时候，看见有一头白牦牛从枕边起身而去。此后过了八个月，王妃生了一个血肉团，有拳头那么大，还会蠕动。因为是自己的血肉，不忍抛弃，想要养育，它又没有嘴巴眼睛。于是把它放到一个温热的野牛角中，用衣袖包裹起来。过了几天前去观看，里面长出一个男孩，给他取名为绛格布茹拉杰。茹拉杰长到十岁时，问他母亲：'我的父亲和哥哥们都在哪里？'母亲把以前的情况详细告诉他。茹拉杰多方设法在娘曲河的贾莫地方找到父亲的尸体，为其父建陵于青王达塘。又杀死大臣罗阿，迎请三位兄长。夏赤和聂赤二人没有来，在工布和娘布当了国王，他们的后裔至今犹存。甲赤由波布应召返回雅砻，修建了青瓦达孜城。

从以上引文的比较中我们可以看出，被称为与《蒙古秘史》相媲美的《蒙古源流》所述完全是西藏之王统，甚至人物名字完全可以对得上：如尼雅持赞博即聂赤赞普（གཉའ་ཁྲི་བཙན་པོ།）、色尔持赞博即塞赤赞普（སྲིབ་ཁྲི་བཙན་པོ།），隆纳木即罗阿（ལོ་ངམ། 或 ལོ་ངམ་རྟ་རྫི།），恭博为现之工布，只是将塞赤赞普之子止贡赞普（གྲི་གུམ་བཙན་པོ།）的事安在了塞赤赞普身上；同时后面三个儿子的姓名则生变化，进入蒙古王统世系了：

其子必塔斯罕、必塔赤罕二人，必塔赤罕之子塔玛察克、其子忽里察尔·墨尔根，其子阿固济木·博忽罗勒，其子……都洼索和尔之子托纳依、多克新、额木尼克、喀尔克等，为卫喇特之厄鲁特、巴噶图特、和硕特、赫喇古特四氏矣。

——其中所举名字均可从《蒙古秘史》中找到出处。可见宗教对民族影响之深刻、深远。

自然，结论是十分清楚的：蒙古民族之王统不出于藏，同样，藏之王统也不出于印度释迦王族。因而藏人之南来说也失去了立论之根据。

观点二，源于羌人之一支，即所谓西羌说。西羌说是藏族族源诸说中最有影响的，也是汉文史籍所一贯主张的。通常也称为“北来说”。主要依据的材料是：

1.《后汉书·西羌传》：

西羌之本，出自三苗，姜性之别也。其国近南岳。及舜流四凶，徙之三危……羌无弋爰剑者，秦厉公时为秦所拘执，以为奴隶。不知爰剑何戎之别也。后得亡归，而秦人追之急，藏于岩穴中得免。羌人云：“爰剑初藏穴中，秦人焚之，有景象如虎，为其蔽火，得以不死。既出，又与劓女遇于野，遂成夫妇。女耻其状，被发覆面，羌人因以为俗，遂俱亡入三河间。”诸羌见爰剑被焚不死，怪其神，共畏事之，推以为豪……爰剑教之田畜，遂见敬信，庐落种人，依之者日益众。羌人谓奴为无弋，以爰剑尝为奴隶，故因名之。其后世世为豪。

至爰剑曾孙忍时，秦献公初立，欲复穆公之迹，兵临渭首，灭狄獂戎。忍季父卬畏秦之威，将其种人附落而南，出赐支河曲西数千里，与众羌绝远，不复交通。其后子孙分别，各自为种，任随所之。或为牦牛种，越巂羌是也；或为白马种，广汉羌是也；或为参狼种，武都羌是也。忍及弟舞独留湟中，并多娶妻妇。忍生九子为九种，午生十七子为十七种，羌之兴盛从此起矣。

这段文字是讨论羌问题中引用最为频繁的。概言之它至少说明了以下几个问题：

A. 记叙了居住在甘青地区黄河、湟水流域（后之所谓河湟地区）的羌人的早期生活，由射猎到农业的特定历史阶段。

B. 羌人在无弋爰剑以后的空前兴盛和发展。同时也说明了在早期的民族（或部落）斗争中，羌人西行的历史。

C. 其中的牦牛羌被后来学者认为是藏族的祖先。而《汉书》中并没有将羌和藏（即唐书所称之吐蕃）联系起来。

2.《旧唐书·吐蕃传》：

吐蕃，在长安之西八千里，本汉西羌之地也。其种落莫知所出也。

自此方将“吐蕃”与羌扯在一起。《新唐书·吐蕃传》自然沿袭这一观点：“吐蕃本西羌属……其俗，重鬼右巫，事羱羝为大神。”而新旧唐书《吐蕃传》所记也不一致：

或云南凉秃发利鹿孤之后也。利鹿孤有子曰樊尼，及利鹿孤卒，樊尼尚幼，弟傉檀嗣位，以樊尼为安西将军。后魏神瑞元年，傉檀为西秦乞佛炽盘所灭，樊尼招集余众，以投沮渠蒙逊，蒙逊以为临松太守。及蒙逊灭，樊尼乃率众西奔，济黄河，逾积石，于羌中建国，开地千里。樊尼威惠夙著，为群羌所怀，皆抚以恩信，归之如市。遂改姓为窣勃野，以秃发为国号，语讹谓之吐蕃。其后子孙繁昌，又侵伐不息，土宇渐广，历周及隋，犹隔诸羌，未通于中国。

这段话结合上文分析，包含了三层意思。

A. 这里的“吐蕃”是个地域概念，并不是族名。《唐书》认为当时的吐蕃地方是属于“汉代西羌”的。

B. 许多人忽视了其中“其种落莫知所出也”一句。这句话看来是较为客观的。不知其“种落”的来源，这不光是唐时的问题，以后的很长年代中，也属于此种情况。

C. “或云南凉秃发利鹿孤之后也”，这是《唐书》中直述的，可见当时对吐蕃一系还没有定论。“或云”二字同时也是对“其种落莫知所出”的注释和补充。也恰恰是站不住脚的：

（1）樊尼招集傉檀余众的时间是后魏神瑞元年，即公元414年。

（2）沮渠蒙逊（368～433）建北凉政权。“蒙逊灭”当在公元433年，此时樊尼才“率众西奔，济黄河、逾积石，于羌中建国，开地千里”。

据此两点分析，西藏高原开发的历史不过公元五世纪，实际不是这样。

其他像《册府元龟》等书中也有类似记载。

观点三，自古以来就休养生息在西藏高原，即土著说。主要依据的材料有：

1.《吐蕃王统世系明鉴》。即“猕猴变人”的故事，前文已引。除《吐蕃王统世系明鉴》、《青史》（大约成书于公元1476～1478年）等史籍外，其他史籍中也有类似记载：如《贤者喜宴》中说最初有一猴雏。《总遗教》中说：最初六个猴子，后来不断繁衍，分为四部。后群猴饱食谷物而变成了人，穿树叶做的衣服，在森林中如同野兽一样生活。

2. 民间文学资料。主要有流传于西藏山南雅砻河谷的猕猴变人的故事和有关遗迹，如“猕猴洞”，“猴子玩耍坝”（泽当）“第一块地”等。其故事也大体相似。此亦在前文中引用，在此不述。

从以上的叙述中，我们可以知道，早期的土著说只是依据于较丰富的传说故事。显然，这些故事与青藏高原联系来说明藏人的来源，仿佛还缺乏证据。但随着青藏高原惊人的考古发现，使这一观点得到了升华，得到了充分的论证，即来自于民间传说故事结论的土著说被一系列的科学发现所证实。藏人是青藏高原人类先民的后裔。

五、藏民族的形成

由于地域的隔绝障碍，早期的藏史著作中，也未能将藏族自身的族源摸索清楚。因而到今天虽然由于考古发现的骤增，佐证见多，所谓藏人源于印度说，后凉秃发樊尼传出藏族说，都一一萎缩，但藏族的根本来源问题仍然没有得到实质的解决。其中有一定说便是藏族起源于雅砻河谷，藏族史著多有论及，现代史家竞相引用——倘若你踏上西藏的土地，置身于雪域优美的诗情画意之中，你就会听到无数的声音对你说：“到藏族发祥地去吧，那儿有藏族历史上的第一座建筑雍布拉康，第一座宫城青瓦达孜，有猕猴洞，猴子玩耍坝，有藏王墓……”的确，挂着幡帜的猕猴洞会给人无限的遐想，让我们跨过新石器、旧石器，到那迷濛的渐新世、始新世、古新世寻访我们的祖先，4000 万年、6000 万年、7000 万年，那个猕猴生活的时代足以使我们这些活泼的心灵颓然、茫然，甚至恐惧。就像我们不知后人会研究我们一样，古人也不会有意识地留下供我们研究的材料。即便有先见之明的圣人留下了若干证据，浩浩茫茫的历史又让我们难以树起坐标，测量它的准确位置。的确，雅砻河谷像拉萨一样，曾是藏人的心脏，然而这个心脏的形成，究竟起于何时？有没有别的“心脏”？

敦煌文献等较古的典籍中，叙述藏人的历史，多从吐蕃第一世王聂赤赞普开始，所不同的是“自天神而为人主”。最初四个氏族塞（སེ།）、木（རྨུ།）、冬（ལྡོང།）、东（སྟོང།），就休养生息在雅鲁藏布江南岸泽当一带的雅砻地区，再加上扎（དབྲ།）、者（འབྲུ།）两个氏族，共六个氏族，他们分别住在雅砻河谷的索塘（ཟོ་ཐང།）、泽塘（རྩེད་ཐང།）、沃卡久塘（འོལ་ཁ་རྒྱུག་ཐང།）等地，这些地望现在仍可指出概貌，地域是十分狭小的。这块地面的另一种说法是“六牦牛部”（བོད་ཀ་གཡག་དྲུག）。据载，有一天聂赤赞普从赞塘贡玛下来，碰到了这些氏族的人，他们问聂赤从哪儿来，聂赤指指身后的山，氏族的人们误以为他是从天上来的，即以肩为座扛回部落（聂赤赞普 གཉའ་ཁྲི་བཙན་པོ།，意为“肩座王”），尊为王，这便是悉勃野（སྤུར་རྒྱལ།）王族的开始。

从悉勃野王族统治雅砻的前七代（天赤七王）的情况看，这时的藏人的社会形态，与所有藏属民族的社会形态大致相似。那时候还带着浓重的母系社会的印迹。我们从父子相传的王的称号上便可了知一二：

聂赤赞普的王后为南牟牟，生子称牟尼赞普，牟尼赞普的王后为萨当当，生子为当赤赞普。从第一世王聂赤赞普到第七世王塞赤赞普都是如此，母后的名字和王子的名字相连。这种母子联名形式的存在说明，已建立父系制度的吐蕃社会尚未完全扬弃母系氏族制度的残迹，这种残迹与当时东女、西女国在同一层面上。由此延览后期的羌、彝、纳西诸藏系民族，当时也没有完全建立父权制社会，青藏高原还是女性的天下。

显然，将藏人的发祥地只限于雅砻河谷这是很不全面的。聂赤赞普作为第一世藏王生活于雅鲁藏布江南岸的时候，还有一些未立王甚至立了王并没有进入史册的部落生活在西藏高原上。比如神奇的象雄王国。

上文已述，象雄之所以成为藏学研究中的一个热点，是因为：（1）苯教早期的形成发展流传情况尚未得到全面解释；（2）象雄的时间和空间仍未得到实质性解决；（3）许多学者认为在吐弥桑布扎创制藏文之前，西藏尚有另一种文字存在，即所谓象雄文。尽管未得到实证，但持此说者日众。如南喀诺布说：藏族最早使用古象雄玛尔文，“大概在聂赤赞普时期，或者更早一些。几乎所有的苯教史都认为，聂赤赞普时代，许多象雄学者来到卫地将苯教经典翻译成了藏文。如果那时没有使用玛尔文，就不可能翻译成藏语。”① 然而玛尔文究竟是什么样子，谁也说不清楚，这些疑案本身抬高了象雄的身价。

从现在掌握的材料看，象雄是藏族文明的又一发祥地，它的古代文明有可能比雅砻河谷还要早。

据南喀诺布等人的研究材料说，古象雄王赤维色吉希日坚时，象雄分为内、中、外象雄三部，现在的阿里、拉达克等地为内象雄，卫藏等地为中象雄，多康为外象雄，涵盖了绝大多数藏区，此时出现了“象雄十八王”：

驻于岗仁波且（灵雪山）前的绿树环绕之城中的象雄世俗王赤维拉杰古朗色吉希日坚、象雄胜伏王群格希日坚、实多杰邦岗噶谢吉希日坚三王。

驻于欢喜地群陇的勒扎古格嘉布仁钦沃吉希日坚、迥牙穆科嘉布雅沃希日坚、吉列古格嘉布恩钦敦格希日坚三王。

驻于象雄布商玛地方的邦迥杰尔嘉布、宁罗维雅嘉布差蒙沃吉希日坚二王。

驻于象雄吉那地方的达那斯杰嘉布索香久吉希日坚、扎玛台邦嘉布美浑沃吉希日坚二王。

驻于象雄达若地方的都代外吉嘉布尼希沃吉希日坚、勒维杰吉嘉布达希沃吉希日坚二王。

驻于象雄达果地方的希迥实多嘉布扎玛沃吉希日坚、勒木尔南喀嘉布贝沃吉希日坚二王。

驻于象雄喀觉尔地方的木维诺吉嘉布噶江沃吉希日坚王。

驻于象雄喀隅地方的色实杰吉嘉布艾拉乌吉希日坚。

驻于拉达克地方的尼罗维亚嘉布那久维吉希日坚王。

驻于象雄茹拉克地方的木玛托果嘉布俺沃吉希日坚。

① 南喀诺布：《关于西藏古代史研究中的几个问题》，载《西藏研究》1985年3期，第111页。

这十八大王无疑是当时盘踞象雄的十八个部落。它们出现于哪个时代？据说象雄王赤维拉杰色吉希日坚在辛饶米沃且晚年出世，辛饶的弟子辛唐玛沃嘉曾为王之“古先”（御用巫师）。辛饶米沃且到聂赤赞普经历七代。如此推算，象雄王国的出现要比吐蕃王朝的出现早两个世纪左右。这个数字需要进一步核实，但可以说象雄王国的出现并不比雅砻王朝晚。倘若此议成立，可以说古象雄是藏人的另一发祥地。

雅砻、象雄之外的藏人同期文明肯定还会存在，但所见材料很少，一时难以充分理论。前文已述，像《汉藏史集》等史籍说吐蕃尚经过“玛桑九兄弟”、十五小邦、十二小邦、四十小邦统治时期，然而我们仍难找到这种实际存在的历史的脉承关系，只觉得吐蕃在国家出现前有过一段小邦统治时期仿佛也合乎情理。到吐蕃王朝兴盛时期（公元6世纪至9世纪中叶）时出现的雄踞一方的小邦，又给我们新的思考。

小邦中比较突出的是分布在林芝地区境内的娘（ཉང་）、工（ཀོང་）、达（དགས་）三小邦，他们或许就是新石器时代林芝人的后裔们。显然，藏人对这一地区的开发不会晚于对雅砻和象雄的开发。另外，值得注意的是小邦几乎遍及青藏高原，其特点是南较西多，符合古藏人两次东南之行的轨迹。《敦煌古藏文历史文书》中记录的小邦王有：

1. 象雄阿尔巴王李聂秀；2. 娘若切喀尔（今年楚河流域）王兑噶尔；3. 努布王斯巴；4. 娘若香波地王仲木察；5. 几若江恩地王几杰芒保；6. 岩波（今彭波）查松之王古止森波杰；7. 雅茹玉西之王雅杰喀尔巴；8. 俄尔邦噶之王俄新查章察；9. 埃玉朱西之王埃杰拉章；10. 龙木若雅之王森弟；11. 悉布玉若木贡之王张杰内南木；12. 工布哲那之王工杰噶波；13. 娘若达松之王娘宗朗杰；14. 达布朱西之王达杰朱森；15. 琛玉古玉之王琛杰内乌；16. 苏毗雅松之王末计芒茹帝；17. 卓木南木松之王斯日赤，等等。这些小邦各建堡寨，各有家臣，明显为一方势力。奇怪的是敦煌文献中没有列入雅砻河谷的“小邦”——悉勃野王朝——或许后世笔录者们虽然讲的是以前的事，而由于当时的悉勃野王族已经掌握了国家政权，排除他们于众小邦之外吧。

众小邦的存在给吐蕃王权的建立提供了前提条件，从达日宁塞、南日松赞到松赞干布，西藏高原的兼并，如同访亲问祖，收拢旧部，很快结束，继而开始了漫长的扩张战争。吐蕃王朝兴盛时期的二百年，向西北有过很大发展，而其用心最多的仍然是东方和南方，大批的藏人再次踏向他们的祖先由于气候的胁迫而走过的道路。而此时遗留在西藏东南地区的在第一、第二次东南迁徙的藏人部落已在各自的领域里发展了近千年或数千年乃至上万年，有些地缘相近，大致类似；有些在文化上共同因素很多；有些则相去甚远了。

除苏毗、象雄外，松赞干布开始经略东方，兼并的部落有附国、东女、嘉良夷、白兰等部，继而灭哥邻、白狗、逋祖、南水、弱水、悉董、清远、咄霸等“西山八国”。吐蕃军旅锐不可当。实际上这是些小的部落联盟，并无多少军事实力，加上文化上的内在联系，很快统于吐蕃治下。如党项——藏人兼并后称弥药（མི་ཉག），《隋书·党项传》云：“党项羌者，三苗之后也，其种有宕昌、白狼，皆自称猕猴种。”——与藏人保持着共同的图腾崇拜，其他如信仰天神、龙神、白色崇拜以及生活、饮食等习俗都基本上与藏族相同。

许久以来一些同志对公元7世纪吐蕃突然崛起西藏高原大为不解。当我们了解了民族间的这种渊源关系，就不难理解吐蕃王朝鼎盛时期人口逾千万，雄兵六十多万，靠什么？就靠这些认同的民族，如打吐谷浑则用象雄兵等。吐蕃王朝解体后的实例也告诉我们，尽管在相互隔绝的情况下各自独立发展逾千年，文化、语言上的联系仍然是存在的，否则吐蕃王朝解体进入小邦割据时代，为什么许多“民族”仍然归属吐蕃，不立新国或民族？同样的环境，安多、康区的羌属多在吐蕃时消失，成为今日的藏人；而安西四镇、尼泊尔等处同为吐蕃百年治理，一旦吐蕃王朝崩溃，仍车走车路，马走马道，恢复自己原来的民族。再如以彝族、白族等为主体的南诏国，曾归附吐蕃，同为藏系民族，但当各自形成不同的民族共同体后是很难让其在短时间内同化、消失的。作为一个独立的民族，它同样有超常的护自性，顽强地与各种命运作斗争，以维护、维持自己的民族生命，并企图得到正常的甚至是迅速的发展。

以前在讨论藏民族的形成问题时，有两大误区：(1) 只将眼睛盯着雅砻河谷，而将达日宁塞时开始的高原兼并战争当作吐蕃民族对另外“民族”的吞并，而没有将它当作同一文化系统的不同部落的统一。如此，以后的许多事情便疑窦丛生。因为作为被吐蕃兼并的苏毗、羊同等被认为是诸羌民族，是藏人的异支，或者将藏族当作羌族之一支，在南凉（公元397～414年）时逃亡雪山成一民族（以此推论，藏民族应该是纯粹的羌族，距今不过2400年），应该说在语言上是绝对统一的，因为汉族史书记载，羌族在公元前约20世纪时就与汉族接触，没有独立的语言系统，这不合逻辑。将藏人归属于“羌”或者在“羌就是藏”这个大前提下，就会阻塞研究的进一步深入。西藏地区广泛的石器文化遗存打破了这一定形的格局，更多地倾向于藏族为青藏高原的土著这一新的理论系统。因而给准确地认识藏民族的形成提供了历史证据和理论前提。（2）马克思和恩格斯指出："思想、观念、意识的生产最初与人们的物质活动，与人们的物质交往，与现实生活的语言交织在一起的。观念、思维、人们的精神交往在这里还是人们物质关系的直接产物。"① 藏语的形成期是个难考的问题，但从原始信仰、石器文化、原始岩画、陶器等方面看，当无数的藏人在崇拜日月星辰，赞、年、龙神，崇拜猕猴、牦牛等动物时，藏人的语言应该说有了很大的发展。这个时间有关专家认为是在旧石器时代中晚期。"早期氏族有自己的语言，部落有特定的地域、共同的方言，一般还没有共同的管理机构。同一氏族由于共同的血缘，因而崇拜共同的祖先，产生氏族图腾。"② 从这一阶段到原始苯教的产生，藏族的先民们经历了无数的动荡和不安，其中包括由于寒冷引起的迁徙。但是可以说原始苯教对早期藏族的语言、心理素质的统一起了莫大的作用。而在藏学研究中常常忽视这一点，仿佛早期的西藏高原有无数与世隔绝的氏族，在那里隐秘地发展，最后突然崩出个藏族来。苯教的神圣作用有可能还表现在对早期藏文的创制上。摩尔根在《古代社会》中说：文字的发明大体经过了如下发展过程：（1）手势语言或个人语言；（2）图画文字或表意符号；（3）象形文字或符号；（4）表音性质的象形文字或按一定公式使用的表音符号；（5）音符字母或写音。被认为创制于公元 7 世纪初的藏文属于最末一种，是拼音文字。而在此前肯定还会有一种文字，它属于苯教，在苯教徒手中普遍使用着。

根敦群佩《白史》曰：

> 布敦大师等说，吐弥依拿迦罗（ནཱ་ག་ར།）文字为蓝本，而创造藏文。诸余智者则谓：是依照兰扎（ལཉྫ། 即 ར ཉྫ之变音，义为"有色"）、瓦都（ཝརྟུ། 义为"旋转"）二种字体为蓝本，创造"有头"（楷书）与"无头"（草书）二种文字。苯教则谓松赞以前，已宏扬若干苯教之法，故说无文字，实非确语，此复先由波斯（སྟག་གཟིག）之所谓绷伊（སྤུངས་ཡིག）转写成象雄（ཞང་ཞུང།）之老文（ཡིག་ཀན།），再转变为门札（སྨན་ཟན།），如是渐次形成有头（དབུ་ཅན།）主玛（འབྲུ་མ་ར།）等。

吐弥创造文字学界似成定论，然疑窦颇多。吐弥创造文字的同时作精

① 马克思、恩格斯：《费尔巴哈》，《马克思恩格斯选集》第 1 卷，人民出版社，1972 年，第 30 页。

② 林耀华主编：《原始社会史》，中华书局，1984 年，193 页。

辟的语法著作《三十颂》，似乎不大可能。我想吐弥桑布扎为了译经的需要改革藏文是合逻辑的，因为，其一，过去的文字或难书写，或少规律，尚不能应付广博繁杂的佛教经典；其二，随着吐蕃王朝的迅猛发展，新思想、新事物的不断涌现，需要有文字作为交流的工具，社会对文字的改革要求迫切。

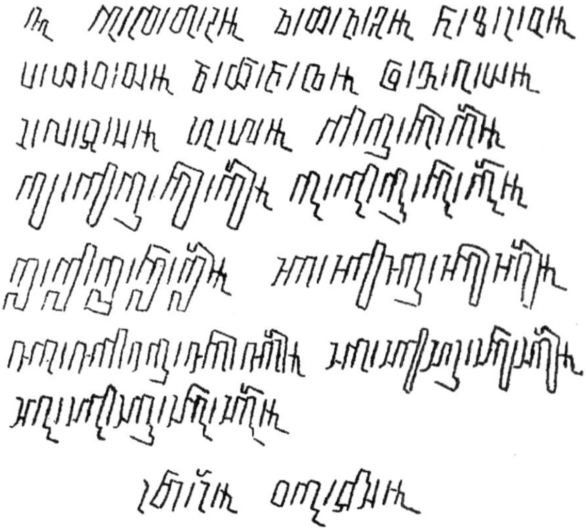

图 1－12－4－1　“神界下凡的字”

（转引自南喀诺布先生《论藏古代史的几个问题》）

苯教的许多著作说，藏文源于古象雄的玛尔文，西藏的许多寺院里有不少藏书是古象雄文的手抄本，这些抄本是用玛尔体的高体、短元音的草书写成的。南喀诺布说：在故乡时，他常向一位叫甘索巴的八十多岁擅长书法的老人请教藏文楷书和草书书法。“有一天，他叫我写一种叫‘天降文’的藏文字体，当时我不知道这种字体的历史渊源，后来读‘玛尔体’字古抄本才知道所谓天降文原来就是古象雄的玛尔文。所谓‘玛尔文’，就是我们今天使用的藏文草书字。藏文的楷书则源于梵文。”① 我以为此说是有道理的，吐弥桑布扎依据古象雄的玛尔文，归纳出藏文的基本结构和规律，同时保留了原书写形式——藏文草书，并参照印度文创造了藏文楷书，总结撰写出了精美的语法著作，藏文高度统一，后期虽有热巴巾时期的厘定文字，但以此为始，藏文稳定发展凡 1300 年。

① 南喀诺布：《关于西藏古代史研究中的几个问题》，载《西藏研究》1985 年第 3 期。

时　代	民族来源	区　域
猕猴时代	氏族图腾部落时期	泽当
	↓	
	最初六姓	山南
	↙	
小邦时代	雅砻王朝（蕃）　象雄诸部	山南、阿里
	↓　↓	
	12小邦、40小邦	西藏全境
	↓	
吐蕃王朝时期	附国、东女、嘉良夷、“西山八国”等（蕃钦保）	青藏高原大部

藏民族形成（图1－12－4－2）

注：a. 氏族图腾部落，在前文业已述及，有猕猴、牦牛、雄狮等，这一领域的问题尚待开掘。

b. 从“蕃”到“蕃钦保”是藏民族从雏形到定型的过程。

c. 藏民族在后来的发展过程中尚吸收了其他的一些民族，在此未列入；蕃钦保所涉及的区域基本上是苯教文化的早期传播区，或在第一二次东南迁徙中的与藏关系十分紧密的部族。

我们不能说早期宗教是创造文字的基础，但不可否认早期宗教对语言的统一规范、“民族性”的进一步完善，具有巨大的推动作用。苯教（非佛教化的苯教）有其粗浅教义，分若干教派，有较为繁琐的送鬼、降福、祈福、卜算、祭祀等一系列活动，甚至包括早期的医学知识，倘没有文字书写，完全凭口耳相传的记忆，是很难想象的。文字是人类的一道曙光，藏人的这道曙光是从象雄射出的。较保守地推断，这一时期很可能在藏人的金石并用时期，大约与石棺葬的兴起相一致。

第二编

苯教文化时期

（约公元前10世纪～公元8世纪）

引　言

藏汉文史著，由于各自的文化传统之关系，在藏学研究中使用着两套历史时期的概念。汉文史书中则以夏商周、先秦、两汉、魏晋南北朝、隋唐、五代十国、宋、元、明、清来概述，因之，不少同志依样画葫芦也将此种形式套于藏史研究；而藏文史书中，因治史者多为宗教大德，则以宗教兴衰为纲目，称前宏期（བསྟན་པ་སྔ་དར།）、后宏期（བསྟན་པ་ཕྱི་དར།）等，在行文时，有些不同分类相互交错，有些则另立名目，使得藏族史的分期问题从概念、时间和内容的界定上五花八门，甚至界线混淆，归类不明。叙述藏族文化发展的历史，自然地要涉及历史的分期问题。但是文化史的分类既不同于政治史，也不同于宗教史，因而，从藏族文化的实际和藏族历史的实际出发，我对苯教文化时期的历史分期作以下界定。

“吐蕃时期”是用汉文写作的藏学文章及著作中使用最多的一个概念，同时也是内涵最为混乱的一个概念，可以说已经到了滥用的地步。有诸如“吐蕃早期”、“吐蕃晚期”、“吐蕃中期”等提法，均不严格，只是“大致”划定而已，并没有具体的时间界线。实际上“吐蕃时期”主要是指“吐蕃王朝时期”，习惯上省略“王朝”二字；从藏文角度看，这两个字是不能随便简化或删去的，删去了，其含义就变了。

故而“吐蕃王朝时期”可以分为两大时期、四小时期：

第一，苯教辅政时期。

1. 形成期——早期七王时期（藏史所谓“七天座王”）。

2. 发展期——其时间为止贡赞普至仲年德乌（即藏史所谓“中丁二王”、“六地善王”、“八德统王”、“五赞王”时期等）。

3. 兴盛期——松赞干布至达玛吾都赞。其中可分三小阶段：

（1）兴盛早期（达日宁塞至南日松赞）。这一阶段是个过渡期，也是苯教文化的衰落时期。此一时期的吐蕃社会从政治、经济、军事等方面进入明显的上升时期，达日宁塞和南日松赞两世赞普已使鹘提悉野王朝的旗帜在青藏高原高高飘起。那种认为吐蕃的强盛在松赞干布一人之一时之功的说法实际上是不符合历史事实的。

第二，佛教辅政时期。

（2）兴盛中期（松赞干布至赤松德赞）。这一阶段是藏族历史上最为辉煌的时期，出现了松赞干布、噶尔·东赞宇松、论钦陵、赤松德赞等开明而伟大的政治家、军事家和外交家。吐蕃王朝也如旭日冉冉升起，成为当时“决定中亚命运的大国”。

（3）兴盛晚期（牟尼赞普至达玛吾都赞）。这一时期的吐蕃社会虽然保持着旺盛的上升势头，但一些严重的难以克服的问题不断爆发；农奴制经济形态受到空前冲击；宗教（佛、苯之间）斗争日趋尖锐复杂。

4. 衰落期（云丹、欧松至诸小王割据时期）。达玛吾都赞被拉隆贝吉多吉刺死后，吐蕃王朝崩溃这是一般的概念，但是倘若我们仔细考察便可发现，这一时期的分裂仍然围绕王权进行；同时，围绕王权斗争的却是悉勃野家族的子孙们。而这一过程并不算短：云丹、欧松争位，相互混战28年。此后的拉萨、阿里、亚泽、雅砻割据势力，均为王系，延续数代。

自然，此编涉及的问题主要是苯教辅政时期的藏族文化。

兹前所述，藏族史前时期的文化已具有其独特的高海拔地区的文化特点，形成其早期文化的独特魅力，也为苯教文化的产生和发展创造了条件。社会生产力的发展，既是社会发展的根本动力，也是文化发展的根本动力。从整体情况看，苯教文化时期的吐蕃社会大体经历了如下一些阶段：

第一，氏族及部落联盟时期（约公元前10世纪至公元前4世纪左右）。这一时期是苯教文化的创始阶段。这一阶段是由原始信仰逐步系统化、理论化，为苯教文化的全面形成在做准备的阶段。

第二，邦国时期。这一时期大约分三个时期：一是邦国初期（聂赤赞普至止贡赞普），一是邦国中期（布德巩杰至赤脱赞普），一是邦国晚期（拉脱脱日年赞至仲年德乌）。这一时期基本上是藏族的奴隶制时期，苯教及文化得到大规模发展并且受到二元论影响，原始状态的藏族文化产生变化，从而进入一个文化进步、发展的时期。

第三，吐蕃王朝的统一建国时期（达日宁塞至赤松德赞）。这一时期苯教文化进入繁荣时期，得到了较为广泛的传播，且影响深远。这一时期的藏族社会已进入封建农奴制和封建社会。

第四，吐蕃王朝鼎盛时期（桑耶寺的建立至吐蕃王朝崩溃）。这一阶段由于佛教的浸入，佛苯之间产生了激烈的斗争，虽各有胜负，但苯教在理论上遭到惨重失败，从此一蹶不振。

就整个藏系民族的发展情况看，这一时期的早期主要在三种状态下进行：

其一，在青藏高原原有的系统中发展，相对封闭，比如藏民族，仍然保持着原有的特定的文化风貌。

其二，在民族交汇地区的藏系部落，有些在原有的条件下，已朝着产生新民族的道路迈进。

其三，有些早期进入汉族地区的先民，有的在逐步失去藏系特点，有的已完全同化为汉人。

以往的史书没有划定“邦国”这样一个时期。根据史料看，邦国这样一个时期是存在的。而且这一时期存在的历史也是较长的，大约经过了六七百年的历史。从一些资料看，邦国在地域上基本上是独立的，但在宗教文化上仍然受到了苯教文化的强烈影响。从象雄始发的苯教在它形成基本规模以后，像一股强劲的春风不断地向四周扩展，使高原文化统帅于苯的旗帜下。邦国的早、中、晚三期基本上与苯教的三期发展相一致。

佛教的传入改变了苯教的命运，也改变了藏族文化的命运；既使苯教化苯为佛，走上了丧失自我的道路，也使藏族文化改变了原来的轨道，汹涌地奔向“六字真言”所导引的航道。有趣的是，苯教与吐蕃王朝走的几乎是同一条道路，苯兴而朝兴，苯尽而朝亡。

第一章　苯教文化的初萌时期

第一节　原始信仰的哲学化和苯教的产生

从我们已知的材料分析、推论，被称为藏人土著宗教的苯教，不一定就是藏人完整的土著思想和土著文化。虽然它与史前信仰构成了藏族文化中具有“根”性质的文化因子，我们今日的许多文化实像都可以追溯到这一时代。但是，以苯教思想哲学为指导的苯教文化也不是在单一的藏族史前信仰文化的基础上形成，而在其发展中吸收了其他民族的文化营养。

任何事物都不是凭空产生的，任何事物的发生、发展都有其特定的背景和原因。随着生产力的进一步发展和社会的不断进步，一个新的时代展现在雪山草原之间——原始社会逐步消隐在静谧的雪山丛中，统一的奴隶制社会顽强地在众多的部落群中立起。从卡若文化遗址等分析，西藏高原饲养牲畜的历史可上溯到新石器时代，而从事农业生产的历史也至少有三四千年，金属冶炼的出现也不晚于距今2500年。生产力的进步变化，改变着人们的生活方式。财富的聚积与丰富，打破了那种长久以来自然运行的部落公有制，为了财富的残酷的部落战争此起彼伏，单一的部落已经不能适应发展了的社会和社会的政治、军事斗争，人们需要联合更多的更强大的力量来应付外来的入侵和对抗——部落间的战争，来保卫自己的、自己部落的胜利果实和本部落的各种利益。精神是物质的反映，经济基础决定上层建筑，高原久存的大自然崇拜，飞禽走兽、草木山川均有神性的观念，已经不能完全地适应发展了的形势。于是，一些新的思想观念自然地在一个新的时代里成长，与后来的哲学系统比，这些思想或许不值得一提，然而在过去的那个时代里，它却有着划时代的意义。这些崭新的思想是苯教在逐步走向理论化和哲学化过程中产生、形成的。

一、三界观念

哲学是对思维的思维，古代的哲学无一例外，都在探讨万物的本原，以寻求万物的统一性。苯教也不例外。早期苯教是将世界三分的，即将世界分为三个部分，天、地和地下。这样一种思想的产生是早期的苯教徒对自然世界的观察：天上是“赞”神的居所，地上是“年”神的居所，地下是“鲁”神居住的地方。从神性特征看，它仍然属于泛灵崇拜。“赞”、“年”、“鲁”是藏区非常普遍的神祇，将他们进行理性的排列组合，就有了新的意义。因为，苯教的任务之一就是要“下镇鬼怪，上祀天神，中兴人宅”。（མར་འདྲེ་སྲི་གནོན་པ་དང་། ཡར་རྐན་གྱི་ལྷ་མཆོད་པ་དང་། བར་ཁྱིམ་གྱི་ཐབ་འདོན་པ།）不论苯教的仪式多么繁琐，它的主要作用仍然是为了这三句话。而三句话的哲学意义在于：它已不是从具体的个体来观察问题，而有自己的总体的世界观，它将人类居住的世界划分为三个层次，将不同的神祇进行归类，从而抛弃了那种没有归纳分类的混沌认识，这在思维上是一个重要进步。同时，当时的人们也给自己进行了定位，人类生活于三界之中，要生活得好，就要对上要勤于供奉天神，取悦于神，从而得到它的庇佑；对下要伺候好鬼怪，不开罪于它们，不使它们来祸害自己。自然，取悦于神和不开罪于鬼怪的目的还是为“兴人宅”罢了，使自己的生活更加安全、幸运、美好一些。因此，可以说这三句话中上两句“下镇鬼怪，上祀天神”是手段，后一句“中兴人宅”是目的。

二、天神观念

天神观念与三界观念是紧密联系的。吐蕃第一世王聂赤赞普就是“自天神而为人主”的。《敦煌本吐蕃历史文书》中说：

> 天神自天空降世，在天空降神之处上面，有天父六君子，三兄三弟，连同墀顿祉共为七人。
>
> 墀顿祉之子即为墀聂墀（今多写为聂赤）赞普也。
>
> 来作雅砻大地之主，降临雅砻地方。
>
> 当他降临神山江多之时，须弥山为之深深鞠躬致敬，树木为之奔驰迎接，泉水为之清澈迎候，石头石块均弯腰作礼，遂来作吐蕃六牦牛部之主宰也。

这便是对第一世赞普记于史籍的材料。同样这一故事还有其他许多种说法，尤其是作为民间传说广为流传，在藏区家喻户晓。但是，聂赤赞普到底是何时之人，史籍并没有统一的说法，但他与苯教关系同样十分密切。

1. 东嘎·洛桑赤列教授在《论西藏政教合一制度》中说："在《苯教史》、五世达赖喇嘛的《西藏王臣记》、班钦索南扎巴的《新红史》第1625页都记载说，聂赤赞普时有一个叫策弥辛吉米嘉的人传进了苯教。这是西藏最初出现的苯教。这种从聂赤赞普时就传布的苯教叫笃苯。它是在原始思想的基础上产生的，认为有五大神祇，地方神、家神、战神、舅神等各种不同的神灵，要宰杀牛、羊、鹿等牲畜祭祀它们，并认为人死以后转生为鬼和神，而神鬼死后也转生为人，因而承认有前世和后世。它在历史上又被称为白苯教。"

2. 《贤者喜宴》说，聂赤赞普敬奉苯教，修建了苯教寺院雍仲拉孜寺，说当时有十二位苯教智者弘扬了因苯。

3. 《西藏王统记》中也有苯教兴起于聂赤赞普之时的说法。"苯教史籍记载说：苯教兴起于聂赤赞普之时，止贡赞普王消灭苯教，后又再兴于布德巩杰王之时，到赤松德赞王时，苯教再度衰亡。"

聂赤赞普作为第一世藏王，在藏族史上具有重要的地位，他身上有多种重要的历史和文化因缘：

其一，他的身世涉及吐蕃王族甚至是藏族来源于羌、来源于印度释迦王族的问题，此在上文已述。

其二，他的存在，标志着吐蕃社会由小的部落联盟向大的部落联盟和国家形态过渡。

其三，南喀诺布等学者是认为，苯教祖师辛饶米沃且与释迦牟尼、孔夫子是同一个时代的人，因而聂赤赞普所生活的时间稍晚于此。当代学者的考证更是各执已见，莫衷一是。有的认为他生活在公元前6世纪，也有的认为他生活在公元前4世纪、3世纪、2世纪、1世纪。山口瑞凤等日本学者甚至不承认有这么一个时代，认为自南日松赞以前的历史都是不可靠的，是传说而不是历史。

怎样看待这一段历史，这是一复杂的问题。其一，我们需要考辨这些史籍所载资料的真伪，因为藏族史料的许多方面都加上了神神鬼鬼的传说，使人如入五里雾中，搞不清东南西北。其二，对于藏族史料的这种特点，我们应给予科学的分析和如实的评价，而不能因为传说和宗教色彩的浓烈而将它一笔抹杀，认为那里没有真实而科学的东西。对于这些材料的全部相信是一种偏颇，全部否定也是一种偏颇。当然在现有的条件下，在缺少许多相关资料的情况下，我们马上得出结论是困难的，甚至可以说是不现实的。但是我们又不能不对这段历史进行梳理，将它归入我们研究的科学的框架之中。

我以为作为原始信仰，随着社会进步和科学的发展，走向系统化和哲学化，这是历史的必然，不论我们认为苯教在何时形成，苯教的祖师何时出生。这一系统化、哲学化过程的到来，并不是我们的凭空想象，而是依据社会历史本身发展的基本规律。就像旧石器时代与新石器时代之间有中石器时代这一过渡阶段一样，从原始社会到奴隶制社会的过渡也不是一步到位的。也就是说，以往社会进化的过程并不是一种突变形式，而是一种渐变的形式，一种社会形态到另一种社会形态的全面的完整的实现需要有一个过渡阶段。这一阶段的存在并不是我们的臆造，而是依据旧的时代留给我们的丰富的社会经济和文化材料。第一，当时吐蕃的经济发展较为迅速。据《吐蕃王统世系明鉴》介绍：当时可以将木头烧成木炭，可以熬煮皮子取得皮胶，可以将挖出的铜、铁、银等矿石用木炭烧熔，冶炼出铜、铁、银三种金属，用这些金属可以制成各种农具和兵器；可以制造犁轭，用“二牛抬杠”的办法开垦田地，可以引湖水入渠，灌溉农田。冶炼业和农业的发展给吐蕃社会整体的发展奠定了良好的基础。吐蕃社会由原来的部落形态逐步走上更大的部落联盟，走上具有一定规模的统一邦国，继续向民族的最终形成和国家形态的出现发展。第二，冶炼业和农业的发展使吐蕃摆脱了早期的分散和小型的居落状态，社会变得较以往“复杂”，统一的集中力量的使用，成了大家的共同愿望，因为只有统一的集中的力量才可以使自己的利益得到保护。人如此，各据一地的山神也如此，因为山神的利益和现实中人们的利益是相互紧密关联的。人群的集中和部落的统一，就需要统一的人和组织来进行领导，因而在文化上，一个统一的神的出现已经不是一个可有可无的神的选择，而是一个十分急迫的人们的现实利益需求。我想“三界”观念的出现，天神观念的诞生，就是这种特殊时代的人们的自然选择。这一时间在公元前五六世纪大约是合乎情理的。新的哲学思想的出现在文化上必然会有新的变异。

三、卵生世界

在上文中已经较多地引用了有关卵生世界的神话，比如有名的《创世歌》、《斯巴卓浦》、《朗氏家族史》等，这些神话和传说中的“卵生世界”说仍然处于原始信仰哲学化的过程，它还没有被哲人们归入更深的哲学思想之中。比如我们以《黑头矮子的起源》为例。该书说宇宙“开始是空是混沌（ཡེ་མེད།）纯法的境界，从此生出‘有识’（ཡེ་ཡོད།），然后生两仪，其一明亮为父，另一凶险为母。然后生冷，生霜，生露珠，从霜露中出现一如镜之湖，此湖卷为一卵。从卵中孵出二鸟。其一称为光亮，另一称为黑暗。二鸟相交生了三卵：一黑，一白，一花。从白卵中生出世间神（སྲིད་པ།），从黑卵中生出狙犷的黑人，即阿修罗之前身；从花卵中生出一种祈祷。世间神桑波奔赤和耶门嘉波（ཡེ་སྨོན་རྒྱལ་པོ།）不能控制色、声、香、味、触、法，但受用充足。世间神开辟了有人居和无人居的世界。在右面他放下了黄金和松蕊石并说祈祷文。从这里出现一座金山和一道松蕊石谷，整个‘恰’的世系诞生了。在左边它放下了海贝和宝石并说祈祷文。从这里出现了一道海贝山和宝石谷，整个‘木’的世系诞生了。在它前面放了一块水晶和一个红光（宝石?）并说祈祷文，从这里出现了一座水晶山和光海，整个‘楚’（གཙུག་ས།）世系诞生了。‘恰’是人类，‘木’是天神，‘楚’是动物。”显然，这个叙述中浸满了后期佛教的改造，但是卵生世界这一基本思想仍然保留其中。关键的问题是卵生世界的来源。

在其他民族的古代神话中同样有这种思想。比如在伊朗的宗教中（此还将在下文中提到）。而从众多的神话资料分析，卵生世界说源起于藏人的说法是比较接近于事实的。噶尔梅先生对此有以下的述论，我以为基本上是合理的：“把巨卵作为神和恶魔的最初的起源，这是西藏苯教的一种相当独特的想法。我们在佛教的宇宙论中没有见到过这种提法。祆教二元论的世界结构中的影响是显而易见的。祆教认为最初是麦芝达（亦作‘玛兹达’等，祆教的造物主）创造了包括恶魔在内的整个世界，但是后来不同的教派对这种起源又有了不同的发展。一些教派认为最早的本源是光阴，而其他教派认为太空则在即将存在的世界里扮演着重要的角色。它的化身是南喀东丹却松杰。”① 哲学是理论化、系统化的世界观，从以上的引文并结合藏族的其他神话我们可以看到：宇宙的早期形态是空无的，其次有了卵，再次方有了世界（人类居住的大地）、神魔、人类。从认识价值观之，我们不能一遇到空无就归结为唯心主义，空无也是一种“存在”，即便我们很难说明世界的往古处于一种混沌状态是早期人类科学的认识，但我们不能将其一律斥之为唯心主义，因为自然科学界目前研究的宇宙大爆炸之初同如这种早期神话的描述。此为一。其二，由混沌而卵，由卵而神、魔、大地人类，从认识价值观之，其中虽然多是为了探索山川大地、人类等的由来，但内中不乏朴素的唯物主义思想。

---

① 噶尔梅：《苯教历史及教义概述》，中央民族学院藏学研究所编《藏学研究译文集》，内部铅印本。

四、苯教祖师

（一）关于魏摩隆仁

魏摩隆仁（འོལ་མོ་ལུང་རིང་།）是苯教的圣地。然而魏摩隆仁究竟在何处？此如香巴拉的存在一样，至今尚未定论。有的人认为在大食（今天的伊朗境内），也有人认为在象雄故地。噶尔梅·散旦在《苯教历史与教义概述》一文中说：传统的解释是这样的，“འོལ།”表示“待诞生”，“མོ།”表示“不衰败”，“ལུང་།”表示“辛饶的授记”，而“རིང་།”表示“辛饶的永恒的慈悲”。把这几个音节合在一起讲，则是“魏摩地方长久的山谷”。在苯教徒心目中，它永远不会消亡，当这个世界毁灭于火的时候，它会升到天上，和天国里的另一个苯教圣地合二为一，被称为什巴叶桑（སྲིད་པ་ཡེ་སངས།）。

在苯教的解释中，魏摩隆仁位于世界的西部，占据世界三分之一的地方，形状同如八瓣莲花，与其相对应的天空也呈现有八个轮柄的轮形。有九层雍仲山俯看着大地。这九层雍仲山的含意是：“九个卍字形的山峦”，“卍”字和“九”字在苯教中都有深刻的含义。卍（གཡུང་དྲུང་།），音“雍仲”，是符号，标志着永生、永固、永存，加上 བོན།，就是 གཡུང་དྲུང་བོན།，意思是“具有咒力的永恒苯教”。“九”在苯教也有特殊意义，认为大地从里到外共有九层，天国最初有九层，后来发展成十三层，“十三”在苯教中是一个吉祥的数字。苯教的教义称为九乘，雍仲山有九级。相沿成习，“九”在藏语中代表一切，如：ཡོད་དགུ“九有——一切”。འདོད་ དགུ“一切欲望”，ལུང་དགུ“一切地方”等。对于九层雍仲山的描绘十分神奇，其山顶呈现一个整块的水晶巨石的形状，其下有四条河流向四方流去，东边的恒河从狮形岩口流出（狮嘴里流出的河流），北边的缚刍河从马形岩口流出（马嘴里流出的河流），西边的悉达河从孔雀形的岩口流出（孔雀嘴里流出的河流），南边的印度河是从象岩口流出（象嘴里流出的河流）。实际上这里已经说到了在象雄古地所有的马泉河、狮泉河、象泉河和孔雀河。在山的东面是香波拉孜庙；南面是巴波索杰宫，辛饶的诞生地；西面是赤曼杰谢宫，是辛饶的妻子恢萨杰谢玛的住处；北面是孔玛乃乌琼宫，辛饶另一妻住在那里。九层雍仲山和这四面宫成为魏摩隆仁的中心。环绕这一中心的有十二个城市，其中四个城市坐落在东西南北四个正方向上。两边的城市叫做支那俄玛（意思是汉地竹林）。整个魏摩隆仁都被海洋包围着，海洋之外又有陡峭的雪山环绕。

去魏摩隆仁要通过一条“箭道（མདའ་ལམ།），走九天九夜才能到达。尽管魏摩隆仁十分神奇，但从经典中涉及的藏区实有的地名看，大概处于象雄一带是没有错的，尤其是冈底斯山和玛法木湖一带非常重要。至少从以上描绘中我们可以看到它的影子。

苯教史书《日光明灯根本续》（ཙ་རྒྱུད་ཉི་ཟེར་སྒྲོན་མ།）就认为魏摩隆仁就在冈底斯山区。因为汉地在东方，印度在南方，乌金（阿富汗）在西方，于阗在北方，其中心就是魏摩隆仁。当然这仍然是个讨论中的问题。

（二）辛饶米沃且

辛饶米沃且（གཤེན་རབ་མི་བོ་ཆེ།）是苯教的创始人，在苯教中有至高无上的地位。据苯教典籍介绍，在什巴叶桑天国里有天神三兄弟，达巴（དག་པ།）、塞瓦（གསལ་བ།）和协巴（ཤེས་པ།）。他们三人都在苯教的圣人奔赤洛格杰布（འབུང་ཁྲི་གློག་གི་ལྕེ་ཅན།）的指导下修习苯法，学成后，受辛拉俄噶尔指示，分三个时期分别降生为人间的导师。第二时期的导师便是老二塞瓦降世的辛饶米沃且。此类似于佛教的三世佛。辛饶米沃且作为王子降生在魏摩隆仁，自幼年起即开始传播苯教。恶魔恰巴拉仁是他一生的仇敌。如同释迦牟尼跟提婆达多。人们认为这个恶魔的存在也是一件好事，因为他使辛饶米沃且加强了实现自己目的的决心，否则，就很难反衬出他的伟大和坚强。恰巴拉仁千方百计去阻挠、破坏辛饶米沃且传播苯法的事业。用诱拐辛饶女儿的手段来打击他的决心。为了战胜这个恶魔，辛饶把自己变成令人恐怖而残忍的神灵，但是他越是残忍、凶猛，就越没有神力。最后他隐居到一个山洞里苦修，终于恰巴拉仁为之感动，皈依了苯教，成了辛饶的弟子。辛饶在吐蕃的业绩主要体现在他的十二件功业上。记录于《朵堆》、《金钥》、《光荣》这些苯教的典籍中。这十二件功业是：

1. 明述经典。苯教典籍中说，辛饶米沃且在 12 岁以前就开始讲述苯教的九乘经论。

2. 弘扬苯教。向神、龙、人三类徒众讲述苯法。

3. 调伏众生。辛饶变化百千万化身，于四洲调伏四类众生。

4. 引渡众生。15 岁时用禳解、仪轨等指导罪孽众生，趋向解脱。

5. 主持国家。应帝释天的要求，到魏摩隆仁等 360 个国度，兴建庙宇，供塔 360 个。

6. 神变子嗣。16 岁时，化身强玛（བྱམས་མ།），娶霍妃嘉姆等 360 个生育兴旺者，所生之子被四方庙宇请去利益众生。

7. 降伏妖魔。17 岁时，去魏摩隆仁和赡部洲等处讲述经文仪轨；20 岁时，战胜魔军。

8. 果道兴旺。21 岁 ~ 30 岁时，讲述《九乘》、《四门五库》、《教谕论》等经典，塑造神像，修建供塔。

9. 成道明相。31 岁出家学道，32 岁受大戒，34 岁降伏四魔，自身得到解脱，37 岁时在器世间苦心修炼，45 岁时给徒众讲授 25 条戒律。

10. 断除轮回。49 岁后修炼菩提心境，证知《大乘真如》，轮回涅槃。

11. 证果解脱。65 岁后，修持无上大乘义，证知苯之自性，解脱于法界。

12. 终得成就。80 岁后，向无数徒众讲授无上大乘义等修道之法。82 岁时，在九层雍仲山巅圆寂。

辛饶米沃且的教义主要有两个体系：

第一，四门一库：

白派苯波（ཆབ་དཀར། བོན་དཀར།）

黑派苯波（ཆབ་ནག བོན་ནག）

彭域苯波（འཕན་ཡུལ་བོན་པོ།）

邦赛苯波（དཔན་གསས་བོན་པོ།）

顶点（མཐོ་ཐོག）

白派苯波意为神秘的苯波，主要是咒语。黑派苯波包括故事和宗教仪式。彭域苯波包括所有通俗的教义，如寺院的戒律。指的是用于修定的直接的和专门的戒律，如禅定。最后是顶点，是宝库，为总的道路，可以通向其他四条路。

第二，九乘：

前四部为因乘。

后四部为果乘。

第九部是大圆满禅定法。

第二节　来自纳西族文化的信息

纳西族自称“纳”、“纳西”或“纳日”，1954 年由国务院批准统称“纳西族”，少数人自称为“纳恒”、“玛丽玛沙”、“阮可”、“邦西”等。纳西族的许多文化形态跟藏人保持着紧密关系。有些可在藏史中找到对应关系。

第一，“纳西”二字在语言上可说与藏语完全吻合，如在现代纳西语中“纳”意为“黑”、“大”，“西”为“人”之意，我以为这便是藏语中的“ནག་མི།”（黑人），在古藏语中“མི།”（人）可能更接近于“西”音，在保留着浓重古代发音规律的安多地区，此音读如“尼”。亦与汉籍所载之“摩沙”、“磨些”、“末些”、“摩梭”等较近。

这种语言上的近似现象，在纳西语与藏语中比比皆是。

第二，从历史的演进情况看，纳西族与藏人亦同出一体：它们都是汉籍所谓“牦牛羌”系的古代“羌人”。纳西族是《后汉书·西羌传》所说的由忍季父率领南出赐支河曲西数千里，——即从现在的青、甘、川南下，直至大渡河、雅砻江流域休养生息的部族。后期的历史是不甚清晰的。至西晋时期（公元3世纪末），彝族进入邛都地区，原居邛、筰的纳西先民再次南移，定居于现四川省之木里、盐边，云南省之永宁、丽江、宾川、永胜、华坪、鹤庆、大姚、姚安等地。公元664年（唐高宗麟德元年）前后，部分纳西人曾于宾川建立越析诏地方政权，后为南诏王皮罗阁所灭，致使部分纳西人再次迁移至禄丰、昆明、澄江、江川、玉溪等地。

在藏文史料中，纳西人最早出现是在吐蕃敦煌文献中：

> 及至兔年（公元703年）……冬，赞普赴“姜”地，攻克“姜”，在此一年（ཡོས་བུའི་ལོ་ལ……དགུན་བཙན་པོ་འཇང་ཡུལ་དུ་གཤེགས་སྟེ། འཇང་བ་གནས་བར་ལོ་གཅིག）。

当时的南诏王国虽以白族之蒙归义、阁罗凤等先后为王，而其民族成分较为复杂。主要部族、部落有：

甲、“乌蛮”：包括六诏乌蛮，东爨乌蛮、独锦蛮、长裤蛮、施蛮、顺蛮、磨蛮、磨些蛮、勿邓五姓蛮、丰琶蛮等。

乙、“白蛮”：包括西爨白蛮、弄栋蛮、青蛉蛮、河蛮、渠敛蛮、东钦二姓蛮、嶲州新安一姓白蛮等。

丙、其他如扑子蛮、寻传蛮、裸形蛮、望苴子蛮、望蛮外喻部落、永昌蛮（黑齿蛮、金齿蛮、绣脚蛮、乡面蛮）、茫蛮部落、栗粟两姓蛮、雷蛮、梦蛮、汉裳蛮（裳人）等。

这些部族、部落包括了现在的白、彝诸民族，其中也包括了纳西族。南诏本身有一演化过程。据《新唐书》等史籍记载，唐时西南夷乌蛮六部六蒙嶲、越析、浪穹、邆賧、施浪、蒙舍六诏，因蒙舍诏处于其他五诏之南，故称为南诏。开元二十二至二十五年（734～737年）在唐王朝的支持下，南诏逐步将其余五诏吞并，形成一体。因而，运用“南诏”这一概念仍然需要有这种历史的区分。我以为：敦煌文献中所说的“姜域”（འཇང་ཡུལ）是指丽江为主的纳西族地区，吐蕃始初用兵也必须经过这一地区；同样，被称为“绛三睒”（འཇང་ས་དམ）的南诏国，实际的区域仍然指丽江以及包括后期的大理。这种历史的因缘沉淀于文学作品中的是《格萨尔王传》中的绛三睒王，主要仍然是指纳西族。至今“三睒”被认为是丽江府地。只是历史扩展了当时被吐蕃人占领后而又为南诏吞没的宾川纳西族的政权——越析诏而已。

作为一个小民族，在其历史发展进程中不能不受到大民族影响。7世纪至9世纪中叶这一阶段，唐与吐蕃是两大时战时和的政治势力，因而南诏政权也是时而依归于唐，时而结盟于吐蕃，以图自存。在其政权中的纳西族也只能随着这种政治大气候的变易来选择自己的命运。

众所周知，公元7世纪以后，尤其是桑耶寺建成以后藏族文化逐渐受到佛教熏染，民间风俗及哲学命题均有大变异。而纳西族的文化中却少这佛教化的形态，而多苯教内涵，这是个值得重视的问题：

其一，这种现象说明纳西族受到藏族文化影响的历史比较早，即公元1世纪或桑耶寺建成以前，至少不晚于教派形成期。

其二，倘若影响较早，其上限始于何时？是如何影响的？这一问题学术界尚未引起重视，由于语言等方面的障碍，很少有人问津。倘若笔者没有1988年因到迪庆藏区考察之便，顺而对纳西族的一些情况进行采访、调查，也不会有这种突兀的想法。

其三，纳西族传统文化中有来自西北说，倘若他们的祖先来自西北，其早期的活动时间在何时？具体的活动区域在何处？纳西族先民是因何远离西北而迁徙中国南部的？与汉籍所载的牦牛羌有何联系？

一、与苯教相似的宇宙观和人类形成说

1. “卵生”世界说

被认为是纳西族的古歌的《崇邦统》中说：

太古那时候，天体在摇晃，阴阳相混杂，树木会走路，石头会说话，大地在震荡。

天和地也还没有开辟，先出现了三样天影子和地影子；日和月也还没有创造，先出现了三样日影子和月影子；星辰也还没有创造，先出现三样星影子和辰影子；山和谷地也还没有形成，先出现了三样山影子和谷地影子；水和渠也还没有形成，先出现了三样水影子和渠影子。

三样出九个，九个出母体：出现真和假，出现实和虚。

最初真和实来做变化，开始出现白天亮太阳；白天做变化，出现亮光闪闪的碧石；碧石做变化，出现白晶晶的实蛋来；实蛋做变化，

出现好声好气的唤者；声气做变化，出现了善神依古阿格。

假如虚来做变化，开始出现夜晚暗月亮；夜晚做变化，出现暗黑黝黝的墨石；墨石做变化，出现黑黝黝的虚蛋来；虚蛋做变化，出现恶声恶气的叫者；声气做变化，出现了恶神依古顶那。

除了天和地没有开辟时有三样天影子和地影子等略有区别外，真和假、现实和虚幻的划分与苯教如出一辙。我们可以图示作出比较：

（1）纳西东巴经

真和实	假和虚
白天、太阳	夜晚、暗月亮
碧石	墨石
实蛋	虚蛋
好声好气的唤者	恶声恶气的叫者
依古阿格（善神）	依古顶那（恶神）

（2）苯教

赤杰曲巴（光明）	什巴桑波奔赤
立方形的亮卵	（现实世界的国王）
梅本那波（黑暗）	闷巴赛敦那波
锥形的黑卵	（虚幻世界的国王）

除了用词的异同外，其原理完全一样。

在其他一些东巴经中也有一些类似的记载，如在《东埃术埃——东族和术族的结仇战争》中说，上古天和地尚未开辟的时候，上边先发出喃喃的声音，下边后发出嘘嘘的气息，声音和气息发生变化，出现了一个白蛋。白蛋发生变化，出现了五样“精威”（即木、火、铁、水、土五行）；五样精威起变化，出现了白、绿、红、黄、黑的五股风；五股彩风起变化，出现了五个彩蛋。——蛋的数量增加了，但具体内涵仍然没有变。而在《东恩古模——超荐寿星美令东主》中这种蛋的数目又有所增加：

很古很古的时候，最早上面出声音，下面出气息。声气做变化，出现玉绿光闪闪。玉绿亮光做变化，出现亮晶晶的实蛋来。亮晶晶的实蛋做变化，出现好声好气的唤者。好声好气唤者做变化，天国长寿者萨英威登出世了。萨英威登做变化，长寿者英古阿格出世了。英古阿格做变化，神鹏神雕两位长寿者出世了。他们两个做变化，生下九对白蛋来。白蛋做变化，出世盘神禅神长寿者，出世高神吾神长寿者，出世窝神恒神长寿者。

从双卵、五卵到九卵的变化，明显地反映了卵生世界观念的演绎、发展过程；首先导出的仍然是神，由神而再生万物，卵的增多与社会关系的增多是一致的。

显然，纳西族的宇宙说与苯教的宇宙说的基础是二元论，是以真、假，虚、实等二元原则作为基本思想的。

2. 卵生人说

《崇邦统》说，善神依古阿格再生变化出一白蛋，白蛋再生变化出一白鸡，白鸡没人取名，自行冠名曰东族的额玉额玛（全名美令东主，代表善神和光明）：

> 额玉额玛呀，高飞到天上，广阔老天不能开，低飞在地上，辽阔大地不能辟。
>
> 额玉额玛呀，会飞不要飞，会跳不要跳；官目不要恶，巫卜不要比，独马不要赶，犁田不要偏，扛矛不要直，背刀不要横。
>
> 额玉额玛呀，高飞飞上天，抽来天空三朵白云做被窝；低飞飞在地，抽来大地三丛绿草做蛋巢，生下九对白蛋来：
>
> 一对变为盘神（纳西语藏族之神）和禅神（白族之神），一对变为高神（常胜之将师）和吾神（军事之参谋），一对变为窝神和恒神都是纳西族之神，一对变为阳神（本文译者注：阳神纳西语读“动”，又称“美会动阿普”，是男神、石神，即造物主）和阴神（本文译者注：阴神，纳西语读“生”，又称勒琴“生阿祖”，是女神、木神，即造物主），一对变为能者和智者，一对变为丈量师和营选造师，一对变为酋长和目老，一对变为巫师和卜师，一对变为贵族和百姓。
>
> 依古顶那做变化，出一个黑蛋；黑蛋做变化，出一支黑鸡；黑鸡没人来取名，自己给自己取名，名叫术族的负纪俺纳。负纪俺纳做变化，生出九对黑蛋来：
>
> 一对变为鬼和怪，一对变为毒鬼和争鬼，一对变为水鬼和水怪，一对变为恶鬼和无头鬼，一对变为秽鬼和污鬼……

依据二元法则，九对白蛋生出代表善和真的九对神、人，九对黑蛋生出代表恶和虚假的九对恶魔、鬼怪。“接着下一代，天神九弟兄，来做开天的匠师；天又不会开，把天开成峥嵘倒挂着。地神七姐妹，来做辟地的师傅，地又不会辟，把地辟成松软湿烂的。”

《崇邦统》中的这种天神九兄弟、地神七姐妹的提法与苯教著作中的说法大体相似：“桑波奔赤法师给每个孩子安排了一个独特的角色。九兄弟分身出九个女伴作为他们的妻子，同样九个姐妹也分身出九个男子作为她们的丈夫。”这是代表光明和真实的善神之后代。代表黑暗和虚假的恶魔，也同样繁殖了他们的子女，恶魔闷巴赛敦从自己的影子里衍出顿显那莫。因为她是在没有月亮的半夜降生的，所以被称为黑暗女神。由于他们的结合生下了八个兄弟，八个姐妹。他们被称为天神（神魔），这恶魔八兄弟和八姐妹又以各自的异性作为丈夫或妻子，便拥有了十六对夫妇的恶魔家族。

在《东埃术埃》中仿佛对九夫妇的分别更为具体更成系列：

（1）白蛋系统：

> 白蛋起变化，出现了盘族的白天和白地，白太阳和白月亮，白星星和白彗星，白山和白谷，白树和白石，白犏牛和白牦牛，白山羊和白绵羊，白牛和白马。盘族呀，生下九个儿子，建下九个寨，养了九个女儿辟了九座庄。
>
> 白蛋又变化，出现了禅族的白天和白地，白太阳和白月亮，白星星和白彗星，白山和白谷，白树和白石，白犏牛和白牦牛，白山羊和白绵羊，白牛和白马。禅族呀，生下九个儿子建下九个寨，养了九个女儿辟了九座庄。
>
> 白蛋又变化，出现了恒族的白天和白地，白太阳和白月亮，白星星和白彗星，白山和白谷，白树和白石，白犏牛和白牦牛，白山羊和白绵羊，白牛和白马。恒族呀，生下九个儿子建下九个寨，养了九个女儿辟了九座庄。
>
> 白蛋又变化，美令东主出生了，出现了东族的白天和白地，白太阳和白月亮，白星星和白彗星，白山和白谷，白树和白石，白犏牛和白牦牛，白山羊和白绵羊，白牛和白马。次早金母呀，生在玉绿海，与美令东主结缘做一家。东族呀，生下九个儿子建下九个寨，养了九个女儿辟了九座庄。

以白蛋为主体，分别演出藏、白、纳西族的历史和人种“由来”，这种九个儿子、九个女儿、九个村庄的说法与苯教的九兄弟九姐妹观念可说大同小异。

（2）绿蛋系统

另一绿蛋起变化，出现了龙王家的绿天和绿地，绿太阳和绿月亮，绿星星和绿彗星，绿山和绿谷，绿树和绿石，绿犏牛和绿牦牛，绿山羊和绿绵羊，绿牛和绿马。龙族呀，生下九个儿子建下九个寨，养了九个女儿辟了九座庄。

龙族可立为一系统，这一系统颇有意思，龙族与人类最初是不合的，而他们的"好父亲哟是一个，好母亲哟是两个"，是"同父异母"兄弟。大约是这种特殊的关系，使他们"龙王人类两弟兄，不到九座山上去砍柴，不到七条深谷去搭桥，天天闹着要分家。说是要分天和地，要分山和峰，要分房屋和村寨，要分肥田和荒地，要分家畜和野兽，要分金子和银子，要分碧玉和珍珠。"什么东西都分光了，唯独没分那顶父亲留下的宝珠帽。结果龙王左里那赤把它窃往美令达金大海底下，继而形成了"一顶帽子下，龙族建了九个寨，人类没有立足地；一支马蹄下，龙族辟了七个村，人类没有插锥地"的局面。山上所有的树木，都被龙族所占领取名叫"龙木"。箐谷所有的溪泉，都被龙族所占有，取名称"龙水"。龙族成了地地道道的恶霸：

天呀本是盘神开，反被称为龙的天；地呀本是禅神辟，反被称为龙的地。村庄本是能匠所建造，却被叫做龙王村。

石头呀，本是"动"阳神所立，却被叫做龙王石；树木呀，本是"生"阴神所养，却被叫做龙王树。

龙主左那里赤呀，不让人类开辟新的天，他自己却开了九重天；不让人类建造新的地，他自己却建了七层地。

恶霸的龙族呀，不让人类到高原放牧，不让人类去开荒种地，不让人类去挖沟引水，不让人类下活扣来捕兽，不让人类牵起猎狗去打猎，不让人类平安地生息在大地上。

人类和龙族的矛盾加剧，术丁巴什罗下凡，丁巴什罗下凡亲自调解，人和龙族得到和解，相安无事。看来龙族与恶魔有本质的区别。

（3）黄蛋、红蛋、黑蛋系统

另一黄蛋起变化，出现了争鬼的黄天和黄地，黄太阳和黄月亮，黄星星和黄彗星，黄山和黄谷，黄树和黄石，黄犏牛和黄牦牛，黄山羊和黄绵羊，黄牛和黄马。争鬼呀，生下九个儿子建下九个寨，养了九个女儿辟了九座庄。

另一红蛋起变化，出现了毒鬼的红天和红地，红太阳和红月亮，红星星和红彗星，红山和红谷，红树和红石，红犏牛和红牦牛，红山羊和红绵羊，红牛和红马。毒鬼呀，生下九个儿子九个寨，养了九个女儿辟了九座庄。

另一黑蛋起变化，美令术主出世了，出现了术鬼的黑天和黑地，黑太阳和黑月亮，黑星星和黑彗星，黑山和黑谷，黑树和黑石，黑犏牛和黑牦牛，黑山羊和黑绵羊，黑马和黑牛。术鬼呀，生下九个儿子建下九个寨，养了九个女儿辟了九个庄。天地间的纠纷祸害从此发生，人的死亡和超度也就出现了。结仇战争的来历，就从此开始。

在第三系统中似乎魔怪的势力十分强大，它占据了黄、红、黑三个蛋，分别代表争鬼、毒鬼和术鬼。然而奇怪的是这每一个色彩所表述的都是一个完整的世界：黄则黄天黄地黄太阳、月亮、山石树木、马牛羊，红则红天红地红太阳、月亮、山石树木、马牛羊，独成一体，这种色彩划分，也涉及至那些与争鬼、毒鬼、术鬼无多大关系的马牛羊来，而无论善与恶、假与真，其子女、村寨均以“九”来概括（关于“九”的问题，我们将在另文中叙述），这与苯教著作中运用方式完全一样，比如法师桑波奔赤与曲坚木杰莫触了触鼻子结合，生下了九兄弟和九姐妹，其中九兄弟中的什杰章噶的任务是确保世界的延续，他又有九个儿子，称为天界九神，有九个女儿，称为天界九女神。

苯教史料中说，雨和雾也从五种本原物质中产生出来，形成了海洋。当海风吹过海面的时候，一个蓬形的气泡跳到带有蓝光的卵的表面上，当它碰碎后，出现了一个青蓝色的女人（即曲坚木杰莫），她与法师桑波奔赤用不同的结合形式，生出了野兽、畜类、鸟类和人类。《崇邦统》中也有相似的记载：

神鸡额玉额玛呀，筛动最后一个蛋，下出个苦蛋。冬三月呀雪来抱三天，抱了孵不出；夏三月呀雨来抱三天，抱了孵不出；秋三月呀土来抱三天，抱了孵不出。

孵不出的那个蛋，抬来丢海中；左边起白风，右边刮黑风，风吹海摇荡，海荡蛋飘飘，蛋飞撞岩上，岩间闪出晶莹的亮光。

父族生冠种，料想生冠子，又不生红冠，却生一对角，角长撑住天，天上布了星。

母族长羽种，料想长羽翼，又不长彩羽，却长一身毛，毛长如长草，地上铺了草。

母族生爪种，料想生爪子，又不生爪子，却生人脚板，脚宽去铺地。

——同样在海中粉碎，继而生出各种物种。《崇邦统》的其他一些记载，又与《什巴问答歌》接近：

河古北方地，向阳神请教，触怒了阳神；阳神用斧砍，一砍吼一声，吼声如蓝天霹雷，眨眼如电光闪烁。

押赤南方地，向阴神请教，触犯了阴神，阴神用剑刺，一刺吼一声，吼声如地震巨响，舌长如长虹彩耀。

吃牲宽脚之怪物，其头祭高天，其皮祭大地，其肺祭太阳，其肝祭月亮，其肉祭泥土，其骨祭石头，其血祭河水，其肋祭山岩，其尾祭树木，其肠祭道路，其毛祭草丛。尸首上半节，炙祭了北方，尸首下半节，炙祭了南方；左边长肋骨，炙祭了左边；右边短肋骨，炙祭了右边。

其中的屠夫不是什巴而是阳神和阴神，所屠杀似乎也不是牛，而是“吃牲宽脚之怪物”，所祭的部分与大地的实存现象亦颇接近：皮——大地；血——河水；肋——山岩；尾——树木；肠——道路；毛——草丛。只是不如《什巴问答歌》那样详细以及语言具有情趣罢了。

《什巴问答歌》如此写道：

问：什巴宰杀小牛时，
砍下牛头放哪里？
我不知道问歌手；
什巴宰杀小牛时，
割下牛尾放哪里，
我不知道问歌手；
什巴宰杀小牛时，
剥下牛皮放哪里？

我不知道问歌手。
答：什巴宰杀小牛时，
砍下牛头放山上，
所以山峰高耸耸；
什巴宰杀小牛时，
割下牛尾放路上，
所以道路弯曲曲；
什巴宰杀小牛时，
剥下牛皮铺大地，
所以大地平坦坦。

由上可知，东巴经中的宇宙、人类形成说与藏族苯教史书中的宇宙、人类形成说和理论在形态上是一致的。

二、与苯典相似的祖神（祖师）来源

1. 盘神与古孜（古宗）

纳西族称藏族之神为盘神，称藏族为“古孜”。《崇邦统》中说：

崇仁丽恩、册恒布白两人，养下三个好儿子；儿子成长满三年，还不会说话；母亲急得慌，恰似身上皮裂不能缝！

再一次让金色蝙蝠上天去请教，让机敏的灰狗上天去呼喊。天地互通情，善事又相知，岳祖给指点：要用母鸡下的第一个蛋，架在白杨木的叉口上，才能抵挡可罗可嘉的祸害。三个好儿子，才能说出话，皮裂才能合。

有一天早晨，三个儿子呀，来到门口蔓菁田里玩；突然跑来一匹马，拼命吃蔓菁；三个儿子着了急；

长子说一句：“达尼芋吗早！”
次子说一句：“软尼阿肯开！”
幼子说一句：“满尼左各由！”
（注：都是“马吃蔓菁”之意）
一母之子变成三种人，
一坛泡酒酿成三样味，
一匹好布织成三个色！
穿衣三个样，

骑马三个样，

住也住到三个不同的地方。

老大是古孜（藏族），住在上头“拉萨垛肯盘”（意为拉萨白山脚）地方；藏子与盘族相好，跟盘女盘初结婚，饲养白犏牛和白牦牛，播种白青稞和白麦子，住在白帐篷里头，自己过着自由的生活。

这段文字给我们三方面的启示。其一，故事虽然讲的是人类的最初由来，而实际内容大多涉及民族形成以后的事，即没有藏族、白族、纳西族的形成，就不会有这种崇仁丽恩和册恒布白的三个儿子说三种语言，老大为藏族，老二为纳西，老三为白族。其二，从这种划分看，语言的区别已被重视，无论纳西，藏、白都各操各语，区别语言的基础是交往（甚至是频繁的交往），说明纳西族早期的接触主要是藏族和白族，这与纳西族存在的居住和社会环境大有不同，倘若以现在论之，在几弟兄中必然要出现汉语，即便是在唐宋年间，汉族的影响业已强化。值得注意的是在六诏时期纳西族即和毗邻的彝族往来，故事中却不见彝人出现。其三，毫无疑问，《崇邦统》是比较准确地捕捉到了藏人文化特点：饲养白犏牛、白牦牛，播种白青稞、白麦子，住在白帐篷里——总而言之藏人是崇白的。可是从七八世纪以后藏区崇佛甚嚣尘上，近世将崇佛（文化的佛教化）作为第一文化特点、民族特点对待，但该文中均没有提到，可见该文认识的藏人是要早于此的。

倘若我们进一步探求，还会发现东巴经中谈到藏族时总排为第一，这一座次反映了什么？我想有其社会原因，这个原因或许就是纳西族与藏族接触时，藏族和白族是强大的民族，藏族比白族更为强大。而在中国的历史长河中，一直以经济、文化、军力等领先的汉族或许还没跟他们进行较多的接触，就是西南的大民族彝族的势力也还没有发达到让纳西人尊崇的地位。这一时间在何时？

我以为这一时间在吐蕃王朝兴盛时期（公元7世纪至9世纪中叶）以前，即苯教文化的广泛传播时期。

（1）现在的纳西民族与藏族除了早期同属所谓“羌”这一系统外，在民族形成期，即由民族、部落、部族到现代意义的民族共同体的转化过程中，纳西族最早接触的应该是藏族，其居地应是《旧唐书》等所说之“当迷”、“多弥”（见下节），而后南徙，与先期到此地的羌属——白族等接触。倘若，按传统的纳西为羌属，与现白、彝等祖先南迁，且曾与汉有较多接触，我想这种人类由来神话的格局也不会是这样。

（2）纳西人与藏族人的接触同样不能以现在的地缘关系特点推论，这一地缘关系的存在在唐以后较为明朗，而一些研究藏族史的同志和不少汉籍则认为藏族的东侵是在松赞干布统一西藏高原以后，而不是以前。如此就很难确定早期接触的时间是在唐代以前，而假如以当时两族始有接触论，接踵而来的是纳西族文化特点上的许多与藏族相似的部分将难以解释：其一，唐时吐蕃与白族阁逻凤政权相联合，如史书所载确有过“兄弟”之谊，称阁逻凤为“赞普钟”，而与纳西却不知有何交道。但在白族人的传说中并没有这种“兄弟”记载。这不过是统治阶级的战争需要。曾几何时，强大的吐蕃势力逐渐衰微，南诏政权又联唐抗蕃。处于当时复杂的时友时敌、有合有分的战争条件下，纳西族作为小民族是难以形成一母三子，藏人为大，纳西为二，白族为三的思想的。依传统的汉文古籍看，纳西人首先接触的是白族，并与白族人建立联合政权，在以后的岁月里与白族杂处。因何不以白族为长，而以吐蕃？其二，有意思的是《崇邦统》中的排列方法：纳西因何为二？按照吐蕃时期的势力特点看，倘以藏人为大，则势必以白族为二，纳西只得居三。实质上不是这样，就在叙述形式上也有别扭处：在说了老大藏族的情况后，按照民间的常用讲述手段应该依次为老二如何老三如何。而《崇邦统》则先说老三白族，再说纳西。这是讲故事者的自谦？我想不一定是。它反映的是故事先前的形式有可能是只有弟兄俩，而后再有老三，在叙述时则将老三插入两者之间。

（3）虽然《崇邦统》中将人类迁徙的壮举放于种族来源之前，我以为这一纳西先民南迁的折射，实质上是挑着两个民族端点，一是早期接触的藏人，一是“迁徙”完成后接触的白族，而不是相反。

不知因何称藏族为“古孜”，其根本含义是什么，但请教一些云南的同志，说“古孜”有贬义，不但纳西如此称呼藏人，白族也如此称呼。我想这一称呼是由纳西人传往白族地区的。而且时间较早。熟悉藏族早期历史的先生知道藏人除“吐蕃”这一名称外，早期汉籍中就有宝髻、弗夜、悉勃野等称呼，均为“སྤུར་རྒྱལ།”（སྤུར། 也写作 སྤུ། ཕུ། ཕུར། ཐུ། 等）一词的音译，如《通典》所说：“始祖赞普自言天神所生，号鹘提悉勃野，因以为姓。”源之于吾德布杰（འོ་དེ་སྤུ་རྒྱལ།），简称“悉勃野”（སྤུ་རྒྱལ།），由祖名而族称。敦煌文献中就有“圣神赞普鹘提悉勃野”（འཕྲུལ་གྱི་ལྷ་བཙན་པོ་འོ་ལྡེ་སྤུ་རྒྱལ།），“赞普悉勃野”（བཙན་པོ་སྤུ་རྒྱལ།）等记载。“悉勃野”和“吐蕃”两个名号有时并称，有时合称，即悉勃野吐蕃（སྤུ་རྒྱལ་བོད། གཡག་དྲུག）。当初聂赤赞普自天神而为人主，作为“蕃地六牦牛部的头人（བོད་ཀ་གཡག་དྲུག）”或许当时只有“རྗེ།”这一称呼，还没有“རྒྱལ་པོ།”（王）这一词。因而从历史的演进程度看，在相当一段时间内悉勃野（སྤུ་རྒྱལ།）曾是后期“蕃”（བོད།）的称呼；至吐蕃王朝兴盛时期则变为（བོད་ཆེན་པོ།）。较多地使用“悉勃野”一词的时间大概是苯教自象雄古国向雅砻河谷浸入的时期。当苯教成为早期藏人的统一意识，悉勃野一词也因王族之故闻名遐迩。大约这一时间是在松赞干布建立统一的吐蕃王朝以前的漫长时代。“古孜”（古宗）一词我认为就是“悉勃野”（སྤུ་རྒྱལ།）一词的音译，为纳西族所知的时间并不是后期许多人所界定的藏人与纳西族的“最早”接触时间松赞干布的孙子都松莽布支（公元679～704年在位）时期。

与“古孜”相对应是纳西族将藏人之神称盘神，盘神是何样，均无解。“盘”使我们很容易想到三个词，一是与印度文化紧密相关的“梵”（如大梵天），一是“苯”，一是“蕃”。我想“盘”可能是“蕃”（བོད།）的对音，即“盘神”就是蕃神。比如在东巴经中有诸如“古孜盘苯波”、“窝左大盘石”、“窝左大佛寺”等。所谓“古孜盘苯波”就是“悉勃野蕃苯波”（སྤུ་རྒྱལ་བོད་བོན་པོ།），“窝左”就是“འོ་ཐང་མཚོ།”，在松赞干布迁都拉萨，修建大昭寺后，逐步被“逻娑”和“拉萨”取代了。

苯神是个十分笼统的概念，想纳西文化中同样不能确定为某一具体的神。但从别的一些神的出现情况看，它仍然具有具体的内容，并不是一个虚而不实的名词或一个符号。

2. 丁巴什罗和敦巴辛饶

（1）相似的出世方式

丁巴什罗是纳西东巴的教祖。《什罗飒——丁巴什罗除魔记》中说，在上古时候，在开天辟地的那一代，太阳、月亮出现的那一代，辛饶米沃且的父亲老布通苟和苏绕来自金母结合成为一家，经过九个月零十三天，辛饶要出生，而且要生在初五那一天：

> 战神里萨敬久呀，从娘胎里问道：“妈妈呀，我要从哪里出世啊？”苏绕来自金母回答说：“人类出生之路自古就有了，你从人生路里出世吧！”战神里萨敬久说：“人类出生之路哪，秽气出来秽气过，洁气出来洁气占，总是不洁不净呀，我决不走那条路，母亲左手腋下窝，无妨借我一下吧！”过了三天后，战神里萨敬久呀，就从母亲左腋窝下出世了。

丁巴什罗的出生时间和方式及敦巴辛饶（全名为辛饶米沃且）的几乎完全一样。许多苯教史籍都如是记载，敦巴辛饶在木阳鼠年夏季火虎月

（寅月）之十五日，黎明前能分清手纹的时分，从母亲右肋用雍仲凿穿而出。虽然一为“初五”，一为“十五”；一为母亲左腋窝下出世，一为在右肋上用雍仲穿凿而出，实际上同出一源，只是有所变异罢了。

（2）相同的社会作用

丁巴什罗来到世上，主要是镇压鬼怪和清除妖魔。这在东巴经中有较充分的反映。因此他一出世就被毒鬼、争鬼等知道了，就去看他，结果所有的鬼怪都惊得发抖、怕得发颤，眼里流了泪。于是鬼怪们同声说：

你这个孩子呀，
的确是极不平常的人啊！
看一看眼睛，
长副瞅鬼眼；
看一看嘴巴，
有张吃鬼嘴；
看一看手上，
有双杀鬼手；
看一看脚上，
有双镇鬼脚。

——其神性特征是十分明显的。这种强烈的斗争色彩使妖魔鬼怪在他出生不满三天就用铁镣手铐套上他，放在八支提耳的铜锅中煮，当然妖魔们对他是无可奈何的。此后到天国十八层顶上，坐在白缎帐篷里，念经学术修行。敦巴辛饶出世后同样受到魔鬼的威胁，据说他的出生地为魏摩隆仁（འོལ་མོ་ལུང་རིང།）之策麦阳比耶城，中层宫殿，三十八城之巅，十岁时去雍种九层山巅，在玛洛（ཟ་ལོ།）、玉洛（གཡུ་ལོ།）讲经。同样敦巴辛饶也有许多降妖除魔的故事，不在此一一赘述。

实际上丁巴什罗就是敦巴辛饶（སྟོན་པ་གཤེན་རབ།），纳西族的祖师和苯教祖师的名称完全是吻合的。上文已述，藏史中之“敦巴”（སྟོན་པ།，意为本师、导师）一词在“阿底峡”、“仲敦巴”（འབྲོན་སྟོན་པ།）以后便逐渐见少，为诸如“格西”（དགེ་བཤེས།）等一类词所取代。

三、纳西人早期居地及迁徙

除了上文提到的关于纳西人的族称及我的理解外，我想有必要进一步探索这一题目。和志武在《纳西族东巴经译注》中如此提到这一族称：到高来秋一代，有“买、何、束、叶”四子，以后繁衍成四个氏族和部落（支系），成为纳西族的先民。又：纳西语“人”古语叫“迹”或“崇”，可能与“具仁迹仁”和“迹仁崇仁”这两代名字有关。“迹”和“崇”发展成最初的统治者，即牧主和贵族，与此相对应，牧奴读“鲁”，奴隶读“吾”，奴隶主读“苏培”。而“人”发展为“西”、“恒”，男性为“日”、“右”，所以纳西族的自称有“纳”、“纳西”、“纳恒”、“纳日”、“纳若”等。

这一为史家所忽视的推测性的提法我以为十分重要，因为既然纳西族以“迹”、“崇”为“人”之意，那它的由来呢？“迹”、“崇”成为最初的统治者方有这种规定的“人”，但并非一般意义上的“人”，它与牧奴之“鲁”和奴隶之“吾”（此与藏文 གཡོག 音、义相同）相对应，那么这个时代在何时？

汉族史书中同样认为纳西族是牦牛羌人的后裔。一些研究纳西历史的同志撰文说秦时在忍季父印的率领下南出赐支河曲数千里，后至大渡河、雅砻江流域之邛、筰等地休养生息的羌人部落就是纳西先民。实际上这一说法值得怀疑。因为这一说法同样依据《后汉书·西羌传》而来，细阅《西羌传》，发现“南出赐支河曲西数千里”可有二解，一是“南出”，即向南迁徙，这一方位与纳西族居住的区域一致，确有“数千里”之遥；二是“赐支河曲西”，盖指今贵德、兴海一带，唐时为九曲军驻地。率众南迁的根本原因《西羌传》中说得十分清楚，是“畏秦之威”——时“秦献公初立，欲复穆公之迹，兵临渭首，灭狄豲戎”。率众一出是否便是数千里，直到邛、筰之地才住步？我想不大可能。此又有二议，一为现在的纳西族的先民是否真是这支引而南出的羌人部落？二为假如是，我想他们也是逐步到达现居地区的，并非一步到位，况且根据藏人早期的东南迁徙情况看，这一地区很可能早有羌人居住。因而，读者会问，既然纳西族未到现居地区，他们去了哪里？《羌族史》说“其西数千里当是属于西藏与新疆交界的一带地区了”。我想不然，仔细核对此说尚发现，作者援引《后汉书·西羌传》时忽视了那个关键词“南”，且标点为：“将其种落而南，出赐支河曲西数千里，与众羌绝远，不复交通。”实际在分析这一段话时，却漏掉了“南”字，原文并没有西去之意，无论依作者之标点，或连起来（“将其种落而南出赐支河曲西数千里”）思考都是“南行”。那么，这支羌人首先到了何处？我想数千里只是概数，他们移动的第一步有可能是多弥地区。纳西人有类似的说法。据李绍明在《康南石板墓族属初探》中介绍：“现在丽江一带的纳西族，还流行着他们的祖先是从北方一个名为‘多弥’的地方，迁徙到西南来的传说。”

“多弥”一词的来源可能稍早，不一定出现在唐代。如《隋书》列传第四十八《附国》载：

> 附国南有薄缘夷，风俗亦同。西有女国。其东北连山，绵亘数千里，接于党项。往往有羌：大、小左封，昔卫，葛延，白狗，向人，望族，林台，春桑，利豆，迷桑，婢药，大硖，白兰，叱利摸徒，那鄂，当迷，渠步，桑悟，千碉，并在深山穷谷，无大君长。其风俗略同于党项，或役属吐谷浑，或附附国。

《北史》卷九十六列传第八十四《附国》亦有类似记载，有称“当迷”者，我以为就是唐时之“多弥”、“脱思麻”，这一词汇在敦煌古藏文文献中多有反映：

> 及至虎年（702 年）……冬，赞普驻于墀塞，于“南木东木”地方由莽布支拉松与论芒赞东细二人主持多思麻（མདོ་སྨད།）之冬季议盟会。

唐以后，由于吐蕃民族的兴起，“多弥”一词便不再是陌生的了。倘若我们以“纳西族先民自多弥迁来”这一定义推论，就会有新的疑问存在：“多弥”这一词的最早出现与纳西族先民的关系。

任乃强在《释“嶲·昆明”》一文中又说：

> 羌语谓人为 མི（如弥或米之音），今陇西、青康藏民，仍保存其音义。故南诏人把昆明字作昆弥。明字与民字和弥字，古音相同。故可以设想：《禹贡》所谓昆仑，即河源的昆仑山区的牧部，为今柴达木与通天河两大草原上的藏族牧民。在唐时为多弥国。多弥是吐蕃征服他们后的称呼。吐蕃称平旷富饶的草原为“多”（མདོ།），至今藏族还称青海草原为安多，昆仑部落的旧称，到隋唐世已改称多弥，所以早已不自呼多弥，而自称为“昆弥”。司马迁便把它译作昆明了。

任先生的推论是有价值的，但我认为：

第一，“多弥”不一定是吐蕃征服以后的称呼，它作为一羌属之名或一地名可能在吐蕃人经略东方时早已存在，因为虽为唐人所撰的《隋书》、

《北史》均不曾有“吐蕃”之称，而呼“附国”。附国之“附”可能就是“蕃”的音译。“蕃”（བོད།）与“苯”（བོན།）为同一词，无论是远在阿里的象雄还是隋所称之“附国”，崇信苯教这一文化特点非常明显。如上文所言，在隋唐以前，作为“传教士”的苯教徒们已往来于广阔的青藏高原。史家们在考察与藏人有关系的羌属部落时，易将苏毗、东女、西女、嘉良夷等孤立立论，甚至当作一族种研究。我以为这是一个误会。即便周、秦、汉诸朝，青藏高原的部族是运动着的，联系着的，联系的根本原因除了地缘因素、族种因素外，尤为重要的是文化因素。

显然，“多弥”的根本含义也如此，它有其基本的演变过程：（1）早期的“多弥”可能就是“昆仑”，这个词的出现很早，至迟在周时就有了，在音义如任乃强先生所言，均同于现代藏语。（2）汉文中的“昆仑”、“昆弥”或演变为“昆明”，或演变为“多弥”，只是音的变化，其义不清，若以藏文观之，其音、义同有丢转现象，但这些过程都在现在我们见到的古藏文以前就结束了。敦煌文献中的“多弥”二字，一直沿用至今。

第二，“当迷”即“多弥”，只是这时候驻足这一地区的不一定是纳西族的先民，而是另一支藏属民族成员罢了。吐蕃兴起，即归于悉勃野王权统治之下。

第三，“多弥”与纳西族的联系可能有两个阶段，从两汉之时就有纳西先民在云南高原生息这一事实看，第一批纳西人是从赐支河曲之西，逐水草居，途经多弥，辗转来到丽江一带，而此时就有“多弥”这一名称存在；第二批纳西人（倘若有），或于公元四五世纪鲜卑人侵入青甘地区，与之斗争，纳西人再次自多弥南下，汇入原部落之中。显然，或许还有第三批，若以现在的“多弥”这一词的出现看，当在唐时，而此时的纳西南迁，已不可能是主体了。有也不过是残部。

倘若有纳西人南迁的第二阶段，一度或与鲜卑人杂处、交往，纳西人又称自己为“纳昆”、“纳恒”或许就是这一时代的产物，“昆”为“人”之意，鲜卑语。

在古代社会里，纳西先民的迁徙不可能像现代社会那样详细记录日志，让我们充分了解他们的迁徙路线。而作为历史的壮举，它总要曲曲折折留下一点印迹。《崇邦统——人类迁徙记》实质上就反映了这一过程。

《崇邦统》中迁徙的主角是崇仁丽恩和天神的女儿册恒布白命。祖老阿普天神设了重重障碍不让他们成婚，都失败了。最后答应他们结亲。崇仁丽恩和册恒布白命由天国启程，经过蕊青素星、蕊夸顶星、能者村头、智者村尾、“纳西寨”、白银有角庄、黄金有眼寨，来到神山居那什罗山顶上。

从什罗山，“人类”经过山腰来到山麓，从天底白山脚迁徙，来到天底撒种地；从天高星伴山迁徙，来到大地草伴山；从种麻麻田坝迁徙，来到乾地蔓菁田；从住人广阔地迁徙，来到“精肯熟陀地”。有些经书所载的迁徙路线到此结束。为何会有这种情况？其一是因为传说中断，不知后文；其二是纳西族先民就走到此处；其三是他们是分步走的，这一段路有可能是首一批的行动路线。《纳西族东巴经译注》中说，出现这种情况说明以后的路线是崇仁丽恩的后代所走的迁徙路线。即：从“精肯熟陀地”迁徙，来到“洛多布洁”大河边；“从高地飞鹰山迁徙，来到连天飞鹤山；从虎过虎爪山迁徙，来到‘米鲁阿呷’山；从‘喜潘高鲁’山迁徙，来到‘北母许主’坡；从黑岩两路口迁徙，来到十二岔路口；从十二岔路口迁徙，来到十二白坡脚；从恒茵玉水河上游迁徙，来到恒英玉水河下游；从高地烂泥潭迁徙，来到高地涉水坡；从高地‘尤高老’迁徙，来到‘叶本地吕古’（原注：有人认为是今宁蒗县永宁坝子）；从绵半白草山迁徙，来到‘吕木’松林山；从木里鼠罗箐迁徙，来到左边柏林箐；从赶猪坡迁徙，来到肥沃山；从木里苏吉顶（无量河）迁徙，来到十二拦阶坡；从大水两股箐迁徙，来到两谷白术寨；从‘窝左罗’地迁徙，来到三竹丛之间；从‘增那郭’山迁徙，来到翠柏高鲁山；从卸驮子地迁徙，来到鹇停箐山谷；从青草山头迁徙，来到草水箐山谷；从‘弯俺坡’山迁徙，来到‘恩统弯”寨子；从涉水坡头迁徙，来到杀狗坪地方；从‘勒托丁’地迁徙，来到‘蕊邦素’地方；从冬渡口处迁徙，来到夏天渡口处；从‘盘又大匮’（今丽江大具）迁徙，来到‘古苏古又’山；从黑水迁徙，来到白水河；从上‘乾般’高原迁徙，来到下乾般高原；从‘本窝里’坪迁徙，来到‘展展坡’垭口；从置偶岩洞迁徙，来到‘盘杂纳多’坝；从三思渠村迁徙，来到塔本甸（祭祖台）村子；从‘巴古巴尸’（原注：意为‘巴人死亡之地’，即今日白沙）地迁徙，来到‘嫫斤要畏’（原注：意为‘尸首堆高之地’，即今日束河）地；最后来到‘英古地’。”“英古地”为今日以大研镇为中心的丽江坝区，《元一统志》称“样渠头”。

在纳西先民迁徙经过的众多地名中，有些与现代地名可以对应，有些明显是文学加工，但是大体方向仍然是从青海地区南迁丽江这一路线。“精肯熟陀地”是个很重要的地名，假如它为实有，会给我们提供多方面的信息，然而我们很难详释。从中也反映了先民们走走停停的方式。

四、纳西族创世歌所反映的时代

这是一个非常棘手的论题，大多创世歌由于年代久远，许多有价值的内容反为后期的一些东西所淹没。但是，纳西族创世歌中仍然保存了这些历史的印迹。如《崇邦统》中如此写道：

最早好气象，上面出响声，下面出气息；声气相变化，出三滴白露；白露做变化，出三个大海；大海做变化，生出人类的祖先：

海史海古
海古美古
初初慈禹
慈禹初居
初居具仁
具仁迹仁
迹仁崇仁
崇仁丽恩

丽恩共有五弟兄，丽恩共有六姐妹。丽恩五弟兄，弟兄无伴侣，为同姐妹结伴而争斗；丽恩六姐妹，姐妹无配偶，又同兄弟结缘成对偶。

其中有两个重要内容。其一，反映了兄妹婚姻形态。丽恩的弟兄们和他的姐妹们结成姻缘。显然，这一历史是很早的。其二，反映了纳西族的父子联名制，据说共有十四代。十四代分为两种类型：

1. 据说前六代住在天上，他的联名形制是：

（1）海史海古
（2）　　海古美古
（3）　　　　美古初初
（4）　　　　　　初初慈禹
（5）　　　　　　　　慈禹初居
（6）　　　　　　　　　　初居具仁

这与藏文中对吐蕃早期赞普们的记载相类似。据载吐蕃的最初六世赞普（王）死后都借助虹绳返回天界，他们是母子联名制：

一世 聂赤赞普
（后）南牟牟
二世 牟赤赞普
（后）萨当当
三世 当赤赞普
（后）索滩滩
四世 索赤赞普
（后）道买买
五世 买赤赞普
（后）德娃噶姆
六世 德赤赞普
（后）塞拉翁姆
七世 塞赤赞普

2. 住在人间的后八代，纳西族中仍然使用联名制：

(7) 具仁迹仁
(8) 迹仁崇仁
(9) 崇仁丽恩
(10) 丽恩糯
(11) 糯本培
(12) 本培窝
(13) 窝高来
(14) 高来秋

而藏族的赞普们自止贡赞普以后不再使用联名制。但从另一典型的民族彝族那里可以看到同样的文化现象。彝族同样使用联名制。据《西南彝志选》选录的一彝族支系如此记载：

> 武色吞之世，举额有八子，他们全都是，建庙之偶的。一世武古痴，二世古痴木，三世木必诺，四世必诺多，五世多洗益，六世洗益鄂，七世鄂雅密，八世密雅额，九世额雅羿。青羿和红羿、羿雅然三人，天下撮阻羿，画在案子上，传说到如今。

联名形式同样十分规整。

纳西族创世神话中蕴含着丰富的藏文化信息，对这一珍贵文化遗产与藏文化的相互影响的研究还不多见。

第三节　藏系民族的火崇拜

现居住于西南地区的白、彝、纳西、傈僳、普米、拉祜、哈尼、基诺，以及部分非此系统的苗、壮、瑶民族中盛行的火把节，就是火崇拜的一种遗俗。在此我们主要以白族为主来探讨火崇拜问题。

白族现有人口大约共120余万人。其中四分之三居住在云南省大理白族自治州境内。其余散居在云南的昆明、玉溪、红河、楚雄、保山、怒江等地区，湖南省桑植县及其邻近县区，贵州省的毕节，四川省的西昌等地。

火把节是白族最古老的盛典，但由于方言的差异、社会经济发展的不平衡，称谓也有些不同，大体有以下六种：

1. “付哇匆”。这是大理一带最普遍的称法。白语的“付哇”即汉语的六月。“匆”是白语“25”快读拼成的音，也含末尾的意思。所以“付哇匆”可译为“6月25”或“六月尾”。“匆”的另一解释为“疯狂”，亦可译为狂欢的六月节。

2. “猜呼园”。是大理洱海东岸下秧一带的说法。“猜”是划船的意思；“呼园”是花船。整个词是指火把节这一天，附近的塔村、南村、文武、明庄、海岛（金梭岛）等村各选派得力的人在洱海里搞“花舟竞渡”的活动而言。大船要进行彩画，称之为“呼园”。

3. “付哇斗薄”。流传于保山与云龙接壤的阿衣寨、阿石寨。“斗薄”意为祖先。整个词义为“六月祭祖”。

4. “每登架”。“每”为松明，“登”为灯，“架”即节。整个词义为点松明火的节日，流行于剑川及鹤庆西山的白族之中，鹤庆彝族的支系也如此称呼。

5. “回准突”。“回”是火，“准”是筒，整个词有“火把筒”之意。流行于洱源县大松赕的彝族。

6. “搭希回”。大理地区老一辈白族有此称。“搭”是点燃之意，“希”是“薪”即火柴，“回”是火。整个词有燃柴火之意。①

这六种称谓中除第二种“猜呼园”与“火把”原义较远，可能是后期的名称外，其余都与火崇拜有关。从文献看这种形式产生较早。宋代《太

① 张锡禄等：《论白族古老盛典“火把节”》，载《大理师专学报》1985年第2－3期。

平广记·南诏》引五代《玉溪编事》曰："南诏以十二月十六日，谓之星回节，游于避风台，命请平官赋诗。骠信诗曰：避风善闻台，极目见藤越。悲哉古与今，依然烟与月……不觉岁云暮，感激星回节。""星"仍为白语"木柴"意，别译"希"，"薪"等，"回"为白语"火"意。"星回节"为白语音译，意多译为"火节"。南诏时就有此节日，并非偶然，它经过了漫长的历史进程，但这节日的基本内涵并没有改变。

一、火把节仪式中的火崇拜性质

恩格斯在《自然辩证法》中说："人们只有在学会了摩擦生火以后，才第一次使某种无生命的自然力替自己服务。""就世界性的解放作用而言，摩擦生火是超过了蒸汽机，因为摩擦生火，第一次使人支配了一种自然力，从而最终把人和动物界分开。"通常说"人类发明火"等等是不确切的，应该是"人类发明取火"，火在人类诞生以前是存在的，自然的野火，因雷电轰击树木而产生的火，大概十分漫长深幽。就考古材料中人类使用火的经历看，也可说漫长而漫长了。云南元谋人的遗址（一百万年以前）中发现有人类化石、石器、动物化石和炭屑及烧骨；北京人遗址（七十万年以前）中发现有经火烧过的鹿角。火给人类带来了光明，也将人类和动物界分开。但是，对于原始人来说，火仍然是神秘的，火的种种奇异神力对于人们来说是不可理解的，于是崇敬火，便有了火崇拜。火崇拜在世界许多民族都有。只是各民族崇火的仪式有所不同罢了。

据《论白族古老盛典"火把节"》① 一文介绍，白族火把节的基本仪式有九个方面：

（1）祭祖先。火把节的中午，剑川白族人家大多准备好小火把、纸钱、香烛、供品等物到坟上祭祖、扫墓。献过供品、烧完纸钱以后便点燃火把，一家坟上撒三把松香面，每一家坟都献祭完后，将未燃完的火把竖在新坟前或坟地中央，待火把全燃尽后方能离去。上新坟的人家在头三年里尤为隆重。坟地离家太远不能赶回的就在家中祭。清代《职贡图》说："至期，烹牛豕祀先，醉饱歌舞。"王文韶《续云南通志》说："至期，搭棚以敬天祭祖。"周钟麟《大理县志稿》也说："持（火炬）以熏基，慰先人者。"此为火把节祭祖的习俗文献。

（2）晚宴与食生肉。白族火把节这天的饮食因地区的差异略有不同。

① 张锡禄等：《论白族古老盛典"火把节"》，载《大理师专学报》1985 年第 2－3 期。

有的地方早上要蒸米糕、馍馍、糖包子，以甜食为主；有的地方早上则吃面条、饵丝，以咸食为主。但晚宴则大体相同，无论吃大米饭或面食都喜欢以凉拌菜和腌生肉皮作为菜肴。

（3）扎火把。白族火把节的火把有两种：竖在村头里的大火把和拿在手中耍的小火把。大火把的形式根据各地具体条件来扎，一般都十分高大，十分壮观。

（4）跑马。火把节这天，太阳还没有落山，早早吃过晚餐的人们便来看竖火把。养马的则在火把下面跑马，大人小孩各自骑着自家的马来回赛跑，绕着火把跑过三圈以后再跑向远处。明代庄诚之《万历赵州志》说："赵州是晚，勿论村市，高焚火把，驰马对歌。"明代艾自修之《重修邓川州志》说："亲友邀饮于火下，驰马，并鸣锣逐疫。"可说简洁而生动地描绘了这种场面。

（5）点火。点火把是一项极为隆重的活动。燃火前，年轻的妇女要打着花伞，背着新生的小孩在火把下转二圈。家族中的老人带头向火把献祭品，下拜叩头。此时村里的老人们组成的乐队则在旁边吹唢呐，弹三弦，唱白族调。点火把往往由一个勇敢的水伙子执行，他举着小火把攀爬到大火把顶部，点着火后迅速地滑下来。从中不难看到对火的尊崇和礼赞。

（6）抢升斗。大火把上置一升头，当火劈劈啪啪燃烧起来，烧至升斗底部，底部的竿子一烧断，升斗便凌空落下，人们蜂拥而上去抢，抢到手的，被人们英雄般簇拥着，向他祝贺，此家人即用烟、酒、茶款待大家。这家人的家长自然成为次年火把节活动的承头人。能抢到升斗是一件十分吉祥的事，但能抢到的必定是那些会看方向且力大者。

（7）大火把下聚会。《重修邓川州志》记载了一首明朝的《火节歌》，描写了这一情状：

> 每岁六月二十五，夜间竖炬为节会，火光吐焰有明暗，家家验之十衰盛。儿童人人秉一束，奔走街衢戏相竞。砍烩肉、砸瓶酒，宾朋列坐欢声闲。火炬下，迭往来，盘乘瓜果互赠送。俗传固可悲，民乐仍当庆。

至今盛况依然如故，许多村寨有百分之七八十的人聚集大火把下面。这或许是古人集体祭火的一种礼俗的残余。

（8）耍火把。耍火把是火把节的高潮。耍火把的盛况古人如此描绘：

李元阳《嘉庆大理府志》：

……襟山带海楼，在城中央，六月二十五日星回节，城外万炬纵横，灿如星星海，大夫登楼观之。

元代文璋甫《火节》诗曰：

云披红日恰啣山，
列炬参差况往还。
万朵莲花开海市，
一天星斗在人间。

《康熙蒙化府志》卷六：

户排列炬兮赤帝张旗，火城煌煌兮于郡于邑，炎冈焰焰兮于商于夷，流光霞散，赫炽霓被，绛辉林木，红映鱼池。远拟热鸡骇敌，遥瞻鹑牯还齐，宣笑兮乐充环寰，踏歌兮响越涯湄。

假如说大火把下的聚会是古人崇火祭祀的主体和最古形式，要火把则有了变异和扩散引申意义，即具有了以火除秽的仪式内涵。

在大理、剑川、鹤庆等地，当大火把点燃之后，白族青年男女，竞相出动，各人手执一小火把，身挎一小挎包，里边装满松香面，见到人就抓出一把，用力向火把撒去，霎时一团火苗便扑向对方。被撒的人都认为这一烧很好，可以烧去自己身上的晦气。撒时只能朝下，不能朝上，防止松香灼伤人的面部。遇到老人则要说“敬上一把”方能撒去。年轻人往往成群结队，手执火把深入到邻村街与人对撒，有的青年男女则跑到田野小路上去对撒，也有因撒火把青年男女相戏谑而谈起恋爱来的。要火把的另一形式叫“点谷火”，即照穗，人们成群结队地举着小火把，互相追逐到田间给谷场照穗，意为可以烧死危害庄稼的害虫，这样稻谷会长得好一些。可知这种礼俗有了祭火——火可除人晦气（另一层含义是给人以吉祥）——火可除祛病虫害（早期的人以为庄稼的病虫害多为鬼魅所为），这样一个发展过程。

(9) 跳火把。这一礼俗仿佛延伸很广。在我的家乡亦有这种形式。1985 年我写风俗散文《跳火堆》记述了这一现象。家乡的跳火堆是在正月十五进行，拿来柴草（那儿没有扎火把一说）放成若干堆，一般为单数，

五、七、九、十三等，然后同时燃着，无论男女老幼从上面跳过，有的跳几个来回，意思仍然是清除污秽，以图吉祥。白族地区的跳火把自然与此不同：

当大火把燃到根部时，已将近午夜。这时底部所扎的柴草也已经散开了，人们便把火把的残骸堆成一堆堆篝火，相继从篝火上跨过去，来回跨两三遍，叫做“烧晦气”。小孩子和年轻人在行过“跨火把”仪式后，又比赛从火上跳过去，比谁跳得高跳得远。最后火把烧剩无多时，老年人在火上架起铁三脚烧开水泡茶喝。在火把上烧的开水叫“火把开水”，也有的人在炭火中翻找已烧熟了的火把梨、花红之类水果吃。

《邓川县志》如此记载跳火把节：

> 倒树当门卧，男妇撩衣跨过火，群相贺曰：灾星除矣，秽气解矣。

可知这两处相隔千里——一在西北，一个在西南的民族在崇火问题上的观念是一致的。因为人们也曾经有过共同的礼俗，在汉籍所谓印率领羌人南下，甚至在更早更早的一些岁月里。至于照穗之类则是人类进入农业社会——从事耕作以后的事了。

二、火把节的日期与其他火崇拜现象

白族火把节的日期各区大体相同，大多数在阴历的六月末，具体是二十四或二十五日，也有少数稍前或稍后。大理的白族一般都是六月二十五日，碧江的白族是从七日到二十日这个“陋奔”（地支一轮）之内，任选一天开始，逢猪日更好，连续三天晚上，最好是十五日开始。

与西南其他有火把节的民族相比，白族的火把节日期基本跟他们一样。张锡禄等的文章说：

> 据我们调查，大理市下关镇大麦地一带的彝族语称火把节为“苦俄彩里”，意为过六月节。漾濞县龙潭乡彝族称“可啦赛勒”，“可啦”是六月，“赛勒”是过节，意为“六月节”。鹤庆中江彝族称“孩呼你次亿霞架古”，“孩呼”是“六月”，“你次亿霞”是二十四日，“架古”是“过节”，即“六月二十四节”之意。

当然，由于地理的差别，节令流传变异等原因，就本民族中也不一定完全一样。如《彝族简志》（下）说少数贵州的彝族在六月六日，云南新平县鲁魁山的彝族的火把节在六月十八日。另外像壮族、瑶族的火把节在二、八两月的二十四日。

火把节时间的由来，其中因素可能很多，但我认为主要受农时的限制，或者说农作使他们选择了这一时间。请教一些本民族的同志，他们说此时相对农闲，其二此时生活“富裕”一点，过节有得“折腾”。其深的含义有待于进一步探讨。

除了火把节祭火拜火，有一系列的崇火仪式外，白族人家的火塘（灶）也是神圣的。火塘的位置不能随便移动，任何人不能从火塘上面跨过去，客人若不懂规矩从火塘上面跨过去，主人会发怒将他赶出门去。怒江地区的白族群众还供火塘神，其形象是一个慈祥的白发老人。家里生了孩子，要祈请他给名字，同时他又是很尊严的家神，可以给家庭赐福、降灾免难。大理地区各县城都有火神庙，供着赤红须的神，遇到火灾要请道士或巫士送“火神”；民间巫画里也有很凶恶的“火神”像，是祭祀时用的。

白族火神的存在说明，一种崇拜往往是成系统的，并非单一的，如像火把节，一过则完，人们从不记起，事实不是这样，它是“配套”的，火把节只是白族崇火的一个高峰罢了，而日常生活中的火崇拜则通过火神去体现。

虽然，传统认为佤族不是藏系民族，但其取新火进行祭祀的仪式对于火神崇拜现象的深层认识将有裨益，兹录于此：

沧源县糯良等寨佤族，每年在过新年前（佤族新年相当于傣历三月三日起，为期十天，大约在公历 1 月份），全寨要大扫除一次，然后很隆重地举行取新火大祭祀。取新火的方法有两种，一是使用蒲棒草（佤语叫广来，白语叫回此，意即火草）揉细后放在葫芦外部，用木棒在上面用力摩擦生火。另一种是在牛角上凿一个小洞，用藤篾穿入洞中来回用力拉动，使藤篾摩擦生火。新火出现后，鸣土炮数响表示庆祝。并由寨主主持祭祀。祭品每户出一碗米、一碗饭、一点盐和火灰。祭时还要用四碗茶，寨主念祷词，主要意思是用新火后，请神保佑全寨吉祥平安，牲畜兴旺，谷物丰收。然后由头人家先点起火把，各家再继之点燃火把把新火领取回家，开始舂粑粑，舂好后拿两块送给头人，拿两块作为祭品供着，此后便准备过新年。其中的两种取火方法显然是比较原始的。可惜在一些发达民族中，即使有火崇拜，想详知它的原始形态却已十分困难。因为，人类在不断地发明、不断地创造，同时在不断地进步，当新的文明出现后，旧的文明便退位了，人类想完整地拾拣最初的记忆是十分困难的。

彝族火把节的日期与白族相同，都在六月二十四日，也称星回节。但据有关材料介绍“星回”的含义并不与白族一样。通过近年翻译的彝族《星月历》（从彝族《拖节·路是那书》）看，这一节日与自然天象有关。《星月历》以二十八宿与月亮相遇记日。据李世忠、孟之仁（均为彝族）《彝族星回节源流考》一文介绍，《星月历》以二十八星宿之首鸡窝星（昴星）为准绳，鸡窝星与月亮相遇之夜叫“拖节日”，以下二十七星与月亮相遇之夜称“路足日”。正月初八、二月初六、三月初四的“拖节日”，四月有两个“拖节日”——四月二日和四月三十日，五月没有“拖节日”，看不见二十八宿；一直到六月二十四日晚上，二十八宿才再次出现，是故彝族民间称作“星回于天”，当作最吉祥的日子。此后七、八、九、十、十一、十二月都有“拖节日”。据近年有关同志的实际观察发现，二十八宿的运转与彝文文献所载基本相符。

因何五月无星座？此与季节有关，即五月进入雨季，多云多雨，肉眼看不见二十八宿。就是月亮也很少看见。据有关资料反映，古时彝族一年中可能有两个星回节。

《禄劝县志·风土志》：

> 六月二十四日、五日为火把节，亦谓星回节，夷人以此为度岁之日，犹如汉人之星回于天而除夕也。

《太平广记》卷四百八十三“南诏”：

> 南诏以十二月十六日为星回节。

前者所说将星回节与汉之除夕类比，可说从历法上找到了根源；后者所说则提另一以十二月十六日为节的星回节。彝族史诗《门味间扎节》提到这方面的内容：

有个祖先叫卡叶莫，她开始种了一颗粮，“才到一个月，禾苗长三节，长得绿茵茵，过了三个月，穗头金黄黄。”卡叶莫的粮食可能是荞子之类的作物，三月种六月收，三个月成熟。所以作物成熟的时间六月为一年是可能的。虽然，随着种植类型的扩大，许多作物便不可能在六个月中得到完全成熟，如玉米等。因而，六月的一年就不行了。“六个月做一年，粮食还没成熟，六个月一年做不成。”“月大月小怎么分，月亮里头来区分，日子长短怎么分，太阳里头来区别，一年赶四季，一季三个月，一月过两节。一年打两春，三年闰一月，按这个办法，种粮有时间，收粮有时间。”从《门咪间扎节》叙述的情况看，彝族先民曾经有过六月为一年的历法，后随着新的需要再次修改成十二月为一年，但保持着六月过一次年，腊月过一次年的习俗。如此便有了六月二十四日、十二月十六日两个星回节。

彝族的历法是较为古老的。但我以为星回节的最初形态仍然是因火崇拜而起的祭火活动，后期随着农业的出现、天文历法体系的逐渐形成，将这一祭火活动固定下来，成为节日。它与藏人的火崇拜等如出一辙，有些不但在思想信仰上有共同性，而且在仪式上也有共同性。因为，青藏高原是个整体，在这个体系中生活过的民族大多有同一的宗教信仰（史前时期），而其分离的岁月也不会太长，我想最多也不超过四千年。

第四节　科　　技

“观察禽鸟和植物是珞、门法，观察雪和冰的是登巴法，观察星和风是藏北法，观察日和月的是岗卓法”，这四句谚语反映的是现今西藏自治区南部的珞隅、门隅地区的观察禽鸟和植物以观天象的做法，昌都察隅地区观察雪和冰以知物候的做法。大概这种做法至少在吐蕃时代早期就有了，但不具体。而更早的气象观测和天文历算于苯教文化的统治时期，就已有了成系统的一系列的做法。

1. 社会的发展离不开数的进步，无论在农业还是畜牧业生产实践中，不论记录天数，记录羊牛、记录粮食的数额，都离不开数字。一些文献说，藏民族到了松赞干布才统一了度量衡。实际上，度量衡的产生，发展经过了漫长的历史。据载，早期的藏人在记数时首先用白石画在黑石上，后改为以石串记录，以后又在木头上刻横格代表日子。这便是早期算学的萌芽。这种简便的方法，一些偏远地区至今还在使用，比如记工时，在记次数、时数和天数时，用石子来代替，一个石子表示一个单位。

2. 不光是门隅人把一根草枝插在大拇指背面第一条横纹上作为观测日影的仪器，决定劳动和吃饭的时间，这种做法流传甚广，现在的一些偏僻地区仍在沿用这一简便方法。

3. 用水测时间的方法藏区也有，其做法是，先是在石罐、后在陶罐和铜罐的罐底开一极小的孔，以便滴水，水装入罐中，自然渗入小孔中滴出，再用一刻有十二格子的尺子，经常放入罐中，观测罐内水位的深浅，以定时间。

在第一世王布德贡杰（འོད་ལྡེ་སྤུ་རྒྱལ，聂赤赞普）时，藏族的农业灌溉和技术有了新的发展，可进行银、铜、铁等的冶炼。在藏人的发祥地西藏山南雅砻地区产生了“纺线老女人之月算”，在《亚桑的故事》中有明确叙述。当时随着社会生产力发展，有了农业灌溉，金属冶炼，时、日、月、季节等的明确划分。这当在情理之中，因为灌溉须知季节，冶炼不离时间。纺线老人说：

星月推算的传统，
知者学识握吾手，
你们能有此学问？
为此好汉聚商议，
奏上雅拉香波神，
纺线老人请往前！
第二周的初一日，
上弦半月半夜亮，
第三周的初一日，
满月彻夜月光明。
第四周的初一日，
称作空天无月夜。

可知从一月起，第二周的头一天，即八日，月亮到正半夜落山；第三周的头一天，即十五日，满月满夜光亮；第四周的头一天，即二十二日，下弦月半夜时升；第五周的头一天，即三十日，空天见不到月亮。当月可以看见月亮盈亏的现象。

如此三合按顺次，
第一称谓暖风起，
第二长叶雨水降，
第三称谓果实熟，
第四称谓寒风起。

每三个月为一个季节。第一个为春季，以暖风为特征；第二个为夏季，以树叶茂密，多雨为特征；第三个为秋季，以果实成熟为特征；第四个为冬季，以寒风为特征。

雅拉香波喜笑道：
“吾是甲赤强有力，
然而老人言为奇，
既言看月能表时，
要叙太阳怎表时？”
纺线女人道：
“老人若言太阳时，
暖风吹起叶发时，
空中太阳向北移，
果树寒风吹动时，
空中太阳往南移。”

从此，雅拉香波开始知道四季方向。同时也谈太阳的“二至”点，有了半年太阳偏向北，半年太阳偏向南的认识。

纺线老女人的月算的方法是用一种白石头在黑色方石上画 30 个条痕，当划第一条痕时，看不到月亮，划第二个条痕时见到月亮，则说明前半个月要差一天，这个月称为“快月”（只有 14 天）；划第三个条痕的那天见到月亮，即民间所谓：“三日月亮众看到，八月十五无差馀。”以月亮为主的时间计算仍有许多不足之处，如元月二十二日雅拉香波的桃花未开，在西藏的季节为春中，四月二十二日为夏中，七月二十二日为秋中，十月二十二日为冬中，仅以月算不符合日算和四季的时间。藏历元月恰在风雪迷漫的冬季，雅拉香波山一带的桃花未开，不能按期安排生产，由此人们逐步认识到自然界变化主因是太阳位置的南北移动，从而得出“年的成长主要靠太阳、月的成长主要靠月亮、日的成长主要靠昼夜”的结论，并以日算把一年分为夏至、冬至、秋分、春分，以月的推算把每月分为上弦、望月、下弦、朔月（三十日），以昼夜为一天，以 30 天为一个月，以 12 个月为一年，一年为 360 天，时以日分而定，分为日升、日落、中午、半夜等。并且提出了每三年一闰月的观点。显然，这一文化在后天的发展中也受到了外来文化的影响和推动。

敦煌古藏文文献中也有关于星象的表述：

在那昴宿星座上，
聚集有七颗小星星，

那是群星中最美丽的；
七颗小星环绕四周，
与昴宿同时升起。

这是首卜辞，但它也反映了古代藏人对天体的观察和认识水平。

这一时期也是藏族医学的萌动时期。藏族有谚语说："最早的药是开水"，这也是有一定道理的。因为开水的使用至少可以说明两点：其一、当时已在使用火，没有火不可能有开水；其二、当时已有器皿，或为陶罐之类，没有器皿，开水也就无从烧开。火的使用和器皿的使用都是人类历史上重要的文明成果。另外，据苯教典籍讲，在公元前五六世纪时，象雄的医学业已达到了相当成熟的阶段。苯教祖师的先辈们已在使用药物治病。

第二章　苯教文化的发展兴旺时期

第一节　雅砻河谷文明

一、王族的出现

位于雅鲁藏布江中游南岸，北纬29°2′，东经95°1′，海拔3551米的泽当是个特殊的地方。由于此地被传统认为是藏人的发祥地而受到广泛的重视。此地有传说中的猕猴和岩罗刹生活过的“猕猴洞”，有第一块种植青稞的土地。雅砻河谷是个富饶美丽的地方，氏族部落的成员们，在这里过着安居乐业的生活。而历史的车轮也轻轻地在将这些诸如夜叉、魔、怪、龙、赞、天神、木神、鬼、妖等为图腾的玛桑九兄弟似的部落推向西藏高原的邦国时代。

至少在公元前五六世纪，西藏高原便有邦国出现，在西北有象雄古国，中部地区有苏毗，从汉文记载诸羌历史看，与雅砻王朝的出现相仿佛，多弥、东女、附国、白兰、党项诸小邦国也在形成之中。藏族的正史是从雅砻河谷算起的。居住在雅砻河谷的“六牦牛部”（བོད་ཀ་གཡག་དྲུག）也已从分散的氏族社会向部落联盟过渡，部落的成员们不但在进行狩猎、牧业生产，从事农业耕作的历史也有相当一段时间了，而且在与自然作斗争、图生存、求发展的过程中，学会了制造弓箭、刀斧和一些简单的生产工具。据有些资料介绍，当时的六牦牛部已有自己的名称，叫“蕃”，属于四蕃之一，此时苯教已从象雄古国传布整个青藏高原，由于信仰的原因，便产生了“吐蕃”这个词，吐蕃一词可能是“苯”这一词的变音。农业的发展给雅砻河谷的蕃人带来了繁荣，但时代要求分散的六个部落要形成强有力的联盟，要找一个使大家满意的领袖，因为邻近强大的部落和邦国时常来掠夺他们的牛羊。

一天，六牦牛部洛、纳、昆、怒、斯、波六个部落的人正在赞塘贡玛山上打猎，突然从山上走来一位身材魁梧、气宇轩昂的年轻猎人。部落的人们问他从哪儿来，他指指身后。他身后是赞塘贡玛山和山顶上湛蓝的天空。部落的人们仍然不明白，他从哪儿来？山上？还是天上？于是，猎人们从部落里请来了十二位善于卜算观测的贤者来盘问、看视。年轻猎人仍然指着身后的山。这十二位贤者终于搞清楚了：他是从天上来，他是天神的儿子。是上天赐给他们的领袖。众人欢腾雀跃，向他敬礼、献花，用肩膀为座将他扛到部落里，尊奉为王。这便是吐蕃第一世王聂赤赞普（以脖颈为宝座的王）。从今天的观念看，六牦牛部选择领袖的办法过于简单，甚至荒唐，但是在当时天神观念存在的前提下，这一切都是非常合乎情理和逻辑的。

聂赤赞普是勃敖地方人，他因何到了雅砻河谷呢？聂赤赞普的母亲姆增生了九个孩子，最小的孩子叫乌贝惹，他生得与众不同，虽然人长得眉清目秀却舌头很大，据说可以遮住面部；手指间像鸭子一样有蹼。孩子慢慢长大，变得力大无比，很有能耐，乡人们怀疑他是恶鬼特让的化身，就将他驱逐出境。于是聂赤赞普从勃敖地方才来到雅砻地方。敦煌文献说他是“天父六君”（ཡབ་ལྷ་བདག་དྲུག）之子，“自天神而为人主”。聂赤赞普确定了自己的世系，因他来自勃敖地方，就以“悉勃野”作为自己的王系，因而六牦牛部也叫作“悉勃野吐蕃”。聂赤赞普为了振兴悉勃野吐蕃，一方面抓紧农牧业生产，种植粮食，多养牲畜，充实丰富自己；一方面以苯教为国教，加以弘扬，同时为了防止其他部落的人来六牦牛部强抢牛羊，抓紧时间修建城堡，他先后建造了雍布拉康和青瓦达孜宫。雍布拉康被称为藏民族修建的第一座宫殿，是依山而建的一座城堡式的建筑，从宫顶可以看得见底下的田野和周围的土地，视野十分开阔，可以有效地防止周围部落的抢劫，易守难攻。青瓦达孜一直是早期吐蕃王朝的都城。在聂赤赞普的精心筹划下悉勃野吐蕃在青藏高原迅速崛起。

聂赤赞普娶南牟牟为妻，生下牟赤赞普，可惜，就在牟赤赞普刚到能走路的年龄，他便去世了。据说他是虹化而去的。自聂赤赞普而始的王的确立，王族的确立，尤其是“天神之子”观念的确立，为以后吐蕃的发展奠定了基础。因为，王的出现，王族的出现，标志着统一的国家政权的出现，是民族政治凝聚核心的出现，不论在政治上、文化上都有着十分重要的意义。

二、吐蕃王朝的兴起和发展

聂赤赞普与南牟牟生子牟赤赞普，牟赤赞普娶萨当当为妻生当赤赞普，当赤赞普娶索滩滩为妻生子索赤赞普，索赤赞普娶道买买为妻生买赤赞普，买赤赞普娶德娃噶姆为妻生德赤赞普，德赤赞普娶塞拉翁姆为妻生塞赤赞普。因这七王的名字中都有一个“赤”字，故而称之为“天赤七王”。

塞赤赞普娶萨增龙吉为妻生止贡赞普。止贡赞普还没有取名字就死了父亲，大臣们就如何上赞普尊号一事去请示老祖母卓夏玛济林玛。年迈体衰、耳目昏聩的老祖母问了三件事：“吉雪地方的扎玛岩坍塌了没有？当玛地方的母牦牛草场火烧了没有？登列维尔湖干涸了没有？”大臣们回答：“岩没有坍塌，草场没有被烧，湖水也没有干。”可是老祖母错听为岩已经坍塌，草场已被烧毁，湖水已经干涸，她伤心地流着泪说：“象征王命的圣地衰竭了，魔鬼将会在那里舞蹈，悉勃野家族的厄运就要来了，他会短命夭亡，就叫他止贡（‘剑亡’之意）赞普吧!”

或许是由于这个不吉利的名字，在敦煌文献等藏文史籍中描绘的止贡赞普狂躁暴烈，喜怒无常，他经常向母部三臣和父部九臣吼叫：“你们敢跟我比试武艺吗?”“不敢！不敢!”众人诚惶诚恐，诺诺连声，唯恐躲之不及。止贡赞普看着众人敬畏无措的样子，放声大笑：“量你们也不敢!”时间稍长，臣民百姓，怨声载道。

此时另一矛盾也日趋激烈：在丁赤赞普时，赞普为了发展苯教这一国教，曾从象雄古国请来了百余名苯教师来传播经典，教化民众。可是随着苯教师在宫廷中地位的提高，苯教法师对政治上的干涉也越来越多，以致出现了没有苯教师的首肯国王不能降旨，大臣不能集会议事的现象，实际上苯教师的权力超过了王权。自然，刚愎自用的止贡赞普受不了这种事事请示苯教师的做法，反过来凡事自作主张，如此，苯教徒也逐渐由不满意而怀恨在心了。

一天，止贡赞普看见小臣罗阿达孜，又要强行与之比试武艺，罗阿不敢。可是止贡赞普不允。罗阿请求止贡赐给自动挥舞的剑，自动穿着的铠甲等。止贡赞普一一答应了他，从军中取出了这一切。

比试前，罗阿又请求止贡赞普在右肩挂上死狐，左肩挂上死鼠。止贡赞普也一一答应。

到了月圆日，罗阿在娘若香波城堡前面摆开阵势：在一百头牦牛角上扎上二百把明光闪闪的利刀，牛背上都驮上了灰袋子，严阵以待。止贡赞普并不知此为陷阱。罗阿达孜看到止贡赞普肩上所挂狐鼠二物，心里自然有底。为什么？这是由于当时的观念认为赞普是天神的儿子，天神的儿子不可战胜。因为有强大的保护神和战神。在左右肩上挂上狐鼠尸体就可以魔退战神和保护神，如此，罗阿没有心理压力，就可以毫无顾忌地与之交战。

罗阿和止贡赞普一交战就呼啸着驱赶着那一百头牦牛汹涌而来，牛群互相挤撞、号叫，刺破了灰袋子，刺伤了烈性的牦牛，百头牦牛如同百头怪物，横冲直撞，须臾间，灰袋破漏，尘土飞扬，尘雾弥漫。止贡赞普在尘雾中不知道东南西北，左冲右突，盲人瞎马，不知目标。借着月光罗阿达孜对准止贡赞普射了一箭，刚愎自用、骄横跋扈的止贡赞普立时毙命。敦煌文献《赞普传记》中说："止贡赞普为护身神道岱拉工甲导引往天宫时，罗阿乃乘此时机自腋下取出小斧砍去，岱拉工甲被投之于冈底斯雪山之中，因而死去，而止贡赞普亦于彼时遇害。"

止贡赞普死后，被装在一个铜棺中，扔进雅鲁藏布江中，漂走了；两个王子被流放到工布地方。罗阿控制了雍布拉康和青瓦达孜宫。后来罗阿达孜为赞雄甲在獒犬身上涂毒而被害死。

止贡赞普时吐蕃已使用铜器。据藏人史书记载，止贡赞普的棺材为铜制，且用铁钉钉之；《吐蕃王臣史》还记载，罗阿篡位后还从玛康国输入铠甲。这是史料记载的藏人最早使用铁器的历史了。

止贡赞普的三个儿子，失国后分别逃往工布、娘布和勃域等地。这里有个特殊的人物：传说止贡赞普之妻去放牛羊，梦中与一个雅拉香波山神化身的白人相交怀孕，后来生了一个血团，放在热牛角中，数日后出来一个男孩，这便是茹拉杰额索。他历经千辛万苦，推翻罗阿，恢复故国，嘉赤登上王位。据说，他曾握着母亲与聂赤的手向天发誓，空中有声应道："你的儿子将战胜一切。"因而嘉赤王的名号为"布德贡杰"（"战胜一切"之意）。布德贡杰以茹拉杰为臣，茹拉杰便是吐蕃历史上的第一个贤人。他的贤明事迹为：驯养了黄牛、牦牛、山羊、绵羊，在夏天将草割下成捆收藏以备冬天饲养牲畜，将草滩开垦为农田，在山上设置守卫。在这以前吐蕃没有采集草籽、收割庄稼之事，从这时开始有了家养畜牲和农事。自然，这只是一种说法，在于突出茹拉杰的功业，上文已述，家畜的饲养和农业的发展时间很早。

有一些史料记载，在止贡赞普时由象雄和勃律传来了苯教教法，在赞普布德贡杰时，有仲、德乌教法产生。"仲"是故事的意思，"德乌"是"谜语"的意思，大约这两种宗教都是通过讲故事和猜谜语进行宣传的。这是藏族历史上一个非常重要的事件，即生活在雅砻河谷的人们受到了一种新的文明的影响，这一文明学术界称"象雄文明"。对象雄（现西藏阿里地区）文明的研究虽然起步稍晚，却得到了世界藏学界的关注，在意大利旅居的藏族著名学者南喀诺布建立了"象雄文化研究所"，专门进行象雄文化的研究。

象雄文明早于雅砻河谷文明，至少在进入正史的雅砻河谷王系的出现之前，在古格为中心的象雄地区已形成一个强大的象雄部落联盟——象雄邦国。它的辖区分为内象雄（现在的阿里、拉达克）、中象雄（现在的卫藏地区）、外象雄（多康地区）三部分，基本上涵盖了绝大部分藏区。

布德巩杰是位有作为的赞普，他号令四方，可谓政通人和，吐蕃社会出现了欣欣向荣的新气象。作为吐蕃时期第一位贤臣的茹拉杰主持内政，他教给臣民如何烧木成炭，组织工匠从矿石中提取金银铜铁，做犁轭用二牛抬杠犁地。吐蕃以最初的六牦牛部为基础，吸纳了工布、达布、娘布等部落联盟，逐步成为一个势力较强的邦国，与象雄、苏毗等成鼎足之势。到赤年桑赞王在位之时，贤臣拉布果噶（亦称拉如果噶）制定了统计牲畜数量和测量土地的单位，蓄积湖水使水流入水渠中，将溪涧的水引入池塘，使水源得到利用。在此之前吐蕃没有用水浇地的，从这时开始有了水浇地，吐蕃的农业生产水平也得到了大幅度提高。生产力的进步推动着吐蕃社会的不断发展，吐蕃王朝终于在雪山丛中站立起来。

第二节 苯教的发展与传布

一、藏文化中的古波斯文化

在讨论早期文化的著作和文章中，对于苯教的研究可说刚刚起步，这方面虽然发表了一些论著，出版了一些苯教的原有著作，但其类型和范围还不能全面地对苯教与苯教文化作出科学而如实的总结，一些基本的常规的问题还没有得到有效的解决，比如关于苯教的二元论问题、苯教祖师存在的年代问题、苯教其他理论的基本来源问题、苯教仪轨与原始信仰程式的异同、苯教的大圆满法问题等。限于资料和基本理论建设的薄弱，诚如其他藏学问题一样，最终的解决还需要一个过程。

我在以往的许多文章中，一直有这样一个表述：藏族文化在其发展的过程中有过三次大的冲击或者切割，第一次便是受到祆教二元论的冲击。这第一次文化冲击的直接价值在于使藏民族在原有史前信仰的基础上形成了自己的哲学体系，使藏人的理论思维得到了开发；这第一次冲击的另一巨大收获是丰富完整了苯教信仰，使苯教成为藏人最早统一的指导思想和系统而完整的信仰，成为以藏民族为主体的青藏高原居民共同的文化心理基石。苯教受到古波斯文化的强烈影响。

古代波斯（今之伊朗）是一个具有漫长文明历史的国家。由于藏人接受印度佛教以后，很少对像伊朗这样的国家的文化影响进行成规模的深入而系统的研究梳理，知之者不多，知之深透者更为鲜见。实际古波斯之于藏族其影响是久远的。根敦群佩在《白史》中说：

> 彼时其他国家与藏族关系最多者，厥为“波斯”（སྟག་གཟིག）等国。尔时波斯国中，非但盛行佛教，即博学大德，余国亦无能比，西藏之王臣，似波斯之风尚，传说“松赞王”以红绢缠头等，又披彩缎之斗篷，著钩尖之革履，此等皆同波斯之风俗。此时印度与中国皆无穿彩缎之风俗。也可用其他推比之方法来探索，如各国所敬事之鬼神，即作该国昔时伟人之服饰。以此试观吾等称之为“赞”、“贡波”、“漾伦”等地方鬼神，即以此推度昔时“赞波”、“贡波”等战斗时所服之戎装，似无大误。“俄日喇达”（阿里、拉达克——引者注）处，直至现在传为法王之后裔者，彼等遇新年节令，则其所著衣物，谓是往昔之服饰，戴称作“赞夏”之红帽，其顶细长，上角有一“阿弥陀”像用红绢缠缚，绢缎前面交错。

至于用物，自波斯传入藏土的更多，而且其时间较为久远。杜齐在《西藏考古》一书中说：

> 就总体来说，这些文物（在西藏发现的古代文物）显示了它们与中亚大平原艺术的密切联系。但正如我与巴格里（Bussagli）教授指出的那样的（杜齐于 1935 年，巴格里于 1949 年），它们同时也证实了与其他文化中心的直接与间接的联系。最近（1961 年）戈德曼（Goldman）在这领域进行了深入的研究，他证实了它们与伊朗之间的联系。这是完全可能的。因为，无可怀疑的是，西藏（特别是西藏西部）在早期就与伊朗文化有着联系。这可能是出于迁徙和贸易的原因，艺术与装饰主题也随之从伊朗传入西藏。

杜齐教授在书中插入了一些发现于西藏的文物，这些文物中被考证是佛教传入以前的有：

1. 十二生肖青铜表记，源于西藏西部擦巴隆；
2. 青铜扣吊，源于察巴隆；
3. 青铜护身符，上有动物图案，源于托林；
4. 具有神圣意义的青铜饰物，源于玛法木湖；

5. 具有神圣含义的青铜物，上面有两个、三个或十三个环，源于玛法木湖；

6. 环状弯扣，源于玛法木湖；

7. 具有礼仪或神圣含义的青铜环，源于西藏西部；

8. 三角形青铜护身符，源于雅砻；

9. 传统公羊形状的手柄或端饰，源于日喀则；

10. 送贡品的青铜人像，源于琼结；

11. 挂钩或耳挖（?）；

12. 圆形青铜垂饰；

13. 青铜护身符，有四只连体小鸟，每只鸟均为一身双头，源于日喀则；

14. 青铜印度牛像，源于冈底斯山地区；

15. 青铜猫科动物像，源于萨迦地区；

未能确定含义的文物，三个人头或兽头的文物，源于拉孜；等等。

从上列文物我们可以得出一个结论，这些文物在西藏境内的分布是较为广泛的，但多是青铜饰物，而这些文物多带有伊朗文化的痕迹，如第10，杜齐教授说：

> 从这个图案上可以看到一个人将双手放在胸前，手心向上翻着，显然是托着什么东西。究竟是何物我们已经无法辨认。人的面部雕刻得十分粗糙，头戴一顶帽尖向后折的帽子。他可能是一位抬送贡品的挑夫或是一位神。在我看来，它与近期在伊朗东部发现的某些物品有相似之处。

这样相似的物品不是一件两件，它充分说明着古波斯文化与藏文化的联系。同时，我们也知道在早期藏人的用物中的火镰、刀与鞘、箭及筒，诸多的头饰、胸饰（噶乌等）、耳饰、腰饰等，都与古波斯的文化有关系。有人认为吐蕃王朝兴盛时期献给唐王的许多金铜器礼品大多是古波斯的工艺形式。这或许说明两点：一是在当时藏族的工匠们也从古波斯的匠人那里学习到了许多的制金、制银、制铜的工艺，二是这些礼品或许本身就来自中亚，因为此时的吐蕃工艺已相当高超。《旧唐书·吐蕃传》载，公元646年唐太宗伐辽凯旋，吐蕃遣大相噶尔·东赞宇松献金鹅一只，“其鹅黄金铸成，高七尺，中可实酒三斛。”《册府元龟·外臣部》卷九七〇：

十二月，吐蕃赞普遣使献金城，城上有狮子、象、驼马、原羝，并有人骑。并献金瓮、金颇罗等。

《册府元龟·外臣部》卷九七一：

二十四年正月，吐蕃遣使贡献文物，金银器玩数百事，皆形制奇异，帝令列于提象门外，以示百僚。

仅从这些材料看，吐蕃当时的工艺品非但技艺高超，而且内容也非常丰富（当然假如说这些贡品都出自吐蕃匠人之手，那么，这些工艺技术的来源也不全是古波斯。从其他的一些资料知道，吐蕃还吸收了印度、汉地等的工艺）。关键的问题是这些物品在藏区流传的年代，杜齐在书中只说了它们是在佛教传入藏区以前流传于藏区，并没有说是佛教传入前的哪个年代，因为“佛教传入前”是个较为宽泛而模糊的概念，同样是个漫长的历史阶段。

二、古波斯文化影响藏文化的两个时期

我想古波斯文化对藏族的影响大概在两个时期：

第一时期。这一时间大致在公元前五六世纪至前三四世纪。古波斯人是印欧语系雅利安民族中的一支，公元前 6 世纪居鲁士统一伊朗，建立了强大的波斯帝国。其宗教信仰主要来源于早期的雅利安民族，因此他们与印度人有着人种、语言、宗教文化等亲缘关系。仅从宗教信仰看，早期信仰的多神状态、火崇拜等都有不少共同性，因为古波斯的早期经典《阿维斯陀》与古印度早期的《吠陀》经有许多共同特点。随着国家的出现和社会的发展，古波斯的处于原始阶段的多神崇拜思想逐步走向二元论，将《吠陀》经中的天神提婆与阿修罗进一步绝对化，形成善、恶两大阵营，阿胡拉·马兹达（Ahura Mazda）为善神之主，台瓦（Daeva）为恶神，经由琐罗亚斯德的宗教改革进一步系统化，成为所谓的琐罗亚斯德教。按照一般的说法，琐罗亚斯德生于公元前 628 年，死于公元前 551 年，出生于一个骑士家庭，是一个拥有“马兹达”称号的主神阿拉胡的祭司。20 岁离家隐修，30 岁时得到神的“启示”，创造了善恶二元对立的二元神宗教，以阿拉胡·马兹达为最高善神，代表光明、道德、真理、创造、生命、秩序、洁净等；以安格拉·曼纽为最大的恶魔，代表黑暗、污浊、虚伪、破坏、死亡、恶行、谎言、不洁等，善恶对立，相互斗争。很明显，与大自

然崇拜相比，二元神的出现是一种进步，虽然它还不是一神教，但是向一神教的过渡。光明与黑暗、善与恶处于永久的斗争之中。这一点在苯教的关于世界的起源中得到了充分的展示：

世界之初时南喀东丹却松杰拥有五种本原物质，后由赤杰曲巴收集放入他的体内，有了风，有了火，有了露珠，形成了一个立方体发亮的卵和一个锥形黑色的卵，赤杰曲巴用光轮敲发亮的卵，有了现实世界；恶魔让黑卵在黑暗的王国里爆炸，诞生了愚昧、迷惑、迟钝和疯狂。此后，由善神一支产生出飞禽走兽、天界九兄弟和九姐妹，黑暗女神也生了八兄弟和八姐妹，构成了恶魔世界。图示如下：

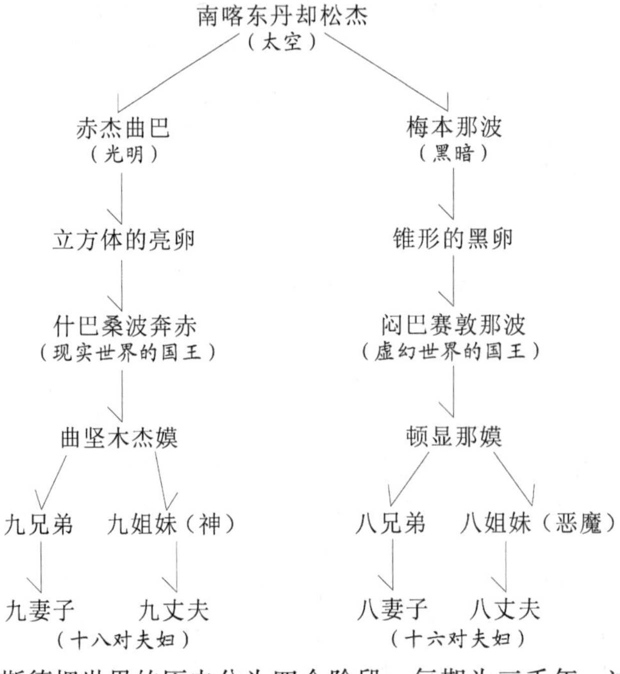

琐罗亚斯德把世界的历史分为四个阶段，每期为三千年。这个想法是十分奇特的。第一个三千年，由主神创造世界，但这个世界虽有感触却没有物质形式，静止不动。第二个三千年，由主神创造物质，首先有了光，由光有了火，由火有了万物。也在这一时期阿里曼创造了恶魔世界，与主神奥尔马兹达展开了斗争。第三个三千年，善恶决战，善终于战胜恶。第四个三千年是太平盛世，是琐罗亚斯德支配的时代。由于琐罗亚斯德的宗教得到阿黑门尼德王朝的支持、保护和赞赏，其发展很快。同时，我们必须认识到这样一个事实：现在我们所看到的中亚各国之中伊朗已与藏区相隔甚远，中间有巴基斯坦、阿富汗等国，而在遥远的公元前2000 年当雅利

安进入印度河流域时，阿富汗、现在的巴基斯坦都曾是他们活动的场所。早期的印度文明在这些地区留下了深刻的影响。因而我们在讨论这一地区的文化问题时必须牢记这一点。公元前545年波斯帝国开始发动对中亚的军事征服，先后占领了犍陀罗和印度河流域，历200余年。当时波斯帝国占领的印度西北部地区恰恰与藏区接壤，而接壤的地区恰恰又是以当时的古代象雄古国为主。我想这一时期是波斯琐罗亚斯德的袄教二元论传入藏区，并对藏人尤其是对当时的象雄王国产生影响的重要时期。这时候的象雄王朝和雅砻王朝恰恰也处于从诸多的小部落向大的部落联盟、邦国，从宗教上的多神崇拜向一神崇拜的过渡时期，已有了初步的三界观念、天神信仰等，袄教二元论又恰恰是介乎于多神与一神之间的信仰，藏人在理论和实践上都容易接受，可以说是一拍即合。同后期的印度佛教对藏族文化的空前冲击一样，当时袄教思想对象雄古国的冲击也是空前的，它同样改变了藏人的文化流向，将这一更为丰富更为新鲜的哲学文化送给了正在迎接新的文明到来的藏族社会。当然，可以看到，这一时期波斯文化的空前影响更多的只是在象雄古国这一范围之内，还没有放射到整个藏区。从一些卵生神话、什巴宰牛的故事等流传在当今的安多地区看，藏人受到波斯文化的影响经历了较长的历史过程，而不是表层或浮光掠影的。比如在琐罗亚斯德所说的在第三个三千年时，恶魔阿里曼杀死了“原牛”（Primalbull），原牛的骨髓产生了各式各样的植物，它的精子在月亮中净化，产生了动物；阿里曼还杀死了“原人”伽玉玛特，他的躯体产生了各种金属，他的精子被收集起来在太阳中净化，精子的一部分产生了大黄树（Rhubarb），继而生出了第一对人，这一对人被阿里曼引入罪恶的邪路。[①] 读着这样的文字，会使人自然地联想到藏族的那首古歌《什巴问答歌》：什巴宰牛后将牛头放山上，将牛皮铺在大地，将牛尾放在道路上……所以至今山头高耸耸，大地平展展，道路平坦坦……

第二时期。这一时间大约在公元7世纪至9世纪中叶。这一时期是吐蕃向外扩张的时期。公元前3世纪，希腊马其顿王朝亚历山大征服波斯，琐罗亚斯德教几乎被希腊教所代替，受到重创，一直到3世纪萨珊王朝建立后，才得以复兴成为国教。而这一时期，苯教业已形成完整的系统，从象雄传播开来，逐步走向整个藏区，逐步成为藏人的共同信仰和藏民族的共同宗教，实现了藏人早期信仰的统一，成为国教，完成了它辉煌的历史

① 吕大吉主编：《宗教学通论》，中国社会科学出版，1989年，第458页。

使命。而到公元642年阿拉伯伊斯兰军队征服波斯后，琐罗亚斯德教也被迫改宗，除少部分教徒逃往印度外，其教也逐步在本土消亡。

公元7世纪，吐蕃第32代王松赞干布在父辈功业的基础上进一步统一了青藏高原，建立了强大的吐蕃王国。进入兴盛阶段的吐蕃王朝对外采取的是一条扩张主义的路线，向东取得吐谷浑诸地之后，又向西夺得安西四镇，继而将触角伸向中亚、西亚诸国。由于地理原因，藏文史料中有许多关于罽宾（Kasmira）、勃律的记载。罽宾，早期文献又作迦湿弥罗、箇失密、迦毕试等，为今日之克什米尔。勃律，又作钵卢勒、波路等，在今日之巴基斯坦境内。吐蕃王朝兴盛时期这些地区大多成为吐蕃扩张后的辖地，关系十分密切。《新唐书·列传》卷二二一下载：

> 小勃律去京师九千里而赢，东少南三千里距吐蕃赞普牙，东八百里属乌苌，东南三百里大勃律，南五百里箇失蜜，北五百里当护密之娑勒城。王居孽多城，临娑夷水。其西山巅有大城曰迦布罗。开元初，王没谨忙来朝，玄宗以儿子畜之，以其地为绥远军。国迫吐蕃，数为所困，吐蕃曰："我非谋尔国，假道攻四镇尔。"久之，吐蕃夺其九城，没谨忙求救北庭……没谨忙死，子难泥立。死，兄麻来兮立。死，苏失利之立，为吐蕃阴诱，妻以女，故西北二十余国皆臣吐蕃，贡献不入，安西都护三讨之无功。

> 大勃律，或曰布露。直吐蕃西，与小勃律接，西邻北天竺、乌苌。地宜郁金。役属吐蕃。

在藏文史籍中这些地区与吐蕃交往的历史还要长。如《汉藏史籍》说："父王止贡赞普在位时，由象雄和勃律的苯教徒传来了辛派的教法（གཤེན་གྱི་འདུ།）。"同时在此后的历史中尚有克什米尔的器皿和医学也传进了藏土。史泰安在《西藏的文明》一书中说："那里既与犍陀罗和乌苌接壤，又与该地区的其他小国毗邻，希腊、伊朗和印度诸文明的古老成分都经由这里传入吐蕃。在拉达克的卡拉泽发掘出的贵霜帝国皇帝阎膏珍的碑文；在更靠东部的地方，即在班公湖附近的昌孜，还有一批藏文、龟兹文和粟特文书写的景教碑文，其时间肯定为9世纪。勃律地区和勃律语，如同象雄地区和大食语（伊朗、阿拉伯语）一样，它们在有关苯教和莲花生大师的传说中，扮演过极为重要的角色，莲花生是来自乌苌地区的喇嘛教的大师祖。"大约这一时期的影响主要体现在经济和物质层面。自然，思想、风俗等的交流、影响必然也在其中。

总括以上，经过波斯文化对藏文化影响的第二个阶段，苯教由于受祆教二元论的影响，空前地丰富，从而形成了独特的宗教特点。

三、苯教的文化制度

苏联学者谢．亚．托卡列夫在《世界各民族历史上的宗教》一书中说：

> 力主光明与黑暗两种本原如此针锋相对的二元论，是为《阿维斯陀》以及整个玛兹达教的主旨；它是种种古代宗教中极为罕见的现象。综观中国、日本、印度三国的宗教，这种二元论无边可寻；而埃及和两河流域的宗教中，也无非是微露端倪。二元论如此引人注目，堪称伊朗宗教几乎有异于世界一切宗教的特征。

藏人吸收这一文化营养，形成了自己的文化制度。

1. 安鬼神、兴人宅的指导思想。《土观宗教源流》载：

> 聂赤赞普后六世赤德赞普之时，前藏地方名为翁雪纹，有辛氏家族生一童子，年十三，为鬼魅所引，离家出走，遍历藏地约十三载，至二十六岁时，始入人间，依仗非人之力，倡言彼彼地有彼彼鬼怪，作如是祸福，应如是供奉祭祀，如是禳解、送鬼等，方能避灾趋吉。云云。

这段话的意思似乎在说禳解诸法来之于聂赤赞普后六世的这位辛氏童子。实际上对鬼神的供祀禳祓的时间要早得多。这一玄乎的故事曲折地反映了苯教有关仪轨的统一过程。因为苯教史书和像《吐蕃王统世系明鉴》这样的典籍均载："自聂赤赞普至墀杰脱赞之间凡二十六代，均以苯教护持国政。"实际源起要早于此的苯教，此时有了经典的统一思想，"下镇鬼怪，上祀天神，中兴人宅"，但仍缺乏系统的理论。

2. 以占卜、法术，禳解除煞。史载，在止贡赞普时，有凶煞为祟，蕃地苯教法师不能制治，便从克什米尔、勃律、象雄等地邀请三大苯教法师来驱遣凶煞恶魔。"其一人施行除灾术，修火神法，骑于鼓上，游行虚空，开取秘藏，以鸟羽截铁，现示诸种法力；一人以色线、神话、活血等占卜以决祸福休咎；另一人则善为死者驱除凶煞，镇压严厉，精通各种超荐亡灵之术。"据说这是由于此时的宗教溶混外道大自在天派而成，具有初步的教义。那么，此时无论有无教义，苯教的占卜术、法术、禳解术一直是其仪轨的核心。就是九乘之中也不例外。比如，苯教经论九乘，“恰辛”、“囊辛”、“楚辛”与“什辛”为四因乘，“居士”、“阿噶”、“仙人”、“耶辛”为四果乘。尤其在四因乘中，恰辛（占卜派）有360种禳祓之法，84000种观察之法；囊辛（现象派），用四冥想法，8种音响铃声法，42种针灸之法；楚辛（神变派）有见净灵异书；什辛（世间派）有360种送葬法，四丧门法，80种镇魔法。其为之多，观止矣。

3. 以众神护佑。苯教的神灵为数众多，体系庞杂。它既吸收了许多史前信仰中的神祇，如山神、水神、精怪等，还引进了大食、汉地的神。在此概要述之：

苯教的最初四尊是苯教神灵中最早的也是最为重要的神祇。他们是（1）萨智艾桑，又称曲坚木杰姆，是万物最早的母亲；赤杰曲巴与萨智艾桑结合，才有了九兄弟、九姐妹，有了男神和女神。（2）辛拉俄噶尔。（3）桑波奔赤。（4）辛饶米沃且。后三个神组成苯教三尊。辛拉俄噶尔和赤杰曲巴是原始神，桑波奔赤则是众神和众生之父。在苯教三尊中，辛拉俄噶尔起导师的作用，桑波奔赤是辛饶米沃且的协同者，辛饶米沃且本人则是世界的导师和拯救者。

塞喀五神也是苯教神灵中重要的神灵，他们是：（1）贝塞恩巴，（2）拉部托巴，（3）卓却卡迥，（4）格措，（5）金刚橛。拉部托巴是天神九姊妹中大姐姐南希贡杰的丈夫。但是，在别的一些情况下，南希贡杰又采用别的名字，以贝塞恩巴和卓却卡迥为丈夫。显然，这是现实婚姻制度（即一妻多夫）在神灵世界的反映。当然，早期的婚姻形式中这也不是西藏社会的特产，其他一些国家、民族和地区也照样存在。比如唐代僧人慧超历经中亚时的记述中就有这种婚姻形式：在大食以东是胡国，即安国、曹国、史国、米国、康国等，《敦煌石室遗书·慧超往五天竺国传》载，“总事火祆，不识佛法。唯康国有一寺，有一僧，又不解敬也。极恶风俗，婚姻交杂，纳母及姐妹为妻。兄弟十人、五人、三人、两人，共娶一妻，不许各娶一妇，恐破家计”。

格措神源自象雄，起初，他居住在冈底斯山，是冈底斯的一位山神，他的名字常冠以“古拉”（生命神），神话故事中的他是一头令人畏怖的牦牛，自天空降到冈底斯山间，又消失在群山之中，成为苯教众神的“督护神”，众魔的镇压者。

金刚橛象征威力、决断和智慧，通常是一柄上部雕有人头和人手臂，下部是三棱形的短剑。金刚崇拜是藏传佛教和苯教皆有的崇拜，具有非常重要的文化意义。在苯教的神话中就有达拉和达夏两位王子代表善恶两种势力争强斗智的故事，最后善依靠金刚橛战胜了邪恶。

苯教中还有“玛”、“都”和“赞”等神灵，他们中有些来自弥药、吐谷浑、象雄、勃律和汉地等，情况十分复杂，而历史的跨度也大。

4. 以仪轨兴法。苯教的仪轨复杂而繁多，内容十分广泛：无论婚嫁丧葬，还是传宗接代、延寿增福、求逐福运、避灾免祸、驱除恶魔、疗疾除病、求神打卦等都有完整而系统的仪式。比如《苯教历史与教义概述》中关于结婚仪式的主要步骤：

（1）请神灵来到新娘身边驱魔

（2）洗去污秽不祥

（3）为新娘铺地毯（请新娘进家）

（4）送给新娘的奶制食品

（5）给新娘取一个新名字

（6）祈求众神保佑

（7）招福

（8）颂祝吉祥

这种婚姻仪式至今在许多藏区还有保留。

在公元7世纪前苯教是吐蕃王朝的国教，也是唯一的有完整的思想理论体系的宗教，在朝廷中起着非凡的作用，王朝的一应大事都要经过苯教“国师”打卦问卜，方能行动。有时候国王的权力受到其制约。军队中也有同样的苯教徒随军，参与军事行动。这在敦煌文献中有丰富的记录。进入佛苯斗争阶段后，苯教在宫廷中的地位受到严重挑战。总体看，苯教在宫廷中的职责有三，一是对苯法的宣传、讲解、传播，二是主持一些大型的祭祀禳祓仪式，三是占卜，参与决定宫廷军政大事的进退。

第三节　青藏高原的统一

一、兼并苏毗和象雄

布德贡杰之后，吐蕃王朝又经历了中勒六王（阿雪勒、德雪勒、提雪勒、古茹勒、仲谢勒、伊雪勒）、地德八王（萨南僧德、德楚南雄、塞诺南德、塞诺布德、德诺南、德诺布、德结布、德珍赞）、下赞三王（结多日隆赞、赤赞南、赤扎帮赞）、拉脱脱日宁谢、赤宁松赞、仲宁德乌等21王，王位才传到达日宁塞王，此时处在雅砻河谷的吐蕃王朝已逐步强大起来。与此同时，位于吐蕃王朝东北方的苏毗国也强盛起来，它的疆域北至于阗，西至玛旁雍措，东至白兰，南至雅鲁藏布江，十分宽阔。

苏毗有两个王，女王森波杰达甲瓦执政，住在年楚河流域，主要从事农业；小王森波杰弃邦松住在吉雪卧塘附近，主要从事牧业。为了保持两国和平相处，达日宁塞赞普把自己的妹妹留在达甲瓦处当女佣人（人质）。苏毗国王仍不满足，还不时骚扰吐蕃的边境，抢掠土地和牛羊。森波杰达甲瓦是个偏听偏信，以恶为善，以善为恶，是非不明的昏君，故而苏毗政治昏暗，官吏腐败，百姓怨声载道，社会各种矛盾加剧。达甲瓦有大臣叫年纪松那波，见其如此昏庸，便去劝谏，说："大王应该励精图治，把国家建设好，倘若如此下去，国家就只有灭亡一条路了。"达甲瓦不但不听，反说年纪松所言都是胡说八道，劈头盖脸，一顿训斥。年纪松解释了几句，达甲瓦认为这是对他不恭，一怒之下解除了年纪松的大臣职务。

年纪松被解除职务后，对达甲瓦由怨其不争、是非不明，到彻底失望而心怀强烈不满和仇恨，进而杀了女王，归顺了森波杰弃邦松，拥立他做了苏毗的国王。

弃邦松一登大位，便册封功臣，年纪松自然是首功，弃邦松把鲁雅三地之下部连同都瓦堡寨都赏给了年纪松那波，顺之还把鲁雅三地下部的贵族、女王达甲瓦的宠臣娘·祝孤父子赐给他当家臣。名为家臣，实际是奴仆，年纪松因为此二人当初陪侍女王左右，为虎作伥，做了不少坏事，就百般虐待。尤其是年纪松的老婆，更是视他们如同猪狗，动不动便拳脚相加，还以女性阴部辱咒。娘·祝孤实在忍无可忍，便到弃邦松处哭诉，将事情的经过原原本本讲了一遍，乞求他给他以自由，解除这种隶属关系。弃邦松听了说："年纪松是国家的重臣，没有人比他更忠于我，你们要好好侍候才对，不要有别的想法。这样，你们以后才会有好处。至于主妇辱咒呵责，那有什么关系呢？就是把阴部塞进你的口中，他也有这个权力呀！"

弃邦松如此一说，娘·祝孤父子大失所望，知道如此下去只有死路。此时又生一事，曾和年纪松一起攻打女王达甲瓦的另一功臣先·弃薛端恭和岸本韦·学多热枯古的发生纠葛，先·弃薛端恭杀死了韦·学多日枯古。韦·学多日枯古的哥哥韦·义策去向弃邦松控告，要求处死先·弃薛端恭。弃邦松听了，沉吟半晌说："先·弃薛端恭是我的内相呀，我不好说他呀！死的已经死了，活的好好活就是了，何必非得追究不可呢？"几句话又冷了韦·义策的心。由于处境相同，韦·义策和娘·曾古很快结成同盟。准备脱离弃邦松，投奔吐蕃。他们又在暗中加紧活动，扩大队伍，寻找支持者，韦·义策拉进了他的舅舅农·桑多热，桑多热去世后，又让他的儿子邦孙仲波参与密谋。为了方便联络，他们又与地近吐蕃的贵族蔡邦·纳森结盟。时机逐渐成熟，蔡邦·纳森去拜见达日宁塞，达日宁塞自然十分高兴，杀牛宰羊，热情款待。蔡邦·纳森又秘密将娘·曾古、韦·义策等人带到青瓦达孜宫，亲自与赞普商量如何起事。越到后期，他们的来往也越发频繁，一群人白天藏在树林里，晚上溜进青瓦达孜堡寨密谋夺取苏毗。这些事在吐蕃已不是什么秘密，因而民间作歌嘲讽道：

> 壮士们骑着骏马，
> 白天躲在猪林里，
> 晚上潜入堡寨，
> 是朋友还是仇敌？

而闭目塞听的森波杰弃邦松和苏毗大臣年纪松对这些事却一无所知。就在吐蕃准备发兵攻打苏毗的重要时刻，达日宁塞因积劳成疾，旧病复发，突然去世，进攻苏毗的计划也只得搁置下来。

达日宁塞有两个儿子，一个是南日松赞，一个叫伦科尔。南日松赞继赞普位，兄弟俩饮泪安葬父王以后，立即召见娘·曾古、韦·义策和新近归顺的韦义策的族人韦·梅朗、韦·准保以及蔡邦纳森等，以隆重的仪式重新盟誓，宣誓效忠吐蕃。立了重誓之后，各人返回原地，准备起事。

公元620年夏，赞普南日松赞命弟弟伦科尔留守青瓦达孜，自己率精兵一万渡过雅鲁藏布江，翻过冈底斯雪山，以迅雷不及掩耳之势突袭苏毗。这时作为内应的娘·曾古、农·邦孙仲波化装成猎人带着兵丁埋伏在吉雪卧塘北部；韦·义策和蔡邦·纳森率兵迎接赞普兵到。蒙在鼓里的弃邦孙和年纪松至兵临城下，方仓皇应战，皆死于刀剑之下。弃邦孙据守的儒那堡寨被攻破，王子的数个亲信大臣漏网，投奔祝古去了。南日松赞见到了自己的姑母，二人相见，抱头痛哭。

征服苏毗后，年楚河流域和吉雪卧塘（今拉萨）成了吐蕃的辖地，南日松赞的声名陡然鹊起，使周邻小邦刮目相看。苏毗东部的大首领穹波邦色杀了守将马尔门，率藏博两万户投降，不久象雄也归顺了吐蕃，突厥、吐谷浑、党项、门、嘉良夷等邦国均来通好或争相纳贡。南日松赞重新修缮了青瓦达孜宫，常常在雄伟壮丽的王宫中设宴款待各国使臣。一时间，青瓦达孜商贾往来，使节进出，呈现出一片繁荣景象。南日松赞高兴，他仍将藏博两万户封给穹波邦色，将年纪松的都瓦堡寨赐给娘·曾古，同时按照他在征服苏毗战争中的贡献，赐给1500户奴隶；将萨格森的土地和

1500户奴隶赐给了韦·义策；将科纳的布奴波农等地的1500户赐给了农·邦孙仲波，将来自温的孟卡地方的1300户奴隶赐给了蔡邦·纳森。其余有功的大小将士均有赏赐。这些受赐晋封的功臣，有一些出身寒微，以前没有什么社会地位，而他们此时在政治、经济上的势力已远远超过了父王六臣和母后三臣。失宠而没有得到政治、经济好处的贵族们对南日松赞心怀怨恨，暗中串联，企图谋乱。

吐蕃兼并苏毗后，象雄曾表示臣服，松赞干布将妹妹赛玛噶嫁于象雄王李迷夏，借以联姻修好。李迷夏是个有野心的人，他把松赞干布对象雄的诸多好处抛在脑后，操练兵马，公开与吐蕃对抗。又因李迷夏爱墟格妃，赛玛噶与之不和，拒绝与之同床、为之生儿育女和管理内务。

松赞干布闻知此事，即命补金赞芒琼为使节，前往象雄，以劝说李迷夏和妹妹。芒琼到了象雄，见到王妹赛玛噶，赛玛噶唱了一首歌，让他带回了一个内装30颗上等松耳石的包裹。

松赞干布看后明白其意：假如是真正的英雄，可佩戴此松耳石，前来攻取象雄；若不敢攻取，就如同妇女一般。

松赞干布即刻发兵象雄，降服之，统其国政，将一切部众收为编氓。自此西藏高原完全归于吐蕃王朝治下。

二、从蕃到蕃钦保

达日宁塞时，统一西藏高原的壮举已经开始，他不断地向外进取，开疆拓土，先后征服苯巴王、昌格王等小邦，并且积极发展农牧业生产。南日松赞继承父王的未尽业绩，征服苏毗、后藏的马尔门王和塔布地区，奠定了统一西藏高原的基础。可惜南日松赞壮志未酬身先死——被反对他的老贵族进毒谋杀。父王遇弑后，年仅13岁的松赞干布在危难之中继赞普位，开始了他辉煌的君主生涯。其主要功绩在于：

（一）迁都拉萨，统一青藏高原。

松赞干布弱冠即位，在叔叔伦果尔和父王旧臣的辅佐下，多次平定内乱。为了实现统一高原，建立强大的吐蕃王国的理想，他选择物产丰富，气候宜人，具有重要战略地位的拉萨河谷为国都，开发拉萨地区，在红山上营造王宫（今布达拉宫的前身）。同时，他组建了强大的军队，并亲率大军南征北战，以卓越的政治谋略和军事才能，统一象雄故国，平定了东女、附国、嘉良、白兰诸国，后兼并今康北的西山八国等20余个部落，并与这些部落多次盟誓，结成牢固的联盟。遂后经略东方，与党项、吐谷浑进行多年战争。松赞干布治军有方，号令严明，战士骁勇，史书如此描绘他的军队："每战，前队尽死，后队方进。"这支精良的部队在开发兼并青藏高原的斗争中发挥了重要作用。从而也使松赞干布建立了万世不灭的功勋。

（二）创造新文字，吸收新思想，发展藏文化。

松赞干布实行的是一条开放、务实、宽容的政策，因而随着高原的统一，吐蕃的商业经济也发展起来，吐蕃人用本土产的麝香、硼砂、牦牛尾等，东与唐，南与尼泊尔、印度，西与波斯、突厥诸部进行贸易。购买刀枪箭弓、盔甲、纸张等物，这种贸易往来，将各个国家的文化信息传递到吐蕃，又将吐蕃的声名扩展到了更多的国家。吐弥桑布札创制的新藏文得到广泛运用后，吐蕃开始大规模地学习借鉴他民族文化之长，以丰富发展自己的民族文化。在这种欣欣向荣的形势下，佛教便堂而皇之地进入藏土，尽管后期的佛教对藏人经济的发展产生了阻碍作用，但是作为一种新的外来思想，它给藏族哲学理论思想系统的建立和辩证思维的训练都起到了良好的推动作用。藏人在政治、经济、音乐、舞蹈、美术、天文历算、医药等方面向唐朝以及印度、尼泊尔、西域诸国进行了广泛的学习。

（三）制定"三十六制"。

为了稳固新兴的吐蕃政权，松赞干布制定了六大法制、六大诏命、六种褒奖、六种标帜、六种称号、英雄的六种象征，涉及吐蕃的政治、法律、军事等各个方面。比如：

松赞将全区划为五茹，即伍茹、约茹、叶茹、茹拉、象雄茹（尚有孙波茹），每个茹基本各辖 10 个东岱（千户部落），孙波茹辖 11 个东岱（千户部落）；每个东岱有一万军队，61 个东岱大约有 61 万人的庞大军队。

松赞干布还设立了职官制度，王廷有大中小贡伦、囊伦、噶伦几大臣，军队、行政等各设有相应文武官员。像噶尔·东赞宇松，就是松赞干布不可舍离的四大贡伦之一。

松赞还制定了有关法律条文，其中国法十五条，大法七条；统一了度量衡，确定了升、两、钱标准。

（四）与邻国建立友好关系。

松赞干布非常重视与邻国的关系，他先后纳六个妃子，这些妃子都来自不同的地域和国度，长为门妃赤姜，二为西夏妃，三为象雄妃，四为吐谷浑妃，五为尼泊尔赤尊公主，六为汉妃文成公主。与这些国家结成姻亲关系，不光是为了政治上的利益，而且在经济、军事、文化发展上也起到了很好的作用，稳定了边境，促进了经济的发展。如印度、尼泊尔的建筑、美术、工艺在藏区得到了传播，汉地的星算学、医学著作以及酿酒技术在藏土受到尊重和运用。当时还派许多青年去唐朝都城长安学习汉文化，以取汉族之优长，丰富发展本民族的文化财富。

作为一代名相噶尔·东赞（汉籍称“禄东赞”，藏语称“噶尔·东赞宇松”）为吐蕃的兴旺发达建立了不朽的功勋。他曾为迎婚使前往长安请婚，留下了“六难婚使”的传说：据《新旧唐书》介绍，噶尔·东赞的才干受到唐太宗的欣赏，请其留居长安，并封为右卫大将军，许配琅琊公主外孙女段氏，东赞坚辞不受，太宗无奈，只得放行。大相琼波邦色倡乱，在自己的堡寨敦巴墀崩设计，预谋刺杀松赞干布，机敏过人的噶尔·东赞设计逃脱，将此事汇报松赞干布。军围敦巴墀崩，琼波邦色畏罪自刎而死，作为左膀右臂，噶尔·东赞智慧过人，许多事均在其策划下转危为安。他与赞普松赞干布结下了深厚的友谊。这些在敦煌出土的古藏文献中也有不少记载。松赞干布谢世后，噶尔·东赞尽力辅佐幼主，后年迈离职，由于继任大相倭美岱类赞谋叛，东赞再次出任大相职，老死在相位上，可谓鞠躬尽瘁。其在军事、政治、经济、外交等方面均有建树。

在松赞干布和噶尔·东赞时，藏族地方基本形成了上部阿里三围，中部卫藏四茹，下部朵康六岗的疆域四至。大体上与今日的藏人居住区相同。至公元781年唐蕃清水会盟时，其扩张的领域更为广阔。其盟约文曰：

> 泾州（甘肃泾川）西至弹筝峡西口（甘肃平凉西100里），陇州（陕西陇县）西至清水县，凤州（陕西凤县）西至同谷县（甘肃成县），及剑南西山大渡河东为界。藩国守镇在兰、渭、原、会，西至临洮，东至成州（甘肃成县西境），抵剑南西界磨些诸蛮（云南西北境），大渡河西南为蕃界。黄河以北，从故新泉军北至大碛（大戈壁），南至贺兰山骆驼岭，中间为闲田。

黄奋生先生在其所著《藏族史略》中说：

> 此时，吐蕃西取小勃律，北占北庭及甘、凉、瓜、沙等州，包括葱岭、天山、贺兰、陇山。东与唐争安戎城及嶲州。南降尼婆罗，征服了印度的克什米尔、孟加拉、阿萨密，北部缅甸亦为其一度征服，定恒河为印蕃界，立界碑于加尔各答境内。总的说来，它此时的疆域：在国内包括青海、西康全部，新疆、甘肃大部，四川、云南一部；国外有尼泊尔和印度、缅甸的一部。

此为吐蕃极盛时期。

第三章　苯教文化的衰落时期

第一节　苯教的衰落

苯教文化的衰落并不完全是因其自身内部的僵化、衰竭，而在于受到主要是在公元7世纪进入藏土的以佛教为代表的印度文化的强烈冲击，尽管苯教徒展开了持久而强韧的抗争，但最终仍以苯教的败北而告终。苯教从抗争到失败的过程恰恰是吐蕃王朝发展至顶峰，从空前的强大中突然崩溃的过程。历史本身就是如此的光怪陆离，最初的一衰一兴，一损一荣，反差太大，而后期的“同归于尽”却给后人们留下了无穷的遐想。

一、佛苯斗争

每一种文化、思想、哲学都是包容性（开放、吸收）与排他性（对立、排斥）的对立统一。从佛苯斗争的历史考察，文化的包容性是有限的，而排他性却是绝对的。包容性往往建立在排他性之上；文化所包容的往往都是那些接近自身文化的异质文化，同时文化包容本身便伴随着文化改造的过程。越是封闭的文化越具有排他性。佛教传入不久，藏族地区围绕思想、文化的斗争，便此起彼伏，连绵不断；佛苯斗争由小到大，甚嚣尘上。

1. 第一次佛苯斗争。我们目前看到的佛苯斗争的记载是在松赞干布时期。苯教史书《强玛》记载说，松赞干布因仇恨苯教，只活了34岁。这句话的含义是什么呢？其一是说松赞干布夭寿。松赞干布的生卒年有多种说法，有82岁说，36岁说等，这是个需要继续考证的问题。但是由于松赞干布的两个妃子都来自信仰佛教的国度，又由于吐弥桑布札对佛教经书的翻译、讲解，松赞对佛教感兴趣，并给予一定支持，这完全是可能的。自然，由于松赞对佛教的庇护、扶持，进而冷落苯教这也在情理之中。受到冷落的苯教徒心怀怨恨而诅咒他，使他短命。我想诅咒他，甚至反对他都是可能的，但是这种诅咒和反对能否使他短命，这就要另当别论了。其二是说松赞干布“仇恨苯教”，因何而“仇恨苯教”？大约有两点：一是自松赞干布开始用“十善法”治国，即吸取部分佛教理论，管理吐蕃；二是苯教徒每年都要杀害大量的牲畜去进行祭祀、禳祓活动，松赞干布进行严格的禁止，引发了佛苯斗争。从一些材料分析，松赞干布禁止杀牲祭祀，是可能的。因为杀牲（尤其是对用于战争和生产的马、牛的杀戮）破坏生产力，对吐蕃的繁荣、发展没有一点好处，尤其当时吐蕃已经开始了其军事扩张，牛、马是重要的战略战备物资，不保护就不能赢得战争的胜利和生产的丰收，这一点作为一代英王的松赞干布是非常清楚的。问题在于松赞干布考虑的是吐蕃王朝的整体利益，而苯教徒考虑的只是一种文化习惯的继承和保留；松赞干布考虑的是佛教中的戒杀生的思想有益于吐蕃社会、吐蕃人民和发展吐蕃社会的生产力，而苯教徒所考虑的是松赞干布成了外来的佛教的代言人和支持者，是对苯教文化的削弱者和打击者。是国家利益第一，人民利益第一，发展进步第一，还是局部利益第一，教派利益第一，固守传统第一？此成为斗争的焦点。

2. 第二次佛苯斗争。赤松德赞年幼时，由崇苯大臣玛降春巴杰执掌政权。他说，佛教所说的“来世报应都是虚假的，今生要避免神鬼的危害只在信奉苯教，谁要信奉佛教就没收他的财产，并放逐到边远地区。今后除信奉苯教以外不准信奉佛教，人死后不准做佛事，把小昭寺汉人的佛像（指文成公主运到吐蕃的觉仁波且佛像）运回汉地去。”玛降春巴杰采取了一系列的灭佛措施：拉萨的喀扎和扎玛真桑两座佛殿被拆毁，小昭寺300人拉不动的不动金刚被埋在沙土里，又把小昭寺和大昭寺的觉卧佛运去阿里的吉仲地方，把所有的汉族和尚送回汉地。据《巴协》记载，此时的大昭寺和小昭寺变成了作坊和屠宰场，血淋淋的动物的肠肠肚肚被挂在佛像的头上和手臂上。当时，佛僧桑希刚从内地回到拉萨，怕受到迫害，急忙把从内地带来的经典藏在桑耶钦浦的崖洞里。佛教受到了沉重的打击。

但是，很快崇佛大臣果赤桑和尚乜桑策划了一起阴谋。他们买通赞普的传令使、卦师、咒师说：今年赞普和吐蕃的国政都将有厄运，非进行禳解不可，禳解的办法是由一位活着的主政大臣到坟墓里去。玛降春巴杰上了圈套，他说他是众臣中官职最高的，应该由他去。果赤桑说他也要去。墓是由果赤桑的好友罗德古纳巩负责修建的。两个人一起到了坟场，一起进入坟墓，果赤桑设法逃了出来，玛降春巴杰被崇佛的大臣们活活埋在坟墓里。佛教徒转败为胜。

3. 第三次佛苯斗争。由于佛教徒们的精心培养和影响，赤松德赞成年后笃信佛法。他请来了堪布菩提萨埵，在桑耶寺向众臣讲授《十善法》和《十二缘起》。可是仅仅过了两个月，就发生了水淹旁塘宫，雷殛红山的事情，继而又出现了传染病、牲畜瘟疫、雹灾和旱灾等。崇苯大臣们将这一切归罪于佛教和请来的佛教徒，并强烈要求尼泊尔僧人返回尼泊尔。在众人的反对下赤松德赞也无可奈何，只好让菩提萨埵返回尼泊尔。但是此次事件的重大收获是，菩提萨埵鉴于吐蕃地方强大的苯教势力和极力排他的苯教文化，举荐莲花生大师到吐蕃传教。此后不久，形势稍好，巴赛囊邀请菩提萨埵和莲花生一起来到藏土。

莲花生在藏传佛教的发展历史上是一位十分重要的人物，我曾在《藏族神灵论》一书中如此归结了他的惊人成就：（1）翻译、传播密宗。莲花生大师来藏后，与莲花戒、无垢友、菩提萨埵等翻译了不少密宗典籍，对推动藏地密宗的发展起到了重要作用。（2）化苯为佛。莲花生进藏是在8世纪中叶，此时桑耶寺尚未建立，就是佛教本身，虽然经过了百余年在藏地的传播和影响，经过了百余年的佛苯斗争，佛教始终处于被动的地位，始终没有与藏文化融合、接轨，文化冲突越演越烈。莲花生总结了佛教之所以在吐蕃失败的原因，采取了化苯为佛的办法，即将苯教的神祇收为佛教的护法神，如所谓收服“十二丹玛”等，同时吸取了煨桑祭祀等苯教仪轨。如此，藏人对佛教不但逐步放弃了敌视态度，而且有了亲切感，基本上打开了藏人排斥佛教这一铁栅门。（3）协助建造桑耶寺。（4）传授密法，培养人才。从大背景看，莲花生进藏实际上是带着他的宗教理想的。因为此时的佛教在印度已经衰落了。他是在想尽一切办法，为佛教的存在和复兴谋求出路。他不但找到了化苯为佛这一在吐蕃的兴佛策略，也大量地译经，打下图书基础；修建寺院，建立佛教的坛场（据点），同时也非常注意培养人才。他的学生中奇人辈出（当然其中也免不了宗教的虚构和夸饰之词），有能缚日光的虚空藏，以橛插崖的正觉慧，三次作马鸣的胜声，能起已斩尸的卡勤，将非人役为奴的祥慧，天魔供役使的祥狮，具慧眼的遍照护师，已得不动定的赤松德赞，已证高德的玉扎宁波，示幻变的占那古玛，没有阻碍的降魔金刚，归往空行处的智声，能擒猛兽的胡人天祥，能空翔的那囊益希，橛成就吉祥自在，获总持邓玛孜茫，他心通迦瓦祥积，能使河倒流的祥狮，能起尸变金的胜慧，能手抓飞鸟的齐乌穹罗，力能拽野牛的念空，入水似游鱼的倭震，食磐石的玛塘仁青，山不障吉祥金刚，抛雷如射箭的朗卓，能空蹦跌的胜菩提等。这些神通，乍一看非常玄乎，实际上曲折地反映了莲花生所培养人才的众多和本领高强。

后来在赤松德赞主持下进行了佛苯辩论，苯教失败，赞普把苯教的典籍全都收集起来，有些被扔进水里，有一部分被压在桑耶寺的一座黑塔下。禁止苯教杀牲祭祀，为活人和死人举行祈福仪式，只准信仰佛教，不准信仰苯教。佛苯辩论中的“辩论”这种形式不少专家有高评，认为这是一种民主之举，具有学术性格，是在一种完全公平的基础上的竞争。我以为不然。较之后来的顿渐辩论，对于佛教一方来说，佛苯辩论打的完全是一场有准备之仗，有把握之仗。因为此时的辩论，佛教有三利，苯教有三不利。佛教的三利是：有赞普的全力支持，有众多的佛教高僧大德聚集桑耶，有体系完备教义高深的佛教理论；苯教的三不利是：没有赞普的支持，没有一定阵容的苯法大师队伍，理论较为肤浅而不完备。同时，作为最终裁判的赞普本身是佛教徒。因而，佛苯辩论，苯教必败，这大概不但是今人的认识，而且也是当时的赤松德赞和那些崇佛大臣们的认识。

4. 第四次佛苯斗争。虽然赤松德赞下令禁佛，但是苯教的势力仍然十分强大，这也是苯教文化长期发展的必然结果，实质上赞普和佛教徒们只解决了自身的生存问题，并没有从根本上动摇苯教深厚的社会文化基础，苯教在宫廷的代表性人物并没有因为这一次苯教的失败而放弃自己的信仰，他们潜伏下来，伺机而动。在赤热巴巾执政时这种机会终于到来。

热巴巾同样是个虔诚信佛的赞普，据说他的辫子上接上长长的带子，让僧人坐在上面，表示其礼敬佛法僧人。大概是以下几件事引起了崇苯大臣们的强烈不满：一是他优渥僧人的法规，诸如每名僧人赐七户平民，僧人地位高出常人甚至朝廷官员等，超出了一般崇苯大臣们的心理承受能力。二是任用其老师钵阐布贝吉云丹为吐蕃大相，走上了僧人非但干政而且主政的道路。换句话说就是过去的苯教徒在朝廷中的角色不过是“护持国政”、主持重大仪式的卦师之类，而佛教徒已经摔掉了这种角色而亲自主持朝政——高出了苯教徒原来在朝廷中的地位，这是崇信苯教的大臣们难以接受的。与此同时崇苯的大臣们从赤松德赞、赤热巴巾两代赞普身上也找到了问题的焦点——这一切的关键在于赞普，赞普是苯教和佛法荣辱、兴衰的根本因素。这一点在《吐蕃王统世系明鉴》中的记载基本合乎当时的历史背景：当时，崇苯大臣韦达那与交饶拉洛等商量，认为若不弑杀赞普，佛教的教律殊难毁坏，但纵然是杀了赞普，有崇信佛法的藏玛和贝吉云丹在，佛法同样不能得到摧毁，因此必须先除了藏玛和贝吉云丹二人，再杀了赞普，才能彻底摧毁佛法。于是如同当年崇佛大臣果赤桑等对付玛降春巴杰一样，他们也策划了一个阴谋，只是其阴谋更为复杂罢了。

阴谋付诸实施。对于藏玛，反佛的大臣们采取了佛教徒对付玛降春巴杰的办法，收买宫廷卦师等，放出谣言说不把藏玛放逐，国家就要遭殃。赞普信以为真，将藏玛放逐，可是藏玛离开赞普，走到洛扎地方就被毒死了。对于贝吉云丹，同样采用造谣的手段，说大相与王后昂楚玛私通，昏庸的热巴巾同样信以为真，下令缉拿，王后自杀，贝吉云丹逃到藏北被告密逮捕，斩杀后剥皮楦草，展示于世人。这一切都是崇苯大臣韦达那和交饶拉洛在幕后操作。

完成“清君侧”的任务后，韦达那、交饶拉洛、列都赞等趁赞普酒醉缢杀于墨竹的光明宫中。此时恰逢吐蕃地方瘟疫流行，霜冻雹灾，洪水干旱接踵而来，苯教徒将这一切归罪于佛教，使人民对佛教失去信心，从而在一片反佛声中扶植赤热巴巾的哥哥达玛吾都赞上台。达玛赞普进行了大规模的灭佛运动。达玛赞普下诏令说：佛教是吐蕃的大敌，文成公主带来的释迦牟尼雕像是天竺妖魔的雕像，它在天竺，天竺军队常打败仗；它在汉地，汉地屡遭灾殃；它到吐蕃后，吐蕃也发生了许多不吉利的事。所以要消灭佛教和寺院，让僧人还俗回家。吐蕃全境的寺院都被封闭，经书被烧毁，佛像被推倒，有些高层僧侣被杀，中层的被流放，下层的被逼迫脱下袈裟，拉去当兵、耕田放牧、修筑工事。逻娑祝囊成了屠宰场，释迦佛像的脖子挂上了带有血污的牛羊肠子。也有一部分僧人巧妙地保护了不少的经典佛像，有一部分僧人远离卫藏地区，逃到了朵梅（今甘肃、青海地区）地方。

显然，信仰、宗教、文化问题靠刀枪和行政手段是解决不了的，或者说用刀枪和行政手段只解决得了一时，而不能解决长远和根本。表面上看达玛赞普的这些极端措施基本上扫清了在吐蕃境内的“三宝”（佛、法、僧），实质上不是这样，许多的僧徒在这种高压下转入地下，采取了另外的存在、发展形式。公元846年的一天，达玛吾都赞正在大昭寺前看唐蕃会盟碑，僧人拉隆贝吉多吉刺杀了他，然后带着一部分经书逃到了安多地区。此后百余年藏土看不到穿袈裟的僧人。吐蕃王朝也自此崩溃，藏族社会进入了漫长的分裂时期。

二、苯教的佛化

苯教的被禁止，使苯教不但失去了原来在宫廷中的“国教”地位，其生存也受到了严重威胁，因而苯教徒在求生存的旗帜下，依据当时仅有的条件，开始了“化佛为苯”的历史阶段，即“觉苯”（翻译苯）阶段，从而企图在典籍和理论上与佛教竞争。我们在此用“仅有的条件”一语，是说，苯教在思想、文化、理论方面，是“资格最老”的藏土宗教，而资格很浅的对手高出了自己，与自己斗争，并且在理论上打倒了自己。它要反击，靠什么？由于受语言文字和社会文化条件等的限制，它找不到其他任何文化力量来与佛教较量，只得采取先知佛，后改佛为我所用，再反佛的行动路线，最后结果却适得其反。我们从苯教的《大藏经》中可以清楚地看到这一点。

《西藏研究》1993 年第 2 期刊载了阿雍·泽志致明、桑吉编，刘立千翻译的《雍仲苯教甘珠尔大藏经目录》介绍，其主要经籍（主要撮其经名出处和弘传人名）有：

第一 教言圆满经部

（经）（显）经典名	经典出处	弘传人名
从雍仲苯清净续	伏藏	吉米尼沃
经教性相世间内库经	伏藏	辛鲁噶
六戒律续	经典	
仲木贤劫经	耳传	仲木哈热
柯布贤劫经	耳传	柯布·罗朱托美
超年贤劫经	心间伏藏	超年活佛
林辛贤劫经	耳传	林辛·木拉托美
果第贤劫经	伏藏	果第·帕巴雍仲
无垢威光经	耳传	洛丹活佛
钉孔经（色尔意经）	伏藏	章·吉准巴
集经	伏藏	阿咱热二人
无垢根本经	耳传	罗丹活佛
说一万七千佛名三世不灭名称经	耳传	罗丹活佛
三界众生生死经	伏藏	阿咱热二人
情器大种生灭经	伏藏	阿咱热二人
无上大位修法经	伏藏	阿咱热二人
驱魔禳灾珍宝经	伏藏	阿咱热二人
赤王授记经	伏藏	年庭·协饶多吉
两类解脱经	伏藏	年庭·玉洛
七期道场净男罪过断除恶道经	伏藏	库擦达沃
净女罪过莲华除暗经	伏藏	香布
神子莲华幻变经	伏藏	年庭·协饶多吉
报恩经	伏藏	年庭·协饶多吉
九并列柱经	卫部伏藏	阿咱热二人
幻变明智杜鹃经	伏藏	江帕

清净续或净续	伏藏	库擦达沃
清净广大莲华界续正文	伏藏	辛鲁噶
大尊胜陀罗尼　短经	伏藏	汪丹辛色
绛玛钦莫（大慈母神）		
根本经　大品部　陀罗尼精要	伏藏	超仓朱拉
念诵仪轨宝炬经	耳传	罗丹活佛
清净律仪经	伏藏	罗丹活佛
断生门经	伏藏	伦珠托美
善行支分第三	耳传	罗丹活佛
忏悔金刃经	伏藏	年庭
误誓忏罪宝经	耳传	仲木哈热
金光明珠光照耀经	耳传	林辛·木拉托美
五部陀罗尼		年庭
雍仲清净和密陀罗尼		穷贵则
雍仲长寿经陀罗尼		玛洛让卓
二十部陀罗尼		噶楚逞
普贤虚空王续　忏悔　堕犯经	伏藏	德钦林巴
金光明经部		
大品甘露库四部经：		
大品苍色根本密意经	伏藏	布楚·斯必杰布
大品白色治病药品经	伏藏	布楚·斯必杰布
大品华色外治医术经	伏藏	布楚·斯必杰布
大品黑色病症治疗经	伏藏	布楚·斯必杰布
大品黑色所化济龙经	伏藏	阿咱热三人
大品华色能化济龙经	伏藏	阿咱热三人
大品白色济龙经	伏藏	阿咱热三人
神像经塔开光类经	伏藏	辛鲁噶

第二　大品波若部

（大品部）（波若部）经典名	经典出处	弘传人名
大品经（大般若经）十万颂		
十万伽陀　三百六十捆		
大品经　十万颂	伏藏	辛钦鲁噶

中品波若经即大品旁开经：		
大品旁开经	伏藏	阿咱热二人
大略品波若经即大品根本部：		
大品根本部	伏藏	年敦
中略品波若经即根本波若或教言总集：		
根本波若或教言总集	伏藏	年庭
大品法心性要开阔经：		
大品法性心要开阔经	伏藏	班第三人
大品现证明觉顶首经：		
大品现证明觉顶首经	伏藏	班第三人
大品现证明觉顶首根本经	伏藏	班第三人
大品大悲照耀九日轮经：		
大品大悲照耀九日轮经	卫部伏藏	班第三人
大品清净龙类大忏悔经	伏藏	玛巴·彭桑
大力地祇政治经	伏藏	玛巴·彭桑
大品三千世界神经	伏藏	玛巴·彭桑
大品堆神医疗经　大品龙经	伏藏	年庭
略品清净龙经之王天地八现经等	伏藏	年庭
一切大品区分经五类		
象雄卜书		

第三　深道密咒续部

续部（密）经典名	经典出处	弘传人名
续王根本续秘密敌妖经	伏藏	吉米尼沃
吉祥密集真实义续等经	耳传	罗丹
忿怒神六续：		
见地大鹏雍仲秘密续	南部伏藏	库擦达沃
幻网雍仲秘密续	南部伏藏	库擦达沃
瓦莫（烽焰女神）坛城画线雍仲秘密续	南部伏藏	库擦达沃
誓言持命神雍仲秘密续	南部伏藏	库擦达沃
秘密九跃雍仲秘密续	南部伏藏	库擦达沃
秘密悉地雍仲秘密续	南部伏藏	库擦达沃

北派伏藏忿怒神六续和忿怒神续解释等五种	北部伏藏	琼贵则
瓦色（烽焰神）猛力迴遮千钧大锤续	卫部伏藏	琼贵则
(明智杜鹃根本续)	耳传	罗丹
虚空宝盒　续白螺叶树续	伏藏	居热朗觉
救主绛玛钦莫（大慈母神）续	南部伏藏	超昌珠拉
雍仲明觉续		
母续三佛续：		
因位本成正觉续	伏藏	古汝伦孜
道位现证正觉续	伏藏	古汝伦孜
果位圆满正觉续	伏藏	古汝伦孜
母续大悲日续		
心密深隐日光续		桑桑玛
明点大界续等五类	伏藏	德钦林巴
密集大方便父续教传续	伏藏	桑林
持明总会大方便虚空续	耳传	罗丹
普巴（金刚橛神）续：		
黑柱雷神续	伏藏	库擦达沃
烦恼自脱鸷鸟神续	伏藏	库擦达沃
黑色陵谷火神续	伏藏	库擦达沃
火焰炽燃瓦色神续	伏藏	库擦达沃
黑色宝剑电光神续	伏藏	库擦达沃
空结盘旋赫鲁迦神续	伏藏	库擦达沃
威猛鳌鱼黑魔续	伏藏	库擦达沃
摧毁世间朗扎续	伏藏	库擦达沃
普渡三界大总括续	伏藏	库擦达沃
麦日（火焰神）续：		
火焰炽燃根本续	伏藏	库擦达沃
火焰盘旋要门续	伏藏	库擦达沃
火焰光明事业续	伏藏	库擦达沃
火焰秘密轮续三部分	伏藏	库擦达沃
格奎（降魔神）续：		
降魔秘密根本续	伏藏	琼贵则

火焰炽燃灌顶续	伏藏	琼贵则
调伏烦恼大毒智慧盘旋续	伏藏	琼贵则
达拉麦保（燃火虎神）续	伏藏	琼贵则
白色利刃朗照无边虚空明灯续等	伏藏	琼贵则
金刚橛大疏	经典	噶则
密点注疏	经典	噶那邦穹
根本续日光灯	伏藏	扎沃贡聂
母续本文及注释等	经典	霞扎·扎西坚赞
藏生长寿持明行者续　诸大持明行者传	伏藏	雍仲林巴
全部雍仲主要续	伏藏	莫敦
斯比甲莫（世间女王）续密道大空界等	伏藏	辛鲁噶
根本续怀诛事业火焰		察结林巴
优婆罗华陀罗尼等	伏藏	察结林巴
降伏妄念无畏陀罗尼	耳传	当巴让卓

第四　无上心品库藏部

（库藏）经典名	经典出处	弘传人名

第一函　大圆满象雄耳传教典专四种：

（一）外。总决定见地类经典有解释经意九续。其讲解小续内——包括师徒相会之情、第二次相会开示雍仲十二句、教授四品。大圆满见性要点小续内——包括十二小续、讲说十二小续要义、观想入定实修要门幻轮钥匙、朗照明灯经疏。

（二）内。当面指点要门类经典有六明灯、六明点、四轮合并明示发挥效用和道中验相之明灯、离言明觉功用灌顶。

（三）密。彻见妙觉类之经典有要诀八品。

（四）极。密悟实相类之经典有二十一钉、离尘绝踪教授之道相进程指示明灯略论。

暗藏菩提心因续（库藏）：

第二函

方便明镜明点收放藏	伏藏	辛鲁噶
行持宝镜金戒严束藏		
安住宝镜掌握细律根本		
密意宝镜放下平等住藏		
密语宝镜杜鹃大戏乐藏		
明朗宝镜延长明觉长流藏		
住持宝镜长护教传不断藏		
劫时宝镜延续平和心境藏	伏藏	辛鲁噶
七部心品小分		
杜鹃讲说智慧藏等		

弘宣大圆满教三类：

（一）上界天庭所宣经教有续部、教敕、要门三部：

第三函

续部为续王金龟续	伏藏	逊敦·恩珠扎巴
小续十二部		

教敕为六教敕：

唯无功用密意之教敕

唯舍一切乱识而心无所寄之教敕

总摄一切要门之教敕

破斥邪说大圆满秘密之教敕

唯一自然智慧传心之教敕

决定大圆满之教敕

要门为要门八品

教敕九日轮类

（二）中间人世所弘宣经教有续部、教敕、要门三部：

第四函

续部为六续部：	伏藏	洛扎康庭（原缺人名）
雍仲秘密灌顶续		
殿庭现证续		

圆满续
分清歧途和障蔽续
一切具足续
一体多相续
教敕为心宗十法部
要门为心密念续
（三）下界龙庭所弘宣经教：
续部为直接引导小续
教敕为狮子吼声
要门为消灭轮回

大圆满本自离边藏（第五函五捆）
普贤平等性藏（第六函）
大圆满无边开阔藏（第七函）
甘珠尔目录　　　　　　　　　　堪布·尼玛丹增
甘珠尔传承次第　　　　　　　　苏拉坚赞
苯教宗教源流和教历　　　　　　巴·丹吉桑布

阅读这些目录或许是枯燥的，但可足以说明问题，好在这一目录还不算太长。从经文的名称，我们可以充分地认识到其中的许多经文都与佛教经典相似。土观确吉尼玛对此进行了全面而较为准确的总结：

早期的觉苯，传说有绿裙班智达者邪法埋藏地下，自行掘出，杂入苯法而成此派的。中期觉苯，当赤松德赞王时，曾下令苯徒改信内教，有一人名为杰卫绛曲（佛菩提），王遣其从仁钦乔学佛法，他不愿学，但又怕受到藏王的罚责，因此心怀恼恨，遂勾结苯徒，将一些佛典，改译成为苯教的书。此事被赤松王知道了，王权传敕，若有擅改佛经成为苯教书者杀无赦。当时因为此事，被诛者甚众。苯徒大为惊惧，乃将未译完的书，秘密藏在山岩中，后又从伏藏中掘出，遂名为苯教的伏藏法。后期的觉苯，自从朗达玛灭佛以后，藏娘堆有一人名为辛古鲁迦，在卫部苯教的胜地达域卓拉，将大量佛经改为苯经。如将《广品般若》改为《康勤》，《二万五千颂》改为《康穷》、《瑜伽师地抉择分》改为《苯经》、《五部大陀罗尼》改为《白黑等龙经》。别立各种不同的名相及诠释，标其异于佛教。将这些经书埋藏

> 在错昂哲邬穷的岩山下，后来又由他假作掘发伏藏的样子，将其掘出。辛古之后又有穹波苯徒等，亦改窜了不少的佛经。这个早初中后期的翻译苯名为巧噶，亦名果苯。

大概苯教的《大藏经》就是在这样的改佛为苯的基础上形成的。同时，苯教也按照佛教的神灵体系建立了自己的神灵体系。苯教在藏族历史的最初阶段，为统一高原藏人的文化心理做出了杰出贡献。但是从哲学层面看，佛苯斗争只不过是用一种唯心论反对另一种唯心论，用一种形而上学反对另一种形而上学，终无结论。比如苯教承认有鬼神，却反对有前世后世。《巴协》记叙了一则故事，说巴赛囊的两个孩子死了，他从小昭寺请来了具神通的一位僧人，问他："有前世后世吗？佛法真实吗？"这位僧人说："有前世后世，佛法真实。"他请僧人为死去的两个孩子做了七天的佛事。僧人问他："你愿意让孩子超度天界呢还是生在家里做儿子？"巴赛囊的妻子说愿意继续生在家里做自己的儿子。于是僧人将男孩的骨头用于仪轨，将尸体扔在山上授记之后，男孩就到天界去了。僧人在孩子口中放一珍珠，在脸上涂一红色为记号，将尸体藏于母亲床下。第二年巴赛囊的妻子果然生了一个儿子，嘴含一珍珠，左脸有一红记，此时床下尸体不存，只有一小偶像，孩子刚一岁就认识自己的姑、姨，可以叫出他们的名字。故而以此证明是有前后世的。此类传闻，藏区至今犹存，但是难以服人。从文化上看，由于苯教的仪轨遍于一切领域，成为人民生活的一部分，佛教不得不重视，这是苯教的"文化优势"。一些文章认为社会的诸多的思想从哲学层面解决，即解决一切，实际不一定完全这样，因为文化以哲学为核心，但文化不一定完全服从于哲学。哲学具有强大力量，文化同样具有强大的力量。尽管有些文化缺乏高超的哲学理论指导，但它同样生机勃勃，历千年而不衰。苯教丧失了自我，从思想理论上靠向了佛教，而在它产生、发展过程所创造的灿烂文化却一直闪耀于雪域高原。

第二节　语言文字

一、藏语的形成

斯大林在《马克思主义和语言学问题》中说："至于语言的发展，从氏族语言到部落语言，从部落语言到部族语言，从部族语言到民族语言……"其中说到了语言基本发展问题。专家们认为，语言的产生是较为漫长的，在旧石器时代就有了。而在漫长的历史演进过程中，语言本身也经历了不断地融合从而逐步地形成较为完整而稳定的单个民族的语言系统。如图所示：

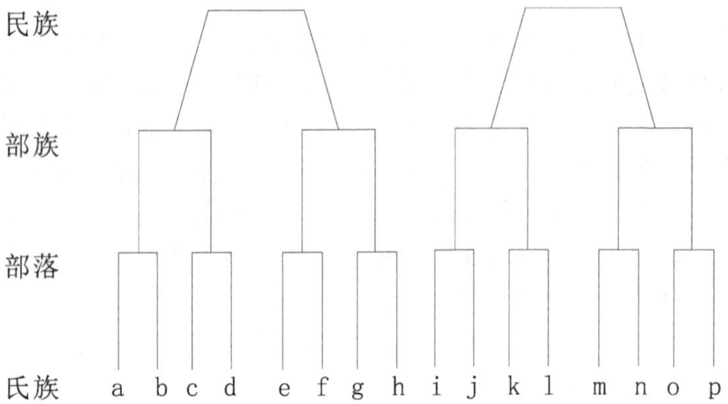

这样一个图示是颇有意思的，即从中可以看到语言在其发展中经历了不断统一的过程。反言之，这种形式恰好和人类早期的发展形式相反，即从人种到氏族、部落，再到部族、民族的发展过程是个不断分解、扩大的发展过程，因而也就有了我们现在研究的大的范围，同一人种问题，同一语族问题，同一语支问题。

如此，从上面的叙述我们可以看到，对于藏语，不论我们后来对方言等的划分如何，早期便积累或者走过了若干同一语族语言的融合过程。从现见的材料，大约经历了如下一些历程：

现在一些学者考证，同样作为黄种人的藏族在大约十数万年前可能是由华北地区流徙进入青藏高原。我想这也是极有可能的事。但是目前尚不能定论。我想至少从新石器时代起，大约藏人的语言跟藏人的形成同样经历了类似的历程。其来源和发展大约如此：

高原先民	1. 六牦牛部（“蕃”部落） 2. 象雄 3. 苏毗 4. 党项 5. 白兰 6. 西山八国 7. 东女国 8. 其他	统一的藏语

或许列这样一个小表来说明藏语的形成过于简单，但是，我们知道藏族的语言不是在藏族形成的那一天形成的，反而源远流长，斯大林所说的从氏族到部落，从部落到部族，再从部族到民族的语言发展历程正好说明了这一点。我这里所说的高原先民，便是属于氏族及部落阶段的“藏民族”，也就是我在前文中所说的藏系民族发展时期的“藏民族”，按照斯大林的这种划分，有些在这一时期已进入部族阶段。从而在日后的发展中再形成民族。因此，藏语的许多基本词汇与我在上文中所说的彝、纳西等15个民族的这些词汇有共同性，便是十分自然的事。其特点是分离越早，语言的距离越远。如在氏族阶段的分离就远于部落阶段的分离，而部落阶段的分离又远于部族阶段的分离。反言之，融入的时间越早，语言的共同性就越多，部落时期的融入就多于部族时期的融入。在今天看来藏语中非但有象雄语的某些成分，就是有与汉语同源的一些词汇也是自然的事。这一问题我们从《后汉书·白狼歌》看得十分清楚。《白狼歌》共三首：

1. 远夷乐德歌

汉　文	白狼语译文
大汉是治	提官隗播
与天意合	魏冒霑槽
吏译平端	罔译刘脾
（不）从（我）（来）	（旁）莫（支）（留）
闻风向化	征衣随旅
所（见）奇异	知（唐）桑艾
（多）（赐）缯布	邪毗㖨衹
（甘）美酒食	（推）潭仆远
昌乐（肉）（飞）	拓拒（苏）（便）
屈伸悉备	局后仍离
蛮夷贫薄	偻让龙洞
无所报嗣	无所报嗣
愿主（长）寿	阳雒（僧）鳞
子孙昌炽	莫逸角存

2. 远夷慕德歌

汉文	白狼语译文
蛮夷所（处）	偻让皮（尼）
日入之部	且交陵悟
慕义向化	绳动随旅

归日（出）主	路且（倲）雒
圣德深恩	圣德渡诺
与（人）富厚	魏（菌）度洗
冬多霜雪	综邪流藩
夏多和雨	莋邪寻螺
寒温时适	藐浔泸漓
部人多有	菌补邪推
涉危历险	辟危归险
不远万里	莫受万柳
去俗归德	术叠附德
（心）归慈母	（仍）路孳摸

3. 远夷怀德歌

汉文	白狼语译文
荒服之外	荒服之仪
土地硗埆	犁籍怜怜
（食）肉衣皮	（阻）苏邪犁
不见（盐）谷	莫砀（鹿）沐
吏译传风	罔译传征
大汉安乐	是汉夜拒
携负归仁	苣优路仁
触冒险陕	雷折险龙
高（山）岐峻	偷（狼）藏幢
绿岩磻石	扶路侧禄
（木）薄发（家）	（息）落服（淫）
百宿到洛	理历髭雒
（父）子同赐	（捕）苣菌毗
怀抱匹帛	怀橐匹漏
传告种（人）	传言呼（敕）
长愿臣仆	陵阳臣仆

注：加括号者，示与藏语同源；“—”为与缅语支、彝语支同源。

马学良、戴庆夏在《藏缅语族语言研究》一书中说：“据我们研究，在《后汉书》中记载的那种先有白狼语然后再由田慕译为汉语的说法不足为信。我们认为，这首诗是先用汉文写成的，然后再在句子下面译注白狼语，其注法大多以词为单位直译，不是整句翻译的。”并说“如果这个论点能够成立，那么可以认为《白狼歌》的价值主要在于语音、词汇的研究，语法的研究价值不大。”他们认为上文中的“天、不、来、见、多、赐、甜、肉、飞、长、处、出、深、雨、心、食、盐、石、木、家、父”等词与缅语支、彝语支同源的。“不、见、多、赐、肉、飞、长、处、出、心、食、盐、山、木、家、父”等 16 词与藏语同源，并认为白狼语与缅语支、彝语支比较接近。

格勒在所著《论藏族文化的起源形成与周围民族的关系》一书中列出 12 个与藏语同音同义的词，同汉语古音作了对比：

白狼语	汉义	汉语上古音	藏语
“粗”	盐	tshag 平	$tsha^{53}$
“补”	父	pag 上	$pa^{53}pa^{53}$
“莫”	不	mag 去	ma^{13}
“唐”	见	dang 平	$tho\eta^{35}$
“留”	来	ljagw 平	$jo\eta^{13}$
“毗”	赐	bjid 平	bin^{35}（巴塘）
“息”	木	siak 入	$ɕi\eta^{55}$
“冒”	人	mau	mi^{12}
“糟”	一样	tsau	t $ʂa^{12}$
“知”	看	tia	ta
“艾”	我	ŋat	ηa^{12}
“唐”	户	di	$də^{53}$

此外他还认为“多、肉、飞、长、处、出、心、食、山、家”10 词为与藏语同源。

陈庆英在其主编的《中国藏族部落》一书中说：

马学良、戴庆厦先生所说的白狼语与藏语不同源的基本词“天、来、甜、深、石”中，仍然有同源的，例如“来”，白狼语语音为“留”，缅语读 la，彝语读 la，藏文为 ཡོང།，但藏语还有一个同义词 སླེབས།，应即《白狼歌》第四句中的“来”（记音为“留”）、第 40 句的“到”（记音为“发”）。又如“甜”，《白狼歌》是将“甘美酒食”记音为“推潭仆远”，故认为甘（甜）的记音为“推”，而藏语为 མངར་མོ།，故不同源，实际这里的“推”当是记藏语 ཐུད། 的音，“潭”是

记藏语 གདར། 的音，《格西曲札藏文辞典》解释 ཐུད་གདར། 为酥油与奶渣和成之食品……又如“天”，《白狼歌》记音为“冒”，与西夏语记音为“没”相同，藏语为 གནམ། 或 ནམ་མཁའ།，应该说这两个词是不同源的，但“冒”也可能是藏语的一个古词 དམུ། 亦可写作 རྨུ། 的对应词，དམུ། 可以指藏族古代四大姓之一的木氏，但有一个与苯教观念连在一起的古词 རྨུ་ཐག（དམུ་ཐག），意为登天绳、天梯，说人去世时肉体飞升天界，是沿着这条天绳登上天界的，因此 རྨུ 在古代可能有“天”的含义。

我以为专家们的研究探讨是可贵的。尽管这些研究还需要进一步深入，但是，这些研究成果也说明了以下一些问题：其一，像彝、纳西等藏系民族的各自发展、形成民族的历史并不很长；其二，所谓“白狼”很有可能就是后期成为藏族的一个部族。青藏高原早期居民的广泛的联系性不但是我们研究语言的重要环节，也是我们进行文化研究的重要环节。而从藏语的发展演变看，在其经历的统一过程中，有三样东西在起着主导作用：其一是共同的经济生活，其二是共同的原始信仰和苯教，其三是共同的政治同盟（邦国）。

二、藏文的创制和运用

藏语属汉藏语系藏缅语支，就现在而言，除了中国境内的藏人外，在尼泊尔、不丹、巴基斯坦、印度境内也有一部分人使用藏语。藏语主要分卫藏、康、安多三大方言区。卫藏主要是指现在的西藏自治区，康主要指现在的四川省甘孜藏族自治州、青海省的玉树藏族自治州等地区，安多主要指现在的青海、甘肃以及四川阿坝藏族羌族自治州等藏区。

对于早期有无藏文，多年来学术界多有讨论，且莫衷一是。越来越多的学者认为松赞干布之前就有藏文，而且年代较早；一些研究苯教的学者甚至认为在公元前六七世纪就有文字了。不过，这时的文字是古象雄的“玛尔文”，它和汉族的甲骨文相类似，主要用于苯教的咒誓、祭祀、禳祓活动和记载它们的经文，并没有普及到世俗社会。这种做法可能延续了上千年，一直到公元7世纪松赞干布执政时期。

过去许多史籍均载，吐弥桑布札创造了藏文。这一传统观点已受到以上主张早期有藏文的学者们的挑战，以为创造藏文的并不是被人们一再颂扬的吐弥桑布札。但是，我以为无论吐弥桑布札以前有无藏文，至少作为圣王松赞干布不可或缺的四大杰出人物之一的他对藏文或进行了改造，或进行了另外的创造，其贡献同样是巨大的。

吐弥桑布札与松赞干布为同时代人，其确切的生卒年月无考，“吐弥”是其族名，或可称为姓，“桑布札”是其名。

关于吐弥桑布札创造藏文之事，伴随着许多生动、优美的故事。据说吐弥精心创造藏文是为了吐蕃人缺乏文字的诸多苦处。当时松赞干布从几百名聪明颖悟的青年中挑选16名优秀青年，在极其艰苦的条件下由吐弥率领去天竺等处拜师求教，学习文字。最后其他15名青年由于严寒酷暑、气候不适等种种原因，辞离人世，唯有吐弥学成回到吐蕃，依照梵文模式，创制了藏文。藏文是辅音字母式的音素拼音文字，共有30个字母，按语音的发音部位，四个一组，排列成7组半。即：

ཀ་ཁ་ག་ང། ཅ་ཆ་ཇ་ཉ། ཏ་ཐ་ད་ན། པ་ཕ་བ་མ། ཙ་ཚ་ཛ་ཝ། ཞ་ཟ་འ་ཡ།

ར་ལ་ཤ་ས། ཧ་ཨ།

从形体看，其中23个字母基本上与梵文相同。有4个元音符号：

ི 读གི་གུ，在敦煌古藏文文献中用ྀ标示。

ུ 读ཞབས་ཀྱུ。

ེ 读འགྲེང་བུ。

ོ 读ན་རོ。

无元音符号的音节都有a元音。

藏文是拼音文字，除以上30个字母，4个元音符号外，尚有5个反写字母用来拼外来语。拼写时以字根为基础，有前置字、上置字、下置字、后置字和又后置字组成。使用时主要分草书和楷书两类，从而也形成了丰富的书法艺术。如图2-3-2-1~2-3-2-7。

史载吐弥桑布札创制藏文后翻译了《二十一显密经典》、《宝星陀罗尼经》、《宝箧经要》、《十善经》、《般若十万颂》等经典，还写成了《性入法》和《三十颂》等语法著作。在1300多年前能写成如此严密的语法学著作，不但在中国遥居首位，在世界语言学发展史上也是较早的。

史载，吐弥创制藏文后，藏族地区开始掀起学习藏文的热潮。连松赞干布也拜他为师，在玛如宫潜心学习藏文，同时也翻译、学习、借鉴许多印度和汉地的文化，开启吐蕃人的智慧，同时哺育造就了像噶尔·东赞宇松等一批仁人志士，松赞干布也就有可能创立“三十六制”等国家大法。藏族人民热爱吐弥这位藏文的创制者，认为他为藏人点亮了眼睛，历来诸多的绘画、雕塑中都可以看到他的身影。为了纪念吐弥的伟大功绩，1991年西藏自治区社会科学院在图书大楼前，塑造了吐弥的石像。塑像由洁白的汉白玉石雕成，高3米，其花岗岩底座高1.8米，塑像左手捧书，右手执笔，成坐姿，庄严而洒脱。

吐弥桑布札也作为“吐蕃七贤臣”之一受到歌颂。达仓宗巴·班觉桑布所著《汉藏史籍》中的第一位贤臣名叫茹拉杰吉额索，第二位贤臣名叫拉布果噶，这两位贤臣的事迹我们已在上文中叙述。第三位贤臣名叫赤多朗察，他生活在达日宁塞王在位之时，他的贤明和功业是：以木炭烧炼矿石得到金、银、铜、铁等，在木头上钻孔做成犁耙和轭具，使用犏牛、黄牛实行耦耕，使平川地都得到开垦。在此以前吐蕃没有驮畜和运价，从这时开始有了驮运。

第四位贤臣便是吐弥桑布札，他的功业是创制了字母和藏文，包括字母拼合、音节符号、文法等。在此以前吐蕃没有文字和念读，从这时起才有了文字。

第五位贤臣名叫赤桑雅顿，他生活在赤德祖赞王（704～755年在位）之时，他的贤明和功业是：以秤、斗计量收支，调剂农牧业区的食物，倡导双方满意的买卖和换工合作。在此之前吐蕃没有秤斗和买卖，从这时起有了度量衡和买卖贸易。

第六位贤臣叫赤桑雅拉，他生活于法王赤松德赞（755～797年在位）之时，他的贤明和功业是，将山上的居民全部迁到河谷平地，使农民在田地边盖房定居，开垦平地为农田并引水浇灌。在此之前吐蕃人在山上的石头城堡中居住，从这时起迁到平川，建起村庄。

第七位贤臣名叫达察东色，他生活于赤德松赞王（798～815年在位）之时，他的贤明和功业是，制定了守卫四方边境的制度，派遣武士千户部落守卫边哨，防御外敌，用法律公平处理内部案件，杀人者赔偿命价。在这之前吐蕃没有赔偿命价的制度，从这时制定了这一制度。

这七位贤人都生活在吐蕃时期，也充分地说明了吐蕃政治、经济、文化发展的状态。

三、藏文的标点符号

在漫长的有文字的历史中，藏民族创造了丰富的典籍文化，可谓汗牛充栋，浩如烟海。从文化继承和文化传播的角度看，藏族典籍文化有以下一些特点：

一是以金石铭文（རྡོ་རིང་དང་དྲི་བུའི་བཀའ་ག་སོགས།）及竹木简牍（ཁྲམ། 或 བྱང་བུ།）和早期写卷（ཤོག་དྲིལ་ཡིག་རིགས།）为代表的古文献，忠实地记了藏人在青藏高原生存、进取、发展的历史（尤其是唐以来的历史），涉及物质文化和精神文化的诸多方面。通常我们以敦煌古藏文文献和敦煌写卷称呼，饮誉世界，成为国际敦煌学和藏学研究中的重要文献。这一领域的研究，有现代著名的藏族学者根敦群佩的高论和令人耳目一新的见解。1949 年以后，尤其是进入 80 年代以来，王尧教授等在古藏文文献的搜集、译注、授课等方面均做了大量工作。

二是以《大藏经》为代表的佛教典籍，这部丛书从初步的翻译到编辑目录，从编辑目录到刻版印刷，迄今经历了千余年的历史，虽然多是翻译作品，但它是当今世界保存佛教原貌最完整最精确的文化典籍。这也是藏人对东方文明和世界文化所做的最为杰出的贡献之一。在世界佛学研究中，藏文佛经的研究已成为不可回避的学科领域；在世界佛学资料中，藏文佛经已经成为必当求索的典型资料。

一般认为藏文是没有标点符号的文字。分字标、句标、章节标、卷帙标、卷数标、边框标、帙签标被称为藏文典籍的七种形式，藏语称七种标记（རྒྱ་རྣམ་པ་བདུན། 或 རྒྱ་རིམ་པ་བདུན།）。此处我们主要看看与标点符号相关的部分。

1. 分字点（ཚེག），是指藏文字与字之间的点，也可称做字间点。分字点在楷书的藏文中是一尖冲下的小三角或者是近乎菱形的竖长方形，在草书中则是一右斜的撇点。这些均与藏文书写的形式有关系。藏文多用竹笔书写，尤其写稍大一点的字，笔头是方的（齐头），运笔时仅用右手拇指和食指相执，执位颇低，因而写出的字则带有这种特点。

字外点（ཕྱི་ཚེག），是指用在 ང 字之后，楔形号之前的分字点，因为假如 ང 字后不加分字点，则很容易和楔形号混合，成为 བ 字。

分字点和字外点在现在的汉文、拉丁文和斯拉夫文字中都是不存在的。

2. 楔形号（ཤད 或 ཐུར་ཤད།），是一些用于句末、章节末、全书末的符号，具体有：

A. 单楔形号（ཚེག་ཤད། 或 རྐང་ཤད།），主要用在句末，也用在词、词组、分句之后，处于不同的位置分别起着句号、逗号、顿号、分号的功用。文法中一般规定 ཀ、ག、ཤ 三个腿在外的字（ཕྱི་རྐང་ཅན་གྱི་ཡི་གེ）不用单楔形号外，其他都用，因为上三字腿在外可起到此作用。号形为“།”。

B. 双楔形号（གཉིས་ཤད།），主要用在：a. 章节末，表示此段、节、章、篇的结束；b. 用在诗词的句末。号形为“། །”。

C. 四楔形号（བཞི་ཤད།），主要用于全书的末尾，表示该书的终结。号形为“།། །།”。

D. 叠宝号（རིན་ཆེན་སྤུངས་ཤད༑），主要用来断句。《藏汉大辞典》（2697

页）解释：“聚宝垂符。藏文印刷体书籍的一句尾，恰在一行的右端起首，不满三个字母，即为一个或两个字母者均改用‘༑’作句符。其最末一字为语终词，及为颂偈句末尾者，则均用两个聚宝垂符。”号形为“༑”等。

E. 蛇形号（སྦྲུལ་ཤད།），用于段落、层次之首，但用此号后不能另行。号形为“༈”。

3. 敬重号（ཆེམ་མགོ།），由于此号形似藏文数字之“七”（༧）因而也叫“七字号”（བདུན་རྟགས།），用于人名之前表示尊重。号形为“༧”。

4. 指示号（འོག་སྐོར།），在文法著作中，用来指示重点和提示，用于词之下方。号形为“༷༵”。

5. 起头号（དབུ་མགོ།），主要用于文章的开头。号形为“༄། །༄༅། །༄༅༅། །”。

以上符号大多具有标点的性质。除此而外还有些不常用的符号，如伏藏号（གཏེར་ཚེག），用于藏文伏藏典籍的句末。号形为“༔”。

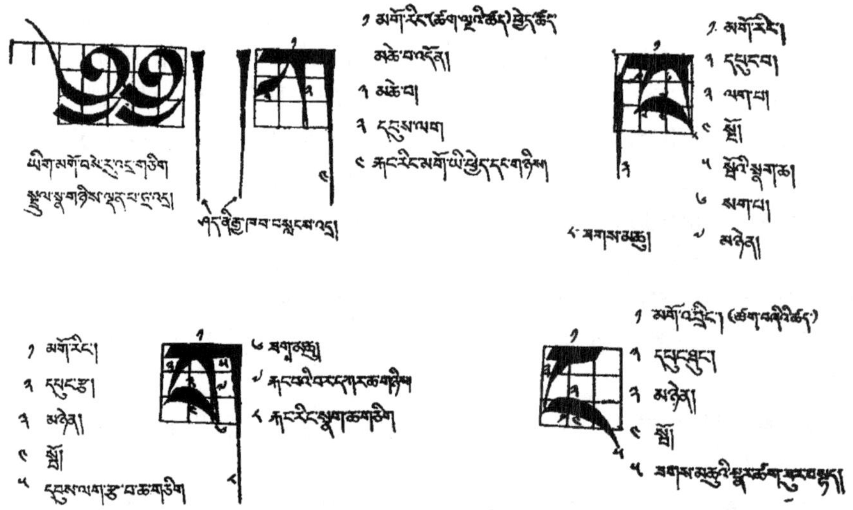

图 2－3－2－1　藏文书法（引自古文义、史学礼编《藏文书法荟萃》）

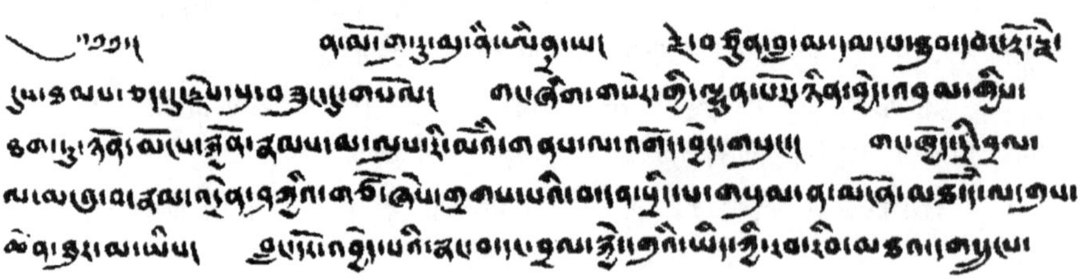

图 2－3－2－2　藏文书法

图 2－3－2－3　藏文书法

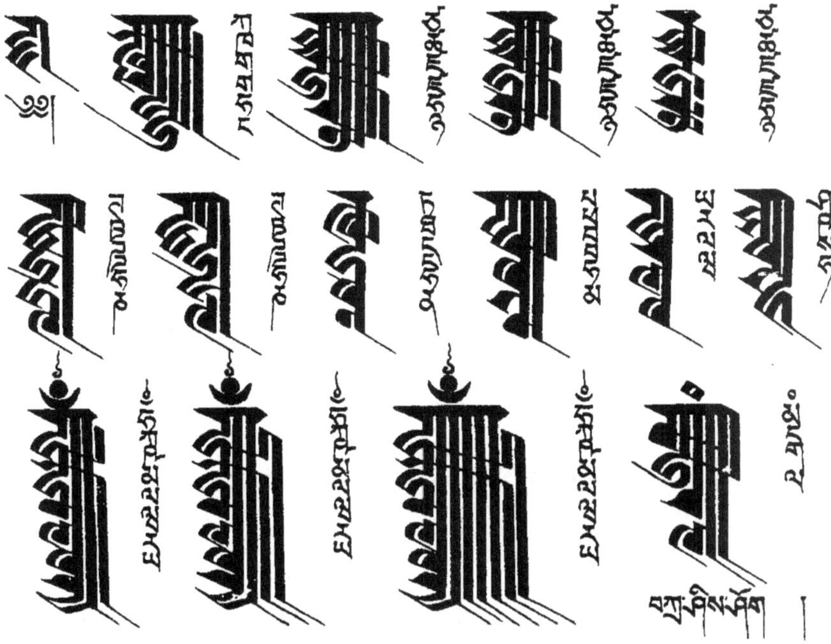

图 2－3－2－4　藏文书法

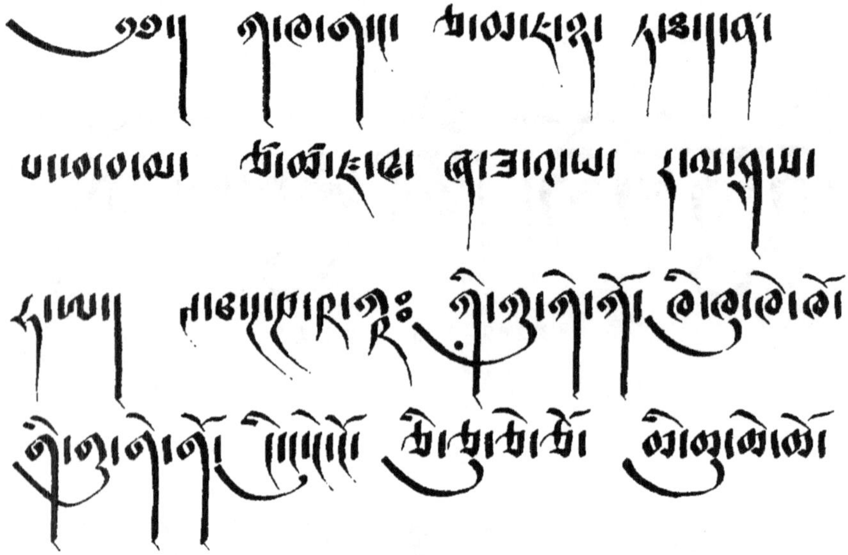

图2－3－2－5 藏文书法 དབུ་མེད།

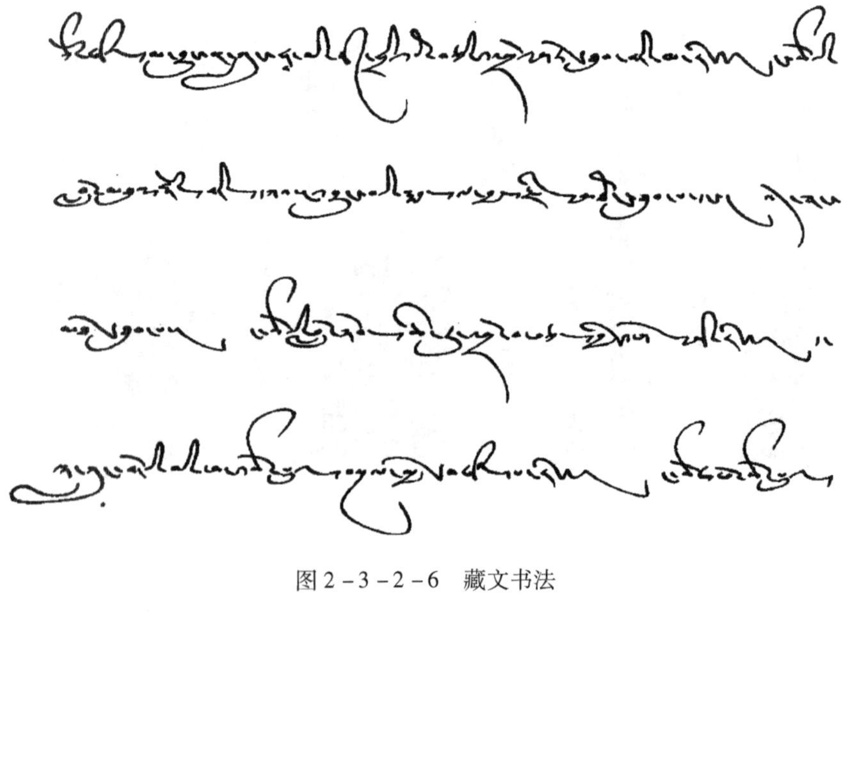

图2－3－2－6 藏文书法

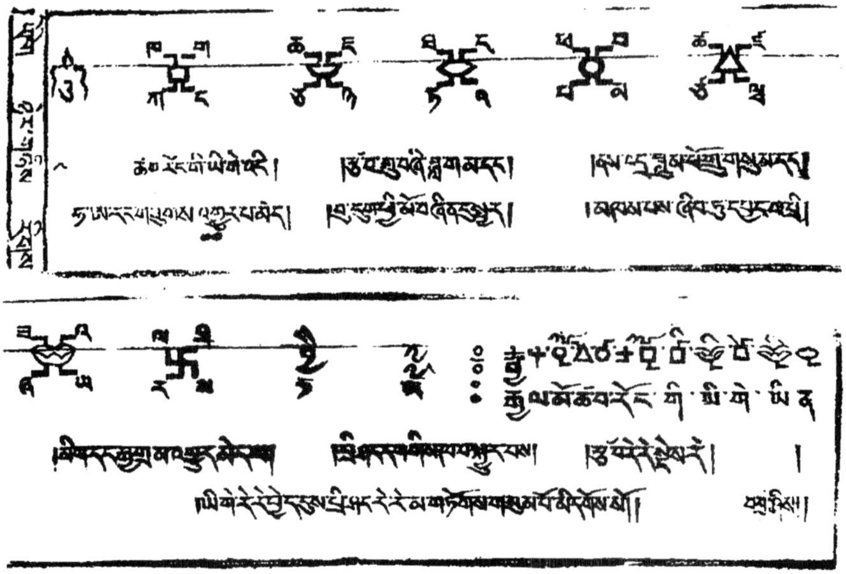

图2-3-2-7　藏文书法

第三节　典章制度

吐蕃王朝时期，正是吐蕃国家政权的形成、发展时期，在行政形式上表现出基础的部落联盟，中层的小的邦国（稍大的部落集团）和以王室为代表的国家政权状态。因而吐蕃王朝时期的许多战争，便带有这种性质，即在局部地区的部落争斗（这种状况一直延续很晚），整个青藏高原邦国的统一战争，进而到吐蕃王国与其他国家和地区的军事对抗。同如静水投石，其逐步展开，由小到大，由局部到全部，王朝的力量是强大的，它通过盟誓等形式，将各个地区的首领统辖起来，委以官职，倍加重用。但是，吐蕃王朝没有将自己的一整套行政机构全面地建立在自己的统治地区（尤其是一些基层行政机构），除了适应战争状态的需要，在占领地有较完整的官员及行政管理系统，而在吐蕃大多数地区仍以部落方式进行管理（部落的管理方式不像有些先生所说松散、无章，其管理仍然是十分严密的）。换言之则为吐蕃王朝将自己的行政系统只推行延及到邦国与部落联盟（或部落），但没有真正细化延及、推行到邦国内部和部落内部。因而，吐蕃王朝解体后，进入小邦割据时期，大多用旧有的方式进行管理，没有将部落这一形式完全打破，而使它完整、旺盛地生存、发展下来。当然，这一现象的更深刻的原因是当时的社会经济条件差和生产力发展水平不高。因为，任何制度建立在一定的经济基础之上，才能获得生命力。我们不能不看到这种使许多人迷惑不解的现象的底蕴。

一、职官制度

告身制度和尚论制度是吐蕃时期职官制度的重要内容。告身制度的主要作用是区别官吏等级。《新唐书·吐蕃传》载："其官之章饰，最上瑟瑟，金次之，金涂银又次之，银次之，最下至铜止，差大小，缀臂前以辨贵贱。"《册府元龟》中对此有进一步的总结，曰："其官章饰有五等：一谓瑟瑟，二谓金，三谓金饰银上，四谓银，五谓熟铜。各以方圆三寸褐上装之，安膊前，以别贵贱。"这五等据上书卷九六一《外臣部·土风三》曰："自号吐蕃为宝髻（即 སྤུར་རྒྱལ།），爵位则以宝珠、大瑟瑟，小瑟瑟、大银、小银、大鍮石、小鍮石、大铜、小铜为告身（ཡིག་ཚང་།），以别高下。"

据《贤者喜宴》等书记载，吐蕃的官阶共六级（ཡིག་ཚངས་དྲུག），不是新旧《唐书》和《册府元龟》等史籍所载的五级（上书中少铁告身）。黄奋生在《藏族史略》中说："可能铁告身只授予作战英勇者，不列于官阶之内之故。"自然是一种推测之词，实际若何尚不得知。

从藏文史籍看，吐蕃早期的职官称"三尚一论"（ཞང་གསུམ་བློན་བཅས།），主要是鹘提悉勃野王室及其亲眷担任。"尚"为宦族、外戚，原意为舅氏，即嫁女于王室的家族；吐蕃时有没庐氏、琛氏、属庐氏、蔡邦氏、那囊氏、蒙氏等，都与王室有姻亲关系。"论"为王族、宗室所受封官号。随着统治区域的扩大，光是王室及亲眷已不适应新的形势，因而有所扩展。《新唐书·吐蕃传》曰：

> 其官有大相曰论茝，副相曰论茝扈莽，各一人，亦号大论、小论；都护一人，曰悉编掣逋；又有内大相曰曩论掣逋，亦曰论莽热，副相曰曩论觅零逋，小相曰曩论充，各一人；又有整事大相曰喻寒波掣逋，副整事曰喻寒觅零逋，小整事曰喻寒波充，皆任国事，总号曰尚论掣逋突瞿。

从《贤者喜宴》的介绍看，吐蕃王朝中央官吏大体分为三个系统：

第一，贡论（གུང་བློན།）系统。同如尚书省，为一行政系统。

大相（གུང་བློན་ཆེན་པོ།，论茝）。简称"论钦"（བློན་ཆེན།），同于宰相，掌握

军政大权。王尧先生等译《敦煌本吐蕃历史文书》中记述了历任大相及部分大相之事迹，共30多名，其地位显赫，多为高才之士：

最初，达尔氏之子东当杰任之，贤明英勇，忠贞不贰。

其后，埃·多吉杰任之，英勇贤明。

其后，麴·拉俄高噶任之，对敌英勇，知人察微，目光锐敏。

其后，洛·塘真牙登任之，能御外敌，外政修明。

其后，埃·塘雍塘杰任之，英勇贤明。

其后，努·孟多日邦赞任之，知人察微，目光锐敏。

其后，吞米·中子甲赞努任之，此人异常阴险，对其亲妹吞米·萨牙登，亦挟毒以进，妹饮剧毒遂为赞努所害。

大相之中多为俊才，如对曾谋反的大相琼保·邦色的记录：

其后，琼保·邦色苏孜任之。一次，与倭美岱类赞失和，到赤邦木城堡，于此城堡搞大阴谋时心生逆谋，以宴请赞普松赞为名（实图害之），事为噶尔·宇松所闻，琼保乃自刎而死。邦色苏孜聪俊之才，能同时断三桩案件。同时听四件事而决断之。与每人弈棋，当一局中其对手将败北时，即帮助对手，令其取胜。一次，有群鸽自天上飞过，彼点数之，一、二、三、四、五、六。迨鸽飞返时，复数之，缺其一，乃曰："抑或为鹰隼所噬乎？速往觇之！"众人往视，果见一鸽为鹰所噬。如邦色苏孜之敏明，计谋深远，识人，聪俊，于众人之中能如彼者，不可复得也。

文字不多，其形象勾勒却十分突出。

副相或小相（གུང་བློན་འོག་དཔོན།，论茝扈莽）。

都护（སྤྱན་ཆེན་པོ། 悉编掣逋）。

兵马都元帅（དམག་གོ་ཆོག་གི་དཔོན།）。

节度使（མཐོང་ཁྱབ་ཁྲི་སྡེ།）。

将军（དམག་དཔོན།）。

茹本（རུ་དཔོན།）。

千户长（སྟོང་དཔོན།）。

部落使（སྡེ་དཔོན།）。

五百户长（ལྔ་བརྒྱ་ཆེན་པོ།）。

边防官（སོ་བློན།）。

节儿（རྩེ་རྗེ།）。

驿吏（རྩུགས་དཔོན།）。

第二，囊论（ནང་བློན།）系统。同如中书省。

内大相（ནང་བློན་ཆེན་པོ།）。

内副相（ནང་བློན་འབྲིང་པོ།）。

给事中（བཀའི་འཕྲིན་བློན།）。

悉南纰波（སྣམ་ཕྱི་པ།）。

岸奔（མངའ་དཔོན།）。

仲巴（སྲོང་པོ།）。

农田长官（ཞིང་དཔོན།）。

资悉波折逋（རྩིས་པ་ཆེན་པོ།）。

宫廷总管（ཁབ་སོ་འོ་ཆོག་གི་བླ།）。

征税官（ཁྲལ་དཔོན།）。

车骑官（ཆིབས་དཔོན།）。

内侍官（གཟིམ་དཔོན།）。

第三，喻寒波掣逋（བཀའ་ཡོ་གལ་འཆོས་པོ།）系统。同如御史台。

整事大相（ཡོ་གལ་འཆོས་པ་ཆེན་པོ།）。汉译喻寒波掣逋。

副整相（ཡོ་གལ་འཆོས་པ་འབྲིང་པོ།）。

小整事（ཡོ་གལ་འཆོས་པ་ཆུང་པ།）。

审判官、法官（ཞལ་ལྕེ་པ།），汉译为刑部尚书，为管司法、审理案件的官员。

司法官（ཁྲིམས་དཔོན།，དཔང་བློན།），管司法的官员。

一般研究认为，吐蕃贡论、囊论、喻寒波掣逋三大系统的形成，参考了唐时的职官制度。比如唐承隋制设尚书省、中书省、秘书省、内侍省及殿中省等。尚书省设吏、兵、户、礼、刑、工六部，一直沿用至清。吐蕃时期的碑铭中也出现了一些汉族的职官名称，如《唐蕃会盟碑》记载参加会盟的吐蕃官吏的职别就有平章政事沙门钵阐布、天下兵马都元帅同平章事等，《吐蕃传》还记载有论莽热为“大相兼东鄙五道节度使”、“论三摩为吐蕃节度”等。

此外还有僧官（ཆོས་བློན།）系统，其出现较晚，在赤松德赞时设立僧官。但由于后期赞普高抬僧人，其地位也随之上升：

钵阐布（བན་དེ་ཆེན་པོ།），赤德松赞时有娘定埃增、勃兰伽贝吉云丹二人出任此职，因此二人均为赞普教师以及宗教上的原因，其地位在众臣之上，参与国家内政、外交的决策及政务活动。

堪布（与后世此僧职相近，མཁན་པོ་（བཙོམ་ལྡན་འདས་ཀྱི་རིང་ལུགས་དང་མཐུན།））。

格卫西年（དགེ་བའི་བཤེས་གཉེན།）意善知识，王室中王子等的导师。

黄奋生先生将此划为赞普之下为政务大臣（尚论掣逋实瞿），单列“宗教人士”（即上所说的僧官系统），其下分四个方面：

1. 政治

大相——论茝（庆）大论。

副相——论茝扈莽（小论）。

2. 属地

都护——悉（色）编（本）掣逋。

3. 内务

内大相——曩论掣（千）逋（论莽热）。

副相——曩论觅零（林）逋。

小相——曩论充（倾）。

4. 地方军政——喻寒（红）波掣逋。

整事大相——喻寒（红）波掣逋。

副整事——喻寒波觅零。

小整事——喻寒波充。

大体与上同。这便是吐蕃王廷的最高管理机构。

一般认为，告身是仿唐职官的一种产物。《旧唐书·职官志》曰：

> 郎中、员外郎之职，掌邦国官人之勋级。凡勋，十有二转为上柱国，比正二品；十一转为柱国，比从二品；十转为上护军，比正三品；九转为护军，比从三品；八转为上轻车都尉，比正四品；七转为轻车都尉，比从四品；六转为上骑都尉，比正五品；五转为骑都尉，比从五品；四转为骁骑尉，比正六品；三转为飞骑尉，比从六品；二转为云骑尉，比正七品；一转为武骑尉，比从七品。凡有功效之人，合授勋官者，皆委之覆定，然后奏拟。

唐制官分职官与勋官，勋官多为征战有功者，共十三转，这似乎与吐蕃官职分六级，各级再分正副，亦有十二级同。吐蕃不但参考了这种级差形式，同时对唐的官吏服饰也有借鉴。《唐会要》卷三十一《杂录》载：

> 亲王及三品以上，若二王后，服色用紫，饰以玉；五品以上，服色

用朱，饰以金；七品以上，服色用绿，饰以银；九品以上，服色用青饰以鍮石；应服绿及青人，谓经职事官成，及食禄者，其用勋官及爵。直司依出身品，仍佩刀砺纷帨。流外官及庶人，服色用黄，饰以铜铁。

当时吐蕃与唐交往频繁，有许多学习汉学的留学生久住长安，尤其在会盟时，要以职阶而立，从衣服及明显的章饰上一眼便可看出其官位阶品来。因而，吐蕃当时对此二者均有借鉴，再行改造，建立起自己的“由仓”（ཡིག་ཚངས།）制度。下为陈庆英根据《贤者喜宴》整理、列出的告身种类与相应官职：

1. 大玉石告身（གཡུ་ཡིག་ཆེན་པོ།）——论（大相）。
2. 小玉石告身（གཡུ་ཡིག་ཆུང་ངུ།）——副大相、内大相。
3. 大金告身（གསེར་ཡིག་ཆེན་པོ།）——悉编掣逋、副内相、整事大相。
4. 小金告身（གསེར་ཡིག་ཆུང་ངུ།）小内相——བཀའ་བློན་འབྲིང་། 似为副整事。
5. 颇罗弥告身（ཕྲ་མེན་གྱི་ཡི་གེ）——བཀའ་བློན་ཐ་ཆུང་།（似为小整事）。
6. 大银告身（དངུལ་གྱི་ཡི་གེ་ཆེན་པོ།）——寺院住持 ཆོས་གྲྭའི་སློབ་དཔོན།）、赞普咒师（སྐུའི་སྔགས་མཁན།）、上部和下部的法官（སྟོད་སྨད་ཀྱི་དཔང་བློན།）。
7. 小银告身（དངུལ་ཡིག་ཆུང་པོ།）——赞普的本教经师（སྐུ་གཙོ་བའི་བོན་པོ།）、寝宫官员（གཟིམས་མལ་བཅིགས།）、堪舆家（ཁབ་བྱང་ཐང་གི་ས་མཁན།）、负责边防官员（མཐའ་སོ་ག་སྲུང་བ།）、首邑守备官（སྐུ་མཁར་གྱི་རྩེ་སྲུང་།）。
8. 青铜告身（འཁར་བའི་ཡི་གེ）——父王六臣之后裔（ཡབ་འབངས་རུས་དྲུག）。
9. 铜告身（ཟངས་ཡིག）——战场立功者。
10. 铁告身（ལྕགས་ཡིག）——千户长（སྟོང་ཡིག）、茹本（རུ་དཔོན།）。
11. 木告身（ཤིང་སྐྱ་ཆུ་རིས་ཀྱི་ཡི་གེ）。——一般平民（འབངས་ཕལ་བ།）。

吐蕃的职官制度经历了历史的发展阶段。这些我们可从吐蕃的盟誓制度了知大概。早期的王室尚没有完全控制各地诸侯时，通过联盟形式加强这种联系，《新唐书·吐蕃传》曰：“赞普与其臣岁一小盟，用羊、犬、猴为牲；三岁一大盟，夜肴诸坛，用人、马、牛、闾为牲，凡牲必折足裂肠陈于前，使巫告神曰：‘渝盟者有如牲。’”通过这种一年一小盟，三年一大盟甚至一年两次会盟——夏盟（དབྱར་འདུན།）和冬盟（དགུན་འདུན།）的形式牢固吐蕃政权，可知其所谓“君臣”，只是形式而已，并没有真正确立君臣名分，其实质是一种向君臣关系发展的盟友关系。而在数百年的国家运转中，虽然盟誓（འདུན་མ།）制度照例实行，而其内容已经向讨论重大国家决策问题的会议形式过渡。效忠赞普，不背王命已成为重要的誓词。

二、兵制

军队是国家机器的重要组成部分。兵制也是政治制度的重要组成部分。吐蕃王朝时期较早动用较多军事力量进行战争的大概要数松赞干布父亲时对苏毗的突袭。《敦煌本吐蕃历史文书》说，当时由赞普弟伦果尔与母后留守本土，由南日松赞亲率精兵万人远征苏毗。由于娘曾古等为内应，攻破宇那堡寨，一举歼灭苏毗。至唐初，吐蕃军队已有相当规模。《旧唐书》卷八十三列传第三十三记述唐代名将薛仁贵的事迹时，如此写道：

> 咸亨元年，吐蕃入寇，又以仁贵为逻娑道行军大总管，率将军阿史那道真、郭待封等以击之。待封尝为鄯城镇守，耻在仁贵之下，多违节度。军至大非川，将发赴乌海，仁贵谓待封曰："乌海险远，车行艰涩，若引辎重，将失事机，破贼即回，又烦转运。彼多瘴气，无宜久留。大非岭上足堪置栅，可留二万人作两栅，辎重等并留栅内。吾等轻锐倍道，掩其未整，即扑灭之矣。"仁贵遂率先行至河口，遇贼击破之，斩获略尽，收其牛羊万余头，回至乌海城，以待后援。待封遂不从仁贵之命，领辎重继进。比至乌海，吐蕃二十余万悉众来救，邀击，待封败走趋山，军粮及辎重并为贼所掠。仁贵遂退军屯于大非川。吐蕃又益众四十余万来拒战，官军大败，仁贵遂与吐蕃大将论钦陵约和。仁贵叹曰："今年岁在庚午，军行逆岁，邓艾所以死于蜀，吾知所以败也。"仁贵坐除名。

大非川之役，是唐蕃之间进行的一场恶战，薛仁贵十万之众全军覆没。吐蕃虽无兵书遗于后世，但从战争的规模和战略设想分析，当时不乏精明的军事指挥员和十分雄厚的兵力。

据《贤者喜宴》等书记载，以赞普为统帅的吐蕃的军队划分为六茹六十一东岱。茹（རུ།），意为翼；东岱（སྟོང་སྡེ།）意为千户。即：

（一）伍茹（དབུ་རུ།），意为中翼，以小昭寺（ར་མོ་ཆེ།）为中心。其四至为：

东至：倭卡秀巴本顿（འོལ་ཁའི་ཤུག་པ་དཔུན་བདུན།）

南至：玛拉山脉（རྨ་ལ་ལ་བརྒྱུད།）

西至：休尼木（གཞུ་སྙེ་མོ།）

北至：扎朗玛古尔普（སྦྲགས་ཀྱི་སླང་མ་གར་སྤུབ།）

十东岱为：
岛岱（དོར་སྡེ།）
岱村（སོམ་མཚམས།）
局巴（ཅོམ་པ།）
支村（འབྲི་མཚམས།）
吐若卜（ཡེལ་རབ།）
球村（ཕྱུགས་མཚམས།）
章村（འབྲང་མཚམས།）
几堆（几之上部，སྐྱིད་སྟོད།）
几买（几之下部，སྐྱིད་སྨད།）
东侧禁卫队（སྐུ་སྲུང་ཤར་ཕྱོགས་པ།）

（二）腰茹（གཡོ་རུ།），意为左翼，以雅砻昌珠（ཡར་ལུང་ཁྲ་འབྲུག）为中心。其四至为：

东至：工域哲那（ཀོང་ཡུལ་བྲེལ་སྣ།）
南至：夏乌达高（ཤའུག་སྟག་སྒོ།）
西至：喀若冈则（ཁ་རག་གངས་རྩེ།）
北至：玛拉山脉（རྨ་ལ་ལ་བརྒྱུད།）

十东岱为：
雅砻（獠笼，ཡར་ལུང་།）
秦砻（འཕྱིང་ལུང་།）
达保（དྭགས་པོ།）
尼聂（ཉ་གཉི།）
洛若（ལོ་རོ།）
雅村（ཡར་མཚམས།）
玉却（གཡུ་འབངས།）
聂（དམྱལ།）
洛扎（ལྷོ་བྲག）
北侧禁卫队（སྐུ་སྲུང་བྱང་ཕྱོགས་པ།）

（三）叶茹（གཡས་རུ།），意为右翼，以香地的雄巴园（ཤངས་ཀྱི་ཞོང་པོ་ཚལ།）为中心。其四至为：

东至：扎地之朗玛古尔普（ཕྲགས་ཀྱི་སླང་མ་གུར་ཕུབ།）
南至：聂拉那牙保那（གཉའ་ནམ་གཡག་པོའི་སྣ།）
西至：介玛拉古（བྱེ་མ་ལ་དགུ）
北至：迷地曲那（སྨྲི་ཏི་ཆུ་ནག）

十东岱为：

东钦（སྟོང་ཆེན།）

香钦（ཤངས་ཆེན།）

辗噶尔（ཉེན་ཀར།）

章村（འབྲང་མཚམས།）

朗迷（རང་མི།）

帕噶尔（ཕོད་དཀར།）

保若（སྦོ་རབ།）

松岱（གཙོང་སྡེ།）

象（ཤངས།）

西侧禁卫队（སྐུ་སྲུང་ནུབ་ཕྱོགས་པ།）

（四）茹拉（རུ་ལག），意为支翼，以折之都尔巴那（ཟད་ཀྱི་དུར་བ་སྣ།）为中心。其四至为：

东至：强木尼扎（འཇམ་ནི་བཀྲ།）

南至：泥婆罗朗那（བལ་པོ་གཡག་མིག）

西至：拉金牙迷（ལ་གེམ་གཡག་མིག）

北至：介玛拉恩（བྱེ་བ་ལ་སྔོན།）

十东岱为：

芒噶（མང་ཀར།）

赤彭木（ཁྲི་ཕམས།）

娘若（མྱང་རོ།）

赤塘（ཁྲི་འཐང་།）

错俄（མཚོ་ངོ་།）

枕巴（གྲམ་པ།）

拉孜（ལྷ་རྩེ།）

康萨（ཁང་སར།）

改呈木（གད་ཕྲམ།）

南侧禁卫队（སྐུ་སྲུང་ལྷོ་ཕྱོགས་པ།）

以上四茹是吐蕃王朝早期建立的军事组织，共40东岱，各东岱千夫长为东岱长官，统军千人，称东本（སྟོང་དཔོན།）；其下有五百夫长（ལྔ་བརྒྱ་ཆེན་པོ།）等。有其严密的指挥系统、军旗、军徽等。如：

1. 伍茹，分上下路军

上路军：红色花须军旗，红铜标徽，主帅那囊杰达根，副帅为农盆松准布杰，坐骑为白鬃灰马。

下路军：红色祥帜军旗，红铜标徽，主帅韦杰桑达囊，副帅薛普库仁孔赞，坐骑为红鬃纹马。

2. 腰茹，分上下路军

上路军：红色雄狮军旗，红铜标徽，主帅为娘达斯玉赞，副帅为耶芒协尔堆穷，坐骑为棕黄马。

下路军：白绸黑心军旗，红铜标徽，主帅为秦杰斯旭丁，副帅为索克聂协尔拉鲁，坐骑为枣红白鬃马。

3. 叶茹，分上下路军

上路军：黑绸白心大鹏军旗，红铜标徽，主帅为琼布达桑涅东，副帅为巴曹措协尔藏略，坐骑为枣红火星马。

下路军：浅黄花带军旗，红铜标徽，主帅为廓赤聂尔羊曲，副帅朗巴滚奈，坐骑为青骢马。

4. 茹拉，分上下路军

上路军：白狮浮天军旗，红铜标徽，主帅卓坚赞僧格，副帅朗德库尔曹，坐骑为鹅黄红鬃马。

下路军：黑白祥绸军旗，红铜标徽，主帅琼布玉苏尔普金，副帅秦赞协尔拉斯，坐骑为棕灰深青马。

（五）孙波茹（སུམ་པའི་རུ།），意为孙波翼，以采甲秀达巴园（ཚད་རྒྱ་ཤོད་སྟག་པ་ཚལ།）为中心。其四至为：

东至：尼域包木那（གཉེ་ཡལ་དུམ་ནག）

南至：迷地曲那（སྨྲི་ཏི་ཆུ་ནག）

西至：叶尔夏卜丁保且（ཡེལ་ཞབས་སྡིང་པོ་ཆེ།）

北至：那秀司仓（ནགས་ཤོད་གཟི་འཕང་།）

十一东岱为（原十东岱加一包括汉户在内的通颊东岱）：

则东（རྩེ་མཐོན།）

帕东（ཕོ་མཐོན།）

上桂仓（ཀོད་ཚང་སྟོད།）

下桂仓（ཀོད་ཚང་སྨད།）

上窘（འཛོང་སྟོད།）

下窘（འཛོང་སྨད།）

上哲（དྲེ་སྟོད།）

下哲（དྲེ་སྨད།）

喀若（ཁ་རུ།）

喀桑（ཁ་ཟངས།）

那雪（ནགས་ཤོད།）

孙波茹的建立较以上四茹为晚，敦煌文献中至 759 年尚载有孙茹（སུམ་རུ།），而吐蕃军队的诸多战事中，多有孙波参加。

（六）象雄（ཞང་ཞུང་།）设有十东岱，但始终没有建立茹一级的领导系统，《吐蕃文化》一书说此可能是“直接受王廷控制、管辖”。其十东岱为：

上部五东岱：

火州（འོ་ཅོ།）

芒玛（མང་མ།）

尼玛（གཉིས་མ།）

且末（ཙུ་མོ།）

巴噶（པ་ག）

下部五东岱：

古格（གུ་གེ）

交拉（ཅོག་ལ།）

计藏（སྤྱི་གཙང་།）

雅藏（ཡར་གཙང་།）

即岱（ཅི་དེ།）

——共计六十一东岱，东岱也可计为“千夫之长”，倘如此计算，当时吐蕃将有 61 万军队。每茹约 10 万人。这个数字看上去有点大，实际从后来在藏区仍然保留着的部落制度看，此完全是合乎逻辑的。当时的军队军民不分，集中 61 万众的军队并不是大数，况且，随着占领区的扩大，吐蕃贵族将一些战争中的俘虏编入军队，以充实兵员，实际的军队数量可能要超过此数。因为，此时的吐蕃军队尚未摆脱、实际上始终没有摆脱部落武装的原始形态。部队的战士与军官，并不像后期的职业军人，而是有战事则为军人，无战事则为农民、牧民；务农、务牧时不忘备战、训练，有了战争则多以部落为组织，开赴前线。多自出战马，自带弓箭。从军队系统中有兵马都元帅、节度使、将军等军衔，有野猫川大行军衙（དབྱར་མོ་ཐང་ཁྲོམ་ཆེན་པོ།）、陇州行军衙（ལུང་ཚུ་ཁྲོམ་ཆེན་པོ།）、凉州大行军衙（མཁར་བཙན་ཁྲོམ་ཆེན་པོ།）、瓜州大行军衙（ཀྭ་ཙུ་ཁྲོམ་ཆེན་པོ།）、勃律行军衙（བྲུ་ཞའི་ཡུལ་གྱི་ཁྲོམ།）等军事行营看，吐蕃军旅不但具有一定规模，而且有严密的军队序列。这支 60 余万众的劲旅，或出没于西域，或进兵于陇陕，或驰骋于雪山，或驻军于河海，都靠这种部落的整体行动。随着吐蕃王朝的崩溃，吐蕃时期一套严密的军制、兵制遂告废弛，一支英勇善战的军队，也泯息于雪山草原之中。

三、法律

法是伴随着私有制——阶级和国家的形成而产生的，是阶级专政的工具。同样，法律的出现也是社会进步的一种表现。在谈到古罗马时有人说，古罗马对世界有三次征服，即第一次用军队征服世界，第二次用宗教征服世界，第三次用法律征服了世界。显然，这里所说的“世界”如同汉籍中所说的“天下”一样，是不同于我们今日所说的“世界”这一概念的。然此“三次征服”的说法却也涉及了社会发展的某些规律性现象。早期的部落间的征服是靠武力的，没有强大的军队就不可能取得战争的胜利，从而获得以经济利益为主的各种利益，我们所说的英雄时代大概就是这样一种时代，力量成为崇拜的主要对象。然而当宗教在人类世界中取得精神的主导地位以后，宗教信仰便成为一种巨大的力量，因而人类也由武力的统治转变为“精神统治”，由武力征服转为精神征服（自然这不是绝对的）。诚然，这些做法产生在物质资料尚贫乏的时代是有其合理性的。但是当人类社会进入阶级社会，尤其是随着科学技术的初步发展，物质资料得到初步的丰富以后，过去那种“共寒其寒，共饥其饥”的思想和与之相适应的社会制度，那种纯精神的力量，已经无法调解由于私有制的出现而产生的人们间日益复杂的社会关系，于是法律便应运而生。

恩格斯说：“在社会发展某个很早的阶段，产生了这样一种需要：把每天重复着的生产、分配和交换产品的行为用一个共同规则概括起来，设法使个人服从生产和交换的一般条件。这个规则首先表现为习惯，后来便成了法律。随着法律的产生，就必然产生出以维护法律为职责的机关——公共权力，即国家。”① 藏族法律的出现，从敦煌文献等资料看，是在松赞干布主政时期。藏文典籍中说，松赞干布认识到，父王南日松赞时由于没有统一的法规，致使小邦纷纷叛逆，若不及时制定法律，就会使恶行泛滥，民众遭受困苦，故而主持制定了“三十六制”（六种大法、六大决议、六种告身、六种标志、六种褒贬、六种勇饰）。

松赞所制定的“三十六制”是吐蕃社会最为基础的法律条文和制度条文，也是吐蕃最早的成文法。

1. 六种大法。主要包括“六六大计”法；度量衡法；伦理道德法；敬强护弱法；判决权势者法；内库家法。在“三十六制”中，六种大法是基

① 恩格斯：《论住宅问题》，《马克思恩格斯选集》第二卷，人民出版社，1972 年，第 538－539 页。

础。虽然它与其他五种大法并列，但它的内涵远远超越了其他五种大法的分量，如涉及行政、军事区域的划分和尚论等官吏的管辖权力和职责、度量衡的统一标准等。其中之伦理道德法，据《贤者喜宴》等史书记载，涉及了意识形态领域的诸多方面。但记载这些法典的书籍多为12世纪后成书，许多情节或许有伪造之嫌，尤其是其中有关于佛教的内容，阐述过多，或掺杂有佛教势力上升后的一些附会之词。

2. 六大决议。主要是有关施政的规定，如敬养主人，偿还利息；抑制豪强，扶助弱小；驯奴不充丁，妇女不能干预政事；守卫疆界，不伤稼禾；外惩敌人，内护臣民百姓；奉行十善法，舍弃非十善法等。

3. 六种告身。“对于有功于国务，或者作恶者，政论和社会进行评价，区分为善号和恶号六种，即虎豹以誉英雄，狐尾以表懦夫，出世佛法高贵之号，艺人本教驯奴之称，贤者令闻垂书卷，歹徒恶名呼窃贼，这是针对摄政之臣和臣民划分的。”①

4. 六种标志。“赞普摄政时，主要不朽功绩中表示的标记叫做‘标志’或‘相’。宣布王令的标志，即能代表法令的印证，称为‘诰命匣’。营相的标志，即能表示赞普军队的标志者，高举在军旗上。国王住所的标志或象征是王宫的神圣。国王奉行佛法的法相标志是新建祖拉康等佛殿。震慑敌人英雄相的标志中各位英雄身着虎皮战袍。精通国务而有才能，或户相的标志是以翡翠、金书等褒奖九大臣。”②

5. 六种褒奖。对大臣和有功人员的奖励有：“大相为大翡翠（珊瑚）文书，副相与内大相为小翡翠书；小相与内副相、大噶伦为大金书；小内相、副噶伦为小金书；小噶伦为银镀金书；寺院轨范师和座前法师（密咒师）、上下权臣为大银书；侍身苯教师与侍寝官、羌塘堪舆师、边防哨兵、城堡警卫为小银书；千户长、茹本等为铜书；英雄为铁书；普通臣民为木纹书。”③

6. 六种勇饰。为虎皮褂、虎皮裙、大麻袍、小麻袍、虎皮袍和豹皮袍等。

从上可以看到，在这根本大法“三十六制”中，一些主要的具有法规性的条文，或许脱胎于民间原有的一些习惯法则，因为这样一些习惯法则在当代社会仍可找到印迹。如果洛的部落法规中的“八调”。八调即压制

---

① 恰白·次旦平措等：《西藏通史》，西藏古籍出版社，1996年，第71页。

② 恰白·次旦平措等：《西藏通史》，西藏古籍出版社，1996年，第71页。

③ 恰白·次旦平措等：《西藏通史》，西藏古籍出版社，1996年，第70－71页。

强暴，扶持弱小，外护声威，内持节操，表彰高尚，贬斥小人，褒奖贤能，惩处劣徒，是八数。

（1）压制强暴。凡不尊官、不从佐，乱民败内，有犯众反上不驯之嫌者，予以剪除。

（2）扶持弱小。对弱小无耻欺凌，或遇纠纷巧言狡辩者，则不惑于外相，查实真伪优劣，执法如故，竭力使之公道。无论贵贱，祸福同当，应尽所能顾全及扶持弱小。

（3）外护声威。诸如外部落对本部图谋不轨，杀人截马，夺地掠财，污辱属民，糟践首领，当不畏强暴，奋起反抗，维护本部之声威。

（4）内持节操。巩固父业及本部公利，以政教一体尽善治理，上下之间行遵从、记尊称，依照福运大小之名望、职守及放收之训，凡税贷租酬循制而行，违者必须领受惩处。每岁公益佛法所需，户有出家僧自施财物，靠施主修行者由他人供献，总费用由部落筹纳。僧人还俗，视其大小或通常之僧，在寺院监督下给予适当处罚，并轻视之。公祭之赛马、射击须所有属民奋力。扰乱法令秩序则行监禁、镣铐、鞭打及罚取财物。

有外来投我部之民，我民须自愿接纳款待，数年内不纳官税。凡有新立门户，为官者当赏与灶具、福运碗以及象征昌盛之彩箭。凡新立之户，或折财遭祸重大之门户，公众必须给予扶助。总之，不激发内争，不自相杀戮，如所谓“脚蹬一个土丘，手握一杆长矛”，同心协力。

（5）表彰高尚。倡导尊敬高尚福运者，慈怜贫弱不幸者，平等之间不争斗。尤应崇尚男敢威武、有才智、善言表、具财富之贤能。

（6）贬斥小人。对无耻寡信，谎骗失义，内争为患，偷泄内密之徒，众须厌恶、唾弃并贬斥。

（7）褒奖贤能。对于降服他部敌寇，维护本部大略，能于紧要关头侍奉本部长官，设想出奇特计谋者，免其家族赋税，授予耀功之旗。凡于用兵争战中立下特殊战绩者，免其终身赋税，授予耀功之旗。类此，军功为中者，亦可免三年赋税，此间亦授予耀功之旗，或者犒赏枪马银物。

（8）惩处劣徒。对有罪之人以性命、躯体、财产、食用四种惩罚。其中代命刑之古俗有挖目、烙额印、刖鼻、割耳、断肢，实施则须慎之，不过成例偶用而已。①

——其中之第一、第二、第三、第四条与“六大决议”中的第二、第

① 张济民主编：《青海藏区部落习惯法资料集》，青海人民出版社，1993 年，第 36－37 页。

三、第四相似，第五、六、七、八则与“六种褒奖”、“六种标志”、“六种告身”、“六种勇饰”中的内在含义一致。

《吐蕃王统世系明鉴》中说：松赞干布时，从东方汉地、木雅输入工艺、历算，从南方印度翻译佛经，从西方索波、尼泊尔获取饮食珍宝，从北方胡人和回纥地方引进法律及职事制度。“立十善之法，对善者予以奖励，对恶人加以惩处，对豪强大族用法律压抑，对贫弱者设法扶助。设立四部禁卫军。聚涧水到池中，引河水入灌渠。规定升两等度量器具，划分土地田亩，教民学习文字。在马额上绘圆点，制定善美礼仪，对争斗罚款，对杀人者依死者的地位罚命价。对盗窃的人罚八倍，连同原物共为九。对通奸者折断其肢体，流放到其他地方。对说谎的人拔断其舌头。又令臣民皈依三宝，恭敬信奉，报父母恩，孝敬奉侍。对恩人及父叔长辈的意旨，不可违背，以德报德。对贤良的人和出身高贵的人，不能与他们争斗，要听从他们的吩咐。学习经典文字，明白其中的道理。相信业、因果，戒绝恶行。帮助亲友邻居，勿生侵害之心。品行端正，心存天良。酒食有节，知耻存礼。按期还债。谋划事情时应自持主张，勿听妇人之言。是非难以判断时，请地方神祇护法作证，立誓赌咒。仿照十善法的意义，在吉雪学玛那地方制定了吐蕃法律二十部。”

文中所说十善法是指佛教的不杀、不盗、不淫、不嫉妒、不仇恨、不愚痴、不谎话、不巧辩、不挑拨、不恶骂等十善律。依据此十善律，吐弥桑布札、噶尔·东赞宇松等大臣在吉雪学玛那地方，制定了法律条文二十条。赞普和大臣都在上面盖了印，并颁布全国执行。

这二十条法律是：

（1）争斗者罚款，杀人者以大小论抵；（2）偷盗者除还原金外，更处以八倍罚款；（3）通奸者，断其肢体，流放异方；（4）说谎者，断其舌；（5）要虔敬皈依三宝；（6）要报父母恩，孝敬侍养；（7）要尊敬师长，以德报德；（8）要以贤哲为模范；（9）勿与贤哲权贵相争；（10）要一切行为随正人学；（11）要学习佛法及文字，了解其义理；（12）要信因果，戒绝恶行；（13）要亲邻互助，勿作侵害；（14）要品行端正；（15）要酒食有度，具惭愧心；（16）要如期还债；（17）斗秤公平，不用伪度量衡；（18）商议要事应当自主，勿听妇言；（19）说话要慎重温雅，讲技巧；（20）若值是非难明，当对神灖发誓。

从这一法典可以看出：第一，一些积极的思想道德的要求，已进入法律条文。如第（4）、（6）、（7）、（8）、（10）、（13）、（14）、（15）、（17）、（19）条款。可以说这是十分难得的。像报父母恩，孝敬侍养，尊敬师长，以贤哲为模范，一切行为随正人学，学习文字，亲邻互助，酒食有度，讲话温雅，讲技巧等，在现在仍然有教育意义。可以说，这种规范与上升时期的吐蕃王朝的整体风貌是相一致的。

第二，统治者阶级的利益仍然占有分量。如条文中的第（2）、（9）、（16）、（18）条款。作为一个时期的法律，其条规整体地都是为统治阶级的利益服务的。偷盗者为谁？一般都是那些生计无着的穷苦百姓，要用“八倍罚款”等进行严厉的处罚；何以“勿与贤者权贵相争”？说到底还是为了维护统治者的利益，让百姓们放弃维护自己正当利益的斗争；“商议要事应当自主，勿听妇言”，完全是一种封建的男尊女卑思想。再比如第（3）、（4）款，从文字看，涉及整个国民，严惩通奸者和说谎者，而详细究之，其目的完全是为了维持统治者内部的正常秩序，且用的是“断肢”、“流放”、“断舌”之类酷刑。

第三，随着佛教的浸入，长期受苯教统治的藏人的思想观念上开始受到对藏人来说是崭新的佛教理论的影响，其中一个重要的标志就是统治者们开始以佛教为指导思想来制定自己的法律，虽然我们很难绝对地说当时的佛教已成为统治阶级内部的高度统一的指导思想，但可以说，佛教庞大而多彩的体系已如潮水般荡涤着藏人的意识形态领域。像二十条中提到的“要虔诚皈依三宝”、“要学习佛法及文字，了解其义理”、“要信因果，戒绝恶行”都是这种现象最为深刻的印迹。

第四，吐蕃的这一法律仍然摆脱不了当时的特定历史环境。部落俗法仍然起着重要作用。如条文之第一款“争斗者罚款，杀人者以大小论抵”就是其中之一。这些我们可以从吐蕃王朝时期的《狩猎伤人赔偿律》、《纵犬伤人赔偿律》残卷、《盗窃追赔律》看得更为清楚。其狩猎法中如此规定：

> “大藏”本人和红铜告身者子孙以外，父系家族以内无告身诸人和继母、媳、妾媵……这些命价相同之人被大尚论或与之命价相同者以下、红铜告身和与之命价相同者以上之人狩猎射中，无论身亡与否，放箭人起誓非因挟仇有意伤害，可由十二名辩护人连同本人十三人共同起誓。若情况属实，其处罚与《对仇敌之律例》同。查明实情，中箭人身亡，则赔（银）三百两，由受害人和佐证人平分。若无佐证人，三百两全归受害人。受害人中箭未死，赔银一百五十两，归受害人和佐证人平分，若无佐证人，一百五十两全归受害人。命价（银）若缺少一两，哪怕伤人者是尚论也要处死……

吐蕃有丰富而完整的盟誓制度，起誓，无论是百姓与百姓之间，国王与地方头人之间都起着非常重要的作用。因而上文就有“由十二名辩护人连同本人十三人共同起誓”的记载。有关吐蕃时期的藏汉文文献中，关于盟誓的记录可以说比比皆是。

《敦煌吐蕃文献选》中还记载：“如果因复仇而杀人，则处罚与《对仇敌之律例》同。”即因复仇而进行的伤害是正当的，可以杀死对方。这显然是部落习惯法的残余。

第五，此时等级制度已十分严格。由于有了“九大尚论”等职官制度，从地位上已将人分出了层次。从玉告身、金告身、颇罗弥告身、银告身，到铜告身、铁告身，不同的阶级地位，决定着他们在法律上的地位。我们从狩猎伤人、亡者命价等的法律惩罚（量刑）等级可以清楚地看出这一点：

1. 大尚论等被尚论以下、铜告身以上的人射伤，要赔偿银 5000 两；射死，则绝其后嗣，没收奴户、牲畜、女人等。

2. 玉石告身尚论等被“大藏”以下、平民百姓以上人射伤则处死当事人；射死，则绝其后嗣，没收奴户、牲畜、女人等。

3. 银告身尚论被大尚论等以下、红铜告身以上的人所射伤，赔银 1500 两；射死赔银 3000 两。

4. “大藏”和王室民户等被庸（奴隶）、蛮貊、囚犯等射伤，赔 30 两；射死，赔银 150 两。

5. 王室奴隶、百姓、尚论之耕奴，被以下之人射伤赔偿 20 两；射死，赔命价 50 两。

虽然这种法律是以受害人和加害人的身份不同而进行量刑，赔偿相应的命价的，但我们同样可以清晰地看到从统治者中的高级官吏到一般奴隶、武士等之间的等级关系。大论、大囊论、任平章政事之职的赞普舅、大论助理等的命价是相同的。要是因狩猎等致伤，则赔偿银 5000 两；致死，赔偿银 10000 两，而一般的民户耕奴等的命价致伤只赔银 10 两，致死方赔银 50 两。尽管命价之说是部落遗迹，这种情况到 20 世纪的藏族牧区仍然存在，但是阶级、等级的存在，已不允许每个人都是平等的了。

显然，这种拿命价的做法起源于血亲复仇。在 1949 年以前的藏族边远地区照例存在。如：

玉树地区杀人赔偿命价：

（1）打死千百户头人，命价最高为 100 锭银子；次之，60 锭银子，最少也得赔偿 2000 块大洋；若几个部落合伙打死一个头人，则每个部落均要交出5户牧民作为死者部落的属民，并要交出5条水流区的草山。

（2）打死百长、千保、居本等小头人，赔命价分别为70头牛、45头牛、38头牛。

（3）打死一般属民，只赔五六头牛，或1锭银（50两），或400块大洋，并罚刻嘛呢，念经悔罪。另外，还得向受害一方交1支枪、1匹马、1把刀。巴塘部落规定：一般杀人者，首先得吊打2000皮鞭，然后赔死者命价20锭银子；斗殴致死人命者，得赔18锭银子；屡犯杀害人命者挖眼割鼻。有的部落赔命价的数额规定了三种：第一种，罚茶80包（约值300两银子）；第二种，罚购交经卷108卷（约值600两银子）；第三种，罚交经卷及其他实物（约值1000两银子）。

（4）部落之间出了命案，凶手没有能力赔偿命价，则本部落摊派赔偿；部落内部发生了命案，凶手无力赔偿命价，则亲属协助赔偿。[①]

果洛地区：

命价。男性上等命价："调头"（取意把纠纷双方从势不两立的境地调转回头，实指官方介入纠纷的处理，控制复仇或纠纷事态扩大。——译者注）之项为五十两白银一锭或计五头牦牛，凶手坐骑与枪支，必索之五匹马与五支枪，非必索之五匹马与五支枪（必索是法定的，非必索是根据纠纷事态临时定的）。"悔罪"缴官之项白银一锭或牦牛四头。审酬之项为枪马各五。命价正额为百头牦犏牛。弟兄"失膀"抚恤为白银一锭及枪马各五。本家亲戚"失亲"之项为上款之一半。孤儿"捶胸"之项为十两白银。寡妇"拭泪"之项为袍料布一段。被害"铺垫"之项为枪马各一，盖尸布一匹，驮尸牛及鞍绳一套。"煞巴善末"之项刻石板嘛呢经文十万言超度。一旦复仇之兵不易平息，则以"调头"之项劝归。

男性中等命价正额为七十头牦牛；下等命价正额为五十头牦犏牛。调头、悔罪、审酬诸项如上无异，孤子寡妇诸项大多不行折扣。兄弟"失膀"，本家"失亲"，受害者"铺垫"虽与上等命价相同，却常因家族根基之别，得之多少不甚如一。善末之项可以减量或简化作其他形式，能否减量简化因事因人而异。

无论执准者官品大小，俗谓"执准者口大，赔偿者眼细"。实则所赔之额半虚半实，老马破枪顶数亦可。

女性命价上中下三等。分别为男性同等之半数。[②]

---

① 张济民主编：《青海藏区部落习惯法资料集》，青海人民出版社，1993年，第50－51页。

② 张济民主编：《青海藏区部落习惯法资料集》，青海人民出版社，1993年，第33页。

无疑，在形成赔偿命价的法律以前，吐蕃王廷是参考了当时的部落血仇及命价赔偿形式的。

同时，由于阶级冲突的激烈，开疆拓土，频繁的战争，吐蕃实行的法律并不是仁慈而悲悯的。《旧唐书·吐蕃传》载："吐蕃用刑严峻，小刑剜眼鼻，或皮鞭鞭之，但随喜怒而无严科。囚人于地牢，深数丈，二三年方出之。"《吐蕃简牍综录》说："淫人妻女，触及刑律大法，元帅和悉编掣逋应将犯人处以绞刑。"这种严刑酷法就是在具有佛教信仰的大臣们控制国家政权时也没有减缓，而用之于自身的信仰系统。赤热巴巾时优裕僧人，并规定对僧人恶指相指要断其指，恶语相诋要拔其舌，恶目相视要抉其目。并且规定倘若盗窃僧人或寺庙财物，要罚80倍的赔偿，这便是典型的例子了。

吐蕃时期的法律制度也有一逐步完善系统的过程。《敦煌本吐蕃历史文书》："及至龙年（655年）赞普驻于美尔盖，大伦东赞于'高尔地'写完法律条文。"匈牙利乌瑞等学者，以此记载等为依据，认为吐蕃之立法在松赞干布之后，我想这是基本接近事实的。但从现存的其他记载看，吐蕃法律的来源基本有三条：

一是早就畅行于吐蕃的民间俗法。这些法律带有浓厚的原始色彩——部落中的不成文法。诸如盟誓、血亲复仇等均属此范畴。

二是以佛教为立法的基本指导思想，尤其是佛教戒律，成为非常重要的法律内容而加以吸收。如对佛教十善律的吸收，有些史籍还说当时的赞普们在用"十善律"治国。

三是参考了汉族等民族的法律形式。尤其是《唐律》或可成为重要的参考。

此外还应加上赞普的思想。法律的制定不能脱离特定的历史条件，同样吐蕃的赞普"自天神而为人主"，他在代表神言，因而他的言语自然地要成为法律的重要指导和条例。实质上，吐蕃的赞普们还没有走上惊人的独裁的道路，而从一些赞普身上还体现了较多的宽容和民主，但我们不能不看到赞普在法律问题上的重要作用。

从吐蕃法律颁行实施的情况看，主要有以下一些特点：

其一，成文法与不成文法并行不悖。或者说国家多实行成文法，部落及其内部仍然在实行不成文法。有些不成文法上升为成文法，而有些则在广大的民众中传播。甚至在处理国家事务上也难免有这方面的痕迹。

其二，作为国家大法，均用文字颁行全国。如当时之《十万金顶具鹿法》、《以万当十万法》、《王朝准则法》、《纯正大世俗法十六条及戒十恶之法》，以及上文提到的《狩猎律》等。看来在法律条文制定上，吐蕃的统治者们着实下过一些功夫，涉及刑法、民法、诉讼法等多方面的内容。

其三，勒石铭文。吐蕃时期的一些重要法规也以石刻钟铭的形式出现。这些石刻铭文大多以盟誓的形式出现，但起着重要的法规作用，具有很强的影响力。

法律的制定和贯彻是吐蕃王朝时期赞普们的一项重要工作。据《吐蕃王臣记》载，在赤热巴巾时期："王之法律能依教法而行，而诸上下臣民，又能听从王命，故得此安乐也。"至于法律："大体内容有三十二制，其中第十九制为根本大法。"大法中有"王位最尊法、金色鹿形法、王朝范例法、审讯定案法、三宝宗教法、王妃内庭法等分为六法。凡恶者罚，善者赏，强项者压之低头。如此善规，大放光明，彻照有顶天界，使安乐之白莲，欣欣向荣，而开遍于诸方。其间曾有奸相以秽恶法掺入其中，但经去除垢秽，荡荡清净，此纯正法规又遍于广大地区。"显然，法律的制定与实施，对巩固吐蕃王权起到重要作用。

四、赋役、货币制度

（一）赋役

藏族早期赋役的产生大约起于吐蕃第一世王。由于部落间的战争，此时已有了作为奴隶的战俘；同时，由于战争，赋税徭役也随之产生，使原来部落中共同的义务，逐步分解为赞普和小邦首领的义务。

倘若我们从藏人之一支——古羌去认识早期的藏族经济贸易诸情，那么，我们至少可以说至少在汉代这部分藏人就参与了国际性贸易，当时的河西地区（姑臧）就是贸易的一大中心，中世纪著名的西藏特产麝香便从青藏高原贩运到印度、波斯、阿拉伯，至罗马帝国。进入公元7世纪以后，出于扩张的需要，吐蕃与外部世界的经济贸易也日益紧密和广泛，尤其是兵器等战争用物的交易更为突出。

1. 当时吐蕃输往汉地的主要货物有畜产品和畜生，如"蕃马"、绵羊、"吐蕃鹦鹉"、牛、牦牛尾；药材有麝香等；天然产物有盐、硼砂、玉石、宝石，以及银子、沙金和制作精美的金银器工艺品。汉地输入吐蕃的主要是丝绸织品、墨和纸张等。估计有相当一部分藏人在长安等地求学和从事商业活动。

2. 如上所说，吐蕃输往西方的有名的珍贵商品是麝香，有一部分从中国由海路运往西方，一部分是由吐蕃西部到中亚地区的商人的贩运，经瓦罕与巴达克山到布哈拉。尤其是吐蕃控制安西四镇以后，这种贸易可能得到了迅速的发展。因为吐蕃从这些地区购置盔甲、钢铁兵器。

美国学者柏克韦施总结说，吐蕃王朝兴盛时期有四条主要商路横越吐蕃：

1. 东北线（མདོ་སྨད།），经青海湖，直抵汉地、突厥与西域东部。

2. 西北线（སྟོད།），经拉达克，到达于阗、喀什、龟兹、别夫八里（北庭）及河中府；到小勃律、护密和巴达克山，直抵粟特（布哈拉及萨马尔罕等地），并到达克什米尔及印度西北部。

3. 南线，即泥婆罗路。

4. 东南线（མདོ་ཁམས།）途经康区东部，通往四川及云南南诏。

与商业贸易活动相并足，由于吐蕃在农业上串连湖泊，引水灌溉，建立农业基地，解决战争中的粮食问题；牧业、冶炼等方面也得到不断进步，因而社会形式上已由不完整的奴隶制过渡为封建农奴制。范文澜在《中国通史》中说："松赞干布死后，大相禄东赞祖孙三代执掌国政，他们推行一些制度，使得不发达的奴隶制国家，逐步变成低级的或者说是早期的封建制国家。当然在这样的国家里，不能不保存着浓厚的原始社会和奴隶社会的残余，同时也存在着严重的封建割据状态。"这一分析基本上是符合西藏社会的基本情况的。随着寺院和僧人的发展，宗教首领和僧徒开始获得土地、牲畜等。赤松德赞时给桑耶寺赐给 150 户属民，给每名僧人 3 户属民。当时桑耶寺有 305 名僧人，得属民 1065 户，大约有 4000 余人。这些人可以不给王朝缴纳赋税，不去当兵。据东嘎·洛桑赤列教授在《论西藏政教合一制度》一书中介绍，赞普给堪布和僧人的生活供应为：

堪布——每月青稞 75 克，一年计 900 克；酥油每月 1 克 2 两半涅噶，一年计 1100 两；每年 1 套衣服，1 匹马、40 卷纸、3 锭墨，以及足够的食盐。

桑耶钦浦的 25 名大修者——每人每年青稞 55 克，酥油 800 两，马 1 匹，衣服 1 套 6 件。

25 名学经僧徒——每人粮食 25 克，衣服 1 套 3 件。

普通僧人——每人每年青稞 8 克，纸 20 卷。

十分清楚，僧人的级别不同，他所获得的俸禄也不同。西藏所用计量单位的统一，大约在松赞干布时期。

从敦煌文献中，我们可以看到吐蕃时期征集税赋的情况：

牛年（654 年），大论东赞于"佑"定牛腿税（肉类赋税）。达延莽布支征收农田贡赋。

虎年（653 年），大论东赞于蒙布赛拉宗集会，区分"桂"、"庸"，为大料集而始作户口清查。

狗年（662 年）大论东赞于吐货尔地方征集象雄之供亿。

鸡年（673 年）于董噶之鹦鹉园，由噶尔赞来多布、钦陵赞波二人集会议盟。行牧区大料集。

虎年（690 年）坌达延与大论钦陵于藏之林噶园集会议盟，立大藏之红册。噶尔·没陵赞藏顿与巴曹野赞通保二人征收约如之地亩赋税。

马年（718 年），达布王立红册木牍，征三如之王田全部地亩赋税、草税。

其中涉及牛腿税、农田贡赋、地亩赋税、草税等。

在吐蕃发现的木简中，还有承领土地的记载：

> 班丹领受：资悉波之田地三突，军官俸禄田一突，如本之新垦荒地一突，副先锋官田一突。
>
> 格来领受：先锋官之农田两突。
>
> 班金领受军官田一突。

“突”（དོར།）是土地计量单位，为二牛抬杠一天所耕的面积，相当于 10 亩，藏语称“突尔堆”（དོར་བསྡེབས།）。同样，受田的多少也是征收赋税的重要依据。接受耕田的人大致有如下几种类型：一是农民（ཞིང་པ།）。这些农民可能是一部落的属民，到一地区后屯田为耕，一遇战事，再行戎装，奔赴战场。他们耕种的也是王朝的土地（རྗེ་ཞིང་།）。一是农田佣奴（ཆུན་པ།）。这部分人可能是当时一些贵族的奴仆，只是从事耕作罢了。由于赞普给一些有功勋的大臣和僧人赏赐土地和属民，于是这部分土地上的耕奴就不再给政府缴税，而给自己的主子（或朝廷之臣，或贵族）交纳税赋了。敦煌木简中就有“论努罗之奴仆（གཡོག་བྲན།）已在小罗布……冬季田租之对半分成于兔年……”的记载。一是吐蕃对外扩张中所掠得的奴隶。这部分人与第二类型相似，但不完全一样。而且这部分人的数量也不小。唐人沈下贤曾有记载：“尝与戎（吐蕃）降人言：瀚海以东，神鸟、敦煌、张掖、酒泉，东至于金城、会宁，东南至于上络、清水，凡五十郡、六镇、十五军，皆唐子孙。生为戎奴婢，田牧耕作，或丛聚城落之间，或散处野泽之中，及霜露即降，以为岁时，必东望啼嘘。”这部分人的数量也是可观的。敦煌文献中还记载了吐蕃于 787 年占领敦煌后对唐人也如吐蕃部落进行编制的事，并有户口地亩册。敦煌写卷 S. 9165 号载：

元琮，十二口，宜秋东支渠五突半一亩十畦，都乡东渠一突三亩三畦，孟授渠二亩一畦，宜秋西支渠三突半六畦，阶和渠半突四亩三畦，员家图渠半突六畦，计一十二突。

武朝副两户九口，都乡渠一突一亩七畦，又树渠，半突一亩五畦，宜秋西支渠七突四亩十六畦，计九突一亩。

虽然我们很难确定当时统一的赋税条例（历史地看，因当时在吐蕃广阔的疆域要将赋税划一也是一件难事），但也留下了不少当时的印迹。据《吐蕃简牍综录》记载：

此人于马年派去，此人谓……派，属民马年之（差税）……未完成，属民的年成不好，上等农户一突农田只交五克青稞、五克麦子……（59 号木简）

论来冲木热等，前往小罗布，交纳差税：岩钟悦青稞二克，麦子三克，麦子……（60 号木简）

吐谷浑上部万人部落，凡属唐所辖者……每户征收五升青稞；万人部落田赋以六成计所征，征青稞混合堆置一处，一部分（青稞）如以羊驮运不完，可派牛运。（61 号木简）

参考敦煌古藏文其他文献资料看，当时的吐蕃赋、役均较严格：赋税无论多少多交以实物；徭役则有单派。同时存在着以劳役代赋税的做法。

牧民的徭役、税赋制度与农民的类型大体相似。从部落中领受羊群，并以此作为征收税赋和指派徭役的根据，按固定的时间清点，再承担差税。当然，由于清点牲畜数量等管理手段，本身也如同农民分田耕作一样，也只有分群放牧了。

由于战争和因之而产生的贫富差距，以及过多的劳役、税收、男丁上前线等，吐蕃社会的内部矛盾也日渐突出。牟尼赞普（797～798 年在位）即位后先后三次下令“均贫富”，均无果获。

（二）货币

藏族的货币究竟起于何时，尚难考定。有些文章载，古代藏族用贝壳和青铜铸造的刀币做交易媒介，又说12世纪时就有银块在西藏流通，只是现在我们很难见到实物。从藏汉文史料看，唐宋时期，即吐蕃王朝时期和王朝崩溃后的二三年间，藏人以金银为交换媒介。《贤者喜宴》等古籍载，吐弥桑布札前往天竺，带有黄金、财物；噶尔·东赞去长安请婚也带有黄金诸物。《旧唐书》亦载吐蕃使臣“献黄金五千两”作为聘礼。据《巴协》记载，在供养、施舍等活动中多次用金，如“巴赛囊于银卍上供一大块金子，桑希于珠宝卍上供一小块金子”；赞普以“一升沙金为供物”，上师只拿“一捧沙金”；“在北面有三个金银宝贝的仓库，仓库中装满金银铜等宝物”。当时主要用捧、升等作为量器，进行交换。据东嘎·洛桑赤列先生讲，从藏历第一饶迥的火鸡年（1057）到第三饶迥的火虎年（1206）这150年中，农牧业生产有了较大发展，手工业、商业也发展起来，阿里的古格、北部的洛丁两地开采金矿，山地和昂仁的陶瓷业较发达；阿里的定日、聂朗，后藏的拉孜、古尔莫等地形成了贸易商市，“当时金银的重量单位和比价是相当一个泊山（བལ་སྲན།，一种草本植物果实，常用作天平砝码）的重量叫一个色哇（སེ་བ།），八个色哇为一钱（ཞོ།），八钱为一两（སྲང་།），一两黄金合二两银子。四两黄金合藏银（བོད་དངུལ།）八两，叫做一锭银子（དངུལ་ཐེ་གང་།）。十六两黄金叫做一锭金子（གསེར་ཐེ་གང་།），合四锭银子。一颗大银宝（དངུལ་ཐེ་ཆེན།，称升子宝，其底方形如升）为白银五十两，合黄金二十五两。”当时有木头做的秤。

显然，当时金银媒介交换中的钱钱两两同样需要有一定的计量单位。东嘎先生在《论西藏政教合一制度》中介绍了两种计量单位。一是计量藏药和粮食的单位：大、中、小各两粒总共六粒青稞的重量为一个康丑（ཁམ་ཚིག），六个康丑为一个达浦（ལྟར་ཐུལ།），六个达浦为一个甲贡（བྱ་སྒོང་།），六个甲贡为一个卡浦（མཁར་ཐུལ།），六个卡浦为一升（མཁར་ཐེ།），二十升为一克（ཁལ།）；一是计量藏药和酥油的重量单位：大、中、小各两粒总共六粒青稞的重量为一个色哇，二十个色哇为一钱（ཞོ།），十钱为一两，又叫一波尔（སྦོར།），四两或四个波尔为一个涅噶（ཉག），五个涅噶为一勺（ཚོར་བ།），二十个涅噶为一克。

五、教育制度

教育是随着人类的进步而发展的。任何民族如果没有成熟而先进的教育系统，就很难跻身于世界先进民族之林。

（一）早期的教育

从藏人最早奉行的仲、德乌、苯三种宗教，我们可以看到早期藏人的教育形式：

1. 仲（སྒྲུང་།）

许多史书均有记载，从聂赤赞普到拉脱脱日年赞，凡二十七代都是由“仲”、“德乌”和苯教护持国政。可见这三种宗教在藏族早期历史中所起的重要作用。

“仲”是“故事”的意思。可见这种“宗教”（藏籍没有留下这种宗教的具体内容）是以讲故事的形式进行宗教宣传和教育。这也符合早期人类的一般特点，在没有文字、文字不发达甚至是文字十分发达的时代，人们都忘记不了用这种形式进行教育。早期人类的一些思想和故事，如《猕猴变人的故事》、《种子的来源》、《创世歌》、《马和野马的来历》等民间文学之所以能流传到现在，也完全仰仗这种讲故事的形式。从敦煌古藏文文献中保存的一些资料，如“赞普谱系”等看，此时的藏人也是以讲故事的形式进行教育、传播民族的往古历史、色彩斑斓的神话、引人入神的传说故事。可以说没有早期的故事，也就没有后来文字形成后的历史故事。这是人类进行文化继承的一个基本特点。

据有关资料记载，早期苯教就采取“口耳相传”的形式传播教义。其中有二义，其一为当时的传播手段所决定，早期人类也在不断的创造、积累和记忆之中，而他们的文化创造、积累和记忆是非常艰苦的，刻画是一种手段（比如岩画等），更重要的是语言传播，教师讲学生听，脑子记住多少算多少。其弊病也在其中，有记忆难免有忘记，难免不准确，于是也就避免了对经验（创造）的不断得来又不断忘记。其二是为了保密，即将宗教所说奥义强印脑中，永不遗忘，以免因文字书写而外传。

以此观之，从历史发展的角度看，由于宗教的原因，最早有目的地正规地将讲故事作为教育手段的是“仲”这种宗教。只是以后的传播这种宗教（或许只是一种将历史、经验、文学等传播手段和形式，并不实有宗教）不再继续延续罢了。

2. 德乌（ལྡེའུ།）

“德乌”是“猜谜”之意，或许这种宗教在最初传播过程中采取猜谜语的形式。“德乌”有《德乌教史》一部。从历史文化的教育看，猜谜并不见得完全是一种游戏式的娱乐活动，谜语是对知识、文化的另外一种传播、继承形式。

3. 苯（བོན།）

“苯”有“吟诵”等含义。由于它是佛教传入藏土前独统天下的教派，因而这一名称也有多种解释。

从吟诵的角度看，其也是一种教育手段，比如苯教之《十万龙经》中有：

> 母龙头的上部变成天空，右眼变成月亮，左眼变成太阳，四颗上门牙变成四颗行星。当它睁开眼时白天就出现了，闭上眼睛时黑夜即将降临。从它的上下牙处显现出似月形的黄道带。它的声音形成雷，舌头形成闪电，呼出之气形成云，眼泪形成雨。它的鼻孔产生风，血变成苯教宇宙志中的五大洋，血管变成河流，肉体变成大陆，骨骼变成山脉。

苯教有较多的宇宙生成神话，这样的神话作为知识交代给自己的教民，就需要有教育手段。吟诵也不失为一种良好的办法。尽管众多的研究者中都认为此时的藏土有象雄文存在，苯教已用象雄文在传播教义，而我以为讲述、释解、吟诵对于教育同样是不可或缺的。据苯教祖师十二相成道事迹介绍，辛饶米沃且在一岁时就讲述恰辛乘；至十二岁时，先后讲了朗辛、楚辛等苯教经典和仪轨、灌顶法。这显然是神化、夸张、不实之词，当时有无苯教教典姑且不论，一个一岁的小儿竟能讲经，实在令人难以置信。然而，倘若当时的苯教业已成熟，无论何种形式的传授，都少不了教育。那些最初的祖师弟子们就同于后期的学生了。

在早期的教育中，占卜也是一种非常重要的教育方式。此在上文已述及，如其占卜形式有羊胛骨卜、骰卜、鸟卜、金钱卜等，实际上从后期还存在的一些占卜类型看，有歌卜、箭卜、阴阳五行卜等，其在藏文化中的影响也比较早。

（二）“学校”教育的出现

吐弥桑布札创造文字后，学习语文便成为吐蕃当时的重要任务。据史记载，当时的松赞干布曾将自己关起来认真学习藏文，历三年之久，自然这不是确数，作为一国之君，他不可能有如此多的时间来专事一事而不问政事。藏文创制伊始，即与译经紧密相伴。佛经不但体系庞杂，而且思想深邃，在思维方法上也已经达到相当高度。赤尊公主和文成公主进藏后修建了大昭寺和小昭寺，这两座寺院在当时的主要作用自然是满足信仰的需要，但同时兼有学习的功能。到桑耶寺的出现因为它是以概念本性的研究为前提——只对于人才是可能的，而且充分的发展还晚得多，在现代哲学中才达到。就目前而言，辩证思维是人类思维发展的最高形态，是故，在公元7世纪新藏文创造伊始即开始佛教经典的翻译并非易事，就翻译者的素养看，至少需要具备两个条件，一要有较高的梵文和藏文水平，二要有较高的佛学理论基础和广博的知识面。倘若藏人没有以前的苯教文化做基础，其翻译是不可想象的。不管我们今日如何评价佛教、对待佛教，译经的开始是藏族文化登上新台阶的开始，也是藏人的思维水平登上新台阶的开始。自然，这样的结论不可能出现在过去的典籍中。顺理推之，大规模的译经活动不但需要有一定的经济实力，而且需要成批的翻译人才，因而译经的过程也是培养人才的过程，是一个强力进行文化积累的过程，也是一个用崭新而深邃的思想丰富自身的过程。经过一百多年的努力，到桑耶寺出现时仅译师就有千人之众，学校性质的成规模的教学活动也便产生了。

（三）留学生

藏族早期的留学生的去向主要有两个，一是印度，一是大唐。去印度留学的资料在藏文史料中是比较多见的，这种做法一直延续到很晚的时代。而到汉地留学的资料并不多见。值得重视的是，留学生的两处去向印度与唐，正好代表了印度文明和华夏文明两大文明系统。这两大文明系统对藏文化的影响是深远的，而从影响的形式看，藏人对印度文明的学习，主要采取全面而系统地翻译经典的方法，此方法导致了藏人对以印度佛教为主体的思想意识形态的全面接受；而华夏文明的影响主要是更为实际的长期的以政治、经济为纽带的地缘影响。

藏人学习汉学，大约是在吐蕃王朝与唐朝的政治军事和文化接触之始便开始了。

《唐会要》卷三六《附学》载：“神龙元年二月二十一日，敕吐蕃王及可汗子孙，欲习学经业，宜附国子学读书。”

《旧唐书·吐蕃传》载：文成公主入藏后，吐蕃人“遂筑城邑，立栋宇，以居处焉。公主恶其人赭面，弄赞令国中权且罢之。自亦释毡裘，袭纨绮，渐慕华风。仍遣酋豪子弟请入国学以习诗书。又请中国识文之人典其表疏。”

自然，当时的唐王朝作为一泱泱大国，其胸襟是博大的。在长安求学的，不但有藏族的莘莘学子，也有其他民族和国家的，且规模不小。据《通鉴吐蕃史料》介绍：

二月，丁丑，上幸国子监，观释奠，命祭酒孔颖达讲《孝经》，赐祭酒以下至诸生高第帛有差。是时上大征天下名儒为学官，数幸国子监，使之讲论，学生能明一大经以上皆得补官，增筑学舍千二百间，增学生满二千二百六十员，自屯营飞骑，亦给博士，使授以经，有能通经者，听得贡举。于是四方学者云集京师，乃至高丽、百济、新罗、高昌、吐蕃诸酋长亦遣子弟请入国学，升讲筵者至八千余人。

从一些资料看，吐蕃的一些重要将领也曾入学长安或充当侍子。如《册府元龟》卷五四四载："四夷多遣子入侍，其论钦陵、阿史德元珍、孙万轩等，皆因充侍子，遂得遍观中国兵威礼乐，其后竟为边害。"论钦陵即为噶尔·钦陵，为噶尔·东赞宇松子，统军数十年，于685年出任吐蕃大相，与唐长期征战，曾在大非川战役、素罗汗山战役、凉州战役中战胜薛仁贵、王孝杰等，对唐形成巨大威胁。于是唐臣薛谦光等进谏废止外族侍子。当然，我想在长安充当侍子或留学的还有很多，不仅仅是论钦陵、仲琮、名悉腊等。

六、葬仪

上文已述，早期的藏人曾实行野葬，后实行土葬（石棺葬等）。丧葬制度的建立，是人类文明发展的必然结果。从整体看，藏人葬仪受到信仰、自然条件和生产力发展水平的影响，也经历了历史的巨大的变化。

（一）吐蕃墓葬制度的基本状况

从《吐蕃王统世系明鉴》等史籍看，藏人早期经过一段没有陵墓的历史。早期的藏王返回天界。就曲折地表现了这种葬俗的存在。藏王（赞普）被认为是天神降世，"自天神而为人主"，自聂赤赞普始至止贡均如此，他们在人间尽到自己的责任后，便一一攀"穆绳"返回天界。《汉藏史集》还说，这些王是在王子到了骑马的年龄，使用发光的天绳返回天界，在人世不留尸骸，如同虹光散失一般。这是一种完美的解释，既对作为"天神"返回天界的途径进行了美化，也对这些赞普之所以没有留下陵墓作出了恰如其分的回答。

吐蕃王的这种援天绳飞回天界的故事，从精神信仰看主要来自于藏人固有的天神观念。藏人认为自己是天神的后代（主要在苯教的著作中，一般的图书和概念中，这种"天神之后"的说法，只针对赞普而言，而不对整个民众）。比如在《朗氏家族史》中就有这样的记载：

在五行的精华中，生之一大卵。卵之蛋壳形成一白色山崖。卵之黄中，有一个带旋涡之白色湖泊。六类生灵从其薄膜中向外扩散。从此卵中又形成十八枚卵。之一是白蛋，自上天而降，一名叫伦伦的发愿人出现了，他仅仅有可供思维的理智。一旦当他希望获得眼睛以观察时，他就有了眼睛，继而有了闻气味的鼻子，听声音的耳朵，防五毒的牙齿，品味的舌头，作田的手，魔法般地走路的脚。他的一切希望都实现了，于是便起了一个名字叫伦伦兰兰（时刻想到自己发愿的人）；由于始终发愿，又自称“益门国王”（最早发愿的国王），他还自称松波贡塀（觉醒的人和十万民众之首领），他是十万生灵之祖和自古以来就一直清醒的人。伦伦兰兰娶楚察甲摩为妻，儿子叫作天神之子吉祖杰白，又叫塀多赞和楚拉旺丹。此子又娶仲族努摩为妻，生润拉杰。此人的后裔是三兄弟。虽然三兄弟均为人类，但父亲仍为他们取一些天神的名字。他们的世系就如同一串珍珠，他们都是天神的后裔。

或许正是基于这种观念，留下了关于早期赞普们陵墓的由高而低的变化。因为，天神的居住是天空，而山峰是插入空中的。至今我们仍然可以看到众多的“拉则”（ལབ་རྩེ།）是建在山顶上或山的较高处的，因为燃起桑烟后的许多祭祀、祈祷活动都是面向苍穹，面向那个无可知的冥冥世界的。从赞普陵高低的变换上我们也可以感受到这一点。

这种饶有兴味的葬法，也反映在古代民间文学中。据《东北藏古代民间文学》（Ancient Folk literature from North Eastern）之《父亲殿干涅巴的葬礼和金波聂吉新娘的故事》中介绍，对于父亲殿干涅巴的葬礼，金波六兄弟和金波聂吉有如下讨论：

还没等说这些，金波卡兄弟就说开了：

父亲要安葬在高地，
父尊的墓基要建在高处。

金波聂吉说：

穷人越来越穷，
福气越来越薄；
父体不从高处移下，
父尊的墓基建不成。

在平地上能建成，
在高处建不成。

对这种说法，金波六兄弟不以为然地说：“假如把一百匹黑骒马拴在一头犀牛的大肢上，我们真能把乌鸦引到一个井旁吗？……”

讨论的结果是殿干涅巴所作的结论：“把父亲安葬在高地，建立起父亲的墓碑。”随着社会生产力发展和农业生产，人们的意识、观念也在转变。古今中外，概莫能外，有关殿干涅巴的安葬中实际也反映了两种葬丧观的冲突。

五赞王以后，赞普的陵墓的着眼点已由高度等演化为陵墓内部的形态和外观：

1. 仲年德吾的陵墓建于祥达。因王娶一位食蛙女为王妃，遂患麻风病，与妃及臣唐哇亚杰三人活着进入坟墓，因而也称为“圆形活墓”。

2. 达日宁塞的陵墓建于顿卡达，如土垒，无殉葬品。据说达日宁塞生来双目失明，后经由吐谷浑医生用金刀治愈，刚睁开双目时看见了达莫山上的盘羊，因而叫达日宁塞。

3. 南日松赞的陵墓建于顿卡达。

4. 松赞干布墓建于琼波达，陵墓为四方形，面积有一箭劲射之地。有五座神殿，内部座装饰华丽。《通典》记载说吐蕃“其墓正方，累石为之，状若平头屋”，藏文史籍有载，松赞干布墓为四方形，里分九格，《吐蕃王统世系明鉴》也如此写道：

法王的陵墓建在琼波地方，
大小之量正好是一个由旬。
形状正方中间如同网格，
用绢、纸焚灰再调和泥土，
为大法王修造了塑像。
奏起鼓乐将像载在马车上，
送入陵墓之中巧安置。
陵内的网格填满珍宝，
陵墓造得华美有声名。
传说墓中有五座神殿，
因此使得陵墓成方形，
起名叫做古日木波陵。

5. 贡松贡赞墓建于顿卡达，芒松芒赞墓在父陵之左。

6. 都松莽布支墓于芒松芒赞之左，陵墓有围墙环绕，为霍尔人（可能是战争中的俘虏）所筑。

7. 赤德祖丹墓建于木热日。

8. 降察拉温墓建于祖陵之前，为圆形。

9. 赤松德赞墓建于木热日，陵墓为生前所建，外表华丽，有一碑文。

10. 牟尼赞普墓建于赤德祖丹墓右边之前方。

11. 赤德松赞墓建于隆纳珠吉杰波陵之前。

12. 热巴巾墓建于顿卡达左方。

13. 达玛吾都赞墓建于隆纳珠吉杰波陵与赤松德赞陵之间。

从仲年德吾以下的王陵看，其一，其形质有方、圆两种，或无表述；其二，以其墓主考之（或有偏窄之处），方形为贵，圆形为“次”，如松赞干布墓为方形陵墓；而两座圆形墓，一是麻风病患者，一是年轻时为涅·赤桑央顿弑杀的降察拉温。降察拉温因不娶涅氏之女遭此横祸。

（二）丧葬仪规

吐蕃时期的丧葬仪规大多与苯教有关，是十分繁琐的，如《五部遗教·大臣遗教》中所说，苯教的“世间辛（苯教九乘之第四乘）有360种死法，四种大的葬法”有的书也记载有81种死法，360种葬法。足见其繁。撮其要，以史载之赞普丧葬为例，大约有以下诸项：

1. 停厝。从吐蕃古藏文文献知道，赞普及后妃等死后不是马上下葬的，而是停厝。其时间有长短，从已有的记述的几例看，大多为两年，或超过两年。如松赞干布死于狗年（650）冬，尸体停厝于琼瓦灵堂，于猪年（651）下葬；芒松芒赞逝于676年冬，下葬于679年；都松莽布杰逝于704年，下葬于706年。两位妃后也是如此，赤玛类死于706年冬，下葬于707年秋；文成公主死于739年夏，下葬于741年冬。这种丧制显然是一种古俗，敦煌文献中就有赞普与后薨，则结辫为顶髻，涂丹朱于面庞，向其献祭食物的记载。

2. 筑陵。停厝时间的长短，除了理念的因素（这一因素至今尚未被我们全面了解）外或有可能在于修筑陵墓所需要的时间。比如在《雅砻尊者教法史》等书中所载，从南日松赞至达玛赞普有名称而独立的所有陵墓中，只有建于木热日的赤松德赞的陵墓，“为保护陵水沟，该陵未再开沟。陵墓系生前所建，名柱日祖朗”，其余均无此类说明，显然是墓主逝后兴建。从《旧唐书·吐蕃传》所载“起大屋冢颠，树众木为祠所”和今日还残存的穷结藏王陵墓看赞普陵墓的规模还是颇为壮观的。

从考古发现看，敦煌文献中所说从止贡赞普起始有埋葬之风的说法是不确切的。因为止贡赞普生活的年代最多不过在公元前二三世纪，即距今2200～2300年，但是，我们在藏区境内发现的石棺葬墓的时间，远远超出了这个年代。从石棺葬文化的形质看，这些墓葬与藏王陵墓的建造内容仍然有着内在的联系，尤其是发现于普努沟和列山的吐蕃时期的墓葬有力地证明了吐蕃时期文献所载的真实性，并且超出了文献所载的种类。比如：

上文已述，位于西藏自治区朗县东嘎区列山南山上的列山墓群，规模宏大，巍巍壮观，分东、西区，东区东西长12000米，南北宽650米，计78万平方米，有封土墓163座；西区约3.5万平方米，有封土墓21座。东西两区相距1.5公里，共有封土墓184座。据考古报道，在184座封土墓中，有梯形、方形、圆形、亚字形四类型。其中：

A. 梯形封土墓153座。其中最大的封土高14米，面积2725平方米，封土前宽后窄，（故而平面为梯形），起制有夯筑和板筑两种（穷结藏王墓基本属于此种筑法）。

B. 圆形封土墓28座，外观如锥体和“馒头”形，用石块、土等混合堆成。其中一座高13米，面积1015平方米。其基砌石，上以土、石等夯筑。

C. 方形封土墓两座。平面呈正方形的封土墓，立面为塔形，即以方形逐级上升而逐级按比例收缩。其中一高7.25米，面积134.6平方米；其基以石砌成，上面土、石夯筑。

D. 亚字形墓一座。四面墙有“马面”，状如城堡，高3米，面积40平方米。

一般而言，先修陵墓，待其竣工后，留其下葬道口，再送停厝之尸入内，封其道口。这些类型不同的陵墓，必然有丰富的内涵，只是目前难以定论而已。

3. 殉葬。殉葬制度与吐蕃时期还存在奴隶制社会的残余有直接关系。汉藏文史料中均记载了这一内容，主要分以动物殉葬和以人殉葬两种。

动物殉葬。《隋书·附国》：附国人“死后十年而大葬，其葬必集亲宾，杀马动至数十匹。”《北史》卷九十六《列传》第八十四也有类似记载，只是说“死后一年，方始大葬”，同样要杀马数十匹。前文之“十年”可能是“一年”之误。《通志》卷一百九十五《四夷》第二中亦道：吐蕃习俗，“人死杀牛马以殉，取牛马首积累于墓上”。再如《册府元龟》载：“人死，杀牛马以殉，取牛马头，周垒于墓上。”《敦煌本吐蕃历史文书》中在说到赤松赞与韦·义策等七人盟誓时，赞普有如下誓词：“义策忠贞不贰，你死后，我为尔营葬，杀马百匹以行粮。”乃东县切龙则木吐蕃墓葬中发现了两个殉马坑，一有马骨五具，一有马骨四具，其说明文献所载出自事实。

为什么殉马牛而不殉别的牲畜？或者殉别的动物较少？我想这是与现实生活紧密相关的。苯教以“上祀天神，下镇鬼怪，中兴人宅”为目的，从而服务于社会，其中安置灵魂不使其四处游荡也是一条重要内容。安置的形式是多样的，如震慑、驱逐、赎换等。同样，这些做法完全是生活化了的。像现实生活一样，亡灵也存在着衣食住行问题，尤其是那些战争中的勇士们，他们生时东征西杀，以马为伴，死后仍然要有马相随；还要吃牛羊肉，还要用器皿进食饮水，过如同生时一样的生活。

人殉。作为奴隶制度社会的特殊产物，吐蕃社会之形成期、发展期，或均有这种丧仪。《册府元龟》卷九六一《外臣部·土风》中说：“其臣与君自为友，号曰共命人，其数不过五人。君死之日，共命人皆日夜纵酒。葬日，于脚下针，血尽乃死，使以殉葬。复有亲信人，用刀当脑纵锯，或有将四尺木，大如指，刺两肋下，死者十有四五，亦殉葬焉。”《新唐书·南诏传》曰：“西贡节度监军野多输煎者，赞普乞赞养子，当从赞普殉。”

这样一些做法，在今天看来是十分残酷的。从另外一些资料分析，一位“贵人”（大约赞普也包括其中）去世后，还有一种独特的做法是剖尸。如：

《文献通考》卷三三五《四裔》之十二“大羊同”条载：

> 其豪酋死，抉其脑，实以珠玉，剖其五脏，易以黄金、假造金鼻、银齿……

《隋书》卷八十三《列传》之四十八“女国”条载：

> 贵人死，剥取皮，以金屑和骨肉置于瓶内而埋之，经一年，又以其皮内于铁器埋之。

这样一种风俗不会仅仅是象雄和女国的地域性风俗，而是整个西藏高原的风俗。

4. 守陵、祭奠。帝王和一些世家贵族的陵墓多有人守护，这是中外遍见的现象。比如上文提到的列山墓就有建筑遗迹三处，有房屋和祭祀场所。从有关资料看，吐蕃时期的守陵人与一般守陵人不同，他们近似于“殉葬”，只是没有处置罢了：

（松赞干布死后）所有的内臣都守护王陵。像死人一样成为死尸的属民，生死有别而被逐出人群，不能与活着的王室成员相见。若不是祭祀供奉时节，活人及马匹牲口不能到坟墓附近走动。（坟墓附近）出现人财，则为守墓“死人”所获。只要经守墓人所获的人，则不能再入活人群中，而是带上“死人”标志成为守墓人的奴仆，其他一切徭役一概免除，专门守护墓区、坟墓的灵堂及供物。边鄙邦主向吐蕃送丧供食品（རག），就听任使者将它们放到坟墓中的尸体上，加印封闭后内臣在外守护。做祭奠即去祭奠松（赞干布）陵墓的时间是大王归逝天界的那一天，王系君臣民众要供上各种财物，去享堂（བཞེངས་ཀྱི་ཉ་ཁང，建于墓上用来祭祀的建筑）祭奠时，要吹奏螺号，（让“死人”）听见，第二天便祭奠松（赞）墓，大喊“所有死人都躲进别处山谷!”之后便开始广作祭祀。供食、财宝、衣物以及马畜牲口等供品都供上，供完所剩供物堆于路上，说“死人快来吃吧!”说完不能看而径直回到自己住处。去别处山谷的守墓人回到（墓地）享用献供所剩食物，此后又享用衣物、牲口。还在广阔地界播种生活所需的粮食，生产了许多献新有余的食物饮料，物资丰盛而无忧虑伤害，不服兵役徭役，是在自己土地上安乐生活的内臣群体。①

这种守墓的风俗可能延续十分悠久。今人赤列曲扎在其《西藏风土志》中记载了一位70多岁的现代守墓人的故事：

老人头发斑白，知道我们的来意，十分兴奋，不辞辛劳地与我们乘车到墓地。他原来是松赞干布墓顶上的小庙里的香灯师。守墓人就是不让人来盗墓，不让人们在墓冢上开荒种地；平时没事就吟诵墓志，把各墓的名字和墓内的珍藏都背得滚瓜烂熟，然后传给下一代的守墓人。他们就是这样一代一代相传下去，到底传了多少代，谁也说不清，反正历史很长就是了。老人高兴地说：“我守了一辈子墓，我的师父也守了一辈子墓，但从来没人对陵墓的详细情况感兴趣。今天，你们来打听，我

① 褚俊杰：《吐蕃苯教丧葬仪轨研究》（续）——敦煌古藏文写卷 P. T. 1042 解读，载《中国藏学》1989 年第 4 期。

肚子里装的这本账才算用上了。”

这段文字虽然不长，或者作者在了解这一情况时也不会考虑到文化学上的深刻含义。与上文所记比较可知：A. 守陵人的风俗被延续下来（不管它在历史上是否中断过）；B. 守陵者的职责除了保护陵墓外，还要背诵墓志。这些人的社会地位如何？受不受歧视？我想时过境迁，那老的葬丧仪制也不可能完全照办了。今人必以今人的文化角度观察社会，观察生活，确定自己在社会生活中的位置。

吐蕃的丧葬研究，较引人注目的是褚俊杰的《吐蕃苯教葬仪研究——敦煌古藏文写卷 P. T. 1042 解读》。其中记录了吐蕃丧礼三天的活动过程，有些仪式在今天仍然可以看到其印迹，比如将金、玉、白陶土、海螺、朱砂、麝香等药物放于酒浆中的做法、在坟宰羊献祭的做法、用古十三数祭祀的做法等。（文中说道：“为招魂，为救治病灾而屠宰牲口，只能剁成十二块，加头共十三块，再多，便过分；少，则不够，均不妥”；“你招魂赎品的羊羔一只，香附子十三株、赤小豆十三粒”，十三在藏文化中是个吉祥的数字，至今如此，同时藏人也视奇数为吉，其中也有“其后到墓穴口，将灵魂代替品全部置于墓室门顶上。第十一、十三、十七、十九个夜晚，在繁星密布之时辰，嫡亲子驾临，从灵魂代替品上取下盾牌大小的一块，放在陵墓的祠堂里。”）而其中的另外一些仪式现在已十分少见。

第一，献祭的仪式。

从 P. T. 1042 看，献祭的类型多，用物的涉及面也广（编号及分行均依原文——引者注）：

11. 投入酒浆后（即上文所引将金、玉、白陶土等投入酒浆），述说方剂药物的仪轨故事。

12. 供上一瓢，此后献上粮食（སྦྱི་སྐྱང།；འབྱི་སྐྱང།），再供上一瓢酒。此后将（死者）眷属领到大王跟前。

13. 献上盔甲，其后大王分定领辖权势。此后母舅。

14. 向大王献上“温洛”和香马，此后甥舅见面。

15. 此后将灵魂代替品、“温洛”（དབོན་ལོག།）、宝马、宝牦牛、牦牛等一一剥皮。

16. 然后献上（མཇལ།；འཇལ།）。母舅在盛酒和盆罐里供上一瓢和有生熟掺拌炒麦的供神饮料，又行一次礼。

17. 此后侍者依次向母舅敬礼。此后在宝马的后排列上香马。

18. 其后是亲人所供之养料，再后面是诸侯列邦所供之财物，排好后。

19. 供上粮食。御用辛侍奉，立于四方，守护门户。一个御用辛。

20. 供上粮食，供上一瓢酒；第二个御用辛献上母羊，供上一瓢酒。一般伯鞠苯波

21. 取了财物（ཚགས།；ཚགས་ཀྱི་དཀོར།），走到贵人衣冠代用品前面，又献上贵人衣冠代用品，此后又献上灯盏（སང་མ།；སྣང་མ།）。

22. 和熏烟（སྤོས་ལམ།），供上一瓢酒。此后便是哭丧仪式。此后到王府内的丧宴之地。

23. 仪轨和次序和上午（ནར་མ།）一样。供上青稞酒三瓢。

24.（缺第一瓢酒）供上第二瓢酒时献上牛羊（ཕ་བ་མ་མ།）和乘骑飞快跑(ཡི་དྭ་འཕང། 马的名字?)、大宝马、供食等，乘骑。

25. 后面的人择一佳妙之地（བཟང་ཡུགས།）献上熏烟。

26. 献最后一瓢酒时供上各种供食（ཞིས་བམ་བབས།；བཞིས་བམ་བབས།）。其后供上一瓢小麦酒、一瓢葡萄酒。

27. 一瓢米酒。此后秘密地用钉耙埋藏谷物。

从中可以看到，吐蕃时期献祭的用物和现今民间献祭的用物并无二致。比如祭酒（其中有青稞酒、小麦酒、葡萄酒等）、粮食、牛羊、生熟掺拌的炒麦等。在笔者的家乡至今尚有做一五谷袋，内装青稞、小麦诸物随死者一同下葬的习俗。一般来说在藏人的祭祀习惯中，祭神和祭奠一般死者有严格区别，因而用物也各有不同。但是一个具体的丧礼，是一种综合性的体现，既有祭神仪式、祭鬼仪式，也有祭奠死者的仪式。献祭盔甲等或许是由于死者的身份所致，并不一定是常仪。但从这些献祭仪轨看，“三”这个数字的使用已十分定型，如酒献三瓢，尸体供食和灵魂供食、尸体代替品和灵魂代替品互相碰撞三次，魂主向左转三圈等，因而可以判定所谓现今藏人依然使用的祭礼、敬客时的三数是一古俗，并不是佛教传进藏土后从依“佛法僧”三宝而来，此三宝在藏区形成习惯或不早于12世纪。

第二，灵魂归附尸体的仪式：

……

28. 此后是灵魂归附尸体的仪式。归附的仪轨和次序是：灵魂（象征物）在左。

29. 右放上兵器，灵魂（象征物）顶端站有殡葬苯波和供献苯波。

30. 其后是乳品桶，其后是彩线结，其后是食物（ཟྭ་ཞལ།），其后是（死者）像。

31. 左右两边是供食袋。其后是灵魂代替品，其后是“温洛”，其后是。

32. 死者亲友。两个代替品（གུར།）的左右两边是内侍官和舅臣侍官，置放供食的

33. 祭奠地（སྡུན། འདུན།）的左右两边，有两排，一排是愚顽（གོ་ངན།）、一排是病者（ཟུག་རྒྱན།）。“温洛”的后面和。

34. 左右两边，由（གྱི; གྱིས།）两个御用辛带来（两排供品），两排顶端都有。

35. 一个飞跑马，其后是大宝马，其后是大小香马，其后是一般的骑士（བང་སྣ་པ་བལ།）。

36. 其后是亲人所供之供料，其后是诸侯列邦所供财物。

37. 其后是佳妙乐器、佩饰马，其后一个窦辛牵来能驮的犏牛（མཛོ་བང་སྣལ།）。

38. 母犏牛（ལྷམ་མཛོ།）。两排末尾的中间，两个御用辛牵来绵羊。

39. 其后两个大剖解者（འདུལ་ཆེན།）把宝马和能犁地的牦牛和香牦牛等。

40. 牵到贵人衣冠代用品前，小供献苯波将尸体、尸体代替品和供食搬到。

41. 墓室门口。断火巫师（ཞུགས་ཅད།）和大力巫师选择魂主。

42. 此后魂、尸相合：将给尸体的供食和给灵魂的供食、尸体代替品和灵魂代替互相碰。

43. 三次（表示尸、魂相合），献上一瓢“相合酒”。此后尸主留于此地。

44. 魂主向左转着走来，一共转三圈，在这期间每转一圈都要致礼（ཕྱག་བདབ།）并供上一瓢酒。

45. 备马官（རྟ་གྲབས། 后文作 རྟ་གྲབས་པ།）也从左右两边走过来，转三圈，转完后。

46. 从（死者）的脸部开始，向（死者）折倒三次长矛，对死者致礼。侍者和死者亲朋们。

47. 哭丧。哭丧后御用辛和鞠苯波。

48. 在宝马等牲口上盖几层纸（གཤོག ཤོག）此后到墓室去。……

这一系列的仪轨，解决的主要问题是让灵魂与尸体相合。因何要使灵魂与尸体相合，其中体现的观念主要是：其一，人死则魂离，即死亡是灵魂脱离肉体；其二，冥界中的“人”照样有与尸体相合的问题，即灵魂以尸体为依托，尸体以坟冢为依托，从而使死者在新的世界开始新的生活。

第四节 伦理思想

吐蕃王朝兴盛时期的藏族伦理思想有以下两个特点：（一）此时藏人的伦理观念受到氏族社会、奴隶社会和封建社会三种不同社会形态思想的影响（以封建的伦理观念为主），有自己特定的构成形式，这与藏民族兴起的基点（即藏民族兴起前的吐蕃社会大量保存着氏族社会的观念形态）有关，也与它在大踏步的前进中大量地吸收邻近民族的思想成就有关。（二）进入藏土的佛教思想开始影响藏人的意识形态，但其程度不高；虽然我们从典籍文化看已是佛经充斥，但只是畅行于译家之中；朝廷中有佛苯两种来自不同文化的不同声音，且斗争激烈；广大的老百姓仍生活在以原始信仰和苯教文化为绝对主体的思想伦理世界。这方面的卓越成果是《礼仪问答卷》，其中较少佛语，是一部集合了吐蕃时期的藏族人民的道德原则、道德规范和道德修养方法的伦理学著作。是藏族伦理史上的重要文献。结合其他资料，吐蕃时期的伦理状态大致如下。

一、辨善恶

在伦理学中，善的是道德的，恶的是不道德的。它是对人及团体的道德评价，涉及社会的一切领域。恩格斯说："一切已往的道德论归要到底都是当时的社会经济状况的产物。而社会直到现在还是在阶级对立中运动的，所以道德始终是阶级的道德；它或者为统治阶级的统治和利益辩护，或者当被压迫阶级变得足够强大时，代表被压迫者对这个统治的反抗和他们的未来的利益。"① 吐蕃王朝时期的伦理思想也是如此。

> 主人讲仁慈，比授予政权还好。官长仁慈地给予智慧、教诲乃是最大的仁慈。②

这里所谓"仁慈"，是让那些"主人"、当权者实行宽大政策，给下人以智慧、教诲，然而，"官长"、"主人"施下人以"仁慈"的目的只有一个，就是更加有力地巩固自己的统治，维护自己的利益。

---

① 恩格斯：《反杜林论》，《马克思恩格斯选集》第三卷，人民出版社，1972 年，第 134 页。

② 敦煌古藏文《礼仪问答写卷》译解，王尧、陈践编：《敦煌本吐蕃文书论文集》，四川民族出版社，1988 年，第 135 页。

主仆之分就是等级，这个等级在阶级社会中是难以超越的。吐蕃时期的等级制度也十分严格，以告身区别，有玉、金、银、颇罗弥、铜、铁等六种，各分为大小，共十二级。[①] 玉告身为贡论上、贡论中、曩论上；金告身为贡论下、曩论中、喻寒波上、曩论下、喻寒波中、噶论上；颇罗弥告身为喻寒波下、噶论下；银告身为寺院经咒师、高级吏员、苯教师、司马官等；铜告身为父民六部落、千夫长、茹本；铁告身为勇士，一般平民授木告身。在这种严格的等级制度下，有相应的法律：

> 大尚论本人和与大尚论命价相同之人，被大藏以下、平民百姓以上之人因狩猎等射中，中箭者无论身亡与否，放箭人起誓非因挟仇有意射杀，可由十二名担保人连同事主十三人共同起誓。如誓词属实，其处罚与《对仇敌之律》同。查明实情，将伤人者及其子孙一并杀之，以绝其嗣。全部奴户、库物、牲畜，归受害人和告密人平分。若无告密人，全部归受害人。[②]

这种严苛的法律与“白天亲近主人、官人及智慧正直者，有学问而英勇者、艺高者，以及精通词章、法令者为佳”[③] 的娓娓说教，可谓天壤之殊，而这“天壤之殊”正是统治者维护统治的两只得力的手。因为，掌握着物质生产手段的阶级同时也掌握着精神生产的手段，他们要按照自己的需要，“生产”他们的道德。故而善恶观念不能取决于善恶观念本身，而在于社会的经济基础，在于人们的社会存在。在统治者、剥削者那里，虐待、奴役、压迫下人、穷人，不认为是恶的、不合乎道德的，反而觉得是合情合理、善的、自然的事了。

当然吐蕃时期伦理思想也有可借鉴、吸收的因素。例如主张“做人之道为公正、孝敬、和蔼、温顺、怜悯、不怒、报恩、知耻、谨慎而勤奋”等[④]，假如我们舍弃了阶级的属性，其中所说的公正、孝敬、和蔼、谨慎、勤奋对我们仍然具有积极意义。

---

① 恰白次旦平措等：《西藏通史》，西藏古籍出版社，1996 年，第 76－77 页。
② 王尧、陈践译注：《敦煌吐蕃文献选》，四川民族出版社，1983 年，第 9 页。
③ 恰白次旦平措等：《西藏通史》，西藏古籍出版社，1996 年，第 137 页。
④ 恰白次旦平措等：《西藏通史》，西藏古籍出版社，1996 年，第 130 页。

二、尽义务

义务是指个人对他人和社会应尽的责任。“作为确定的人，现实的人，你就有规定，就有使命，就有任务，至于你是否意识到这一点，那都是无所谓的。”① 一定社会的人都有为同事、家属、亲朋、阶级、民族、国家等所负的道德责任和义务。

此一时期的藏族社会依然有着“忠君”（后来加上了忠佛忠神）的道德思想。这种思想（或义务）与爱国是融为一体的。如，娘·曾古、韦·义策等苏毗旧臣背弃苏毗投奔南日松赞时的誓词就有：

自今以后，
定将森波杰弃于背后，
定将悉勃野搂于胸前，
决不背叛悉勃野赞普，
决不使其丢脸，
决不施蛊毒黑咒，
决不把外人当自己人，
决不三心二意，
决定要英勇献身，
决定要拼命忘己，
决定要听从赞普命令，
绝不受他人甜言诱骗，
（若有违者，即为违誓）
如此盟誓。②

因为赞普是“天神之子”，因而无论是新臣旧臣均须舍死效命。这也是一种道德现象。如松赞干布的至亲大臣噶尔·东赞宇松去唐迎娶文成公主，唐太宗见他计谋高强，就想让他留在长安，“上嘉禄东赞善应对，以琅琊公主外孙段氏妻之；辞曰：‘臣国中自有妇，父母所聘，不可弃也。且赞普未

① 马克思、恩格斯：《德意志意识形态》，《马克思恩格斯全集》第三卷，人民出版社，1960年，第329页。

② 王尧、陈践译注：《敦煌本吐蕃历史文书》，民族出版社，1980年，第130－131页。

得谒公主，陪臣何敢先娶！'上益贤之，然欲抚以厚恩，竟不从其志。"[①] 从中可以看到噶尔·东赞宇松的热爱吐蕃的思想。像这种"忠君""爱国"的故事，在史籍中是遍见的。

对父母尽养育之恩，也是道德义务的一个重要内容。敦煌文献中有这样的记载：

无父不生女与男，
无母不育不能产。
母亲育儿多辛苦，
最初怀胎步履艰，
未生之前受熬煎。
满月之后离母体，
如同宰羊血肉鲜。
左右身旁满是血，
疼痛难忍死复还。
潮冷床褥母亲卧，
干暖之处骄儿眠，
母心常注儿身上，
一瞬难舍实可怜。[②]

作者是通过这些做母亲的辛劳、痛苦，教育那些"后生只听妻子话，父母之前翻白眼"的人，让他们对父母尽赡养的义务。

道德义务与阶级利益是密不可分的，不同的社会关系和物质条件就有不同的义务类型。统治阶级也在讲赡养父母，抚养子女，他们让自己的子女习文习武，竭心培养，是为了继承自己的衣钵，光宗耀祖，成为更加熟练的统治者。

三、讲良心

义务是个人对他人、对社会所负的道德责任，良心则是对自己行为所负的道德的责任和自我（行为、行动、态度等）的道德评价。"良心是由

① 苏晋仁编：《通鉴吐蕃史料》太宗贞观十五年，西藏人民出版社，1982 年，第 6 页。
② 佟锦华、耿予方等著：《藏族文学史》（油印本）。

人的知识和全部生活方式来决定的”,[1] 是社会关系在人们意识上的反映。《礼仪问答卷》写道：

> 弟问：何种事见而不乐，食而不香？
>
> 兄云：不义之财见之如鬼不善不乐。诱饵之食，见而欲呕而不觉其香。
>
> 弟问：珍宝美好，食物味香，赠此二者，颇类仁慈，何以要如此看待？
>
> 兄云：珍宝、食物二者若是起意不良，则成重压，自应视为死敌矣。

这是对“不义之财”“诱饵之食”等的自我评价，是通过内心信念而达意的。这形象地说明不义之财不要取，诱饵之食不可食。

良心既是对自身行为的评价、衡量、检查，也包含着对自己的选择。吐蕃时期还存在着氏族社会中的血亲复仇。如《敦煌本吐蕃历史文书》记载：“及至牛年……于多思麻，甘·墀桑介达为仇敌所杀，血亲复仇也，是为一年。”古人将血亲仇当做自然的选择，认为是合乎道德标准的。

良心反映正直、诚实、正派等最简单的道德规范。是人们用内心信念来检查自己行为的衡器，如诫非做人之道：“偏袒、暴厉、轻浮、无耻、忘恩、无同情心、易怒、骄傲、懒惰。”作为吐蕃王朝兴盛时期的这一意识形式，它既带有原始伦理思想的成分，也蕴涵了上升阶级的那种道德规范。那内在的形象是豪壮雄健、敢作敢为、诚实公道的。自然，吐蕃社会毕竟是阶级社会，势必要带有阶级性，役使奴隶的奴隶主的良心自然不同于受役使的奴隶的良心。

四、贵勇敢

“所谓英雄者，对敌勇敢，愤怒亦有所为而发，即为英雄。无端之凶暴有谁颂为英雄？此非英雄，斯为恶汉也。”[2] ——恶汉有恶汉的“勇敢”，强盗有强盗的“勇敢”，假如放弃了它的内容和对象、目的，这种勇敢是无法评价的。我们所说的勇敢是合乎道德的、为正义的勇敢。

---

① 马克思：《对哥特沙克及其同志们的审判》，《马克思恩格斯全集》第六卷，人民出版社，1961 年，第 152 页。

② 恰白次旦平措等：《西藏通史》，西藏古籍出版社，1996 年，第 130 页。

吐蕃时期，将勇敢当做一大美德。这与战争和尚武有直接关系。《新唐书》中一些有关吐蕃风俗的记载，也可以说明这一点：

1. “其宴大宾客，必驱犁牛，使客自射，乃敢馈。”这种让客人自己杀牛的习俗，既是一种礼节，无疑这种礼节与游牧民族雄勇剽悍、斗凶禽战恶兽、不屈不挠的那种精神相一致。

2. “贵壮，贱老。母拜子、子倨父，出入，前少而后老。”至于“贱老、母拜子、子倨父”，在藏族史料中尚无见到类似记载，而“贵壮”是成立的。“贵壮”是战争和生产劳动的实际需要。因为，在作为社会基本细胞的家庭中，没有青壮成员，家道就会衰落，就会受人欺辱，就不能享有荣誉。而这“壮”与“勇”紧密相连，“贵壮”即“贵壮勇”，因为人们的生存，人们生存的历史条件、物质基础决定了人们的美学选择和伦理的某些观念。

3. “重兵死，以累世战役为甲门。败懦者垂狐尾于首以示辱。”重兵死的观念大约与爱国护国等思想相一致。吐蕃自松赞干布至达玛吾东赞的二百年，兵刃不断，战火纷飞，将士连年苦战，没有思想上的掖励是不行的。《敦煌本吐蕃历史文书》中记载，松赞干布时，百姓安居乐业，“惩治骄暴者，抑压令人畏怖者，忠诚者予以表彰，贤明者得到赞扬，英勇善战者受到鼓励”。[①] 只有这种提倡、鼓励和奖励，才使这种崇尚勇敢的精神得以发扬光大。

尚武、褒勇的现象，在唐刘元鼎写的《使吐蕃经见记略》中也有精妙记载：

> ……山多柏坡，皆丘墓，旁作屋，赭涂之，绘白虎，皆虏贵人有战功者，生衣其衣，死以旌勇。殉死者瘗其旁……至麋谷，就馆。臧河之北川，赞普之夏牙也。周以枪累，率十兵植百长槊，中剚大帜为三门，相距皆百步，甲士持门，巫祝鸟冠、虎带、击鼓。凡入者皆搜索乃进。中有高台，环以宝楯，赞普坐帐中，以黄金饰蛟螭虎豹，身披素褐，结朝霞帽首，佩金镂剑。

行文不见“武”字，却能使人觉得如临其境，仿佛看得见手持刀矛的赳赳甲士，和森严雄俊的赞普牙帐……刘元鼎的经见是可信的。

---

① 根敦群佩：《白史》，西北民族学院研究所内部铅印本，1981年。

勇敢即是在特定思想指导下的一种牺牲精神，是社会和时代的产物，它的阶级性和时代性是毋庸讳言的。而于今人，照样可以从古人身上吸取营养，培养自身正义的勇敢精神。

五、忠于家庭、婚姻

家庭是社会的细胞。家庭道德是社会道德的重要组成部分。物质生活的高低、社会文明的程度，往往都可以从家庭道德中得到体现。除了阶级的因素外，古人的家庭生活也不无值得继承发展的传统美德。

《礼仪问答卷》中写道，当弟问如何能使眷属相聚和睦时，兄说："若有情义，同心协力，不仅眷属和睦，行至何方亦相安无事。子与父同心，弟与兄同心，奴与主同心，妻与夫同心，仆与官同心，如此，则公正无误，齐心协力，大家皆得安宁；若彼此不和，大患而已，别无其他。""于家庭中，勿过于专横，勿过于滋扰下属。"可以看出，除了"仆与官同心"、"奴与主同心"带有阶级的伦理色彩外，所谓"于家庭中，勿过于专横，勿过于滋扰下属"是对父权思想的劝解。全文的整体含义告诉人们，要加强子与父、弟与兄、夫与妻的团结，家庭中建立和睦关系，如果彼此不和，就会生"大患"。此有辩证意义。既强调了团结、齐心、和睦的重要，也指出了不团结、不齐心、不和睦的危害。"善言相睦，是家庭根基；恶语相伤，是魔鬼入门"，[①] 家庭生活中的同心同德与社会生活中的同心同德同样具有其不衰的魅力。因而藏民族也保留了无数这种生动感人的故事。这些故事至今影响着我们新型家庭关系的建设。人们不时从那些传统的美德中得到启迪、教益。家庭生活中反映较集中的是如何对待父母、子女、妻子。

1. 孝敬父母

同无数优秀民族一样，赡养父母、孝敬老人，同样是藏民族的传统美德。"儿辈能使父母、师长，不感遗憾抱恨，即为最上之孝敬。""不孝敬父母、上师，即如同畜生，徒有'人'名而已。"[②] 诚然，剥削阶级也重视孝道。他们重视孝道是为了自己统治的需要，其父母与子女的关系在思想上是带强制性的，诸如"父要子亡，子不得不亡"之类，神化了父权。而劳动人民家庭中的这种父母子女的关系，完全是建立在同甘共苦的劳动生

① F. W. 托马斯著，李有义、王青山译：《东北藏古代民间文学》，四川民族出版社，1986年2月，第111页。

② 恰白次旦平措等：《西藏通史》，西藏古籍出版社，1996年，第134页。

活基础上，“父母养育儿子，儿子敬爱父母之情应如珍视自己的眼睛。母年老，定要保护，报恩……禽兽中豺狗、大雕亦报父母之恩，何况人之子乎?”“父子两人真诚相待，相互谦让，就不会有口角。”[①] 这些语言在今天仍然活在广大民众之中，有着重要的借鉴意义。

《礼仪问答卷》中反映的父子关系不是强制性的：“没有比父母更亲近者，（父母）怕子犯罪，不会讲要他去倒行逆施之语；故而有盼子正直、善良之希望。若依照父母不正确之言词，认为这是父母所言，明知不对照样去做（即不反对），那怎么行？自己过去做错事之报应，别人也会同样遭受，以后不能再做。”父子之间不依辈分，而讲事理，这的确难得。

2. 善待子女

赡养父母和养育子女是一个问题的两个方面。在对待子女前途、学业、成长诸问题上，同样存在着伦理思想的差异。由于吐蕃社会的放牧、农作、兵役等需要，男子在生活中享有较高的地位，因而“家中子多能致富”、“有一个儿子就是一份财宝，有两个儿子就是两份财宝”[②] 的思想相当普遍。如何去培养他们呢?《礼仪问答卷》的作者说：“将正直无误之正道作为财富交给他们（子女）是最大馈赠，生命和政事皆聚其中矣。”可见，吐蕃王朝时期是十分注意道德修炼的。这里所说的“正直无误之正道”作者在下文中写道：“无论何时，留下‘智慧、公正’为上。留下‘英勇、巧法’为上中之下者。留下‘坚定、讲义气’为中者。注重留下财物和衣着者为下。”很显然，这个“正道”就是智慧、公正、英勇、巧法，就是坚定、讲义气。作者将留下的财物、衣着视为最下者，无不是从做人的角度考察。人贵的是公正、智慧、英勇等，只要有这些人才称之为人，就会有补于世，有补于民众。否则，留下财物、衣着，坐吃山空，同样会成为人世的赘疣。《礼仪问答卷》的作者，进一步回答了这一问题：弟问如果没一点财富留给子侄，“用何法（使他们）既不行歪门邪道，又可以得到财富”，兄答道：“有五种办法，一是立即公开地给别人面子（别人就会帮助自己）；二是公开发展牲畜；三是公开地去当臣仆；四是公开地做买卖，五是公开地种地。”就可以致富。这五种致富办法基本上是强调以劳动为先，和上面所说“正直无误之正道”结合起来，就是一个很完整的做人的原则。

① 恰白次旦平措等：《西藏通史》，西藏古籍出版社，1996 年，第 134 页。

② 恰白次旦平措等：《西藏通史》，西藏古籍出版社，1996 年，第 142 页。

3. 尊重妻子

自从母系社会离析，阶级社会产生以后，重男轻女的思想如一条铁则流传下来，世界无数国家的民族都是如此。吐蕃社会的妇女虽然受到轻视，但不像汉族封建社会那样视妇女如邪恶。因而夫妻间的关系不是绝对服从，“妻子的话若无不妥之处，是好话，立即将其言之正确部分与其他分开来。”① 没有那种“男女授受不亲”的制约。

“无论妻子表现怎样媚态，若是美好妩媚，应该相爱，别人不会耻笑。她无过错，顾虑别人讥笑而抛弃她，这怎么能行？若为人不厚道，无论多么美貌，也不要相结合，而说：‘她没有过失，有些地方由于与自己不合，自己有权与她疏而远之。’但勿过分发怒。”可见，男子的选择重于为人厚道、美丽，男女间是基本平等的，不是男高女下，不可逾越。

《礼仪问答卷》中也反映了吐蕃时代统治阶级的婚姻观：“娶妻要选有财富与智慧者，若两者不兼备，应挑选有财富者，选婿要选有智慧而富裕者”，“美妻可以找到，不争气之子没法换掉”等等。这种以财富为条件的婚姻自然是处于统治阶级本身经济政治的考虑，是与劳动人民那种不计贫富贵贱的爱情截然不同的。

六、坚持正义

正义是对个人和社会的要求尺度。吐蕃时期的藏人有自己的正义尺度，“生命与社稷不能抛弃”、“要记住中心之公正之道。”主持公正，像对待生命一样对待国家利益，这种道德观念在他们心中依然是崇高的。人们热爱自己的国家，忠诚正义，也希望国家的统治者们：“若为长官，应如虚空普照天下；应如秤戥一样公正”，② 要记住中心之公正之道，像秤戥一样公正，对统治阶级是很难的。而在统治阶级的政治机构中，也不乏这种辛苦为民，廉洁公正的“清官”，显现这种思想是有进步意义的，它反映了对公正、正义的追求。又如：“弟问：‘如秉正道，在当地应尊敬何人？’兄云：‘敬重正直穷人，应胜过富人……敬重（乞丐）应胜过盗贼。’”在阶级社会穷人、乞丐在富人眼里是低下的，是不能与当权者、富人相提并论的。我们且不管《礼仪问答卷》的作者为谁，出于哪个阶级、阶层，但是，这种“敬重正直穷人，应胜过富人”的思想是了不起的。因为正义是对个人或社会提出的要求和准则，在财富就是荣誉、财富就是正义，财富

① 恰白次旦平措等：《西藏通史》，西藏古籍出版社，1996 年，第 140 页。
② 恰白次旦平措等：《西藏通史》，西藏古籍出版社，1996 年，第 128 页。

就是一切的阶级社会中，能提出这种道德的严正言辞，实在是难能可贵的。

但是，正义毕竟是处于一定阶级地位中对个人的权利或社会的权力的要求尺度。统治阶级的“正义感”与被统治阶级的正义感有根本区别。统治阶级是从自己的角度品评社会经济的、政治的、法的一切实际现象和人们的行为的：“无论何时，缙绅以恩养之，则奴仆当然以严法役使之”、“若对自己忠诚者，即使囚犯，亦可任事”，① 恩养缙绅，以严法役使奴仆，只要对自己忠诚，囚犯也可以任事，便自然认为是天经地义的了。松赞干布的祖父达日宁塞时，大臣年纪松对奴隶的苛刻正好说明这一点：

> 在奴户之中有娘·南木多日处与孟·多日曾古拜两氏，均被划归年纪松，成为奴户。后，纪松之妻巴曹氏对娘氏奴户骄慢横暴，威吓时加，且以妇女阴部辱咒之。娘·曾古心中不服，至森波杰墀邦松之驾前，含怨负屈而诉苦，道：“年氏奴隶我实在不愿为也”（且将经过诉说），森波杰（墀邦松）曰：“比年纪松更忠于我者，已无别人，主妇辱咒呵责，示以女阴者对尔所为亦无不合，即令将（女阴）塞入尔之口中亦有权也，并无过失！”②

娘氏、孟氏都由森波杰达甲吾的大臣沦为奴隶。而当他们一旦沦为奴隶，他们过去所属的阶级照样以无情的手段制裁他们，所以统治者的正义就是对被统治者的压迫、剥削。

然而，在《吐蕃法制文献》中我们可以看到另一种现象：“‘大藏’本人和红铜告身者子孙外，父亲家族以内无告身诸人和继母、儿媳、妾媵、未婚之妹及王室家臣之一切武士、尚论和百姓之耕奴、岸本之助手等男女，被狩猎者射中，赔偿命价相同。命价（银）若缺一两，哪怕伤人者是尚论也要处死。”这是原始社会血亲复仇观念的遗留，此处上升为法律。它以传统道德观念的形式，发挥着正义的（没有等级的）力量。

七、修养道德

无论古人今人，生活在现实中，总是要同自然界和自己周围的人发生关系。人不能离开物质生活，同样不能离开精神生活。人生的意义、人生

---

① 恰白次旦平措等：《西藏通史》，西藏古籍出版社，1996 年，第 133 页。

② 王尧、陈践译注：《敦煌本吐蕃历史文书》，民族出版社，1980 年，第 128－129 页。

的价值，人应该怎样度过自己的一生等等，是永远新鲜的老问题（还有人的尊严、荣辱、幸福观念等）。道德作为一种思想形成后，就会浸入人们生活的各个方面，人们的心理、性格、习惯和精神面貌也会受到它极大影响，它自然地默默无闻地调整着人与人之间的关系，解决着人与人之间的矛盾。一个人一生下来，就在一定道德的熏陶下生活着。古人对道德的修养积累了不少方法：

1. 要进行道德修养，必须首先选择道德理想，即做什么样的人，明了“做人之道”。什么是做人之道？古人在自己生活的年代里是如此认为的：“做人之道为公正、孝敬、和蔼、温顺、怜悯、不怒、报恩、知耻、谨慎而勤奋。虽不聪明机智，如有这些，一切皆能中意，亲属亦安泰。”与此同时，也指出了问题的另一方面：“非做人之道是偏袒、暴力、轻浮、无耻忘恩、无同情心、易怒、骄傲、懒惰。身上若有这种毛病，一切人皆不会中意。”一正一反，昭示清晰。无目的的修养是不存在的。

2. 道德修养贵在有自觉性，严于律己，要求理论与实践的统一。一个高尚的道德信念的形成，需要一定的修炼过程，都要在日常的自觉的道德行为的训练中自然养成。《礼仪问答卷》中涉及了许多这方面的内容：

> 从不说谎言，大家即信服，人若信服，众人即信任。
>
> 自己有错应承认，若无过错，和蔼说明自己清白无辜受责。若稍有对立就把内部之语对人扩散，于己有损。自身有不正事，弃之，回心转意后，仍应信赖为是。
>
> 缺点虽小也应去之，好处虽小也要趋之。
>
> 总言之，不必做之事则不做，不必说之话则不说，不与偏心人为友，此乃最大之不偏。一定要认识事物，勿依赖他人。

其实，这类款项是不可胜记的。古人从慎独到衣食住行、言谈话语、待人接物等，凡是涉及生活的方面，都有通过自己的内心信念的约束自己的细则。

3. 进行道德修养也要宽以待人。这是第二问题的另一方面。

> 一切争辩，若有过失，当面争辩。不能当面争辩者，勿背地讥

毁。任何时候，与对手争辩确有把握时或对手确有缺点时再行争辩。若善于苛责对方，首先克服自己缺点，以后不再重犯，此谓自我纠谬也。自身难能，而指责他人，岂为适宜？

吐蕃王朝兴盛时期的藏民族的道德（以《礼仪问答卷》为标志）是藏族历史上最明朗、最少宗教影响的道德。从而，我们也可以看到当时人的精神面貌，除了阶级的、自然的压力之外，绝少那种沉重的神的负荷。与当时上升的政治形势一样，他们像散着四蹄的雪狮，无所畏惧，抗争自强，以明快的、勇敢的、探索的、开放的不断行进的脚步，获得了自己伦理思想的巨大成就。

第五节　文　　学

7世纪是藏族的书面作品产生的时代，作为作家文学大约也产生于这一时代。作家文学的产生不但取决于藏文的产生，也取决于其他文学形式的积累。上文已述，在藏族古代流传着丰富的故事、传说和民歌，诸如《玛桑的故事》、《麻雀的故事》、《什巴形成歌》、《白青稞的来历》、《风云的起源》、《食盐的诞生》、《猕猴变人的故事》等。而从敦煌文献看，其类型也涉及了民间文学的基本范畴，作家文学亦初见端倪。

一、歌谣

早期的谚语，有发现于敦煌的著名的《松巴谚语》，约三四十则。以诗为体，表述形象而精练，内涵十分丰富。如：

母贤子聪明，犹如金饰镶宝玉，
母恶子顽劣，恰似破屋堆粪便。

人不熟悉，笑也认为藏敌意；
地不熟悉，白天也如同黑夜。

贤者婉言役使，别人会像听父亲的话一样顺从；
恶人恶语威胁，即使是恩大的亲人也会变成仇敌。

君主即使渊博，也要取法于他人；

良马虽然善走，也要鞭策。

这些谚语在表现方法上业已固定，且表现力强。无论涉及家庭修养，还是涉及为人处世都有很强的教育意义。

敦煌文献中保留有许多卜辞（མོ་གཞུང་），其形式主要分韵文、散文两部分，以诗歌形式出现的卜辞是其正文；散文主要是卜辞正文的解释。如：

啊！
雪山三棱角上，
野牛傲然挺立，
永是雪山之王。
青蛙昂首远望，
永是青苔之饰。
松鸟鹧鸪母子，
“色立”婉鸣悦耳。
一只小兽羚羊，
犹如化身一样，
毛泽闪闪发亮。
此乃吾之财宝，
永远关进圈里，
不让去山遨游。

此乃福泽少女之卦：问家人及寿数，因有母族善神来保佑，有庇护人与降神人，祈祷，即有如母子相遇之佳音。成亲得子。问财，进财。诉讼，能胜。行商，盈利。问出行人，归。问何事皆吉。

这些卦词的诗歌部分有些写得十分优美，俨然是一首构思精巧的小诗：

在那碧绿湖旁，
在那翠绿柳上，
玉鸟自由翱翔，
传来佳音嘹亮，
闻后喜气洋洋。

敦煌文献的赞普传记部分，在对史事的叙述过程中，也插入优美的诗歌，有些虽然犹如隐语一般难知实义，但同样有很高的文学价值，并且有明显的作家作品的痕迹。在南诏王阁罗凤归顺吐蕃以后赞普封为“赞普钟”（弟），“后阁罗凤之大臣名段忠国者，来至赞普赤德祖赞之帐前，在庞塘大殿之中，致礼示敬，时，赞普君臣引吭而高歌，歌云”：

在七重天之苍穹，
从神境苍天之中，
降一天子为人之救主，
与一切人众之地方，
既不相似又不相同，
地方高耸，土地纯净，
吐蕃地方来降生，
为一切地方人众之主。
风俗纯良根基巩固，
将所有小邦均降服。
去年、前年早几年，
在汤汤大河之下端，
罗凤被封为王，
此人心地广阔而明敏，
善战而英勇，
向着唐朝三郎皇帝，
筑堡垒，布战阵，
敌友关系新变更，
政事从那时起兴旺，
他为了救护父辈免受苦难，
投靠天神之子赞普。
天神之子根基巩固，
风俗纯良性格和顺，
诏令公正令重如山，
罗凤献出了政权。
人众的政事由神来主宰，
广袤政事永无变更。
罗凤被封为王，

他做下英雄之勋业。
……
烟雾是神灵衣裳，
对一切都有利，
过去迎接，今后相送，
唱歌啊！跳舞啊！
要他干什么都能遵令。

吐蕃于公元704年征服西洱“诸蛮”，733年蒙舍诏皮逻阁赴吐蕃朝贺，和吐蕃建立联盟。738年，皮逻阁定都太和城，受唐封为南诏王。由于战争的需要和战略考虑，南诏成为唐蕃争取的重要对象。后唐守将鲜于仲通进攻南诏，为南诏所败，南诏顾忌唐会以更重的军力来打击南诏，便再次投靠吐蕃。752年，南诏王阁罗凤被吐蕃封为“赞普钟”。上文所引，即是这一段历史的具体写照。有纪实色彩，显然出自于文人之手。

二、故事

此一时期藏族故事受到早期大自然神话、生产神话、创世神话以及英雄史诗的影响，其形式也多采用韵文、散文结合法。比如F. W. 托玛斯著的《东北藏古代民间文学》中所辑录的《父亲殿干涅巴的葬礼和金波聂吉新娘的故事》，故事共分三部分。

前部分主要讲金波聂吉和金波六兄弟商量给父亲办丧事的情况。用韵散相间之形式：

还没等说这些，金波六兄弟就说开了：
父亲要安葬在高地，
父尊的墓基要建在高处。
金波聂吉说：
穷人越来越穷，
福气越来越薄；
父体不从高处移下，
父尊的墓基建不成。

“在平地上能建成，在高处建不成。”对他这种说法，金波六兄弟不以为然地说：“假若把一百匹黑马拴在一头犀牛的大肢上，我们真能把乌鸦引到一个井旁吗？……”

中间部分所述似乎与该文关系不大的一段婚姻故事，这一则故事与笔者家乡流传的一则故事十分相似。性尼龙和沙德额江夫妇生了三个女儿，父亲放牧时来了黑妖国国王古焦，他吃了父亲，披了父亲的皮回到家里，让老伴打发女儿去牧羊，大女儿去，被他生吃。然后又派二女儿作贞吉巴新去放羊，企图吃掉她。可是，贞吉巴新碰上了草地驴“小虎”。这头驴子告诉她事情的真相。二女儿将了知的事实告诉母亲，母亲知道了这些事是矣王古焦干的。可是她愿意跟妖王一块去生活。女儿被母亲藏在山洞里，改名叫“花翅膀孔雀”。后来花翅膀孔雀抓住塘噶尔的尾巴，到了天的另一边，见到了天后启吉南高，并继续前行。翻过九座山，渡过九条河。

后部分仿佛是照应前文，又说到金波六兄弟。金波聂吉“人越来越穷，运气越发不济”，放扣逮鸟，逮住了“花翅膀孔雀”——以下的故事似“青蛙骑士”——这个鸟变成了漂亮的姑娘，每日给他准备好饭菜。金波聂吉便与她幸福地结合在一起。

再如《金波聂吉新娘的故事》。

这一故事与上一故事大体相似，但从形式看不再是韵散相间体；其内容较上文，有增有减。

故事讲妖怪吃掉了父亲、母亲和六个孩子，白格白喜去放羊，妖怪又来捉她。妖怪追到羊群的一头，白格白喜跑到羊群的另一头。正在这紧要关头，来了一头山驴，挂上姑娘的响铳，戴上姑娘尖顶的高帽，让姑娘变成美丽的孔雀飞走了。野驴戴着姑娘的帽子，摇着姑娘的铃铛，引开妖怪后，又机智地溜走了。

故事继续说干吉涅巴有两个老婆，大老婆生了六兄弟，小老婆生了金波聂吉。大雪天金波聂吉扣住一只孔雀。白天母亲去采药，金波聂吉放羊，当他们回到家中，已做好了饭菜。金波聂吉躲在麦堆后面观察，看见了那年轻美丽的姑娘，收起了她的孔雀皮，与她结为夫妻。

从这些故事可以看出，藏族的叙事艺术源头甚早，在文字形成后，亦较发达。从敦煌古藏文文献中也可证得此一结论。

三、传记文学

敦煌文献中的《赞普传略》，可以称为目前有文字记载的最早的传记作品。王尧、陈践译注之《敦煌本吐蕃历史文书》辑为十章，分为《止贡赞普》、《达布聂塞传》、《纳日伦赞》、《松赞干布》、《赤都松、赤德祖赞》、赤松德赞等赞普的传略。即便这些传记是纪实之作，其文学价值不可低估，有些篇什十分精彩。比如上文已引之止贡赞普的传记。有比较完整的故事的起因、发展、高潮和结局，大体有以下几个阶段：

起因——止贡赞普强令属下罗阿木与之比武，罗阿木不敢，并找托词；发展——罗阿木答应应战，设“陷阱”欲置止贡于死地；高潮——止贡赞普上当，坠入罗阿之“陷阱”；结局——止贡失败被杀。

而从这一完整的故事仍然可以看到主人公的性格。导致止贡死亡和失败的，不是别的，恰恰是他的性格。一个偶然的事件，使止贡赞普上名号时，老祖婆婆误将臣下所禀扎玛岩没有倒塌、母牦牛草场没有被烧、登列维尔湖没有干涸，误听为岩已倒塌、草场被烧、湖已干涸，以为这是不祥之兆，就取名为止贡（意为刀下死）。显然，这一名字对于一个年少的孩子来说非常残酷。除了王室的尊贵和赞普的高位，铸成止贡狂横、暴戾性格的另一重要原因就是这一名号。说其“刀下死”的心理反映或为“我死于刀下，尔等活着”，有着对一切的本能的对抗情绪。止贡带着自幼就有的敌对“情结”走入生活，处理事务，其招致恶果和失败是再也自然不过的事了。首先是与赞普最重要的支持者“父部九臣”和“母部三支”成为仇敌，并对奴隶喊叫：“敢跟我比试武艺吗?”——骄蛮至极；同时可以看出，他已失去群众和臣民的拥戴，失去了朋友、亲人和臣下的帮助。这种局面决定了他连连失策和中计：先是将自动穿刺之戈矛，自动挥舞之长剑等库藏中的一切交给了罗阿；接着在娘若台瓦林对阵时，又按罗阿的圈套将头上的铜饰上戴，将身上的甲胄下穿。一错再错，最终让罗阿所杀。可以说这种人物个性的描绘是十分成功的。

在松赞干布的传记中所载松赞妹赞蒙赛玛失宠于象雄王李迷夏，与之别室，松赞听到这一消息后，命卜金赞芒穹为使节，前往劝说：

> 至琼垄保寨时，赞蒙已不在，如游鱼戏水，行至玛法木湖，芒穹亦尾随至玛法木湖。在赞蒙驾前行礼如仪，赞蒙问：王兄赞普政躬安泰否？答曰：安泰。又问：芒穹尔心情舒畅否？对曰：舒畅！后，又转述王兄赞普如此敕谕云云。赞蒙曰：芒穹尔与为王兄赞普一般无二，礼待宾客，行礼如仪。赞蒙引声而歌。歌云：
>
> 我陪嫁之住地啊，
> 是琼垄一沙尘堡寨，
> 地域宽广不羡歆他人，

从外观是险峻山崖，
从里看是黄金与宝石，
在我面前展现，
却没有边际；
从外观，苍白又崎岖。……
上方之沙山，
爬上去又滑下来，
把它像尸体一般甩进几曲河，
一点也别剩！

歌毕，芒穹致礼告别，向赞蒙请求给王兄赞普之回音书信。未给任何文字，但凭口传：听到王兄赞普陛下心身安泰非常喜悦，赞普嘱咐各节，生死也要竭尽绵薄之力，一定效劳，请将此物献于赞普王兄。乃将一包进贽之礼盖上印章，献与赞普。金赞芒穹返回赞普驾前回报："赞蒙未有任何文书回复，只如此唱了歌赞，盖印封交所献礼物，即此物也。"说毕将礼品献上。赞普当即拆封启视，见有大粒古旧松耳石三十颗，别无他物。赞普心中思忖：其意谓，若敢于攻打李迷夏则佩带此松耳石，若不敢进击则怯懦与妇人相似，着女帽可也。乃下令，君臣火急发兵，灭李迷夏。

传记中的对话有时用散文，有时则用韵文。韵文部分的表现力甚佳，多用比喻、拟人、夸张等修辞手段，有诗之美感与意境；散白部分，以极经济的笔墨叙述复杂之事件，线索清楚，层次分明。

在敦煌文献中尚有一些类似散文的美文，比如噶尔·钦陵与尚书王孝杰的论战，写得颇具情采：

唐之统军元帅王（孝）杰尚书越境，率旅前来，时青海道将军噶尔·钦陵赞婆与之对垒迎逆之。王孝杰尚书发来书翰，并赠以粟米一袋，蔓菁籽一袋。

于是展开了论战，而此论战所涉及的比兴手段和文字叙述的逻辑力量是超出一般的。王孝杰的信中说：

吐蕃之军旅如虎成群，如牦牛列队，所计之数吾亦相当，谚云：

量颅缝帽，量足缝鞋，吐蕃能聚集之大军，吾亦有相等之数今在焉。细喉咙能容纳，大肚子会装不下吗？天降霹雳，轰击岩石，岩石再大岂能相比。

文字生动，在此生动的文字中，显露着内在的逻辑力量，有不容辩驳之气势。对此，噶尔·东赞回答道：

> 口头比试毋言数之多寡！小鸟虽众为一鹰隼之食物，游鱼虽多为一水獭之食物，麋鹿鹿角虽多岂能取胜，牛角虽短却能取胜。松树生长百年，一斧足以伐倒；江河纵然宽阔，一庹之牛皮小舟即可渡过；青稞稻米长满大坝之上，入于一盘水磨之中成粉；星斗布满天空，一轮红日之光，使之黯然失色；山谷川口一星火焰，足以烧光高山、深谷之所有果木树林；一股泉水源头爆发山洪，足以冲走所有山上坝上的果木树林；满地土块之中，若使一石滚动，请观此一石破碎？或是土块破碎？请观在一大坝之上，一背干草与束草之篾片同放，草先朽乎？竹子先腐乎？请观一铜缸之中，放进一瓢盐，是水有味乎？盐有味乎？雷里霹雳之光舌甚少，天下四境所传之声甚大，你们之军旅实如湖上之蝇群，为数虽多，不便于指挥，与夫山头云烟相似，对于人无足轻重也。吾之军丁岂不是有如一把镰刀割刈众草乎？牦牛虽大，以箭之微，射之，难道不能致死乎？

噶尔的回答同样精彩。

这样一些美文的出现与文学的发展和藏人审美水准的提高是有直接关系的，也对后世的文学创作产生了一定影响。

四、膨胀期的《格萨尔王传》

《格萨尔王传》的膨胀期是在吐蕃王朝灭亡后的两三个世纪中酝酿成熟，即吸取了统一西藏高原的过程中，吐蕃内部部落的统一斗争，吐蕃与周边民族的一些战争背景。出现了像《突厥之役》、《喀且之役》、《岭与门域》、《岭与中华》、《泥婆罗之役》、《勃律之役》、《粟特之役》、《弥药之役》、《阿豺之役》、《南诏之役》、《羊同之役》等。尽管《格萨尔王传》并没有将这些战争作同如历史的描述，但这些战争的背景自然地步入史诗，从而使史诗有了膨胀式的扩展，在类型结构上起到了固定的作用；在文化上呈现出以原始信仰为基础的苯教文化色彩，并折射出佛苯斗争等历史文化现象。这一时期可以说是史诗的全面成熟阶段。

膨胀期的《格萨尔王传》主要有以下两个发展阶段：

第一个阶段：从聂赤赞普到南日松赞，主要解决西藏高原内部的部落和小邦王国的统一问题。从第一代藏王聂赤赞普始，吐蕃已进入奴隶制社会，其间部落的联盟日益扩大，部落间的战争也日益频繁，赞普的地位已成“世袭”。恩格斯说：“在父权制统治下，巴赛勒斯（氏部首长）的职位通常是传给儿子或儿子中的一个，那么这仅仅证明，儿子们在那里可能指望通过人民选举而获得继承权，但绝不是说不经过人民选举就承认继承合法。在这种情况下，我们在易洛魁人和希腊人中间能看到的，是氏族内部的特殊的显贵家庭的最初萌芽，而在希腊人那里，还是未来的世袭元首或君主的最初萌芽。因此，可以推想希腊人的巴赛勒斯，正像罗马的‘王’（勒克斯）一样，必须是或者由人民选举的，或者为人民的公认的机关——议事会或人民大会——所认可的。”[①] 由于这种“最初萌芽”的存在，悉勃野这个源于“神”的氏族，保持着其崇高地位，也不断地与其他部落进行战争，到松赞干布的祖父达日宁塞时，北至雅鲁藏布，东至达布、娘布、工布，西至羊卓雍，南至尼泊尔、不丹——西藏高原的主要部分已归吐蕃所有；而另一部分则被仿佛比吐蕃更为强盛的苏毗、象雄所占领。苏毗有二王，女王在年楚河流域从事农耕，小王在拉萨河附近从事畜牧。达日宁塞的妹妹就质于苏毗，为女王侍女。到松赞干布的父亲南日松赞时，苏毗内乱，吐蕃趁其不备，灭掉了苏毗。苏毗即孙波。《格萨尔王传》中有《孙波之役》，显然是依托于史实。南日松赞时，突厥、吐谷浑、羊同、党项、门、嘉良夷等，向吐蕃称臣纳贡。

其实，如恩格斯所讲：“在英雄时代的希腊制度中，古代的氏族组织还是很有活力的，不过我们也看到，它的瓦解已经开始：由于子女继承财产的父权制，促进了财产积累于家庭中，并且使家庭变成一种与氏族对立的力量；财产的差别，通过世袭显贵和王权的最初萌芽的形成，对社会制度发生反作用；奴隶制起初虽然仅限于俘虏，但已经开辟了奴役同部落人甚至同氏族人的前景；古代部落对部落的战争，已经开始蜕变为在陆上和海上为攫夺家畜、奴隶和财宝而不断进行的抢劫，变为一种正常的营

① 恩格斯：《家庭、私有制和国家的起源》，《马克思恩格斯选集》第四卷，人民出版社，1972年，第102页。

生。”① 在松赞干布时期，这种“正常的营生”得到了更加猛烈的膨胀（尽管它无所谓正义战争和非正义战争），从而也为历史的发展做着统一工作。

第二阶段：从松赞干布到达玛吾都赞，这一阶段主要是对青藏高原小邦王国统一基础上的对外战争。

南日松赞被进毒身亡后，父部六臣和母后三臣同时从达波、工布、娘波等地数路出兵叛乱；吐蕃西部的羊同乘虚而来，大举入侵；苏毗也同时进行复辟活动。松赞干布首先平定了父王六臣和母后三臣的叛乱，接着迁都拉萨，进行了一系列的战争。

公元582—591年间平定苏毗，降服羊同；

608年至618年，经略东方诸羌部，东女、附国、嘉良、白兰、白狗等二十余部落俯首称臣；

626年，泥婆罗王位被篡，王太子那陵提婆投奔吐蕃，松赞发兵讨伐，送太子复位；630至636年，贡日贡尊监国，松赞征战东方；

637年，发兵攻吐谷浑，吐谷浑败；

638年，八月率兵20万，围攻唐松州胁婚，败都督韩威，九月再战；

647年，王玄策出使天竺受掠，松赞发兵天竺；

648年，破天竺……②

这些史实，依然见诸于《格萨尔王传》中《羊同之役》、《泥婆罗之役》、《阿豺之役》、《弭药之役》等。羊同即象雄，“此后三年，赤松赞普之时，灭‘李聂秀’，将一切象雄部落均收于治下，列为编氓”，即现在的西藏阿里地区；泥婆罗，即尼泊尔，与蕃毗邻；阿豺即吐谷浑，“其先居于徒河之清山，属晋乱，始度陇，止于松甘之南，洮水之西，南极白兰，地数千里”，《旧唐书·吐谷浑传》今青海大部与甘肃一侧，均在其治下；弭药即党项，分布于青海东南部（今青海果洛）和四川西北部。

松赞干布以后的西藏社会基本上属于封建奴隶制。自公元650年松赞离世至846年吾都赞普遇弑、吐蕃王朝解体的二百余年中，战事纷纭。吐蕃曾击白兰、征突厥（即在疏勒、龟兹、弓月、于阗四镇的争夺），运兵南诏、回纥、勃律、大食，与唐时和时战。这些漫长时代的艰苦战争，《格萨尔王传》中亦有所反映，如《突厥之役》、《勃律之役》、《回纥之

① 恩格斯：《家庭、私有制和国家的起源》，《马克思恩格斯选集》第四卷，人民出版社，1972年，第104页。

② 任乃强：《松赞干布年谱》，载《西藏研究》1981年第10期，第10－22页。

役》、《南诏之役》、《大食之役》等。

吐蕃王朝崩溃后，藏族复置于千户、百户的部落团体中，中央的集权被这种分散的局面所冲毁。然而，这种局面中的战争，也在《格萨尔王传》中得到蕴留，诸如《蒙古马国》等。

就此，我们可以看到《格萨尔王传》中的历史印迹，它的实实在在的内容是由藏族原始氏族公社末期到封建奴隶制社会各阶段以部落战争为主体的高原的统一战争。部落战争是产生这部不朽史诗的直接原因。

从《格萨尔王传》这种说唱体作品的形式，我们略加分析，也可以看到在膨胀期史诗可以膨胀的一些外在因素。

藏区佛教的传入是在松赞干布时代，到吐蕃第37代赞普赤松德赞时，佛教已有相当发展。佛经往往都是韵文和散文混合而成，它是与印度佛教徒宣扬佛法时所用的方法相一致，既要"商榷经论、采撮书史"，又要"吐纳宫商"慧皎《高僧传》卷十三。我想《格萨尔王传》这种诗文交替的演唱形式，或许受了它的影响——假如佛教传入前藏族的先民们尚无这种艺术形式的话。

然而，这只是"影响"而已，我们不是外来主义者，在印度的这种诗文交替的说唱体形式传入藏区以前藏族的歌舞等自然是存在的，尤其苯教的一些祭祀禳祓仪式与其颇为接近。

藏族的典籍中最早出现说唱体形式，大概要数《敦煌吐蕃历史文书》了。我们看看这种形式：

> 此王之时，发兵象雄，统具国政，象雄王李迷夏失国，象雄一切部众咸归于辖下，收为编氓。后赞普聚大论，君臣欢庆宴乐，赞普赤松赞乃作歌。歌云：
>
> 嘻嘻！若问赞普是何名？
> ——赤松赞是也；
> 这位大臣是何名？
> ——东赞宇松是也；
> ……
>
> 如此唱毕，为了酬答，禄东赞亦献歌。歌云：
>
> 大王诏令下颁，

臣下没世效劳，
鸡是要展翅的，
最终还是回到架上暖和。
心是向下垂的，
永远不会朝上。
纯金是金子里头最好的，
无论何时是卓卓精华。
大王啊，切莫弃离臣下，
大王若是弃离了臣下，
就像鸟粪落到坝子上；
臣下们，切莫背离大王，
臣下若是背离了大王，
如百灵鸟冻在树上。
……

这种形式和基本的修辞咏物手法，与《格萨尔王传》何其相似？

如《格萨尔王传·降伏妖魔之部》所描写：

……

珠牡这样请求后，雄狮大王格萨尔，对侍婢们唱道：

……
大块茶砖要用大瓢舀，
小块茶砖要用小瓢舀。
茶叶只能放三盘，
既不能多也不能少。
火焰烧得要像猛虎跳，
风袋打得要像野牛叫，
柴烟要像彩云飞，
茶气要像雾缭绕。
茶沫块块和点点，
要像半空落冰雹。

假如我们再深入一步，便可看到：不但这种形式有相同之处，语言结构也大体类似。《敦煌吐蕃历史文书》中多见的是六言体，一般为两顿（中间有衬词）；《格萨尔王传》中多见的是七言体，一般为四顿。鲁迅：《致姚克》一文中说，“诗、词、歌、曲，我以为原是民间物”，这种语言形式的来源，主要可能是民间歌舞，其次可能是佛教徒传教中的法歌。

公元4世纪至6世纪时，蕴含印度法乐佛曲的“西域音乐”，随着佛教的传播流入汉地。公元568年，北周武帝娶西域阿史氏，库车（即“龟兹”）、喀什喀尔及中亚撒马尔罕组织乐队同来长安。库车人苏祇婆把琵琶七调传给郑译。郑译说：“以其七调，校勘七声，冥若合符：一曰娑陀力，华言平声，即宫声也；二曰鸡识，华言长声，即商声也；三曰沙识，华言质直声，即角声也；四曰沙侯加滥，华言应声，即变徵声也；五曰沙腊，华言应和声，即徵声也；六曰般赡，华言五声，即羽声也；七曰俟利簻，华言斛牛声，即变宫声也。”“译因习而弹之，始得七声之正。”《隋书·音乐志》。龟兹苏祇婆是印度中一派。唐初“十部伎”有四部为“天竺伎”，曾将一些印度乐曲原名改为汉文，如“罗刹末罗”改为“合浦明珠”，“婆罗门”改为“霓裳羽衣”《隋唐燕乐研究》。等。藏族的音乐史料挖掘甚少，但是可以断定印度的音乐如同对唐音乐的影响一样，曾在藏区盛行一时。因为，自公元670年吐蕃西域十八州及龟兹、于阗、焉耆、疏勒四镇，河陇地区曾被吐蕃占领百余年。

从《格萨尔王传》的音乐材料中，我们也可探得一二：

《格萨尔王传》的曲调有数十个，书中每个角色所唱腔各有不同。一个角色在不同的情况下所唱腔调又有不同。如格萨尔在流浪时则唱“向隆长马”（很悲伤的歌）；同敌人对垒时则唱“冬青哈莎昌通”（最勇猛厉害的歌）；格萨尔的妻子珠牡唱优柔婉转的“俄生宗觉”；格萨尔的哥哥嘉察唱正直刚毅的“嘎莫宗觉”，格萨尔的舅舅出征唱粗犷的“哈惹合统”；西般唱缓慢的“大瓦仁莫”；格萨尔的大将们唱龙吟虎啸的“雍珠降卓”。高兴时唱“党猛额洛”；和敌人交锋时唱凶猛激烈的“折统”；平静时唱“他拉宗觉”；开会、念经时唱“折忍”……这说明，《格萨尔王传》的演唱在人物性格塑造诸方面已戏剧化；见到的曲谱简单明了，富于节奏感，我想演唱时或许伴之以舞和类似舞的动作。

从上述《格萨尔王传》内容和形式的探讨中，我们可以看到，作为《格萨尔王传》赖以存在的基础的说唱体这一形式，至少在吐蕃王朝——那个部落的兄弟联盟还非常活跃的时代已经产生了。在吐蕃王朝兴盛时期，这一形式已经成熟，吐蕃王朝对内内外外的波澜壮阔的战争内容，加上这一成熟的形式，使《格萨尔王传》进入了一个膨胀式的飞速发展时代。

第六节 科 技

一、藏历纪年

由于受不同民族历法之影响，藏族的纪年形式也多次更易。

1. 属相纪年

以鼠、牛、虎、兔、龙、蛇、马、羊、猴、鸡、狗、猪十二属相的纪年，与藏人接受汉文化不无关系。从敦煌文献涉及的历史纪年中已使用这种纪年形式，说明藏人使用十二属相纪年的时间是比较早的。《敦煌本吐蕃历史文书》记载：“（狗年）赞蒙金城公主至逻些之鹿苑。”汉历中，狗属相与“戌”“狗年”与庚戌相合，该年则为《旧唐书·吐蕃传》所载唐中宗景龙四年，即庚戌年金城公主嫁于吐蕃，或可说明蕃汉历算的早期影响关系。接受汉族历算文化的影响，有人说是在5世纪，但从后世文献看，大约起于7世纪，即文成公主时。史载，文成公主进藏时曾带去《博唐八十数理》、《五行珍宝包罗》、《密意根本之精》、《珍宝之堆》、《主干综述》等天文星算经典。《吐蕃王统世系明鉴》等古籍云，文成公主曾以这些经论推演吐蕃星历，并组织力量对这些文献进行了翻译。

2. 阴阳、五行、属相纪年

汉历在藏区流传中，也被改造。阴阳、五行、属相纪年便是如此。五行指木、火、土、金、水。五行配以阴阳，则为阴阳五行纪年，即五行分为阳木、阴木、阳火、阴火……阴水，合为十项，似汉地之天干。便有阳木年，阴木年，再配以十二属相形成三合一，即为阳木鼠年、阴水牛年、阳火虎年、阴火兔年等，循环而行，六十年为一周期。吐蕃王朝时期之《唐蕃会盟碑》有此纪年之记载：“时大蕃彝泰七年，大唐长庆元年，即阴铁牛年冬十月十日，双方登坛，唐廷主盟；又盟于吐蕃逻些东哲堆园，时大蕃彝泰八年，大唐长庆二年，即阳水虎夏五月六日也……其立石镌碑于此，为大蕃九年，大唐长庆三年，即阴水兔年春二月十四日事也。”阴铁牛年为827年，阴水兔年为823年。

除上介绍的纪年方法外，后期的一些史料记载当时还有八卦、九宫黄历推算，24个节气推算和将牛的身体分为360份推算一年气象的“牛算”等。赤德祖赞时有黄历历书《暮人金算》，出自于新疆和阗的《李地方的属年》或出自突厥或吐谷浑的《祝孤地方的冬夏至图表》，穷氏之《穷算六十》，来自克什米尔的《央恰六十四个图表》与尼泊尔的《嘎尼羊孜》

等，为藏人后期的天文历算的发展奠定了基础，提供了较为广泛的参照系统。

二、藏医

藏医是生活在高海拔地区的藏族人民为世界医学科学的一份伟大的贡献。目前，这部分遗产已得到了广泛的重视：国内外兴起藏学热，藏医学为热点之一。

（一）藏医发展的基本历程

“曼巴”一词对内地的先生们已不陌生，藏语含义有二：一为医学博士，是对精通医学一切理论和实践的医生所用的美称，主要指医生中对于《四部医典》本注总义、分义、补遗、概要，以及远方九医所译，藏地九医所著，诸如《月王药诊》、广略《甘露宝瓶》、《八支集要》、《仙人耳传》、《词义月光》等书之本注总义、分义、补遗等，均能透彻了解于心，熟练应用于手的人；一为医生。

“最早的药是开水。”藏人这样认为。据有关史料反映，至少在公元前几个世纪，藏族人民就已认识到某些动物、植物、矿物的医疗作用，认为“有毒就有药”。后有了酥油止血、青稞酒糟治疗外伤的知识。在漫长的与疾病斗争的历史中，藏族人民积累了许多简单的医疗经验。显然，藏医系统的形成与接受外来医学有直接关系。关于藏土最早传播外来医学的时间有两说法，一是在吐蕃第25代王拉脱脱日年赞时，有两位印度医生到西藏给百姓传授医疗知识；一是此后四代，仲年德乌之子时，请来吐谷浑的医生为之看病。这些传说也难得到佐证。法国人胡亚和黄光明所著《中国医学》（Chinese Medicine）中说《脉经》一书曾由藏区传往印度和阿拉伯地区。这一时间大约在松赞干布的父亲南日松赞时期。有较多记载的是《吐蕃王臣记》等史籍。据载，641年文成公主进藏时，带去大批书籍，其中就有“医方百种，诊断法五种，医疗器械六种，医学论著四种……”这批书由汉和尚马哈德瓦、达马郭嘎等译成藏文，称《医学大全》，这大概是较早的医药书籍。此后又请来印度的巴拉达扎、中国的韩文海、波斯的加林诺，每人翻译了一本本国的医书，并合写了《无畏的武器》一医书，献给国王。（这一说法学者们表示怀疑，有学者认为所谓巴拉达札是公元前古印度传说中的神医；加林诺为罗马时代的名医盖伦的波斯文读音；韩文海或译韩王海弟，或为轩辕黄帝的谐音。）这些藏文医学典籍的出现标志着藏医学的成熟，从而在吐蕃王朝时期出现了像宇妥·云丹贡布这样的名医，藏医学也进一步发展，形成了自己的独特系统。

（二）藏医原理

藏医认为，维护人体正常功能的有三大因素（即“龙”、“赤巴”、“瓦干”）、七大物质基础（即饮食精微、血、肉、脂肪、骨、骨髓、精）和三种排泄物（大便、小便和汗）。三大因素支配着七大物质基础和三种排泄物的运动变化。

三大因素的“龙”可译为“气”，其主要功能是主呼吸、肢体活动、血液循环、五官的感觉、大小便的排泄、帮助分解食物并输送饮食精微等。“龙”可分为五种：1. 维持生命的“龙”。2. 上行的“龙”。3. 普遍存在的“龙”。4. 主消化的“龙”。5. 主排泄的“龙”。“龙”的特性有六：粗、轻、寒、细、硬、动。由“龙”引起的病据《四部医典》说有101 种。

“赤巴”可译为“火”，其功能主要是产生热能并维持体温，增强脾胃功能，以助消化的“赤巴”，主变色的“赤巴”，润泽皮肤的“赤巴”等五种。“赤巴”的特性有七：腻、锐、热、轻、臭、泻、湿。由“赤巴”引起的病有 101 种。

“瓦干”可译成为“水”和“土”。其主要功能是磨碎食物，增加胃液，使食物易于消化吸收，促进代谢，主持味觉，保持水分，湿润皮肤，调节胖瘦。可分为保持水分的“瓦干”，磨碎食物的“瓦干”，品味的“瓦干”，使人知“满足”的“瓦干”及润滑关节的“瓦干”五种。“瓦干”有七种特性：腻、凉、重、钝、固、柔、粘，由“瓦干”引起的病有101 种。加上 101 种由邪恶鬼祟引起的病，各种病大约 404 种（这是传统医学对病患的基本分类，显然，疾病不仅仅是这 404 种），由此也导出诸病的四种结果：药可治愈、不治自愈、治而不愈、诵经禳袚而愈之。

“龙”、“赤巴”、“瓦干”在相对平衡状态下，互相制约，互相依存，但一旦失去平衡，便会出现病理状态。如“龙”，属气，遍于身体各部分，易变，近“赤巴”则生热、近“瓦干”则助寒。因而藏医认为“龙”病是百病之根。“赤巴”属火，“赤巴”乱则生热火，虽居于下，但火盛则升热于上。“瓦干”属水，性重寒，“瓦干”乱则生寒，灭人体正常之火，虽居于上，但寒盛可注于下。因而藏医认为“瓦干”是一切寒病之源。在诊断上都有特点，藏医也将人分“龙”、“赤巴”、“瓦干”三类型：

“龙”型人消瘦，面色灰黄，怕冷，爱说话，爱唱歌，爱吵架，性格活泼等。“赤巴”型人易饥渴，多汗，身体经常有臭味，面色发黄，个性强。“瓦干”型人身体肥胖，脸色发白，怕冷，嗜睡，性情温和。

“龙”型的人和老年人易患“龙”病，“龙”病多发生于夏季；“赤巴”型人和青年人易患“赤巴”病，“赤巴”病多发生于秋季；“瓦干”型人和小孩易患“瓦干”病，“瓦干”病多发生于春季。过冷易生“龙”病，过热易生“赤巴”病，过温易生“瓦干”病。

在人体解剖和生理功能方面，藏医认为人有心、肝、脾、肺、肾五脏，胃、隆（相当于十二指肠）、肠、胆、膀胱、“三姆休”六腑。“三姆休”相当于中医的三焦，但功能又不尽相同。人有骨 360 块，包括牙齿 32 枚，盘骨 14 根，四肢关节 12 个。藏医在五脏六腑、肉和脉络（神经和血管）的解剖理论方面都有较高的成就。尤其是妇女月经周期和胚胎发育方面为世人所称道。妇女十二岁来月经，五十岁绝经，每月一次。来月经时，妇女常有腰部和下腹胀痛，乳房发胀，情绪不稳定等表现。当怀孕后，三十八周即分娩。在胚胎发育中，要经历鱼期（相当于水生动物）、龟期（相当于爬行动物）及猪期（相当于哺乳类动物）三个阶段。此与现代医学基本一致，体现出动物进化过程的几个阶段。

在诊断方面，注重望、问、触三种方法。近于中医的望、闻、问、切四诊法。

1. 望诊是用眼睛观察，自视病人的神色、体型、皮肤颜色、大便、小便、痰等，此外，特别要观察舌苔和尿液的变化。望诊是藏医观察疾病的重要手段之一，看尿主要看颜色、气热、闻气味，看泡沫多少，大小，颜色深浅，消失快慢等，及观察尿中的沉淀物、漂浮物等。以其来确定疾病的种类，病之轻重。如热性病人尿呈红黄，气味大，味臭，尿热时久，泡沫少，色呈黄，且消失快，沉淀物如乱云状。

2. 问诊是问与病情有关的一切问题，如病之起因、发病时间、症状、用药情况、饮食起居习惯等。

3. 触诊主要是切脉，其部位和方法基本与中医相同。

（三）宇妥·云丹贡布与《四部医典》

宇妥·云丹贡布（708 ~ 833），今西藏自治区堆龙德庆县人，是著名的藏医学家，藏医学的奠基人。民间多称“医圣”，在藏区享有崇高的威望。

宇妥·云丹贡布出生于著名的医学世家宇妥家族（“青松石之家”）。据说，他与赤松德赞同年，20 岁时赤松德赞请来九个外地医生与之辩论，以验证其才干。宇妥以其渊博的学识，获得胜利。虽然后人加工的这些情节与事实或有部分出入，但在宇妥的谈话中，我们可以得知他的广闻博识和当时医学在藏土的发展状况。如他在回答印度医生的问话时说：印度人对《智慧明智续》（智慧的咒文）做了特殊的研究。中国，由于占星学及其他方法，擅长于预后学；尼泊尔，擅长于机械艺术；喀什米尔，擅长化学；蒙古，擅长放血；葛逻禄，擅长烧灼；达西垃，擅长于治疗中毒；冲木，擅长尿诊；萨贺尔，擅长于用角做拔罐；格萨尔，擅长用咒文治疗；象雄，擅长用泻药；乌仗那，擅长用吐法；西藏则擅长用四种方剂；苯教最强调用加热、浴疗和油羔。泰但人有咒语治病的方法而梵天系统的方法则为《医学一万偈语》。菩萨的方法是按《自然解除的慈悲》去做的。仙人的系统则是《逻迦本续》（或称《八根本续》）。非佛教徒的方法是《大天密宗》，而佛教徒则是《三世怙主续》的方法。一个集大成的医圣的出现，没有前人的医学成果做基础是不可想象的。圣人只能在前人丰富的学科基础上由人变成圣。没有知识的积累也就不会有知识的突破。25 岁以后的 13 年中，宇妥曾三次到印度求师问学，一次前往尼泊尔，历时八年零八月，曾在印度著名的桥生班钦赞扎德娃、美昂和尼泊尔著名医学家达那希那合门下求学。据说，在 38 岁时曾赴康区和五台山求医拜师，学到了内地的医学知识。

55 岁时，宇妥带着学徒岱瓦拜到工布去。这时他已有 300 多个门徒。他向他们讲授《四部医典》，培养了不少医学人才。

宇妥不但是个四处游学、博览群书、学问广深的医学大师，而且十分注重医德。他曾说：一个好医生首先要有洞察力和深邃的知识，其次要有博爱的思想。要爱病人，要有像猪狗一样的思想，不把病人的尿、粪、血等看成污秽物。

据有关传记记载，宇妥一生（据说活了 125 岁）写了许多医学著作，最重要的一部是大约完成于 754 年的医学传世宏著《四部医典》。在《伟大的医圣宇妥·云丹贡布传记》末尾的五世达赖的题词中如此写道：

药王，
为了保护人类，
在这风气败坏的今日，
您发出的光芒，
比恒河沙数还多。

作为一代伟人，宇妥·云丹贡布在藏族人民心目中的地位是十分崇高的。人们实际上将他当做佛的化身而加以崇拜。

《四部医典》藏语称《居悉》又译《医方四续》。一般认为是宇妥·云丹贡布依据前人成果撰成，也有材料以为是宇多·云丹贡布等九位大医士编辑而成。全书共分四部分：

1. 根本医典（基础理论）。

2. 论说医典。

3. 秘诀医典。

4. 后续医典。

全书共156章，长2300多页。其基本内容我们已在上文中述及。它对人体生理学、病理学理论以及对疾病的诊断、治疗药物制作、卫生保健等都有详细论述。

《四部医典》奠定了藏族医学的理论基础，后代藏医学家对此曾作上百种注释本，成为藏医学的权威性著作，有多种藏文木刻本。15世纪后藏医分为南北两派，各派根据书中内容绘制了不同风格的医学挂图。随着藏族文化的传播，16世纪时藏医传入蒙古地区。使作为藏医一分支的蒙医也得到了迅速发展。自蒙文版的《四部医典》译为外文后，很快引起了国外学术界的重视。

汉文译本较早出现的有上海文史馆馆员孙景风于1957年节译的《四部医典》的第一部分和最后部分之20至24章。1978年，李永年先生完成《四部医典》译本，于1982年刊行。

在国外，16世纪时，不丹名医班玛噶波以《四部医典》为蓝本，写成《四部医典讲话·济世仓廪》。19世纪初，匈牙利学者乔玛（1784～1842）对《四部医典》进行了研究，发表了论文。20世纪初，苏联学者巴德玛也夫和波滋涅耶夫根据《四部医典》蒙文译本，将该书第一、第二部分译成俄文，在圣彼得堡出版。除《四部医典》外，《月王药诊》、《晶珠本草》（别译《药物学广论》、《无垢晶串》等）都是著名的藏医学典籍。

第七节　文化交流

一、蕃、唐之间的文化交流

在公元7至9世纪中叶，吐蕃和唐是争雄亚洲的两大强国，对当时亚洲许多国家和民族以后的历史、文化和经济等都产生过巨大的影响。然而跟许多事物所必须经历的一般过程一样，这两大王朝也有产生、发展、消亡的历史，只是它们兴起、繁荣、发展、消亡的历史阶段却更加相像罢了。

初唐（618～741），凡124年，即从李渊武德元年至李隆基开元二十九年，相当于松赞干布至赤松德赞；中唐（742～820），凡 79 年，即从唐玄宗天宝元年至唐宪宗李纯元和十五年，相当于赤松德赞至赤热巴巾；晚唐（821～907），凡 87 年，即从唐穆宗长庆元年至唐哀帝天佑四年，相当于赤热巴巾至永丹、欧松时期。走过了由强盛至腐败，从而走上灭亡的道路。而从总体的交流状态看，蕃唐之间由战争而联姻，由战争而会盟，由战争而进行宗教、文化交流。可以说此 200 年“落霞与孤鹜齐飞，战争与友谊并存”。正由于这种状态，使吐蕃竭力向东向、西向扩展，更多地认识了世界，认识了唐王朝和汉文化；使唐向西、向南扩展，较多地认识了西北和西南地区的少数民族，认识了藏族和藏文化，留下了我们今日研究藏学的可贵资料。这是一种许多地区和国家共见的现象，“不打不相识”，从而为以后的中华民族多元一体格局中，“藏”这一民族的加入创造了条件，为藏汉两个民族在以后时代中的亲密友谊打下了坚实基础。

（一）唐蕃战争与联姻

自公元 634 年始，随着战争领域的扩大和蕃唐友谊的发展，唐蕃间的来往也日益加剧，至 846 年，蕃唐两国使节在长安至逻些的千里青藏高原往还达 191 次之多。几乎每年一次。而其中最有魅力的可能要数两次联姻。

松赞干布统一青藏高原后，继续进兵东方。于 636 年（贞观十年）遣使随唐使冯德遐献金币，请降公主。当时未得到唐太宗允准。也在这一年，吐谷浑王诺曷钵向唐请婚，却得以允准，唐廷于贞观十四年（640）将弘化公主嫁与诺曷钵。此事触怒了松赞干布。《旧唐书·吐蕃传》载：“使者既返，言于弄赞（松赞干布）曰：‘初至大国，待我甚厚，许嫁公主。会吐谷浑王入朝，有相离间，由是礼薄，遂不许嫁。’弄赞遂与羊同连，发兵以击吐谷浑。吐谷浑不能支，遁于青海之上，以避其锋，其国人畜并为吐蕃所掠。”松赞干布打败吐谷浑后，集中 20 万兵力围攻松州，遣使胁婚。贞观十四年（640），吐蕃大相噶尔·东赞前往长安献金器千斤求婚，才得以允准。贞观十五年（641）以噶尔·东赞宇松为迎婚使，文成公主被迎往吐蕃。松赞“率其部兵次柏海，亲迎于河源。”①

此次联姻对当时的政治对峙和军事冲突起到了很好的缓和作用，同样也开创了蕃唐友谊的先河，以婚亲结好，成为千秋佳话。由此在藏族地区也诞生了多种体裁的民间文学作品，如故事“六难婚使”、藏戏《文成公主》或《文成公主进藏》等。这些故事叙述了从噶尔·东赞长安请婚，文

① 王尧、陈践译注：《敦煌本吐蕃历史文书》，民族出版社，1980 年，第 203 页。

成公主在拉萨与松赞干布完婚的整个过程。

文成公主进藏也留下了许多优美的民歌，如有一首叫《唉玛央吉松》的堆谢如此唱：

正月十五那一天，
文成公主答应来西藏；
不要怕过宽阔的草原，
有百匹好走马迎接你；
不要怕翻高峻的雪山，
有百头乖牦牛来接你；
不要怕涉奔涌的急流，
有百条马头船来接你。
来到了拉萨的“乌洁”滩，
有百辆木轮车来接你；
来到拉萨的“洞青苏”，
有百名俊少年来接你；
来到了拉萨的“卡阿顿”，
有百名美姑娘来接你。
来到了拉萨的红山宫，
有百名亲信大臣来接你。
四个国家派出求婚使者，
公主的命运连着雪域高原。

“唉玛央吉松”是“喂，请听一听”之意，“乌洁滩”、“洞青苏”、“卡阿顿”、“红山宫”分别指的是拉萨地区的一些地名。其中的“红山宫”就是今日的布达拉宫，当时已有叫“颇章玛尔布”宫殿建筑（当然不是今日布达拉的样子），传说，松赞干布和文成公主曾在红山宫中共同生活。公主受到藏族人民爱戴。

在藏区也留下了一些有关文成公主的遗迹和传说，如玉树藏族自治州的文成公主庙，西藏布达拉及山南的一些寺院里有文成公主、松赞干布的塑像和一些壁画。文成公主没有生育，没有给吐蕃王室留下一男半女，但她在吐蕃生活了40年（680年去世），为藏族人民做了许多好事，甚至有些风俗也因她而有了更易。《旧唐书·吐蕃传》说：“公主恶其人赭面，弄赞令国中权且罢之。自亦释毡裘，袭纨绮，渐慕华风。仍遣酋豪子弟，请入国学以习诗书。又请中国识文之人典其表疏。”

另外，有传说说文成进藏时带去了水磨、茶叶、打制酥油的方法、蔓菁种子以及中原的天文、历数等，不知虚实。

金城公主是文成公主去世后30年进藏的，即于710年，由唐左卫大将军杨矩护送入藏。其事迹主要保存在《桑耶寺志》、《吐蕃王统世系明鉴》、《贤者喜宴》等书中。较之文成公主，汉文典籍中对她的记录要多。和亲联姻政策在当时的战争状态下所起到的作用是很大的。譬如文成公主嫁与松赞干布至松赞去世这十年中，唐蕃之间是友好相处的。648年，吐蕃对中天竺发动进攻。此后两年松赞去世，不久即发生几次恶战。一是大非川之战，右威大将军逻娑道行军大总管薛仁贵全军覆没，唐高宗将“仁贵坐除名”；一是678年，洮河道行军大总管李敬玄与吐蕃的九月青海之战，“王师败绩”，左卫大将军刘审礼被俘。因而，于779年，适赞普新丧，文成公主一面向唐廷报丧，一面请求和亲，没有得到唐廷采纳。此后，唐、蕃仍时有战争，互有胜败。703年，吐蕃遣使求婚，705年，唐、蕃进行了第一次会盟，707年才有“以嗣雍王守礼女为金城公主，出降吐蕃赞普”事。

金城公主入藏，唐廷确实大为造势。查《全唐诗》中有“奉和送金城公主适西蕃应制”诗18首。其中多为唐朝大诗人。如崔日用、崔湜、李峤、阎朝隐、韦元旦、李适、刘宪、张说、马怀素、武平一、赵彦昭、徐坚等。《册府元龟》卷九七九《外臣部·和亲》载：“丁丑，命骁卫大将军杨矩充送金城公主使。己卯，幸始平县，以送金城公主。辛巳，设帐殿于百顷泊侧，引王公宰臣及吐蕃使人入宴，中坐酒阑，命吐蕃使进前，谕以公主骙幼，割慈远嫁之旨。帝悲泣歔欷久之。因命从臣赋诗饯别。改始平为金城，又改其地为凤池乡怆别里。”这个欢送仪式是空前隆重的。

金城公主入吐蕃，嫁与赤德祖赞后，生有藏王赤松德赞（此说亦有异议）。史书载有大小妃争王子的事，说金城生了赤松德赞后被那囊妃抢去，硬说是她生的。后在一岁立步宴上，赤松德赞说自己是汉人的外甥，从而确定下来。从《册府元龟》等史书中看，金城公主当时是参与政事的，曾多次上书给唐皇。如开元五年（717）丁巳，金城公主上表曰：“金城公主奴奴言：季夏极热，伏惟皇帝兄御膳胜常。奴奴甚平安，愿皇帝兄勿忧。此间宰相向奴奴道，赞普甚欲得和好，亦宜亲署誓文。往者皇帝兄不许亲署誓文，奴奴降蕃，事缘和好，今乃骚动，实将不安和。矜怜奴奴远在他国，皇帝亲署誓文，亦非常事，即得两国久长安稳，伏惟念之！”

金城公主死于开元二十七年（739），在吐蕃生活了28年。因为当时唐蕃之间战争连绵，公主也难免陷于左右为难的境地，她曾想秘密逃往箇失蜜便是一例。但她在那些特殊的年代，在特殊的政治环境下，为汉藏友谊所作的贡献是不可磨灭的。

（二）唐蕃会盟与交换俘虏

从唐朝的一些诗人、官员的诗作和见闻录中也可以看到当时藏、汉之间的战争状况和既有战斗又有接触、融合的现象。唐代著名诗人元稹（779~831年）作《缚戎人》，反映当时没入吐蕃之手的汉人的状况：

少壮为俘头被髡，
老翁留居足多刖。
……
五六十年消息绝，
中间盟会又猖獗。
眼穿东日望尧云，
肠断正朝梳汉发。
近年如此思汉者，
半为老病半埋骨。
尚教孙子学乡音，
犹话平时好城阙。
老者倘尽少者壮，
生长蕃中似蕃悖。
不知祖父皆汉民，
便恐为蕃心矻矻。
缘边饱餧十万众，
何不齐驱一时发。

白居易也作有《新乐府·缚戎人》（809年）反映没蕃军卒事：

自云乡贯本凉原，
大历年中没落蕃。
一落蕃中四十载，
身着皮裘系毛带。
唯许正朔服汉仪，
敛衣整巾潜泪垂。

誓心密定归乡计，
不使蕃中妻子知。

后此人历经艰辛，自戈壁沙漠逃出，见到汉军，汉军又将其作为吐蕃俘虏发配到江南，使这位“汉心汉语吐蕃身”的汉人备受苦酸。

《新唐书·吐蕃传》中反映了类似的情况：“元鼎逾成纪、武川，抵河广武梁，故时城郭未隳，兰州地皆杭稻，桃李榆柳岑蔚，户皆唐人。见使者麾盖，夹道观。至龙支城，耋老千人拜且泣，问天子安否。言：‘顷从军没于此，今子孙未忍忘唐服，朝廷尚念之乎？兵何日来？’言已皆呜咽。密问之，丰州人也。”刘元鼎入蕃是在公元822年。《新旧唐书合钞》曰：“二年（广德元年，公元763年）七月，吐蕃大寇河、陇，陷（我）秦、成、渭三州。入大震关，陷兰、廓、河、鄯、洮、岷等州，盗有陇右之地。”如此至少在763年，兰州已为吐蕃占据。刘元鼎路过兰州时，此地已在藏人统治之下59年。从新旧《唐书》看，兰州成为唐蕃争夺的战略要地是在714年，说该年：“薛讷破吐蕃于渭州西界武阶驿，斩首一万七十级，马七万七匹，牛羊四万头。”兰州的收复在1081年（宋时），期间有所谓850年张议潮驱逐吐蕃守将，收复瓜、沙、伊、西、肃、甘、兰、鄯、河、岷、廓等十一州事，其中有兰，而兰实际仍未完全控制，藏人在此统治凡318年。

唐时期除了每次战役中的俘虏外，还有一些比较大的将唐人掳往吐蕃的事件。譬如：

（1）尚结赞劫盟。这是唐与吐蕃的第七次会盟，地点在平凉川。劫盟的起因大约有二，一是785年，唐生朱泚之乱，吐蕃大将尚结赞、论莽罗受唐请兵除奸，与唐将浑瑊等将朱泚击败于武功县。唐廷最初答应吐蕃出兵的条件——打败朱泚，收复京城后，将赠给吐蕃伊（新疆哈密）、西（新疆吐鲁番）、北庭（乌鲁木齐）等地，并每年奉送吐蕃赞普绢彩一万匹。朱泚死，吐蕃如约索要，唐廷违背诺言，反悔不予，矛盾顿时激化。786年，战争已蔓延到陇及陕西西北部，唐京师危机。吐蕃占领盐（宁夏盐池）和夏（陕西横山）诸州，被唐侦察到其实际兵力，被李晟伏击，蕃军大败。继而为首将领请和会盟。

唐一方主盟的是浑瑊（他与马燧、李晟等是当时名将），吐蕃一方主盟的是尚结赞。当时唐蕃双方议定五月于平凉会盟时，各派兵3000在盟坛左右，散手随从400人在坛下。可是尚结赞早有预谋，将30000骑兵埋伏在坛西，其游骑贯穿于唐军之中，而唐之游骑60，行至蕃军即被俘虏。会盟正进行中，吐蕃军中突然鼓起，吐蕃军队旋如风驰电掣而至。浑瑊逃脱，唐将士死伤四五百人，被俘千余人，其中包括一些重要官员：兵部尚书崔汉衡、司勋员外郎郑叔矩，中官刘延邕、俱文珍、李清朝、路泌、掌书记袁同直、大将扶余准、马宁及神策、凤翔、河东大将孟日华、李至言、乐演明、范澄、马弇等60余人。

据《旧唐书·吐蕃传》说，对这些俘虏"各以一木自领至趾约于身，以毛绳三束之，又以毛绳连其发而牵之，夜皆踣于地，以发绳各系一橛，又以毛罽都覆之，守卫者卧其上，以防其亡逸也。"可见作为俘虏的苦处。后尚结赞除放回吕温、俱文珍、浑瑊之将马宁、马燧之将马弇外，将崔汉衡、郑叔矩囚于河州，将辛荣、扶余准等分别囚于廓、鄯诸州。

事隔20年（806年，唐宪宗元和元年），唐从福建道提取17名蕃人放还；吐蕃则送回司勋员外郎郑叔矩、检校户部郎中路泌的灵柩和郑叔矩的儿子等13人。

吐蕃对唐军俘虏和统辖区的汉人，是分层次使用的，一些能干的有文化、有技术的人，给他们以相应的职责，比如征税收帐等，以"舍人"身份在吐蕃服务（"得华人补为吏者则呼为舍人"），这种人有些官职颇高；大多数被编入军队中行军打仗，或者沦为奴仆。

（2）763年（唐代宗广德元年）吐蕃以20万众攻入长安，占据十五日，撤退时掠夺"男女数以万计"，后来郭子仪与回纥兵合兵追击，败吐蕃，夺回的士女就有4000人。尽管这是一起不成功的掠夺，其规模可想而知。如此掠夺汉人生口的事件是经常发生的。773年，"吐蕃众十万寇泾、邠……居民为吐蕃所掠千余人。"[①] 787年，"虏又剽汧阳、华亭男女万人，以畀羌、浑，将出塞，令东向辞国。众恸哭，投堑谷死者千数。"《新唐书·吐蕃传》。掳去的官吏、军人是有限的，大量的还是唐王朝的下层民众。《沈下贤文集》卷十载：在安史之乱后百年，"自瀚海以东，神鸟、敦煌、张掖、酒泉，东至于金城、会宁，东南至于上络、清水，凡五十郡、六镇、十五军，皆唐人子孙，生为戎奴婢。"仅兰州一地有户籍可查的就有14226人，可见人口之多。

从上可以看出，尽管战争给蕃、唐人民带来的灾难是巨大的，由于吐蕃运兵东境及安西以来，统治相当广阔的汉人居住区，使藏汉民族成杂处态势；又掳入吐蕃的汉朝军兵官佐亦与藏人杂处，可见当时有相当数量的

① 苏晋仁编：《通鉴吐蕃史料》，西藏人民出版社，1982年，第146－147页。

汉人被同化——大多数可能是强制性的。《新唐书·吐蕃传》有载："州人皆胡服臣虏，每岁时祀父祖，衣中国之服，号恸而藏之。"服饰如此，语言等也不会例外。同化的过程实际上是文化融合的过程，汉文化的一些因素也自然地汇入藏文明的河流中来了。比如王建的《凉州行》中就描绘了被俘妇女情况——蕃唐文化交流之一景：

凉州四边沙皓皓，
汉家无人开旧道。
边头州县尽胡兵，
将军别筑防秋城。
万里征人皆已没，
年年旌节发西京。
多来中国收妇女，
一半生男为汉语。
蕃人旧日不耕犁，
相学如今种禾黍。
驱羊亦着锦为衣，
为惜毡裘防斗时。
养蚕缫茧成匹帛，
那堪绕帐传旌旗。
城头山鸡鸣角角，
洛阳家家教胡乐。

没于汉的吐蕃俘虏也很多。779 年唐德宗继位，从江南提取五百名俘虏释放。这些俘虏都是自 766～772 年，吐蕃派往唐朝的八个使团的成员，因唐拒绝接受这些使节，即发配到江南、江岭、吴越地区，充当奴隶。而 766～772 年（唐大历元年至七年）正是吐蕃占据河西及陇右之时。如新旧《唐书》等所载：

766 年，吐蕃陷原州。

767 年，"七月甲寅，吐蕃寇灵州；乙卯，进寇邠州。诏子仪率师三万自河中镇泾阳，京师戒严。冬十月戊寅，灵州奏破吐蕃二万……京师解严"。

768 年，"吐蕃十万，寇灵武。丁卯，吐蕃尚悉摩二万众寇邠州，京师戒严……灵武奏破吐蕃六万。百僚奏贺，京师解严"。

此阶段，蕃、唐正在激战，因而其来使命运可想而知。实际上更多的俘虏来自于战争自身。如：

773 年，“郭子仪奏破吐蕃十万”。

776 年，“剑南节度使崔宁奏，大破吐蕃二十万，斩首万级，生擒酋领一千一百五十人。”

777 年，“西川崔宁奏，于西山破吐蕃十万，斩首八千，生擒九百人。”

发还俘虏是为了“修好也”。而更多的战俘在南方或病殁，或老死黄泉。这种将俘虏遣押南方（包括福建一些地方）的办法一直延续到公元 820 年左右。唐诗中有对吐蕃俘虏的处置办法：“耳穿面破驱入秦，天子矜怜不忍杀”，“穿耳破面”大概是对俘虏的一种特有惩罚，以便识记；此后的做法大概是诗人元稹所说：“圣朝不杀谐至仁，远送炎方示微罚”，显然，这也是战争状态下的一种必要措施，吐蕃如此，唐也如此。作为两方统治阶级牺牲品的那些兵士、百姓、官吏的苦处都是同样的。韩愈（昌黎）因遇从湖南拘押来的吐蕃俘虏，在《武关西逢配流吐蕃》诗中如此写道：

嗟尔戎人莫惨然，
湖南地近保生全。
我今罪重无归望，
直去长安路八千。

唐朝俘虏的吐蕃军卒等的数量同样是很大的。这些我们从吐蕃王朝兴盛时期 200 年的唐蕃之间的战争中了知概貌。

（三）唐蕃宗教、文化之交流

统治者为了开疆拓土而发动的许多战争是残酷的，它不但耗费了无数的财物，扼杀了无数年轻的生命，也严重地阻碍了生产力的向前发展。但是战争却使无数的相互对立的民族和国家得到较为全面而深刻的了解。因为战争双方，不但要打仗，还要收集情报，了解对方；相互的占领和被占领，在各自的民众中播撒着的不仅仅是仇恨，也有人性和友谊的种子。因为国家利益集团的争斗中，作为主导战争的统治者有时候或可能代表人民的利益，而更多的是代表统治者自己的利益，而人民，作为社会历史发展的主流，却在残酷的战争中培育着友谊之花。

在敦煌文献中，有 P. T. 986 号和 P. T. 1291 号，前是《尚书》译文，后是《战国策》译文。《敦煌吐蕃文献选》中介绍了这两部藏译汉文典籍的情况。虽然藏文译文只见片段而不是全书，从文化交流的历史看，却是非常珍贵的。

《尚书》是一部非常重要的汉文经典，五经之一，称《书》或《书经》。《辞海》说：“‘尚’即‘上’，上代以来之书，故名。中国上古历史文献和部分追述古代事迹著作的汇编。相传由孔子编选而成。事实上有些篇如《尧典》、《皋陶谟》、《禹贡》、《洪范》等是后来儒家补充进去的。西汉初存二十八篇，即《今文尚书》。另有相传汉武帝时在孔子住宅壁中发现的《古文尚书》和东晋梅赜（一作梅颐、枚颐）所献的伪《古文尚书》二种。现在通行的《十三经注疏》本就是《今文尚书》与伪《古文尚书》的合编。《尚书》中保存商周特别是西周初期的一些重要史料。注本有唐孔颖达《尚书正义》、清孙星衍《尚书今古文注疏》等。”① 据王尧先生对存于英国伦敦博物馆、巴黎等处的敦煌汉文本写卷《尚书》的比较研究得知，藏译为当时敦煌流行的伪《古文尚书》（即伪《孔传》本）。藏文共157行，四节，主要内容为：

A.《尚书》之《泰誓中》（《泰誓上》藏译文已佚），第128行。

B.《尚书》之《泰誓下》，第29～67行。

C.《尚书》之《牧誓》，第68～89行。

D.《尚书》之《武成》，第90～157行。

另，第158行为“《尚书》第六完”语。

《尚书》在当时可能已全书译为藏文，只是年代久远，战乱频仍，难知详情。

《战国策》流传于战国末，汉成帝时刘向（前77～前6）曾编辑、整理，共33篇。其《叙录》中说：“中书本号，或曰国策，或曰短长，或曰事语，或曰长书，或曰修书，臣向以为战国时游士辅所用之国，为之策谋，宜为《战国策》。其事继春秋以后讫楚汉之起，二百四十五年间之事。”其价值可知。

藏文译自晚于出土于长沙的马王堆帛书《战国策》（共27篇，17000余字）、而早于南宋姚宏校定、鲍彪加注之《战国策》，共六篇96行，篇名为《田需贵于魏王》、《华军之战》、《秦魏为与国》、《王假三年》、《秦王使人谓安陵君》、《魏攻管而不下》，均出自《魏策》。藏文译文通畅而活泼。

① 《辞海》缩印本，上海辞书出版社，1989年，第1258页。

《古文尚书》和《战国策》有一共同特点是，有较强的故事性，同时贯穿着思想道德和战略策谋，颇具智慧。这或许是吐蕃译为藏文的重要原因，因为当时战争多于和平，而智谋、用人等又无不伴随着政治、军事，政治与军事的最高体现仍然是围绕着思想道义之类的精神追求。文化吸收是以文化需求为前提的，这或许是处于特殊环境中的吐蕃人借鉴这些汉族古文明的动因吧。

敦煌古藏文文献中保留了一些译自汉文的《无常经之解说》、《不分善，杀生、饮酒经之解说》、《恶行经之解说》、《孝子经之解说》、《善行经之解说》等佛经变文。比如 P. T640 号和 P. T126 号两封藏文写卷，一缺首，一缺尾，合起来恰是一完整的佛经变文。

从翻译经典的民族成分看，有藏汉民族参加，如有关专家对河西吐蕃经卷和文书 317 卷中署名的 137 位写者和校勘者的统计，确定为吐蕃人的 23 人，可能是吐蕃人的 1 人；保留汉式姓名的 38 人，汉姓、吐蕃名字的 26 人（这些人可能是蕃人，也可能是汉人），西域人士 36 人。这些懂汉藏两种语言的人，无疑对汉藏文化的理解也是比较深入的，他们在藏汉文化交流中起着非常重要的作用。

学习借鉴汉文化，是吐蕃王朝时期汉藏文化交流中的一个重要特点，除了上述的一些重要的文化事件、人物外，新旧《唐书》中提到了两位在汉文化修养方面卓有成就的人物——仲琮和名悉腊。他们多次出使长安。《新唐书·吐蕃传》曰：

> 吐蕃遣大臣仲琮入朝。仲琮少游太学，颇知书。帝召见问曰："赞普（指芒松芒赞）孰与其祖（指松赞干布）贤？"对曰："勇果善断不逮也，然勤以治国，下无敢欺，令（今）主也。且吐蕃居寒露之野，物产寡薄，乌海之阴，盛夏积雪，暑毼冬裘。随水草以牧，寒则城处，施庐帐。器用不当中国万分一。但上下一力，议事自下，因人所利而行，是能久而强也。"帝曰："吐谷浑与吐蕃本甥舅国，素和贵叛其主，吐蕃任之，夺其土地。薛仁贵等往定慕容氏，又伏击之，而寇我凉州，何邪？"仲琮顿首曰："臣奉命来献，它非所闻。"帝韪其答。

看来仲琮不但有较高的汉语文水平，而且懂得外交。名悉腊晚于仲琮。《旧唐书·吐蕃传》谓：

（开元）十八年十月，名悉腊等至京师……悉腊颇晓书记，先曾迎金城公主至长安，当时朝廷皆称其才辩。及是上引入内宴，与语，甚礼之，赐紫袍金带及鱼袋，并时服、缯彩、银盘、胡瓶，仍于别馆供拟甚厚。悉腊受袍带器物而却进鱼袋，辞曰："本国无此章服，不敢当殊异之赏。"上嘉而许之。

悉腊为何不敢受鱼袋？因为鱼袋是唐朝五品以上官员盛放鱼符（唐代授予臣属的信物，同于虎符，唐高宗避讳其祖李虎名，而改为鱼符）的袋子，假如接受了鱼袋，就等于受了唐之委任，成了唐廷官吏。而名悉腊不直言，对以"本国无此章服，不敢当殊异之赏"，既保持了吐蕃使节的尊严，又很巧妙地拒绝了唐廷的诱使。

从被学界基本肯定的具有代表性的文化交流看，吐蕃东传的马球和唐朝西播的茶叶是最引人入胜的。

马球藏语称 པོ་ལོ།，唐时译为"波罗"。自吐蕃地区传入长安等地后，深受欢迎。《封氏见闻记》有载：

景云中，吐蕃遣使迎金城公主，中宗于梨园亭子赐观打球。吐蕃赞咄奏言："臣部曲有善球者，请与汉敌。"上令仗内试之，决数都，吐蕃皆胜。时玄宗为临淄王，中宗又令与嗣虢王邕、驸马杨慎交，武延秀等四人敌吐蕃十人，玄宗东西驱突；风回电激，所向无前，吐蕃功不获施。

在唐宫廷中打马球成为当时的时尚，连贵为天子的皇帝也积极参与，下场比赛，就可知其影响之深刻了。诗人杨巨源的《观打球有作》诗，如此描绘打球情景：

亲扫球场如砥平，
龙骧骤马晓光晴。
入门百拜瞻雄势，
动地三军唱好声。
玉勒回时霑赤汗，
花鬃分处拂红缨。
欲令四海氛烟静，
杖底纤尘不敢生。

藏语中的“茶”（ཇ）是汉语译音。虽然藏文典籍中对茶叶自何时传入吐蕃有多种说法，但对它的描述却十分动人。

《汉藏史集》说，茶叶在藏地的出现始于吐蕃赞普都松芒保杰（676～704）时期，即公元8世纪初。故事说都松芒保杰害了一场重病，当时吐蕃没有很高明的医生，赞普只能调剂饮食，注意休养。有一天，王宫屋顶的栏杆上飞来一只美丽的小鸟，口衔一根树枝，树枝上有几片叶子。开始赞普并未留意，翌日旭日东升，小鸟又来婉转啼叫，于是赞普命人将小鸟口中的树枝拿来榻上，竟是一种谁也没见过的树，摘一树叶入口品尝，顿觉清香袭人，煮沸饮用，更是浓香入心，精神也大好了。于是，赞普命人去寻找能治病养身体的树。吐蕃的臣民们四散去找，其中一个忠于赞普一心想着赞普早日康复的大臣，在汉藏边境看见了这种树。它长在汉地。可是，有一条河挡着他的去路。大臣想起赞普的病，决心泅水过河，正在这时，一条大鱼从他眼前一直游过河去。大臣想这是鱼王显现引路，说明河虽宽阔，不会淹死人，便蹚过河采得一捆茶树枝。后来又来一只白色母鹿为他引路，跋山涉水，来到赞普王宫，赞普用它疗养病体，果然大获效益。这便是茶在吐蕃的来历。

传说茶叶与藏族语言学的发展也有一定联系。《汉藏史集》又说，吐弥桑布札去印度学习创制文字。印度文字元音有16个，辅音有34个，虽然都能发出声来，但吐蕃人很不容易把音发准。吐弥想不出好办法，就将寝门紧闭，昏然睡去。醒来时见身边有一位瘦小的老太婆。便问：我将门紧闭，老太太是如何进来的。老太太说天空是我的路，你将门紧闭又有何妨。吐弥听了迷惑不解，再次询问路程有多远。老太婆说没一定，吐弥再问路上带什么口粮，老太婆回答说是茶叶。说完顿然消隐。此事过后，吐弥才从老太婆的话中悟出有 འ、ཞ、ཙ、ཚ、ཇ 等6个印度文字中没有的音，构成藏文30个字母。等等。

至少可以说，自唐以后，汉地的茶叶也像滚滚的黄河、长江，源源不断地走向青藏高原。茶马交易成了历史上藏、汉之间最大的贸易。藏人也因此有了一系列的饮茶之道，被描绘成“嗜茶如命”的民族。

二、与印度、泥婆罗的文化交流

（一）学经、译经

从历史的大背景看，在周缘民族中藏人较早受到汉、波斯等民族的影响，苯教文化即是。作为文化影响其渠道是多样的，其时间也是久远的，在研究中，我们可以看到许多难以判定归属的文化痕迹。当然，这种印迹将会越来越少，因为新的考古发现和新的科学手段，使我们在不断地揭开一个又一个的文化奥秘。对藏文化的研究也是这样。任何民族的发展都是一个历史过程，都不是孤立的，吸收和摈弃是每个民族的文化所有的共同的功能，只是在不同的历史阶段，不同的民族的这一功能发挥的程度有所差别罢了，对吸收对象的选择有所差别罢了；只是对自己民族文化中那种为历史所淘汰的文化的摈弃的程度有所差别，对摈弃的文化对象有所选择罢了。

关于印度文化对藏文化的影响，一般的叙述都是从吐弥桑布札去印求学、赤尊公主入藏等为始点。在此前，据说在拉脱脱日年谢时曾有宝箧自天而降，内有金塔、经书、咒语等。虽不知是何物，但从历史的背景分析，此时受到印度佛教文化的影响也在情理之中。从地域关系推论，尼泊尔与藏人的接触可能早于印度，这不是因为尼泊尔在克拉底王朝统治时代降生在尼泊尔南部的兰毗尼园的佛陀释迦牟尼的出现，那时候的尼泊尔的统治者以及后来李查维王朝时的统治者多来自印度的所谓高贵种姓。从阿姆苏·瓦尔马（Amushu Varma）时代始，即他于639年将公主布丽库蒂（即赤尊公主）嫁给松赞干布时，尼泊尔和藏民族的关系便进入了一个崭新的历史时期。据说松赞干布十分喜欢赤尊公主，现存的大昭寺就是为她所建。《贤者喜宴》等史籍反映，赤尊公主进藏时带来了部分佛经、佛像和尼泊尔的绘画、建筑等方面的工匠。印、尼文化始入藏土。此后国王纳伦德拉·德瓦（约643～683年）曾到吐蕃逃难，松赞干布派兵夺回了被其叔篡夺的王位。从敦煌文献看，此时泥婆罗与吐蕃有宗主国关系。

松赞干布时，吐弥桑布札等16名青年到印度学习语言和佛教经典，吐弥桑布札等可能就是藏人最早的留学生。这也是上升时期的吐蕃励精图治的藏王们的英明之处。“他山之石，可以攻玉”，没有多领域、多层次广泛的“取经”活动，吐蕃时期空前的发展就无从谈起了。桑布札翻译的20多种经典，大约就是藏族最早的典籍。

学经、译经的开始，从根本上讲是以佛教为主体的印度文化对藏族的传统文化产生影响的开始。自此开始，藏族的学界大师们在这一方面投入了巨大的精力，而且前后经历了数个世纪。

拜印度佛学大师学佛，与印度高僧共同翻译经典，是藏族的僧人们在学经、译经方面的一个突出特点。

巴赛囊被反佛大臣排挤后，到印度那烂陀寺、大菩提寺朝拜，遇到了寂护（又译静命）大师，请他到藏土传法。寂护来到吐蕃后在秦浦住了四月，宣传佛教的基础理论“十善法”。因当时吐蕃正闹饥荒、瘟疫，反佛崇苯的大臣仍将其归罪于寂护，认为上事都是因为寂护来藏，得罪了吐蕃本地护法神所致。巴赛囊不得不送回寂护。经寂护推荐，引请莲花生大师入藏。

莲花生对待当时强大的苯教的策略可归结为：化苯为佛，综合性渗透。

莲花生是位具有一定“法术”（气功之类）和咒术的佛学大师，他一路入藏，一路降伏鬼怪，即将当时一些反佛的苯教地方首领收服，成为佛教的护法神（弃苯崇佛，以其力量为佛教服务）；一路将佛教的岩刻艺术留在所经之路——因为从形象上，佛教的佛容以及怒相神和静相神都有直观的意义，对藏人来说也是十分新鲜的，同时，也将佛教的法舞（甚至音乐之类）也利用起来，为其目的服务。

公元759年佛苯在江布园辩论，苯教失败，倾向佛教的赞普也下令禁苯崇佛，将苯教赶回其故地象雄，将一部分苯典投弃水中，将一部分苯典镇压于桑耶寺的黑色佛塔之下。莲花生对苯教仍然采取了理论上否定，形式上吸收的办法。这一办法显然是十分奏效的，没有理论上对苯教的否定，佛教思想就很难扎根于吐蕃；同样，没有形式上的吸收，佛教也很难得到朝廷和百姓的吸纳、接收。如此巧妙地形式和内容的结合，才给佛教文化驻足吐蕃找到了出路。上文已述及，对于佛教一方来说，此时的苯教问题并不是几个苯教教徒的问题，而是如何评价、适应、对待以苯教为主体的藏族文化这个整体。简单的否定和简单的肯定都会给本身的发展造成障碍。莲花生是懂得辩证法和一切从实际出发这个道理的。是故有此高招。以此为滥觞，才使后来的藏区，既在佛教义理方面有丰厚的文化积累，也使得苯教的修福祭祀、禳灾送祟、焚尸逐魔、熏烟驱秽等仪轨保存了下来。

建造寺观是佛教在藏土发展的另一重要文化标志，其中也有印度、尼泊尔僧人的巨大贡献。779年建成的藏区第一座寺院的寺址是莲花生勘定的，而设计是由寂护完成的，奠祭仪式由赤松德赞亲自主持；三层楼房之第一层采用藏式建筑，第二层用汉式建筑形式，第三层用印度建筑形式（俗所谓“三样寺”之来由），而建筑整体以古代印度波罗王朝高波罗王（约公元7世纪）在摩揭陀所建的欧丹达菩黎寺为蓝本，以佛教的宇宙论，采用象征手法建造——主殿象征须弥山，其四方四殿为四大洲，挨近四殿各设二殿，为八小洲，主殿旁设两殿、象征日、月，周缘为围墙，象征铁围山，使桑耶寺本身成为立体的形象的教材，寺内有佛教无数绘画，堂皇富丽。莲花生亲自为之开光。倘若从宗教角度观之，桑耶寺的建立，也代表着佛教据点（坛场）在藏土的建立；“七试士”的出家为僧，使以佛教为主体的印度文化在藏土找到了自己异族的排头兵，也为佛教这一异质文化畅行藏土，开辟了道路。

莲花生和寂护在藏印文化交流史上的作用是巨大的，从他们开始，莲花生的密宗、寂护的随瑜伽行中观宗也在藏畅行千余年而不衰，尤其是莲花生，不但活在史著中，也活在众多的文学作品中，像藏族长篇英雄史诗《格萨尔王传》中就有他崇高的地位，另外，藏土还流传规模宏大的《莲花生大师传》，据该书的译者洛追嘉措称此传有数百部之多，由 2500 多伏藏师发掘而来。

此时尚有莲花戒等名僧入藏，吐蕃也涌现出在印度留学归来的白若杂纳等藏人名僧。自然，全方位的来势凶猛的印度文化对藏文化的冲击，也引起了以苯教为主体的藏文化的殊死抵抗。

《白玛噶塘》载蔡邦氏的话说：“所谓嘎巴拉（ཀ་པཱ་ལ།），就是人的头盖骨；所谓巴苏大（པ་སུ་ཏ།）就是掏出来的人的内脏；所谓冈凌（ཀང་གླིང་།），就是用人胫骨做的号；所谓兴且央希（ཞིང་ཆེ་གཡང་གཞི།）就是铺开来的一张人皮；所谓罗克多（རཀ་ཏ།），就是在供物上洒人的鲜血；所谓曼陀罗（དཀྱིལ་འཁོར།），就是一团像虹一样的彩色；所谓金刚舞士（གར་པ།），就是带有人骨头做的花鬘的人……这不是什么教法；这是印度进入西藏的罪恶。”然而，在理论上，苯教无法与体系庞大的佛教匹敌，旋有顿渐之争，印度佛教徒在藏王支持下获得胜利。

这一时期，印、藏文化交流中的一件不朽盛事便是大量翻译佛教经典，整理有《秦浦目录》、《旁塘目录》、《丹噶目录》三大目录，涌现出一批杰出的译师。

（二）文学艺术

随着译经活动的开展，有关佛教的文学作品和印度非佛教的文学作品风靡藏土。从而形成佛经文学系统和佛教艺术系统。从翻译角度看，翻译典籍的完成大约已到十四五世纪，其标志为《大藏经》的辑成，一些著名的翻译大家也在此前出现。综合后期翻译作品，可看出其巨大影响：

1. 诗歌。有龙树大师的《百智论》、《修身论智慧树》、《修生论众生养育滴》、尼玛白巴的《颂藏》、却色的《百句颂》、遮那伽的《修身论》等格言诗作，为《萨迦格言》等格言诗作的样板，后世格言诗作多有吸收其形式和内容。

抒情诗有印度杰出诗人、剧作家迦梨陀娑的《云使》等。

叙事诗有《罗摩衍那》、《菩萨本生如意藤》、《佛所行赞》等。

2. 故事。有大量的佛经故事、辑录于《本生论》、《百缘经》、《贤愚经》等。

民间故事有著名的《尸语故事》（别译《说不完的故事》、《鬼语故事》等）。

3. 戏剧。有印度戒日王（590～648）之《龙喜记》等，藏戏借鉴了印度戏剧的基本形式。

4. 文学理论著作。有檀丁的《诗镜论》，自译为藏文后，有历代文人的注疏，至今仍是有些学校的必修课程。

5. 绘画艺术。有《绘画度量经》（རི་མོའི་མཚན་ཉིད།）等，对藏人绘画艺术卓有影响。

6. 在学术思想方面，以“五明”（内明、声明、因明、工巧明、医方明）治学，对藏族文人影响甚大，尤其是一些语言学、音乐、舞蹈、技艺、历法方面的学问。

对藏族文化的影响首推印度，因此问题以上诸章间或均有涉及，故扼要述之。